ISBN 978-0-428-72495-5
PIBN 10457034

FB &c Ltd, Dalton House, 60 Windsor Avenue, London, SW19 2RR.
Company number 08720141. Registered in England and Wales.

For support please visit www.forgottenbooks.com

Leipziger Repertorium

der

deutschen und ausländischen Literatur.

Vierter Band.

Leipziger Repertorium

der

deutschen und ausländischen Literatur.

Unter Mitwirkung der Universität Leipzig

herausgegeben

von

Dr. E. G. Gersdorf,
Hofrath und Oberbibliothekar.

Erster Jahrgang.

Vierter Band.

Leipzig:
F. A. Brockhaus.
1843.

Inhalts-Uebersicht.

Wissenschaftliche Uebersichten.

Beurtheilende Anzeigen.

Bibliographie.

Verbesserungen.

Bd. III. S. 476. Z. 4 lies: begnügt statt bezeigt
„ IV. „ 379. „ 2 lies: ächt wiss. statt nicht wiss.

Leipziger Repertorium

der

deutschen und ausländischen Literatur.

Erster Jahrgang. **Heft 40.** 6. Oct. 1843.

Literaturgeschichte.

[[illegible]] Spicilegium Romanum. T. I—VII. Romae, typis Collegii Urbani. 1839—1842. gr. 8. (16 Sc. Rom.)

Diess ist Alles, was bibliographische Genauigkeit als Gesammttitel des ganzen Werkes anzuführen erlaubt; die vollständigen Specialtitel der einzelnen Theile werden sich passender bei der weiteren Besprechung dieser angeben lassen. Vorher aber noch einige allgemeine Bemerkungen über das Ganze. Was zuerst den Herausgeber anlangt, so ist dieser nirgends genannt; sein Name kommt sogar, und noch dazu nicht nothwendig in dieser Eigenschaft, nur ein einzigesmal in einem Dedicationsschreiben von Pietro Matranga Tom. IV. Praef. p. XVII. vor. Dagegen ist allerdings theils durch zuverlässige Aussagen öffentlicher gelehrter und politischer Blätter längst bekannt, theils aus vielen im Buche selbst vorkommenden Verweisungen auf die früher von dem Herausgeber mit Nennung seines Namens veröffentlichten Sammlungen von Anecdotis und andere Werke zu ersehen, dass die Literatur diese Mittheilungen dem rastlosen Sammlerfleisse und der ausgebreiteten Gelehrsamkeit des Cardinalpresbyter Angelo Mai, bis vor Kurzem Bibliothekars im Vatican, zu verdanken hat. Es erklärt sich also auch der Titel der Sammlung ohne Schwierigkeit dahin, dass der Herausgeber eine Nachlese Dessen, was in den römischen Bibliotheken (nur selten schöpft er aus andern; was wir dann immer bemerken werden) nach den fast unzählbaren Publicationen gleichfalls fast unzählbarer Gelehrter noch Bedeutendes und Beachtenswerthes übrig geblieben ist, und noch specieller Nachträge und Ergänzungen zu seinen beiden früheren Sammlungen: „Scriptorum veterum nova Collectio e Vaticanis codicibus". (VI Tomi. Romae 1825—1832. 4.) u. „Classici Auctores e Vatic. codd. editi" (X Tomi. Romae 1828—38. gr. 8.) zu geben beabsichtigt. Doch ist diess freilich immer nur Vermuthung und gründet sich nur auf einzelne gelegentliche Aeusserungen, da eine allgemeine Vorrede, die den Leser auf den richtigen Standpunct zur Würdigung und Benutzung des Ganzen stellen könnte, nicht vorhanden ist. Gleicherweise fehlt auch ein Realregister und ein Autorenverzeichniss. Indess ist darüber mit dem Herausg. nicht zu rechten, da sich die Sammlung auf keine Weise als eine abgeschlossene, im Gegentheil durch einzelne Andeutungen als eine noch fortzusetzende ankündigt, und also zu hoffen ist, dass das Vermisste mit der Zeit noch nachgeholt werde. Inzwischen mag sich der Herausgeber nicht beklagen, wenn bei dem bedeutenden Umfange des Veröffentlichten man nach Plan und Anlage des Ganzen fragt, und in Ermangelung seiner Erklärung aus eigener Anschauung darüber ins Klare zu kommen sucht. Und da kann Ref. denn doch die Bemerkung nicht unterdrücken, dass ein festes, die Auswahl, Anordnung und Zusammenstellung der einzelnen Schriften bedingendes und leitendes Princip sich nicht bemerkbar gemacht hat. Bisweilen sind allerdings Gruppen von Schriften zu unterscheiden, die durch innere Verwandtschaft, Gemeinsamkeit der Verfasser, Aehnlichkeit und Uebereinstimmung des Inhaltes, Beziehung auf gleiche Ereignisse oder gleichzeitige Entstehung sich gewissermaassen von selbst bilden konnten. Anderwärts aber ist der Grund der Zusammenstellung ein mehr äusserlicher, durch den Inhalt einer, mehrere Stücke begreifenden Handschrift und ähnliches gegebener. In noch anderen Fällen haben Rücksichten auf den Druck über die Aufnahme, Stellung und Behandlung entschieden, so dass bald um Raum zu füllen etwas hereingenommen, bald um Raum zu sparen, etwas in seinem Umfange beschränkt worden ist. Ersteres ist unverfänglich, obwohl auf diese Art Manches zur Aufnahme gekommen sein mag, das ohne Nachtheil hätte wegbleiben können, letzteres hingegen ist, so wie überhaupt die vielen Excerpte und Bruchstücke, die auch ohne Noth anstatt des Vollständigeren gegeben werden, wenigstens unserer Ansicht nach nicht gut zu heissen. Namentlich bei dogmatischen Werken von Häretikern und Schismatikern erregen Abkürzungen und Auslassungen, selbst wenn sie aus Liebe zum Frieden gemacht sind, ein gewisses Misstrauen, und nicht einmal die notorisch gemässigte Denkweise des Herausgebers kann uns diesseits der Alpen sichere Bürgschaft für ein rein wissenschaftlich unparteiisches Verfahren leisten. Dass übrigens die Auswahl im Allgemeinen ein vorherrschend theologisches Gepräge trägt, dawider ist nichts Erhebliches zu sagen; es geht denn doch fast keine Wissenschaft ganz leer aus, und Hr. Mai hat ja auch früher bewiesen, dass er über der Wissenschaft, die ihm die nächste und höchste ist, keine der übrigen ganz vergisst. Wir haben noch hinzuzusetzen, dass die eigenen Arbeiten des Herausgebers nicht das Schlechteste in der Sammlung sind; seine schön stilisirten Vorreden und Einleitungen bieten eine Fülle von mannichfacher Gelehrsamkeit, gründlichen Erörterungen und schätzenswerthen, ob auch nicht immer strenggenommen zur Sache gehörigen Notizen dar, und durch seine Anmerkungen und Uebersetzungen wird das Verständniss der damit versehenen Schriften sicherlich vielfach gefördert werden. Auch der Druck in denselben Typen, wie die Classici Auctores, ist elegant und correct, die Einrichtung, namentlich die Columnentitel bequem, das Papier weiss und anscheinend dauerhaft. Ref. geht nun zur Besprechung der einzelnen Theile (die beiläufig gesagt, wohl kaum in der durch die Zählung angedeuten Reihenfolge gedruckt worden sein können, da z. B. Tom. III. p. 2 auf T. IV. p. 248, und p. 740 auf T. VI. Praef. p. XLII verwiesen wird) über. Hierbei wird natürlich sein Augenmerk hauptsächlich darauf gerichtet sein, den Lesern eine möglichst specielle und genaue Uebersicht aller einzelnen Stücke zu geben, welche in den vorlieg. 8 Thln. enthalten sind, und zwar so viel als möglich unter Anführung der in den Handschriften selbst befindlichen Ueberschriften in der Grundsprache. Tieferes Eingehen auf den Inhalt, Untersuchungen über Aechtheit oder Unächtheit, genauere Nachforschungen, ob etwa eins oder das andere bereits irgendwo gedruckt sei, und gründliche Würdigung der Leistungen des Herausgebers im Einzelnen müssen anderen Zeitschriften überlassen bleiben.

[6654] Spicilegium etc. Tom. I. Virorum illustrium CIII qui saeculo XV. extiterunt vitae auctore coaevo Vespasiano Florentino. Praeit Bernardi Baldi de scribenda historia Tractatus. 1839. XLVIII u. 688 S. gr. 8.

Die Vorrede enthält zuvörderst biographische und literarhistorische Notizen über den Vf. der Lebensbeschreibungen, theils nach in diesen selbst vorliegenden Andeutungen, theils nach den Aufklärungen von Mehus in der für die ältere florentinische Literargeschichte so wichtigen Vorrede zu Ambrosii Traversarii Epistolae. Flor. 1759. Vespasianus (geb. vielleicht kurz nach 1420, gest. nicht vor der zweiten Hälfte des J. 1493. p. XVIII f.) war Schreiber und Buchhändler zu Florenz und wurde um seiner Kenntnisse, Thätigkeit und Zuverlässigkeit willen von vielen der hochgestelltesten und ausgezeichnetsten Bibliophilen und Gelehrten jener Zeit zur Anlegung und Vervollständigung ihrer Bibliotheken gebraucht. Die mannichfachen persönlichen Verbindungen, zu welchen er auf diese Weise gelangte, so wie sein eigener Charakter, machten ihn, obwohl er eigentlich wissenschaftliche Bildung nicht besass, doch zum Biographen vorzugsweise geschickt. Die weitere Charakteristik seiner Lebensbeschreibungen und Dessen, was bei der Herausgabe derselben zu thun war (wovon gleich nachher), führt den Herausgeber bei Gelegenheit einer Stelle über Henoch von Ascoli auf ein von diesem angeblich entdecktes Gedicht „Orestis fabula“, von welchem er, unentschieden lassend, ob es alt oder neu sei, p. XXIV ff. aus einer Mailänder Hdschr. die ersten 50 Verse mittheilt. Den Schluss der Vorrede bilden nach einigen Worten über den Vf. von p. XXVIII—XLIV der auf dem Titel angegebene „breve trattato dell' istoria di Bernardino Baldi da Urbino“, und ebendesselben „Esame di alcuni luoghi del Guicciardini che riguardano Francesco Maria I. Duca d' Urbino“, letzteres jedoch mit beträchtlichen Auslassungen. — Die „Vite di uomini illustri del sec. XV. scritte da Vespasiano fiorentino contemporaneo“ sind aus einer vaticanischen Hdschr. entlehnt. Es sind 103, von denen sechs bereits früher gedruckt worden. Da sich jedoch bedeutende Varianten finden, wie denn überhaupt alle bekannten Codices Vespasiano's theils in der Anzahl der Biographien (die in verschiedenen Abtheilungen, wohl auch zum Theil einzeln abgeschrieben und verbreitet worden sein mögen), theils im Texte selbst beträchtlich von einander abweichen; so hat es der Herausgeber vorgezogen, seine Handschrift als die vollständigste von allen (obgleich selbst in ihr noch das in einem Florentiner Codex befindliche Leben des Bartholomäus Fortinius fehlt, so wie 12 andere, von denen der Herausgeber selbst Tom. VIII. Praef. p. XX f. aus einer anderen vatican. Hdschr. wenigstens die Titel nachweist) auch vollständig wiederzugeben. Indess sind doch einige Veränderungen damit vorgenommen worden. Denn des Vfs. geringe wissenschaftliche Bildung zeigt sich in seiner Schreibart zu sehr, als dass der Herausgeber bei aller Anerkennung des zum Grunde liegenden guten toscanischen Sprachelements nicht vielfach hätte nachhelfen sollen. Ferner sind manche Aeusserungen nationeller oder persönlicher Abneigung weggelassen worden (p. XIII). Endlich hat auch der Herausgeber die einzelnen Lebensbeschreibungen hin und wieder anders geordnet und in fünf Abtheilungen geschieden: 1. Pontefici, Re, Principi Sovrani (Eugen IV., Nicolaus V., Alfons K. von Neapel, Federico Herz. von Urbino, Alessandro und Gostanzo Sforza), 2. Cardinali (7—22). 3. Arcivescovi, Vescovi, Prelati, e Religiosi (23—51). 4. Uomini di Stato (52—71). 5. Letterati (72—103). Ausserdem hat Hr. Mai nur noch wenige und meist sehr kurze Anmerkungen sprachlichen, bibliographischen oder geschichtlichen Inhalts in italien. Sprache beigefügt, um nicht durch weitläufige Erläuterungen und Zusätze, zu welchen sich allerdings in den Handschriften des Vaticans Stoff genug vorgefunden haben würde, den ohnehin nicht geringen Umfang des Bandes allzusehr zu vergrössern. Einige Nachträge dazu finden sich noch Tom. VIII. Praef. p. XXI f. Was nun endlich den Gehalt des Werkes selbst anlangt, so sagt der Vf. selbst: „ho fatto memoria di tutti gli uomini dotti (vor- und nachher allgemeiner: singulari), che ho conosciuti in questa età, per via d' uno breve comentario, — a fine che la fama di si valenti uomini non perisca" (prol. p. 4). Er hat also keine förmlichen Biographien beabsichtigt, sondern mehr Memorabilien, Erinnerungen, Schilderungen von dem, was ihm an einem Jeden merkwürdig erschienen war. Daher der durchgängige Mangel aller Zeit- und Jahr-Angaben, nirgends Geburts- und Sterbe-Tage oder andere chronologische Bestimmungen; kein vollständiger Lebenslauf, keine nach allen Seiten hin ausgeführte Charakterzeichnung, auch nicht überall Angabe der Schriften u. s. w. Dabei nicht selten die grösste Kürze, so dass auf etwa einer halben Seite Herkunft, Bildung, Wirkungskreis und Charakter eines Mannes angeben wird. Dagegen finden sich aber auch häufig und namentlich von bedeutenderen Erscheinungen und solchen, bei denen der

Vf. mit Vorliebe verweilt, ausführlichere Schilderungen, zum Theil voller interessanter Ereignisse und charakteristischer Züge, denen man die Wahrheit ansieht, in einfacher anspruchsloser Darstellung, und mit dem Gepräge der Unparteilichkeit.

[6855] Spicilegium etc. Tom. II. Ang. Politiani Interpretatio poetica librorum IV Iliadis. Iacobi Sadoleti Card. Tractatus de Christiana Ecclesia, et alius ad Clementem VII. Aleandri sen. Card. Epistolae aliquot. Cosmae Hieros. Commentarius ad Carmina S. Gregorii Nazianzeni. Nonni ad duas ejusdem Orationes. Libanii Dictiones IV. Ioh. Philoponi Prologus ad Nicomachi Arithm. 1839. XX, 240, 400 u. 28 S. gr. 8. mit 1 Facsim. in Kpfrst.

1. Dass Politian an einer metrischen Uebersetzung der Ilias gearbeitet habe, war längst bekannt, aber man hatte sie noch nicht aufgefunden. Nun erhalten wir davon vier Bücher (2—5, da Politian nach einer Aeusserung in der an Lorenzo de' Medici gerichteten gleichfalls poetischen Dedication das erste überging, weil es schon von Carlo Marsupino übersetzt war), hiermit wahrscheinlich aber auch Alles, was der Uebersetzer überhaupt vollendet hat; wenigstens sind die beiden letzten nur in einem anscheinend von Politian eigenhändig geschriebenen Manuscripte vorhanden, während die beiden ersten im kunstvoll geschriebenen Dedicationsexemplare, nur hin und wieder von dem Uebersetzer berichtigt, vorliegen. Bekanntlich war ja auch schon Mencken der Ansicht, dass eine vollständige Uebersetzung des ganzen Gedichtes wenigstens zweifelhaft sei. Ueber den poetischen Werth und die Treue der Uebersetzung mögen andere urtheilen. — Es folgen zwei Schriften von Sadolet, die erste 2. de Christiana ecclesia ad Johannem Salviatum Cardinalem (p. 101 ff.) freilich nur das I. Buch von den vier, aus denen die ganze Abhandlung bestand. Der Vf. behandelt in eleganter Sprache zuvörderst im Allgemeinen und ohne sich an einen streng abgemessenen Gedankengang zu binden den Begriff der Kirche, und kommt dann auf den geistlichen Stand und den Cölibat, für dessen Beibehaltung er sich am Ende des Buches entschieden ausspricht. Der Inhalt der fehlenden Bücher lässt sich aus dem p. 105 erwähnten Gespräche mit Salviati, welches eben Anlass zu weiterer Beschäftigung mit den besprochenen Puncten gab, ungefähr errathen; namentlich scheint auch die Stellung und der Beruf der Cardinäle zur Sprache gekommen zu sein. Die Zeit der Abfassung ist 1539. Die zweite Schrift hat die Aufschrift: Ad Sanctiss. ac Beatiss. Patrem Christi D. N. in terris Vicarium Clementem VII. Pont. Max. Jacobi Sadoleti Ep. Carpentor. in duo Johannis loca de Nicodemo et de Magdalena p. 179 ff. Sie ist im J. 1534 geschrieben auf das Verlangen des Papstes, Joh. 3, 1—21. u. 20, 17. gründlich zu erklären. 3. Die fünf Briefe Hieronymus Aleanders (1. an den Cardinal Giulio de' Medici, 2—3. an Leo X., 4. an Willelm Henchenvoirt, 5. an Peter Caraffa, [nachher Paul IV.]) nebst dem Fragmente eines längeren an Paul III. p. 231 ff. sind ohne besondere Wichtigkeit, und wäre zu wünschen gewesen, dass der Herausgeber aus der schö-

nen Sammlung, die ihm nach p. XII zu Gebote steht, Bedeutenderes mitgetheilt hätte. — Mit 4. „*Συναγωγη και Εξηγησις ὧν εμνησθη ἱστοριων ὁ θειος Γρηγοριος εν τοις εμμετρως αυτῳ ειρημενοις εκ τε της θεοπνευστου γραφης και των εξωξεν* (sic) *ποιητων και συγγραφεων. Κοσμα Ἱεροσολυμιτου πονημα Φιλογρηγοριου*" beginnt der zweite besonders paginirte Haupttheil dieses Bandes, entlehnt aus einer Vaticanischen, fast ganz gut erhaltenen Handschrift. Der Inhalt ergibt sich aus der Aufschrift nicht vollständig, denn das Ganze enthält ausser dem Haupttheile, der den besondern Titel *Κοσμα ἱστοριαι* führt und in 153 *Λογοις* bei weitem die meisten der in verschiedenen Ausgaben veröffentlichten Gedichte behandelt, noch zwei andere kürzere Abschnitte, *αλλαι ἱστοριαι* p. 307 ff. in 32 Abtheilungen, auf die nur in den Reden Gregors vorkommenden Anspielungen bezüglich, und *Εξηγησις ὧν ὁ θειος Γρηγ. εφυσιολογησεν εν τοις εμμετρως αυτῳ ειρημενοις προστασσομενου στιχου* (Physiologica) p. 318 ff. worin allerhand naturhistorische und physikalische Beziehungen, jedoch nur in wenigen Gedichten, erläutert werden. Das Ganze ist für die Kritik und das Verständniss des Schriftstellers, nicht selten auch für Mythologie, alte Geschichte und Archäologie von Wichtigkeit, wobei jedoch nicht übersehen werden darf, dass der Vf. das frühere Werk des Nonnus Expositiones historiarum, quarum Greg. Naz. in utraque in Iulianum invectiva meminit (ed. Rich. Montacutius. Etonae. 1710), wie auch die gleich zu erwähnenden sehr stark benutzt hat. 5. a) *Του Αββα Νοννου Συναγωγη και Εξηγησις των Ἑλληνικων ἱστοριων, ὧν εμνησθη ὁ πανσοφος και εν ἁγιοις μεγας Γρηγοριος ὁ θεολογος εις τον Επιταφιον του εν ἁγιοις πατρος ἡμων και μεγαλου Βασιλειου* 13 Capp. enthaltend S. 374 ff. — b) Ebendess. *Εξηγ. των Ἑλλ. ἱστ., ὧν εμν. ὁ πανσ. καὶ θειος Γρηγ. εν τῳ εις τα ἁγια φωτα λογῳ* gleichfalls 13 Capp. p 381 ff.; beide Schriften sind sehr abgekürzt, da der Herausg. die von Cosmas in seinen Commentar aufgenommenen und dort bereits abgedruckten Stellen nicht wiederholen wollte. Doch vermissen wir ungern jede Nachweisung des Weggelassenen. 6. Die unter dem Namen des Libanius p. 388 ff. mitgetheilten vier kurzen Stücke, die sich am Ende einer rhetorische Werke dieses Schriftstellers enthaltenden Handschrift finden, weist der Herausgeber selbst Tom. V. Praef. p. XXVIII dem Choricius zu; so weit wir die angegebenen Gründe zu beurtheilen vermögen, mit Recht. — 7. *Ιωαννου Γραμματικου Αλεξανδρεως Εξηγησεις εις το πρωτον της Νικομαχου αριθμητικης Εισαγωγης* p. 392 ff. Nur das prooemium als Probe. Den Aeusserungen des Herausg. gemäss (Praef. p. XX) sollte man es für eine Rückübersetzung aus dem Syrischen halten. — 8. Endlich stehen hier noch als von Neuem besonders paginirter Anhang vier griechische Fragmente historischen Inhalts, welche der Herausg. in einem Palimpsest des Klosters Grotta (Crypta) ferrata bei Frascati unter einem im 14. Jahrh. geschriebenen Fragmente der Iliade entdeckt hat. Sie beziehen sich auf die Zeit der Kaiser Julian, Arcadius, Theodosius II. und Justinian I., und sind von spätern Byzantinern, besonders von Johannes Malalas, stark benutzt. Der Herausg. hat sie lateinisch übersetzt, hin und wieder zu ergänzen versucht, auch die Varianten des Malalas und mancherlei eigene Bemerkungen nebst einem Facsimile beigefügt. Ueber die Zeit ihrer Abfassung spricht er sich in dem besonderen Vorworte „de fragmentis historicis Tusculanis“ dahin aus, dass diess unter Justinians I. Regierung geschehen sein müsse. Die Person des Vfs. bezeichnet er nur vermuthungsweise.

[6856] Spicilegium etc. Tom. III. SS. MM. Cyri et Iohannis laudes et miracula LXX., Scriptore S. Sophronio, interpretibus Bonifacio Consiliario et Anastasio Bibliothecario. S. Petri Alexandrini vita eodem Bibliothecario interprete. Fragmenta theologica priscorum auctorum ex codd. Arabicis et Syriacis. Henrici VIII R. A. Epistola adversus Lutherum. 1840. XX u. 750 S. gr. 8.

Bevor wir über die auf dem Titel angedeuteten Schriften etwas Weiteres sagen, muss erwähnt werden, dass der Herausgeber schon in einem Epimetrum zur Vorrede p. XVI unter dem Titel: *περι ἐξαγγελιων εκ του ἁγιου Σωφρονιου Ιεροσολυμων* (de peccatorum confessione) eine kurze Schrift mittheilt, die er für ein Werk des Sophronius hält. Wir möchten dem Titel zufolge darin eher einen Auszug aus einer grössern Schrift desselben erkennen. — 1. Es sind zwei von einander verschiedene Schriften des Sophronius, der damals noch als Mönch im Kloster des Theodosius bei Jerusalem lebte, welche den grössten Theil dieses Bandes einnehmen, nämlich a) *Εγκωμιον εις τους ἁγιους Κυρον και Ιωαννην τους μαρτυρας* p. 1 ff. und b) *Διηγησεις θαυματων των ἁγιων Κυρου και Ιωαννου των σοφων Αναργυρων* p. 97 ff. Letztere, auf den Wunsch der Heiligen selbst von dem Verfasser nach seiner Heilung von einem schweren Gesichtsleiden verfertigt, enthält 70 Wundererzählungen. Die 12 ersten derselben sind von Bonifacius, die übrigen und das Encomium von Anastasius übersetzt, beides schlecht genug; doch hat der Herausg. aus Pietät keine Verbesserungen vornehmen wollen. — 2. S. Petri Episc. Alex. et Martyris Acta sincera Anastasio Bibliothecario interprete p. 671 ff. Ausführlicher als die bei Surius ad d. 26. Novembr. — 3. Fragmente, zum Theil kurz und nicht alle gerade bedeutend; indess wollen wir sie doch einzeln anführen. Zuerst aus einem arabischen bei den Jacobiten in hohem Ansehn stehenden Buche fides patrum, der Beschreibung nach einem Seitenstück zu den libris sententiarum: a) aus Gregorii Thaumat. Sermo de Trinitate p. 696 ff.; b) aus einer Homilie von Alexander, Patr. von Alexandrien p. 699 f.; c) aus Silvestri Ep. Rom. Altercatio cum Judaeis p. 700 f.; d) aus Felicis I. Ep. Rom. Tractatus de incarnatione ac fide p. 701 f.; e) aus Innocentii I. Epist. ad Severianum Gabalorum Episcopum p. 702 f.; f) von Hierotheus, Bischof von Athen p. 704 ff.; g) von Archäus, Bischof von Leptitana in Afrika p. 707; h) von Eupraxius, einem Armenischen Bischof p. 707 f. Dann folgen i) aus einem Syrischen

Codex entnommene Fragmente einer Homilie von dem Alexandrinischen Patriarchen Timotheus III., welche in Verbindung mit den griechischen von Cosmas Indicopl. erhaltenen die Homilie vollständig herstellen p. 708 ff.; k) abermals aus der arabischen Handschrift mehreres von dem Alexandrinischen Patriarchen Theodosius, nämlich aus der Epistola ad Severum Antiochiae Patr. p. 710 ff., Epistola de exilio ad Alex. populum p. 713 und aus der Homilia, qua confitetur Trinitatis S. aequalitatem p. 717 ff. Endlich l) ebendaher sehr bedeutende und lange Bruchstücke aus mehreren Briefen, Reden und Schriften des Antiochenischen Patriarchen Severus p. 722 ff. Zu den meisten dieser Stücke, die sich alle auf die Frage von der Natur Christi beziehen, hat der Herausgeber sehr gründliche einleitende Bemerkungen gemacht; die Anmerkungen zum Texte sind grösstentheils dogmatisch-polemisch. Als Anhang dazu ist zu betrachten m. Notitia Epistolae theologicae Johannis Philoponi ad Iustinianum Imperatorem p. 739 ff. Der Brief, nach des Kaisers Tractatus ad monachos Alexandrinos geschrieben, ist in einem syrischen Codex enthalten; es wird aber seiner Länge wegen nur eine kurze Inhaltsanzeige gegeben. — 4. Contra Lutherum ejusque haeresim Epistola Serenissimi Regis Angliae ad Illustrissimos Saxoniae Duces pie admonitoria p. 471 ff. Ohne Datum, übrigens ein feiner Brief, um die fürstlichen Brüder zu bewegen, gegen Luther, von dessen Person der König sehr verächtlich spricht, während ihm doch die Fortschritte seiner Sache grosse Besorgnisse verursachen, nöthigenfalls gewaltsam einzuschreiten. Eine Nachschrift fordert noch ganz besonders die Fortsetzung der Bibelübersetzung, die aus solchen Händen hervorgegangen nur schaden könne, zu verhindern. Beigegeben ist ein Schreiben Leo's X. an den König über die vorläufige Bestätigung und Einsetzung des zum Bischof von London ernannten Cuthbert Tunstal p. 749. Beide Briefe gehören in eine Reihenfolge von andern, welche sich in der Vorrede zu Tom. VI. p. XLII ff. befinden.

[6857] Spicilegium etc. Tom. IV. Patrum ecclesiasticorum Serapionis, Joh. Chrysostomi, Cyrilli Alex., Theodori Mopsvesteni, Procli, Diadochi, Sophronii, Joh. Monachi, Paulini, Claudii, Petri Damiani Scripta varia. Item ex Nicetae Thesauro Excerpta, Biographi sacri veteres, et Asclepiodoti militare Fragmentum. 1840. CVI u. 644 S. gr. 8.

Der Umfang der Vorrede ist dem Umstande zuzuschreiben, dass in ihr ein nicht unbeträchtlicher Theil der auf dem Titel genannten Werke enthalten ist, nämlich: 1. *Σεραπιωνος Επισκοπου Επιστολη προς μοναζοντας*, mit lateinischer Uebersetzung, p. XLV ff. (Schreiben an ägyptische Mönche, worin das ascetische Leben gepriesen wird; Vf. ist wahrscheinlich der als Asket und Anthropomorphit bekannte Presbyter). — 2. *Ιωαννου Χρυσοστομου Αρχιεπ. Κωνστ. Ομιλια ῥηθεισα εις την ἁγιαν πεντηκοστην*, mit lat. Uebers., p. LXVIII ff. (Doch ist der Herausgeber trotz innerer Gründe von der Aechtheit nicht so vollkommen überzeugt, dass er nicht im Stile eine Annäherung an den des Proclus anerkennen sollte p. XLII.) — 3. *Προκλου Αρχιεπ. Κωνστ. λογος εις την αναληψιν του Κυριου ἡμων*, mit latein. Uebers., p. LXXVII ff. — 4. Ebendess. *Λογος εις την οκτοημερον περιτομην του Κυριου ἡμων Ιησου Χριστου*, mit latein. Uebers., p. LXXXIV ff. — 5—7. Drei andere Homilien von Ebendemselben, nur in syrischer Uebersetzung noch erhalten, lateinisch: 5. Sermo de dogmate incarnationis, dictus in sabbato ante quadragesimam p. LXXXVIII ff. 6. Sermo de nativitate domini p. CXII ff. 7. De S. Clemente Martyre (Bischof von Ancyra in Galatien) p. XCIV ff. Endlich 8. *Διαδοχου Επισκ. Φωτικης της Ηπειρου εις την αναληψιν του Κυριου ἡμων Ι. Χρ. Λογος*, mit latein. Uebers., p. XCVIII ff. — Der Text beginnt mit der Fortsetzung der Werke des Sophronius. 1. *Εγκωμιον εις τον ἁγιον Ιωαννην τον Προδρομον* p. 1 ff. — 2. *Λογος περιεχων την εκκλησιαστικην ἁπασαν ἱστοριαν και λεπτομερη αφηγησιν παντων των εν τη θεια ἱερουργια τελουντων* p. 31 ff., für die kirchl. Archäologie wichtig, aber leider fehlt ein gewiss nicht unbedeutender Theil. — 3. *Ανακρεοντεια* p. 49 ff., deren Dasein schon früher durch Leo Allatius bekannt war, herausgegeben aus einer Handschrift der jetzt so schwer zugänglichen Barberinischen Bibliothek, enthaltend eine Sammlung von *μελῳδοί* vom 6. bis ins 11. Jahrh., von Petrus Matranga, Prorector des griech. Athanasianischen Collegiums zu Rom. Von diesem ist auch die interessante Vorrede dazu p. XVII —XXXV. Die Gedichte zählen bis Nr. 22 (der griechische Index der Handschrift p. XXXVI—XL bis 23); doch ist von 14 nur die Ueberschrift und der erste Vers, von 15 gar nur die Ueberschrift vorhanden; auch 16 u. 19 haben bedeutende Lücken. Ueberdiess will der Herausg. in dem sonst schön geschriebenen Codex mancherlei andere Mängel und Fehler entdeckt haben, namentlich Versetzungen von einzelnen Versen und ganzen Strophen p. XXII. Inwieweit seine Berichtigungen derselben gelungen sind, ist hier nicht zu untersuchen, jedenfalls aber hat er durch diese 20 Gedichte einen schätzbaren Beitrag zur Hymnologie, so wie durch die p. 585 —644 beigefügten kritischen und philologischen Anmerkungen und die lateinische Uebersetzung dankenswerthe Hülfsmittel zur Benutzung desselben geliefert. — 4. *Τριῳδιον* p. 126 ff., nur ein Excerpt aus einem weit grösseren, aus Stellen acht verschiedener Meloden bestehenden, aus denen Mai die dem Sophronius angehörigen, die bei weitem die zahlreichsten sind, herausgenommen und zusammengestellt hat. — 5. *Βιος και πολιτεια και μαρτυριον και μερικη των θαυματων διηγησις των ἁγιων ενδοξων αναργυρων Κυρου και Ιωαννου* p. 230 ff., gleichfalls von Sophronius, und 6. *Αλλη πολιτεια ακεφαλος των ἁγιων μαρτυρων Κ. και Ι.* p. 242 ff., muthmaasslich von denselben, weil sie zwischen Nr. 5 u. dem im 3. Theile abgedruckten Werke des Sophronius mitten innesteht, da man die 3 kleinen unmittelbar auf Nr. 5 folgenden, auf dieselben Märtyrer bezüglichen Reden des Cyrillus Alexandrinus, die von Sophronius in seiner Erzählung erwähnt und von Mai p. 248—252 gegeben werden, mit zu dieser rechnen muss. Verbemerkungen zu diesen Stücken finden sich p. 226—229, p. 253 aber eine ältere lateinische Uebersetzung von Nr. 5 und den drei Cyrillischen Reden, wahrscheinlich von Anastasius Bibliothecarius, doch ist der Anfang verloren. Der Verwandtschaft des Inhalts wegen folgt 7. SS. Cyri et Johannis Passio auctore Petro Parthenopensi (11. Jahrh.) p. 268 nebst mehreren andern Vorreden oder Bruchstücken von Passionen und Translationen desselben oder anderer Vff. bis p. 300. — 8. Claudii Taurinensis praefatio ad catenam patrum in Matthaeum p. 301 ff. — 9. Paulini Episcopi sermo in quadragesima lat. p. 309 ff. — 10. Ejusd. vel incerti auctoris sermones II. lat. p. 311 ff. — 11. S. Petri Damiani sermo ad sacerdotes p. 316 ff. — 13. Vita S. Nicolai Myrensis per Johannem Diaconum lat. (9. Jahrh.) p. 323 ff., alles dieses mit längern oder kürzern Vorbemerkungen. — 13. *Ὑπομνημα ηγουν ἐξηγησις του ἁγιου και ἐνδοξου Μεγαλομαρτυρος και Θαυματουργου Ἀρτεμιου, συλλεγεν απο της ἐκκλησιαστ. ἱστοριας Φιλοστοργιου και αλλων τινων παρα Ιωαννου Μοναχου* (Damasc.). p. 340 ff. Ein nicht unwichtiger Beitrag zur Kenntniss und Wiederherstellung des excerpirten Werkes. — 14. Ex Thesauro orthodoxae fidei Nicetae Choniatae Excerpta p. 398 ff. Beginnt mit dem sechsten Buche, da die latein. Ausgabe Morell's die fünf ersten enthält, so dass nunmehr mit Hinzurechnung der Acta synodi Constantinop. und der Disputatio II. Theoriani cum Nersete (Scriptorum veterum nova Collectio Tom. IV. p. 1 und Tom. VI. p. 314) das wichtige Werk ziemlich vollständig vorliegt, ausgenommen die auf die Hauptstreitpuncte der griech. und lateinischen Kirche bezüglichen Partien p. XV u. 498. — 15. *Θεοδωρου Μοψουεστιας Επισκοπου ἐξ Ἑρμηνειας της Παυλου προς Ῥωμαιους επιστολης τα εὑρηθεντα* p. 499 ff. Der Herausg. sagt über diese wichtige und erwünschte Mittheilung Vorr. p. XVI: „Ex commentario in ep. ad Rom. partem non modicam de catena inter vaticanas ferme praestantissima sumpsi". Also auch hier wahrscheinlich wieder nichts Ganzes. — 16. Ferrandi Diaconi complementum operis de septem regulis innocentiae hactenus desideratum p. 574 ff., aus einer Ambrosianischen Handschr. — 17. *Ασκληπιοδοτου Φιλοσοφου Τεχνη τακτικη* p. 578 ff., aus einer Mediceischen Hdschr. nach einer Abschrift von Leo Allatius. Hr. Mai gibt nur die 2 ersten Capp. — 18. *Τα εις ὑστερον εκβληθεντα απο αλλων βιβλιων γνωμικα* (Sententiae militares) p. 582—84, steht in der eben erwähnten Hdschr. unmittelbar vor Asklepiodot.

[6868] Spicilegium etc. Tom. V. Apponius in Canticum. Fausti, Faustini, Arnobii, S. Cyrilli, Laurentii Episcopi et Alberici Diaconi Sermones. Epistolae veteres, et codicum ampla Notitia. Stephanus in Prognosticum Hippocratis. Eustathius ad Hymnum S. Joh. Damasceni. Zonarae, Prodromi, et Nicetae, Specimina. Choricii Rhetoris Scripta. 1841. XXX, 250 u. 464 S. gr. 8.

1. Apponii in Canticum Cant. Explanatio. Lib. VII—IX. Die 6 ersten Bücher stehen schon in der Bibl. Patrum Lugd. Tom. XIV. Das ganze Werk besteht aus 12 Büchern und ist neuer-

dings vollständig von Hier. Bottini und Jos. Martini (Romae, typ. congreg. de propag. fide. 1843. XX und 456 S. gr. 4.) herausgegeben worden. Vgl. oben No. 6700. — 2. Fausti Episcopi Sermo de Pentecoste p. 85 ff.; de S. Trinitate p. 89 ff.; de Spiritu S. p. 93 ff. — 3. Faustini Episcopi Sermo in Epiphania Domini p. 98 ff. — 4. Cyrilli Alexandri ad totius Aegypti regionem Epistola paschalis Arnobio [jun.] interprete p. 101 ff. — Ist Cyrill's Sermo pasch. XVII und dient zur Vervollständigung von des Uebersetzers Altercatio cum Serapione. — 5. *Κυριλλος Αρχιεπ. Αλεξ. εις την παραβολην του αμπελωνος* p. 119 ff. Bis jetzt nur in der lateinischen Uebersetzung von Achilles Statius bekannt. — 6. Domni Laurentii Episcopi Sermo in vigiliis S. Patris Benedicti p. 123 ff. — 7. Alberici Diac. Homilia in natali S. Scholasticae p. 129 ff. — 8. Sechs Briefe auf Klosterangelegenheiten bezüglich, der erste zu Monte Casino, die anderen in Deutschland geschrieben, aus dem 11. oder Anfang des 12. Jahr p. 144 ff. — 9. Leonis Clerici Romani Prologus ad vitam S. Johannis Chrysost p. 153 ff. — Cassiodorii (sic) Supplementum p. 157 ff. — Bruchstück aus einem Compendium primi libri institutionum div. litt., zum 16. Cap. gehörig, aber vom Texte höchst verschieden. — 11. Die Handschriftencataloge (Breviaria codicum) der Klöster Lorch am Rhein (S. Nazarii in Laurissa) p. 161 ff., Resbach p. 201 f., St. Petri (wahrscheinlich bei Corvey) p. 202 f., Corvey p. 204 ff., Fulda p. 212 ff., der Oberpfalz (im Excerpt) p. 215 ff., Nonantola p. 218 ff., Monte Casino p. 221 ff., und Notizen über die hauptsächlichsten Handschriften von S. Croce in Gerusalemme (zu Rom; codices Sessoriani) p. 237 ff., San Filippo Neri (Bibliotheca Vallicelliana) p. 242 ff., endlich der Ambrosiana p. 244—50. Der Herausg. hatte die Absicht, diese Mittheilungen mit einem fortlaufenden Commentar zu begleiten, um das Bedeutendere auszuzeichnen; indess ist er damit, worüber wir uns nicht verwundern, noch nicht zu Stande gekommen und gibt nur einige Proben davon Praef. p. XI—XXII. — Die zweite besonders paginirte Abtheilung enthält 12. *Στεφανου φιλοσοφου Εξηγησις εις το Προγνοστικον του Ἱπποκρατους*, leider nicht vollständig, da in dem Vaticanischen Codex von den 3 Abtheilungen, aus welchen das Werk besteht, nur die 2 ersten sich finden. Da Stephanus Schüler des Theophilus Protospatharius war, so nimmt der Herausg. davon Veranlassung, in die Vorrede p. XXIX f. den Anfang von dieses letzteren Commentarius in Hippocratis Aphorismos einzurücken. — 13. Eustathii Metropol. Thessalon. Commentarius in hymnum pentecostalem S. Johannis Damasceni p. 161 ff. — 14. Anfänge von drei anderen Schriften ähnlichen Inhalts, nämlich Johannis Zonarae commentarius ad Johannis Dam. paschales canones s. cantica. p. 384 ff. Theodori Prodromi Commentarius ad dominicales canones Cosmae et Johannis Dam. p. 390 ff. und Nicetae Dadybrorum Episcopi Com. ad S. Gregorii Nazianzeni nonnulla (14) carmina p. 397 ff. — 15. Noch 2 Schriften von

Eustathius, die eine *Λογος προσειςοδιος της αγιας μεγαλης τεσσαρακοστης* p. 402 ff. vollständig, von der anderen sehr umfangreichen, *Επισκεψις βιου μοναχικου επι διορθωσει τη περι αυτους* p. 405 ff. nur einzelne Bruchstücke, da eine vollständige Herausgabe ohnehin wegen der schlechten Beschaffenheit des Vat. Codex unmöglich gewesen sein würde. — 16. *Χορικιου Σοφιστου Γαζης Μελεταις τινες* p. 410 ff., von dem Herausgeber gewählte Bezeichnung für 11 prosaisch philosophisch-rhetorische Aufsätze des Choricius von verschiedenem Inhalte. Doch sind häufige Lücken darin. 17. Cassii Dionis Fragmente p. 464. Drei Fragmente bestehen in etwa 11 Zeilen; zwei derselben stehen in Verbindung mit den vom Herausg. in den Script. vett. Vol. II. p. 527 mitgetheilten.

[6859] Spicilegium etc. Tom. VI. Pontificum Rom. Vitae. Collectiones canonicae. Innocentii III. PP. Sermones et Dialogus. Rei liturgicae, et historiae ecclesiasticae, ac Gnomicorum Fragmenta. Sfortiae Pallavicini Card. Tractatus de principe erudito. 1841. LXIV u. 640 S. gr. 8.

Die Vorrede enthält abermals mancherlei Notizen und Bemerkungen, die auf den Text keinen directen Bezug haben; an sich zwar gelehrt, vielfach belehrend und manche interessante Fragen anregend, aber zu einer genaueren Relation nicht geeignet. Doch müssen wir daraus hervorheben: 1. Fragmenta e Cyrilli Alex. Commentario in Ezechielem p. XXXVII f. — 2. Vier Briefe von Heinrich VIII. von England, 2 an Cardinäle und 2 an Leo X. nebst der Antwort eines der ersteren p. XLII ff. — 3. Leider wieder nur ein Bruchstück aus einem italienischen Werke des Card. Giov. Franc. Commendoni de aula Romana (geschrieben 1554) p. LI ff. Der Tractat ist vollständig vorhanden, „sed nunc partim non necessarius, quatenus certe multa attingit, quorum ne vestigium quidem his temporibus superest". — 1. Vitae Pontificum. Hier hat der Herausg. zusammengestellt: a) Catalogus Pontificum Romanorum cum inserta temporum historia von Bernhardus Guidonis, Bischof von Lodeve in Languedoc im 14. Jahrh., bereits zum Theil (von Victor III. an) abgedruckt bei Muratorii Rer. Ital. Scr. Vol. III., daher hier nur bis mit Gregor VII. mitgetheilt. Es gibt davon in den Handschriften zwei Recensionen, die ursprüngliche, sehr ausführliche, und die spätere von dem Vf. selbst bedeutend abgekürzte. Der Herausg. hat die letztere vorgezogen, die auch noch, von den damaligen Hauptquellen Martinus Polonus u. a. abhängig, manches Ueberflüssige und von der neuern Kritik durchgängig Verworfene enthält. Der Herausg. hat sich begnügt, diess in der Vorrede oder besonderen Anmerkungen namhaft zu machen, und nur die Erzählung von der Päpstin Johanna ist ganz weggelassen worden (p. 202). — b) Mittheilungen aus den die Papstgeschichte betreffenden Werken von Bonizo, Bischof von Sutri, und Albinus Scholaris p. 273 ff. — c) Biographien von 14 Päpsten (nach p. 314 gleichfalls von Bonizo), aus Vaticanischen Handschriften gesammelt von Laur. Zaccagni p. 282 ff.

— d) Ad Innocentii III. vitam additamentum p. 300 ff., vollständiger Abdruck des 145. Cap. der bereits mehrmals gedruckten Gesta Innocentii. 2. Zu der Rubrik Collectiones can. gehören: a) S. Anselmi Episc. Lucensis Collectio canonica in libros XIII. distributa p. 316 ff. und b) Canonum prisca collectio p. 396 ff. in 9 Büchern; von beiden natürlich nur die Ueberschriften der einzelnen Capitel. — 3. Von Innocentius III. erhalten wir: a) 12 noch ungedruckte Sermones, während seines Pontificats gehalten, p. 477 ff., nebst dem Anfange des 40. gedruckten, und b) Dialogus inter Deum et peccatorem p. 562 ff. — 4. Unter den Fragm. rei liturgicae versteht der Herausgeber: a) Magistri Romani Card. Sermo de poenitentia, p. 579 ff., aus dem Anf. des 12. Jahrh., über die rechte Beschaffenheit der Beichte, und b) Excerpte aus Sicardi Episc. Cronensis Mitralis S. Tractatus de officiis ecclesiasticis, p. 583 ff. Die Beschreibung dieses Werkes aus der Zeit Innocenz III. zeigt, dass es eine der vollständigsten Quellen für die Liturgie jener Zeit sein müsse. — 5. Fragmenta Historiae eccles.: a) *Περι των Παπων απο του Χρονικου* p. 598 ff., ein griechisches Fragment aus einer nicht zu ermittelnden Chronik, von 13 Päpsten (Formosus bis zum Nachfolger Johannes X.) handelnd. b) Historiae eccl. Fragmentum, p. 603 ff., aus einer Mailänder Hdschr., enthaltend die Capitelüberschriften und das 1., 2. und 8. Cap. des dritten Buches einer griechischen Kirchengeschichte, mit latein. Uebersetzung und Anmerkungen des Herausg. — 6. Mittheilungen aus *Γνωμαι συλλεγεισαι ὑπο Κυρου μοναζοντος του Γεωργιδιου*, p. 611 ff. Bemerkenswerth dürften 12 Verse von Menander sein, welche der Herausg. für unbekannt hält. — 7. Discorso dell' Illustriss. Signor Marchese Sforza Pallavicino poi Cardinale, se il principe debba essere letterato. p. 616 ff. Nur 3 Capitel, während nach anderweitigen Angaben das Werk deren 5 hatte.

[***] Spicilegium etc. Tom. VII. S. Germani I. Patriarchae Constantinop. de haeresibus et synodis. Photii item Patr. Syntagma canonum. 1842. XXXII, 88 u. 496 S. gr. 8.

In der Vorrede wird diessmal nur ein einziges nicht nothwendig dahin gehöriges Stück mitgetheilt, ein kurzer Bericht über das Schisma des Theodorus Studita p. XXX ff. — 1. *Γερμανου οικουμενικου Πατριαρχου προς Ανθιμον Λογος διηγηματικος περι τε των ἁγιων συνοδων και των κατα καιρους ανεκαθεν τῳ αποστολικῳ κηρυγματι αναφυεισων αἱρεσεων*, p. 1 ff. mit latein. Uebersetzung und Anmerkungen des Herausgebers, aus einer Vaticanischen Handschrift, vielleicht der einzigen, die noch davon übrig ist, da die Werke des Vfs. theils an den Monotheleten, theils an dem Kaiser Leo Isauricus erbitterte Feinde hatten. Obwohl weder durch eigene Quellenforschung noch durch Ausführlichkeit ausgezeichnet, dürfte das Werk doch hin und wieder manche schätzbare Aufschlüsse enthalten. — 2. Des Photius Syntagma canonum, mit dem Titelverzeichnisse p. 75—88 der ersten Abtheilung, besteht aus 14 Titeln. Sein Vorhandensein war schon früher bekannt, doch nicht ohne dass mancherlei Missverständnisse vorkamen. Es ist eine systematische Zusammenstellung der von dem Vf. in seiner *Συναγωγη* nur chronologisch geordneten Materialien, und diente dann ihrerseits wieder zur Grundlage des *Νομοκανων*, insofern dieser stets auf die im Syntagma enthaltenen Canones verweist. Das Werk ist vollständig erhalten und mit Ausnahme der Wiederholungen, bei denen der Herausgeber auf die erste ausgedruckte Stelle verweist (wodurch die Hälfte des Raums erspart worden ist), in seinem ganzen Umfange mitgetheilt. Auch hat es der Herausgeber noch mit einem brauchbaren Index versehen.

[6961] Spicilegium etc. Tom. VIII. Sedulii Scoti, Aug. Card. Valerii, Ant. M. Gratiani, Card. Joh. Commendoni et P. Bembi, A. S. Sannazarii, Jul. Valerii, Ant. Galatei, Jul. Caesaris Capacii, Onuphrii Panvinii, Procli Lycii, S. Augustini Episc. Hipponensis Opuscula. 1842. XXXII u. 727 S. gr. 8.

Die Vorrede enthält ausser den Bemerkungen über den Inhalt des Bandes die schon erwähnten Nachträge zu Vespasian's Biographiensammlung und 2 altitalienische Gedichte, nämlich einen Lobgesang auf die h. Jungfrau in dem sogen. Capitolo-Metrum von Simon Senensis (Simone di Ser Dino Forestani, detto il Savietti) als Probe von den zahlreichen in den Vatican. Handschriften noch vorhandenen Gedichten desselben p. XXIV ff., und dann p. XXVIII ff. ein Gedicht, das unter dem Titel Lamento di Francesco da Battifolle Conte di Poppi, nach einer von Ammirato angeführten Rede des von den Florentinern besiegten Fürsten von einem gleichzeitigen Dichter verfertigt wurde. Von der ebenfalls versificirten Antwort des Florentinischen Heerführers Capponi ist p. XXXII ein Bruchstück beigefügt. — 1. Sedulii Scoti Liber de rectoribus Christianis (wozu eine zweite Ueberschrift nach der Vorrede noch setzt: et convenientibus regulis quibus est res publica rite gubernanda) ad Carolum Magnum Imper. vel Ludovicum Pium. Der Herausg. ist in Bezug auf dieses Werk in einiger Verlegenheit, da Fabricius Bibl. med. et inf. lat. Tom. VI p. 443 eine zu Leipzig im J. 1619 erschienene Ausgabe desselben anführt, die wahrscheinlich Marqu. Freher besorgt haben würde, der sich 1612 damit beschäftigte. Allein es muss wohl eine Verwechselung Statt gefunden haben, obgleich wir sie nachzuweisen nicht im Stande sind; denn alle unsere Bemühungen dem fraglichen Buche auf die Spur zu kommen, sind vergeblich gewesen; die welche es anführen, haben offenbar nur aus Fabricius geschöpft. Es ist diess mithin der erste Abdruck eines Werkes, welches, wenn Ludwig der Fromme wirklich daraus gelernt hat sich seinen Beinamen zu erwerben, nicht ohne Bedeutung für seine Geschichte ist. — Unter 2. theilt der Herausg. von dem Card. Augustinus Valerius, Bischof von Verona (1530—1606), einem sehr geachteten und auch sehr fruchtbaren Schriftsteller (denn man kennt von ihm 191 lateinische und 64 italienische Schriften, wovon 86 und 46 bereits gedruckt sind) 3 Tractatus mit. a) De comparanda et tuenda boni principis existimatione ad Franciscum Mariam Ruerium Urbini Ducem. p. 71 ff., nach Hrn. Mai's nicht unwahrscheinlicher Vermuthung bald nach des Herzogs Regierungsantritt 1574 geschrieben. b) De cauta imitatione SS. Episcoporum ad Federicum Borromaeum S. R. E. Card. et Archiep. Mediolan. p. 89 ff., geschrieben 1595. u. c) quatenus fugiendi sint honores ad Fed. Borrom. S. R. E. Cardin. p. 118 ff., der Zeit nach älter, als der vorhergehende, alle drei aber schöne Zeugnisse von des Vfs. tiefer Einsicht und christlicher Gesinnung. — 3. a) Antonii Mariae Gratiani Episc. Amerini de Despota Valachorum principe Libri III ad Nicolaum Thomicium adolescentem illustrem p. 172 ff. — b) Ejusd. de Jacobo Despotae fratre ad Nic. Thom. Liber unicus p. 219 ff. — c) Ejusd. Epistolarum ad Nic. Thom. Libri X, p. 235 ff. mit Appendix s. Liber XI ex alio cod. Vatic. p. 468, wobei p. 477 noch ein Brief von Clemens VIII. Die Briefe sind nicht, wie der Titel zu sagen scheint, an den polnischen Edelmann Thomicius allein gerichtet, sondern auch, namentlich das ganze 11. Buch, an andere, und enthalten, gleich den beiden historischen Werken, sehr schätzbare Beiträge zur Geschichte des 16. Jahrh. — 4. Johannis Card. Commendoni Carmina p. 479 ff. Zehn zum Theil sehr kurze, zum Theil unvollständig abgedruckte Gedichte in verschiedenen Versmaassen. — 5. Petri Bembi Poema heroicum cui titulus Sarca p. 488 ff. Die Entstehung des Gardasees ist mythologisch behandelt, woran sich Weissagungen auf römische Geschichte und zuletzt auf gleichzeitige Dichter knüpfen. — 6. Actii Synceri Sanazarii Carmina inedita p. 505 ff. Acht Gedichte in verschiedenen Versmaassen. — 7. Franc. Petrarchae Fragmentum p. 512. Schluss des in der Basler Ausgabe der Werke unvollständigen Itinerarium hierosolymitanum. — 8. Julii Valerii de rebus gestis Alexandri Macedonis Supplementa p. 513 ff. Aus einer Turiner Handschrift. — 9. Antonii Galatei Epistolae Selectae p. 523 ff. Zwanzig Briefe an Fürsten, Edelleute, Geistliche und Gelehrte, historischen oder philosophischen Inhalts, von denen einige mehr Abhandlungen gleichen. — 10. Julii Caesaris Capacii Vitae Proregum regni et urbis Neapolis p. 609 ff. Der Vf., längere Zeit einer der höheren städtischen Beamten von Neapel, dann Erzieher des Erbprinzen von Urbino († 1631), hat Lebensbeschreibungen von 13 Neapolitanischen Vicekönigen (von Gonsalvo unter Ferdinand d. Kathol. bis Pedro de Castro 1610) geschrieben. Der Herausg. theilt davon nur 3 mit (Gonsalvo, Raimondo de Cardona und Pedro Herzog von Osuña). Die schlechte Latinität hat viel Nachhülfe nöthig gemacht, doch versichert Hr. Mai nichts Wesentliches geändert zu haben. — 11. Onuphrii Panvinii Veronensis Fratris Eremitae Augustiniani in C libros Antiquitatum Romanarum Praefatio p. 653 ff. Die vollständige Vorrede zu dem unvollendeten Werke, von welchem bisher nur ein Theil von des Vfs. Commentarii de rep. Rom. Venet. 1558 und anderwärts gedruckt war. — 12. *Προκλου Λυκιου Πλατωνικου διαδοχου εις τον εν Πολιτειᾳ του Πλατωνος μυθον Ὑπομνημα* p.

664 ff. Schon in den Anmerkungen zu Cic. de rep. hat der Herausg. einiges aus diesem Commentar zum 10. Buche der Rep. des Platon mitgetheilt. Hier folgt, da der beklagenswerthe Zustand der Hdschr. eine vollständige Veröffentlichung unmöglich macht, ein neues sehr bedeutendes Bruchstück. Die in der Handschrift selbst vorgesetzte Inhaltsanzeige ist: *πως ἡ των παιδων βρωσις γινεται εκ του παντος και πως τουτο φιλειται ψυχῃ εκ του ουρανου κατιουσῃ.* — 13. S. Augustini Ep. Hippon. Sermones IV p. 713 ff. Das kurze Vorwort des Herausg. möchte fast auf die Vermuthung führen, dass hier Rückübersetzungen aus griechischen oder orientalischen Uebersetzungen vorlägen, wenn es nicht seine Art und Weise wäre, auf Kosten der Klarheit bisweilen seinen Gedanken freien Lauf zu lassen. Somit und da er etwas Ausdrückliches nicht sagt, auch übrigens kein Grund zu einer solchen Annahme verhanden ist, muss man das von vorn herein Wahrscheinlichere vorziehen und unter den pervetustis membranis Abschriften des Originals verstehen. Die vier Reden, von denen nur eine von älteren Schriftstellern nicht erwähnt ist, sind: I. De evangelio ubi beatus Petrus in mari tempestatem sustinuit in navi. Matth. XIV. 22 ss. II. Quantum valeat jejunium. III. De evangelio ubi Dominus de aqua vinum fecit. Joh. c. II. IV. De missa cotidiana.

---

[682] Histoire de la renaissance des lettres en Europe. Par **J. P. Charpentier**, Prof. de Rhétorique au Collège R. de St. Louis, Prof. suppléant à la fac. des lettres. 2 Voll. Paris, Vve. Marie-Nyon. 1843. 379 u. 403 S. gr. 8. (12 Fr.)

Eines der vielen Werke der neuen doctrinären Schule Frankreichs, die sich durch klare Uebersicht des Stoffes, durch musterhafte Diction und seltene Gewandtheit des Styls vortheilhaft auszeichnen, aber bei aller Lebendigkeit der Darstellung, bei allem Glanze der Sprache die ernste Würde der Wissenschaft nicht fassen, die sie so enthusiastisch preisen, und noch weniger jenen Höhenpunct der Kritik erreichen, von welchem deutscher Forschergeist, aus den Originalquellen selbst schöpfend, das Endergebniss jahrelanger Studien ohne Vorliebe und Vorhass aufgefasst, überschaut und beurtheilt wissen will. — Nach einer kurzen Einleitung (Exposition), in welcher J. J. Barthélemy's Vision, die der geistreiche Vf. des Anacharsis auf seiner Reise durch Italien im J. 1755 in sein Tagebuch schrieb (und die hier aus den Mémoires sur la vie de J. J. Barthélemy 3. Mém. wieder abgedruckt ist) das Beste genannt werden kann, beginnt der Vf. mit der Vergessenheit des Alterthums im Mittelalter, geht dann zu den ersten Anzeigen der Wiedergeburt der Wissenschaften unter den Ottonen, auf Gerbert, Luitprand, Crescentius und Arnold von Brescia über, schildert im 3. Cap. die literarische Entwickelung unter den Hohenstaufen durch Petrus de Vineis, Johann von Vicenza, Buoncampagno, Brunetto

Latini, und zeigt im 4. und 5. Cap. die grossartige Wirksamkeit des Dante. — Ist es schon unbegreiflich, dass der Vf. weder des irisch-britannischen und später bei der Schilderung des früheren Mittelalters des fränkischen Einflusses durch Beda, Walafried Strabo, Scotus Erigena, Otfried, Notker, Poppo, Reinhard, Pilgerin, Hermannus Contractus u. A., noch der Schulen zu Corbey, Fulda, St. Gallen, Magdeburg, Toul, Rheims, Tours, Lyon, Orleans und Paris mit einem Worte gedenkt, selbst Alcuin's und seines Schülers Rhabanus nur obenhin erwähnt, so darf es uns auch nicht wundern, wenn er die neuesten Forschungen der Italiener und Deutschen über den unsterblichen Sänger der Divina Comedia nicht kennt oder mit absichtlichem Stillschweigen übergeht. — Ganz unverzeihlich aber erscheint die gänzliche Vernachlässigung, mit welcher der Vf. jede andere Literatur als die der Italiener und Franzosen behandelt, selbst in der Entwickelungsgeschichte der Letzteren den Einfluss der Troubadours in der Provence und der Trouvères und Minstrels in der Normandie mit gänzlichem Stillschweigen übergeht, sich aber lange mit Erörterung der Frage (Cap. XVI.) aufhält, ob die griechische oder lateinische Literatur den meisten Einfluss auf die französische Schwester ausgeübt habe, wobei endlich mit grossem Bombast der griechischen der Preis zuerkannt wird. — Die spanische, portugiesische, englische, holländische, deutsche und nordische Literatur existirt für ihn nicht. Selbst die Wiedergeburt der Literatur seines Vaterlandes in ihrer höchsten Blüthe: Amyot, Montaigne, Rabelais, Ronsard, Marot, Malherbe bis zu Corneille, Molière, Racine, Fénelon, Bossuet, — der späteren nicht zu gedenken — ist in den Werken eines La Harpe, Ginguéné, Sismondi, Villemain u. A. weit gründlicher als hier dargestellt. — Dem 2. Bande ist ein Anhang unter der Ueberschrift: „Études littéraires" beigefügt, welcher Abhandlungen über Hortensius, Varro, Mäcenas, Martial, Tacitus, Sueton, Apulejus, über die heidnische und christliche Literatur im 13. Jahrh. und endlich noch eine höchst oberflächliche Würdigung der Kirchenväter und des Zeitalters Ludwig's XIV. enthält.

Karl Falkenstein.

Staatswissenschaften.

[863] Die Eisenbahnen in Europa und Amerika. Statistisch-geschichtliche Darstellung ihrer Entstehung, ihres Verhältnisses zu der Staatsgewalt, so wie ihrer Verwaltungs- und Betriebs-Einrichtungen. Vom Frhrn. **Fr. Wilh. von Reden**, Dr. d. Rechte, zur Zeit Spezial-Director d. Berlin-Stettiner Eisenbahn. 1. Abth.: die Eisenbahnen Deutschlands. Berlin, Mittler. 1843. 343 S. gr. 8. (n. 2 Thlr.)

Der vorlieg. Band bildet eigentlich, wiewohl auf dem Titel nichts davon bemerkt ist, nur die erste Lieferung der 1. Abtheilung und enthält nur den allgemeinen Theil, welchem die Beschreibung der einzelnen Eisenbahnen folgen soll, sobald sämmtliche Geschäfts-

oder Rechenschaftsberichte für das J. 1842 veröffentlicht sind und benutzt werden konnten. Wenn der Vf. (seit Kurzem in Berlin zugleich als Lehrer an der dortigen neuerrichteten Handelsschule wirksam) in der Vorrede behauptet, dass Deutschland bisher kein Werk dieser Art besessen habe, so hat er vollkommen Recht; ihm selbst standen offenbar sehr umfassende Originalquellen zu Gebote, und durch Sachkenntniss und Erfahrung unterstützt, hat er seine Aufgabe auf eine im Ganzen sehr befriedigende Weise gelöst. Aber nicht nur für Techniker wird seine Arbeit von Nutzen sein, auch für Laien muss es in hohem Grade interessant sein, einen tiefern Blick in die Betriebsverhältnisse der Eisenbahnen zu thun, die in unserm Jahrhundert eine so grosse Rolle zu spielen bestimmt scheinen und so vielen Lebensverhältnissen eine völlig veränderte Gestalt geben dürften. Die einzelnen in dem bis jetzt gelieferten Theile behandelten Gegenstände sind folgende: A. Verwaltungs- und Betriebs-Einrichtungen auf deutschen Eisenbahnen. I. Einwirkung des Staats auf die Anlage, die Verwaltung und den Betrieb S. 1—108. a. Concessionirung, Statut S. 1—33. Hier sind die allgemeinen Bestimmungen über das bei Eisenbahnen geltende Concessionssystem in Oesterreich, das preussische Gesetz über die Eisenbahn-Unternehmungen und die Bekanntmachung der dänischen Regierung wegen Anlage von Eisenbahnen zwischen der Ost- und Nordsee mitgetheilt. b. Expropriations-Gesetze S. 33—68. Die für Baiern, Sachsen, Baden erlassenen Gesetze sind vollständig mitgetheilt; interessant ist die am Schlusse gelieferte Angabe der auf verschiedenen Eisenbahnen bezahlten durchschnittlichen Terrainpreise. c. Bahnpolizei-Bestimmungen S. 68—85. d. Sonstige Arten der Einwirkung des Staats S. 85—108. Hier kommen zur Sprache: die Staatshülfe beim Eisenbahnbau; die Regulirung der Verhältnisse der Postanstalt zu den Eisenbahnen; die polizeiliche Beaufsichtigung der Eisenbahnreisenden; die Sicherung der Zoll- und städtischen Abgaben; die Benutzung der Eisenbahnen zu militairischen Zwecken; verschiedene Anwendungen des Oberaufsichtsrechtes des Staats. — II. Die Organisation der innern Eisenbahn-Verwaltung. A. Im Allgemeinen. 1) Von der Generalversammlung, dem Ausschusse oder Verwaltungsrath und dem Directorium S. 109—111. 2) Beamte, Besoldung, Dienstwohnung, Dienstkleidung, Unterstützungscasse, Betriebsreglements u. s. w. S. 112—144. 3) Magazinwesen S. 144—151. 4) Sicherheitseinrichtungen im Allgemeinen, Signalwesen, Gefahrversicherung S. 151—162. B. Einzelne Zweige des Eisenbahndienstes. 1) Bahnunterhalt S. 162—171. 2) Stationsverwaltung —181. 3) Rechnungswesen —193. 4) Transportbegleitung —206. 5) Personen- und Gepäckbeförderung —217. 6) Güterbeförderung —232. 7) Viehtransport —235. 8) Technisches Material; Locomotivbesorgung; Cokefabrication; Werkstätten —300. Dieser reichhaltige, mit besonderer Vorliebe bearbeitete Abschnitt ist von vorzüglichem Interesse, da in den hier behandelten wichtigen

Puncten zwischen den einzelnen Eisenbahnen eine sehr grosse Verschiedenheit herrscht. — B. Einleitende Zusammenstellungen S. 301—336. Man findet hier folgende vergleichende Uebersichten: der Anlage- und Einrichtungskosten fast sämmtlicher Eisenbahnen Europas, auf eine deutsche Meile reducirt; der Ausgaben für einzelne Gegenstände; der Unterhaltungs- und Betriebskosten einer Anzahl Eisenbahnen; Detail-Uebersicht derselben für die deutschen Eisenbahnen; Personen- und Frachtverkehr auf deutschen Eisenbahnen in den letzten Jahren; Nachweisung der Personen-Fahrpreise auf den meisten Eisenbahnen in Europa, so wie die Tarifsätze einiger Bahnen für die Beförderung von Frachtgütern und Vieh; Fahrpläne der deutschen Eisenbahnen im J. 1842—43. — C. Das deutsche Eisenbahnnetz und dessen Darstellung aus den bereits feststehenden oder projectirten Linien S. 337—343. — Aus der vorstehenden Inhaltsangabe dürfte zur Genüge hervorgehen, dass das vorliegende Werk seinen Gegenstand so gut als erschöpft und keinen dahin gehörigen Punct unberücksichtigt lässt. Auch hat sich der Vf. nicht darauf beschränkt, nur zu referiren und zu compiliren, sondern eine Menge von ihm selbst ausgearbeitete Entwürfe zu Reglements und Instructionen mitgetheilt, z. B. für die Bahnhofsvorstände, Obercontroleure, Locomotivführer, eine allgemeine Dienstordnung, Magazinordnung, Rechnungsordnung, Feuerungsmaterialordnung, ein Reglement für die Unterstützungscasse u. s. w. — Nur einige wenige Puncte haben wir als solche namhaft zu machen, an denen wir Anstoss genommen haben. Nicht hinreichend genau sind die über die Locomotiven auf den deutschen Eisenbahnen gelieferten Angaben S. 239 ff. R. Stephenson hat der Berlin-Potsdamer Eisenbahn nicht 10, sondern 6, der Taunusbahn nicht 11, sondern 8, Sharp Roberts der Wien-Gloggnitzer Bahn nicht 8, sondern 10, der Magdeburg-Halberstadter Bahn nicht 4, sondern 2, Turner Evans der Kaiser-Ferdinands-Nordbahn nicht 7, sondern 11, Tayleur derselben Bahn gar keine, der Berlin-Potsdamer Bahn nicht 1, sondern 4, Cockerill in Seraing der Nordbahn nicht 2, sondern 6 Locomotiven geliefert u. s. w. Die Braunschweigische Eisenbahn besitzt von Norris nur 1 Locomotive, nicht 3, dagegen 1 von Sharp Roberts, 4 aus Zorge; ausserdem werden noch 3 von Stephenson, 2 von Forrester, 2 aus Zorge erwartet. Die Gesammtzahl der Locomotiven beträgt auf der Kaiser-Ferdinands-Nordbahn nicht 32, sondern 42, auf der Berlin-Potsdamer Bahn nicht 15, sondern 13, auf der Magdeburg-Halberstadter Bahn nicht 4, sondern 6, auf der Breslau-Freiburger Bahn nicht 2, sondern 7 (und zwar nicht von Borsig, sondern 6 von Roberts, 1 von Norris) u. s. w. Hier wäre es dem Vf. ichtes gewesen, sich in den Besitz genauerer Angaben zu ; die von uns gegebenen sind grösstentheils den durch den veröffentlichten Geschäftsberichten entnommen. — S. 250 bei den Angaben über Spurbreite auf den deutschen Eisen- eine dergleichen für die baierischen Bahnen, welche aber bekanntlich mit den sächsischen und preussischen gleiche Geleisweite haben, nämlich 4 F. $8^1/_2$ Zoll engl. Dasselbe gilt, so viel bekannt, von den österreichischen Bahnen, denen aber der Vf. eine Spurbreite von 4 F. 5,93 Z. engl. beilegt; wir möchten wissen, mit welchem Rechte. Die Spurbreite der Taunusbahn ist durch einen Druckfehler = 4 F. 68 Z. engl. angegeben, was wohl 4 F. 6, 8 Z. heissen soll; unseres Wissens beträgt sie aber $1^1/_2$ Meter d. i. etwa 4 F. 11 Z. engl. — Den meisten Ausstellungen dürfte die Classification der deutschen Eisenbahnen unterliegen, welche der Vf. in 1) vollendete oder im Bau begriffene, 2) noch nicht begonnene, aber bereits gesicherte, 3) in Anregung gebrachte, aber noch nicht gesicherte, 4) nothwendige Verbindungsbahnen eintheilt, wobei wir bemerken, dass nach seiner Angabe die der 1. Kategorie (bis zum 1. Mai 1843) $340,^{65}$, die der zweiten $554,^{6}$, die der dritten $224,^{45}$, die der vierten $96^1/_2$ M. mit einen Kostenbetrag von 327 Mill. Thlr. ausmachen. Unter den Bahnen der ersten Kategorie sind obenan gestellt die Kaiser-Ferdinands-Nordbahn und die Wien-Gloggnitzer Bahn; von jener sollen noch $9^1/_8$, von dieser 1 M. im Bau begriffen sein. Diess ist jedoch unrichtig, da der Bau der ersteren Bahn, provisorisch wenigstens, bei Leipnik, der der zweiten aber definitiv bei Gloggnitz sistirt worden ist. Die Wien-Triester Bahn, die in der 2. Kategorie aufgeführt worden ist, ist schon im J. 1842 auf eine ansehnliche Strecke, von Mürzzuschlag über Bruck und Grätz bis Neudorf (15 M. lang), in Angriff genommen worden. Einige andere in der 2. Kategorie aufgeführte Bahnen gehören eigentlich noch immer in die 3., da ihr Zustandekommen vor der Hand noch keineswegs für gesichert zu halten ist; dahin gehören namentlich die Bahnen von Wien über Salzburg nach München, von Berlin nach Ostpreussen, von Cassel nach Frankfurt, von Cassel nach Halle und von Hofgeismar nach Carlshafen. Mit demselben, wo nicht mit grösserem Rechte, als die genannten Bahnen, konnten schon vor dem 1. Mai 1843 zwei andere Bahnen als gesichert betrachtet werden, die hier in der 3. Kategorie erscheinen, nämlich von Berlin nach Hamburg und von Breslau nach Dresden. Bekanntlich hat sich die für die erstere gebildete Actiengesellschaft bereits constituirt; bei der letzteren dürften sich die betreffenden Regierungen auf ähnliche Weise wie bei jener betheiligen. Dass bei Aufstellung der in Rede stehenden Tabellen nicht ganz mit der erforderlichen Genauigkeit verfahren worden ist, erhellt schon aus den darin enthaltenen ungenauen Längenangaben, indem z. B. die Berlin-Frankfurter Bahn nicht $10^1/_2$, sondern $10^3/_4$, die München-Augsburger Bahn nicht 9, sondern wenig über 8, die fahrbare Strecke der Sächsisch-Baierschen Bahn nicht 5, sondern $5^1/_4$ M. lang ist. Da der Vf. die Länge anderer Bahnstrecken bis auf 2 Decimalen oder Hundertstel einer Meile angibt, so sind die vorstehenden ungenauen Angaben, die aus amtlichen Berichten so leicht zu verbessern gewesen wären, doppelt auffallend. — Möchte die Fortsetzung des Werks nicht mehr lange auf sich warten lassen!

Naturwissenschaften.

[0001] Untersuchungen im Gebiete der Inductionselektricität. Eine in der Akademie der Wissenschaften zu Berlin gelesene Abhandlung von **H. W. Dove**, Mitglied der Akad. d. Wissensch. zu Berlin und München u. s. w. Berlin, Reimer. 1842. 96 S. mit Holzschnitten u. 1 *Kupfertaf.* gr. 4. (1 Thlr. 5 Ngr.)

Die vorliegende Abhandlung enthält Untersuchungen, deren Ergebnisse im Einzelnen der Akademie bereits in den J. 1838—1842 vorgelegt wurden; dieselben betreffen den Einfluss, den das Auflösen einer massiven Eisenstange in Drathbündel und die Art, dieselbe zu magnetisiren, auf diejenigen electrischen Ströme äussert, welche sie in einem sie umgebenden Drathe inducirt. Dass der Oeffnungsschlag einer galvanischen Kette durch Einführung eiserner Drathbündel in den spiralförmigen Schliessungsdrath derselben viel bedeutender als durch Eisen in Form einer massiven Stange verstärkt wird, war schon länger bekannt, bisher hatte man aber nur den Gegenstrom (Extracurrent), d. h. den durch Wirkung jeder einzelnen Windung auf die zunächst liegenden entstehenden Strom untersucht; der Vf. untersuchte statt dessen den Nebenstrom, der von einem primären Strome in einem ihm parallelen, aber von ihm getrennten Drathe inducirt wird, und konnte diesen nun auch durch andere Mittel als durch das Gefühl und die Lebhaftigkeit der Funken prüfen. Die Wirkung des verschwindenden Magnetismus des eingeführten Eisens allein prüfte er mittels eines von ihm ersonnenen Differentialinductors, bei welchem zwei gleiche Schliessungsspiralen auf zwei gleiche Nebenspiralen wirken, welche kreuzweise mit einander verbunden ihre Wirkung vollkommen neutralisiren. Wird nun in eine dieser Spiralen Eisen eingeführt, so ist die eintretende Störung des Gleichgewichts lediglich eine Wirkung dieses Eisens. Jenachdem aber das Eisen magnetisirt wurde 1) durch galvanische oder Thermoelectricität, 2) durch Magnetoelectricität (einer Saxton'schen Rotationsmaschine), 3) durch Reibungselectricität, 4) durch Annähern des Eisens an einen Stahlmagnet, wurden Differentialinductoren von verschiedener Einrichtung angewandt. Die für die verschiedenen Electricitätsquellen erhaltenen Versuche werden S. 50 ff. in eine gemeinsame Uebersicht zusammengefasst, deren wesentlicher Inhalt folgender ist: Eisen in Form von massiven Stangen, Röhren, Drathbündeln, Scheibensäulen, als Schmiedeeisen, Roheisen, weicher oder harter Stahl erzeugt, wenn es electromagnetisirt worden ist und dieser Magnetismus verschwindet, in einem dasselbe umgebenden Drathe electrische Ströme. Die inducirende Wirkung ist verschieden, jenachdem die Eisenmasse ein ununterbrochenes Continuum bildet oder in Dräthe aufgelöst ist; diese Verschiedenheit hängt aber wieder von der Art ab, wie das Eisen electromagnetisirt wird. Geschieht das Magnetisiren durch den Schliessungsdrath einer galvanischen Kette, einer Thermokette oder einen magnetoelectrischen Strom (im letztern Falle entweder durch Annähern eines geschlossenen Kupferdrathes an einen Stahlmagnet, oder durch Annähern von weichem Eisen an einen Stahlmagnet, oder durch Combination beider Erregungsarten bei der Saxton'schen Maschine), so erhält man übereinstimmende Resultate; bei dem Auflösen des Eisens in Drathbündel bleibt zwar die vom verschwindenden Magnetismus erzeugte galvanometrische Wirkung dieselbe, eben so die Eigenschaft des Stroms, weiches Eisen zu magnetisiren, aber seine physiologischen Wirkungen, die Funken und der durch ihn im Stahl hervorgerufene Magnetismus sind viel kräftiger. Ganz anders sind die Ergebnisse, wenn die Magnetisirung durch den Entladungsschlag einer Leidner Flasche erfolgt, in welchem Falle die Unterschiede zwischen eisernen Stangen und eisernen Drathbündeln ihr Maximum erreichen. Wirkt der Schliessungsdraht der galvan. Kette oder der Leidner Flasche nicht auf einen Nebendrath, sondern auf seine eigenen Mündungen inducirend, so zeigt dieser Gegenstrom in allen Wirkungen, die sich nachweisen lassen, dieselben Verhältnisse als der Nebenstrom. Alle Eisensorten geben bei wiederholtem Electromagnetisiren stärkere Inductionsströme, wenn sie abwechselnd im entgegensetzten Sinne magnetisirt werden, als wenn diess stets in demselben Sinne geschieht. — S. 58 ff. macht der Vf. Bemerkungen über den Magnetismus der sogenannten unmagnetischen Metalle, deren Magnetisirbarkeit er durch die electrischen Ströme geprüft hat, welche von ihnen bei dem Verschwinden des in ihnen erregten Magnetismus in einem sie spiralförmig umgebenden Leitungsdrath inducirt werden. Als Ergebniss dieser hier nicht näher zu beschreibenden Versuche zeigte sich bei Kupfer ein sehr merklicher, eben so bei Zinn, Quecksilber, Antimon und Wismuth ein entschiedener, bei Zink ein schwächerer und bei Blei ein ganz unbedeutender Magnetismus, ohne dass sich jedoch eine wirkliche Reihenfolge dieser Metalle aufstellen lässt. Der Magnetismus aller dieser Metalle ist im Vergleich zu dem des Eisens so schwach, dass ein einziger Eisendrath gleicher Dicke ein ganzes Bündel des andern Metalls in seiner Wirkung übertraf. — S. 65 ff. wird der Einfluss des Eisens bei inducirten Strömen höherer Ordnungen abgehandelt. Die letzteren entstehen nämlich, wenn ein inducirter oder secundärer Strom wieder als ein primärer angewandt wird und einen zweiten inducirt, welcher selbst wieder einen dritten inducirен kann u. s. w. — Der letzte Abschnitt (S. 70—96) handelt von dem Gegenstrom zu Anfang und zu Ende eines primären und seinen Modificationen durch Anwesenheit von Eisen. Der primäre Strom wurde hierbei durch eine Saxton'sche Maschine hervorgebracht, die verschiedene Abänderungen erleiden musste, um durch dieselbe 1) den primären Strom allein, 2) den primären Strom und den Anfangsgegenstrom, 3) den primären Strom, den Anfangs- und den Endgegenstrom, 4) den Endgegenstrom allein zu erhalten. Die beiden Drathrollen, welche die Schenkel des Ankers einer Rotationsmaschine umgeben, können bekanntlich auf eine doppelte Weise verbunden werden: so, dass die eine die Fortsetzung der andern bildet, und so, dass beide mit ihren Anfängen und ihren Enden verbunden sind. Um beide Verbindungen (von denen die eine vom Vf. physikalisch, die andere physiologisch genannt wird) durch Drehung eines Zeigers zu vermitteln, diente dem Vf. eine besondere Vorrichtung, die er einen Pachytrop nennt.

[illegible] Ausführliches Elementar-Lehrbuch der Mechanik in ihrer Anwendung auf die Physik, Künste und Gewerbe. Von G. Bresson. Deutsch herausgegeben von Dr. *C. H. Schnuse.* In 4 Bänden. Bd. I. Mechanik fester Körper. Darmstadt, Leske. 1843. XVI u. 384 S. gr. 8. mit 18 Figurentaf. in Fol. (4 Thlr.)

Nach dem Vorworte ist es die Absicht des Vfs., „Denjenigen, welche bei ihrem künftigen Berufe Anwendung von der Mechanik zu machen haben, die wichtigsten Lehren dieser Wissenschaft in einer leichten elementaren und ausführlicheren Darstellung vorzutragen und damit zugleich die vorzüglichsten praktischen Anwendungen zu verbinden“. Die Masse des zu behandelnden Materials soll so vertheilt werden, dass der erste Band die Mechanik der festen Körper, der 2. die der flüssigen Körper oder die Hydrostatik und Hydrodynamik, der 3. die Experimentalmechanik oder die Lehre von der Construction der Maschinen, von der Festigkeit der Materialien u. s. w., der 4. Bd. endlich die Dampfmaschinenlehre enthält. In einem besondern Supplementbande gedenkt der Uebers. die etwa nöthig scheinenden weiteren Ausführungen einzelner Materien mitzutheilen. — Demgemäss findet man im vorliegenden Bande nach einigen allgemeinen Bemerkungen in zwei Büchern die Statik (S. 5—196) und Dynamik (197—384) abgehandelt. Das 1. zerfällt in folgende Capitel: 1) Vorläufige Erklärungen und Begriffe (—5). 2) Zusammensetzung und Zerlegung der auf denselben materiellen Punct wirkenden Kräfte (—19). 3) Zusammensetzung der auf einen festen Körper wirkenden Kräfte (—39). 4) Vom Schwerpuncte (—76). 5) Von den Maschinen (—196). Hierbei werden 7 einfache Maschinen angenommen und beschrieben: die Seilmaschine (—95), der Hebel (—115), die Rolle (—126), die Radwelle (—169), die geneigte Ebene (—176), die Schraube (—185) und der Keil (—188). Den Schluss des Capitels bildet die Lehre vom Princip der virtuellen Geschwindigkeiten. — Das 2. Buch ist in folgende Capp. eingetheilt: 1) Vorläufige Begriffe (197—202). 2) Von der gleichförmigen Bewegung (—206). 3) Von der veränderlichen Bewegung (—243), wobei zugleich von der Bewegung auf schiefen Ebenen und vom Maasse der Kräfte gehandelt wird. 4) Allgemeines Princip der Bewegung oder d'Alembert'sches Princip, vermittelst dessen die

Aufgaben der Dynamik auf statische Aufgaben zurückgeführt werden (—252). Dieses Princip wird hier so ausgedrückt: „Wenn ein Körper oder ein System von Körpern durch Kräfte in Bewegung gesetzt wird, die auf jeden Theil desselben wirken, so ist die jedem Theile ertheilte Geschwindigkeit, welche er haben würde, wenn er frei wäre, die Resultante aus der Geschwindigkeit dieses Theiles in der Bewegung des Systems und aus der Geschwindigkeit, welche durch den Widerstand der übrigen Theile aufgehoben wird". — 5) Vom Stosse der Körper (—273). 6) Vom Widerstande der Flüssigkeiten oder der Mittel (—277). 7) Von der krummlinigen Bewegung (—288). 8) Von der Wurfbewegung (—302). 9) Von den Centralkräften im Kreise und in den von dem Kreise verschiedenen Curven (—318). 10) Von dem Trägheitsmomente (—323). 11) Von der Rotationsbewegung eines Körpers um eine feste Axe (—333). 12) Allgemeine Formel für die schwingende Bewegung des Pendels (—345). 13) Ueber die Bestimmung der Länge des Secundenpendels und die Mittel, welche dasselbe zur Erklärung verschiedener physikalischer Erscheinungen an die Hand gibt (—364). 14) Anwendung des Pendels auf die Uhren (—375). 15) Von den schwingenden Saiten (—384). — Ueberall ist für Erläuterung durch zahlreiche Zahlenbeispiele gesorgt. Eine eigentliche Beurtheilung des gründlichen und reichhaltigen Werkes — in welchem man jedoch keineswegs, dem Vorworte zufolge, eine wirklich elementare Darstellung suchen darf, da von der Differential- und Integralrechnung sehr häufiger Gebrauch gemacht wird, — würde hier nicht am Orte sein. Ref. begnügt sich, nur wenige Puncte hervorzuheben, an denen man einigermaassen Anstoss nehmen kann. Die S. 76 gegebene Definition einer Maschine hätte gewiss viel kürzer gefasst werden können: „Eine Maschine ist ein Instrument, dessen Zweck im Allgemeinen darin besteht, die Wirkung einer Kraft von dem Puncte, auf welchen sie unmittelbar wirkt, auf einen andern Punct überzutragen, auf welchen man sie wirken lassen will, um ein Hinderniss zu überwinden und eine Arbeit zu verrichten, welche man entweder gar nicht, oder nur mit Schwierigkeit würde erreichen können, wenn man die Kraft unmittelbar auf den zweiten Punct wirken liesse". Hier ist schon der Anfang der Erklärung nicht zu billigen; statt Instrument würde besser Vorrichtung gesetzt sein. Eine andere, im Ganzen vorzüglichere Erklärung ist S. 197 zu finden: „Wenn Systeme und Körper so eingerichtet sind, dass man vermittelst derselben mit geringen Kräften bedeutende Widerstände überwinden oder beträchtliche Geschwindigkeiten erreichen und gewisse Arbeiten schnell und genau verrichten kann, so werden sie Maschinen genannt". — Bei Gelegenheit der Lehre von der Schraube wird eine Beschreibung der Stanhope'schen Buchdruckerpresse gegeben, die aber hier, an einer so frühen Stelle der Mechanik, unmöglich recht verständlich sein kann, zumal da der Vf., um nicht zu weitläufig zu sein, eine allgemeine Kenntniss der Buchdruckerpresse voraussetzen muss. S. 252 werden fest und hart (im Gegensatz zu weich) als synonym gebraucht, was jedenfalls unrichtig ist, auch mit dem in diesem Werke sonst vorkommenden Gebrauche des Wortes fest (synonym mit starr) im Widerspruch steht. — Auf dem Carton zu S. 379 f. sind die Töne der verschiedenen Octaven nach französischer Weise mit Ordnungsexponenten bezeichnet: c_1, c_2, c_3 u. s. w., im grellen Widerspruch mit S. 381 f., wo die gewöhnliche in Deutschland übliche Beziehung angewandt ist: C, c, $\bar{c}$, $\bar{\bar{c}}$ u. s. w. Eine solche auffallende Ungleichförmigkeit möchte schwer zu entschuldigen sein. — S. 383 heisst es vom Pianoforte: „welches gewöhnlich Flügel genannt wird". Bekanntlich gibt es aber zwei Arten von Fortepianos; tafelförmige und flügelförmige; die erstere wird demnach hier gänzlich ignorirt. — Hier und da sind in den Vortrag historische Mittheilungen eingeflochten, die theilweise ausführlicher sind, als für den hier zu erreichenden Zweck angemessen erscheint. Dahin gehören die Nachrichten S. 44 über die Statue Ludwigs XIV. und die abweichende Art, wie dieselbe gegossen worden, nämlich in Sand-, nicht in Wachsformen, und S. 154 über die Kirchen Ste. Geneviève und Ste. Madeleine in Paris, ihre verschiedenen Bestimmungen u. s. w. Wenigstens hätten solche dem wissenschaftlichen Vortrage fremdartige Nachrichten in Anmerkungen unter den Text verwiesen werden sollen. — Die Ausstattung ist sehr gut, der Druck im Ganzen correct.

Länder- und Völkerkunde.

[[illegible]] Portugal. Erinnerungen aus dem Jahre 1842. Mainz, v. Zabern. 1843. 452 S. gr. 8. (2 Thlr.)

Wer der Vf. dieses Buches sei, gibt sich aus der Geschichte der Heimfahrt, den Erlebnissen desselben in Barcelona, kund; es ist Fürst Felix Lichnowsky. Die Nennung seines Namens genügt, um hier dieselbe Lebendigkeit der Auffassung, Schärfe der Beobachtung und Leichtigkeit der Darstellung, als in den Erinnerungen aus Spanien, vermuthen zu lassen. So ist es auch in der That und nicht leicht wird ein Leser, auch wenn er mit v. Eschwege's und der Gräfin Hahn-Hahn neuerdings erschienenen Darstellungen portugiesischer Zustände bekannt ist, das Buch unbefriedigt aus der Hand legen. Jedoch sein Inhalt ist zum grössten Theil wesentlich von dem der spanischen Erinnerungen verschieden; hier ist nur von Reisebeobachtungen, nicht von Kriegsabenteuern die Rede; Beschreibungen von Land und Volk, Städten, Palästen und Klöstern, reich untermischt mit Erinnerungen an die ältere portugiesische Geschichte, machen seinen Hauptbestandtheil aus; andererseits ist eine gewisse Enthaltsamkeit in Betreff der Geschichte Portugals seit den Umwälzungen auf der pyrenaischen Halbinsel nicht zu verkennen. Eine Ausnahme machen indessen Charakteristiken und Biographien ausgezeichneter Männer Portugals aus der neuesten Zeit, als des Herzogs von Terceira (Villaflor) und von Palmella, des Ministers Costa Cabral, und einzelne Bemerkungen über den Gang des miguelistisch-pedristischen Krieges. Politisches Raisonnement, das Parteinahme verräth, ist dem Buche fremd; die Berichte über das in Portugal allgemein, insbesondere in der Armee, verbreitete Politisiren, über den Mangel an Ruhe, Würde und Schicklichkeit in den parlementarischen Debatten u. dgl. sind ohne alle Parteifärbung: des Königs wird mit voller Anerkennung seiner einnehmenden Persönlichkeit gedacht, und anziehend ist die Beschreibung der ungemeinen Einfachheit des Hofes, seitdem eine beschwerliche Etikette mit der darin lebenden und wohnenden Camarilla bei Seite geschoben worden ist (S. 272). Den grössern Theil des Buches nimmt die Beschreibung Lissabons, des Hofes, der bedeutendsten Persönlichkeiten in Staat und Hauptstadt und der Umgegend, des Klosters Mafra, Belems, des paradiesischen Cintra, des düstern Queluz, ein; höchst interessant ist darauf der Bericht von dem Ausfluge nach Setubal und noch mehr nach dem Norden, über den Mondego nach Coimbra, Porto, Braga, Guimarâes (der ältesten Hauptstadt Portugals), dem Kloster Busaco, wo treffende Bemerkungen über Massena's und Ney's Angriff auf Wellington's feste Stellung (S. 389), dann zurück über Condeixa, Pombal, Leiria, nach dem wundervollen Prachtwerke der Baukunst, dem Kloster Batalha, das zum Andenken der Schlacht von Aljubarrota (J. 1385) erbaut worden ist, und dem nahegelegenen durch Pedro's des Strengen und seiner Inez de Castro Grabmal, so wie durch seinen vormaligen Reichthum berühmten Kloster Alcobaza. Was dem Vf. auf der Heimfahrt begegnet ist, haben zu seiner Zeit die öffentlichen Blätter berichtet; hier ist dem Berichte davon das letzte (sechste) Capitel gewidmet. Wir schliessen mit einer Stelle über das Bild Johanns VI. in Belem (S. 222): „das schauderhafte, froschartige Gesicht König Johann VI. ist auch da zu sehen und ich dachte beim Anblick seiner breiten moluskenartigen Hände an das fürchterliche, nie gewaschene Originalpaar, das die schönsten Frauen Lissabons mit schwellenden Lippen zu küssen bekamen. Von dem bekannten Nankinbeinkleide, das der König so lange trug, bis es abfiel, war nichts zu sehen; es muss gerade in der Wäsche gewesen sein, was nur sehr selten und heimlich, ohne Verwissen Sr. Majestät geschehen durfte. A propos dieser königlichen Titulatur scheint sich Johann VI. ausserordentlich gefreut zu haben, da er die Gewohnheit hatte, von sich selbst oftmals in der dritten Person mit Anwendung derselben zu sprechen, so z. B. „Seine Majestät will ausfahren, jagen, essen, schlafen". Viel Anderes mag er wohl nicht gesagt haben".

[6667] Die russischen Ostsee-Provinzen Kurland, Livland und Esthland, nach ihren geographischen, statistischen und übrigen Verhältnissen dargestellt von Prof. Dr. **P. A. Fedor K. Possart.** 1. Thl. Das Gouvernement Kurland. Stuttgart, Steinkopf'sche Buchh. 1843. 355 S. gr. 8. (1 Thlr. 15 Ngr.)

Auch u. d. Tit.: Das Gouvernement Kurland u. s. w.

Der Vf. spricht sich auf folgende Weise über sein Werk aus: „Ich habe es unternommen, eine Statistik und Geographie der russischen Ostseeprovinzen zu schreiben; wahrlich! eine Arbeit, die nicht leicht ist und deren Schwierigkeit bereits mein verehrter Vorgänger Bienenstamm fühlte; denn viel gehört dazu, manches Einzelne in genannten Provinzen richtig zu beurtheilen, mit allen Verhältnissen daselbst vertraut zu sein und den rechten Weg bei der Darstellung des Ganzen einzuschlagen. Trotz der vielfachen Schwierigkeiten und Hindernisse aber, mit denen ich zu kämpfen hatte, liess ich doch es mir angelegen sein, mit allem nur möglichen Fleisse das Ganze zu bearbeiten, und hoffe desshalb keine unnütze Arbeit geliefert zu haben". — Dieses Streben des Vfs. wird die verdiente Anerkennung finden bei Allen, die sich seines Buches zur Belehrung bedienen wollen, obschon mannichfache Ausstellungen gemacht werden könnten, die wir hier übergehen, da wir erkennen, dass es fast unmöglich ist, in Sammlungen dieser Art Irrthümer und Auslassungen ganz zu vermeiden. Das Werk besteht aus 2 Abtheilungen für Statistik und Geographie. Der Flächeninhalt Kurlands wird auf 473, oder 479 Quadratmeilen angegeben, die gesammte Bevölkerung beträgt über eine halbe Million (507,265). Diese besteht in der Mehrheit aus L e t t e n — von dem Vf. S. 56, 67 u. ö. die N a t i o n a l e n genannt, eine nicht genau bezeichnende Benennung, deren dort die Deutschen sich im höheren Stil bedienen, statt der eigenen Namen Letten und Ehsten. Es sollen nämlich diese damit geehrt werden, so wie man glaubt, die Juden mehr zu ehren, wenn man sie Ebräer oder Israeliten nennt. Da man aber die schwedischen Schiffer, Fischer und Bauern, auf einigen kleinen Inseln bei Riga und Reval, die doch auch Stammbewohner sind, nicht Nationale, sondern Schweden nennt, so sollte man die ehrlichen Namen Letten und Ehsten durchgängig beibehalten. Dass diese aber eben so gut, wie die Deutschen und Schweden, einer höheren Geistesbildung fähig sind, ist seit wenigstens 25 Jahren durch viele Beispiele ausser Zweifel gesetzt. — Die Zahl der Letten in Kurland schätzt man gegenwärtig auf 380,000 Köpfe; die Zahl der Juden über 11,000. Im J. 1840 haben sich 344 jüdische Familien, bestehend aus 2550 Köpfen, als Ackerbauer ins Gouvernement Cherson übergesiedelt. Der Culturzustand wird von S. 55—146 in physischer und geistiger Beziehung ausführlich erörtert. Der Landbau ist die Hauptnahrungsquelle, nächst diesem der Handel. Das Schulwesen wird in öffentlichen und Privatanstalten umfänglich besorgt. — Der Abschnitt über die Geographie Kurlands behandelt die physische Beschaffenheit, das Klima, die Naturerzeugnisse und Ethnographie; im speciellen Theil werden die Kreise und Ortschaften einzeln behandelt. Die Leibeigenschaft hat aufgehört, aber noch bestehen die Frohndienste, die den Bauer in drückender Armuth erhalten, ohne den Gutsbesitzer zu bereichern. Daher ist der Rath des Barons von Hahn, die Frohndienste in Geldzinsen zu verwandeln (S. 57), in hohem Grade beachtungswerth. Einer seltsamen Meinung des Vfs., welche von Naturkundigen nicht ohne Verwunderung und Erheiterung gelesen werden wird, muss noch gedacht werden, um ihn aufmerksam zu machen, dass der Sammlerfleiss nicht gar zu hingebend gegen Autoritäten sein und nicht auf eigenes Urtheil und Kenntnissnahme der Naturgesetze Verzicht leisten darf. Der Vf. sagt S. 74: „es ist gelungen, Hafer in Roggen zu verwandeln. So ward z. B. im J. 1838 in der Gegend von Jakobstadt in einem Hopfengarten ein mit Gras bedecktes Stück Land aufgerissen, wohin nie ein Körnchen Roggen gekommen war und dasselbe zu Joh. 1837 mit Hafer besäet, den man in der Folge 2—3 Mal abmähte. Im Juni 1838 standen auf jenem Stücke 105 Roggenpflanzen, von denen jede mehrere Halme trieb. Auch auf Brachfeldern, wo im J. vorher Hafer gestanden, will man viele Roggenpflanzen bemerkt haben". Fiel denn die Verworrenheit des Berichts dem Vf. nicht auf? Solche Wunder der Verwandlungen könnte er noch oft wahrnehmen. So sieht man z. B. nicht selten ein ganzes Feld voll blühender Stiefmütterchen (Viola tricolor) wo vorher irgend eine Art Getreide oder Kohl gestanden hatte; auf Stellen, wo Nadelholz abgeschlagen worden ist, wachsen Birken und Espen in grosser Menge, ohne dass man sie gesäet hat. — Sind das auch Verwandlungen? Dürfte der Vf. nicht auch gefragt werden, ob eine Heerde Merino-Schafe, die man jetzt weiden sieht, wo voriges Jahr einheimische kurländische Schafe weideten, eben erst in Merinos verwandelt worden wäre? — Sehr abweichend ist für Personen des untersten Standes das Strafverfahren, verglichen mit dem in Deutschland. So können vom Kreisgericht 60 Stockschläge oder Peitschenhiebe, vom Gemeindegericht 30 Stockschläge, von der Gutspolizei 15 Stockschläge zuerkannt werden (S. 124). An der Küste richtet der Flugsand oft grossen Schaden an; so wurde bei Libau eine grosse Strecke fruchtbaren Ackerlandes mit Sand überschüttet (S. 174); doch arbeitet man seit 1834 diesem Uebel mit dem Anbau verschiedener Kriechpflanzen und Holzarten mit Erfolg, aber mit grossen Kosten entgegen. Da man in Kurland 300 Landseen zählt, so lässt sich daraus allein schon erklären, dass der Himmel meist grau und bewölkt erscheint, und dass es viele Moräste gibt. — S. 216 wird die von den Kurländern oft wiederholte, ihnen schmeichelhafte Meinung ausgesprochen, dass sie die besten Köpfe unter den Deutschen in den Ostseeprovinzen seien. Diess ist dahin zu berichtigen, dass die Kurländer allein diess von sich glauben, obgleich eine weit grössere Zahl Liv- und Ehstländer in Staatsämtern aller Art, so wie im Lehrfach und Kriegsdienst sich ehrenvolle Stellen und Anerkennung erworben haben. Mit welchem Sinn und Geist aber ein Schriftsteller die Gegenstände anschaut und auffasst, erkennt man am besten aus seiner eigenen Darstellung. Daher theilen wir seine Schilderung des Lebens in Libau mit. S. 324: „Der Aufenthalt in Libau ist sehr angenehm. Die Leute führen ein recht gemüthliches und gemächliches Leben, lieben eine gute

Küche, sind dienstfertig, und wer gern Strömlinge, fette Rennthierzungen, Kaviar, litthauschen weissen Honig, kurischen Schmantkuchen, gewürzten Speck- und Kümmelkuchen, guten russischen Karavanen-Thee u. dgl. m. kosten will und Kurland bereiset, der darf nur hierher kommen und kann für Geld und gute Worte Warmes und Kaltes, Confect und Gefrornes, Fremdes und Einheimisches haben. Libau hat seine geringen, besseren, vornehmen und vornehmsten Kreise, seine John Bulls, seine Neuigkeitskrämer, seine Kaffeeschwestern, Vettern und Basen; doch die Bürgerschaft ist eine eben so acht- als ehrbare. Sie hat eine rothe, grüne und blaue Bürgergarde". — Statt „Esthland, Esthen", wie der Vf. schreibt, verdient die Schreibart vieler Anderer „Ehstland, Ehsten" unbedingt den Vorzug. Bei Tacitus werden Aestui, Aesti erwähnt, und wahrscheinlich haben die Deutschen daher den Namen entlehnt, denn das Volk selbst braucht diesen nicht; es nennt das Land in seiner Sprache unser Land, und sich selbst Landesmänner, ehstnisch Maa-Mees. Auch der Name Livland, von dem ehstn. Wort Liva, d. h. Sand, ist durch die Deutschen entstanden.

Bibliographie.

Classische Alterthumskunde.

[6868] *Archäologische Mittheilungen aus Griechenland, nach **Carl Ottfr. Müller's** hinterlassenen Papieren herausgeg. von *Ado. Schöll.* I. Athens Antiken-Sammlung. I. Hft. Frankfurt a. M., Hermann'sche Buchh. 1843. VIII u. 131 S. mit 6 Taff. gr. 4. (2 Thlr. 15 Ngr.)

[6869] Etruskische Spiegel von **Edu. Gerhard.** 13. Hft. Berlin, Reimer. 1843.. Taf. CXXI—CXXX. gr. 4. (2 Thlr.)

[6870] Bilder antiken Lebens von **Theod. Panofka.** 3. Hft. Berlin, Reimer. 1843. 2 Bog. Text u. 5 lith. Taff. gr. 4. (1 Thlr.)

[6871] *Hellenische Alterthumskunde von **Wilh. Wachsmuth.** 2. Aufl. 1—5. Hft. Halle, Schwetschke u. Sohn. 1843. S. 1—560. gr. 8. (à 15 Ngr.)

[6872] *Anecdota Delphica ed. **Ern. Curtius.** Acced. tabulae II Delphicae. Berolini, Besser. 1843. 19 Bog. u. 2 lith. Taff. gr. 4. (2 Thlr.)

[6873] Archaeologia Graecorum et Romanorum. Discipulis suis conscripsit **Tob. God. Schröer,** Lycei evang. Posoniensis Prof. Posonii, C. F. Wigand. 1843. VIII u. 111 S. gr. 8. (15 Ngr.)

[6874] Handbuch der römischen Alterthümer von **G. F. F. Ruperti,** Conr. d. Lyceums in Hannover. 2. Thl. 2. Abthl.: Regierung u. Verwaltung d. röm. Staats. Hannover, Hahn'sche Hofbuchh. 1843. VIII u. 1065 S. gr. 8. (3 Thlr. 5 Ngr.)

[6875] *Zwölf römische Militair-Diplome. Beschrieben von **Jos. Arneth,** Prof. d. Münz- u. Alterthumsk. an d. k. k. Univ. zu Wien u. s. w. Auf Stein gezeichnet von *Alb. Camesina.* Wien, Rohrmann. 1843. IV u. 76 S. mit 25 Lithogr. gr. 4. (n. 2 Thlr. 25 Ngr.)

[6876] Itinéraire de Rome et de ses environs, redigé par feu **A. Nibby** d'après celui de feu M. *Vasi* avec les changemens et les additions, qui ont eu lieu jusqu'à présent. Tom. I et II Rome, Valentini. 1842. XLVIII u. 272, 316 S. mit 37 Kpfrtaff. gr. 12. (10 L. 80 c.)

[6877] Antica Romana via del Sempione, nuovamente osservata e illustrata con monumenti contemporanei dal cav. **Giov. Labus.** Milano, 1843. 22 S. mit 2 Kpfrn. 4.

[6878] I Riti nuziali degli antichi Romani. Rovigo, 1843. 38 S. gr. 8.

[6879] Études sur les tragiques grecs, ou Examen critique d'Éschyle, de Sophocle et d'Euripide; précédé d'une histoire générale de la tragédie grecque, par M. **Patin.** Tom. III. (dern.). Paris, Hachette. 1843. 35 Bog. gr. 8. (16 Fr.)

[6880] De rerum divinarum apud Aeschylum conditione, disser. **Rud. Haym.** Part. I. Berolini, Amelang. 1843. IV u. 60 S. gr. 8. (n. 10 Ngr.)

[6881] Pensées de l'empereur Marc Aurèle Antonin. Traduct. nouv. par

Alexis Pierron, avec une introduction et des notes par le traducteur. Paris, Charpentier. 1843. 21 Bog. gr. 12. (3 Fr. 50 c.)

[[illegible]] *Aristophanes Lustspiele. Uebersetzt u. erläutert von *Hier. Müller*, Prof. u. Conr. des Naumburger Domgymnasiums. 1. Bd. Leipzig, Brockhaus. 1843. XVIII u. 426 S. gr. 8. (1 Thlr. 24 Ngr.) Inh.: Das griech. Drama in seiner Entstehung, Entwickelung u. Eigenthümlichkeit. — Plutos. — Die Wolken. — Die Frösche.

[[illegible]] *Euripides restitutus sive scriptorum Euripidis ingeniique censura, quam faciens fabulas quae extant explanavit examinavitque, earum, quae interierunt reliquias, composuit atque interpretatus est, omnes quo quaeque ordine natae esse videntur disposuit et vitam scriptoris enarravit **J. A. Hartungus.** Vol. prius. Hamburgi, Perthes. 1843. XII u. 552 S. gr. 8. (n. 2 Thlr. 10 Ngr.)

[[illegible]] *Cowper's* English Version of the Odyssey of Homer: carefully revised and corrected, with a Commentary in explanation of the practical purpose of the Text. 2 vols. Lond., 1843. 694 S. 8. (15sh.)

[[illegible]] Kriton, ein Platonischer Dialog üb. Gesetzlichkeit, Volksurtheil und Selbstbestimmung, übersetzt und erläutert von *F. A. Nüsslin*, Hofr. u. Dir. d. Lyceums zu Mannheim. 3. Ausg. Mannheim, Schwan u. Götz. 1843. 45 S. 8. (7½ Ngr.)

[[illegible]] Prolegomena ad annotationem in Theaetetum, Platonis dialogum, scr. Dr. **Burger** jun. Lugd. Batav., Hazenberg et soc. 1843. 59 S. gr. 8. (11¼ Ngr.)

[[illegible]] De dialectica Platonis. Scrips. **Car. Knebn**, Phil. Dr. Berolini, Amelang. 1843. 51 S. gr. 8. (n. 10 Ngr.)

[[illegible]] Sophokles Elektra. Metrisch übertragen von *Frz. Fritze.* Berlin, Forstner. 1843. XXIV u. 76 S. gr. 8. (10 Ngr.)

[[illegible]] Octavia praetexta. Curiatio Materno vindicatam, ad libros antiquos recognitam, brevi adnotatione instructam edid. *Frc. Ritter.* Bonn, Habicht. 1843. XXXII u. 55 S. 8. (15 Ngr.)

[[illegible]] Einige Oden des Horaz, im humoristischen Gewande, grammatisch, kritisch, historisch u. philosophisch erläutert. Kein Beitrag zu einer Textesrevision. Von *Carlo Del Re.* 1. Hft. Odarum lib. I. v. 1—6. Berlin, Springer. 1843. 48 S. 8. (7½ Ngr.)

[[illegible]] Histoires choisies de Tite-Live, latin-français en regard, traduction de *J. A. Pannelier.* Nouv. édit. Paris, Delalain. 1843. 16¼ Bog. gr. 12. (3 Fr. 50 c.)

[[illegible]] Die Liebekunst. Drei Bücher. Dem Publ. Ovidius Naso nachgedichtet von Dr. *Chr. Fr. Adler.* Leipzig, Brockhaus. 1843. LVIII u. 192 S. gr. 12. (1 Thlr. 6 Ngr.)

[[illegible]] *C. Plinii Caec. Sec. Epistolae. Mit kritisch berichtigtem Texte erläutert von *Mor. Döring*, Conrector am Gymnas. zu Freiberg. 2. Bd. Freiberg, Engelhardt. 421 S. gr. 8. (2 Thlr.) Vgl. No. 547 u. 642.

[[illegible]] Le Aringhe di C. Corn. Tacito; volgarizzamento del conte *Spirid. Petrettini* da Corfu. — Biblioteca scelta di opere greche e latine tradotte in lingua italiana. Vol. LX. — Milano, Silvestri. 1843. VIII u. 248 S. gr. 16. (2 L. 30 c.)

Staatswissenschaften.

[[illegible]] Cours d'économie politique, par M. **P. Rossi.** 2 Vols. 2. édit. Paris, Joubert. 1842. 57¾ Bog. gr. 8. (15 Fr.)

[6896] **Essais sur l'administration provinciale des états constitutionnels de l'Europe,** par **Thibault Lefebvre.** Belgique. Paris, Joubert. 1843. 2 Bog. gr. 8. (1 Fr. 50 c.)

[6897] *Ueber das sogen. germanische u. das sogen. christliche Staatsprincip, mit besond. Beziehung auf *Maurenbrecher, Stahl* u. *Mathäi* von **F. W. Carové,** Dr. d. Phil. u. Lic. d. Rechte. Siegen, Friederich'sche Verlagsbuchh. 1843. XXXII u. 452 S. gr. 8. (2 Thlr. 10 Ngr.)

[6898] Ajax, **unsere Zeit und ihre Tendenzen in Beziehung auf Staat und Kirche.** Leipzig, Fort. 1843. 56 S. gr. 8. (10 Ngr.)

[6899] Bibliothek politischer Reden aus dem 18. u. 19. Jahrhundert. 1. Bd. 1.—3. Lief. Berlin, Voss'sche Buchh. 1843. 324 S. gr. 16. (à n. 5 Ngr.)

[6900] *Der Nationalcharakter des preuss. Volks u. seine histor. Entwicklung während des Königthumes von **C. T.** Frhrn. **Gans** Edlen Herrn **zu Putlitz.** Leipzig, Hinrichs'sche Buchh. 1843. 129 S. gr. 8. (20 Ngr.)

[6901] Ueber Preussens **landschaftliche Creditvereine,** die Reformen, deren sie bedürfen, und üb. ein richtiges System der Boden-Nutzung u. Schätzung. Von **Bülow-Cummerow.** Berlin, Veit u. Co. 1843. 166 S. gr. 8. (26⅔ Ngr.)

[6902] Vaterländische Hefte über innere Angelegenheiten für das Volk. Herausgeg. von den Mitgliedern der zweiten Kammer. 1. u. 2. Hft. Carlsruhe, (Holtzmann). 1843. 126 S. gr. 8. (Für 6 Hfte. 1 Thlr.)

[6903] Sammlung einiger Urkunden u. Actenstücke, die corporativen Rechte u. Verfassungsverhältnisse der wolfenbüttelschen Ritterschaft betr., nebst einer Entgegnung auf die Schrift von *Bode:* „Beitrag zur Gesch. der Feudalstände im Herz. Braunschweig u. s. w." von **A. C. E. v. Grone.** Hannover, Hahn'sche Hofbuchh. 1843. 95 S. gr. 8. (15 Ngr.)

[6904] Die Preussischen Städte-Ordnungen vom 19. Nov. 1808 und vom 17. März 1831 mit ihren Ergänzungen u. Erläuterungen, insbesondere den in der Gesetzsammlung f. die Preuss. Staaten in den v. Kamptz'schen Annalen f. die innere Staatsverwaltung u. in deren Fortsetzungen durch die Ministerialblätter enthalt. Verordnungen u. Rescripte, dargest. von *Ludw. v. Rönne*, Kammergerichts-Rath, und *H. Simon*, OLGer.-Assessor. Auch u. d. Tit.: Die Verfassung und Verwaltung des Preuss. Staates; eine systematisch geordnete Sammlung aller auf dieselben Bezug habenden gesetzl. Bestimmungen u. s. w. 6. Lief.: Die Gemeindeverfassung des Preuss. Staats. 1. Abthl. (Die Städteordnungen von 1808 u. 1831.) Breslau, Aderholz. 1843. XVI u. 742 S. gr. 8. (2 Thlr. 15 Ngr.)

[6905] Vierteljahrsschrift aus u. für Ungarn. 1843. 2. Bds. 1. u. 2. Hälfte. Leipzig, (G. Wigand). IV u. 208 S. gr. 8. (à n. 1 Thlr.) Vgl. No. 2613. Inh.: Ueb. Ungarns Urbarialgesetze, u. zur Geschichte des Bauernstandes in Ungarn. (S. 1—65.) — Auszüge aus den Reichstagsdebatten. (—120.) — Angelegenheiten der kön. Freistädte. (—185.) — Recurs einiger slowakischer Seelsorger u. Schullehrer, im Mai 1842 in Wien eingereicht. (—208.) — 2. Hälfte. Inh.: *Szerencsy*, Eröffnungsrede der ständischen Reichssitzungen. (S. 1—8.) — Die kön. Propositionen an den ungar. Reichstag v. J. 1843. (—13.) — Fernere Entwickelung der Städtefrage. (—54.) — *Kollár*, Sláwy dcera; lyrisch-episches Gedicht. (—87.) — *Wildner*, ein Haupthinderniss des Fortschrittes in Ungarn. (—133.) — Die ungarischen Zollverhältnisse u. Dr. Wildner's Flugschriften. (—154.) — Ungarns Wunsch u. Streben nach einem selbstständ. Handel. (—178.) — Landtägliche Verhandlungen üb. die Städtefrage. (—191.) — Ueb. den Zustand der period. Presse in Ungarn. 2. Art. (—199.)

[6906] Vertheidigung der Deutschen und Slaven in Ungarn. Die Kehrseite der Vierteljahrsschrift aus u. für Ungarn von **C. Beda.** Leipzig, Binder. 1843. IV u. 117 S. gr. 8. (25 Ngr.)

[6307] Die Stellung der Slowaken in Ungarn, beleuchtet von **Leo** Graf **v. Thun.** Prag, Calve'sche Buchh. 1843. 63 S. gr. 8. (15 Ngr.)

[6308] Die Beschwerden u. Klagen der Slaven in Ungarn über die gesetzwidrigen Uebergriffe der Magyaren. Vorgetragen von einem ungar. Slaven. Leipzig, Binder. 1843. 89 S. gr. 8. (1 Thlr.)

[6309] Apologie des ungrischen Slavismus. Von **S. H****.** Leipzig, Volckmar. 1843. 139 S. 8. (n. 22½ Ngr.)

[6310] Der Panslawismus. Eine Improvisation als Sendschreiben an den Grafen Adam *Gurowski* von **Ant. Mauritius.** Leipzig, Binder. 1843. 47 S. gr. 8. (10 Ngr.)

[6311] Oesterreich und Ungarn. Leipzig, Weidmann'sche Buchh. 1843. 65 S. gr. 8. (10 Ngr.)

[6312] Einige Bemerkungen über die Broschüre: „Oesterreich u. dessen Zukunft“ von **Leop. Schick.** Leipzig, Weygand'sche Buchh. 1843. 34 S. 8. (7½ Ngr.)

[6313] Deutsche Worte eines Oesterreichers. Hamburg, Hoffmann u. Campe. 1843. IV u. 212 S. 8. (1 Thlr.)

Länder- und Völkerkunde.

[6314] Nouvelles annales des voyages etc. (Vgl. No. 6476.) Juillet. Inh: *L. L.*, lettre écrite de Quito sur les provinces de Canelos et du Napo. (S. 1—38.) — *Ternaux-Compans*, lettre de Louis Ramires sur le voyage de Séb. Cabot au Rio de la Plata; trad. du manuscrit inédit. (—73.) — Bulletin, analyses crit., chronique etc. (—126.)

[6315] * Magellan, oder die erste Reise um die Erde. Nach den vorhandenen Quellen dargestellt von **Aug. Bürck.** Leipzig, Tauchnitz jun. 1844. VIII u. 312 S. 8. (1 Thlr.)

[6316] Histoire pittoresque des voyages dans les cinq parties du monde. Recueil des descriptions pittoresques, des récits curieux, des scènes variées, des découvertes scientif., des moeurs et coutumes, qui offrent un intérêt universel. Extrait des Voyages de Chph. Colomb, Pizarre, La Condamine etc. par **L. Hattin.** 5 Vols. Paris, Ardant. 1843. 157¼ Bog. gr. 8. (35 Fr.)

[6317] Voyage au pôle sud et dans l'Oceanie sur les corvettes l'Astrolabe et la Zélée, executé par ordre du roi pendant les années 1837—1840 sous le commandement de M. **J. Dumont d'Urville,** capit. de vaisseau. Histoire de voyage. Tom. V. Paris, Gide. 1843. 27¼ Bog. gr. 8. (6 Fr.)

[6318] Historisch-politische Geographie oder allgemeine Länder- u. Völkerkunde von Dr. **K. Fr. Merleker,** Oberlehrer u. Prof. zu Königsberg in Pr. 4. Buch der histor. comparativen Geographie. 2. Thl., enth: die Continente Oceanien, Amerika u. Europa. Darmstadt, Leske. 1843. XX u. 722 S. gr. 8. (3 Thlr.)

[6319] Reisen in Kleinasien, Pontus und Armenien nebst antiquarischen u. geolog. Forschungen von **W. J. Hamilton.** Deutsch von *O. Schomburgk.* Nebst Zusätzen u. Berichtigungen von *H. Kiepert* u. e. Vorwort von *C. Ritter.* 2 Bde., jeder mit 2 Ansichten u. 1 Karte. Leipzig, Weidmann'sche Buchh. 1843. XVIII u. 515, VIII u. 394 S. gr. 8. (6 Thlr. 15 Ngr.) Vgl. No. 2148.

[6620] Personal Observations on Sindh, the Manners and Customs of its Inhabitants, and its Productive Capabilities; with a Sketch of its History, a Narrative of Recent Events, and an Account of the Connexion of the British Government with that Country to the Present Period. By **T. Postans**, Captain, Bombay Army. Lond., Longman and Co. 1843. 418 S. mit 1 Kpft. u. 1 Karte. gr. 8. (n. 18sh.)

[6621] Ceylon, and its Capabilities: an Account of its Natural Resources, Indigenous Productions, and Commercial Facilities: to which are added, Details of its Statistics, Piloting and Sailing Directions, and an Appendix, cont. the Royal Charter of Justice, the Kandyan Convention of 1815, Ordinances of the Colonial Government on various matters connected with the Commerce of that Island, etc.; with plain and coloured illustrations. By **J. W. Bennett**, Esq. Lond., 1843. 523 S. gr. 4. (3£ 3sh.)

[6622] *Reisen in Süd-Afrika während d. Jahre 1840 u. 1841. Beschreibung des jetz. Zustandes der Colonie des Vorgebirgs der guten Hoffnung. Von **W. v. Meyer.** Hamburg, Erie. 1843. XIV u. 222 S. nebst Abbild. einer Löwenjagd. gr. 8. (n. 1 Thlr. 10 Ngr.)

[6623] De la Guyane française et de ses colonisations, par **Laboria**, cap. d'art. de marine. Paris, Corréard. 1843. 18½ Bog. gr. 8. (7 Fr. 50 c.)

[6624] Algérie historique, pittoresque et monumentale, ou Recueil de vues, monumens, costumes, armes et portraits faits d'après nature dans les provinces d'Alger, Oran, Bone et Constantine, par *Al. Genet, Ol. Bro, C. Flandin, Dauzats, Philippoteaux* etc. avec texte histor. par *M. Berbrugger*. Livr. 1—20. Paris, Delahaye. 1843. à 4 Bog. mit 4 Kpfrn. gr. 8. (Das Ganze in 36 Lieff. 12 Fr. 50 c.)

[6625] Beschreibung der Provinz Mojos in Südamerika von **José Matias Carrasco**, 1830 u. 1831 Gouverneur der Prov. Mojos. Aus d. Span. übersetzt von *F. W. Hoffmann*. (Aus Lüdde's Zeitschr. für vergl. Erdkunde. 3. Bd. 1. Hft. bes. abgedr.) Magdeburg, Baensch. 1843. 22 S. gr. 8. (7½ Ngr.)

[6626] Narrative of the Discoveries on the North Coast of America, effected by the Officers of the Hudson's Bay Company during the Years 1836—39. By **T. Simpson.** Lond., Bentley. 1843. 438 S. mit 2 Karten. gr. 8. (14sh.) Vgl. Monthly Review. 1843. Sept. p. 76—85.

[6627] Geographie des russischen Reichs. Nach den besten Quellen bearb. von **Aug. v. Oldekop.** Petersburg. (Leipzig, Fr. Fleischer.) 1842. VII u. 246 S. 8. (1 Thlr. 15 Ngr.)

[6628] The Empire of the Czar; or, Observations on the Social, Political, and Religious State and Prospects of Russia, made during a Journey through that Empire. By the Marquis **De Custine.** Translated from the French. 3 vols. Lond., Longman and Co. 1843. 1067 S. gr. 8. (n. 1£ 11sh. 6d.) Vgl. Liter. Gazette. 1843. Sept. n. 1385 f. — Vgl. No. 3405 u. 3763.

[6629] Le Nord de la Sibérie. Voyage parmi les peuplades de la Russie asiat. et dans la mer Glaciale, entrepris par ordre du gouvernement russe et exécuté par MM. *de Wrangel*, chef de l'expédition, *Matiouchkine* et *Kozmine*, officiers de la marine imp. russe. Trad. du russe par le prince *Eman. Galitzin.* 2 Vols. Paris, Amyot. 1843. 51½ Bog. mit 2 Kpfrn. u. 1 Karte. gr. 8.

[6630] **Black's** Picturesque Tourist and Road-Book of England and Wales. With a general Travelling Map, Charts of Roads, Railroads, and Interesting Localities, and engraved Views of the Scenery. Edinburgh, 1843. 442 S. gr. 8. (n. 10sh. 6d.)

[6631] Der Wanderer durch London und einen Theil der Umgebungen. Chemnitz, Goedsche Sohn. 1843. VI u. 404 S. 16. (26⅔ Ngr.)

[6832] **Leitfaden für Fremde in Kopenhagen.** Kopenhagen. (Kiel, Bünsow.) 1843. 24 S. 12. (6⅔ Ngr.)

[6833] Le voyageur en Allemagne et en Suisse, à Amsterdam, à Bruxelles, à Copenhague, à Londres, à Milan, à Paris, à St. Pétersbourg, à Pesth, à Stockholm, à Venise et à Varsovie. Avec une description particul. des lieux de bains, de voyages aux montagnes, de la navigation sur le Danube et sur le Rhin par **Richard.** 12. édit., de nouveau rectifiée, corr. et completée par *F. A. Herbig.* Avec une carte itin. soigneus. coloriée. Berlin, Herbig. 1844. VIII, 446 u. 395 S. 8. (In Leinwand u. Futteral 3 Thlr. 15 Ngr.)

[6834] **Reichard's** Passagier auf der Reise in Deutschland u. d. Schweiz, nach Amsterdam, Brüssel, Kopenhagen, London, Mailand, Paris, St. Petersburg, Pesth, Stockholm, Venedig u. Warschau. Mit besond. Berücksicht. der vorzüglichsten Badeörter u. Gebirgsreisen, der Donau- u. Rheinfahrt. 12. Aufl. Von neuem durchgesehen, berichtigt u. ergänzt von *F. A. Herbig.* Berlin, Herbig. 1843. VIII u. 753 S. nebst e. neuen, sauber illum. Postkarte, 2 kleinen Kärtchen und 4 Städteplänen. 8. (Geb. u. in Futteral 3 Thlr. 10 Ngr.)

[6835] Handbuch für Post-, Eisenbahn- und Dampfschiff-Reisende in den deutschen und angrenzenden Staaten. Berlin, Morin. 1843. 130 S. nebst e. Reisekarte von Deutschland. 12. (Geb. 26⅔ Ngr.)

[6836] New Handbook for the River Rhine from Cologne to Mayence, translated by *Fred. Brand.* Cologne, Dunst. 1843. 56 S. u. Rheinpanorama. 12. (10 Ngr.)

[6837] Geographie von Würtemberg von **J. C. Wittmann,** Lehrer d. Geogr. u. Gesch. an d. Realanstalt in Ulm. Ulm, Heerbrandt u. Thämel. 1843. VIII u. 228 S. 8. (7½ Ngr.)

[6838] Post-Coursbuch für d. Königr. Sachsen von **Max. Rob. Voigtländer,** K. Oberpostamtsschreiber in Leipzig. 3. Aufl. (Im Mon. Mai 1843.) Leipzig, Goetz. 1843. 56 S. gr. 8. mit 1 Postkarte von Sachsen in Fol. (10 Ngr.)

[6839] Das Juragebirg in Franken und Oberpfalz, vornehmlich Muggendorf u. seine Umgebungen von Dr. **Gottl. Zimmermann.** Erlangen, Palm'sche Verlagsbuchh. 1843. IV u. 211 S. 8. (1 Thlr.)

[6840] Der Regierungsbezirk Magdeburg. Historisch, geographisch, statistisch u. topographisch dargestellt von Dr. **A. Keber,** Lehrer an d. höh. Bürgersch. in Aschersleben. Halberstadt, Lindequist u. Schönrock. 1843. VIII u. 224 S. gr. 8. (20 Ngr.)

[6841] Neuester Plan von Stettin. Mit der Berlin-Stettiner Eisenbahn u. der Fahrt von Stettin nach Swinemünde. Berlin, Morin. 1843. Ein Blatt in Carton. gr. Imp.-4. (10 Ngr.)

[6842] Geschichte der Ober-Pfarrkirche zu St. Marien in Danzig. Denkschrift zum 500jähr. Jubelfeste den 28. März 1843. Herausgeg. von e. Geschichtsfreunde. Danzig, Homann. 1843. 16 S. gr. 8. (5 Ngr.)

[6843] Der Fremde in Salzburg. Neuester u. vollst. Wegweiser in d. Stadt Salzburg u. ihren Umgebungen. 2. verb. u. verm. Aufl., redig. von *Fr. Ant. Al. v. Braune.* Salzburg, Mayr'sche Buchh. 1843. 211 S. mit 1 Ansicht. 12. (15 Ngr.)

[6844] Der Reisende nach Wien u. der Aufenthalt des Reisenden in Wien. Ein vollst. Auskunftsbuch üb. Alles, was für den in Wien anwes. Reisenden sehenswerth u. merkwürdig ist, wohl auch zum nützlichen Gebrauch für d. Einheimischen von Dr. **W. Hebenstreit.** Wien, Tauer u. Sohn. 1842.

XXVIII u. 846 S. mit 1 Plan von Wien, 1 Ansicht u. 1 Karte der Umgebungen. 16. (22½ Ngr.)

[6845] Wien. Die Kaiserstadt u. ihre nächsten Umgebungen, mit besond. Berücksichtigung der wissenschaftl. Anstalten u. Sammlungen, durchaus nach Original-Mittheilungen von **A. Ado. Schmidl.** 4. durchaus verb. u. verm. Orig.-Aufl. Wien, Gerold. 1843. XXIII u. 362 S. mit e. Plane der Stadt u. Vorstädte. 12. (1 Thlr.)

[6846] Die Metropolitankirche zu St. Stephan in Wien, von **Frz. Tschischka.** 2. nach Original-Urkunden umgearb. Ausgabe. Wien, Gerold. 1843. IV u. 155 S. nebst Titelbild. 8. (1 Thlr.)

Geschichte.

[6847] Essai sur le principe et les limites de la philosophie de l'histoire, par **J. Ferrari.** Paris, Joubert. 1843. 34½ Bog. gr. 8. (7 Fr.)

[6848] Die römische Censur in ihrem Verhältniss zur Verfassung. Eine historische Untersuchung von **Frz. Dor. Gerlach**, Prof. d. alten Lit. u. Vorsteher der öffentl Bibl. an der Univ. zu Basel. Basel, Neukirch. 1843. 2⅜ Bog. gr. 8. (5 Ngr.)

[6849] Histoire générale du moyen-âge, rédigé d'après le programme universitaire, par MM. **Em. Ruelle** et **Alph. Huillard-Breholles.** 2 Vols. Paris, Dezobry. 1843. 73½ Bog. gr. 8. (12 Fr.)

[6850] Documens historiques inédits tirés des collections manuscrites de la biblioth. royale et des archives ou des bibliothèques des départemens, publiés par M. **Champollion-Figeac.** Tom. II. Paris, 1843. 70 Bog. gr. 4.

[6851] Recherches archéologiques, historiques, biograph. et littéraires sur la Normandie, par M. **Louis Dubois.** Paris, Dumoulin. 1843. 25 Bog. gr. 8. (6 Fr.) Hierin ist Laharpe's Preisgedicht: „la délivrance de Salerne“ mit abgedruckt, welches so selten geworden ist, dass es sich St.-Surin für seine Ausgabe der Laharpe'schen Schriften in 16 Bdn. nicht einmal verschaffen konnte.

[6852] Archives historiques et ecclésiastiques de la Picardie et de l'Artois, publiées par **P. Roger.** [Fin du tome II.] Amiens, Duval. 1843. 12 Bog. gr. 8. (Das Ganze 12 Fr.)

[6853] Mémoire sur quelques antiquités remarquables du département des Vosges, par **J. B. P. Jollois.** Paris, Derache 1843. 30½ Bog. mit 40 Kpfrn. u. 1 Karte. gr. 4. (50 Fr.) Nur 125 Expll.

[6854] Jeanne d'Arc, d'après les chroniques contemporaines, par M. **Guido Goerres**, trad. de l'allemand par M. *Léon Boré.* Paris, Perisse. 1843. 26 Bog. gr. 8. (5 Fr.)

[6855] *Historische Schriften u. Abhandlungen von **F. A. Mignet**, beständ. Secr. d. Akad. d. moral. u. polit. Wissensch. Uebersetzt von *J. J. Stolz.* 1. Thl.: Biographische Bilder von Sieyes, Röderer, Livingston, Talleyrand, Broussais, Merlin, Tracy, Daunou, nebst mehr. Vorträgen in d. Akademie. Leipzig, Köhler. 1843. XV u. 420 S. gr. 8. (2 Thlr.) Vgl. No. 4878.

[6856] Histoire générale de la revolution, du consulat, de l'empire, de la restauration, de la monarchie de 1830 jusqu'à 1841, par **L. Vivien.** Tom. III et IV. (dernier). Paris, Pourrat. 1843. 54½ Bog. gr. 8. (Das Ganze 36 Fr.)

[6857] Galerie historique de la révolution française. Vie privée et publ. des principaux personnages, qui ont paru sur la scène polit. depuis l'assemblée des notables jusqu'au consulat, par M. **Alb. Maurin.** 32. livr. Paris, Amic l'ainé. 1843. 4 Bog. mit 1 Kpfr. gr. 8. (75 c.)

[5958] Geschichte der hundert Tage von **M. Capefigue.** 1. Thl. Freiburg, Herder'sche Verlagsh. 1843. 406 S. mit 1 Stahlst. gr. 8. (1 Thlr. 20 Ngr.)

[5959] Geschichte der helvet. Republik von ihrer Gründung im Frühj. 1798 bis zu ihrer Auflösung im Frühj. 1803, vorzüglich aus d. helvet. Archiv u. and. noch unbekannten handschriftl. Quellen dargestellt von **Ant. v. Tillier.** 2. u. 3. Bd. Bern, Fischer. 1843. 517, 463 S. gr. 8. (2 Thlr. 22½ Ngr.)

[5960] The Life of Edward the Sixth compiled chiefly from his own MSS. and from other Authentic Sources. By the Rev. **R. W. Dibdin.** Lond., 1843. 148 S. gr. 18. (1sh. 6d.)

[5961] The History of England, from the Accession to the Decease of King George III. By **John Adolphus,** Esq. Vol. 6. Lond., 1843. 732 S. gr. 8. (14sh.)

[5962] Erzählungen aus der schwedischen Geschichte von **Andr. Fryxell.** 1. Thl.: die heidnische u. kathol. Zeit enthalt.; 2. Thl.: die lutherische Zeit von Gust. Wasa bis zum Tode Erik XIV. enth. Nach der 5. Aufl. des schwed. Originals zur Unterhaltung u. Belehrung für Alt u. Jung übers. von *T. Homberg.* Stockholm, Fritze. 1843. XVI u. 526, VIII u. 423 S. mit 5 Geschlechts- u. Zeittaff. gr. 8. (3 Thlr. 22½ Ngr.)

[5963] Des Königs Gustaf III. nachgelassene und 50 Jahre nach seinem Tode geöffnete Papiere. Uebersicht, Auszug u. Vergleichung von **E. G. Geijer.** Aus d. Schwed. 1. Thl. Hamburg, Perthes. 1843. VIII u. 208 S. gr. 8. (n. 1 Thlr.) Vgl. No. 5967.

[5964] *Teutschlands Urgeschichte von **Karl Barth,** K. B. Geheimerrath. 4. Thl. 2. ganz umgearb. Aufl. Erlangen, Palm u. Enke. 1843. 454 S. 8. (1 Thlr. 25 Ngr.)

[5965] *Historische Forschungen und Darstellungen von Dr. **Geo. Heinr. Klippel,** Conrector am Domgymnasium in Verden. 1. Bd.: Joh. Friedr. Falke u. das Chronicon Corbeiense. 1843. Bremen, Geisler. 1843. XII u. 275 S. gr. 8. (1 Thlr. 7½ Ngr.)

[5966] *Geschichte des deutschen Reiches unter Lothar dem Sachsen, von **Phil. Jaffé.** Eine von d. philos. Facultät zu Berlin gekrönte Preisschrift. Berlin, Veit u. Co. 1843. VIII u. 280 S. gr. 8. (1 Thlr. 7½ Ngr.)

[5967] Geschichte Oesterreichs, seiner Völker u. Länder u. der Entwickelung seines Staatenvereines von d. ältesten bis auf die neuesten Zeiten von Dr. **Herm. Meynert.** 1. Bd. Pesth, Hartleben. 1843. VIII u. 310 S. mit Stahlstichen, Karten, Tabellen u. s. w. gr. 8. (1 Thlr. 5 Ngr.)

[5968] Geschichte der Regierung Ferdinand des Ersten; zunächst nach Buchholz u. andern Quellen bearbeitet von **J. B. Jokell.** 1. u. 2. Thl. in 4 Abthll. Wien, Mechit.-Congr.-Buchh. 1842, 43. 340, 141, 279 u. 256 S. 8. (2 Thlr. 15 Ngr.)

[5969] *Blicke in die vaterländische Vorzeit; Sitten, Sagen, Bauwerke, Trachten, Geräthe aus d. heidn. Alterthume u. christl. Mittelalter der sächs. u. angrenz. Lande, von **Karl Preusker.** 3. Bd. (Meissnische u. benachbarte Gegenden.) 1. Hft. Leipzig, Hinrichs'sche Buchh. 1843. S. 1—120 mit 133 Abbildd. auf 2 Steindrucktaff. gr. 8. (15 Ngr.)

[5970] ***Leibnitzens** gesammelte Werke, aus den Handschriften der K. Bibliothek zu Hannover herausgeg. von *Geo. Heinr. Pertz.* 1. Folge. Geschichte. 1. Bd. Auch u. d. Tit.: Annales imperii occidentis Brunsvicenses. Tomus I. Annales annorum 768—876. Hannover, Hahn'sche Hofbuchh. 1843. XXXV u. 754 S. mit 3 Schrifttaff. gr. 8. (4 Thlr. 10 Ngr.)

[5971] Die freie Reichsstadt Speier vor ihrer Zerstörung, nach urkundl. Quellen örtlich geschildert von Prof. Dr. **Zeuss.** Mit altem Plane u. alten

Ansichten der Stadt Speier, Neidhard. 1843. 24 S. gr. 4. u. 1 lith. Bl. in Fol. (10 Ngr.)

[6972] Forschungen im Gebiete der Vorzeit von **M. F. Rabe**, Mitgl. des Senats d. K. Akad. d. Künste u. K. Schlossbaumeister. 1. Hft.: Das Grabmal des Kurfürsten Johannes Cicero von Brandenburg in d. Domkirche zu Berlin, ein Kunstwerk von Peter Vischer d. Aelt. in Nürnberg, beendigt von s. Sohne Joh. Vischer. Berlin, Lüderitz. 39 S. mit 4 Kpfrn. gr. 4. (1 Thlr.)

[6973] Die Seydlitz-Schlacht bei Zorndorf am 25. Aug. 1758 von **Fr. Jos. Ad. Schneidawind.** 2. Aufl. Neuhaldensleben, Eyraud. 1843. 31 S. 8. (3⅓ Ngr.)

[6974] Vortrag zur Gedächtnissfeier König Friedrich Wilhelm's III., geh. am 3. Aug. 1843 in der Univ. zu Berlin von **Fr. v. Raumer.** Leipzig, Brockhaus. 1843. 60 S. 12. (8 Ngr.)

[6975] Die letzten Augenblicke des Prinzen August von Preussen. Zur Erinnerung von e. Augenzeugen. Bromberg, Levit. 1843. 31 S. 8. (5 Ngr.)

[6976] Denkwürdigkeiten u. vermischte Schriften von **K. A. Varnhagen v. Ense.** 2. Aufl. 4.—6. Bd. Auch u. d. Tit.: Vermischte Schriften. 2. Aufl. 3 Thle. Leipzig, Brockhaus. 1843. VI u. 660, VIII u. 759, VI u. 559 S. gr. 12. (6 Thlr.) Vgl. No. 1765.

[6977] Gallerie d. merkw. u. anzieh. Begebenheiten aus der Weltgeschichte. Ein Lesebuch für Jedermann von **H. Fortmann.** Neuere Geschichte. 4. Thl. Leipzig, Kollmann. 1843. IV u. 451 S. gr. 8. (1 Thlr. 9 Ngr.)

[6978] Histoire de l'empire ottoman depuis son origine jusqu'à nos jours, par **J. de Hammer.** Ouvrage puisé aux sources les plus authent. et rédigé sur des documens et des MSS. la plupart inconnus en Europe; trad. de l'allemand sur les notes et sous la direction de l'auteur, par *J. J. Hellert.* Tom. XVIII. (dern.). Paris, Bellizard. 1843. 25¾ Bog. gr. 8. (10 Fr. Vollst. 180 Fr.)

[6979] Études sur l'Afrique chretienne: état de l'Afrique avant l'arrivée des Vandales; par **L. Sibour.** Digne, 1843. 3¾ Bog. gr. 8.

Land- und Hauswirthschaft.

[6980] Dr. **Joh. Geo. Krünitz's** ökonomisch-technologische Encyklopädie, fortgesetzt von *J. W. D Korth.* 182. Thl. (Tempelherr—Thee.) Berlin, Pauli'sche Buchh. (L. W. Krause). 1843. 750 S. gr. 8., mit 1 Portr. u. 1 Fig.-Taf. in 4. (Subscr.-Pr. 3 Thlr. Laden-Pr. 4 Thlr. 15 Ngr.)

[6981] Allgemeine landwirthschaftl. Monatsschrift; herausgeg. von *Sprengel* u. s. w. 9. Bds. 2. Hft. (Vgl. No. 4926.) Inh.: *Erdl*, üb. Schafpocken u. deren Impfung. (S. 129—150.) — *Schmidt*, Aufruf an alle deutsche Schafzüchter. (—154.) — Pommersche ökonomische Arabesken. (—168.) — *v. Versen*, der Landwirth u. die Kornpreise. (—175.) — *Grano*, Beschreibung der Gebäude zur Darrung u. zum Dreschen des Getreides in Curland. (—185.) — Ueber die Theilbarkeit des Grundes u. Bodens. (—208.) — *Jülcke*, Beiträge zum landwirthschaftl. Gartenbau. (—221.) — *Albert*, die Heilung der bösartigen Klauenseuche betr. (—223.) — Landwirthschaftl. Berichte u. s. w. (—248.)

[6982] Livländische Jahrbücher der Landwirthschaft. Neue Reihenfolge. 6. Bd. in 4 Hften. Dorpat, Severin. 1843. 1. Hft. 116 S. mit e. graph. Darstellung der Witterung, beobachtet u. gez. von Prof. Dr. *Mädler.* 8. (2 Thlr.)

[6983] Kurzer und leichtfasslicher Unterricht von der Landwirthschaft in katedat. Form, bearb.: zunächst für die Schuljugend auf d. Lande u. auch für Erwachsene von Frz. Ant. Höss, Schullehrer zu Babenhausen. Augsburg, Schmid'sche Buchh. 1843. X u. 206 S. mit 8 lith. Taff. gr. 12. (7½ Ngr.)

[...] Lehrbuch der Landwirthschaft von Dr. H. W. Pabst. 2. Bd. 1. Abthl.: Thierproductionslehre oder Viehzucht. 2. neu bearb. Aufl. Auch u. d. Tit.: Die landwirthschaftl. Hausthierzucht. Darmstadt, Leske. 1843. XI u. 322 S. gr. 8. (1 Thlr. 10 Ngr.)

[...] Anleitung zum prakt. Ackerbau von J. Nep. v. Schwerz. 3 Bde. 3. Aufl. Mit 15 lith. Taff. u. d. Bildnisse des Vfs. Stuttgart, Cotta. 1843. XX u. 408, XIV u. 503, VIII u. 202 S. gr. 8. (6 Thlr.)

[...] Der natürliche u. künstliche Wiesenbau, od. prakt. Anleitung zur Bewässerung der Wiesen. Mit besond. Rücksicht auf Nivelliren, Projectiren u. prakt. Ausführung grösserer u. kleinerer Bewässerungsanlagen, nach eig. Erfahrungen f. Oekonomen u. angeh. Wiesenbautechniker entworfen von Fr. A. Paul, Geometer u. Wiesenbautechniker. Leipzig, Voigt u. Fernau. 1843. XX u. 119 S. 8. mit lith. Taff. in gr. 4. (26⅓ Ngr.)

[...] Aufruf an alle Bauern zur Verbesserung ihrer Wiesen durch Bewässerung. Oder prakt. Anweisung, den Wiesen d. höchsten Ertrag abzugewinnen u. unfruchtbare Ländereien zu nutzbaren Wiesen zu machen. Mit Berücksichtigung der bäuerl. Verhältnisse fasslich dargestellt von G. C. Patzig. 2. verm. Aufl. Leipzig, Gebr. Reichenbach. 1843. X u. 129 S. mit 44 eingedr. Abbildd. 8. (10 Ngr)

[...] Der Wiesenbau in seinem ganzen Umfange, insbesond. der Kunstwiesenbau d. Siegener Landes. 2. durchaus umgearb. u. mit d. neuesten Erfahrungen verm. Ausg. seiner Abh. üb. d. Wiesenbau von K. Fr. Schenck, Landwirth. Mit 72 erläuternden Abbildungen. Siegen, Friedrich'sche Verlagsbuchh. 1843. XVI u. 260 S. nebst 9 lith. Taff. 8. (1 Thlr. 10 Ngr.)

[...] Lehrbuch der landwirthschaftlichen Pflanzenkunde von Dr. Chr. Ed. Langethal, Prof. an d. Univ. zu Jena u. s. w. 2. Thl: die Klee- u. Wickpflanzen, besonders in Hinsicht auf deren Formen, Wachsthum und Gebrauch nebst einer Culturgeschichte der Futtergewächse. Jena, Cröker'sche Buchh. 1843. 156 S. mit 100 Abbildd. auf 10 Taff. gr. 8. (1 Thlr. 5 Ngr. Color. 1 Thlr. 10 Ngr.)

[...] Fluch und Segen des Kleebaus. Anleitung zu einem vernunftgemässen Betriebe desselben von Will. Löbe. 2. Aufl. Leipzig, Gebr. Reichenbach. 1843. VIII u. 114 S. 8. (7½ Ngr.)

[...] Der Anbau der Robinie (unächten Akazie, Robinia Pseudoacacia), od.: Anleitung, wüste Stellen auf d. zweckmässigste u. leichteste Weise zu benutzen, Viehweiden zu verbessern, öde Landstriche zu verschönern, dem Wassermangel kleiner Bäche abzuhelfen u. s. w. Nebst vollständ. Anweisung zur Cultur u. Belehrung über die verschied. andern Benutzungsweisen der Robinien u. s. w. von Plock, Oek.-Commissar. Nordhausen, Fürst. 1843. 72 S. 8. (10 Ngr.)

[...] Praktisches Handbuch für die Fortpflanzung u. Cultur des Maulbeerbaumes nach den Vorschriften der besten ital. Autoren u. Erfahrungen der bewährt. Oekonomen. (Von C. v. Zallinger.) Innsbruck, Wagner'sche Buchh. 1843. XVI u. 208 S. gr. 8. nebst 5 lith. Taff. in Fol. (1 Thlr.)

[...] Der Tabak-Anbau in seinem ganzen Umfange. Bearbeitet nach d. besten Hülfsquellen u. eigenen Erfahrungen mit Rücksicht auf das Klima Deutschlands. Als Anhang: das preuss. Tabaksteuer-Gesetz von F. L. Schwerz. Wesel, Klönne. 1843. VII u. 80 S. 8. (12½ Ngr.)

[...] Die Kartoffelnoth unserer Zeit u. ihre Abhülfe, od. die Krankheiten der Kartoffeln in ihren verschiedenart. Erscheinungen u. Kennzeichen; ihren

muthmassl. Entstehungsursachen u. Folgen, sowie ihre Abhülfe durch eine rationelle Cultur u. Regeneration der Kartoffeln von Fr. A. Pinckert, Oekonom zu Etzdorf im Altenburg. Weimar, Voigt. 1843. XVI u. 360 S. gr. 8. (1 Thlr. 10 Ngr.)

[6995] Die Flachsbereitung nach dem anerkannt besten u. in Belgien üblichen Verfahren geschildert von **F. S. Kurtz.** Reutlingen, Mäcken jun. 1843. 40 S. 8. mit eingedr. Holzschn. u. 1 lith. Abbild. in 4. (12½ Ngr.)

[6996] Der Hopfenbau, auf Grund einer vieljährigen Erfahrung dargestellt von **Frz. Wilh. Hofmann,** Güterpächter. Görlitz, Koblitz. 1843. VIII u. 82 S. 8. nebst 8 lith. Taff. in Fol. (1 Thlr.)

[6997] Die Traubencultur an freistehenden Mauern. Nach der 3. Ausg. von *Cl. Hoare's* „Culture of Grape-Vine", unter Benutzung der reichen Erfahrung eines deutschen Weinzüchters u. mit einigen and. Zusätzen aus einschlägigen deutschen Werken übertragen von **H. Gauss.** Weimar, Voigt. 1843. VIII u. 169 S. mit 9 eingedr. Abbildd. gr. 8. (22½ Ngr.)

[6998] Schlesische Garten- und Blumen-Zeitung. Eine Monatsschrift. Unter Mitwirkung von Botanikern, Kunstgärtnern u. Blumisten herausgeg. von *W. Pfingsten* in Liegnitz. 1. Hft. (Juni 1843.) Breslau, Grass, Barth u. Co. 1843. 20 S. 4. (Juni—Dec. 1 Thlr. 5 Ngr.)

[6999] **H. Gruner's** unterweisender Monatsgärtner. Deutliche, auf 40jähr. Erfahrung gegründ. Anleitung zur zweckmässigsten u. dabei einfachsten Verrichtung sämmtlicher monatl. Arbeiten im Gemüse-, Obst-, Blumen- u. Hopfengarten, sowie auch bei d. Gemüse-, Frucht- u. Blumengärtnerei; ferner zur erspriesslichsten Behandlung d. Sämereien, vortheilhaftesten Benutzung d. verschied. Gemüse u. Früchte, bester Aufbewahrung ders. u. s. w. 4. verb. Aufl., neu bearb. von *C. Fr. Förster*, Kunstgärtner in Leipzig. Leipzig, Wöller. 1843. VIII u. 200 S. gr. 16. (22½ Ngr.)

[7000] Vollständiges Handbuch der Blumenzucht. Oder: gründl. Anweisung, alle vorzügl. Blumen u. Zierpflanzen in Gärten, Gewächshäusern, Zimmern u. Fenstern zu ziehen, nebst botan. Beschreibung u. spec. Angabe der Cultur von mehr als 20,000 Arten solcher Gewächse von **Aug. Gerhardt.** In alphabet. Ordnung. 2. Thl. 2. gänzl. umgearb. u. verm. Aufl. Quedlinburg, Basse. 1843. 480 S. 8. (1 Thlr. 20 Ngr.)

[7001] Vollständiges prakt. Handbuch der gesammten Blumengärtnerei in d. Beschreibung aller Blumen u. Zierpflanzen, u. die Kundgebung ihrer Cultur, im Garten, Glas- u. Treibhause, im Zimmer u. vor d. Fenster, wie Blumengärten nach d. neuesten Geschmacke anzulegen sind, auf den Grund einer verb. prakt. Lehre in allen Zweigen der Blumenzucht von **Jak. E. v. Reider,** prakt. Oekonom u. Gutsbesitzer. Leipzig, Schwickert. 1843. XII u. 402 S. gr. 8. (2 Thlr.)

[7002] Die Cultur der Sommerlevkoyen u. das Geheimniss ihrer Samenerziehung von **C. Th. B. Saal,** Pfr. in Oberweimar. Weimar, Voigt. 1843. VIII u. 126 S. 8. (15 Ngr.)

[7003] Katechismus der Obstbaumzucht, od. kurze Belehrung in d. Obstbaumzucht, Veredlung u. Benützung des Obstes. Für d. Landvolk u. die Landschulen in Fragen u. Antworten von **Frz. Diebl,** Prof. der Landwirthsch. u. Naturgesch. in Brünn. 3. Aufl. Durchgesehen u. herausgeg. von d. pomol.-önolog. Vereinsausschusse zu Brünn. Brünn, (Winiker). 1843. 68 S. u. 4 lith. Taff. Abbildd. 8. (7½ Ngr.)

[7004] Karl Will, der kleine Obstzüchter, od. gründl. Belehrung in d. Obstbaumzucht. Zum Gebr. der Jugend von **Joh. Metzger,** Garteninsp. in Heidelberg. Frankfurt a. M., Brönner. 1843. V u. 106 S. mit in d. Text gedr. Figuren. 12. (7½ Ngr.)

[7005] **Die erste Dampfbierbrauerei in München. Mit einer gedrängten Zusammenstellung d. Wichtigsten üb. stehende Dampfmaschinen u. einer Zugabe, die bautechnische Beschreibung d. bayer. Sommer- od. Lagerbierkellergebäude enth.,** von Dr. **K. W. Dempp**, Privatdoc. d. Math. u. Baukunde an d. Univ. in München. München, Lindauer'sche Buchh. 1843. VI u. 122 S. mit 6 Plantaff. gr. 8. (1 Thlr. 10 Ngr.)

[7006] **Der Bier-Kellermeister, od. der Bierwirth, wie er sein u. was er wissen soll,** von **A. F. Zimmermann.** Berlin, Heymann. 1843. XVI u. 195 S. mit 52 lith. Fig. gr. 8. (1 Thlr. 10 Ngr.)

[7007] **Praktisches Brennerei-Verfahren nach d. gegenwärt. Standpuncte seiner Ausbildung** von **L. J. Gumbinner**, ehem. Brauerei-Insp. Berlin, Heymann. 1843. XII u. 212 S. gr. 8. (1 Thlr.)

[7008] **Gemeinnützige Beiträge zur Branntweinbrennerei, Bierbrauerei, Weinbereitung, Essig-, Rum- u. Liqueurfabrikation** von **Gotth. Riensecker.** Quedlinburg, Ernst. 1843. 40 S. 8. (12½ Ngr.)

[7009] **Beschreibung eines neuen, wohlfeilen, höchst wirksamen u. leicht reinigbaren Dephlegmators, welcher mit jeder Art von Brenn- u. Destillir-Geräthen zur wesentlichsten Vervollkommnung ders. verbunden werden kann.** Nebst e. Vorschlag zur Errichtung grosser Brennapparatenfabriken von Dr. **Ludw. Gall.** Mit 5 Ansichten u. Durchschnitts-Zeichnungen. Trier, Gall. 1843. IV u. 32 S. 8. nebst 1 lith. Taf. 4. (5 Ngr.)

[7010] **Neue, bisher noch nicht bekannte Anweisung, feine doppelte Liqueure herzustellen,** von **Jul. Förster.** Grünberg, Levysohn. 1843. 8. Versiegelt. (1 Thlr.)

[7011] **Die Hauswirthschaftskunde** von **Cornelia Chavannes,** Vorsteherin d. Normalsch. f. Schullehrerinnen d. Canton Waadt. Aus d. Franz. übers. u. für Deutschland bearbeitet. Leipzig, Rein'sche Buchh. 1843. XII u. 304 S. mit 1 Lithogr. (1 Thlr. 10 Ngr.)

[7012] **A. Lardner's allgemeiner Hausschatz, oder eine Anzahl erprobter, grösstentheils ganz neuer Vorschriften f. Haus-, Landwirthschaft u. Gewerbe.** Stuttgart, A. Becher. 1843. 160 S. 16. (7½ Ngr.)

[7013] **Die Haus-Viehzucht, oder Anweisung, Rindvieh, Schweine, Schafe, Ziegen, wie auch Hühner, Gänse, Enten, Tauben aufzuziehen, zu füttern und abzuwarten, und deren wichtigste Krankheiten zu erkennen und solche möglichst zu heilen,** von **Ch. Fr. Gl. Thon.** In 2 Abthll. Quedlinburg, Ernst. 1843. XII u. 110, V u. 96 S. 8. (20 Ngr.)

[7014] **Die äussern Zeichen der Milchergiebigkeit bei den Kühen, nach welchen sich nicht nur der Ertrag an Milch nach Menge und Güte, sondern auch die Dauer des Milchertrags während d. neuen Trächtigkeit beurtheilen lässt,** von **Frc. Guenon.** Aus d. Franz. übersetzt von *F. S. Kurtz.* Reutlingen, J. C. Mäcken jun. 1843. IV u. 72 S. gr. 8. mit 72 Abbildd. auf 9 lith. Taff. in Fol. (26⅔ Ngr.)

[7015] **Die englische Schnellmästung mit steter Berücksichtigung der Mast u. Schnellmast in and. Ländern. Eine sichere u. verbürgte Anleitung, Rindvieh, Schweine, Schafvieh u. alle Arten von Hausgeflügel, sowie auch kleinere Vögel, Fische u. Krebse auf d. wohlfeilste, schnellste u. überhaupt vortheilhafteste Art zu mästen.** Nach d. besten engl., franz. u. deutschen Quellen bearb. von **Th. W. Arnheim.** Quedlinburg, Basse. 1843. 85 S. 8. (12½ Ngr.)

[7016] **Der Hühnerhof. Eine vollständige u. deutliche Anweisung f. Hausfrauen in d. Stadt u. auf d. Lande, die Hühner zu erziehen, zu warten, zu e. überaus reichlichen Eierlegen zu bringen, zu mästen, zu kapaunen u. zu poulardiren, kurz: den höchst möglichsten Nutzen von ihnen zu ziehen.** Nebst

Belehrungen üb. alle Krankheiten der Hühner, deren Verhütung u. Heilung, sowie üb. die besten Aufbewahrungsmethoden der Eier. Nordhausen, Fürst. 1843. 108 S. 12. (10 Ngr.)

[7017] Neue, verbesserte Schnellräucherungs-Methode, in jeder Jahreszeit jede Gattung Fleisches ohne Feuer u. Rauch in ganz kurzer Zeit u. einfacher Art auf nassem Wege wohlfeil zu räuchern. Erprobt herausgeg. von *J. G. O.* **Grätz**, Kienreich. 1843. 24 S. 8. Verklebt. (6⅔ Ngr.)

[7018] Vollständiges bayerisches Kochbuch für alle Stände von **Maria Kath. Daisenberger**, geb. *Siegel.* 1. Lief. Nürnberg, Zeh'sche Buchh. 1843. 112 S. u. Titelkupf. 8. (Vollst. in 6 Lieff. 1 Thlr. 5 Ngr.)

[7019] Familien-Kochbuch. Vollständ. Kochbuch für Hausfrauen u. angeh. Köchinnen, die sich selbst belehren u. vervollkommnen wollen. Herausgeg. von **Louise Apel, Bertha Schneider** u. **Ros. Gruber.** Leipzig, Schmalta. 1843. 221 S. 8. (7½ Ngr.)

[7020] Die herrschaftliche Mundküche. Eine Sammlung von 700 Speise-Recepten aus d. feineren Kochkunst. Nach 20jähr. Erfahrung gesammelt, erprobt u. leichtfasslich beschrieben von **Andr. Pfaff**, Grossherz. Hess. Mundkoch. München, Palm. 1843. 335 S. gr. 8. (1 Thlr. 3⅘ Ngr.)

[7021] Die wahre Kochkunst, oder: neuestes geprüftes und vollständiges Pesther Kochbuch von **Josephine v. St. Hilaire.** 8. verb. Aufl. Pesth, Eggenberger u. Sohn. 1844. 552 S. gr. 8. (1 Thlr. 10 Ngr.)

[7022] Vollständige, theor.-praktische Anleitung zur feineren Kochkunst für herrschaftl. u. bürgerliche Tafeln von **F. G. Zenker.** 2. Thl.: die Kunstbäckerei. Enth. gegen 600 Gerichte. 3. viel verm. u. verb. Aufl. Wien, Haas'sche Buchh. 1843. 303 S. mit 10 Kpfrtaff. gr. 8. (1 Thlr. 10 Ngr.)

[7023] Anweisung, mit weniger Kaffee auf d. einfachste Weise reineren u. wohlschmeckenderen Kaffee als gewöhnlich zu erhalten, von **G. Kraus.** Leipzig, Hermann. 1843. 20 S. 8. (7½ Ngr.)

[7024] Das goldene Büchlein der Wunder, od. nützliches Allerlei, enth. 150 erprobte Geheimnisse, Mittel u. Recepte aus d. Chemie, Med. u. Oekonomie für hohe u. niedere Stände, von Dr. **W. Rinne.** Heilbronn, Classische Buchh. 1843. 8. (25 Ngr.)

[7025] Wunderbüchlein, oder enthüllte Geheimnisse aus d. Gebiete d. Sympathie, Naturlehre u. d. natürl. Magie, Mathem., Gewerbskunde, Haus- u. Landwirthschaft. Zum Nutzen u. zum Vergnügen. 2. Aufl. Ulm, Seitz. 1843. 94 S. 12. (7½ Ngr.)

Belletristik.

[7026] Gedichte von **Johanna Bormann**, geb. *v. Hagemeister.* Stralsund, Löffler'sche Buchh. (Hingst). 1843. IV u. 172 S. gr. 8. (n. 1 Thlr.)

[7027] Der Babenberger Ehrenpreis. Von **Seb. Brunner.** Wien, Rohrmann. 1843. 250 S. 8. (n. 1 Thlr.)

[7028] Gedichte von **Gfr. Wilh. Bueren.** Emden, Rakebrand. 1843. VIII u. 270 S. gr. 8. (n. 1 Thlr.)

[7029] Les Fastes de Versailles, poëme en quatre chants, par **Diogène.** Paris, Gosselin. 1843. 10 Bog. gr. 8. (18 Fr.)

[7030] Vermischte Gedichte von **C. L. Kaulbach.** München, Palm. 1843. VIII u. 312 S. gr. 16. (n. 1 Thlr. 10 Ngr.)

[7031] Jucunde. Eine ländliche Dichtung in fünf Eklogen von **Ludw. Theo-**

ind Kosegarten. 6. Aufl. Berlin, L. Oehmigke. 1843. 8 u. 192 S. nebst Titelkupf. gr. 16. (15 Ngr.)

[7832] Gedichte von Aug. Kräcer. Leipzig, (Goetz). 1843. 166 S. gr. 12. (20 Ngr.)

[7833] A. v. Lamartine's sämmtl. Werke. Uebers. von *G. Herwegh.* 1. Bd. Stuttgart, Scheible, Rieger u. Sattler. 1843. 496 S. gr. 16. (15 Ngr.) Vollständig in 12 Bden.

[7834] Chants divers, par le comte Anatole de Montesquiou, pair de France. 2 Vols. Paris, Amyot. 1843. 42⅞ Bog. gr. 8. (10 Fr.)

[7835] Sechs Nächte am Zürichersee, den Freien gewidmet von Laurian Moris. (Politische Gedichte.) Leipzig, Engelmann. 1843. 26 S. gr. 8. (7½ Ngr.)

[7836] Dichtungen von Frz. G. Pocci. Schaffhausen, Hurter'sche Buchh. 1843. XVI u. 264 S. gr. 8. (1 Thlr. 7½ Ngr.)

[7837] Ein Album. Bilder aus unserer Zeit von Sidonie Baronesse v. Seefried. 1. Thl. München, Jaquet. 1843. IV u. 153 S. gr. 8. (19 Ngr.)

[7838] Zeitgedichte von Hans Wohlgemut. Mannheim, Hoff. 1843. VIII u. 243 S. gr. 12. (15 Ngr.)

[7839] Liederbuch des deutschen Michel. Leipzig, Peter. 1843. VIII u. 107 S. gr. 12. (10 Ngr.)

[7840] Liederkranz. Auswahl heiterer und ernster Gesänge für Schule, Haus und Leben. Herausgeg. von *L. Erk* u. *W. Greef.* 1. Heft (124 Lieder mit 113 ein- u. zweistimmigen Singweisen enth.). 4. (Stereotyp-) Aufl. Essen, Bädeker. 1843. IV u. 84 S. 8 (5 Ngr.)

[7841] Neuestes Magazin von Gelegenheitsgedichten, enth. eine reiche Sammlung von Neujahrs-, Geburtstags- u. Hochzeitswünschen, Jubelgedichten, Stammbuchversen, Grabgedichten, Toasten u. sogen. Abbitten, nebst e. Anhange von Gedichten zu verschied. and. festlichen Gelegenheiten. Herausgeg. von *J. G. Dähne*, Oberlehrer. Zeitz, Schieferdecker. 1843. VIII u. 160 S. 8. (15 Ngr.)

[7842] Polterabend-Scenen und Aufzüge. Nebst vermischten Gedichten von Henr. Hanke, geb. *Arndt.* Hannover, Hahn'sche Hofbuchh. 1843. 160 S. gr. 12. (25 Ngr.)

[7843] Die Humoristen in der Westentasche, oder: was soll ich declamiren? Ein Potpourri heiterer Dichtungen und Vorträge. 1.—4. Hft. 2. Aufl. Hamburg, Berendsohn. 1843. à 64 S. 32. (à 2½ Ngr.)

[7844] Gratulations-Buch. Eine Auswahl von Neujahrs-, Geburts- u. Namenswünschen an Eltern, Grosseltern u. Lehrer. Nebst Anreden, Dankreden u. Abschiedsreden für d. Jugend u. ihre Erzieher. Quedlinburg, Ernst. 1843. VIII u. 99 S. 12. (10 Ngr.)

[7845] Vergissmeinnicht, ein Kranz von 400 ausgewählten Stammbuchsversen, der Liebe u. Freundschaft geweiht. 8. verb. Aufl. Osterode, (Sorge). 1843. 64 S. 8. (5 Ngr.)

[7846] Neueste Blumensprache. Nebst einer Sammlung von Stammbuchsaufsätzen von *Conradin.* Crefeld, Schüller. 1843. 96 S. 16. (5 Ngr.)

[7847] Repertoire du théâtre français à Berlin. No. 65.: Le Sourd, ou l'auberge pleine, comédie en un acte, par Desforges. 2. édit. Berlin, Schlesinger. 1843. 25 S. gr. 8. (5 Ngr.)

[7848] Repertoire etc. II. série. No. 18: Les mémoires du diable, comédie-vaudeville en 3 actes, par **Arago** et **Vermond.** Ebendas., 1843. 67 S. gr. 8. (10 Ngr.)

[7049] Repertoire etc. II. série. No. 32 et 33 a: En pénitence, comédie-vaudeville en un acte, par **Anicet-Bourgeois.** — Les Circonstances atténuantes, comédie-vaudeville en un acte par **Mélesville, Labiche** et **Lefranc.** Ebendas., 1843. 47 S. gr. 8. (7½ Ngr.)

[7050] Repertoire etc. No. 34: Mathilde, drame en cinq actes par **Eug. Sue** et **Pyat.** Ebendas., 1843. 64 S. gr. 8. (7½ Ngr.)

[7051] Repertoire etc. No. 35: Lucrèce, tragédie en cinq actes et en vers, par **Ponsard.** Ebendas., 1843. 52 S. gr. 8. (7½ Ngr.)

[7052] Théâtre français. I. serie. livr. 2.: Le voyage à Dieppe. Comédie en 3 actes et en prose, par **Wafflard** et **Fulgence.** Berlin, Schlesinger. 1843. 78 S. 18. (2½ Ngr.)

[7053] Théâtre etc. 1. ser. livr. 5.: Le conteur, ou les deux postes. Comédie en 3 actes et en prose, par **L. B. Picard.** Ebendas., 1843. 56 S. 18. (2½ Ngr.)

[7054] Théâtre etc. VI. série. livr. 4.: Le bourgmestre de Sardam, ou le prince Charpentier. Vaudeville en 2 actes par **Mélesville, Merle** et **Boirie.** Ebendas., 1843. 18. (2½ Ngr.)

[7055] Dramatische Bibliothek des Auslandes. In gewählten Uebersetzungen. 8. Bdchn. **Scribe's** ausgewählte dram. Werke. 7. Bdchn.: Geliebt sein oder sterben. Lustspiel in einem Aufz. nach *Scribe* u. *Dumanoir* von *Jul. v. Ribics.* Wien, Tauer u. Sohn. 1843. 18. (7½ Ngr.)

[7056] Sämmtliche Werke von **Jos. Frhrn. v. Auffenberg** in 20 Bdn. Erste, von der Hand des Vfs. sorgfältig revidirte, vollständ., rechtmässige Gesammtausgabe. 1. Bd. Siegen, Friedrich. 1843. IV u. 340 S. gr. 12. (a. 12½ Ngr.) Enth.: Pizarro, Trauerspiel. — Die Spartaner, Trauerspiel. — Der schwarze Fritz, Trauerspiel.

[7057] Die Sonntagsjäger. Originallustspiel in 3 Acten von **Rod. Benedix.** Wesel, Becker'sche Buchh. 1843. 168 S. gr. 12. (20 Ngr.)

[7058] Una commedia e due drammi, del marchese **Domen. Capranica.** Milano, 1843. 248 S. 8. (2 L) Inh.: Soltanto un' apparenza di male. La Fortuna del giuocatore. La Donna vendicativa.

[7059] Faust. Eine Tragödie von **Goethe.** Beide Thle. in 1 Bde. Stuttgart, Cotta. 1843. 463 S. S. 8. (1 Thlr)

[7060] Der Sohn der Wildniss. Dramat. Gedicht in 5 Acten von **Fr. Halm.** Wien, Gerold. 1843. 160 S. gr. 8. (1 Thlr. 10 Ngr.)

[7061] Die beschuhte Katze. Ein Mährchen in drei Acten mit Zwischenspielen von **K. v. Holtei.** Berlin, A. Duncker. 1843. 113 S. gr. 12. (15 Ngr.)

[7062] Lessing's Nathan der Weise auf der Berliner Bühne. Ein Vortrag gehalten in d. Gesellschaft der Freunde der Humanität in Berlin. Berlin, Asher u. Co 1843. 32 S. gr. 8. (7½ Ngr.)

[7063] Ulrich. Ein dramatisches Gedicht von **Ado. Sapper.** Stuttgart, A. Becher. 1843. 344 S. 8. (1 Thlr. 3⅓ Ngr.)

[7064] Die Langobarden. Ein Trauerspiel in 5 Acten von **C. Weichselbaumer.** Düsseldorf, Schaub. 1843. 156 S. 8. (22½ Ngr.)

[7065] Wladimir's Söhne. Ein Trauerspiel in 5 Acten von **C. Weichselbaumer.** Düsseldorf, Schaub. 1843. 142 S. 8. (20 Ngr.)

[7066] **Frz. A. Werner's** dramatische Werke. 5. Bdchn.: Der Traum.

Scherzspiel in 2 Acten. Werisdin. (Leipzig, Kummer.) 1843. 64 S. gr. 16. (6⅓ Ngr.)

[illegible] **Wilh. Blumenhagen's** sämmtliche Schriften. 2. verb. Aufl. (in 16 Bden. mit 17 Stahlstichen). 2.—4. Bd. Stuttgart, Scheible, Rieger u. Sattler. 1843. 458, 444 u. 491 S. gr. 16. (à 22½ Ngr.) Inh. 2. Bd.: Männertreue, oder: so sind sie nicht Alle. — Hannovers Catilina. — Der Wilddieb, oder: die heisse Probe. — Eva von Troth. — Die Freunde. — 3. Bd.: Der Hagestolz. — Die Heilquelle. — Treue gewinnt. — Prinz u. Kramer als Nebenbuhler. — Der Egoist. — Graf Herrmann. — Die verderbliche Begegnung. — 4. Bd.: Jahn der Büssende. — Der Erbschleicher. — Die Schmuggler. — Fürstenherzen. — Das Gewissen.

[illegible] Aus dem Kaukasus. Von **Roman** Frhrn. **Budberg-Bennighausen.** Nach Lermontoff'schen Skizzen. Berlin, Buchh. des Berl. Lesekabinets. 1843. 382 S. gr. 8. (1 Thlr. 15 Ngr.)

[illegible] Meredith, by the countess **of Blessington.** (Edition sanctioned by the author.) — Collection of british authors, Vol. LII. — Leipzig, B. Tauchnitz jun. 1843. 358 S. gr. 16. (15 Ngr.)

[illegible] Das Buch von der Nase. Humoristische Abhandlungen für Jedermann und — jede Frau. Leipzig, Jackowitz. 1843. IV u. 100 S. mit 1 Titelkupf. 8. (15 Ngr.)

[illegible] Cancan eines deutschen Edelmanns. 2. Thl. Leipzig, Brockhaus. 1843. XX u. 350 S. gr. 12. (1 Thlr. 24 Ngr.)

[illegible] Peter Schlemihl's wundersame Geschichte von **Adelb. v. Chamisso.** 5. Aufl. (Mit engl. Uebersetzung zur Seite von *Will. Howitt.*) Nürnberg, Schrag. 1843. XV u. 283 S. mit 6 Stahlst. gr. 16. (1 Thlr. 15 Ngr.)

[illegible] Ruines du chateau de Rosenthal, par **Chasserot.** 2 Vols. Paris, Delin. 1843. 42½ Bog. gr. 8. (15 Fr.)

[illegible] Vom Herzen zum Herzen. Bilder aus Natur u. Schrift. Von **C. Fd. Cooper,** Past. adj. zu Kirchosten. Hamburg, Niemeyer. 79 S. gr. 8. (10 Ngr.)

[illegible] Die sächsischen Frauen als Mädchen, Gattinnen, Mütter, Erzieherinnen, Wirthinnen, Künstlerinnen, Freundinnen, Trösterinnen nach d. Leben geschildert. Ein Weihgeschenk für sächs. Frauen von **K. Fr. Döhnel.** Schneeberg, Rentzsch. 1843. 28 S. gr. 8. (10 Ngr)

[illegible] Sylvandire. Von **Alex. Dumas.** Aus d. Französ. von *W. L. Wesché.* 2 Bde. Leipzig, Kollmann. 1844. IV u. 311, IV u. 314 S. 8. (3 Thlr. 15 Ngr.)

[illegible] Le capitaine Spartacus, par **Paul Feval.** 2 Vols. Paris, de Potter. 1843. 44¾ Bog. gr. 8. (15 Fr.)

[illegible] Veilchen und Tulpen aus dem Bereiche der Phantasie und Wirklichkeit von dem Vf. der Beiträge zur Geschichte Griechenlands. des Allerlei aus d. Tagebuch eines Reisenden, des Rund, Eckig u. Bunt und der Saitenklänge des Gefangenen auf Marienberg, des Allerlei zum neuen Jahr, wie's die Phantasie gebar. 51 S. 8. Angehängt ist: Geburten des Augenblicks für den Augenblick. Von **Anselm** Frhrn. **Gross v. Trockau.** Bamberg, Züberlein. 1843. 48 S. (7½ Ngr.)

[illegible] Mährchen von **F. W. Hackländer.** Mit 6 Original-Stahlst. von *J. B. Zwecker.* Stuttgart, Krabbe. 1843. 304 S. 8. (1 Thlr. 22½ Ngr.)

[illegible] The false heir, by **G. P. R. James.** (Edition sanctioned by the author.) — Collection of british authors. Vol. LI. — Leipzig, B. Tauchnitz jun. 1843. 456 S. gr. 16. (15 Ngr.)

[7081] Die Liebe heilbar. Humoristisch-philosophisch-hydropathische Abhandlung von **Thd. Innocent.** 2. Aufl. Leipzig, Glück. 1843. 39 S. 16. (2 Ngr.)

[7082] Dinarbas, a tale: being a continuation of Raselas, prince of Abisainia, by **Johnson.** Nordhausen, Schmidt. 1844. 159 S. 8. (10 Ngr.)

[7083] Eva, die Harfenspielerin. Ein Gemälde aus dem Volksleben von **Cypr. Kalt.** Eisenberg, Schöne'sche Buchh. 1843. 243 S. gr. 8. (1 Thlr. 10 Ngr.)

[7084] L'amoureux tranai, par **Ch. Paul de Kock.** 2 Vols. Paris, Souverain. 1843. 43 Bog. gr. 8. (15 Fr.)

[7085] Les folles nuits. L'Alcove, par **Jul. Lacroix.** 2 Vols. Paris, Dumont. 1843. 41¾ Bog. gr. 8. (15 Fr.)

[7086] Leben, Thaten u. schreckliches Ende der Brüder Sylvio u. Matheo Pellegrini, berüchtigter Banditen Calabriens, die während einer Nacht im tiefen Kerker die Beute hungriger Schlangen wurden. Eine wahre Begebenheit. 2. verb. u. verm. Aufl. Wien, Haas'sche Buchh. 1843. X u. 180 S. 8. (22½ Ngr.)

[7087] Die Mappe. Skizzen eines Gentlemans über deutsche Bäder von **Aug. Lewald.** Carlsruhe, artist. Institut. 1843. VI u. 280 S. mit 34 Holzschn. nach engl. Originalien. gr. 12. (2 Thlr.)

[7088] Sämmtliche Erzählungen von **Friederike Lohmann.** Ausgabe letzter Hand. (In 18 Bden.) Mit e. Vorwort der Vfin. von „Godwie-Castle" u. s. w. 1. u. 2. Bd. Leipzig, Focke. 1843. XVI u. 266, 256 S. gr. 16. (cpl. 12 Thlr.)

[7089] Graf Niclas Gara, oder die Riesenhöhle im Hatzeger-Thale. Eine hist.-romantische Geschichte aus d. Zeit der Türken Einfälle in Ungarn von **Rud. Mühlbök.** Wien, Tauer u. Sohn. 1843. 135 S. u. 1 Abbild. 8. (25 Ngr.)

[7090] Volksmährchen der Deutschen von **J. A. Musäus.** Prachtausg. in Einem Bande. Herausgeg. von *J. L. Klee.* Mit Holzschnitten nach Originalzeichn. von *R. Jordan, G. Osterwald, L. Richter, A. Schrödter.* In 20 Lief. Leipzig, Mayer u. Wigand. 1843. 752 S. gr. Lex.-8. (6 Thlr. 20 Ngr.)

[7091] Helene. Ein Fehdebrief an die Gesellschaft. Aus den Papieren einer Dame von **Ed. Maria Oettinger.** Leipzig, Ph. Reclam jun. 1843. 278 S. 12. (1 Thlr. 15 Ngr.)

[7092] Tolle Welt. Ein Roman von **Thd. Oelckers.** 2 Thle. Auch u. d. Tit.: Bibliothek wohlf. Romane. 7. u. 8. Bd. Leipzig, Peter. 1843. 278 u. 230 S. 8. (3 Thlr.)

[7093] Naturgeschichte des Musikanten von **Hilarius Paukenschläger.** Leipzig, Binder. 1843. 109 S. mit eingedr. Holzschn. 16. (20 Ngr.)

[7094] Deux coeurs de femmes, par **Humbert Pic.** 2 Vols. Paris, Souverain. 1843. 45½ Bog. gr. 8. (15 Fr.)

[7095] Erzählungen und Anekdoten. Ein unterhaltendes Familienbuch zur Beförderung des geselligen Vergnügens von **Jul. Reidl.** Wien, (Tauer u. Sohn). 1843. 120 S. 8. (12½ Ngr.)

[7096] Monde et patrie, ou le poète errant, par **Antonin Roques.** Paris, Bruteau et Pichery. 1843. 19¼ Bog. gr. 8.

[7097] Mariez-vous, roman de moeurs, par **Vict. Roussy.** 2 Vols. Paris, Leclère. 1843. 35 Bog. gr. 8. (15 Fr.)

[7098] Schloss Lilienhof, oder: die nordischen Flüchtlinge. Von **St. Melly.** 2 Bde. Leipzig, Wienbrack. 1844. IV u. 231, 256 S. gr. 8. (2 Thlr. 15 Ngr.)

[7099] Consuelo, par Geo. Sand. Tom. V et VI. Paris, de Potter. 1843. 45¼ Bog. gr. 8. (15 Fr. 50 c.)

[7100] Aus dem Leben. Novellen u. Erzählungen von Gust. vom See. Leipzig, Wienbrack. 1843. IV u. 268 S. gr. 8. (1 Thlr. 10 Ngr.) Enth.: Der Handschuhmacher. — Der Todtenfinger.

[7101] Poetische Bilder der Vergangenheit und Gegenwart von Dr. Ferd. v. Sommer. 1. Bilderreihe. Berlin, Hayn. 1843. VIII u. 128 S. gr. 8. (20 Ngr.)

[7102] Freud und Leid in Novellen von C. v. Stein. Wesel, Klönne. 1843. 320 S. 8. (26⅔ Ngr.)

Todesfälle.

[7103] Am 4. Jul. starb zu Römhild *Joh. Chr. Schober*, ehemal. Rector des Gymnasiums zu Schleusingen, vorher Lehrer am Domgymnasium zu Naumburg, durch einige kleinere Schriften über Tacitus bekannt, 47 Jahre alt.

[7104] Am 8. Jul. zu Braunsberg Dr. *Jos. Annegarn*, seit 1836 Professor der Theologie am dasigen Lyceum Hosianum, vorher Pfarrer zu Selm im Reg.-Bezirk Münster, durch zahlreiche pädagogische und populäre theol. Schriften bekannt, geb. zu Ostbevern in Westphalen am 12. Oct. 1794.

[7105] An dems. Tage zu Potsdam der Landschaftsmaler Prof. *Sam. Rösel*, 75 Jahre alt.

[7106] Am 16. Jul. zu Quedlinburg Dr. *Alb. Gerh. Becker*, Pastor zu St. Aegidien daselbst, früher seit 1792—1804 Gymnasiallehrer, als Gelehrter und Schriftsteller („Auszüge aus Xenophon's Schriften mit Anmerkk. u. Wörterbuch“ 1794, „Demosthenes als Staatsmann u. Redner“ 2 Bde. 1815 f., „Lycurgi quae extant graece“ etc. 1822, „Demosthenes philippische Reden übers., erläutert u. mit einigen Abhandll. begleitet“ 2 Thle. 1824 f., Dionysios Abhandl. üb. die Rednergewalt des Demosthenes, übers. u. erläutert“ 1829, „Demosth. als Staatsbürger, Redner u. Schriftsteller. 1. Abthl. Literatur des Dem.“ 1830, „Conjectanea in loc. Paul. 1. Cor. 5—7“ u. m. a.) rühmlichst bekannt, geb. daselbst am 26. Mai 1770.

[7107] Am 23. Aug. zu Amsterdam *Corn. Josinus Fortuijn*, Rechtsconsulent, als Schriftsteller durch das Werk „Verzameling van Wetten, Besluiten en andere regtsbronnen van Franschen oorsprong, in zoo verre deze, ook sedert de invoering der nieuwe Wetgeving, in Nederland van toepassing zijn“ (3 Thle. 1830—41) in seinem Vaterlande rühmlich bekannt.

[7108] Am 29. Aug. zu Kopenhagen Dr. *Ludw. Lev. Jacobson*, k. Leibarzt und Professor, Regimentschirurg der königl. Garden, Ritter u. s. w., Correspondent des Instituts von Frankreich, durch mehrere physiologische und chirurgische Schriften u. Abhandlungen so wie durch die Erfindung eines Instruments zur Unterbindung durchschnittener Arterien und eine neue Methode des Zerreibens der Blasensteine wohlbekannt, geb. zu Kopenhagen am 10. Jan. 1783.

[7109] Am 30. Aug. zu Meseritz *Herm. Torfstecher*, Oberlehrer an der dasigen k. Realschule.

[7110] Am 1. Sept. zu Augsburg P. *Beda Dadletz*, Professor das., Mitglied des Benedictinerstifts zu St. Stephan.

[7111] Am 2. Sept. zu Marburg in Steiermark *Friedr. John*, ein vorzüglicher Künstler, besonders in der Punctir-Manier, geb. zu Marienburg in Preussen am 24. Mai 1769.

Beförderungen und Ehrenbezeigungen.

[7112] Die erledigte Stelle eines Reg.- und Kreisbauraths bei der Regierung von Oberbayern ist dem Reg.- u. Kreisbaurathe *Chr. Fr. Beyschlag* übertragen worden.

[7113] Die erledigte Professur der Therapie, Klinik und Staatsarzneikunde an der Univ. Erlangen ist dem k. Landgerichtsarzte Dr. *C. Canstatt* zu Ansbach übertragen worden.

[7114] Der ausserordentl. Professor in der kathol. theol. Facultät zu Tübingen *Graf* ist unter Belassung von Titel und Rang seinem Gesuch gemäss zum Pfarrer in Steinberg ernannt worden.

[7115] Der Custos der k. k. Hofbibliothek zu Wien, Dr. *Bartholom. Kapitar*, hat das Ritterkreuz des päpstl. Ordens Gregors des Grossen erhalten.

[7116] Der ordentl. Honorarprofessor Dr. *A. L. J. Michelsen* zu Jena ist vom Grossherzog von S.-Weimar zum Hof- u. Justizrath ernannt worden.

[7117] Der herz. nass. Geh. Rath u. Regierungs-Präsident Dr. *Möller* hat das Comthurkreuz 2. Cl. des grossherz. hess. Verdienst-Ordens Philipp des Grossmüthigen erhalten.

[7118] Der geistl. Rath Dr. *Geo. Reindl* zu München ist zum Hofkapelldirector und Probst an der St. Cajetaner Hof- u. Stiftskirche daselbst ernannt worden.

[7119] Der Domcapitular *E. Rieger* zu Augsburg hat das Ehrenkreuz des k. b. Ludwigsordens erhalten.

[7120] Der Pfarrer *Frz. Mor. Schneider* zu Marienberg im sächs. Erzgebirge ist als Superintendent der neu errichteten Ephorie Marienberg angestellt worden.

[7121] Dem ordentl. Prof. der Medicin an der Univ. Freiburg, Med.-Rath Dr. *Ign. Schwörer*, ist das Ritterkreuz des Ordens vom Zähringer Löwen verliehen worden.

[7122] Dem Hofrath und ordentl. Professor der Medicin an der Univ. Göttingen, Dr. *Ed. von Siebold*, ist von dem Herzog von S.-Meiningen das Ritterkreuz des herz. Sachs.-Ernestinischen Hausordens verliehen worden.

[7123] Dem durch die Herausgabe des „Codex Ephraemi Syri restitutus“ etc. (No. 3755) und andere Schriften bekannten Dr. theol. *Const. Tischendorf* ist von dem Könige von Schweden das Ritterkreuz des Nordstern-Ordens verliehen worden.

[7124] Der bisher. Vorstand und Professor der Baderschule zu Landshut, Dr. *Ulsamer*, ist zum Landgerichtsarzt zu Ansbach ernannt worden.

[7125] Der bisher. kön. sächs. Ministerialrath u. Geh. Referendar *Chr. Bernh. von Watzdorf* ist an die Stelle des hochbejahrten, in den Ruhestand getretenen Staatsministers Frhrn. v. *Fritsch* zum grossherz. sächs. Staatsminister, der bisher. Staatsrath *Thon* zum Geh. Staatsrath und zum Kammerpräsidenten mit Sitz und Stimme im Staatsministerium befördert, dem Geh. Legationsrath Dr. *von Wegner* als Geh. Staatsrath Sitz und Stimme im Staatsministerium verliehen worden.

[7126] Dem Appellationsrath Dr. *Carl von Weber* zu Dresden ist unter Ernennung zum Ministerialrath die Function eines Geheimen Referendars bei dem Gesammtministerium übertragen worden.

Druck und Verlag von F. A. Brockhaus in Leipzig.

Leipziger Repertorium

der

deutschen und ausländischen Literatur.

Erster Jahrgang. **Heft 41.** 13. Oct. 1843.

Theologie.

[1227] **Chronologische Synopse der vier Evangelien. Ein Beitrag zur Apologie der Evangelien und evangelischen Geschichte vom Standpuncte der Voraussetzungslosigkeit.** Von **Karl Wieseler**, Lic. u. Privatdoc. in Göttingen. Hamburg, Fr. Perthes. 1843. XII u. 496 S. gr. 8. (2 Thlr. 10 Ngr.)

Zufolge der Einleitung, in welcher der Vf. sich 1. über die Aufgabe, 2. über das Bedürfniss und wissenschaftliche Recht der Aufgabe, 3. über die Erfordernisse und die Möglichkeit der Lösung, 4. über den Standpunct der Betrachtung, und 5. über die Grundsätze des Verfahrens erklärt, versteht derselbe unter Synopse nicht die möglichst zweckmässige, objective Gegenüberstellung des sich wirklich, muthmaasslich oder scheinbar entsprechenden, kritisch gesichteten Evangelien-Textes, wie sie der Bequemlichkeit halber vornehmlich seit Griesbach behufs einer zusammenschauenden Texteserklärung und Texteskritik öfter und mit immer grösserem Glücke unternommen worden sei, sondern „den ganzen Process des Zusammenschauens selber sammt dessen weiterer Begründung". Die einander entsprechenden evangel. Textesstellen und Textesabschnitte werden dabei zwar auch zusammengestellt, aber nicht ausführlich abgedruckt; daneben wird aber, so weit es zulässig erscheint, stets eine motivirte Entscheidung darüber versucht, ob und in wiefern jene sich wirklich oder nur scheinbar entsprechen. Und indem die hier versuchte Synopse sämmtliche canonische Evangelien gleichmässig behandeln will, will sie auch eine chronologische Synopse derselben sein. Sie hat es also zunächst und wesentlich mit dem chronolog. Verständniss der Evangelien und Allem, was mit demselben in irgend einer Verbindung steht, zu thun. Unter letzterem wird indess nicht nur die chronolog. Bestimmung einzelner in dem Leben Jesu besonders hervorragender Puncte, wie des Geburtsjahres Jesu, des Jahres, in welchem er seine öffentl. Wirksamkeit begann, der Dauer dieser Wirksamkeit, seines Sterbetags und Jahres u. s. w. verstanden, sondern eine Ermittelung und Sicherstellung alles Dessen, wodurch der Begriff der Succession im weitesten Sinne des Wortes constituirt wird, also, weil dieser Begriff mit einer Entwickelung in Zeit und

Raum identisch ist, „die räumlich zeitliche Bestimmung wo möglich sämmtlicher Erzählungen und Begebenheiten aus dem Leben Jesu", welche uns in den vier Evv. oder sonst im N. T. berichtet sind. Mittelpunct der hier angestellten synoptisch kritischen Betrachtung des evangel. Stoffs muss, wenn auch andere historische Erörterungen in nicht geringer Zahl vorkommen werden, das eigentlich Successive im Leben Jesu bleiben, dessen Ermittelung, dessen Begründung. Diess das Wesentliche Dessen, was der Vf. über die Aufgabe bemerkt, welche er sich gestellt hat. Wie vieles Interessante er aber auch ferner über das Bedürfniss und wissenschaftliche Recht dieser Aufgabe sagt, indem er dieselbe in ihrem Verhältnisse zum gegenwärtigen Stande der Evangelienharmonistik, zum doppelt gearteten Inhalte der evangel. Geschichte (der übernatürlichen und natürlichen Seite derselben) und zu den Aufgaben der verwandten, mit der vorlieg. Synopse organisch zusammenhängenden Evangelienliteratur („der krit. Einleitung in die vier Evangelien" und „des Lebens Jesu") betrachtet, so übergeht es doch Ref. als etwas, dessen Richtigkeit und Gültigkeit im Allgemeinen nicht in Zweifel gezogen werden kann. Nur das sei hier sogleich bemerkt, dass der Vf. die Aufgabe der chronolog. Synopse, obwohl sie hier selbstständig erscheint, doch nicht bloss ursprünglich im organischen Zusammenhange mit der erwähnten Evangelienliteratur gedacht habe, sondern die derselben zugehörigen eben genannten Schriften später auch wirklich herauszugeben beabsichtige. Eher dürfte dem Vf. die Möglichkeit der Lösung seiner Aufgabe von manchen Seiten her streitig gemacht werden, und er verbirgt sich nicht, dass die Literatur der Gegenwart im Allgemeinen der Annahme einer chronolog. Bestimmbarkeit der evangel. Thatsachen nicht günstig sei; aber er hat auch sicherlich ein gutes Recht, dieser Annahme entgegen zu treten und S. 15 ff. zu zeigen, wie die Bedenklichkeit, die ihm hieraus erwachsen könne, den Versuch zur Lösung der gestellten Aufgabe zu machen, um ein Bedeutendes gemindert werde, wenn er theils die bisherige Art der chronolog. Versuche, theils die besonderen Schwierigkeiten erwäge, mit welchen diese Versuche an sich oder in Folge der sie bewusst oder unbewusst determinirenden allgemeinen Auffassung der Evangelien zu kämpfen hatten. Am wenigsten hat der Vf. von Seiten des Ref. einen Einspruch gegen sein Unternehmen zu fürchten, der selbst unabhängig von den bisherigen Synopsen und Harmonien der Evv. bereits im J. 1835 eine chronolog. Anordnung des Lebens Jesu nach den vier Evv. versucht hat. — Welche Bewandtniss es mit dem auf dem Titel bemerkten „Standpuncte der Voraussetzungslosigkeit" habe, wird aus folgenden Stellen der Einleitung deutlich werden: „Wenn man unter der Voraussetzung, mit welcher wir an die Schrift gehen sollen, eine absolute Irrthumslosigkeit derselben, selbst in unwesentlichen Dingen, versteht, so dürften gegen eine solche Voraussetzung vor aller Untersuchung nicht bloss Viele, sondern auch

Vieles sein. Die Kirche und die Einzelnen in ihr haben sich auch stets diese Untersuchung frei gehalten, wenn sie von Anfang an, wo nur immer gesundes Leben war, über den Canon und das Canonische im Canon entschieden haben. — In der Regel wird indess, wenn gegenwärtig von Voraussetzung und Voraussetzungslosigkeit bei Betrachtung der Schrift die Rede ist, etwas ganz Anderes darunter verstanden. Gegenwärtig handelt es sich bei jenen Begriffen im Grunde darum, ob man bei Auslegung der Schrift die Realität des in ihr enthaltenen übernatürlichen Elements im Allgemeinen kraft der unmittelbaren Gewissheit des Glaubens, oder ob man ihr Gegentheil, die Nichtigkeit und Unwahrheit desselben, im Voraus zu setzen habe. Von einer Indifferenz der auslegenden Subjectes gegen die biblische Glaubenssubstanz kann dagegen begreiflicherweise höchstens so lange die Rede sein, als es nur bis zum historischen Verstehen und nicht zur Aneignung und Bewährung des historisch Verstandenen kommt. — Indess schon jenes übernatürliche Schriftelement hat seine natürliche Seite. Es umfasst eine nicht geringe Zahl von einander, sei es nun wirklich, sei es nur scheinbar, widersprechender Thatsachen und Darstellungen, ist von verschiedenen Individuen dargestellt, ist endlich in ein bestimmtes Wort verfasst. Die kritische Operation des Zusammenschauens und die schliessliche Ermittelung des wirklichen Thatbestandes fällt fast ganz in das Bereich der Voraussetzungslosigkeit; denn sie fällt zum Theil zusammen mit dem, was wir früher das historische Verständniss des Schriftinhalts nannten. Noch entschiedener gehört aber die Behandlung der natürlich historischen Seite der Schrift in das Gebiet der Voraussetzungslosigkeit. — Unsere chronolog. Synopse beschäftigt sich nun augenscheinlich mit Fragen, welche zur natürlich historischen Seite des Schriftinhalts gehören; denn wer möchte zur Erhärtung eines chronolog. Datums sagen: „Du glaubst nicht, darum siehst du die Wahrheit dieses chronolog. Datums nicht ein". Folglich fällt dieselbe nach ihrem ganzen Verlauf in das Bereich der Voraussetzungslosigkeit." Ref. hat sich dessen aufrichtig gefreut, was der Vf. über das Irrthümliche in der Forderung einer gänzlichen Voraussetzungslosigkeit des Schriftauslegers gesagt hat; wenn nun aber die von ihm angestellte Erörterung zuletzt dahin führt, dass die chronolog. Synopse ihrer Natur nach dem Gebiete der Voraussetzungslosigkeit angehöre, so will den Ref. allerdings bedünken, als habe es jenes Zusatzes auf dem Titel gar nicht bedurft, der bei dem Begriffe, welchen man gegenwärtig mit dem Worte der Voraussetzungslosigkeit zu verbinden pflegt, nur zu Missverständnissen Veranlassung geben wird. Die Grundsätze des Verfahrens anlangend, so nimmt der Vf. ganz natürlich den Joh. und Luc., welche die meisten oder doch die genauesten chronologischen Data und Stützpuncte geben, zu den eigentlichen Führern und Entscheidern der Untersuchung an, macht es sich zur Regel, nicht mehr aber auch nicht weniger bestimmen zu wollen, als wozu die vorlieg.

Data des Textes wirklich berechtigen, und den Werth der Resultate stets nach ihrer geringeren oder grösseren Gewissheit zu unterscheiden, ist bemüht, sich vor dem Fehler vieler Harmonisten zu hüten, welche die Einigung auf Kosten der Besonderheit der einzelnen Evangelien betrieben, indem er die isolirende und zusammenfassende Methode zu vereinigen strebt, unternimmt die Beweisführung für die festzustellenden Data zunächst auf dem Grunde des N. T., ohne der von dem neutestamentlichen Grunde losgerissenen Tradition eine besondere Beweiskraft beizulegen, und theilt den Gesammttext des Lebens Jesu in den verschiedenen Evangelien in einzelne grössere Abschnitte, um den jedem solchen Abschnitte bei je einem der vier Evangelisten zugehörigen Text für sich und im Zusammenhange mit den übrigen Abschnitten zu behandeln. Nach Angabe der bei dieser Eintheilung zu nehmenden Rücksichten zerlegt er nun die evangel. Geschichte in folgende 6 Abschnitte: 1. Kindheitsgeschichte Jesu. 2. Von dem ersten öffentl. Auftreten zuerst Johannis d. T. und dann Jesu bis nach der Gefangennahme des ersteren und der Rückkehr des letzteren nach Galiläa von seiner Reise zum Purimfeste. 3. Von dieser Rückkehr Jesu bis zu seiner Reise zum Laubhüttenfeste. 4. Von der Reise Jesu zum Laubhüttenfeste bis zu seinem letzten königl. Einzuge in Jerusalem. 5. Von diesem Einzuge Jesu bis zu seinem Kreuzestode und seiner Grablegung. 6. Von der Grablegung Jesu bis zu seiner Himmelfahrt. Als Anhang S. 437 ff. ist noch beigegeben ein Excurs über die Form des jüdischen Jahres im Zeitalter Jesu nebst einem jüdischen Festkalender über die beiden letzten Jahre seiner öffentl. Wirksamkeit. Ist man nun auch schon zum Voraus berechtiget, von dem Vf. der „Beiträge zur apokalyt. Literatur" und einiger anderer exegetischen Arbeiten etwas Vorzügliches zu erwarten, so wird man doch wirklich durch die Tüchtigkeit der Leistungen, von welchen dieses Werk Zeugniss gibt, so wie durch die Eigenthümlichkeit der Resultate, zu welchen er gekommen ist, erfreut und überrascht. Diese chronologische Synopse ist in der That ein eben so verdienstlicher, als wohlgelungener Beitrag zur Apologie der Evv. und der evangel. Geschichte; und so wenig auch der Werth Dessen, was bereits zur Vertheidigung der evangel. Geschichte gegen die Angriffe von Strauss u. s. w. geschrieben worden ist, irgendwie verkannt werden soll, so kann doch nicht geläugnet werden, dass der Vf. diese Angriffe am gründlichsten und vollständigsten durch den Beweis zurückgeschlagen habe, den er in ächt wissenschaftlichem Geiste, mit ruhiger Umsicht und Klarheit, mit Scharfsinn und Gelehrsamkeit dafür führt, dass die evangelische Geschichte auch in chronolog. Hinsicht ihre Glaubwürdigkeit vollkommen bewähre und dass die vier Evangelisten in dieser Beziehung auf merkwürdige Weise mit einander übereinstimmen. Auf dieses Werk als auf ein für die gegenwärtige Besprechung der evangel. Geschichte höchst bedeutsames, in die Isagogik und

Exegese tief eingreifendes Werk, das dem gelehrten Theologen gute Dienste leisten wird, aufmerksam zu machen, diess allein kann der Zweck dieser Anzeige desselben sein, da die Mannichfaltigkeit, Ausführlichkeit und Schwierigkeit der in ihm angestellten Untersuchungen das nähere Eingehen auf einzelne problematische Puncte an diesem Orte verbietet. Da nun aber der Vf. mit Recht seinen Fleiss vorzugsweise auf die genauere Feststellung der grundlegenden chronologischen Data verwendet hat, so möge hier noch die einfache Angabe einiger der wichtigsten Ergebnisse seiner Forschungen Raum finden. Auf sorgfältige Erörterung aller hierher gehörigen Nachrichten sich stützend, hat er zum Theil mit grosser Evidenz Folgendes dargethan: Jesus ist geboren zu Bethlehem im Febr. des J. 750 u. c. oder 4 a. C. nach der gewöhnlichen Zeitrechnung. Seine Taufe fällt in den Frühling oder Sommer des J. 780. Das Joh. 5, 1 erwähnte Purimfest fällt auf den 14. Veadar (19. März) 782. Gegen den 8. Nisan (11. April) 782 ward der Täufer hingerichtet. Am 13. Nisan (16. Apr.) darauf besuchte Jesus die Schule zu Nazareth (S. 291 ff.). Am 18. Tischri (15. Oct.) 782, als an einem Sabbathe lehrte er im Tempel nach Joh. 7, 14 (S. 313 ff.). Seinen feierlichen Einzug in Jerusalem unter dem Jubelruf der Menge hielt er am 10. Nisan (2. Apr.) 783. Sein Todestag ist wirklich ein Freitag, der 15. Nisan 783 u. c. oder der 7. April 30 p. C. des alten Jul. Kal., woraus sich dann ergibt, dass seine Auferstehung am 9. April und seine Himmelfahrt am 18. Mai, wirklich an einem Donnerstage, erfolgte. Hiermit ist nun der Rahmen gegeben, in welchen die übrigen Thatsachen des Lebens Jesu chronologisch eingefügt worden sind, und zwar ohne künstliche Combinationen nach Maassgabe der mehr oder minder bestimmten und nicht selten überraschend zusammen stimmenden Berichte der Evangelisten. *Küchler.*

[1128] Umriss der biblischen Seelenlehre. Ein Versuch von Dr. J. T. Beck, ord. Prof. d. Theol. in Tübingen. Stuttgart, Belser'sche Buchh. 1843. XVI u. 135 S. gr. 8. (18¾ Ngr.)

Treu seinen bekannten Grundsätzen, dass sich die christliche Theologie von weltlicher Wissenschaft zu emancipiren und von der Lebensfülle ihres eigenen Ackers zu nähren habe, stellt der geist- und gemüthreiche Vf. hier ein Seitenstück seiner „Logik der christl. Lehre“ auf, zu welcher sich dieselbe wie die Quelle zu ihrem Ausflusse verhält. Ueber die Wichtigkeit einer solchen selbstständigen und rein biblischen Seelenlehre sowohl für das Verständniss der h. Schrift an sich als für Dogmatik und Apologetik, wie für die allgemeine anthropologische Wissenschaft kann kein Zweifel sein und spricht sich das Vorwort entschieden aus. Darum auch will das Buch den Kreis seiner Leser nicht auf blosse Theologen beschränkt wissen, so wie es sich auch nur als einen Auszug von Vorträgen des Vfs. vor Laien und Studirenden über denselben Gegenstand ankündigt. — Dem ganzen Gebäude ist eine Trichotomie des menschl. Innenwesens unterbreitet, inwiefern unser Seelenleben als Näphesch (Psyche, Seele im engeren Sinne) erscheine, vom Ruach (Pneuma, Geist) bestimmt und vom Lebh (Kardia, Herz) zusammengefasst, oder von dem Menschen gesagt werde: er ist Seele, hat aber wie nach unten Fleisch so nach oben Geist und wird im Herzen concentrirt. Auf dieser Grundmauer erhebt sich das eigentliche Gebälk in der Art, dass zu betrachten steht im 1. Cap. die Seele zuvörderst an sich (nach ihrem Umfange, als Odem, als Blut, so wie im Menschen nach ihrer übersinnlichen Lebensbeziehung und ihrem ursprünglichen Wesen), hiernächst in ihrer sinnlich-geistigen Wirksamkeit (je nach der seelisch-leiblichen Empfindungs- und Triebsthätigkeit sammt deren physiologischer Beschaffenheit, nach dem seelisch-leiblichen Leben in sittlich-vernünftiger Beziehung und nach der seelischen Wirksamkeit in den Sinnenorganen); im 2. Cap. der Geist, und zwar wieder zuerst im Allgemeinen (nach seinem Gebiete, als Natur- und Beseelungskraft, so wie als im Fleische und als frei vom Fleische), und hierauf in seelischer Wirksamkeit (nach sinnlicher und sittlich-vernünftiger Thätigkeit, nach seinem verborgenen Innenleben, wie als Nous oder „geistiger Seelensinn" und nach dessen Wirksamkeit); im 3. Cap. das Herz, gleichfalls fürerst in seinem Wesen als Mittelpunct, namentlich als Centralheerd des Lebensbetriebs, so wie als Träger des persönl. Bewusstseins mit Selbstbestimmung und Vernunftthätigkeit, und als Bildungsstätte aller selbstständigen Verrichtungen und Zustände), und schliesslich in seinen Lebensbeziehungen (d. i. nach seiner geistigen und leiblich-seelischen Wirksamkeit, seinen sittlichen Zuständen, seiner Stellung zur Rede und zur Offenbarung). Diese Stoffe werden in §§ behandelt, welche vor grösseren Abschnitten gewöhnlich in einem Ueberblicke zusammengefasst sind. Müssen wir auch an diesem Schattenrisse des „Umrisses" uns genügen lassen, so zeigt sich doch schon in diesen Linien das in der Ausführung erst recht bethätigte Bestreben des Vfs., sein Material mit harmonischer Entwickelung und methodisch-symmetrischer Consequenz zu einem abgeschlossenen Ganzen und innig zusammenhängendem Lebensorganismus in einander zu arbeiten. Indem er so namentlich von der Gegenseitigkeit der sinnlichen und der übersinnlichen Potenzen im Menschen ein Bild zeichnet, ist er vielleicht dabei insofern zu weit gegangen, als eine derartige Stetigkeit zwischen Natur, Leib, Seele, Geist und Gott in der Erfahrung nicht bestätigt wird, und anderseits die Grenzen, wo das subjectiv-menschliche Pneuma aufhört, um Einwirkungen von dem objectiv-göttlichen zu empfangen, verwischt erscheinen, daher an einzelnen Schriftstellen dem ersteren beigelegt wird, was wohl von dem letzteren verstanden werden sollte. Und es kann als allgemeines Urtheil gelten, dass der Vf. seine Absicht, den Bibelgehalt vollständig auf- und analytisch zusammenzufassen, im Wesentlichen sehr wohl erreicht, dabei aber zu Abrundung des (hiernach nicht mehr ganz „biblischen") Systemes Stellen nicht selten aufgesucht, die nicht allenthalben Beweiskraft haben, und Behauptungen auf diese gestützt hat, die näher zu erweisen sein dürften. Wie mag z. B. S. 21 im Gegensatze zu der für das Innenleben im Innern des Leibes concentrirten Seelenthätigkeit, deren Spitze für das Aussenleben und zwar nach 5 Mos. 33, 16. Spr. 4, 9. 10, 6. Pred. 2, 14. Jes. 35, 10, im Haupte auslaufend gefunden werden! Bei einer solchen Aernte hätte die exeget. Thätigkeit ausschliesslich die Schnitterin sein und die logische nur ihr nachgehen und die Garben binden sollen. Nicht unbedenklich möchte auch diess sein, aus poet. Darstellungen streng wissenschaftliche Ausdrücke psychologischen Inhalts zu entwickeln; noch weniger aber, das A. T. mit dem N. dergestalt zu vermischen, dass für Beide ganz dieselbe seelenwissenschaftliche Terminologie angenommen würde, da es hier nicht nur einer Verschiedenheit der Vff., sondern auch der Sprachen und der Zeiten gilt, zwischen welchen eine Evolution und Auszweigung des Ausdrucks stattgefunden hat, wie der Vf. selbst gelegentlich S. 72 erklärt, das alttestamentliche Herz sei im N. T. in Nous und Gewissen auseinandergegangen. Und ist auch in letzterer Beziehung der vermittelnde Sprachgebrauch der LXX erwähnt, so geschieht diess doch nur spärlich und des zur Kenntniss der jüdischen Philosophensprache und hiernächst auch für die psycholog. Terminologie des N. T. so überaus wichtigen Philo ist fast gar nicht gedacht. Ausserdem würde es weiter zurück, namentlich auch noch einer Nachgrabung bei den betr. Stichwörtern bis auf ihre letzte d. i. sinnliche Wurzel vorzugsweise im Hebräischen (z. B. נֶפֶשׁ) bedurft haben. Müsste schon hiernach für die Forschungen des Vfs., welcher an seinen eigentlichen Vorgängern nur Roos' fundamenta psychol. ex SS. collecta des Gebrauchs würdig befunden, noch ein Läuterungsprocess als wünschenswerth erscheinen, so konnte es bei Uebergehung jener histor. Stufen und daher entstehender Unzulänglichkeit anderseits um so leichter geschehen, dass in einen solchen Versuch, die biblischen Aeusserungen und Andeutungen über das Wesen und Leben der Menschenseele in ein System zu bringen, sich Bemerkungen einschlichen, welche für die edle Einfalt der Schrift zu kunstvoll sind. Scheint es doch keinesfalls wohlgethan, die h. Schrift gleichsam bei dem Worte zu nehmen, ihr wissenschaftliche Gewalt anzuthun; oder die Begriffe der bibl. Seelenausdrücke scharf abzugrenzen, um sodann die Stellen danach zu erklären, statt ein entgegengesetztes inductives Verfahren einzuschlagen. Daher trifft es sich, dass der Vf. die anfängliche Definition wieder so weit ausdehnen muss, dass jene fast aufgehoben wird. In geistigen Dingen druckt das Alterthum sich allgemeiner aus, während es in sinnlichen vielleicht noch schärfer sah und markirte als wir. Und auch jetzt noch ist nach jener geistigen Beziehung hin erfahrungsmässig der Mann des Volks wie das Kind wohl in seinem Gedanken sicher, in dessen Ausdrucke aber amphibolisch und die herkömmlich angenommenem Gebiete der Seele nicht streng einhaltend; so dass ein seltsames System zu Tage kommen müsste, wollte man die Bezeichnungen Seele, Herz, Geist aus dem Munde des Volks in dem Sinne desselben wissenschaftlich zu umgrenzen versuchen, während eine Volkslogik viel leichter dargestellt werden möchte. Eben so populär und kindlich nun ist durch und durch die h. Schrift; sie ist überdem zu sehr Leben, als dass sie die in der Realität durcheinander webenden Seelenphasen mit abstracten, ausschliesslichen und dann falschen Benennungen zeichnen wollte und könnte. Hierin liegt ein unersetzbares Zeugniss von der Wahrheit der Schrift, wonach auch das eigentliche Wesen und die Schwierigkeit einer bibl. Psychologie bemessen werden mag. Zugleich lehrt diess uns, dass es keinen Exegeten ohne subjectives Mitfühlen geben könne, und dass eine sogen. rein objective Bibelauslegung ohne Gemüthsbetheiligung sich selbst richte. Immer und jedenfalls hat die Wissenschaft bloss treue Abbilder ihrer Objecte zu geben; verschwimmen die letzteren in ihren Contouren, so würden markirtere Umrisse der ersteren fehlerhaft sein. Durch diese Darlegungen fürchtet Ref. nicht missverstanden zu werden und die nur zu gerechten Bemerkungen S. XII und XV auf sich angewandt zu sehen. Hat es der Vf. doch selbst für möglich gehalten, dass diese seine Seelenlehre als biblische nicht anerkannt würde, und für diesen Fall nur gewünscht, sie möchte als „ein freier Versuch“ von ihm gelten und „in ihren Grundgedanken zwar nicht an einer bestehenden Theorie, aber an den unverrückbaren Thatsachen der Wirklichkeit bemessen“ werden. Doch würde schon diese vom Vf. selbst zugegebene Möglichkeit einer solchen Verschiebung der Sachlage mancherlei Gedanken über seine rein gegenständliche Behandlung des bibl. Stoffs erwecken, bei der wirklichen Voraussetzung selbst aber gewiss auch der Autor, — dem wir übrigens im Allgemeinen wohl auf biblischer Basis, doch auch zugleich auf dem Boden einer gewissen Gnosis finden —, zugestehen, dass die dann nicht mehr biblische sondern Beck'sche Seelenlehre absolut ebensowenig ganz vollständig wäre, als sie von dem biblischen Standpuncte aus wiederum zu reich (zu philosophisch) erfunden werden möchte. So würde, um nur einer Hauptsache zu gedenken, der Psycholog in der Sphäre der vervollkommneten heutigen Seelenwissenschaft bei Erörterung des seelisch-leiblichen Lebens unmöglich das vorzugsweise vermittelnde Nervensystem haben übergehen können, dessen Function unser „Versuch“ mit den Hebräern noch dem nur nervennährenden Blute beimisst. Warum aber überhaupt eine solche exclusive Alternative? Muss denn die Berücksichtigung der Fortschritte in der psycholog. Wissenschaft unbiblisch sein? Ist doch die Menschennatur noch dieselbe wie in jenen grauen Zeiten! Soll auch deren Erforschung auf einer und derselben Stelle verbleiben? Gewiss aber war die Psychologie ebensowenig eigentlicher Offenbarungsgegenstand als z. B. die Physiologie; und wer wollte den christl. Arzt auf die dort gelegentlich genannten Medicamente beschränken! Physiologie aber geht mit Psychologie Hand in Hand. Sind aber die Aeusserungen der menschl. Natur noch heute dieselben wie vor 2000 Jahren, so kann die genauere Kenntniss dieser Aeusserungen nur wieder sehr erleuchtend zurückwirken auf Erklärung dort in minder bestimmter Weise bezeichneter Zustände. Wie aber so durch Benutzung der neueren Entdeckungen in der Anthropologie (wir denken beispielsweise nur der magnetischen Kräfte) die sachliche Exegese bereichert werden mag, so kann es auch die moderne Psychologie durch Benutzung des bibl. Sprachgebrauchs. Unläugbar schaute die Urwelt in der Unbefangenheit und ersten Frische ihrer Beobachtung und Rede Manches heller als später der Verstand der Verständigen. Besonders scheinen die Hebräer, dieses geistig regsamste Volk des lebendig fühlenden Orients, das richtige Princip psychologischer Erkenntniss, nämlich parallelisirende Gründung derselben auf das Wesen leiblicher Organe und Zustände, oder jene höhere Identität von Physiologie und Psychologie, am Ersten und Reinsten erfasst zu haben. Wir erinnern hier nur an die ihnen und daher auch dem A. und N. T. so eigenthümliche Bezeichnung des „Erbarmens" durch „Eingeweide" (רַחֲמִים, σπλάγχνα, mit ihren Verben), wie ja dasselbe eben an Regungen im Sonnengeflechte der Ganglien fühlbar empfunden wird. Hat der Vf. gerade diese so schlagende Instanz kaum berührt, so bietet er doch anderweite Belege hierzu z. B. in Würdigung der bibl. Ansicht von dem Blute, den Nieren u. s. w., so wie er namentlich bei dem als Lebensprincip das Universum durchdringenden und es in den mannichfaltigsten Gestalten unter sich und mit Gott verbindenden Ruach die tiefen Blicke des heil. Alterthums in das Naturleben trefflich erkennt und schön darstellt. Auf demselben Boden möchten wir ihn sehen, wenn er die angeblich biblische Redeweise vom „erweichten, schmelzenden, durchbohrten, entfallenden" u. s. w. Herzen bespricht, was gewiss nicht sowohl tropische, als den eigentlichen genäherte Ausdrücke sind, da gewisse geistige Bewegungen jene Empfindungen ganz so erzeugen, als wären sie physisch, gleichwie den verwandten Bezeichnungen von erweitertem und beengtem Herzen (S. 102) unstreitig etwas wirklich Physisches zu Grunde liegt. Sind dagegen S. 97 f. die Bemerkungen über die biblische „Unverletztheit und Reinheit, Völligkeit und Geradheit, Festigkeit und Beweglichkeit" eines gesunden Herzens eben so einfach als wahr; so erscheint es wieder adäquat, die anthropopathischen Ausdrücke von Gott S. 26 darauf zu beschränken, dass er unter denselben nur dem Seelisch-Leiblichen innewirkend gedacht worden sei. — Ist aber jene reine, obschon vielleicht unbewusste Natürlichkeit der Vorwelt das eigentlich wissenschaftliche und haltbare Moment der bibl. Physiologie und Psychologie, so wird die gegenwärtige Seelenwissenschaft gut daran thun, jene liebliche Eigenthümlichkeit mehr als bisher zu beachten und der gegenseitigen Durchdringung von alter und neuer Forschung sich nicht zu entziehen; dagegen auch an die theolog. Ausscheidung weltlich und später gefundener Wahrheit von den Erbauungsmitteln für die Kirche und das Gottesreich, dem alle Kräfte und Errungenschaften dienstbar werden sollen, die göttliche Warnung Act. 10, 14 f. gerichtet ist. Materieller Widerstreit wenigstens findet zwischen der erprobten neueren und der bibl. Seelenkunde nirgends Statt; jene ist nur beschäftigt wie berufen, die bibl. Grundzüge und Anbahnungen auszubauen und durchzuführen. Und meint denn der geehrte Vf. bei seinem rein biblischen Geschäfte seiner neuphilosophischen Bildung sich urplötzlich und vollständig entäussern zu können, oder das Verlernen, welches er zur Erfassung des rein Biblischen (S. XI) so unerlässlich erachtet, für sich leichter als für Andere zu finden? Leuchtet doch jene Aneignung moderner Wissenschaft fast aus jedem seiner Sätze schon sprachlich hervor. Zudem ist kaum eine andere Zeit, neben Pflege der Speculation, so der Erforschung des Erfahrungsmässigen zugewandt gewesen. als die unsrige; und gewiss eben daher zum grossen Theile die Richtung des Vfs. auf reale Erfassung der Schriftlehre. Mögen wir denn nur in dem gesegneten Werke fortschreiten, die Gegenwart eben so durch Anschauung der reinen Vorwelt zu kräftigen, als die in stetiger Weiterentwickelung gewonnenen Mittel für Aufhellung des Alterthums gewissenhaft zu gebrauchen! — Im Einzelnen zeigt sich der Vf. so geistreich, dass er mitten unter den trefflichsten Beobachtungen dennoch nicht bloss die Simplicität der Schrift, sondern auch die noch entfaltetere Wissenschaft überschreitet, wie es z. B. in den Analogien der Sinnenorgane des Leibes und der Seele § 19 geschieht, oder wenn er mit etymolog. Scheine und exeget. Dialektik ἔννοια als nach innen, διάνοια nach aussen gehend darstellt und letzteres u. A. mit Mth. 22, 37 belegen will (wo wenigstens die Sprache an sich ebensowenig verbietet, in dem ersteren eine gegenständliche Einsicht obwohl mit subjectiv „rückwärts verarbeitender" Erkenntniss zu finden); seltener begegnen wir geradezu unpsychologischem Verfahren, wie wenn § 20 das Herz eher bildlich als Mittelpunct dem eigentlich als menschliches Centrum betrachtet wird; noch anderwärts erscheint mindere Bestimmtheit oder doch Willkür, z. B. in der Behauptung § 6, dass sich der leibliche Tod in der Seele verinnerliche und der geistige von ihr aus wieder verleibliche, hierdurch aber „die Person im Sterben aufgehe und das persönliche Ichleben vernichte, wenn schon nicht alles Dasein aufgehoben" werde (angeblich nach Mth. 10, 28. 16, 25 f. Luc. 9, 56. Jac. 5, 20. Hebr. 10, 39. Off. 20, 14 f. 21, 8, 22, 14 f.): in dessen Gegensatze, wie weiterhin viel richtiger und biblischer bemerkt wird, durch Verleiblichung des geistigen und Vergeistigung des leiblichen Lebens in der Seele „das ganze Ichleben am Ende in die geistige Kraft und Lichtherrlichkeit des ewigen Lebens eingehe (wie bei der Sünde in die Feuerwüste des zweiten Todes)". — Ueberhaupt möchten gegen die unläugbar stärksten Seiten des Buchs, d. i. Philosophie, Psychologie (wir beziehen uns nur auf die Auseinandersetzung von πνεῦμα und νοῦς, von dem Verhältnisse des letzteren zum Gewissen und beider zum Herzen, von dem neuen Menschen u. s. w.) und tiefere dogmatische Anregungen (z. B. über die Lähmungskraft der Sünde auf die Organisation des Geistigen nach aussen als auf das erkennende Erfassen des Geistigen), — und zwar eben aus jenen logischen Rücksichten die rein exeget. Resultate etwas zurückstehen, obwohl z. B. die lexicalische Erörterung S. 91 sehr ansprechen muss. — Was endlich die Form der Schrift betrifft, so ist die Sprache, abgesehen von der an dem Vf. schon bekannten Plastik in neuen Wortbildungen (wie „Athemhaftigkeit" u. v. a.), zwar relativ sehr klar und dennoch nicht allenthalben gleich verständlich, am fasslichsten da, wo die Darstellung auf einfach natürlichem Wege vorschreitet, weniger wo sie an Transcendentales streift und die Bibellehre zu abstract behandelt, oder wo der prägnante Stil (wohl zum Theil durch das gedachte Geschäft des Excerpirens aus der oratorischen Urgestalt) fast zu sehr zusammengedrängt und gedrungen, durch Sperrung des Drucks aber kaum durchsichtiger wird; so dass der Vf., mit wie hohem Interesse man ihm auch folgt, allerdings die im Vorworte verlangte „Gedankenanstrengung" ziemlich in Anspruch nimmt, und der beharrlichen Leser unter den „Laien" nicht allzuviel sein dürften. Für die letzteren ist übrigens die am Ende doch nicht so sehr erspriessliche Einrichtung getroffen, dass die griech. und hebr. Stichwörter nur oder doch zugleich mit latein. Buchstaben (u. A. aber ח durch t und ט durch th) wiedergegeben werden. — Ein Sach- und Wortregister so wie ein Verzeichniss der citirten Schriftstellen schliesst das Ganze, zur Bequemlichkeit ethisch-dogmatischer und exegetischer Benutzung. Der Totaleindruck des fein- und tiefgedachten, von einer ohne Ostentation verarbeiteten Gelehrsamkeit durchdrungenen Buchs wird aber im Allgemeinen überall günstig sein und nur den Wunsch zurücklassen, es möchte der Vf. früher oder später diese Forschungen in noch geklärterer und ausgeführterer Gestalt, den „Umriss" auch mit Lebensfarben illustrirt, der Wissenschaft und Kirche vorführen.

Naturwissenschaften.

[1129] Illustrationes plantarum orientalium ou choix de plantes nouvelles ou peu connues de l'Asie occidentale, par M. le comte **Jaubert**, membre de la chambre des députés, et M. **Ed. Spach**, aide-naturaliste au mus. d'hist. nat. de Paris. Ouvrage accompagné d'une carte géographique nouvelle en 4 feuilles par M. le colonel Lapie, contenant les principaux itinéraires des voyageurs botanistes depuis le 16. siècle jusqu'à nos jours. Livrais. I—VII. Paris, Roret. 1842, 43. Tab. 1—70 u. 128 S. gr. 4. (à 15 Fr.)

Graf Jaubert, eine kurze Zeit Minister der öffentl. Arbeiten in Frankreich, den Botanikern durch seine „Flore du centre de la

France" (2 voll. Paris, 1840. 8.) bekannt, unternahm im J. 1839 mit dem, im Oriente wohl bekannten Archäologen und Geographen Ch. Texier eine Reise durch einen Theil Kleinasiens. Er war aber, da ihm das Klima nicht zusagte, genöthigt zurückzukehren, hatte jedoch, durch grosse Hülfsmittel unterstützt, mit Eifer auf seinem Wege eine Menge neuer und interessanter Gewächse gesammelt und nach Paris gebracht. Als er es unternahm, dieselben zu bearbeiten, fand er in den dortigen Sammlungen eine so grosse Menge Material, dass er beschloss, dasselbe zugleich mit seinen eigenen Sammlungen durch Beschreibungen und Abbildungen bekannt zu machen. Das Gebiet, von welchem er Pflanzen aufnimmt, erstreckt sich über ganz Kleinasien, Armenien, Georgien, bis zur Kette des Kaukasus, einen Theil von Persien bis zu den grossen Salzwüsten und der Grenze von Belutschistan, endlich Mascate und das steinigte Arabien. Es wird das Hedjas und Yemen ausgeschlossen, weil sich Decaisne mit der Bearbeitung ihrer Flora beschäftigt. Graf Jaubert verband sich zur Bearbeitung des Werks mit Hrn. Spach, welcher als ein zwar scharfsichtiger, aber zur Vermehrung der Gattungen ohne ausreichenden Grund sehr geneigter Botaniker bekannt ist. Eine systematische Folge der Pflanzen findet nicht Platz, da, wie Graf Jaubert bemerkt, der Stoff und die Hülfsmittel zu einer wirklichen Flora des Orients noch viel zu beschränkt sind. Die älteren Botaniker, welche das Florengebiet der Vff. besucht haben, werden genauer, die neueren flüchtiger angegeben und sind die Routen der wichtigsten Reisenden auf der beigegebenen vorzüglich gearbeiteten Karte bemerkt. Die umfassendsten Beiträge geben die Reisen des verstorbenen Aucher-Eloy, dessen Pflanzen zum Theil schon von De Candolle in den letzten Bänden seines Prodromus benutzt und kürzlich von Boissier, doch ohne Abbildungen, bearbeitet wurden. Graf Jaubert hatte Gelegenheit, den Nachlass Aucher-Eloy's bei der in Konstantinopel lebenden Wittwe desselben einzusehen und zu benutzen. Er gedenkt das Reisejournal Aucher-Eloy's, welches Jacquemont's Schilderungen an Interesse nicht nachstehen soll, besonders herauszugeben. Der Inhalt der vorliegenden 7 Lieferungen betrifft sehr wichtige Beiträge für die Pflanzenkunde überhaupt, wie für die orientalische Flora insbesondere. Ref. muss sich begnügen, an diesem Orte nur einige der merkwürdigsten Gewächse hervorzuheben und bemerkt noch zuvor, dass die Beschreibungen genau und kunstgerecht, die von Mad. Spach gezeichneten Tafeln aber auf Kupfer in vorzüglicher Weise ausgeführt sind. Lief. 1. Als Texiera glastifolia n. gen. Taf. 1 wird Peltaria glastifolia DC. getrennt und wie es scheint mit Recht, da die Pflanze eine schwammige Drupa ohne alle Flügel und Anhänge besitzt. Boreava orientalis der Herausg. n. g. et sp. Taf. 2 ist eben so merkwürdig und in manchen Puncten mit Texiera verwandt. Sie hat die doppelt zusammengelegten Samenlappen der Zilleen; gehört aber zu den Isatideen und ist Tetrapterygium F. et M. und Tauscheria nahestehend. Eine dritte, und zwar noch völlig unbekannte Pflanze ist die Syrenopsis stylosa J. et Sp. Taf. 3, bis jetzt nur im Fruchtzustande beobachtet. Sie steht zwischen den Notorhizeen und Lepidineen in der Mitte. Interessant ist ferner die erste Abbildung von Jaubertia Aucheri Guillem. Taf. 8, und neue Arten der Lieferung sind: Tunica brachypetala, Dichoglottis tubulosa und Sedum cariense. — 2. Lief. Heterochroa minuartioides und spergulaefolia Taf. 11 u. 12, zwei neue Arten, Hypericum Jauberti Spach n. sp. Taf. 18, rupestre J. et S. Taf. 21 u. 22 und anagaloides Taf. 24. — 3. Lief. H. retusum Aucher mss. Taf. 27, H. saturejaefolium Taf. 28, spectabile Taf. 29, avicularíaefolium Taf. 30 und Aucherii Spach Taf. 31, sämmtlich neue Arten. — 4. Lief. H. armenum und Thymopsis aspera der Herausg. Taf. 33 u. 37, Adenotrias n. gen. Hypericinear. mit 2 Arten A. phrygia J. et Sp. Taf. 39 und Kotschyi J. et Sp. (H. empetroides Kotsch. no. 101. non L.). Man ersieht aus diesem Vorwalten der Hypericineen den Einfluss des Monographen der Familie, Hrn. Spachs. Die letzte 40. Tafel der Lieferung bringt eine sehr wichtige Pflanze aus der Familie der Umbelliferen, eine neue Gattung Diserneston (nämlich nach den Herren Ernest Germain und Ernest Cosson, Vff. einer introduction à une flore analytique et descriptive des environs de Paris!) genannt. Das D. gummiferum J. et Sp., welches im östlichen Persien zwischen Ispahan und Schiraz vorkömmt, scheint, nach den Beobachtungen von Aucher-Eloy, das Gewächs zu sein, welches das Gummi Ammoniacum des Handels liefert und das bis jetzt vielfach verkannt worden ist. Die Pflanze schwitzt das Gummi von freien Stücken aus; leider hat der Reisende über die Art des Einsammelns keine Nachrichten gegeben. Die Gattung ist übrigens mit Siler und Agasyllis nahe verwandt. Wie sich Dorema Ammoniacum Don (Peucedanum NE.) zu dieser Aucher-Eloy'schen Pflanze verhalte, wird nicht erörtert. Die Abbildung stellt nur ein Blatt und ein Stück der Inflorescenz mit Früchten dar. Letztere gleichen allerdings denen, welche man öfter im G. Ammoniacum findet. — 5. Lief. Vicia Aucherii J. et S. Taf. 41. Von der Gattung Cicer wird eine kleine Monographie gegeben und die Gattung in 4 Sectionen getheilt. In die 1. Arietaria kommen mit der gemeinen Art 3 neue: C. pinnatifidum, pimpinellaefolium Taf. 42 A. B. und C. Montbretii d. Herausg. Taf. 43 A. 2. Vicioides begreift C. songaricum Steph. 43 B und Jacquemontii d. Herausg. 3. Spiroceras bildet eine gleichnamige neue Art, Taf. 44; ebenso 4. Tragacanthoides Taf. 45. Ferner erscheinen als neu: Pisum Aucherii Taf. 46 und zwei Arten von Chesneya Lindl. Ch. rytidosperma Taf. 47, vaginalis Taf. 48, mit 4 anderen, bisjetzt nur durch Diagnosen erläuterten derselben Gattung. Sehr ausgezeichnet sind: Primula Aucherii J. et Sp. Taf. 49, obgleich mit Pr. verticillata verwandt u. Taf. 50 Tetrapterygium stylophorum. — 6. Lief. Die Gattung Eunomia, deren Kennzeichen verbessert werden, erhält eine Zugabe an E. Montbretii J. et Sp. Taf. 51,

Hutchinsia chrysantha Taf. 52, Menlocus grandiflorus und filifolius (Alyss. meniocoides Boiss.) d. Herausg. auf Taf. 53. Taf. 54—58 stellen Eichen vor, von denen nur Q. castaneifolia Mey. bekannt ist, die übrigen: G. persica, cypria, trojana Webb, calliprinos Webb und Aucherii für unbeschrieben erklärt werden. Es folgt nun eine Monographie der orientalischen Argyrolobien, 2 neue Arten sind abgebildet: A. crotalarioides Taf. 59 und trigonelloides Taf. 60. — 7. Lief. Taverniera gonoclada Taf. 61 und ephedroidea Taf. 62. — Botryolotus (n. gen.) persicus Taf. 63 zwischen Melilotus und Trigonella. Sphaerophysa microphylla J. et Sp. Taf. 64 ausgezeichnet! — DC.'s Jurinea ramosissima kommt zu Stechmannia. Zwei neue Gattungen der Compositae sind Derderia macrocephala Taf. 67 und Ostreya carduiformis Taf. 68. Der Text zu denselben, so wie zu zwei unbeschriebenen Arten von Lonicera, L. persica Taf. 69 und nummulariaefolia Taf. 70 ist noch nicht geliefert. Die äussere Ausstattung des Werks in Druck und Papier lässt nichts zu wünschen übrig.

Länder- und Völkerkunde.

[7130] Reise durch Russland nach dem kaukasischen Isthmus in den Jahren 1836, 1837 und 1838, von **Karl Koch**, Dr. d. Med. u. Phil., ausserord. Prof. d. Naturgesch. zu Jena u. s. w. Stuttgart, Cotta. 1843. XII u. 559 S. gr. 8. (2 Thlr. 25 Ngr.)

Auch u. d. Tit.: Reisen und Länderbeschreibungen der älteren und neuern Zeit, eine Sammlung der interessantesten Werke über Länder- und Staaten-Kunde, Geographie und Statistik. Herausgeg. von Dr. *Edu. Widenmann*, Red. d. Auslandes, und Dr. *Herm. Hauff*, Red. d. Morgenblattes. 26. Lief.

Wir haben hier den 2. Thl. einer der beachtenswerthesten Reisebeschreibungen vor uns, deren Erscheinen um so willkommener sein wird, je mehr sich der Vf. von den Behörden eines so wenig erforschten Landes unterstützt sah, in vielen Familienkreisen einheimisch geworden war und weder Mühe, noch Gefahr scheute, zum Theil in kaum je besuchte Thäler zu dringen. Das Streben nach Gründlichkeit ist auch hier mit einer Vertrauen erregenden Bescheidenheit verbunden, mit einem Worte, alle die Vorzüge, welche wir dem 1. Thle. (vgl. No. 731) nachrühmen konnten, sind auch diesem eigen. Da Hr. K. eine Menge von Puncten berührte, wo auch Dubois de Montpéreux (vgl. No. 514 u. 4250) gewesen war, so fehlt es nicht an Gelegenheit, die Urtheile und Ansichten beider Reisenden mit einander zu vergleichen, besonders da K. auf die Forschungen des Franzosen bald billigend, bald zweifelnd, bald auch wohl polemisch — obschon nie mit Bitterkeit — eingeht. Wohl mit Recht darf er hoffen, „den Schleier, der Jahrtausende das romantische Gebirge mit seinen zum Theil paradiesischen Thälern bedeckte, doch in soweit gelüftet zu haben, dass es nun möglich sein wird, sich einen deutlichen Begriff von dem Kaukasischen Isthmus zu machen". Die Reise beginnt hier mit dem Schlüssel zum alten Kaukasus, mit der Stadt und Festung Wladikaukas, am rechten Ufer des Terek und am Fusse des mächtigen Kaukasus, auf der grossen Heerstrasse, welche diesen in einen östlichen und westlichen theilt, aber, aller Verbesserungen ungeachtet, noch alle Jahre manches Menschenopfer kostet. Indessen ist man jetzt auf ihr doch vor Räubern gesichert. Es gelangt von da der Reis. zur kaukasischen Pforte, wo eine alte Burg schon von Alexander d. Gr. angelegt worden sein soll. In Darjel wird das alte Königreich Grusien betreten und der 14,750 Fuss hohe Kasbek geschildert, einer der heiligen Berge, deren der Kaukasus gar viele hat. Auf seiner unzugänglichen Spitze soll eine Kirche, in ihr aber die Wiege von Christus und daruber das Zelt Abraham's ausgespannt sein. Längs der Strasse im Aragvathale fanden sich Ruinen auf den Hohen und viereckige Thürme „die dem Kaukasus eigenthümlich scheinen". In Tiflis wurde nur so lange verweilt, bis durch Vermittelung des Oberbefehlshabers, Baron v. Rosen, die nöthige Unterstutzung zur ferneren Reise gewonnen war und dann nach Jori, das in einer grossen Ebene liegt und 4500 Einw. zählt, geeilt. In seiner Nähe ist eine merkwürdige ganz in Felsen gehauene, längst verlassene Stadt, deren Gründung weit über unsere Geschichte hinausreicht". Seltsam ist auch die Quelle der Sabazwinda, wo das Eis um so stärker wird, je mehr die äussere Temperatur steigt. Wir begleiten dann den Reis. zu den als halbwilden verschrienen Ossen, die ihn jedoch mit patriarchalischer Gastfreundschaft aufnahmen. Die Nachrichten über diese so wenig bekannte Völkerschaft und ihr Land gehören zu den schätzenswerthesten in diesem Theile und wir müssen sie um so höher achten, da sich auch Dubois darüber verbreitete. Eine Menge von Sagen, die K. erfuhr, geben dem Ganzen noch mehr Relief, z. B. die vom noch nie bestiegenen Brutsabselilberge, von der Bosheit desselben, als Noah auf ihm landen wollte. Eine Vergleichung der ossischen Alpen mit denen der Schweiz wird Vielen willkommen sein; die Wassermenge und Flora ist geringer, zahlreicher dagegen die Fauna, namentlich findet man den Steinbock sehr häufig dort, dessen Hörner fast in allen Familien als Trinkgefässe prangen. Den Streit, ob der dortige Auerochse mit dem litthauischen gleich sei, will K. dahin entscheiden, dass beide zwei verschiedene Species sind. Dass Ossen und Deutsche ursprünglich ein Volk seien, ist dort noch allgemeiner Glaube und dieser verschaffte dem Vf. die besonders gute Aufnahme, so dass er, auch noch als Arzt willkommen, es wagen durfte, noch tiefer in das Land hineinzudringen als irgend Jemand vor ihm. Der Boden ist in hohem Grade unfruchtbar, „noch ein Jahrtausend wird vergehen müssen, bevor das harte Gestein zu Humus verwittert"; wie die Bewohner, „so müssen die alten Deutschen gewesen sein"! Sie bilden einen schönen Menschenschlag; die Familien hängen durch einen sogenannten Kau fest zusammen, und dann durch „Verbrüderungen" (wie Bell sie bei den Tscherkessen fand). Indess fordert die Blutrache hier noch mehr Opfer, als irgendwo im Kaukasus, und der Vf. entwirft ein schreckliches Bild von ihr (S. 107 ff.). Doch kann der Todtschlag durch grosse Opfer gebüsst werden; ein Mann kostet 18 × 18 Ochsen, die geringste Verwundung 18 dergl. Ehrfurcht vor dem Alter und die Gastfreundschaft walten in noch hoherem Grade hier vor, als bei den Tscherkessen. S. 111 ff. sind auffallende Belege davon mitgetheilt. Thee und Zucker waren noch unbekannt, wurden aber gern genossen, als K. sie vorsetzte. Die Religion des Volkes besteht in der Anerkennung eines hoheren unsichtbaren Wesens; das Christenthum scheint nach zum Theil noch vorhandenen Kirchengebäuden früher einmal dagewesen, jetzt aber ganz verschwunden zu sein. Steine und Knochen werden als Zeichen einer Begebenheit aufgestellt, aber Geburt, Verheirathung und Tod bleibt ohne religiösen Gebrauch, obschon der Tod eines ehemaligen Hauptes die grösste Trauer hervorruft. — Von den Ossen ging K. durch das Thal des Rion, das noch grossartiger als das Rheinthal ist, und durch Imerien nach Kutais. In Gelathi sah er mehrere schöne Mosaiken und ein berühmtes Marienbild, so wie die Gräber der berühmten Könige Grusiens und Imeriens, hat jedoch nur meist das ausgeführt, was Dubois übersehen. Kutais ist jetzt der Haupthandelsplatz Imeriens und die Volksmenge (2500 ohne Militair) nimmt jährlich zu. In der Nähe lebte das Fräulein Jamba, die Tochter des ehemal. französ. Consuls, abgeschnitten von allem Umgange, in einem Urwalde (S. 167 ff.). Die grossen Bauten ihres Vaters dienten wilden Thieren zum Aufenthalte. Nach sechstägigem Verweilen ward Mingrelien und Letschkum aufgesucht. In Nakolachenei, wo Dubois Circe und Medea herumwandern lässt, fand K. wenigstens Ruinen, die weit über die christl. Zeitrechnung hinausreichen und in Sugdidi ward er vom Dadian (Fürsten des Landes unter russ. Oberhoheit) mit grossem Pomp empfangen). Die Bevölkerung ist „seit den ältesten Zeiten unverändert geblieben", und stimmt im Allgemeinen mit den Ossen uberein. Längs der Meeresküste und durch Gurien wurde der Rückweg nach Kutais genommen, das zerstorte Anaklea (vielleicht Heraklea der Griechen), Samurchanien and Abchasien besucht so weit es möglich war, denn nur eine Stunde von der Küste kann Niemand „ohne starke Bedeckung reisen". Die Volkszahl Abchasiens wird auf 40000 geschätzt und einst muss hier grosse Cultur geherrscht haben (Beweise davon S. 212); Redut-Kaleh ist wieder in sein Nichts in Folge der Grenzsperre gesunken, und wie ungesund der ganze Küstenstrich hier ist, kann man S. 217—225 lesen. Nach Poti sendet man nur Soldaten, welche Spiessruthen gelaufen haben, und doch ist S. Nicolaus noch ungesunder. Die Wälder des Phasis wimmeln noch von Phasanen und 4—5 Stunden von S. Nicolaus fand K. äusserst räthselhafte Ruinen. Die Rückreise von Kutais nach Tiflis führt noch auf manche fruher nicht berührte Puncte. Dann erhalten wir eine historisch-topographische Beschreibung Grusiens im Allgemeinen, worauf die Darstellung der einzelnen 5 Provinzen folgt. An sie schliesst sich die Schilderung des grusischen Volkes an, welchem „die äusseren Formen unserer Civilisation nur schädlich gewesen sind“. Das Gymnasium in Tiflis litt an dem Fehler so mancher Institute; es lehrte nicht denken, nur auswendig lernen. Tiflis mit seinen Umgebungen ist ein besonderes Cap. gewidmet; der asiat. Charakter ist ziemlich verschwunden; die Bevölkerung schätzt K. höher als 25,000, wie Dubois sie angibt. Der Name ist mit dem slawischen Teplo (warm) identisch, in Folge der nahen heissen Quellen, welche für 5000 S. Rubel verpachtet waren. Die Lebensmittel sind hier unglaublich wohlfeil, die Sittlichkeit aber steht auf einer sehr tiefen Stufe. Die Feier der silbernen Hochzeit des Baron v. Rosen bietet (S. 311 ff.) ein originelles Bild. Die mittlere Temperatur beträgt 12⅓ Gr. R.; die Regierung hat viel guten Willen gezeigt, die Wein- und Seidencultur hier zu fördern, ist aber von den Beamten schlecht unterstützt worden. Das uralte Tphilisi im Thale des Salalak ist so verödet, dass seine Bewohner staunten, als sie den Reis. sahen, ihre Wohnungen glichen den Fuchslöchern. S. 347 ff. werden wir durch Grusisch-Armenien nach den Ruinen von Ani geführt und lernen die Kirche in Karaklissa kennen, so wie das Thal des Araxes, und des in diesen fallenden Gerstenflusses. Hierauf wird (S. 388 ff.) Russisch-Armenien bis zum Salzberge Kulp, ein Landstrich von 16000 Einw., besucht, wo wieder eine Menge von Puncten ausführlich besprochen werden. Namentlich gilt diess von Eriwan und dem Kloster Etschmiadsin. Eine heftige Krankheit (Sonnenstich und dann Nervenfieber) brachte den Reis. an den Rand des Grabes, dem er durch die Fürsorge des Gouverneurs Bebutoff entging. Nach seiner Rückkehr nach Tiflis ward er von der ganzen Stadt willkommen geheissen (S. 445) und wir lernen nun noch manche Notabilitäten, den General Sass u. A. kennen. Der Besuch des Kaisers bietet wieder (S. 453 ff.) ein vorzüglich interessantes Bild; es fanden viele strenge Maassregeln mitten unter allem Pompe statt, ein Fürst, Schwiegersohn des Baron v. Rosen, wurde vor der Fronte seines Regiments degradirt und dann als Bauer nach Sibirien verwiesen. Eine Reise durch Kachien ward, als der Kaiser Tiflis wieder verlassen hatte, angetreten und dabei die Militaircolonie Karagatsch, das Schloss der Thamar u. and. besucht. Das sogen. Alpenglühen war hier prachtvoller, als in der Schweiz. Vieles wird uns nun über die Lesgier, die Gelen, und dann über Dagestan, den östlichen Theil des Kaukasus, nach Mittheilungen berichtet, die K. aus den besten Quellen erhielt. Das ganze Land soll von 886,000 M. bewohnt sein. Endlich wird am 17. Dec. 1837 die Heimreise über Stauropol angetreten, dabei aber noch mancher merkwürdige Punct berührt, z. B. Mscheth mit seinen grossen Ruinen, seiner verfallenen Kathedrale und einige Mineralquellen bei Pjatigorsk. Die Kälte war ausserordentlich und um so beschwerlicher, da von Tarangog aus 70—80 Meilen weit kein wärmendes Obdach zu finden war, bis endlich Odessa dieses bot. Die Preise aller Bedürfnisse stellten hier sich ungemein hoch. Ueber den Handel und das Leben dieser Stadt sind viele Specialitäten mitgetheilt, denn da der Vf. Quarantaine halten musste, und auch dann noch 2 Monate verweilte, weil die Pest geherrscht hatte, desshalb aber kein Mensch heraus durfte, fehlte es ihm nicht an Zeit, Erkundigungen einzuziehen. In Kiew wurde nur ein Tag verweilt und glücklich langte er am 16. Mai in Jena an, das er jetzt bereits wieder verlassen hat, um den Kaukasus noch einmal zu besuchen. Wir dürfen auch diessmal eine reiche Ausbeute erwarten, bedauern aber, bei dieser Anzeige nicht mehr von den vielen einzelnen Aufschlüssen haben andeuten zu können, die uns durch ihn bereits jetzt geboten sind. Wie viel hätten wir nicht z. B. von der Menge geognostischer Bemerkungen des Vfs. ausheben und von der Flora berichten können, die er auf Bergen und in Thälern gefunden hat! Indessen müssen wir schon zufrieden sein, wenn wir vom Ganzen nur ein leidliches Croquis gegeben haben.

Geschichte.

[7181] Histoire des Romains et des peuples soumis à leur domination. Par **Victor Duruy.** Tome I. Paris, Hachette. 1843. VIII u. 584 S. gr. 8. (6 Fr.)

Offenbar fängt der deutsche Geist an auf einen grossen Theil der Franzosen einen immer grösseren Einfluss zu gewinnen. Und von der Verbreitung dieses deutschen Geistes ist am sichersten auch eine Regeneration, und zwar die sittliche Regeneration Frankreichs zu erwarten. Wenn wir das aussprechen, so sind wir keineswegs gemeint, die Franzosen den Deutschen überhaupt unterzuordnen, den besseren Geist hat den Deutschen weniger das eigene Verdienst als ein günstigeres Schicksal zugetheilt. Haben Franzosen denselben in sich aufgenommen, dann übertreffen sie auch in der Regel die Söhne Deutschlands, indem sie mit lebendigerer Freiheit und schöner zu gestalten verstehen, wo es sich um Producte der Wissenschaft handelt. Der Vf. des vorliegenden Werkes gehört zu der Zahl derjenigen Franzosen, die in der Wissenschaft auf der Bahn der Deutschen schreiten, ohne sie geradezu nachzuahmen. Er hebt mit einem Blicke auf die geographische Situation Italiens an und geht dann zu einer Schilderung der alten Völker Italiens über, der man es ansieht, dass ihr gründliche Studien vorausgegangen, bei der man fühlt, dass sie eine gesunde und frische Beurtheilung zur Begleiterin hat. Micali und Niebuhr werden an mehreren Stellen berichtiget. Den allgemeinen Charakter Roms und des alten Italiens überhaupt bestimmt der Vf. richtig damit, dass er wesentlich politisch gewesen, wesshalb auch das Religiöse in den Hintergrund habe treten und dem aristokratischen Elemente des Lebens sich gewissermaassen habe unterordsen müssen. Die Geschichte der alten Könige wird nur kurz behandelt, denn die Behandlung des mythischen Theils der Geschichte ist die Sache der praktischen Franzosen nicht. Es wird auch, und vielleicht nicht mit Unrecht angeführt, dass bei einem so strengen und düsteren Volke, wie die alten Römer offenbar gewesen, bei einer so ungemein rauhen und unbeholfenen Sprache, wie sie in den Arvalien erscheine, an eine so grosse Wichtigkeit der alten Volkslieder, an einen solchen Reichthum und eine solche Ausführlichkeit in ihnen, wie sie von Niebuhr angenommen worden, schwerlich gedacht werden könne. In der Lehre von den Patriciern, den Plebejern, den gentes ist Duruy indessen so ziemlich den Fusstapfen Niebuhrs nachgegangen. Allenthalben findet man treffende Bemerkungen eingeflochten, die Geschichte der inneren Kämpfe Roms zeichnet sich wenigstens durch gutes Hervorheben der Hauptpuncte, die Schilderung der Kriege des alten Roms mit den kleineren Völkern Italiens durch Frische und Lebendigkeit der Darstellung aus. Auch die Erzählung der späteren grossen Kriege Roms, namentlich des zweiten punischen, ist dem Vf. wohl gelungen und zeichnet sich durch lichtvolle Klarheit aus. Der Titel des Werkes liess indessen erwarten, dass eine genauere Beschreibung des Volkswesens gegeben und nicht bloss auf die Völker Italiens beschränkt werden sollte. Man konnte daher erwarten, dass der Vf. auch einen Blick auf die gallischen und iberischen Stämme werfen würde. Ist aber nun auch Karthagos Verfassung und Wesen geschildert worden, findet selbst die griechische Ostwelt einige Beachtung, so ist doch der Westen dagegen zu sehr vernachlässigt worden. Als ein Mangel des Buches möchte auch noch Das bezeichnet werden, dass die allmälig wahrhaft satanisch werdende Politik Roms und die Sittenfäulniss, die mit einer gewissen Nothwendigkeit sich aus den Verhältnissen entwickeln musste, nicht genug in den Vordergrund gestellt sind. Dieser 1. Theil endet mit der Unterwerfung Spaniens und der Vernichtung des Reiches von Pergamus. Im Ganzen eine Arbeit, welche alle Achtung verdienet.

[1128] Geschichte des Hauses Habsburg von dem Fürsten C. M. Lichnowsky. 7. Thl. Wien, Schaumburg u. Co. 1843. 228 u. DIII S. gr. 8. (3 Thlr. 10 Ngr.)

Seinem Wesen und früheren Charakter ist das Werk auch in diesem Bande treu geblieben. Wir erhalten die Fortsetzung einer nach österreichischen Urkunden erzählten Geschichte, deren Bestimmung dahin geht, die Zustände genauer zu beleuchten und die handelnden Personen, besonders die Fürsten in ein deutlicheres Licht zu setzen. Dass dabei die letzteren die vorzüglichste Beachtung gefunden, versteht sich von selbst. Das Buch nimmt somit zuweilen die Gestalt eines blossen Itinerariums der Fürsten, einer chronikenmässigen Aufzählung der von ihnen ausgehenden Thatsachen an, verdient aber dann hinsichtlich des Einen sowohl wie des Andern das Lob einer gründlichen, fleissigen, der urkundlichen Wahrheit treuen Arbeit. Nur muss eine solche durch mehrere Jahrhunderte, durch viele Bände in dieser Weise durchgeführte Arbeit nothwendig einen eintönigen, schwerfälligen Charakter, der es dem grossen Publicum entfremdet und den selbst ernster Forschungstrieb nur schwer überwindet, annehmen. Der vorlieg. Band, welcher vom J. 1457 bis 1477 reicht, gehört noch ganz der Lebenszeit des Kaisers Friedrich III. an, dessen Persönlichkeit als wenig bedeutend bezeichnet werden muss, und unter dem die Vorgänge im Innern Oesterreichs ebenfalls als wenig glänzend erscheinen. Indess ist gerade dieser Persönlichkeit, und den zu jener Zeit theils im Innern Oesterreichs, theils zwischen Oesterreich und den Nachbarländern sich bewegenden kleinen Verhältnissen die Darstellung des Vfs. fast ausschliesslich gewidmet. Interessant ist jene Zeit vorzugsweise dadurch, dass jetzt Oesterreich durch die Verbindung mit dem Hause Burgund anfängt, zu einer Weltstellung sich emporzuheben, und es ist daher wohl als ein Mangel unseres Werkes zu bezeichnen, dass es, so wie dieser bedeutungsvolle Moment eintritt, doch den Ton und die ganze Art beibehält, welche früher vorgeherrscht, so dass es scheint, als solle die vergrösserte Wichtigkeit Oesterreichs einen innerlich erweiterten Standpunct des Vfs. nicht nach sich ziehen. Burgund wird der erste Grundstein zu Oesterreichs Weltstellung, Böhmen und Mähren werden in der nächsten Zukunft den zweiten bilden. Auf Böhmen und Mähren hat der Vf. früher, weil sie so oft in nahe Verhältnisse mit Oesterreich treten, auch öfter den Blick gerichtet gehabt. Man sollte erwarten, dass, da die Zeit ihrer Verbindung mit dem Hause Habsburg näher kommt, und besonders in Böhmen eben jetzt wahrhaft weltgeschichtliche Ereignisse sich bewegen, ihnen auch diessmal eine erweiterte Betrachtung zu Theil werden würde. Allein es ist diess nicht geschehen, und mit beinahe auffallender Schnelligkeit eilt der Vf. über Böhmen, dessen innere Zustände so wenig als möglich berührend, hinweg. Nur einzelne Aeusserungen über Georg von Podiebrad, über das vom Rom aus gegen denselben gepredigte Kreuz u. dgl. m. geben zu erkennen, dass der Vf., seinen alten Gesinnungen, nach denen Rom über alles Andere erhaben steht, was ist und was gedacht werden kann, keineswegs untreu geworden ist. Auch diessmal nimmt beinahe die Hälfte des Buches das Register über die Quellen und Hülfsmittel der Geschichte Oesterreichs ein.

[7133] L'Europe pendant la révolution française par M. Capefigue. Tom. III et IV. Paris, Belin-Leprieur. 1843. 439 u. 400 S. gr. 8. (15 Fr.) Vgl. No. 3572.

Die Betrachtung der Einflüsse, welche die französ. Revolution sowohl nach Aussen zu gewann, wie von Aussen her empfing, bleibt das Hauptthema des vorlieg. Werkes, obwohl, um diesen Ausdruck zu brauchen, die innere Revolution dabei nicht überseben wird. Diese Betrachtung und die Ansichten und Aussprüche, welche sie mit sich führt, stützen sich aber bei Capefigue nicht allein auf eine genaue Kentniss der allgemein bekannt gewordenen Thatsachen und Zustände, sondern auch auf viele geheime und archivalische Nachrichten, die auf unbekannte Weise, über die in Paris gar vielerlei gesprochen wird, in die Hände des Vfs. gekommen sind. Capefigue's gewöhnliche Art, eine gewisse Kühnheit des Ausdruckes, wie der Auffassung überhaupt, ist auch in diesen Bänden sehr bemerkbar, und wenn er aus den Thatsachen auf die Gedanken schliesst, die möglicherweise jenen zum Grunde können gelegen haben, hat jene Kühnheit oft etwas Frappantes, Grossartiges. Dass in irgend einer Hinsicht in der diplomatischen und der politischen Welt auch ein sittliches Element sich geltend machen, ein sittlicher Gedanke wirksam sein könnte, nimmt er nie und nirgends an, und selten genug mag allerdings auch ein solcher thätig sein. Jene Kühnheit aber, mit welcher der zum Grunde liegende Gedanke gesucht und aufgestellt wird, kann nun allerdings wohl diesen oft bis zu einem gewissen Grade der Wahrscheinlichkeit erheben, aber nicht immer ihm das Gewand der Sicherheit verschaffen. Die Art, in welcher die Abschnitte des Werkes zusammengereiht sind, ist nicht allenthalben passend. Die Capp., in welchen von den allgemeinen diplomatisch-politischen Verhältnissen, und diejenigen, in welchen von dem Gange der inneren Revolution gesprochen wird, sind oft zu sehr untereinander gemischt, indem Capefigue weniger den Anforderungen eines systematischen Verfahrens genügen, als den Reiz der Abwechselung und der Mannichfaltigkeit herbeiführen wollte. Am Anfange des 3. Bdes. handeln zuerst mehrere Abschnitte von dem Gange der innern Revolution, nachdem Robespierre gestürzt worden. Wir haben bereits in der Betrachtung über die beiden ersten Theile dieses Werkes gesagt, dass Capefigue Dinge, die wohl nur stark an dem Ausbruche der Revolution mitgewirkt, zu den fast ausschliesslichen, alleinigen Elementen der Bewegung erheben will. Sein Hass, seine Verachtung gegen den Mittelstand ist grenzenlos. Die Bourgeoisie hat aus kleinlichem Hasse gegen den Adel die Revolution gemacht, ohne sie leiten und führen zu können. Da sind die gewaltigen und energischen Jacobiner gekommen, die man wohl begreift und gewissermaassen selbst achten muss, da sie wussten, was sie wollten und das, was sie wollten, etwas Grossartiges war. Als der National-Convent die sogen. Revolution vom 9. Thermidor hervorrief, als er auf die Jacobiner schlug, da tödtete er sich selbst und vernichtete die Energie der Revolution; die Leitung der Dinge fiel wieder an die weichen und schlaffen Girondisten, von denen nichts Grosses erwartet werden konnte. Wenn Capefigue von Grösse redet, so darf man dabei nicht an das Sittliche denken. Gross sind ihm auch die Jesuiten in seiner Geschichte Louis XIV.; sie wollten ja die Welt beherrschen, und beherrschten sie auch einmal wenigstens in gewisser Beziehung. Die Bourgeoisie hätte nun lieber gleich das Königthum der Bourbons mit der Verfassung von 1791 wieder gehabt, aber wie einst früher sie unfähig und unkräftig gewesen, als es galt die Revolution auf einem bestimmten Puncte festzuhalten, so vermochte sie auch jetzt nicht, was von dem Sturme der Revolution noch geblieben, zu löschen und zu dämpfen, oder aus der Lava des Kraters ein Gebilde für sich zu gestalten. In den Armeen der Republik hat sich eine neue Gewalt erhoben, welcher die Bourgeoisie nichts als die immer nutzlos fertige und immer umsonst bewegliche Zunge entgegen zu setzen hatte. Die Gewalt der Armeen, bei denen Ignoranz und Rauhheit dunkle republicanische Vorstellungen erhalten, war selbst grösstentheils die Gewalt des Convents, der auch nach der Revolution des Thermidors nicht wie die Bourgeoisie die Wiederkehr des Königthums wollen konnte. Die Girondisten des Convents, noch immer in ihren alten Träumen einer regelmässigen, geordneten Democratie, welche die europäische Civilisation nicht erträgt, klebten eine neue alberne Constitution zusammen. Sie stellten die Directorialverfassung auf, und meinten damit ein Meisterstück gemacht zu haben. Das war es auch, aber ein Meisterstück von Narrheit („Au fond, la pensée était de neutraliser une assemblée par l'autre, et de produire le néant par la complication des rouages") III. S. 91. Freilich hatte auch Pichegru damals schon den Gedanken an die Wiederherstellung des Königthums aufgefasst, und zwar deshalb, weil er Welt und Menschen für viel zu verdorben ansah, als dass sie die demokratische Republik noch vertragen könnten. Allein Pichegru und sein Heer waren zwei ganz verschiedene Geister, zwei ganz verschiedene Gesinnungen. Der Fluch der Revolution herrschte über dem Innern Frankreichs, als der General Bonaparte seine Banner in Italien erhob. Die Lage der Dinge nach Aussen zu war damals für die Republik sehr günstig, besonders durch das Zurücktreten Preussens vom Kampfplatze geworden. Die geheimsten Gedanken des preuss. Cabinets will Capefigue durchschaut haben. Die vorherrschende Idee sei gewesen, den deutschen Reichsverband, weil in und durch denselben Oesterreich doch immer etwas gewinne, aufzulösen, und nach dieser Auflösung der Fürsten und Stände so viele als möglich unter preussisches Protectorat zu bringen. Deshalb habe man auch den Frieden mit Frankreich geschlossen. Die Kräfte zusammenhaltend für solche Entwürfe habe Preussen mit Lust dem Kampfe zwischen Oesterreich und Frankreich zugeschaut, beinahe hoffend, dass beide Theile sich gehörig erschöpfen würden. Wie nun Capefigue bemüht war, die Revolution überhaupt ihres Glanzes zu entkleiden, so sucht er auch den Zauber, welcher um den Namen Bonaparte schwebt, zu ertödten. Niedriger als die Franzosen in der Verblendung, welche sich die Geschichte verdreht, um sich selber zu behaupten, meinen, steht dieser nicht allein dadurch da, dass er sich in Italien zum Instrumente der gemeinen Raubsucht des Directorii hergab, dass er Alles, was er erreichen konnte, weniger für Frankreichs, als für seine eigenen Entwürfe mit Füssen trat, es ist auch der Ruhm und der Glanz seiner Thaten, ja die Kraft seines Genies selbst keineswegs so hoch zu stellen, als es gewöhnlich und besonders in Frankreich geschah. Zu seinen Erfolgen trug die Feigheit mancher der Feinde im Cabinet und der Mangel an grossartiger Entschlossenheit im Felde unendlich viel bei. Bei Arcole wäre er rettungslos verloren gewesen, wären die Oesterreicher, wie sie es einen Augenblick wollten, rasch auf Verona losgegangen. Was der General durch sein Eindringen in Deutschland erreichte, den Präliminar-Frieden von Leoben, das sollte man nicht als einen Erfolg, als einen Sieg betrachten, da es kaum als etwas Anderes, denn als ein Verlust, eine halbe Niederlage bezeichnet werden kann. Der General hatte sich durch allzugrosse Kühnheit in eine fast verzweifelte Lage gesetzt. Wagte Oesterreich eine Schlacht, sie hätte wohl mit dem Untergange Bonaparte's geendet. Allein Oesterreich wagte die Schlacht nicht, weil der General, fühlend, dass er dicht an dem Rande des Unterganges stehe, wie dies auch aus seinem Schreiben an das Directorium hervorgeht, Dinge dem Cabinete von Wien bot, so gross und so bedeutend, wie man sie dort kaum von dem Gelingen eines Wagstückes erwarten zu können meinte. Gewann Oesterreich nicht 3 Mill. Seelen, gewann es nicht Venedig, die alte Herrin des adriatischen Meeres, gewissermaassen die Herrschaft über dieses Meer? Mindestens eben so viel Grösse als in dem General Bonaparte findet Capefigue in Pitt's Festigkeit, in Oesterreichs Consequenz. Hätte nur Oesterreich nicht allein Festigkeit, hätte es ausserdem noch einige Kühnheit gehabt, so würden die Sachen schon damals ganz anders gelaufen sein. Und wer ist denn zuletzt gewachsen und gestiegen, Frankreich oder Oesterreich? Mit dem Abschlusse des Friedens von Campo Formio endet der 3. Thl. Er ist, wie das ganze Werk reich an Mittheilungen, besonders über solche Verhandlungen, welche ziemlich in der Stille zwischen der Republik und anderen Mächten, besonders England, Oesterreich und Preussen gepflogen worden sind. In Bezug auf die innere Geschichte bis zur sogen. Revolution vom 4. Fructidor, die in diesem Theile auch zugleich besprochen ist, haben wir hier, obwohl Vieles, wie z. B. die Charakteristik des Barras, als sehr gelungen bezeichnet werden muss, im Ganzen genommen nichts von Bedeutung gefunden, wodurch ein neues Licht auf Personen oder Zustände geworfen würde. Vieles, das nicht ohne Interesse ist, wird allerdings mitgetheilt. Wenn Barras und das Directorium alle Entwürfe, auch die geheimsten der Royalisten sofort erfuhren, wer waren die Verräther? Edelleute, zurückgekehrte Emigranten. So tief war die Corruption in alle Adern des französ. Lebens eingedrungen! Aber nirgends stieg doch die Corruption so hoch als in dem Directorium selbst, nachdem es den Schlag vom Fructidor hatte fallen lassen. Mit der Schilderung desselben beginnt, nachdem vorher noch ein Blick auf die Situation der Cabinete am Ende des J. 1797 geworfen worden, der 4.

Theil dieses Werkes. So tief steht doch nun, bemerkt Capefigue sehr richtig, die Welt nicht, dass sie einem Gouvernement, welches die Corruption auf der Stirn geschrieben hat, eine innerliche, eine monarchische Gewalt überlassen sollte. Deshalb war das Directorium auch nicht im Stande sich gegen den General Bonaparte zu erheben, so gern man sich auch immer gegen ihn erhoben hätte: „Il est besoin pour expliquer la dictature morale de Bonaparte à cette époque, d'établir cette situation abaissée d'un pouvoir qui ne peut plus rien par lui-même; un corps éteint ose-t-il se permettre des excès de force? et c'était un excès de force que de s'opposer à la toute-puissance de Bonaparte". Freilich war diese moralische Dictatur an Einen gefallen, der es in manchen Stücken auch nicht sehr genau zu nehmen pflegte. Bonaparte hatte Millionen aus Italien mitgebracht, aber er trug den Gewinn nicht zur Schau, er verbarg ihn, und die Freunde schrieen Wunder über den grossartigen Mann, den uneigennützigen Helden. Glänzende Aussichten eröffneten sich damals, als er aus Italien zurückgekehrt, für ihn, wie für jeden Kühnen, der mit starker Hand die Zügel einer Herrschaft, welche Ruhe und Sicherheit versprach, würde ergreifen können. Widerstand war kaum zu befürchten. Die Franzosen fühlten, dass ihr ganzer gesellschaftlicher Zustand wie von Glas sei, nicht weiter erschüttert werden dürfe. „La société a peur de se déranger ou de faire le moindre mouvement; comme elle sait qu'elle est de verre, elle sait aussi que tout se briserait autour d'elle en mille éclats au premier souffle, et alors elle retient sa respiration haletante". Aber noch hält der General selbst die Birne nicht für völlig reif. Er beschliesst zu warten und das Directorium sein Wesen noch einige Zeit forttreiben zu lassen. Wie nun von demselben dieses Wesen, während zu Rastatt über den Frieden verhandelt wird, nach Aussen zu mit tückischer Treulosigkeit weiter getrieben, wie so die römische und die helvetische Republik gemacht, an eine Demokratisirung Deutschlands gedacht, wie Alle, die von Frankreichs Macht erreicht werden können, auf das Unverschämteste geplündert, wie die Rechte der neutralen Flagge zuerst von dem Directorio mit den Füssen getreten werden, wie im Innern die Corruption sich mit immer frecherer Stirn zeigt, setzt Capefigue in mehreren Capp. sehr gut auseinander. Der General Bonaparte ist nach Aegypten abgesegelt, eine furchtbare Coalition hat sich wieder gegen Frankreich gebildet, das Directorium hat alles Vertrauen, alle Parteien verloren. Im Schoosse der Republik bildet sich eine Verschwörung, die Directorial-Verfassung zu stürzen. Sieyès steht an der Spitze derselben. Es sind die Aristokraten der Republik, die hier zusammentreten, die durch die Revolution Reichgewordenen, die ihre Reichthümer und ihre Stellung nicht neuen demokratischen Stürmen Preis geben wollen. Es wird von ihnen darum eine starke, centrale Gewalt im Staate erstrebt. Ihr erster Schritt ist die Austreibung Treilhard's, Merlin's und

Larevellière-Lepeaux's aus dem Directorium, wodurch die Rückkehr des Sieyès herbeigeführt wird. Sieyès ist aber, wie Capefigue meint, ein lächerlicher Projectmacher und Constitutionsfabrikant, der dann dienen muss, dem General den Weg zu bereiten, indem er die bestehende Staatsgewalt erschüttert und die Hohlheit und Nichtigkeit der bestehenden sogen. Freiheit offenbart. Die ägyptische Expedition ist nur leicht und flüchtig skizzirt worden. Frei von allen Vorurtheilen, ja beinahe frei von französ. Nationalgefühlen, behandelt C. fast mit grösserer Vorliebe die Heldengestalt Nelson's als die Heldengestalt Bonaparte's. Die ägyptische Expedition wird an sich selbst als ein harter Missgriff bitter getadelt, bitterer noch Bonaparte's Zug nach Syrien. Was ist doch das Resultat aller dieser Dinge gewesen? Malta und die Herrschaft im mittelländischen Meere kam an England. Und am Ende war es mit allen Unternehmungen der Revolution so; nicht die Grösse Frankreichs, sondern die Grösse der Gegner Frankreichs haben sie zuletzt herbeigeführt. Das Werk schliesst mit einem Résumé, in welchem Capefigue einen Blick auf die Ergebnisse der Revolution für Frankreich wirft. Was zuerst die äussere Stellung anlangt, nun so richte man nur die Augen auf eine Charte und betrachte dann die diplomatischen Verhältnisse. Während die anderen Grossmächte unermesslich gestiegen, hat in Europa Frankreich zurückkehren müssen auf seine Grenzen von 1789 und draussen sind viele Colonien verloren gegangen. In den Cabinetten sind die Freunde und Bundesgenossen verloren gegangen, kaum weiss man noch, wo und wie ein diplomatischer Faden wieder angeknüpft werden soll. Die revolutionaire Propaganda lebt noch immer in der Diplomatie; man vermeidet, man fürchtet eine Verbindung mit Frankreich. An die Stelle der Provinzial-Verwaltung der alten Monarchie hat die Revolution die immer und nach allen Richtungen hin thätige Centralisation gesetzt. Man hat einen strengeren Gehorsam gewonnen, aber man bezahlt ihn mit dem Leiden und dem Vertrocknen des Individuellen. Man hat die Corporationen und die Zünfte zerstört, der Arbeit volle Freiheit gegeben. Aber die Corporationen des alten Regime's waren auch eine Hülfe, eine Stütze für den Arbeiter. Jetzt steht er einsam, verlassen, ohne Leitung, ohne Hülfe da. Darum steigt der Pauperismus in furchtbarer Progression; alle öffentliche Arbeiten, die man unternimmt, um den Jammer zu lindern, können ihn nur vorübergehend lindern. Die Revolution hat die Staats-Abgaben auf einen enorm. hohen Grad getrieben, die grossen Reichthümer, die grossen Situationen, durch welche die Arme einst Arbeit empfing, zerstört. Eine viel grössere Gleichheit in den Gütern ist allerdings jetzt erzielt worden. Darum arbeitet, producirt Jeder so viel als möglich, und verzehrt, consumirt so wenig als möglich. Die Gleichheit vor dem Gesetze, welche die Revolution gemacht, was ist sie anders als die Herrschaft der Bourgeoisie nach oben und nach unten zu, der engherzigen, kleinlichen, egoistischen Bourgeoisie, aus der eine neue Aristokratie, bei des an der Stelle des fühlenden Herzens der Geldsack und das Rechnenexempel liegt. Die Revolution hat das ganze Leben materialisirt, seine heiligsten Grundlagen vernichtet. Also Capefigue.

Flathe.

[1124] Notes sur ma captivité à Saint-Pétersbourg en 1794, 1795 et 1796. Ouvrage inédit de **Julien Ursin Niemcewicz**, publié d'après le manuscrit autographe de l'auteur par ordre du comité historique Polonais à Paris. Paris, Bibliothèque Polonaise. 1843. 233 S. gr. 8. (4 Fr. 50 c.)

Das Erscheinen dieser, aus dem Nachlasse des Waffen- und Unglücksgenossen Kosciusco's entnommenen Schrift hat, wie sich erwarten liess, ein bedeutendes Interesse in einem weiten Kreise gewonnen. Wehmüthige Erinnerungen muss sie hervorrufen bei dem denkenden und fühlenden Menschen, und Stoff zu Betrachtungen über die Räthsel der Weltereignisse und selbst über die Zukunft wird sie genug an die Hand geben. Niemcewicz schrieb diese Blätter, als er aus harter Haft durch Kaiser Paul mit Kosciusco befreit, nach Nordamerika ausgewandert war. Die Kette seiner trüben Erinnerungen fängt er kurz vor der Schlacht bei Maciejowice, in jener Zeit an, wo der Tag Polens verbleicht und eine düstere Nacht hereinbrechen will. Es ist in der That herzzerreissend, die Polen in jenem Augenblick zu sehen, wie sie mit dem Tode ringen, und in mehreren wahrhaft grauenvollen Zügen tritt daneben der in Russland damals herrschende Geist uns hier entgegen. Der Officier, in dessen Gefangenschaft Niemcewicz fällt, plündert zunächst ihn rein aus, und da er einen kostbaren Ring, den der Pole am Finger trägt, nicht sogleich los bekommen kann, trifft er alles Ernstes Anstalten, den Finger abzubeissen. Wenn Alles wahr ist, was der Pole hier berichtet, was er als Gefangener auf dem Transporte durch das polnische Gebiet habe sehen müssen, so ist es in der That entsetzlich. Sie treffen auf kein polnisches Schloss, was nicht rein ausgeplündert würde. Selbst die Frauen, die Kinder plündern, schleppen Alles auf ihren zahllosen Wagen mit sich fort bis auf die Kinderspielsachen. Und das Plündern geschieht immer unter bacchantischen Festen, unter Scherz, Lachen und grausam-fühlloser Verhöhnung des Unglücks. So viel er auf seiner trauervollen Reise bemerken kann, und der kranke Zustand der Seele und des verwundeten Körpers ihm zu beobachten gestattet, will der Pole nur die Beweise entsetzlicher Corruption, Grausamkeit und Sclavensinn sonder Gleichen gefunden haben. Die Reise geht nach Petersburg und Niemcewicz wird in finsterer Nacht von da nach Schlüsselburg gebracht. Mit besonderer Härte wird gerade gegen ihn verfahren, denn er hat auf dem Reichstage und in Schriften Katharina und Potemkin auf das härteste angegriffen, und weigert sich standhaft zu verrathen, wer etwa in den seit 1792 an Russland abgetretenen Provinzen die Revolution mit Rath oder That unterstützt haben möchte. Die Schilderung, welche Niemcewicz von der Qual des Gefängnisses gibt, wird Jedermann ergreifen. An anderen Dingen, welche den Leser zu mannichfachen trüben Betrachtungen führen können, fehlt es nicht. Manches ist indess, was man zur Steuer der Wahrheit nicht vergessen darf, seitdem auch in Russland anders geworden. Niemcewicz darf von seinen Freunden Bücher in die Einsamkeit des Gefängnisses erhalten. Diese werden jedoch stets auf das genaueste untersucht, damit nicht irgend etwas hineingeschrieben. Einst empfängt er so von einer Schrift des Bernardin de Saint-Pierre nur den 2. Theil. Auf sein Befragen erfuhr er, dass in dem 1. Thle. sich einige geschriebene Worte befunden, die bis jetzt Niemand verstanden. Er müsse warten, bis diese enträthselt, bis die Ueberzeugung gewonnen werden, dass sie keine Beziehung hätten. Das Buch muss, so vernimmt er, da Niemand jene Worte zu enträthseln vermag, endlich bis zu dem Metropoliten von Petersburg wandern, der so glücklich ist, die Ueberzeugung zu gewinnen, dass die Worte weder etwas Staatsgefährliches enthalten, noch auch auf die Verkleinerung des Ruhmes der grossen Katharina hinarbeiten. Endlich gelangt auch das Buch in das Gefängniss und siehe, es stehen auf dem Titelblatt die geschriebenen Worte: „Ex libris Stanislas Sokolski“. Nun hierin wie in anderen Dingen ist es anders geworden. Von den Summen, welche die Regierung freigebig für die Erhaltung der Staatsgefangenen zahlt, kommt diesen in der That nicht der zwanzigste Theil zu Gute, die Behandlung der unteren Staatsbeamten ist bisweilen grausenhaft. Während Niemcewicz im Gefängniss ist, werden zwei Cassenbeamte in dasselbe gebracht und entsetzlich geprügelt. Sie haben, so behauptet er, zwar Geld aus den Cassen genommen, aber auf Befehl ihrer Obern. Nun müssen sie für diese die Strafe leiden. Dabei möchte man freilich fragen, woher er im Gefängniss den Zusammenhang der Sache so genau erfuhr? Die kurze Zeit aber, die er sich nach Erlangung seiner Freiheit in Petersburg bewegte, hatte er doch schwerlich Zeit sich um diese Sache weiter zu bekümmern. Die entsetzliche Behandlung der gemeinen Soldaten sieht er freilich mit eigenen Augen. Die Armen fühlen auch ihren Jammer und da Niemcewicz immer dieselben Wächter hat, schliessen sich die Unglücksgenossen leicht zusammen. Niemals, so war ihm versichert worden, als er sich weigerte Angebereien zu machen, würden die Thüren seines harten Gefängnisses sich wieder für ihn eröffnen; allein Katharinens Tod und Pauls Thronbesteigung, die er durch die Soldaten sofort erfuhr, öffneten sie ihm doch. Koscinsco ist schon unter Katharina mit grosser Milde behandelt worden, unter Paul, der ihn mit dem Grossfürsten sogar besucht, wird ihm selbst mit Auszeichnung begegnet. Paul versichert, wenn er schon regiert, würde er sich der Theilung Polens widersetzt haben, das einmal Geschehene aber müsse er festhalten. Koscinsco findet Niemcewicz als eine Jammergestalt wieder, selbst die geistigen Kräfte haben sich durch den unendlichen Schmerz gemindert. In Petersburg wimmelt es von Polen, die das Vaterland verlassen und sich Russland ergeben haben. Sie erbetteln sich nun Aemter,

Würden und Güter. Solche sind es, die dem Kaiser rathen, sich mit den freigelassenen Patrioten sicher zu stellen. Kosciusco und Niemcewicz erklären, dass sie Unterthanen Russlands nicht werden könnten. Nun müssen sie, bevor sie das Reich verlassen dürfen, einen furchtbaren, auf alles Mögliche sich erstreckenden Eid schwören. Am Schlusse der Schrift wird eine Notiz über die von Niemcewicz abgefassten Bücher und ein kurzer Blick auf sein späteres, bekanntlich auch noch in die letzte Revolution verwickeltes Leben gegeben.

[2135] Geschichte Russlands seit dem Jahre 1830 mit besonderer Rücksicht auf den Krieg im Kaukasus von Dr. F. Kottenkamp. Stuttgart, Schweizerbart. 1843. 275 S. 8. (15 Ngr.)

Auch u. d. Tit.: Chronik der neuesten Zeit. Nach den glaubwürdigsten Quellen dargestellt. 4. Bd.

Was man leider bei so vielen in den letztverwichenen Jahrzehnten in Deutschland erschienenen Schriften bemerken muss, dass schon ihre äussere Form eine völlig kunstlose ist, dass die Vff. keinen Fleiss aufwenden, nur so viel als möglich zusammenschreiben und sofort dem Druck übergeben, es möge im Uebrigen sein, wie es wolle, das bemerkt man gar sehr auch an der vorlieg. Schrift. Der Vf. hat einige hier einschlagende Schriften gelesen, und was er in diesen gefunden, so schnell und flüchtig als möglich zusammengestellt. Nun ist zwar das Gegebene keineswegs zu verwerfen, vielmehr in einigen Partien recht gut, aber es ist weder hinlänglich verarbeitet, noch auch immer passend geordnet. Zuerst schildert der Vf. den Zustand der Fabriken in Russland, wo er meist der Schrift von Treumund Welp folgt. Die angelegten Fabriken und ihre Erzeugnisse sind in der Regel weiter nichts als Täuschung. Dann wird von Russlands Kriegsmacht zu Land und zu Wasser gesprochen, und in Beziehung auf erstere wohl ganz richtig ausgeführt, dass diese Macht viel grösser erscheine, als sie sei, und namentlich in einem Angriffskriege sein würde. Russland könnte sich jetzt, ohne sich selbst den grössten Gefahren Preis zu geben, nicht mit einer sehr bedeutenden Heeresmacht nach Aussen werfen. Nicht allein die polnisch-lithauischen Provinzen würden stark besetzt bleiben müssen; man würde auch die deutschen Ostseeprovinzen, Finnland, die Tartaren, Georgier stark bewachen müssen, da sie durch die Regierungsmaassregeln der letzten Zeit mannichfach verletzt worden sind. Die deutschen Ostseeprovinzen waren einst eine starke Stütze der Regierung. Seit man ihren alten Zustand hin und wieder geändert, seit man ihnen gezeigt, dass auch sie russicirt werden sollten, ist das etwas anders geworden. Selbst auf die Kosaken soll Russland nicht mehr zählen können, wie sonst, da auch sie vielfach in ihren alten Privilegien verletzt worden seien. Und so haben allerdings auch die Militair-Colonien sich 1831 in einem nicht unbedeutenden Aufstande als unsicher gezeigt. Eines hat der Vf. noch übersehen, die hohe Aristokratie. Ueber die Kriegsflotte wird, nach dem Vorgange Bell's und Jesse's ebenfalls das Urtheil, dass sie weit weniger furchtbar sei, als sie aussehe, ausgesprochen. Dann wird das Gouvernement Russlands besprochen und dessen Charakter mit dem Namen des militairisch-büreaukratischen Despotismus bezeichnet. Ueber den sogen. Panslawismus bemerkt der Vf. richtig, dass es damit für das übrige Europa keine Noth habe, indem Russland bei den Slawen, die nicht unter seiner Herrschaft leben, Anklang unmöglicherweise finden könne, auch nicht gefunden habe. Eine andere Frage wäre freilich, ob diese Slawen sich doch nicht dereinst mit Russland zusammenfinden konnten, nicht um sich den Russen zu unterwerfen, oder in diesen gleichsam aufzugehen, sondern um sich ihrer gegen die Deutschen als vorübergehende Bundesgenossen zu bedienen. Unserem Ermessen nach mag das junge Slawenland einen solchen Gedanken, der freilich nur zum eigenen Verderben ausschlagen könnte, haben. Von den Bestrebungen Russlands, das Ganze seines Reiches besonders auch Polen zu russiciren und den römischen Katholicismus zu vernichten, erwartet der Vf., dass sie nicht gelingen würden. Er weist dabei auf Irland hin und meint, was dort eine Unmöglichkeit gewesen, müsste auch in Polen als unmöglich angesehen werden. Dabei vergisst er aber die grosse Verschiedenheit, welche zwischen Polen und Irland Statt findet, gänzlich. Selbst unter dem härtesten Druck der Gesetze, welchen das herrschende und anglicanische England durch seine Dienstmagd, durch das irische Parlament, auf die kathol. Iren gelegt hatte, hatten diese katholischen Iren doch die freien Institute Englands, an welche sich, wie Gustave de Beaumont im 2. Bde. seines „Irland" sehr gut entwickelt hat, ihre Opposition anhalten konnte. Ein solcher Anhaltepunct ist, nachdem auch der Unabhängigkeit der katholischen Kirche fast ein Damm gesetzt worden, in Polen nicht vorhanden. Der grössere Theil der Schrift ist von der Geschichte des Kampfes zwischen den Russen und Tscherkessen, welche sich selbst jetzt Adighe nennen, ausgefüllt, wobei der Vf. sich passend über die politischen, religiösen und sittlichen Verhältnisse dieses Mischvolkes (was sie zu sein scheinen), nach dem Vorgange besonders englischer Berichte verbreitet. Das ganze Thun und Wesen dieser Tscherkessen weist mehr auf das Abendland als auf das Morgenland hin. Die Frauen geniessen bei ihnen eine vollständige Freiheit, ja Bell sah Familien, wo, wie so oft im Abendlande, die Frauen eine Herrschaft der Schlauheit über alle Männer des Hauses an sich gerissen hatten. Auch Spuren und Ueberreste des Christenthums haben unter den Bräuchen der Tscherkessen sich noch erhalten. Das Christenthum herrschte noch in den ersten Jahrhunderten des Mittelalters in diesen Gegenden. Die Geschichte des Krieges an sich selbst muss man bei dem Vf. selbst nachlesen. Das Resultat ist wohl bis zum J. 1843, dass die Russen über den eigentlichen Kern und Stamm der Tscherkessen noch nichts erreicht haben. Eine kurze Schilderung des verunglückten Zuges gegen Chiwa bildet den Schluss des Bandes.

Bibliographie.

Theologie.

[7136] The American Biblical Repository etc. conducted by *J. H. Agnew.* II. Series. Vol. 10. No. 19. 1843. July. (Vgl. No. 5366.) Inh.: Punishment, its Nature and Design. (S. 1—28.) — *Sam. Forry*, the Mosaic Account of the Unity of the Human Race, confirmed by the natural History of the American Aborigines. (—80.) — *Tayl. Lewis*, the divine Attributes, as exhibited in the Grecian Poetry, considered with special reference to the attribute of Justice, and the streng impression left by the Primitive belief, upon the ancient mind. (—110.) — *Wheelock*, Atonement. (—134.) — *Chapin*, Review of *Gliddon's* Egypt. (—159.) — *Cheever*, Review of *Whately's* Essays on the Errors of Romanism. (—189.) — Outlines of the History of Hebrew Philology, by *Frz. Delitzsch*, Ph. D. of the Univ. of Leipsic; translated from the Latin by *W. Turner*, Instructor in Hebrew in the Union Theol. Sem. N. Y. (—219.) — The General Assembly of the Presbyterian Church in the United States, 1843. (—230.) — Critical Notices, Literary Intelligence. (—246.)

[7137] Monatsschrift f. die evang. Kirche u. s. w. 9. Hft. (Vgl. No. 6369.) Inh.: *Hermann*, Andeutungen üb. e. zeitgemässe Entwickelung u. s. w. [Schluss des 2. Art.] (S 107—129.) — Die evang. Kirche zu Würrich in ihrer Anfechtung u. Vertheidigung. (—142.) — *Pieper*, die durch v. Meyer-Stier revidirte Lutherische Bibel-Uebersetzung. (—144.) Ders., Ein christliches Volksfest. (—151.) — *H.*, der Geist unserer Zeit u. die Kirche. (—162.)

[7138] Cyclopaedia of Biblical Literature. By **John Kitto**, assisted by several scholars and divines. Part I—V. New-York, M. H. Newman. 1843. Erscheint in 15 Lieff., jede zu 5 Bog. mit 1 Kpfr. oder Karte. gr. 8.

[7139] *Commentar üb. die Psalmen. Von **E. W. Hengstenberg**, Dr. u. Prof. d. Theol. zu Berlin. 2. Bd. Berlin, Oehmigke. 1843. 480 S. gr. 8. (1 Thlr. 20 Ngr.) Umfasst Ps. 22 bis mit Ps. 50.

[7140] Prediger-Bibel. Altes Testament, bearb. von Dr. *Wohlfarth*. 4. Bd. Neustadt a. O., Wagner. 1843. 758 S. gr. 8. (2 Thlr.)

[7141] Novum Testamentum graecum. Editio Hellenistica. Edited by **E. W. Grinfield.** 2 vols. Lond., 1843. 1506 S. gr. 8. (2£ 2sh.)

[7142] Die Evangelien des Matthäus, Markus u. Lukas, mit d. entsprech. Stellen aus Johannes. Nach d. luther. Uebersetzung zur Vergleichung zusammengestellt von *A. C. Vogel* u. *Fr. Wagner*. Frankfurt a. M., Brönner, 1843. IV u. 239 S. Lex.-8. (1 Thlr.)

[7143] Kurzgefasstes exeget. Handbuch zum neuen Testament von Dr. **W. M. L. de Wette.** 2. Bds. 4. Thl. Kurze Erklärung der Briefe an die Colosser, an Philemon, an die Ephesier und Philipper. Leipzig, Weidmannsche Buchh. 1843. VIII u. 219 S. gr. 8. (22½ Ngr.)

[7144] Biblische Alterthümer. Ein Handbuch für christl. Religionslehrer. Von **Ed. Tolle**, Rect. in Jüterbog. Berlin, Oehmigke. 1843. XVIII u. 422 S. gr. 8. (1 Thlr.)

[7145] Die Urgeschichte der Erde u. des Menschengeschlechtes nach d. mosaischen Urkunde u. d. Ergebnissen der Wissenschaften von **Seb. Mutzl**, Prof. am Gymnas. zu Landshut u. s. w. Landshut, Thomann. 1843. VI u. 344 S. gr. 8. (1 Thlr.)

[7146] Allgemeine Geschichte der christl. Religion und Kirche von Dr. **Aug. Neander**. 2. verb. u. verm. Aufl. 1. Abthl. (Kirchengesch. der drei ersten Jahrh.) 2. Bd., welcher diese Abthl. schliesst. Hamburg, Fr. Perthes. 1843. XVIII u. 1307 S. gr. 8. (3 Thlr. 15 Ngr.)

[7147] An Enquiry into the Constitution, Discipline, Unity, and Worship of the Primitive Church, that flourished within the first Three Hundred Years after Christ. By Lord **Pet. King**. In Two Parts. Part 1: with Remarks and an Appendix, the whole comprising an abridgment of an „Orig. Draught of the Primitive Church", in Answer to the abovementioned Discourse. By a Clergyman of the Church of England. Lond., 1843. 410 S. gr. 8. (10sh. 6d.)

[7148] An Inquiry into the Organization and Government of the Apostolic Church; particularly with reference to the Claims of Episcopacy. By **Alb. Barnes**. Philadelphia, Perkins and Purves. 1843. 251 S. gr. 8.

[7149] Histoire des doctrines religieuses; par **Mich.-Jean-Franç.-Ozeray**. Paris, Hivert. 1843. 22¾ Bog. gr. 8. (5 Fr.)

[7150] Apostolic Baptism. Facts and Evidences on the Subjects and Mode of Christian Baptism. By **C. Taylor**. With 14 Engravings. New-York, Bevier. 1844. 228 S. gr. 8.

[7151] De invocatione Jesu Christi in precibus Christianorum accuratius definienda. Auctore **Frid. Lücke**. Part. I. et II. Gottingae, Vandenhoeck et Ruprecht. 1843. 15 u. 13 S. gr. 4. (à 5 Ngr.)

[7152] The Doctrine of Regeneration Considered. By the Rev. **G. B. Sandford**. Oxford, 1843. 222 S. gr. 12. (4sh.)

[7153] The Book of the Church. By **R. Field**, D. D. New edition, with additional notes and references, by the Rev. *J. S. Brewer*. Vol. 1. Lond., 1843. 562 S. gr. 8. (15sh.)

[7154] Lectures on Tractarian Theology. By **J. Stoughton**. Lond., 1843. 192 S. gr. 8. (3sh.)

[7155] Geistesfunken zur Entflammung für Frieden, Wahrheit u. Recht, in Haus, Kirche u. Staat von **Vinc. Bleicher**, Pfr. zu Gössingen. Für Katholiken u. Protestanten. Ulm, (Stettin'sche Sort.-Buchh.). 1843. XXIII u. 346 S. 8. (1 Thlr. 5 Ngr.)

[7156] Streitschriften über die Kampfpuncte des christl. Glaubens von **Rob. Bellarmin**, Card. e S. J. Uebers von Dr. *Vict. Phil. Gumposch*. 3. Bd. Augsburg, M. Rieger'sche Buchh. 1843. XXX u. 846 S. gr. 8. (1 Thlr. 15 Ngr.) Vgl. No. 5384.

[7157] Evangelium und Kirche. Eine kathol. Protestation gegen den Protestantismus, der sich „Kirche" nennt. Von Dr. **Sylvius**. Regensburg, Manz. 1843. 200 S. gr. 8. (27½ Ngr.)

[7158] Der Romanismus, seine Tendenzen u. seine Methodik. Mit besond. Berücksichtigung des Cölner Ereignisses. Eine Apologie der evang. Kirche von **M. J. F. H. Sander**, Past. an d. ev.-luther. Kirche in Elberfeld. Essen, Bädeker. 1843. X u. 158 S. gr. 8. (17½ Ngr.)

[7159] Sechs Fragen an die deutsche Nation kathol. Theils hinsichtlich ihres

Bemerkung zur entschied. Lossagung vom röm. Papste u. zu religiös-kirchlicher Selbstständigkeit mit ihren nichtkathol. Volksgenossen. Beantwortet in einem Sendschreiben an dieselbe von K. Fr. Theodul. Weimar, Hoffmann. 1844. VIII u. 119 S. gr. 8. (15 Ngr.)

[7160] Ein Votum in Betreff der Regeneration der evangel. Landeskirche in Preussen; von Aug. Boschoren, ev. Pred. zu Schwerz bei Halle. Halle, Lippert. 1843. 15 S. 8. (2½ Ngr.)

[7161] Die Sonntagsfeier. Ein Wort an seine Zeitgenossen von H. W. Alb. Schumr, Pfr. in Mühlhausen. (Besond. Abdr. aus d. Preuss. Prov.-Kirchenbl.) Königsberg, Theile. 1843. 51 S. gr. 8. (10 Ngr.)

[7162] Discours pour les retraites ecclésiastiques, par M. Boyer, directeur au semin. de St. Sulpice; avec une notice sur sa vie et ses écrits. 2 Vols. Paris, Leclère, 1843. 60 Bog. gr. 8. (12 Fr.) P. *Denis Boyer*, geb. am 19. Oct. 1766 zu Severac-Leglise in der Diöces Rodez, gest. am 24. Apr. 1842.

[7163] Der Friedensbote. Zeitschrift für Belebung u. Förderung des christl. Lebens. Herausgeg. von *C. A. Wildenhahn*, Past. sec. zu St. Petri in Bautzen. Jahrg. 1843. 1. Bd. Leipzig, Gebhardt u. Reisland. 1843. VI u. 288 S. mit J. Seb. Bach's Bildnisse. gr. 8. (n. 20 Ngr.)

[7164] Der Hausfreund des kathol. Bürgers u. Landmanns; herausgeg. von mehr. Geistlichen des Oldenburgischen Theils der Diöcese Münster. Redig. von *C. Schröder*, Caplan. 1. Jahrg. (1843) in 52 Nrn. (à 1 Bog. 4.). Vechta. (Bremen, Kaiser.) 1843. (1 Thlr. 27½ Ngr.)

[7165] Predigt vor dem Schlusse d. Landtags am 21. Aug. 1843 bei d. evang. Hofgottesdienste zu Dresden geh. von Dr. Chr. Fr. v. Ammon, Oberhofpred. Dresden, Walther'sche Hofbuchh. 1843. 32 S. 8. (3¾ Ngr.)

[7166] Kränze auf das Grab eines Jubilarpriesters. Zwei Predigten am Tage des Jubelfestes u. d. Beerdigung des Pfrs. Oberrhe. Nebst e. biograph. Skizze von J. Ant. Fr. Baudri, Pfr. in Bennen. Cöln, Dumont-Schauberg. 1843. 36 S. gr. 8. (5 Ngr.)

[7167] Predigtbuch zur Beförderung der häusl. Andacht. In Verbindung mit einigen evang. Geistlichen herausgeg. von Chr. Ph. H. Brandt, Decan u. Pfr. zu Windsbach. 5. Aufl. Nürnberg, Raw'sche Buchh. 1843. XVI u. 432 S. gr. 4. (1 Thlr. 10 Ngr.)

[7168] Predigten von P. Dinkel, Caplan zu Vorchheim. 1. Bdchn.: Predigten auf die Tage des Herrn im kathol. Kirchenjahre. 1. Abthl. (Weihnachtskreis.) Nürnberg, Felsecker. 1843. VIII u. 230 S. 8. (22½ Ngr.)

[7169] Drei Festpredigten, gehalten am 1. Weihnachtst. 1842, am 1. Osterf. u. am 2. Pfingstt. 1843 von Dr. J. W. Hasbach, ev. Pfr. zu Kettwig. Essen, Bädeker. 1843. 42 S. gr. 8. (5 Ngr.)

[7170] Predigten z. Förderung d. evangel. kirchlichen Lebens von Dr. phil. Leonh. Kalb, Pfr. in Wechselburg. Grimma, Gebhardt. 1843. VIII u. 218 S. gr. 8. (25 Ngr.)

[7171] Vier Predigten von H. Ado. Kegel, Cand. d. Predigtamts. Sondershausen, Eupel. 1843. 44 S. gr. 8. (5 Ngr.)

[7172] Predigten, in der Gemeine zu Ludwigslust geh. von Dr. Th. Kliefoth, Pred. zu Ludwigslust. 2. Sammlung. Parchim, Hinstorff'sche Hofbuchh. 1843. X u. 390 S. gr. 8. (1 Thlr. 5 Ngr.)

[7173] Predigt bei der feierl. Ordensprofession der Jungfrau Maria Anna Kohler am 28. Mai 1843 im Frauenklösterlein Wonnenstein von J. Ant. Knill. St. Gallen, Scheitlin u. Zollikofer. 1843. 16 S. 8. (2½ Ngr.)

[7174] Erhalte sie in deiner Wahrheit, dein Wort ist die Wahrheit. Predigten auf alle Sonn- u. Festtage des Jahres üb. Evangelien u. freie Texte von J. Chr. H. Lösch, Dr. d. Phil., 1. Pfr. am St. Aegid. u. Schulinsp. in Nürnberg. 2 Thle. 2. Aufl. Nürnberg, Korn. 1843. 422 u. 430 S. nebst 2 Stahlst. gr. 8. (2 Thlr. 7½ Ngr.)

[7175] Predigt am Vermählungsfeste Sr. K. Hoh. d. Kronprinzen von Hannover gehalten in d. Synagoge zu Münden am 18. Febr. 1843 von S. [illegible], Lehrer u. Pred. Cassel, Messner'sche Buchh. 1843. 16 S. gr. 8. (3¾ Ngr.)

[7176] Predigten von Ed. Niemann, Cons.-Rath u. Hofpred. 2. Samml. Hannover, Hahn'sche Hofbuchh. 1843. XIII u. 434 S. gr. 8. (1 Thlr. 10 Ngr.)

[7177] Christliche Predigten von Dr. Jul. Rupp. Königsberg, Theile. 1843. 8 u. 216 S. gr. 8. (1 Thlr. 5 Ngr.)

[7178] Predigten und Reden bei besond. Gelegenheiten, Festen u. amtl. Verrichtungen von Chr. W. Spieker, Dr. d. Theol. u. Phil., Prof., Superint. u. Oberpfr. in Frankfurt a. O. 2. Bd. Leipzig, Köhler. 1843. VIII u. 466 S. gr. 8. (1 Thlr. 20 Ngr.)

[7179] Israel Delivered out of Egypt: being Plain Remarks on the First Fifteen Chapters of thee Book of Exodus, in a Series of Sermons. By the Rev. W. J. Trower, M. A. Lond., Rivington. 1843. 376 S. gr. 8. (9sh. 6d.)

[7180] Morgenklänge aus Gottes Wort. Ein Erbauungsbuch auf alle Tage im Jahre von Fr. Arndt, Pred. an d. Parochialkirche zu Berlin. 1. Thl. Halle, Kümmel's Buchh. 1843. VI u. 393 S. 8. (25 Ngr.)

[7181] Gebetbuch für evangel. Christen. Nebst d. Leidensgeschichte Christi von Jac. Glatz, weil. k. k. Cons.-Rath A. C. in Wien. 2. verb. u. verm. Aufl. Wien, Heubner. 1843. VIII u. 352 S. mit 1 Titelkpfr. gr. 12. (17½ Ngr.)

[7182] Der Harfner und Christ. Ein Beitrag zur häusl. Erbauung in Liedern von Joh. Glo. Gutzschebauch. Leipzig, Gebhardt u. Reisland. 1843. XIV u. 190 S. 8. (20 Ngr.)

[7183] Die Nachfolge Mariä nach der Lehre d. heil. Schrift u. d. heil. Väter, od.: vollständ. Gebet- u. Erbauungsbuch für Verehrer d. reinsten Jungfrau u. Gottes-Mutter. Mit Morgen-, Abend-, Mess-, Beicht-, Communion- u. and. Gebeten von [illegible] Buchfelner, Pfarrvicar. Augsburg, Rieger'sche Buchh. 1843. VIII u. 232 S. mit 1 Stahlst. 8. (10 Ngr.)

[7184] Der heilige Opferaltar. Ein Gebet- u. Erbauungsbuch für d. reifere kathol. Jugend u. zum heilsamen Gebrauche für Erwachsene von M. C. [illegible]. 3. verb. Aufl. Augsburg, Rieger'sche Buchh. 1843. XVI u. 367 S. gr. 12. (15 Ngr.; mit 3 Stahlst. 22½ Ngr.)

[7185] Göttliche Offenbarung über den sündhaften Zustand der Christenheit, die bevorsteh. Strafgerichte u. d. Weg der Rückkehr zu Gott, in einem Gespräche mit d. sel. *H. Suso*. Von ihm selbst in dem Büchlein von d. neun Felsen auf Gottes Befehl zur Warnung geschrieben und herausgeg. von *S. Buchfelner*, Pfarrvicar. 2. verb. u. verm. Aufl. (Heil. Mission. 3. Bdchn.) Regensburg, Manz. 1843. 128 S. 8. (11¼ Ngr.)

[7186] Jos. Waldner's Lehr- u. Gebetbuch f. Jungfrauen in u. ausser den Klöstern, zur Gründung u. Förderung eines heil. Sinnes u. Lebens. Frei bearb. von *S. Buchfelner*. 2. verb. u. verm. Aufl. Augsburg, Rieger'sche Buchh. 1843. XIV u. 682 S. mit 1 Stahlst. gr. 12. (15 Ngr.; mit 3 Stahlst. 25 Ngr.)

[7187] Geschichte des heil. Bernhard von Abbé Thd. Ratisbonne. Aus d. Franz. übers. von *C. Reiching*. 2. Thl. Tübingen, Laupp'sche Buchh. 1843.

IV u. 272 S. nebst Inh. u. Einleit. zum I. Thle. LXXII S. gr. 8. (1 Thlr.) Vgl. No. 5416.

[7188] Geschichte des heil. Bernard von Abbé Maria Thd. Ratisbonne. Nach der 2. u. verm. franz. Ausg. übersetzt von *Mich. Sintzel.* 1. Bd. (Wohlf. Bibliothek guter kath. Bücher. 3. Reihenfolge. 1.—5. Bdchn.) Regensburg, Manz. 1843. 512 S. mit 1 Stahlst. 8. (2 Bde. 1 Thlr. 25 Ngr.)

[7189] Die zehn Sonntage und die Novenne zu Ehren des heil. Ignaz von Loyola, Gründers der Gesellsch. Jesu von Graf Vinc. Piccolomini. Augsburg, Rieger'sche Buchh. 1843. 47 S. gr. 12. (3⅓ Ngr.)

[7190] Leben der weisen u. tugendhaften Jungfrau Bartholomaeia Capitanio v. Lovère. Aus d. Ital. vom Prof. *Caj. Scandalla.* Innsbruck, Rauch. 1843. IV u. 380 S. 8. (19 Ngr.)

[7191] Die heil. Filomena, Jungfrau u. Märtyrin, die Wunderthäterin des 19. Jahrh. Für Alle in kurzer Erzählung dargestellt von Th. Welk. Nebst Morgen-, Abend-, Mess-, Beicht-, Communion- u. mehr. and. Gebeten. Regensburg, Manz. 1843. 181 S. mit 1 Stahlst. 8. (7½ Ngr.)

Medicin und Chirurgie.

[7192] Revue medicale franç. et étrang. etc. Aout. (Vgl. No. 6547.). Inh.: *Mondière,* quelques faits etc. Fin. (S. 481—493.) — *Devilliers,* nouv. observatt. sur les maladies de l'oeuf humain. (—505.) — *Cazeaux,* sur les positions mento-postérieures de la face. (—529.) — *Rendu,* observation d'un anus contre nature, guéri par l'entérotome de Dupuytren. (—538.) — Literature etc. (—632.)

[7193] Hufeland's Journal d. prakt. Heilkunde; fortges. von *Busse.* (Vgl. No. 6549.) August. Inh.: Zur Lehre vom Blute. Schluss. (S. 3—16.) — *Mauthner,* Uebersicht des herrschenden Krankheitscharakters in Wien im J. 1841 u. 1842. (—43.) — *Neuber,* medic.-praktische u. theoret. Erörterungen. Forts. (—74.) — *Kaiser,* Beiträge zur Behandlung des Kindbettfiebers. (—100.) — Kurze Nachrichten u. Auszüge. (—120.)

[7194] Journal de chimie médicale etc. Sept. (Vgl. No. 6098.) Inh.: *Chevallier, Gobley* et *Journeil,* sur les vinaigres et leur falsifications. (S. 489—507.) — *Chevallier* et *Henry,* examen de l'eau sulfureuse de la rue de Vendôme. (—515.) — *Gobley,* sur la présence du plomb dans le papier à filtrer. (—519.) — *Jacob,* examens de vins du canton de Tonnerre. (—531.) — *Flandin* et *Danger,* de l'empoisonnement par le cuivre. (—535.) — Notice hist. sur *Lavoisier.* [Av. portr.]. (—541.) — Revue des journaux etc. (—560.)

[7195] Memorie della societa medico-chirurgica di Bologna; seguito agli opuscoli da essa pubblicati. Fasc. XII. (vol. III. fasc. 3.). Bologna, 1843. 92 S. mit 4 Lithogr. gr. 4. (3 L.)

[7196] Encyklopädisches Wörterbuch der medicinischen Wissenschaften. Herausgeg. von *D. W. H. Busch, J. F. Dieffenbach, J. F. C. Hecker, E. Horn, J. C. Jüngken, H. F. Link, J. Müller.* 30. Bd. (Säure—Schwangerschaft.) Berlin, Veit u. Co. 1843. gr. 8. (3 Thlr. 10 Ngr. Schreibp. 4 Thlr. 10 Ngr. Velinp. 5 Thlr.)

[7197] Universal-Lexikon der prakt. Medicin und Chirurgie. Frei bearb. von mehreren deutschen Aerzten. 11. Bd. Leipzig, Voigt u. Fernau. 1843. 943 S. Lex.-8. (3 Thlr. 10 Ngr.)

[7198] Vollständige Bibliothek, oder encyklopäd. Real-Lexikon der gesammten theoret. u. prakt. Medicin mit Rücksicht auf die Homöopathie. 2. Bd.

(Cocainja—Fungoider.) Leipzig, Kruppe. 1843. 740 S. Lex.-8. (Vollst. in 5 Bdn. 7 Thlr. 15 Ngr.)

[7279] *Geschichte der Medicin, Chirurgie, Geburtshülfe, Staatsarzneikunde, Pharmacie u. a. Naturwissenschaften u. ihrer Literatur von **Emil Isensee**, Dr. d. Phil., Med., Chir. u. Geburtsh., Hofrath u. s. w. in Berlin. 2. Thl.: Neuere u. neueste Geschichte. 4. Buch. Berlin, Nauck u. Co. 1843. Bog. 16—44. gr. 8. (2 Thlr. 7½ Ngr.)

[7280] **Jos. Frank** Grundsätze der gesammten prakt. Heilkunde nach d. neuesten Originalausg. übers. von Dr. *Geo. Chr. Gfr. Voigt.* 4. u. 5. Thl. Auch u. d. Tit.: Die Hautkrankheiten. 2. Thl. (der Ausschlagsfieber 2. Hälfte) und 3. Thl. (die chronischen Ausschläge). Leipzig, T. O. Weigel. 1843. XIV u. 645, XIX u. 443 S. gr. 8. (4 Thlr. 17½ Ngr.)

[7281] *Ueber das Wesen und die Behandlung der Krankheiten des Magens und der Harnorgane von **Will. Prout**, Med. Dr. Nach der 3. sehr verm. Aufl. Aus d. Engl. von Dr. *Gust. Krupp.* (Handbibliothek der vorzügl. neuern Werke d. Auslandes üb. prakt. Med. u. Chir. No. 2. 3. u. 6.) Leipzig, Kollmann. 1843. VIII u. 528 S. gr. 8. (2 Thlr. 15 Ngr.)

[7282] Von dem Blute und dem Harne. Inaug.-Diss. von **Saml. Landmann**, der Med., Chir. u. Geburtsh. Dr. Ansbach, (Gummi). 1843. 45 S. gr. 8. (10 Ngr.)

[7283] Ueber den Typhus, oder die Quelle u. Verbreitungsweise der anhalt. Fieber in Grossbritannien u. Irland, von **Will. Davidson**, Oberarzt der Glasgower Royal-Infimary. Uebers. von *C. Rosenkranz.* Cassel, Hotop. 1843. 136 S. gr. 8. (15 Ngr.)

[7284] Pulmonary Consumption, successfully treated with Naphtha. By **John Hastings**, M. D. Lond., Churchill. 1843. 120 S. gr. 8. (5sh.)

[7285] Behandlung der Skrophelu mit Wallnussblättern, als dem ersten u. vorzüglichsten Mittel, diese Krankheit schnell, sicher u. wohlfeil selbst heilen zu können, von Dr. **Negrier**, Prof. zu Angers. Aus d. Franz. u. mit Zusätzen herausgeg. von Dr. *Venus,* Grossh. Sächs. Amtsphysikus in Vieselbach. Sondershausen, Eupel. 1843. 85 S. 12. (12½ Ngr.)

[7286] Die Weintraubenkur und die Art ihrer Anwendung von Dr. **M. Hirsch** jun., prakt. Arzt in Bingen. Mainz, Faber. 1843. 36 S. 8. (7½ Ngr.)

[7287] Disquisitio comparativa chem.-medica de tribus olei jecoris aselli speciebus auct. **L. J. de Jongh,** Med. Dr. Lugduni Batav., Luchtmans. 1843. XVI u. 363 S. gr. 8. (2 Thlr.)

[7288] Ausführlicher Symptomen-Codex der homöopath. Arzneimittellehre von **G. H. G. Jahr.** 1. Thl. (Uebersicht der homöopath. Heilmittel in ihren Erstwirkungen und Heilanzeigen.) 2. Bd.: Laurocerasus—Zingiber. Düsseldorf, Schaub. 1843. VI u. 702 S. gr. 8. (4 Thlr.)

[7289] Irish Medical Directory for 1843; including Notices of the Literary and Scientific Institutions of Ireland: with Notes, Historical, Biographical, and Bibliographical. By **H. Croly.** Dublin, 1843. 358 S. gr. 18. (5sh.)

[7290] Medicinische Analekten. Eine Auswahl mehr., durch ihre Seltenheit od. durch ein besond. pathologisches Interesse ausgezeichneter Krankheitsfälle von Dr. **Steinthal**, prakt. Arzt in Berlin. Berlin, Hirschwald. 1843. VI u. 122 S. mit 2 color. Kpfrtaff. gr. 8. (22½ Ngr.)

[7291] Jahresberichte üb. die während eines Zeitraumes von sechs Jahren im Stadt-Krankenhause zu Passau aufgenommenen Kranken u. behandelten Krankheitsformen von Dr. **F. X. Bernhuber.** Landshut, (Krüll'sche Univ.-Buchh.). 1843. XII u. 119 S. gr. 8. (15 Ngr.)

6*

[7212] Kranken-Physiognomik von Dr. K. H. Baumgärtner, Prof. d. Med. u. Dir. d. med. Klinikums u. d. poliklin. Anstalt an d. Univ. zu Freiburg. 2. verm. u. verb. Aufl. Mit 80 nach der Natur gemalten Krankenbildern. 13.—18. Lief. Stuttgart, Scheible, Rieger u. Sattler. 1843. S. 153—232 u. Portr. 49—72. gr. 8. (à 25 Ngr.)

[7213] Der praktische Hausarzt, enth. nahe an 1600 erprobte Heilmittel gegen alle im menschl. Leben vorkomm. Krankheiten u. Zufälle, die Anweisung, ein sehr hohes Alter zu erreichen, die Gesundheit zu bewahren, d. Körper zu verschönern u. s. w. Nebst *Hufeland's* Haus- u. Reiseapotheke. 2. ganz umgearb. u. sehr verm. Aufl. Schaffhausen, Brodtmann'sche Buchh. 1843. X u. 208 S. 8. (15 Ngr.)

[7214] Die häutige Bräune (der Croup). Eine deutliche Anweisung zur Verhütung, sichern Erkennung u. Heilung dieser gefahrvollen Krankheit von Dr. C. Wandersleben. Nordhausen, Fürst. 1843. 73 S. 12. (11¼ Ngr.)

[7215] Der Husten in seinen verschiedenen Gestalten, Ursachen u. Folgen, oder: guter Rath für Alle, welche an irgend einer Art des Hustens leiden, wie derselbe gründlich zu heilen, von Dr. C. Wandersleben. Ebendas., 1843. 84 S. 12. (11¼ Ngr.)

[7216] Die Brustkrankheiten, oder: was hat man bei Brustwassersucht, Brust- u. Lungenentzündung, Seitenstechen, Engbrüstigkeit u. s. w. zu thun, um diese Leiden schnell zu heilen u. ihre Wiederkehr sicher zu verhüten? Von L. Meinhold. Nordhausen, Fürst. 1843. 183 S. 12. (12½ Ngr.)

[7217] Die Kunst, schnell zu verdauen. Frei aus d. Franz. übers. von *K. Frohreich*. 2. verb. Aufl. Nordhausen, Fürst. 1843. 90 S. 12. (10 Ngr.)

[7218] Keine Kopfschmerzen mehr! Eine gemeinverständliche Belehrung üb. die verschied. Arten der Kopfschmerzen, deren Ursachen und unfehlbare Heilung von Dr. Eug. Bartholet, Prof. u. Reg.-Arzt. Aus d. Franz. übers. von Dr. *Bh. Felish*. Nordhausen, Fürst. 1843. 140 S. 12. (12½ Ngr.)

[7219] Fortschritte u. Leistungen der Homöopathie in u. ausser Ungarn, nebst e. Darstellung ihrer Grundsätze von ihrem gegenwärt. wissenschaftl. Standpuncte u. Hinweisung auf d. Vortheile, die daraus für Staat u. Staatsbürger resultiren, von C. H. Rosenberg, Dr. d. Med. u. Chir. Leipzig, Schumann. 1843. XVI u. 239 S. gr. 8. nebst 1 Tabelle in Halb-Fol. (1 Thlr.)

[7220] In Sachen des Herrn Kindt gegen Homöopathie, von Dr. † K. Bremen, Geisler. 1843. 24 S. gr. 8. (5 Ngr.)

[7221] In Sachen der Homöopathie. 2. Folge. Mit einer Stimme des Auslandes üb. dieselbe. Von Dr. † K. Ebendas., 1843. IV u. 51 S. gr. 8. (6¼ Ngr.)

[7222] On Ankylosis, or Stiff-Joint: a Practical Treatise on the Contractions and Deformities resulting from Diseases of Joints. By W. J. Little, M. D. Lond., 1843. 158 S. gr. 8. (n. 8sh. 6d.)

[7223] Bemerkungen üb. vier aus der Harnblase eines 29 Monate alten Knaben herausgezogene Körper von Jos. Bottani, Dr. d. Med. u. Chir. u. s. w. Bergamo, Mazzoleni. 1843. 24 S. mit 1 color. Taf. gr. 8. (1 L. 57 c.) Sopra quattro prodotti di vesica umana, illustrati da una tavola colorata; memoria del Dr. Gius. Bottani, i. r. chirurgo provinc. in Bergamo etc. Bergamo, Mazzoleni. 1843. 32 S. gr. 8. (1 L. 30 c.)

[7224] Das Examen bei Augenkrankheiten nach dem Vortrage des Hrn. Prof. Edlen von Rosas. Von *J. P. Liharzik*, Dr. d. Med. Wien, Kaulfuss, Prandel u. Co. 1843. 63 S. mit 1 Tab. gr. 8. (11¼ Ngr.)

[7225] Neuestes Universalmittel gegen Taubheit und Schwerhörigkeit. Nach [illegible] 4. Aufl. Leipzig, Polet. 1843. VI u. 97 S. 12. nebst 1 lith. Abbild. in 4. (15 Ngr.)

[illegible] Fort mit dem Zahnschmerz! Oder: der Zahn, seine Erzeugung, Erhaltung, Krankheiten u. Kur von Dr. C. Lentz. Leipzig, Peter. 1843. IV u. 40 S. gr. 8. (7½ Ngr.)

[illegible] Miniatur-Armamentarium, oder Abbildungen der wicht. akiurgischen Instrumente. Mit einer kurzen Erklärung versehen von Dr. E. Fritze. Mit e. Vorrede von Dr. *Dieffenbach*. Berlin, Hirschwald. 1843. 52 S. u. 20 lith. Taff. 8. (1 Thlr.)

[illegible] *Ueber diejenigen Leichenerscheinungen, welche nicht pathologisch sind, aber dafür gehalten werden können. Von *W. D. Chowne*. Aus dem Engl. von Dr. *Gumbinner*. Bevorwortet von *Fr. J. Behrend*. (Bibliothek von Vorles. üb. Med., Chir. u. Geburtshülfe, bearb. od. redig. von *Fr. J. Behrend*. No. 144.) Leipzig, Kollmann. 1843. 150 S. gr. 8. (20 Ngr.)

[illegible] *Vorlesungen über Arsenikvergiftung in chemischer, gerichtl. u. therapeut. Hinsicht, mit Bezugnahme auf d. Laffarge'schen Rechtsfall. Deutsch von Dr. *Ed. Henoch*. Mit Abbild. chemischer Apparate. (Bibliothek von Vorles. u. s. w. No. 147.) Ebendas., 1843. 95 S. gr. 8. (15 Ngr.)

[illegible] Anleitung, die bei den amtlichen Geschäften der gerichtl. Medicinalpersonen vorkommenden, aus fremden Sprachen entnommenen Benennungen richtig auszusprechen u. niederzuschreiben, von e. prakt. Gerichtsarzte. Weissensee, Grossmann. 1843. 62 S. 12. (7½ Ngr.)

[illegible] Arzneitaxe der deutschen Staaten, oder: vergleichende Uebersicht der neuesten Arznei-Taxen des Kais. Oesterreich, Kön. Bayern, K. Würtemberg, Grossherz. Baden, Kurfürst. Hessen, K. Sachsen, K. Hannover u. K. Preussen. Herausgeg. von Dr. *G. C. Wittstein*. Nürnberg, Schrag. 1843. 13 Bog. gr. 4. (26⅔ Ngr.)

[illegible] Zeitschrift für Phrenologie u. s. w. 2. Hft. (Vgl. No. 3658.) Inh.: *Mackenzie*, üb. d. Verfall der Geisteskunde, die Entdeckung der Phrenologie u. deren prakt. Bedeutsamkeit. (—120.) — *Gall*, üb. die Grundvermögen der Seele. (—136.) — v. *Struve*, Beschreibung einzelner phrenolog. Organe. (—151.) — Ders., die Phrenologie in ihrem Verhältniss zum Wahnsinn. (—159.) — Beurtheilungen, Bücherschau, Miscellen. (—226.)

[illegible] A Practical Manual of Animal Magnetism; cont. an Exposition of the Methods employed in producing the Magnetic Phenomena: with its Application to the Treatment and Cure of Diseases. By A. Teste, M. D. Translated from the 2. edit. by *D. Spillan*, M. D. Lond., 1843. 418 S. gr. 12. (Geh.)

[illegible] Ueber Somnambulismus in Bezug auf die Somnambüle zu Betenheim von Dr. C. Weis, prakt. Arzt in Pfungstadt. Darmstadt, Kern. 1843. 23 S. gr. 12. (3¾ Ngr.)

[illegible] Noch einige Worte über die Somnambüle zu Betenheim. Zur Ehre d. Wahrheit u. für Freunde dieser. Friedberg in d. W., Bindernagel. 1843. 14 S. gr. 8. (2½ Ngr.)

[illegible] Der Schäfer oder Wundermann in Nieder-Haupt. 1. Hftchen. Neuwied, Lichtfers. 1843. 21 S. 12. (2 Ngr.)

Schul- und Unterrichtswesen.

[illegible] *Geschichte der Pädagogik vom Wiederaufblühen classischer Studien bis auf unsere Zeit von Karl v. Raumer. 2. Thl.: Von Baco's Tod bis zum Tode Pestalozzi's. Stuttgart, Liesching. 1843. VIII u. 437 S. gr. 8. (2 Thlr. 10 Ngr.)

[7238] Lehrbuch der Erziehung u. des Unterrichts von F. H. C. Schwarz. 4. Aufl. Neu bearb. als Handbuch für Eltern, Lehrer u. Geistliche von Dr. W. J. G. Curtmann, Dir. d. Schull.-Sem. in Friedberg. 1. Thl.: Lehrbuch der allgem. Pädagogik. Heidelberg, Winter. 1843. XXII u. 238 S. gr. 8. (22½ Ngr.)

[7239] Der Schullehrer des 19. Jahrhunderts, od. Darstellung des gesammten Unterrichts f. Väter u. Lehrer, wie er von Stunde zu Stunde ertheilt werden soll. 2. Bd. Neue, verb. u. verm. Aufl. Stuttgart, Scheible, Rieger u. Sattler. 1843. VIII u. 280 S. gr. 8. (15 Ngr.) Vgl. No. 3895.

[7240] Kern jeder Erziehungslehre. Münster, Deiters. 1843. 116 S. 8. (5 Ngr.)

[7241] Das Realschulwesen in Charakteristiken. Von dem Vorstande einer Realschule. Norddeutsche Realschule. Darmstadt, Leske. 1843. XIV u. 87 S. 8. (10 Ngr.)

[7242] Die höhere Töchterschule zu Hersfeld. Voran geht eine kurze Abhandlung üb. höhere Töchterschulen überhaupt. (Von Berlit.) Hersfeld, (Schuster). 1842. 38 S. u. 1 Tab. 4. (10 Ngr.)

[7243] Ueber Sonntagsschulen überhaupt u. namentlich über die Sonntagsschulen im Königreich Sachsen, nebst statist. Tabellen von K. Fr. Böhmert, Past. u. Bürger zu Rosswein. Leipzig, Schwickert. 1843. VI u. 78 S. gr. 8. (12½ Ngr.)

[7244] Volksschullehrer und Ackerbauschulen. Zunächst der k. sächs. hohen Staatsregierung u. Ständeversammlung zur geneigten Berücksichtigung empfohlen von e. Mitgliede des landwirthschaftl. Vereins in d. Umgegend von Pirna. Grimma, Verlags-Comptoir. 1843. IV u. 46 S. 8. (5 Ngr.)

[7245] Tagebuch eines Lehrers von C. F. Lauckhard, zweitem Lehrer an d. Musterschule zu Friedberg. Darmstadt, Jonghaus. 1843. IV u. 92 S. gr. 8. (10 Ngr.)

[7246] La liberté d'enseignement est-elle une necessité religieuse et sociale? Par F. J. Carle, doct. en théol. Paris, Herman frères. 1843. 13¼ Bog. gr. 8. (2 Fr.)

[7247] Die Petition des Berliner Lehrer-Vereins für deutsches Volksschulwesen an d. 8. Landtag der Prov. Brandenburg u. d. Niederlausitz, nebst einleit. Bemerkungen u. Vorschlägen von C. Böhm, Lehrer an d. Dorotheenstädtischen höhern Stadtschule in Berlin. Essen, Bädeker. 1843. 46 S. gr. 8. (7½ Ngr.)

[7248] Die Jugend unserer Zeit ein Gegenstand gerechter Besorgnisse für die Erwachsenen. Eine Predigt am Feste der Darstellung Jesu im Tempel von H. Chr. Heimburger, 2. Stadtpred. Celle, Schulze. 1843. 20 S. gr. 8. (3¾ Ngr.)

[7249] Fibel für den ersten Unterricht im Lesen von den Lehrern der höh. Bürgerschule in Potsdam. 2. Aufl. Potsdam, Riegel. 1843. 3 Bog. gr. 8. (2½ Ngr.)

[7250] 36 Wandtafeln, methodisch geordneten Stoff zu Sprech-, Lese- u. Schreibübungen der Elementarschüler enth., von J. P. Wich. Nürnberg, Endter'sche Buchh. 1843. 9 Bog. kl. Fol. (10 Ngr.)

[7251] Tonlesebuch für Volksschulen. Langensalza, Schulbuchh. d. Thür. Lehrervereins. 1843. 150 S. 8. (7½ Ngr.)

[7252] Der Schreib- und Leseschüler in niederdeutschen Volksschulen von Th. Hagemann, Lehrer. 1. Thl.: Fibel zum Gebrauch beim ersten Unterricht in der Schriftsprache. 2. Thl.: Lese- u. Sprachbildungsbuch für die mittleren Classen. Arnsberg, Ritter. 1843. gr. IV u. 183 S. 8. (3¾ u. 7½ Ngr.)

[1253] Ueber den Unterricht in der Schriftsprache. Mit besond. Rücksicht u. in Anwendung auf d. Schreib- u. Leseschüler in niederdeutschen Volksschulen von Th. [illegible]. Ebendas., 1843. VI u. 131 S. 8. (8¾ Ngr.)

[1254] Erstes Lesebuch für Elementarschulen. Zürich, Orell, Füssli u. Co. 1843. 32 u. 67 S. gr. 8. (10 Ngr.)

[1255] Der Kleinkinderfreund, ein nach d. Fibel zu gebrauchendes Lesélernbuch f. die Elementarclassen höh. Schulanstalten von Dr. Chr. Löschin, Dir. d. St. Joh.-Schule in Danzig. Danzig, Kabus. 1843. VIII u. 240 S. 8. (10 Ngr.)

[1256] Der Hamburgische Kinderfreund, od. Lesebuch für Volksschulen. Eine geordn. Sammlung zweckmässiger Denk-, Sprech- u. Leseübungen von G. Strauss. 1. Thl.: Lese-, Denk- u. Sprachübungen, verbunden mit Aufgaben zu d. ersten schriftl. Arbeiten. 3. verb. Aufl. Hamburg, Herold, 1843. VIII u. 190 S. 8. (6⅔ Ngr.)

[1257] Luther's kleiner Katechismus zum Gebrauche für Elementarschulen von *H. W. A. Schaar*, Pfr. in Mühlhausen in Ostpreussen. Mit Anhang. 3. verb. Aufl. Königsberg, Bon. 1843. 120 S. gr. 12. (2½ Ngr.)

[1258] Der Katechismus Luther's mit biblischen Sprüchen u. Gesangversen versehen von Chr. Gottl. Schwarze, weil. Superint. u. Past. zu Grünberg. 7. wiederholt durchges. Aufl. Halle, Kümmel's Sortiment. 1843. 70 S. 8. (3¾ Ngr.)

[1259] Die christliche Religion u. Kirche. Ein method. Hülfs- u. Handbuch beim Unterricht nach jedem Katechismus f. Lehrer an Bürger- u. Landschulen von A. Ludewig, Dir. d. Schull.-Sem. u. s. w. zu Wolfenbüttel. 1. Buch: Die christl. Religion. Eisleben, Reichardt. 1843. XXIV u. 542 S. 8. (1 Thlr. 20 Ngr.)

[1260] Die Religion nach Vernunft u. Schrift, als Lernbuch in d. Schule u. Mitgabe in das Haus. Anhang: Luther's Hauptstücke. — Gebete u. Gesänge. — Kurze Darstellung der Gesch. u. d. Zustandes der christl. Kirche. Von M. Mor. Edm. Engel, weil. Stadt-Diakon zu Plauen. 7. verb. Aufl. (Herausgeg. von *J. G. Wild.*) Plauen, Schmidt. 1843. 131 S. 8. (4 Ngr.)

[1261] Spruchbuch für Schulen. In drei Cursen verfasst von A. F. Pischon, K. Cons.-Rath, Pred. u. Prof. zu Berlin. 1. Cursus nach d. Katechismus Luther's. 2. Aufl. Berlin, Wolff u. Co. 1843. 24 S. gr. 12. (2½ Ngr.)

[1262] Sittenlehre in Fabeln u. geistliche Lieder, zunächst für seine Schüler herausgeg. von Fr. Alb. Wilde. Danzig, (Homann). 1843. 60 S. 8. (5 Ngr.)

[1263] Bilder-Bibel für die Jugend, oder biblische Geschichte des A. u. N. Test. in den Worten der heil. Schrift. Mit belehr. u. erbaul. Anmerkungen eingeleitet von *A. Knapp.* Nürnberg, Zeh'sche Buchh. 1843. XII u. 113 S. nebst 24 Stahlst. gr. 4. (3 Thlr.)

[1264] Lehrbuch der heil. Geschichte. Ein Wegweiser zum Verständnisse des göttl. Heilsplanes f. Freunde d. heil. Schrift. Auch als Leitfaden f. die Behandlung d. heil. Geschichte in d. obern Classen der Gymnasien u. höhern Lehranstalten überhaupt von J. H. Kurtz, Oberlehrer der Religion. Königsberg, Gräfe u. Unzer. 1843. XV u. 210 S. gr. 8. (22½ Ngr.)

[1265] Wandkarte zur bibl. Geschichte, nach den neuesten Hülfsmitteln, besonders nach den Angaben u. Karten von E. Robinson, E. Smith, K. v. Raumer, H. v. Schubert, H. Kiepert u. a. m. bearbeitet von Dr. K. F. B.

[illegible] Gedichte von [illegible] u. [illegible] Dresden, Naumann. 1843. 6 Bl. gr. Imp.-Fol. (2 Thlr.)

[7266] Biblische Geographie für Schulen und Familien. Herausgeg. von dem Calwer Verlagsverein. 5. umgearb. u. erweit. Aufl. Calw. (Stuttgart, Steinkopf.) 1843. VI u. 317 S. mit (eingedr.) Holzschn. u. e. Karte d. heil. Landes in Stahlst. 12. (7½ Ngr.)

[7267] Kleine Kirchengeschichte. Ein katechet. Lehrbüchlein für d. evang. Jugend von E. W. Krummacher, Past. zu Duisburg. Essen, Bädeker. 1843. 32 S. 8. (2½ Ngr.)

[7268] Katechismus für die reifere kathol. Jugend von C. Barthel, Dir. d. kath. Schull.-Seminars zu Breslau. Breslau, Leuckart. 1843. XII u. 288 S. 8. (20 Ngr.)

[7269] Katechismus der kathol. Religion von Rob. Jos. [illegible]. Breslau, Leuckart. 1843. 128 S. 8. (7½ Ngr.)

[7270] Das gebrochene Brod der Kleinen, od. die christkath. Lehre in leichten Fragen u. Antworten. Versuch eines Katechismus nach d. Bedürfnissen uns. Schuljugend u. nach d. Wünschen unsers Volkes von [illegible]. 3. Aufl. Regensburg, Manz. 1843. 141 S. 8. (3½ Ngr.)

[7271] Erstes Lesebuch für kathol. Elementarschulen, insbesond. auf d. Lande, mit Rücksicht auf d. ersten Rechtschreibe-Unterricht. Mit lithogr. Vorschriften zur Beschäftigung der Kinder ausser den Schulstunden von [illegible]. 2. verm. u. verb. Aufl. Breslau, Leuckart. 1843. 92 S. nebst 2 lith. Bl. 8. (3 Ngr.)

[7272] Kleine biblische Erzählungen für Kleinkinderbewahranstalten u. Elementarschüler. Von einem römisch-kath. Katecheten. Wien, Tauer u. Sohn. 1843. 62 S. 8. (5 Ngr.)

[7273] Selbstbeschäftigungen für Elementarschüler in Volksschulen während d. Schulstunden sowohl als auch zu Hause von F. A. Crasselt, Pastor in Höckendorf. 4. Hft. Grimma, Verlags-Comptoir. 1843. 2 lith. Bog. mit Zeichnungen. Qu.-8. (5 Ngr.)

[7274] Der kleine Elementarschüler, od. die ersten Anschauungs-, Lese-, Schön- u. Rechtschreibeübungen des Kindes, methodisch u. streng stufenweise bearb. von G. A. Winter, Oberl. an d. Bürgersch. zu Kirchberg. Mit Druck- u. Schreibschrift. Leipzig, Weller. 1843. 46 S. 8. (3½ Ngr.)

[7275] Der Unterricht in der deutschen Rechtschreibung in seinem ganzen Umfange, verbunden mit dem Leseunterrichte und der Sprachlehre von G. A. Winter. 1. Bd.: Methodik u. Elementar-Lehrgang der Rechtschreibung. Ebendas. 1843. XVIII u. 168 S. 8. (15 Ngr.)

[7276] Vorlegeblätter beim orthograph. Unterrichte, wodurch der Schüler schon bei dem Lese- u. Schreibunterrichte die Regeln der Rechtschreibung u. Sprachlehre üben lernt, ohne an Falschgeschriebenes gewöhnt zu werden, von J. Chr. Gründler, erstem Mädchenlehrer zu Wurzen. Leipzig, Hinrichs'sche Buchh. 1843. 12½ Bgg. Qu.-gr.-8. (17½ Ngr.)

[7277] Das kleine und grosse Alphabet der englischen Schreibschrift zum Aufkleben für Wandtafeln in Elementarschulen von Joh. Heinrigs. Cöln. (Berlin, Trautwein u. Co.) 1843. 30 Bl. in Qu.-Halb-Fol. (1 Thlr. 7½ Ngr.)

[7278] Allgemeine Schulvorschriften für d. Unterricht im Schönschreiben von Gust. Rose, erstem Lehrer an d. Lehr- u. Arbeits-Schule in Stralsund. 1. u. 2. Hft. Stralsund, (Löffler'sche Buchh.). 1843. 21 Blätter. 4. (à 6⅔ Ngr.)

[7279] Deutsche und englische Schulvorschriften zum Schönschreiben. Coesfeld, Riese'sche Buchh. 1843. 8 Blätter. schm. qu.-8. (2½ Ngr.)

[7280] Deutsche und englische Schulvorschriften von C. F. [illegible]. II. Cursus. 3. u. 4. Hft. (Jedes 12 Blätter. 4.) Bielefeld, Helmich. 1843. (à 8⅓ Ngr.)

[7281] Nöthige Vorbegriffe für angeh. Zeichner nebst Zeichnungsrequisiten-, Materialien- u. Farbenkunde. Ein Leitfaden zum Selbst- u. bei d. Privat-Unterrichte von Jos. Rottenbacher. Grätz, Kienreich. 1843. VIII u. 119 S. 8. (20 Ngr.)

[7282] Zwölf Wandtafeln zum Elementarzeichnen im freien Handzeichnen von F. A. Berger. Leipzig, Reclam sen. 1843. 1 Bog. Text in 8. u. 12 Figurentaff. gr. Fol. (1 Thlr.)

[7283] Auf das Quadrat basirte Aufgaben im Elementarzeichnen in systemat. Folge, zunächst als Einleitung zur Arabeske u. dergleichen für Volks- u. Gewerbeschulen. 1. Hft.: Aufgaben mit gleichen Linien. 2. Hft.: Aufgaben mit gebogenen Linien. Dresden, Naumann. 1843. [à 16 Blätter. Qu.-4.] (5 u. 7½ Ngr.)

[7284] Die Perspective für die Volksschule, oder das Copiren nach Kunst- u. Naturproducten, aber nicht nach Vorlegeblättern von Dr. G. J. Waldschütz, Seminarl. im Pr. Erlau. Königsberg, Bon. 1843. 24 S. 8. mit 2 lithogr. Taff. in 4. (6⅔ Ngr.)

[7285] M. Bonnaga's Rechenbuch, od. gründliche Anleitung zum schriftl. Rechnen f. Schulen u. zum Selbstunterricht. 2. ganz umgearb. u. verm. Aufl. Mit e. Sammlung von Uebungsaufgaben. Frankfurt a. M., Brönner. 1843. XV, 360 u. 180 S. 8. (26⅔ Ngr.)

[7286] Die allgemeine Grössenlehre u. niedere Algebra für d. ob. Gymnasialclassen u. Realschulen von F. Fiebag, Oberlehrer am Gymn. zu Oppeln. Breslau, (Leuckart). 1843. 130 S. gr. 8. (10 Ngr.)

[7287] Demonstrative Rechnenkunst für d. unt. Gymnasial-Classen, für Seminarien u. höh. Bürgerschulen von F. Fiebag. 2. verm. u. verb. Aufl. Ebendas., 1843. 110 S. 8. (10 Ngr.)

[7288] Arithmetik (und Algebra) für Realschulen, für höhere Bürger- u. Gewerbeschulen, sowie für den Selbstunterricht. Von J. A. Pflanz. 2. Thl. Höhere Arithmetik. Stuttgart, Hallberger. 1843. VI u. 168 S. gr. 8. (15 Ngr.) Vgl. No. 3634.

[7289] Proportionen und kaufmännisches Rechnen von J. H. Sass, Oberknabenlehrer an d. 2. Freischule in Altona. 1. Abthl. der Fortsetzung des „Rechenbuchs f. Volksschulen". Altona, Schlüter. 1843. 188 S. gr. 8. (15 Ngr.)

[7290] Buchstaben-Rechnung und Algebra von J. H. Sass. 2. Abthl. der Fortsetzung des „Rechenbuchs für Volksschulen". Ebendas., 1843. 224 u. XIX S. gr. 8. (1 Thlr.) Resultate dazu. 44 S. gr. 8. (7½ Ngr.)

[7291] Sammlung von Aufgaben für d. Unterricht im prakt. Rechnen f. Gymnasien u. höh. Bürgerschulen. Zugleich als Leitfaden für den Lehrer bearb. von Aug. Schulte, Lehrer an d. höh. Bürgerschule in Siegen. Siegen, Friedrich u. Scholz. 1843. IV u. 135 S. gr. 8. (12½ Ngr.)

[7292] Sammlung von 120 Aufgaben aus d. Gebiete der Elementargeometrie, mit ihren Auflösungen u. Beweisen ohne Anwendung der Proportionen, nebst e. Anhange von Formeln zur Berechnung d. Flächen u. Körper, für Elementarclassen d. Geometrie, sowie zum Selbstunterricht u. zur Vorbereitung von Prüfungen von K. Schulz, Conr. zu Fürstewalde. Leipzig, Baumgärtner. 1843. IV u. 56 S. gr. 8. mit 5 Kpfrtaff. in Halb-Fol. (10 Ngr.)

[7293] Verfahren, die Verhältnissrechnungen durch Vernunftschlüsse anschaulich u. zugleich bequem, leicht u. schnell aufzulösen. Eine Zugabe zur gewählt. Schiefertafeln u. enthält ein method. Leitfaden für die Hand des Lehrers von J. B. Bernhard, Lehrer in Fleischwangen. Ulm, Seitz. 1843. XI u. 66 S. gr. 8. (10 Ngr.)

[7294] Leitfaden bei dem Unterrichte in d. Längen- u. Körperlehre. Für Volksschulen bearb. von F. L. [illegible], Lehrer an d. Armenschule in Leipzig. Leipzig, Köhler. 1843. X u. 65 S. gr. 8. u. 2 Figurentaff. in Fol. (10 Ngr.)

[7295] Leitfaden für den Unterricht in d. Formen- u. Grössen-Lehre von W. v. Türk, K. Pr. Reg.- u. Schulrath. 5. Aufl. Potsdam, Riegel. 1843. XVI u. 260 S. mit 20 Kpfrtaff. gr. 8. (1 Thlr. 22½ Ngr.)

[7296] Handbuch der Geographie f. d. Jugend von J. Annegarn. 3. sehr verm. u. verb. Aufl. Münster, Deiters. 1843. VI u. 406 S. 8. (20 Ngr.)

[7297] Erster Cursus des geogr. Schulunterrichts, od. Memorienbuch zur Erlernung des physisch-topischen Theiles der allgem. Erdbeschreibung von A. L. Fleischer. 3. verb. Aufl. Lissa, E. Günther. 1843. 80 S. gr. 12. (5 Ngr.)

[7298] Anleitung zum Unterricht in d. Erdbeschreibung, Naturgesch. u. Naturlehre von F. W. Schach, Oberlehrer am Schull.-Seminar zu Ettlingen. 1. Abthl. Heimathkunde. Carlsruhe, artist. Institut. 1843. XII u. 148 S. mit 58 (eingedr.) Holzschn. u. 5 Bl. Lithogr. gr. 8. (15 Ngr.)

[7299] A. Zachariä's Lehrbuch der Erdbeschreibung in natürl. Verbindung mit Weltgesch., Naturgeschichte u. Technologie, für Schulen u. Privatunterricht. 4. bis auf d. neueste Zeit ergänzte Aufl. Altona, Hammerich. 1844. X u. 357 S. gr. 8. (22½ Ngr.)

[7300] Kurzer Ueberblick von Europa. — Kurzer Ueberblick von Deutschland. — Kurzer Ueberblick von Bayern. Für die Schuljugend zusammengetragen von Casp. Birk, Schullehrer. München, Finsterlin. 1843. 3 Tabb. Fol. (à 1⅕ Ngr.)

[7301] Handbüchlein der Weltgeschichte f. Schulen u. Familien. Herausgeg. von d. Calwer Verlagsverein. Calw, (Stuttgart, Steinkopf.) 1843. VIII u. 326 S. mit (eingedr.) Abbildd. 12. (7½ Ngr.)

[7302] Geschichtstafel. Eine vergleich. Uebersicht des Wissenswerthesten aus d. Weltgeschichte, Religionsgesch. u. sächs. Gesch. für Volksschulen von C. A. F. Mohr. Leipzig, Klinkhardt. 1843. Gr. Planoform. (7½ Ngr.)

[7303] Kleine Mythologie der Griechen u. Römer für höh. Mädchenschulen u. die Gebildeteren d. weibl. Geschlechts von Fr. Rössel, Prof. in Breslau. 2. verb. Ausg. Leipzig, E. Fleischer. 1843. VIII u. 90 S. gr. 8. (8¾ Ngr.)

[7304] Anfangsgründe der Naturlehre von Dr. J. Frick, Prof. d. Naturlehre zu Freiburg. Freiburg, Wagner'sche Buchh. 1843. XI u. 206 S. 8. nebst 7 lith. Taff. in 4. (22½ Ngr.)

[7305] Uebersicht der Naturgeschichte, zum Gebr. d. Schüler systematisch dargestellt von F. Hiemann, Oberl. am Gymn. zu Guben. 2. Aufl. Guben, (Berger). 1843. 10¼ Bog. 8. (19 Ngr.)

[7306] Grundriss der Naturgeschichte f. den Elementar-Unterricht von Dr. M. A. F. Prestel, Oberl. am Gymn. zu Emden. Emden, Rakebrand. 1843. VI u. 14 S. gr. 4. (5 Ngr.)

[7307] Lehrbuch der Naturgeschichte. Für höhere Lehranstalten und zum Hausgebrauch von Dr. M. A. F. Prestel. Ebendas. 1843. X u. 208 S. gr. 8. (26⅔ Ngr.) 1. u. 3. Thl., Mineralreich u. Thierreich, erschienen 1840. (Alle 3 Thle. 2 Thlr. 11⅔ Ngr.)

[7308] Kleines Lehrbuch des Land- u. Gartenbaues u. insbesond. d. Obstbaumzucht für Landschulen. Elbing, Levin. 1843. 109 S. 8. (7½ Ngr.)

[illegible] Sprachlehre für den [illegible]. Mit besond. Rücksicht auf d. [illegible] ausgearb. von J. [illegible], Seminarl. in [illegible]. 2. verm. u. verb. Aufl. St. Gallen, Huber u. Co. 1843. XII u. 196 S. 8. (15 Ngr.)

[illegible] Kleine praktische Sprachlehre für Volksschulen. Vom Vf. des Stufengangs zu prakt. Stylübungen. Zürich, Schulthess. 1843. 40 S. 12. (3⅓ Ngr.)

[1311] Der kleine Deutsche, oder die Kunst, die Muttersprache in 24 Stunden, ohne Lehrer, richtig schreiben u. sprechen zu lernen, von J. C. [illegible]. 2. Aufl. Hamburg, Berendsohn. 1843. 124 S. 16. (3⅓ Ngr.)

[illegible] Das Wichtigste aus der deutschen Sprachlehre, od. Anhaltepuncte beim deutschen Sprachunterrichte f. Schüler in Bürger- u. Volksschulen u. den Vorclassen eines Gymnasiums. Schleusingen, Glaser. 1843. 32 S. gr. 8. (3 Ngr.)

[illegible] J. N. Bauer's theoretisch u. praktisch verfasste deutsche Sprachlehre in Fragen u. Antworten. Nebst e. Anhang von d. Synonymik. Wien, (Gerold u. Sohn). 1843. 348 S. 8. nebst 1 Tabelle in 4. — Praktische Uebungen zu derselben. 267 S. 8. (1 Thlr. 5 Ngr.)

[1314] Praktischer Lehrgang für den gesammten deutschen Sprachunterricht von L. Kellner, Seminarlehrer. 1. Thl.: Prakt. Anleitung zur Ertheilung e. naturgemässen Unterrichtes in d. Denkübungen. Nebst e. die Methodik des höh. Leseunterrichtes darstell. Anhange u. e. Einleitung in d. Zweck u. die Methode des Sprachunterrichtes. 3. verb. u. verm. Aufl. Erfurt, Otto. 1843. XII u. 132 S. gr. 8. (15 Ngr.)

[1315] Methode des deutschen Stylunterrichts. Bern, Dalp. 1843. IV u. 48 S. gr. 8. (12½ Ngr.)

[1316] Dictir-Uebungen. Ein Hand- und Lesebuch für Schule u. Haus von G. [illegible], Lehrer in Röhlingen. Ulm, Seitz. 1843. IV u. 110 S. gr. 8. (7½ Ngr.)

[1317] Stufengang zu prakt. Stylübungen für Volksschulen. Vom Vf. der kleinen Raumlehre. 2. verb. Aufl. Zürich, (Schulthess). 1843. 32 S. 12. (2 Ngr.)

[illegible] 110 Aufgaben zu schriftl. Arbeiten für d. Unterricht in der Muttersprache von W. Ado. Müller, Oberl. an d. Bürgersch. zu Borna. 1. Cursus, für d. unt. Classen in Volksschulen. Meissen, Goedsche. 1843. 31 S. 8. (2 Ngr.)

[1319] 200 Aufgaben zu schriftlichen Arbeiten für den Unterricht in der Muttersprache von W. Ado. Müller. 2. Cursus, für d. ob. Classen in Volksschulen. Ebendas., 1843. IV u. 75 S. 8. (5¼ Ngr.)

[illegible] Vollständiger Aufgabenschatz f. Sprachschüler in Volksschulen von K. F. W. Wander. 6. Hft.: Aufgaben aus d. Styllehre, od. naturgemässe Uebungen im schriftl. Gedankenausdruck. 2. Hft. Für Schüler von 10—15 Jahren. Berlin, Heymann. 1843. VIII u. 110 S. 8. (5 Ngr.)

[illegible] Grundriss der Aufsatzlehre. Ein theor.-praktisches Handbuch z. öffentl. u. zum Privatunterrichte von J. Mich. Hartel, Prof. am k. k. polytechn. Institute in Wien. 3. verb. Aufl. Wien, Gerold. 1843. XX u. 431 S. gr. 8. (1 Thlr. 20 Ngr.)

[illegible] Prakt. Geschäftsaufsätze für den schriftl. Verkehr im bürgerl. Leben, als Schriftvorlagen f. höh. Bürger-, Gewerb- u. Fortbildungsschulen, wie auch f. d. obern Classen der Volksschulen bearb. von [illegible], Oberlehrer. Carlsruhe, Bielefeld. 1843. 16 lith. Blätter. Qu.-kl.-4. (7½ Ngr.)

[illegible] Die Lehre vom Briefe, od. die Kunst, in 24 Lectionen ein fertiger

Briefsteller zu werden. Mit vorzügl. Berücksichtigung der Lebensbedürfnisse u. des dem Schulunterrichte zu Grunde liegenden Leitfadens von **L. Fürstedler.** Wien, Tauer u. Sohn. 1842. XIV u. 225 S. gr. 8. (22½ Ngr.)

[7324] Deutsches Lesebuch für Gymnasien u. höhere Bürgerschulen von Dr. **J. A. O. L. Lehmann,** Dir. d. Gymn. zu Marienwerder. 2 Thl. (für d. mittleren Classen). 1. Abthl. 3. verb. Aufl. 2. Abthl. 2. verb. Aufl. Danzig, Anhuth. 1843. VIII u. 278, VIII u. 398 S. gr. 8. (20 Ngr. u. 1 Thlr.)

[7325] Lesebuch für Preussische Schulen. 1. Thl. Für Schüler von 6—9 J. Herausgeg. von den Lehrern der höh. Bürgerschule in Potsdam. 4. verm. Aufl. — 3. Thl. Für Schüler von 13—16 J. 2. verm. Aufl. Potsdam, Riegel. 1843. VIII u. 240, IV u. 568 S. gr. 8. (10 u. 27½ Ngr.)

[7326] Preussischer Kinderfreund. Ein Lesebuch, herausgeg. von **A. E. Preuss** und **J. A. Vetter.** 2. Thl. Für die Oberclasse d. Volksschulen und die mittl. Classen höherer Lehranstalten zusammengestellt von *J. A. Vetter.* 2. verm. Aufl. Königsberg, Bon. 1843. VI u. 314 S. 8. (10 Ngr.)

[7327] Deutsches Elementarwerk: Lese- u. Lehrbuch für Gymnasien u. höh. Bürger-(Real-)Schulen, Cadettenhäuser, Institute u. Privatunterricht von Dr. **Mager,** Prof. an d. Cantonsschule zu Aarau. 1. Thl. 1. Bd. — Auch u. d. Tit.: Deutsches Lesebuch für untere u. mittlere Classen. 1. Bd. Neue Aufl. Stuttgart, Cast. 1843. XVI u. 344 S. gr. 8. (15 Ngr.)

[7328] Deutsches Lesebuch von **W. Wackernagel.** 3. Thls. 2. Bd. Proben der deutschen Prosa von 1740 bis 1842. Basel, Schweighauser. 1843. X u. 1526 S. gr. 8. (3 Thlr. 3¾ Ngr.)

[7329] Auserlesene Stücke aus der deutschen Literatur, mit Anmerkungen und kurzen Notizen über die angeführten Schriftsteller. Herausgeg. zum Gebrauch d. obern Schulen von **Jos. Willm,** Insp. d. Strassburger Akademie. 2 Thle. 2. Ausg. Strassburg, Wwe. Levrault. 1843. VIII u. 418, 475 S. gr. 12. (2 Thlr.)

[7330] Deutsches Lesebuch in Poesie u. Prosa zunächst zum Gebrauche der unt. u. mittl. Classen von Gymnasien u. Realschulen von Dr. **Fr. Zimmermann,** Gymnasiallehrer in Büdingen. In 3 Cursen. — II. Curs. Für Schüler von 12—14 Jahren. Darmstadt, Jonghaus. 1843. 240 S. gr. 8. (10 Ngr.)

[7331] Lesebuch für mittlere Classen in kathol. Elementarschulen. Bearb. u. herausgeg. von prakt. Schulmännern. 5. verm. Aufl. Köln, DuMont-Schauberg. 1843. XII u. 204 S. gr. 12. nebst e. Vorschrift zum Schönschreiben. (5 Ngr.)

[7332] Lesebuch für die obere Classe der kathol. Stadt- u. Landschulen von **Fel. Rendschmidt,** Oberlehrer am kath. Schull.-Sem. zu Breslau. 6. unveränd. Aufl. Breslau, Leuckart. 1843. 500 S. 8. (10 Ngr.)

[7333] Lesebuch für die mittlere Classe der kathol. Stadt- u. Landschulen von **Fel. Rendschmidt.** 2. unveränd. Aufl. Ebendas. 1843. 231 S. 8. (7½ Ngr.)

[7334] Der kathol. Volksschüler. Ein Lese- u. Lehrbuch für d. obern Abthl. der kathol. Volksschulen in d. Städt. u. auf d. Lande von **F. Weinmann,** Lehrer in Ehingen. 2. durchaus verb. Aufl. Ulm, Heerbrandt u. Thämel. 1843. VIII u. 560 S. 8. (20 Ngr.)

[7335] *Das Volksschriftenwesen der Gegenwart. Mit besond. Beziehung auf den Verein zur Verbreitung guter u. wohlfeiler Volksschriften zu Zwickau. Von Prof. Dr. **J. Gottsdorf.** Altenburg, Pierer. 1843. 112 S. 8. (10 Ngr.)

[7336] *Die Dorf-Bibliothek. Lesezirkel, Gemeinde- oder Kirchspiel- u. Wander-Bibliotheken, z. Verbreit. nützlicher Bücher auf d. Lande u. in kleinen Städten, mit Bezug auf Sonntags-Schulen u. Unterhaltungs-Vereine, geschildert für die Landleute selbst, wie für deren Pfarrer, Schullehrer, Gutsherrschaften, weltl. u. geistliche Bezirks-Behörden u. für ökonom. Vereine von **K. Preusker.** Leipzig, Hinrichs. 1843. 74 S. gr. 8. (5 Ngr.)

[7337] Der elternlose Knabe von Herrenburg. Ein Volksbuch. Als Beitrag zur Werthschätzung der Kleinkinder-Bewahranstalten von **Chr. W. Credner,** Pfr. zu Wölfis. Gotha, Müller. 1843. VI u. 132 S. 8. (10 Ngr.)

[7338] Merkwürdige Zeit- und Lebens-Bilder, charakteristisch dargestellt zur Verbreitung geschichtlicher Kenntnisse u. lehrreicher Lectüre unter allen Ständen des Volks. I. Heft: Kaiser Friedrich I. Barbarossa. Von **H. Gross.** (Abdr. aus d. Jugend-Blättern XIV.) Stuttgart, Steinkopf. 1843. 128 S. mit eingedr. Holzschn. 8. (7½ Ngr.)

[7339] Meister James Clifford od. der Segen der Bibel. Eine Volksschrift. Von Prof. **P. Scheitlin.** Volks- u. Jugendschriften u. s. w. 8. Bdchn. St. Gallen, Scheitlin u. Zollikofer. 1843. 192 S. mit 1 Stahlst. gr. 16. (11⅕ Ngr.)

[7340] Joh. Osiander. Eine Volksschrift, worin erzählt wird von e. würt. Magister, der nacheinander Professor, Oberkriegscommissair, Oberkriegsrath, Commandant d. Schlosses u. d. Stadt Tübingen, Prälat, Director des Consistoriums, Geheimerath u. s. w. geworden ist u. sich insbesond. in schweren Kriegszeiten als Beschützer u. Retter der Stadt Tübingen grossen Ruhm erworben hat von **Schmidt,** Pfr. in Truchtelfingen. Tübingen, (Fues). 1843. 32 S. 8. (4 Ngr.)

[7341] Rudolf der Branntweinsäufer. Eine Geschichte aus dem Leben. Von **Adr. Scheuss,** Pfr. in Herisau. 2. verb. Aufl. Volks- u. Jugendschriften u. s. w. 6. Bdchn. St. Gallen, Scheitlin u. Zollikofer. 1843. VIII u. 135 S. mit 1 Titelkpfr. gr. 16. (11⅕ Ngr.)

[7342] Die Jugendjahre eines grausamen Thierquälers und Menschenmörders. Zur Warnung für Jung und Alt veröffentlicht von M. **Fr. Thomä,** Pfr. zu Pötewitz bei Zeitz. Zeitz, (Schieferdecker). 1843. 37 S. 8. (3¾ Ngr.)

[7343] Stephanus. — Des Reichen und des Armen Elend. — Der verborgene Retter. Von **J. G. Tobler.** Volks- u. Jugendschriften u. s. w. 7. Bdchn. St. Gallen, Scheitlin u. Zollikofer. 1843. 164 S. mit 1 Stahlst. gr. 16. (11⅕ Ngr.)

[7344] Das Buch für Kinder von **H. Asmus.** Mit einer Zeichnung von *Heutimann.* Lübeck, (v. Rohden'sche Buchh.). 1843. 122 S. 12. (12½ Ngr.)

[7345] Reisen für die Jugend und ihre Freunde von *r. (Dr. *G. W. Becker.*) 4. Thl.: Kreuz- u. Querzüge in China. Mit steter Rücksicht auf die Regierung u. Religion, die Sitten und Eigenthümlichkeiten ihrer Bewohner. Leipzig, Hinrichs. 1843. VIII u. 290 S. mit 1 Titelkupf. 8. (1 Thlr.)

[7346] Wiesenblumen. Ein Buch für Kinder gebildeter Stände von **Ottilie zu Dohna.** Königsberg, Gebr. Bornträger. 1843. 95 S. 8. (12½ Ngr.)

[7347] Vater Eliabs letzte Worte an seinen Sohn Theotimus. Eine Mitgabe für das Leben. Für die Jugend, namentlich f. studir. Jünglinge. Nach d. Franz. bearb. von e. kathol. Geistlichen. Augsburg, v. Jenisch u. Stage. 1843. 96 S. gr. 12. (7½ Ngr.)

[7348] Sechs Geschichten junger Mädchen aus der neuern Zeit von **Mad. Eugenie Foa.** Nach d. Franz. von *H. A. Löwe.* Nebst e. Anhange von zwei Originalerzählungen. Leipzig, Hinrichs. 1843. 187 S. mit 3 Stahlst. 8. (25 Ngr.)

[7349] Sämmtliche Werke der Madame **Guizot.** 4. Bdchn. (Geschichte eines Louisdors.) — Jugend-Bibliothek d. Auslandes. In gewählten Uebersetz. herausg.

von *L. [illegible]*. 6. Bdchn. Wien, Tauer u. Sohn. 1843. 115 S. u. 1 Abbild. 12. (10 Ngr.)

[7350] Angenehmes und lehrreiches naturhistorisches Bilderbuch. Für Kinder von **Gho. Hartung.** Fortgesetzt von *J. H. Lorenz.* 2. Thl. Erfurt, Hennings u. Hopf. 1843. 123 S. mit 12 illum. Abbild. 8. (15 Ngr.)

[7351] Der Lusthain od. Erzählungen für Kinder zur Beförderung eines kindlich frohen u. tugendhaften Sinnes von **C. Aug. Lohmann.** Mit Bildern von *C. Schröder.* Braunschweig, Oehme u. Müller. 1843. VII u. 55 S., 1 color. u. 3 schwarze Bilder. 16. (11¼ Ngr.)

[7352] Mährchen für Kinder. Herausgeg. von **J. Günther.** — Kinderbibliothek. 1. Reihe. 2. Bdchn. Jena, Hochhausen. 1843. 190 S. 16. (Mit 1 illum. Kupf. 5 Ngr., mit 3 illum. Kupf. 7½ Ngr.)

[7353] Clarus et Marie, ou les peines et les délices d'un enfant. Conte moral par **Gust. Nieritz.** Trad. de l'allemand par *Fél. Bourier,* Prof. Avec une gravure sur acier. Augsbourg, v. Jenisch et Stage. 1843. 149 S. 8. (15 Ngr.)

[7354] Der Papparbeiter in Moskau. Oder: Wohlthun trägt Zinse. Eine Erzählung f. d. reifere Jugend. Von d. Vf. d. Kreuzfahrers. Ulm, Seitz. 1843. 160 S. mit 1 Stahlst. 8. (11¼ Ngr.)

[7355] Oeuvres complètes par **Chr. de Schmid.** Traduit de l'allemand par l'abbé *Macker.* Tom. I.: nouveaux contes moraux. Avec 1 grav. sur acier. Augsbourg, v. Jenisch et Stage. 1843. 155 S. 8. (15 Ngr.)

[7356] Gesammelte Schriften von **Chr. v. Schmid,** (Vf. d. Ostereier). Originalausgabe von letzter Hand. 13.—15. Bdchn. Jedes mit 1 Stahlstich. Augsburg, Wolff'sche Buchh. 1843. 218, 212 u. 214 S. 8. (1 Thlr. 7½ Ngr.)

[7357] Kindheit und Natur. Geschichten, bildliche Erzählungen, Mährchen, Gespräche, Gefühle, Betrachtungen, Räthsel f. Kindheit, Jugend u. Alter von **Chr. Rud. Schmidt.** Leipzig, Reclam sen. 1843. 192 S. gr. 16. (15 Ngr.)

[7358] Robinson in Australien. Ein Lehr- u. Lesebuch für gute Kinder von **Am. Schoppe,** geb. *Weise.* Heidelberg, Engelmann. (Leipzig, Barth.) 1843. IV u. 244 S. u. 4 illum. Bilder. gr. 12. (1 Thlr. 15 Ngr.)

[7359] Die Mutter mit ihren Kindern und Pflegekindern. Gespräche religiös-sittlichen Inhalts von **S. J. F. Walden.** Dresden, Arnoldische Buchh. 1843. 185 S. gr. 12. (22½ Ngr.)

[7360] Lehrgang bei dem Gesang-Unterricht in Musikschulen. Zunächst für die Musikbildungsanstalt des Cäcilien-Vereins in Carlsruhe. Zusammengetragen von *Ant. Haizinger,* geordnet und mit begleit. Texte, 2. Thl. in katechet. Form bearb. von Dr. *F. S. Gassner.* Carlsruhe, Creuzbauer, Hasper u. Sonntag. 1843. 16 Bog. 4. (25 Ngr.)

[7361] Kindergärtchen. Auswahl von ein- und zweistimmigen Gesängen nebst Gebeten für d. zartere Jugendalter. Herausgeg. von *L. Erk* u. *W. Greef.* Essen, Bädeker. 1843. IV u. 114 S. 8. (10 Ngr.)

[7362] Der Festtags-Sänger. Eine Sammlung drei- u. vierstimmiger Gesänge zum Gebrauche bei d. gewöhnl. Festen f. Kirche, Schule u. Haus von **F. G. Schräpler,** Schull. in Thalheim. 3. Hft.: Der Pfingst-Sänger. 4. Hft.: Der Ernte-Sänger. Magdeburg, Baensch. 1843. 27 u. 32 S. Qu.-4. (à 5 Ngr.)

[7363] Zwölf Turn- und Wanderlieder für zwei oder drei Singstimmen von **Frz. Steinhardt,** Musikdir. in Schwäb. Gmünd. Stuttgart, Ebner u. Seubert. 1843. 28 S. Qu.-8. (3¾ Ngr.)

[7364] Handbuch der geeignetsten gymnastischen Uebungen f. die Jugend. Bearb. zum Gebr. an Gymnasien, Seminarien, Bürger- u. Volksschulen, Privat-Erziehungsanstalten, sowie zum Selbstunterricht von **W. Schwaab,**

Lehrer an d. Realschule zu Cassel. Mit 73 Abbildd. Cassel, Luckhardtsche Buchh. 1843. IV u. 115 S. nebst 2 Bog. lith. Abbildd. gr. 8. (15 Ngr.)

[1365] Anleitung zu den zweckmässigsten gymnast. Uebungen der Jugend von J. Seggers, Lehrer d. Fechtkunst u. gymnast. Uebungen an d. Univ. zu Bonn. 2. verb. u. verm. Aufl. Mit 60 erläut. Figg. Bonn, Habicht. 1843. 178 S. gr. 12. nebst 5 lith. Taff. qu. Fol. (22½ Ngr.)

[1366] Lehr- und Handbuch der deutschen Turnkunst von W. Lübeck, Turn- und Fechtlehrer am K. Cadettenhause zu Berlin. Frankfurt a. O., Harnecker u. Co. 1843. 179 S. gr. 8., 1 Tab. u. 4 lith. Taff. Fol. (1 Thlr. 10 Ngr.)

Todesfälle.

[1367] Am 4. Sept. starb zu Crefeld Dr. *Lion Ullmann*, Oberrabbiner und Präsident des dasigen israelitischen Consistoriums, durch eine Uebersetzung des Koran mit erläut. Anmerkungen (1840) als Schriftsteller bekannt, in seinem Berufe sehr thätig und vielfach verdient, geb. zu St. Goar am 8. Dec. 1804.

[1368] Am 6. Sept. zu Bayreuth *Joh. Alb. Carl Tutschek*, ein hoffnungsvoller Orientalist, im 29. Lebensjahre.

[1369] Am 13. Sept. zu Giessen der grossherzogl. hessische Hofgerichtsrath *Ed. Weber*.

[1370] Am 14. Sept. zu München der Ober-Appellationsgerichtsrath *Höfler*, Vf. [illegible] mehrerer geschätzter Aufsätze und Abhandlungen in juristischen Zeitschriften.

[1371] Am 15. Sept. zu Canstatt der Geh. Oberfinanzrath *von Hauber*, Ritter mehr. Orden, der bis zum vorigen Jahre allen Zollvereinscongressen als königl. württ. Bevollmächtigter beiwohnte, 49 Jahre alt.

[1372] Am 16. Sept. zu Paris Graf *von Toreno*, Grand von Spanien, ehemal. spanischer Finanzminister und Ministerpräsident, als Schriftsteller („Noticia de los principales sucesos occuridos en el gobierno de España" 1820, „Historia del levantamiento guerra y revolucion de España" 5 Voll. 1835—37) wohlbekannt, geb. zu Oviedo in Asturien 1782.

[1373] An dems. Tage zu Paris der Bildhauer *Gérard*, seit dem Anfange dieses Jahrhunderts durch verschiedene Arbeiten, besonders in Basreliefs, bekannt.

[1374] Am 18. Sept. zu Paderborn *Ign. Thd. Libor. Meyer*, seit 1821 Domcapitular das., Beisitzer des General-Vicariatsgerichts und Archivar, Director der dortigen Abtheilung des Vereins f. vaterl. Gesch. u. Alterthumskunde, durch seine Forschungen in der Gesch. Westphalens und die Mitherausgabe der „Zeitschrift f. vaterländ. Gesch. u. Alterthumsk." (1838—40. 3 Bde.) wohlbekannt, geb. zu Paderborn am 29. Mai 1773.

[1375] Am 19. Sept. zu Paris *Coriolis*, Studiendirector der école polytechnique, Mitglied des Instituts (Acad. des sciences), 51 Jahre alt.

[1376] Am 20 Sept. zu Königsberg Graf *Heinrich zu Dohna-Wundlacken*, Obermarschall des Königr. Preussen und Consistorialpräsident, Ritter mehr. Orden, früher Chefpräsident der Regierung u. s. w., ein verdienter und allgemein geschätzter Staatsbeamter.

[1377] An dems. Tage zu Meissen M. *Chr. Beatus Kenzelmann*, Archidiakonus emer. an der dasigen Stadtkirche, Inhaber der k. s. Civil-Verdienst-Medaille, durch die Herausgabe eines Supplementbandes zu *Frz. Volkm. Reinhard's* Predigten (1825) u. die Broschüre: „Histor. Nachrichten üb. d. Porzellanmanufactur zu Meissen u. deren Stifter" (1810) als Schriftsteller bekannt, geb. zu Rosenthal bei Dahme am 14. Sept. 1760.

Beförderungen und Ehrenbezeigungen.

[1378] In Folge der beschlossenen Vermehrung der Rathsstellen bei den königl. sächs. höheren Justizbehörden und einiger eingetretener Vacanzen ist bei dem Oberappellationsgericht der zeitherige Geh. Justizrath Dr. *Carl Einert* zum Mitglied ernannt und unter Ertheilung des Charakters eines Vicepräsidenten mit der Direction des Civilsenats beauftragt, die Appellationsräthe *Carl von Salza und Lichtenau* zu Leipzig, Dr. *Gust. Alb. Siebdrat* zu Zwickau, der Advocat Dr. *Cph. Gust. Marschner* zu Dresden, sowie der Appellationsrath Dr. *Aug. Otto Krug* zu Zwickau sind zu Oberappellationsräthen ernannt, Letzterer jedoch zur Dienstleistung bei dem Justizministerium bestimmt, auch ist dem Oberappellationsrath Dr. *Carl Fürchteg. Meissner* der Charakter eines Geheimen Raths verliehen worden; ferner sind

[1379] bei dem Appellationsgericht zu Budissin der zeitherige Director des Landgerichts zu Wurzen *Fr. Rob. von Criegern* und der Appellationsgerichts-Beisitzer *C. Gfr. Jahn* zu Räthen, der Justitiar zu Kohren *Fr. W. Raabe* und der bisher. Hülfsarbeiter, Act. *Frz. Fd. Wilke* zu Beisitzern;

[1380] bei dem Appellationsgericht zu Dresden der zeither bei dem Oberappellationsgericht als Hülfsarbeiter verwendete Appellationsrath *Rich. Cum. von Seebach* und der Beisitzer der Juristenfacultät u. ausserord. Prof. der Rechte zu Leipzig, Dr. *Rob. Schneider* zu Räthen, der Assessor bei dem Landgericht zu Wurzen *Alb. Bh. Richter*, sowie die bish. Hülfsarbeiter Dr. *Rob. Thd. Heyne* und Dr. *L. Fr. Osc. Schwarze* zu Beisitzern;

[1381] bei dem Appellationsgericht zu Leipzig der Justizbeamte zu Plauen *C. Fd. Dauer*, der Beisitzer bei dem Appellationsgericht zu Dresden *Ed. Siebenhaar*, der Beisitzer bei dem Appellationsgericht zu Leipzig *Gust. Fr. Thd. v. König* zu Räthen, der Landgerichtsassessor *Jul. Frhr. v. Friesen* und der Gerichtsverwalter *Hm. Bh. Petschke* zu Beisitzern;

[1382] bei dem Appellationsgericht zu Zwickau der Kreisamtmann *Emil Cuno* zu Freiberg, der Appellationsgerichts-Beisitzer *C. O. v. Kyaw*, der Adv. u. Gerichtsdirector, Finanzprocurator *Ed. Flechsig* daselbst zu Räthen, der zeither. Hülfsarbeiter, Act. *O. v. Könneritz* und der Viceact. *Chr. Fr. Pechstein* zu Eibenstock zu Beisitzern ernannt worden.

[1383] Die Decoration des Rothen Adler-Ordens ist neuerdings verliehen worden in der 2. Classe mit dem Stern: dem herzogl. braunschw. Ministerialrath *von Koch*;

[1384] 2. Classe mit Eichenlaub: dem Ober-Regierungsrath a. D. *Cramer* zu Trier;

[1385] 2. Classe in Brillanten: dem kais. russ. wirklichen Staatsrath Dr. *Wylie*, Leibarzte des Grossfürsten Michael;

[1386] 3. Classe mit der Schleife: dem Consistorialrath *Michaelis* zu Breslau, dem Landgerichts-Kammer-Präsidenten *Commer* zu Aachen;

[1387] 3. Classe: dem kurhess. Geh. Justizrath *Wöhler*, dem Landdechanten und Ehrendomherrn *Duesing* zu Marl, Kr. Recklinghausen, dem Generalsecretair des Museo Borbonico zu Neapel *Stanisl. Aloë*;

[1388] 4. Classe: dem Kreisphysikus Dr. *Schwan* zu Angerburg, dem evang. Pfarrer *Kliche* zu Reckwitz Kreis Bomst u. And.

[1389] Der bisher. Professor am Collége Saint-Louis zu Paris *Charpentier* ist zum Inspecteur der Akademie ernannt und an dessen Stelle der Prof. am k. Collége zu Lyon *Demogeot* befördert worden.

Druck und Verlag von F. A. Brockhaus in Leipzig.

Leipziger Repertorium

der

deutschen und ausländischen Literatur.

Erster Jahrgang. Heft 42. 20. Oct. 1843.

Jurisprudenz.

[illegible] **Handbuch der juristischen und staatswissenschaftlichen Literatur.** Herausgeg. von Dr. **Herm. Theod. Schletter**, Privatdoc. d. Rechte u. Assistenten b. d. Univ.-Bibliothek zu Leipzig. I. Thl. Jurisprudenz. Grimma, Verlags-Comptoir. 1843. XIX u. 328 S. hoch 4. (2 Thlr. 19 Ngr.)

Auch u. d. Tit.: Handbuch der juristischen Literatur. Herausgeg. von u. s. w.

Mit der 7. Lief. ist dieses Handbuch der juristischen Literatur bis auf die bereits druckfertigen Register und die Supplemente, welche nebst der Literatur von 1840 an auch Nachträge enthalten werden, vollendet und ich übergebe damit eine Frucht vierjähriger Arbeit und eben so langer Vorstudien der Oeffentlichkeit. „Das Ziel einer wissenschaftlichen Arbeit, so genau es bemessen und so streng die Mittel zu dessen Erreichung erwogen worden sein mögen, ist kaum irgendwo so schwierig im Auge zu behalten, es giebt kaum anderwärts so wenig Garantien und so viele Hindernisse bei dem Streben nach möglichst genügender Ausführung des entworfenen Planes, als bei einer umfänglichen bibliographischen Arbeit.“ Diese Worte meiner Vorrede fühle ich mich auch gedrungen an die Spitze gegenwärtiger Anzeige zu stellen, nicht um die Schwierigkeit einer solchen Arbeit in ein helleres Licht zu setzen, als in welchem sie von Sachverständigen erkannt wird, sondern um der Annahme zu begegnen, als ob ich nicht schon unerwartet ausführlicher Beurtheilungen dieses Werkes, von der Zulässigkeit mannichfaltiger Berichtigungen, Abänderungen und Zusätze überzeugt wäre, welche dasselbe im Einzelnen erfahren kann. Ich werde dieselbe dankbarst von Denen entgegenehmen, welche namentlich eine genauere Kenntniss der Literatur einzelner Territorialrechte besitzen, als mir mit den hiesigen Orts vorhandenen Hülfsmitteln zu erlangen möglich war, wie ich denn auch selbst fortdauernd bemüht bin, in dieser Hinsicht vorzugsweise die in meinem Handbuche enthaltenen Notizen zu vervollständigen. Ich beschränke mich daher gegenwärtig darauf, Einiges zur Darlegung und Motivirung des demselben zu Grunde liegenden Planes zu sagen. Es erstreckt sich dasselbe über die Literatur der Rechtswissenschaft in deren gesammten Umfange; von der Mitte des vorigen Jahrhunderts an ist möglichste Vollständigkeit angestrebt, rücksichtlich der älteren Zeit aber — wobei in einigen Branchen, z. B. bei den Ausgaben der Rechtsquellen, bis auf die Anfänge der Buchdruckerkunst zurückgegangen wurde — eine Auswahl nach dem Werthe der Schriften, den sie an sich oder für die Geschichte der Wissenschaft haben, unternommen worden. Durch diese Ausdehnung schon unterscheidet sich dieses Handbuch von den bisherigen Literaturwerken dieses Faches wesentlich, zumal es bis auf das Jahr 1839 incl. herabgeht: diesen Zeitpunct musste ich auch für die später redigirten Abschnitte des Buches um der Gleichförmigkeit willen beibehalten, da er in der ersten im J. 1840 erschienenen Lieferung angenommen war. Was die für die neuere Zeit angestrebte Vollständigkeit anlangt, so lag es ausser dem Plane dieser Arbeit und würde zu einer wohl auf das Doppelte steigenden Ausdehnung geführt haben, in derselben auch die Dissertationen aufzunehmen: dass sie auch im Uebrigen Ausnahmen erleiden musste, lag, wie z. B. rücksichtlich der Schriften über die Nuntiaturstreitigkeit, deren Klüber allein auf 100 anführt, in der Natur der Sache. — Die Ordnung der Schriften ist eine systematisch-chronologische: es wurde dabei streng im Auge behalten, jede auch unter verschiedenen Gesichtspuncten zu rangirende Schrift nur Einmal anzuführen, was bis auf wenige Ausnahmen auch durchgeführt worden ist. Das von mir befolgte möglichst einfache System habe ich durch einen dem Buche vorgesetzten ausführlichen Ueberblick (auf 11 Seiten) bis in das Einzelste deutlich darzulegen mich bemüht und hoffe dadurch der Beigabe eines schwerfälligen und doch selten vollständigen Sachregisters überhoben zu sein: über die Grundsätze, auf welche es in der Hauptsache basirt ist, spricht sich die Vorrede ausführlicher aus. In zwei Anhängen sind die Schriften über positives Völkerrecht und über Handels-, Wechsel- und Seerecht beigegeben: obgleich dem Systeme angehörig, mussten sie doch ausserhalb desselben gestellt werden, da für sie ausnahmsweise die sonst auf die Grenzen Deutschlands beschränkte Ausdehnung der Literaturnachweise auch auf die Particularrechte der übrigen europäischen Staaten erweitert wurde: — eine Ausnahme, die durch die Rücksicht auf den Verkehr für die eine, durch die auf die Diplomatie und Politik für die andere Branche gerechtfertigt erscheint. — Endlich würde noch zu bemerken sein, dass die auf Ein Werk bezüglichen Schriften Schriften (Anmerkungen, Kritiken u. s. w.) unter derselben Nummer wie das Hauptwerk, jedoch mit Buchstaben versehen, aufgeführt sind, woraus sich ergibt, dass, obwohl die fortlaufende Zahl nur 12856 Schriften hier nachweist, in der That deren Summe sich gegen 15000 belaufen dürfte, da z. B. allein zu Hugo Grotius Werke de jure belli ac pacis 30 verschiedene Commentare verzeichnet sind. — Uebrigens habe ich für sehr viele, namentlich der älteren Werke, die Titel nach Autopsie angegeben.

Schletter.

[1881] Die Denunciation der Römer und ihr geschichtlicher Zusammenhang mit dem ersten prozessleitenden Decrete von **Gust. Asverus**, O.-App.-Ger.-Rathe u. ord. Prof. d. Rechte an d. Univ. zu Jena. Leipzig, Brockhaus. 1843. XII u. 317 S. gr. 8. (1 Thlr. 15 Ngr.)

Wenn irgend ein Theil der Rechtswissenschaft einer Reconstruction der Begriffe aus den Rechtsquellen auf dem Wege der histor. Untersuchung bedarf, so sind es die Grundlagen des gemeinen Civilprocesses, welcher hauptsächlich auf den Vorschriften des Justinianisch-Römischen Rechts beruht, sammt den Modificationen des Kirchenrechtes und der deutschen Reichsgesetze. Keiner dieser Bestandtheile kann aber gehörig gewürdigt werden, wofern wir nicht überall dahin streben, in den einzelnen Lehren die Satzungen, welche jeder dieser Quellen entstammen, in ihrem ursprünglichen Zusammenhange aufzufassen und auf diesem Wege ihre wahre Bedeutung auszumitteln. Erst dann wird es möglich werden, eine ganze Reihe von Irrthümern, welche durch die Glossatoren entstanden und gleichwohl von der späteren Gesetzgebung festgehalten worden sind, weil diese sich nur an die Lehren der Glosse anzuschliessen wusste, in ihrer Blösse aufzudecken und die Quellen des Missverständnisses auf dogmengeschichtlichem Wege nachzuweisen. Für die Erklärung des Justinianisch-Römischen Rechtes wird eine Reihe neuentdeckter Quellen von Wichtigkeit, welche zur Aufhellung dunkler Parthien nicht bloss vereinzelte histor. Notizen bieten, sondern inhaltsreich genug sind, um eine vollständige Geschichte des gerichtl. Verfahrens von der Zeit der Legisactiones abwärts bis zur höchsten Blüthe der Rechtswissenschaft unter den Antoninen und Alexander Severus möglich zu machen. An der Hand dieser sicheren Führer können wir nun das in den Justin. Pandecten aufgestapelte Material vom Standpuncte des Vorjustinian. Rechtes aus viel richtiger erklären, als es vorher möglich war, und eine Reihe von Räthseln lösen, deren Enthüllung man bei den tüchtigen Interpreten der französ. und holländ. Schule vergeblich suchen möchte. Ref. freut sich, die vorl. Schrift als einen solchen Beitrag zur richtigeren Erkenntniss des Justinianisch-Römischen Rechtes charakterisiren zu können, entstanden aus tieferem Eindringen in die Geschichte und den Entwickelungsgang des Röm. Civilprocesses. Nur Schade, dass der Vf. in der Combination der auf diesem Wege gefundenen Resultate mit dem class. Pandectenrechte nicht immer glücklich ist, und dass unter Vernachlässigung des Natürlicheren, Näherliegenden, ein gewisses Streben nach Gekünsteltem, Zusammengesetztem hervortritt, welches ihn zu einer Reihe von Behauptungen veranlasst, die wohl schwerlich dazu beitragen werden, das Feld der histor. Vermuthung, welches Niebuhr und v. Savigny mit so herrlichen Entdeckungen eröffnet haben, in den Augen der Zeitgenossen zu heben. Der Gegenstand der Untersuchung ist die Denunciatio der Römer, von welcher schon Mühlenbruch (die Lehre v. d. Cession der Forderungsrechte S. 75—85) bemerkt hatte, dass ihr Gebiet viel weiter greift, als die Vf. der gewöhnlichen Pandectencompendien anzunehmen gewohnt sind. Wenn wir es nun versuchen, unter Ausscheidung des Nichthaltbaren den Umfang des Gewinnes zu bezeichnen, welchen die Wissenschaft aus der vorl. Schrift zu erwarten hat, so scheint es am zweckmässigsten, die Anordnung des Vfs. zu Grunde zu legen, und bei der Darstellung ihres reichen Inhaltes im Einzelnen hervorzuheben, was auf Billigung keinen Anspruch hat. In den sprachlichen Erörterungen, welche zur Einleitung in die Lehre dienen (§ 2. S. 2—11), werden die Ausdrücke condictio, denunciatio und testatio als gleichbedeutend behandelt, und nachgewiesen, dass bei allen diesen Handlungen Zeugen zugezogen worden. Allein dabei wird vergessen, dass condictio, condicere, was man in der neuesten Zeit wieder als eine Besprechung aufgefasst hat (Puchta Curs. d. Instit. II. S. 83), in den älteren Zeugnissen nicht überhaupt auf jede Art der Denunciation gehen, sondern lediglich auf die Ansage solcher Handlungen bezogen wird, welche an einem bestimmten Tage der Folgezeit der Denunciation gemäss vorgenommen werden sollen. Der Beweis dieser Behauptung liegt in folgenden Thatsachen. Erstens sagt diess Festus ausdrücklich p. 93 ed. Dac. „condictio in diem certam eius rei, quae agitur, denunciatio". Ferner berichtet Gaius inst. IV. 18 bei der Beschreibung der Legis Actio per condictionem, der Inhalt dieser klägerischen Ansage sei gewesen: ut ad iudicem capiundum die trigesimo adesset. Ein solcher angesagter Termin kommt auch noch bei Plaut. Curc. I. 1. v. 5 vor si status condictus cum hoste intercedit dies, wo die Worte status condictus getrennt zu nehmen sind. Vgl. Festus s. v. status. Dasselbe gilt von Gell. N. Att. 16. 4, wo dem Soldateid, welcher auf das adesse und citanti consuli respondere gestellt ist, die Ausnahme beigegeben wird, dass wofern ein angesagter Termin mit einem fremden vorliegt, der Soldat nicht am Berufungstage zu kommen brauche, sondern es schon hinreiche, wenn er sich Tags darauf stelle. Die Rücksicht auf einen bestimmten Zeitpunct tritt auch in der Redensart ad coenam condicere hervor (Plaut. Stich. III. 1. 38, Suet. Tib. 42) condicere alicui (Cic. ad fam. I. 9. § 56) coena condicta (Suet. Claud. cap. 21); ganz besonders aber in den Ansagen der Feste durch die Sacerdotes Populi Romani, von welchen Gell. N. A. 10, 24 sagt: sacerdotes quoque populi romani quum condicunt in diem tertium, diem perendini dicunt. Selbst Gaius deutet diesen Unterschied der Condictio von der gewöhnl. Denunciatio deutlich an, wenn er a. a. O. in Bezug auf die ältere condictio hinzufügt: nulla enim hoc tempore eo nomine denunciatio fit. Der Irrthum des Vfs. schreibt sich offenbar aus § 15. 7. 4. 6 (de actionibus), wo es heisst: condicere est enim denunciare prisca lingua. Allein diese Stelle ist aus Gaius inst. IV. § 18 genommen, wie die fast wörtliche Uebereinstimmung zeigt, und es wird somit klar, dass die Institutionencompilatoren den eigentlichen Sinn dieses Zeugnisses gar nicht verstanden haben.

Ein solches Missverständniss war um so leichter, da man sich schon zur Zeit der class. Juristen daran gewöhnt hatte, condicere in der allgemeineren Bedeutung von denunciare zu nehmen. So z. B. Pomponius in L. 66. pr. D. 18. 1. (de contrah. emptione) — § 3 ff. S. 11—32 beschäftigt sich mit Nachweisung der ältesten Testationen. Als solche werden aufgefasst das Testamentum per aes et libram, welches charakterisirt wird, als eine Vergabung von Todeswegen, unter Lebenden beschafft, und die sacrorum detestatio. Dass bei dieser Gelegenheit die Ansicht Ulpian's, welcher die Testamentsurkunde für ein publ. instrumentum erklärt (L. 2. pr. D. 29. 3) auf die Repräsentation der fünf Censusclassen durch die fünf Testamentszeugen zurückgeführt wird, ist eine durchaus unzulässige Combination (S. 15). Nicht nur, dass die fünf Censusclassen viel zu weit zurückliegen, als dass Ulpian daran gedacht haben kann, so ergibt sich bei genauerer Ansicht der Stelle, dass sein Ausdruck vom Vf. falsch verstanden worden ist. Der Jurist sagt in Betreff der Eröffnung des Testamentes, diese Urkunde gehöre nicht Einem eigenthümlich zu, d. h. dem Erben, sondern Allen, welche aus dem Testamente etwas zu erhalten haben. Wenn er nun gleich darauf hinzufügt: quin potius publicum est instrumentum, so heisst diess im Sinne des Schriftstellers offenbar nur so viel: „vielmehr gehört die Testamentsurkunde allen aus dem Volke zu, jeder aus dem Volke hat ein Recht daran". Der Vf. hat publ. instrumentum in dem Sinne genommen, als sei es eine Urkunde, die öffentl. Glauben verdiene. Allein der Begriff „öffentlicher Glaube" bei Urkunden ist den Röm. Juristen der class. Zeit nicht bekannt, und erst unter dem Einfluss des späteren Rechtes von den neueren Processlehrern gebildet worden. — Die Sacrorum Detestatio ist dem Vf. die feierliche Verkündigung des in den Comitia celata vertretenen Priestercollegium, dass der Arrogirte von den Opfern der Gens und der Familia, aus welcher er heraustritt, losgesprochen sein solle (S. 26). Wenn aber (S. 29) die Stelle des Festus: „obtestatio est, quum deus testis in meliorem partem vocatur, detestatio, quum in deteriorem" als damit übereinstimmend erwähnt wird, so hat der Vf. dieselbe wohl nicht verstanden. Festus charakterisirt die detestatio als eine Anrufung der Gottheit zum Zeugen bei Verwünschungen und Verfluchungen, wie das Wort in ähnlicher Bedeutung auch bei anderen Schriftstellern des Alterthums vorkommt. Wie passt diess zu der Aeusserung, dass die Denunciatio in sich enthalten habe, die letzte, gänzliche, schmerzliche Loslösung des Arrogirten, der bisher selbst den thätigsten Antheil an den allgewohnten, geweihten Familienopfern genommen und diese mit geleitet hatte, von diesen und überhaupt von den ihm angeborenen, daher eigensten, heiligen Familienbanden? (S. 28.) — In § 4 (S. 32—35) wird auch die Litiscontestatio, und gewiss mit Recht als Testation, und die bei diesem Acte vorkommenden Zeugen werden nicht bloss als Beweis-, sondern auch als Sollennitätszeugen aufgefasst; allein es ist unpassend.

wenn die Zuziehung dieser Zeugen in der Dreizahl auf die Repräsentation der drei Romulischen Tribus gedeutet wird, an die wohl schon zur Zeit der Legisactionen Niemand mehr gedacht hat (S. 34). Ganz verwerflich ist es aber, wenn der Vf. das Vorkommen von 3 Zeugen bei Pfandurkunden in der Zeit der christl. Kaiser auf dieselbe Thatsache zurückführt. Wie kann man annehmen, dass ein Kaiser aus dieser Zeit das Andenken durch eine Einrichtung, welche sich unmittelbar an die Bedürfnisse des fraglichen Verkehrs anschliesst, an ein schon vor mehr denn tausend Jahren erloschenes Institut habe erneuern wollen? — Nach Isidor etymol. 18, 15. ed. Arev. IV. p. 35 sind zu jedem Judicium 6 Personen nothwendig, ein Judex, zwei Parteien und drei Zeugen. Anstatt dieses Zeugniss, wie es am natürlichsten scheinen möchte, auf die Zeiten des Schriftstellers zu beziehen, welcher die damaligen Criminalgerichte im Auge gehabt haben mag (accusator), muss es nach der Ansicht des Vfs. (S. 37) von einem alten, civile Judicium verstanden werden; ja er meint sogar, dass von einem Judicium vor Einem Judex die Rede ist, im Gegensatze der Recuperatorengerichte u. s. w. Die auf diesem Wege aufgefundenen Zeugen sind es nun, welche, ehe das Actenhalten in dem Formularprocesse aufkam, immer zu Rechtsgeschäften, also auch zur Litiscontestatio zugezogen werden mussten, und dazu dienten, ihr gleichsam behördliche Kraft und Glaubwürdigkeit zu verleihen (S. 37—40). Gewiss spricht für diese Vermuthung nicht der innere Zusammenhang der Lehren, auch nicht L. 1. § 10. C. 7. 6 (de Latina libertate tollenda), wo die Worte „et quasi in iudicii figura“ viel richtiger als Erklärung der vorhergehenden: „sed etiam actis intervenientibus“ zu nehmen sind, da gerade die Acta hauptsächlich bei den Judicia vorkommen, als dass man mit dem Vf. (S. 43) glauben sollte, sie deuteten die Nothwendigkeit von fünf Feierlichkeitszeugen bei der Erklärung des Sclavenherrn an. Wenn wir von diesen offenbar unhaltbaren Behauptungen des Vfs. absehen, so treten uns in den folgenden Abschnitten des Werkes, welche vorzüglich auf die Erörterung des class. Pandectenrechtes gerichtet sind, viele neue und scharfsinnige Betrachtungen entgegen, welche gewiss sich Geltung verschaffen werden. Die Litiscontestation zur Zeit des Legisactionenprocesses wird aufgefasst als eine gegenseitige Denunciatio der Parteien, und daraus mit Glück ihr Name erklärt (§ 6. S. 44—56); sie erscheint auch hier als Schlussact der Verhandlungen in Jure (S. 53 ff.), diente wahrscheinlich schon damals zur Feststellung des Objectum Litis, und diese Feststellung gab im Laufe der Zeiten Veranlassung zur weiteren Entwickelung der processualischen Consumtion, welche seit der Zeit des Formularprocesses unzertrennlich mit ihr verknüpft war (S. 50). Sehr geschickt wird diese Auffassung des Begriffes benutzt zur Erklärung der Controverse, welche nach Gaius inst. IV. § 114 zwischen den Sabinianern und Proculianern in Betreff der Regel stattfand: omnia iudicia esse absolutoria (S. 51). — § 7. S. 56—68 beschäftigt sich mit der Widerlegung der von Keller aufgestellten Hypothese, dass die am Schlusse der Verhandlungen in Jure aufgerufenen Zeugen in Judicio wieder erschienen seien, um dort die Vorgänge in Jure dem Judex zu bezeugen. Namentlich wird geltend gemacht, dass es eines solchen Zeugenbeweises gar nicht bedurft habe, da durch die Gegenwart des Magistrates und die Gerichtsacten alles in Jure Vorgegangene in Gewissheit gesetzt war (S. 58) und der Zusammenhang der Verhandlungen in Jure und in Judicio sich viel natürlicher durch die Gegenwart des Judex bei den Verhandlungen in Jure erklären lässt (S. 60). — Die folgenden §§ 6—10 (S. 68—91) sind dazu bestimmt, die im Corpus Juris Rom. vorkommenden Denunciationen zu classificiren. Es werden acht Classen unterschieden. Die 1. und 2. umfasst die Fälle, in welchen der Denunciant durch diesen Act Rechte erwirbt oder erhält, falls gegen den Inhalt der Denunciation etwas von dem Denunciaten unterlassen oder vorgenommen wird; die 3. bezweckt die Erhaltung und Sicherung von Rechten, welche durch ein, vom Willen des Denuncianten unabhängiges Ereigniss vernichtet zu werden drohen, wofern der Denunciant dazu schwiege; die 4. dient zur klaren Bestimmung des Sinnes einer vom Denuncianten ausgehenden Handlung, welche, wofern er schwiege, anders ausgelegt ihm Nachtheil bringen möchte; die 5. enthält eine auf ein rechtliches Verhältniss bezügliche Willenserklärung des Denuncianten, an welche sich Andere halten können; in der 6. erscheint der Act lediglich als Form für ein abzuschliessendes oder wieder aufzulösendes Rechtsgeschäft; in der 7. dient er nur zu den Zwecken des Beweises; zuletzt kommt er auch im Processe vor theils zur Einleitung eines Rechtsstreites, theils zur Begründung des Contumacialverfahrens gegen Abwesende, theils zur Citation von Zeugen. — In § 11 (S. 91—99) wird die Form der Denunciation auf die Zuziehung von wenigstens 3 Repräsentationszeugen zurückgeführt; ferner S. 100—117 auch behauptet, dass sie, wenn auch nicht überall, eine Nuncupatio enthalten habe. Daran knüpft sich eine sehr gelungene Untersuchung über die Bedeutung der Nuncupatio und Testatio bei Testamenten (S. 102 f.) und eine Erklärung von Clem. Alex. Strom. V. 8 ed. Potter p. 679 (nicht VIII. 8, wie S. 105 gesagt wird), die sich Beifall erwerben wird (S. 105—113). Doch verdient es Erwähnung, dass sie sich bereits bei Sylburg in der Potter'schen Ausgabe vorfindet und zwar dort aus Brissonius de form. lib. VII. p. 585 ed. Mog. 1649. 4. entlehnt worden ist. Jedenfalls gebührt aber dem Vf. das Verdienst, diese Erklärung sehr gut entwickelt und gegen die Einwürfe von Huschke und Walch vertheidigt zu haben, welche den Ausdruck χαρπισμός durchaus auf die bei der Manumissio Vindicta vorkommende Festuca haben beziehen wollen. Dabei läuft indess eine etymologische Unwahrscheinlichkeit unter, die Ableitung des nuncupare von nomen capere, die zu der Bedeutung des Wortes [palam pronunciare Gaius inst. II. 104, Ulp. Fragm. 20. 9, Festus

s. v. nuncupata] nicht recht passen will, aber doch auf künstlichem Wege damit in Uebereinstimmung gebracht wird, durch die Bemerkung nämlich, dass ein Antestatus gegenwärtig sei, welcher zum Zeichen des beginnenden Schlussactes — der Nuncupatio — am Ohre berührt werden. Vielmehr ist das Wort zunächst dem Kirchenrechte der Römer entlehnt, und aus novum und capere zusammengesetzt. Sagt doch Varro de L. Lat. lib. V. ed. Spengel p. 237 das geradezu: „ab eo nuncupare, quod tunc civitate vota nova suscipiuntur". — Ausser der Zuziehung von Zeugen und der Nuncupationsform werden für einzelne Fälle aus den Quellen noch andere Formalitäten der Denunciation in § 12 (S. 117—125) nachgewiesen. Manchmal ist eine mehrmalige Denunciation von Nöthen und das wird auf eine dreifache Wiederholung derselben gedeutet (S. 118 f.); sehr gewöhnlich sind dabei schriftliche Aufsätze, die libelli (S. 120—123); die Abgabe derselben geschieht regelmässig durch den Denuncianten selbst, oder durch einen Procurator, Sclaven oder Freigelassenen (S. 122 f.) und zwar in der Regel an den Denunciaten selbst, im Nothfalle an dessen Procurator, Freunde, Ehefrau, den Inquilinus, ausnahmsweise auch ad domum (S. 125). Ausgeschieden werden § 13 (S. 125—129) die Operis Novi Nunciatio und die Nunciatio ad Fiscum, weil sie der gewöhnlichen Denunciationsfeierlichkeiten entbehrten; diess soll auch den constanten Sprachgebrauch der class. Juristen erklären, welche in diesen Fällen den Ausdruck nunciatio der feierlichen denunciatio vorziehen. — Eine ganz eigenthümliche Ansicht über die alte legis actio per condictionem, von der wir doch so wenig wissen, entwickelt § 14 (S. 129—149). Bisher hatte man die dabei vorkommende Condictio als eine in Jure d. h. vor dem Prätor vorkommende Ansage des Klägers charakterisirt, welche auch in der Abwesenheit des Beklagten vorgenommen werden konnte und es dem ersten möglich machte, auch ohne persönliches Erscheinen des Gegners sein Recht zu realisiren (Mühlenbruch Cession S. 79), und demnach consequenter Weise angenommen, dass es auch in diesem Falle zu einer In Jus Vocatio habe kommen können. Das längnet der Vf. zwar nicht ab, meint aber, die Denunciation sei eine private gewesen, welche bei der Mittheilung der Sache auch zugleich einen Termin zur Ausmachung des Handels festgesetzt habe. Wahrscheinlich sei sie dann vor dem Prätor wiederholt worden, wie sie an den Beklagten gebracht worden war, daher der Name. Als Grund dieser doppelten Denunciation, ist nur angegeben, dass die Denunciation des Legisactionensystems identisch gewesen sei mit der, welche zur Zeit der christl. Kaiser zur Eröffnung des Processes gebraucht ward (S. 134—137). Allein wenn auf der einen Seite nicht abzusehen ist, wie die Identität von zwei Begriffen, welche über 3 Jahrhunderte aus einander liegen und nichts als den Namen mit einander gemein haben, ohne Weiteres angenommen werden könne, so hat auch die Annahme einer privaten, der gerichtlichen vorausgehenden Denunciation für die Zeit der Legisactionen viel gegen sich, namentlich das Stillschweigen von Gaius, welcher die bei der Legisactio vorkommende Denunciation nur als eine Einzige charakterisirt, und gerade von dieser lehrt, dass es eine gerichtliche ist. Vgl. Inst. IV. § 29. — Grösseren Anspruch auf Billigung haben die § 15—17 (S. 149—177), welche bestimmt sind, das materielle Verhältniss dieser Legisactio zu dem übrigen Theil des Legisactionensystems im Wesentlichen zu erörtern. Zunächst werden die per manus iniectionem und die per pignoris capionem als Executionsformen ausgeschieden (S. 151); von den übrigen hält der Vf. ganz richtig die Legis Actio Sacramento für die ältere und ursprünglich wohl einzige, theils wegen ihrer relig. Grundlage (S. 151—154), theils weil sie auch noch späterhin das Ordinarverfahren für alle nicht ausdrücklich ausgenommenen Sachen bildete (S. 154 f.). Der dabei vorkommende Judex unus war wohl auch nicht eigentlich ein Judex privatus im späteren Sinne des Wortes, sondern vielmehr ein dazu auserlesener Magistrat (S. 158). Zweifelhafter könnte bei dem Mangel an zusammenhängenden Nachrichten scheinen, dass die Legisactio per iudicis postulationem von Servius Tullius für die bonae fidei Negotia eingeführt worden, welche zuerst von der übrigen Masse der Gerichtshändel als Privatsachen ausgeschieden wurden (S. 158—161) und dass sie erst später auf andere Vertragsstreitigkeiten übertragen worden sei. Für die spätere Geschichte der Denunciation als der gewöhnlichen Form den Process einzuleiten wird es besonders interessant, dass Marcus Aurelius, welcher sie zunächst zu diesem Zwecke benutzte, sich in dieser Rücksicht an ein längst bestehendes Institut angeschlossen und dessen Anwendung nur verallgemeinert und somit eine nur für den Kläger bequemere Processeinleitungsform geschaffen habe, durch die es möglich geworden sei, die Förmlichkeiten des Vadimonium in jedem Falle zu umgehen. Aus dieser Ansicht wird nun die bekannte Stelle des Aurelius Vict. de Caes. Marcus 16 trefflich erklärt (S. 133, 138). In der Folge hat man dem neuen Institute, welches in den Schriften der class. Juristen gewöhnlich Conventio genannt wird, die vorzüglichsten Wirkungen der Litiscontestatio beigelegt (§ 18), namentlich die processualische Consumtion (§ 19. S. 187—204), woraus dann eine ganze Reihe bisher nicht richtig erklärter Pandectenstellen ein neues Licht erhält; ferner die Perpetuation der Klagen (§ 20. S. 204—217), sodann auch die Feststellung des streitigen Sachverhältnisses und Processobiectes (§ 21. S. 218—236), wobei indess mehrmals der wohl unrichtige Ausdruck gebraucht wird, dass die alte Litiscontestation des Formularprocesses ihrer Natur nach ein hypothetisches Urtheil enthalte (S. 186 f.). Diese Festbannung des Streitobiectes wird zuerst nachgewiesen für die Operis nov. Nunciatio, wo die in L. un. C. 8. 11 von Justinian sanctionirte, dreimonatliche Frist gegen die Ansicht des jüngeren Hasse so erklärt wird, als ob der Zustand der Sache, wie er zur Zeit der Nunciation gewesen, für diese Frist unbedingt zu einem unverrückbaren geworden sei, so dass der Nunciat nur gegen Caution habe fortbauen dürfen (S. 220—226); sodann in besonderer Anwendung auf die Litigiosität des Streitobjectes (S. 226—228), wo freilich gegen die gewöhnliche Meinung angenommen wird, dass schon zu Ulpian's Zeiten die den Process eröffnende Denunciation hingereicht habe (das Argumentum a contrario aus L. 1. pr. V. 44. 6 dürfte indess manchen Bedenklichkeiten unterliegen); ferner in Rücksicht auf die Usucapion und longi temporis praescriptio (S. 223—231), endlich auch in Betreff der processual. Behandlung des Beklagten in der Haereditatis Petitio seit der Controversia mota, wobei L. 20. § 7 und 11. L. 25. § 11. D. 5. 3 eine ganz neue Erklärung erhalten (S. 231 ff.). — In § 22 (S. 236—240) werden die Wirkungen der Denunciation auf Dritte nach dem bisherigen zusammengestellt; gleich darauf (§ 23. S. 240—252) die Denunciatio als allgemeine Processeinleitungsform in geschichtlicher Hinsicht betrachtet, und hier beschränkt sich die Darstellung auf eine Zusammenstellung der in den vorhergehenden §§ niedergelegten Resultate, doch wird die Untersuchung noch über die Zeiten des Theodosius hinaus fortgeführt. Ganz befriedigend ist hier die Darstellung der gerichtlichen Denunciation als Ordinarverfahrens zur Zeit der christl. Kaiser (S. 243 f.), und ihres Verschwindens aus dem Justinian. Processverfahren (§ 24. S. 252—269), welches zu diesem Zwecke einer ausführlichen Untersuchung gewürdigt wird. Daran schliesst sich eine genaue Erörterung der Grundsätze, nach welchen die das Institut berührenden Pandectenstellen vom Standpuncte des Justinian. Rechtes aus erklärt werden müssen, unter Angabe der Wirkungen, welche nach dem Inhalte der Justinianischen Rechtsquellen noch damit verbunden sind (§ 25. S. 269—295). Der Schlussparagraph (S. 295—300) ist zu einer allgemeinen Uebersicht über die Monographie und deren inneren Zusammenhang bestimmt. Diess ungefähr ist der Inhalt eines Buches, welches sein Vf. (Vorr. S. IX f.) als eine Ergänzung und Fortsetzung der Keller'schen Arbeit über Litiscontestation und Urtheil charakterisirt, da dieses Buch zwar einen trefflichen Blick in das Wesen der Litiscontestation zur Zeit des ordo privatorum iudiciorum gewähre, allein theils nicht genug für die älteste Zeit biete, theils den Zusammenhang der mittleren Zeit mit der neuesten, namentlich der Justinianischen im Unklaren lasse. Der Vf. hat seinen Zweck zum grössten Theile erreicht, und wir haben nur zu bedauern, dass dieses Werk die letzte Frucht eines mühe- und arbeitsvollen Lebens ist, das zum grossen Nachtheile der Wissenschaft gerade in dem Zeitpuncte erlöschen musste, wo der Eintritt in eine freiere Stellung eine Reihe gediegener Arbeiten von Seiten des Vfs. uns zu verheissen schien. Wer wird auf dem unbebauten Gebiete des Civilprocesses sein Nachfolger werden?

Mathematische Wissenschaften.

[[illegible]] Lehrbuch der Mathematik und Physik für staats- und landwirthschaftliche Lehranstalten und Kameralisten überhaupt von **Joh. Aug. Grunert**, ord. Prof. d. Mathem. an d. Univ. zu Greifswald u. s. w. 2. Thl. 1. Abthl. Ebene Geometrie, Stereometrie und ebene Trigonometrie. Leipzig, Schwickert. 1843. VI u. 502 S. gr. 8. mit 12 Fig.-Taf. (2 Thlr. 15 Ngr.)

In dem vorlieg. Bande ist wenig enthalten, was auf die specielle Bestimmung dieser neuen Bearbeitung der Mathematik hindeuten könnte, nur mit Ausnahme Desjenigen, was über die Berechnung der Fässer und Baumstämme gesagt ist. Die dem gelehrten und ungemein fleissigen Vf., dessen Fruchtbarkeit Bewunderung verdient, eigene Breite und Weitschweifigkeit verläugnet sich auch hier keineswegs; ja sämmtliche Lehren sind darin mit solcher Ausführlichkeit vorgetragen, dass das Buch wohl zum Selbststudium, nicht aber als Compendium brauchbar ist, da es dem Lehrer für den Vortrag eigentlich gar nichts übrig lässt. Ob aber die Erklärungen und Beweise durch die angewandte Wortfülle immer an Deutlichkeit gewinnen, möchte sehr zweifelhaft sein. Dass alle vorkommende Rechnungen und Transformationen im grössten Detail mitgetheilt werden, (bei numerischen Rechnungen ist selbst die Division ausgeführt), können wir durchaus nicht billigen, weil so dem eigenen Fleisse des Lesers gar nichts überlassen bleibt und nur der Bequemlichkeit desselben Vorschub geleistet wird. Abgesehen hiervon ist im Vortrage der mathematischen Lehren überall ein Streben nach grösster Strenge und ein Aufwand von Gelehrsamkeit wahrzunehmen, wie sie bei der besonderen Bestimmung des Buches wohl nicht ganz am Platze sein möchten. Es kann wohl nicht füglich geläugnet werden, dass die strengen euclidischen Beweise namentlich derjenigen Sätze, die das Verhältniss von Linien, Flächenräumen und Körpern betreffen, so hoch auch ihr Werth in wissenschaftlicher Hinsicht angeschlagen und so sehr der Scharfsinn ihres Urhebers bewundert werden muss, an einer Schwerfälligkeit leiden, die für alle Leser, welche nicht mit besonderem mathematischen Talente ausgestattet sind, ermüdend, wo nicht gar abschreckend sein muss. Was wird aber dadurch gewonnen, wenn der mathematische Vortrag zwar hinsichtlich der Gründlichkeit nichts zu wünschen übrig lässt, aber eben seiner zu grossen Gründlichkeit wegen Denjenigen, für die er bestimmt ist, grossentheils unverständlich bleibt und sie wohl gar der Mathematik ganz entfremdet, deren Kenntniss ihnen ausserdem von dem grössten Nutzen gewesen wäre? Ref. hält sehr viel auf Gründlichkeit im mathematischen Unterricht, ist aber der Ueberzeugung, dass sie leicht übertrieben werden und dann nur schaden kann und dass sie nach dem zu erreichenden Zwecke und der Individualität Derer, denen der Unterricht ertheilt wird, bemessen werden muss. — Uebergehend zu einer mehr detaillirten Kritik hält Ref. die gleich im Anfange vorkommende Definition des Punctes für sehr geeignet, einen Beleg zu dem im Vorigen Gesagten zu liefern und den Vortrag des Vfs. zu charakterisiren, und theilt sie darum wörtlich mit: „Dass es in der Geometrie häufig von der grössten Wichtigkeit sein muss, einen Ort oder eine Stelle im Raum ganz bestimmt und ohne alle Zweideutigkeit anzugeben, leuchtet von selbst ein, und wird durch die Entwickelung der ganzen Wissenschaft später noch in das hellste Licht gesetzt werden. Da man aber in jeder strengen Wissenschaft für jedes einzelne häufig zur Betrachtung kommende und mit besonderer Wichtigkeit hervortretende Object auch eine bestimmte, ganz unzweideutige sprachliche Bezeichnung haben muss, so hat man in der Geometrie jeden ganz bestimmten Ort oder jede ganz bestimmte Stelle im Raum einen Punct genannt. Dass hiernach ein Punct nicht ein noch merklich grosser Theil des Raumes selbst sein kann, fällt auf der Stelle in die Augen, weil man sich ja sonst diesen Theil des Raumes noch ferner getheilt, sich in demselben noch andere kleinere Theile des Raumes d. h. noch andere Oerter oder Stellen im Raume denken, und also offenbar von einer völligen Bestimmung eines Ortes oder einer Stelle im Raume gar keine Rede sein könnte, welche letztere aber jetzt eben unser eigentlicher und einziger Zweck ist, mit dem uns daher auch hier nur allein gedient sein kann. Soll also der Punct ein in jeder Beziehung völlig bestimmter Ort oder eine völlig bestimmte Stelle im Raume sein, und mit wahrer wissenschaftlicher Strenge zur völlig unzweideutigen Bezeichnung oder Angabe eines solchen ganz bestimmten Ortes oder einer solchen ganz bestimmten Stelle im Raume gebraucht werden können, so sehen wir uns von selbst genöthigt, uns den Punct ohne alle Ausdehnung und demnach auch ohne alle Theile zu denken, weil im entgegengesetzten Falle, wenn wir dem Puncte noch einige, wenn auch noch so geringe Ausdehnung beilegen wollen, in demselben immer noch unendlich viele andere kleinere Puncte gedacht werden könnten, von einer völligen Bestimmung eines Orts oder einer Stelle im Raume also gar keine Rede sein könnte. Wir sind daher, wie gesagt, gezwungen, uns den Punct ohne alle Ausdehnung, ohne alle Theile zu denken, und es wird hiernach nun gewiss die gewöhnliche Definition eines Punctes, welche auch schon Euclides an die Spitze seines unsterblichen Werks über die Elemente der Geometrie gestellt hat: Ein Punct ist Dasjenige, was keine Theile hat, völlig verständlich sein und wissenschaftlich gerechtfertigt erscheinen." In der That, mehr Ausführlichkeit kann man nicht verlangen! — S. 6 stellt der Vf. als ersten Grundsatz von der geraden Linie folgenden auf: „Durch jeden Punct im Raume lassen sich beliebig viele gerade Linien ziehen, und jede gerade Linie lässt sich, ohne ihre Richtung im Geringsten zu verändern, über jeden ihrer beiden Endpuncte hinaus beliebig weit verlängern". Offenbar aber enthält dieser Grundsatz zwei ganz verschiedene Behauptungen. Auch der zweite ist doppelt: „Durch zwei Puncte lässt sich immer nur eine gerade Linie legen und zwei nicht ganz mit einander zusammenfallende gerade Linien können immer höchstens nur einen Punct mit einander gemein haben", aber hier ist die eine Behauptung eine unmittelbare Folge der anderen, was dort nicht der Fall ist. Der dritte Grundsatz endlich: „Zwei einen Punct mit einander gemein habende, nicht zusammenfallende gerade Linien schneiden sich jederzeit in dem in Rede stehenden Puncte, wenn man sie sich nur nöthigenfalls über denselben hinaus beide weit genug verlängert denkt", hätte füglich ganz entbehrt werden können. Den Sätzen über die Congruenz der Dreiecke werden die Sätze von den Parallellinien vorausgeschickt, welche der Vf. auf eigenthümliche Art beweist, gegen welche jedoch manche Einwendung gemacht werden könnte. S. 27 wird der Satz über die Summe der inneren Winkel eines jeden Vielecks mit einer ungemeinen Weitläufigkeit und häufiger Anwendung des Summenzeichens bewiesen; gerade bei diesem Satze aber lässt sich der Beweis mittelst des Satzes über die Winkelsumme des Dreiecks ausserordentlich leicht und kurz führen, wenn man von einem Puncte im Innern aus Linien nach sämmtlichen Ecken zieht und dadurch die Figur in so viele Dreiecke theilt, als sie Seiten hat. — S. 33 ist der Ausdruck des 1. Congruenzsatzes nicht bestimmt und genau genug: „Wenn eine Seite und zwei Winkel eines Dreiecks einer Seite und zwei Winkeln eines andern Dreiecks gleich sind, so sind die beiden Dreiecke einander congruent". In dieser Allgemeinheit ist der Satz offenbar nicht richtig; die Congruenz findet nur dann Statt, wenn die beiden Winkel gegen die Seite in dem einen Dreiecke dieselbe Lage haben, wie in dem andern, wobei wieder zwei Fälle möglich und zu unterscheiden sind. Zweckmässiger wäre wohl, wie gewöhnlich geschieht, mit dem hier zweiten Congruenzsatze angefangen worden, nach welchem die Congruenz zweier Dreiecke aus der Gleichheit zweier Seiten und des eingeschlossenen Winkels folgt. — S. 39 f. wird zu beweisen gesucht, dass die gerade Linie der kürzeste Weg zwischen zwei Puncten ist. Da aber der Beweis dieses Satzes in Bezug auf krumme Linien der Anschaulichkeit und im Grunde doch auch der Strenge ermangelt, weil dabei eine krumme Linie als eine gebrochene angesehen werden muss, so zieht Ref. es beim Unterrichte vor, obigen Satz nach dem Vorgange des Archimedes unbewiesen zu lassen und als Grundsatz aufzustellen, obgleich Euclides diess nicht thut. Die Congruenz zweier Dreiecke aus der Gleichheit aller drei Seiten lässt sich ungleich einfacher beweisen, als S. 42 f. geschieht. — S. 57 wird der Satz: „zwei auf derselben Grundlinie stehende und zwischen denselben Parallellinien liegende Parallelogramme sind einander gleich" für jeden der drei möglichen Fälle besonders bewiesen, wiewohl man den Beweis leicht so führen kann, dass er ohne Abänderung für alle passt. — Bei den Sätzen von den Verhältnissen und Proportionen S. 69 ff. folgt der Vf. der euclidischen Methode, die allerdings streng und scharfsinnig, aber für den Unterricht, wie es dem Ref. scheint, wenig geeignet ist, zumal wenn derselbe, wie hier der Fall, mehr auf den materiellen, als auf den formellen Nutzen der Wissenschaft berechnet sein soll. — Bei der Tangente stellt der Vf. S. 98 ff. vier Lehrsätze auf, von denen eigentlich drei nur verschiedene Umkehrungen des vierten sind, und stellt denjenigen zuletzt, mit dem man anzufangen pflegt: „Wenn man auf einem Halbmesser eines Kreises durch dessen Endpunct ein Perpendikel errichtet, so ist dieses ein Tangente des Kreises". Diesen voranzustellen möchte aber wohl aus mehreren Gründen zweckmässig sein. — Ein Muster von Bündigkeit liefert der Ausdruck des Lehrsatzes S. 108: „Von den beiden Winkeln ADE und BDE, welche eine die um C beschriebene Kreislinie in dem Puncte D berührende gerade Linie AB mit einer beliebigen durch den Berührungspunct D gezogene Sehne DE bildet, ist jeder dem Peripheriewinkel in demjenigen der beiden Kreisabschnitte, in die der Kreis durch die Sehne DE getheilt wird, gleich, welcher nicht zwischen seinen Schenkeln liegt, u. s. w.". Auch kann Ref. nicht billigen, dass der Vf. von S. 40 an in den meisten Lehrsätzen, wie in dem vorhin angeführten, auf die dazu gehörigen Figuren und die darin vorkommenden Bezeichnungen von Linien u. s. w. Bezug nimmt, was die Auffassung und Einprägung der Sätze nicht eben erleichtert. Viel besser scheint es, dem allgemein gefassten Lehrsatze die Voraussetzung und Behauptung, wie sie sich in Bezug auf die Figur gestalten, so viel möglich nur mit Zeichen ausgedrückt folgen zu lassen. — Der überaus weitläufige Beweis des Satzes, „dass das Quadrat der Sehne des fünften Theils einer Kreislinie immer der Summe der Quadrate des Halbmessers und der Sehne des 10. Theils dieser Kreislinie gleich ist", (S. 117 f.) steht mit dem sehr kurzen und einfachen Beweise dieses Satzes von Euclides im allergreilsten Contraste. — Dem Abschnitte, der von den Verhältnissen der Kreislinien und Kreisflächen handelt, werden zwei Lehrsätze vorausgeschickt, die rein arithmetischer Natur sind: 1) jede Potenz der Zahl 2 ist grösser als ihr Exponent; 2) wenn G und N zwei beliebige Grössen sind, so kann man die ganze Zahl k immer so gross annehmen, dass $\frac{G}{2^k} < N$ ist. Sie lassen schon auf die hier zu erwartenden schwierigen und weitläufigen, freilich sehr gründlichen Beweise schliessen. — S. 136 sagt der Vf., die Haupteinheit des Linien- oder Längenmaasses werde eine Ruthe genannt; hier entsteht aber die Frage, mit welchem Rechte diess geschieht. Für Preussen mag der Vf. Recht haben; in Oesterreich kennt man bekanntlich die Ruthe fast gar nicht, sondern bedient sich statt derselben der Klafter à 6 Fuss. In anderen Ländern rechnet man wohl nach Ruthen, die aber zum Theil weder in 12 noch in 10 Fuss getheilt werden, wiewohl der Vf. nur diese beiden Eintheilungen erwähnt. In Sachsen hat die Ruthe der Feldmesser 15½ Fuss, in gewissen Fällen 16 Fuss, in

Hannover, Mecklenburg und Braunschweig 16 F., in Bremen 16, 18 und 20 F., in Frankfurt 12½ F., in Hamburg 14 oder 16 F., u. s. w. Ueberall aber (wenigstens in Deutschland) wird der Fuss entweder in 12 Zoll à 12 Linien oder in 10 Zoll à 10 Linien getheilt, so dass es sich als ungleich passender darstellt, den Fuss als Haupteinheit des Längenmaasses anzunehmen. — Warum S. 147 bei der Berechnung eines Dreiecks aus seinen Seiten zehnstellige Logarithmen angewandt werden, wiewohl Tafeln derselben schwerlich in den Händen auch nur eines einzigen Derjenigen sind, für welche das Buch bestimmt ist, leuchtet nicht recht ein. Auch mit siebenstelligen erhält man das vom Vf. gefundene Resultat auf 6 Stellen, also bis auf die einzelnen Quadratzoll genau. — Zur Berechnung der Zahl π theilt der Vf. nicht weniger als fünf Methoden mit (S. 159—178), so dass sein Lehrbuch in dieser Hinsicht alle anderen uns bekannten Lehrbücher an Vollständigkeit weit übertrifft. Auf die Kreisrechnung folgen einige Untersuchungen über die Ellipse (S. 184—194), dann erst Aufgaben über die Verwandlung und Theilung der Figuren (S. 194—244), bei denen man die leichtesten und schwersten vermischt findet, theils rein geometrisch, theils mit Hülfe der Algebra aufgelöst. — Der zweite Abschnitt des Buchs (S. 245—353) ist der Stereometrie gewidmet. Die letzten Capitel desselben (6 und 7) handeln von der Berechnung des körperlichen Inhalts der Fässer (die Ableitung der Lambert'schen Regel füllt nicht weniger als 10 Seiten) und der Baumstämme. — Der dritte und letzte Abschnitt (S. 354—Ende) behandelt die ebene Trigonometrie. Um zu der Erklärung der trigonometrischen Linien zu gelangen, nimmt der Vf. einen gewaltigen Anlauf und schickt eine Einleitung oder vorläufige Betrachtungen voraus, in denen er den Begriff der Abscissen und den der positiven und negativen Bogen mit grosser Ausführlichkeit auseinandersetzt (—364). Nun folgt erst die Erklärung der goniometrischen Functionen, die freilich von der bisher gewöhnlichen sehr verschieden ist. Der Cosinus wird folgendermaassen definirt: „Wenn α ein beliebiger, dem beliebigen Puncte A der Kreislinie in Bezug auf den Anfang O zugehörender Bogen ist, so heisst die Abscisse der Projection des Punctes A auf den Durchmesser OO_1 in Bezug auf diesen Durchmesser als Axe und den Mittelpunct C als Anfang der Cosinus des dem Puncte A in Bezug auf den Anfang O zugehörenden Bogens α oder auch des von demselben gemessenen Winkels am Mittelpuncte C". Ganz eben so lautet die nun erst folgende Erklärung des Sinus, nur dass in demselben statt des Durchmessers OO_1 ein auf demselben senkrechter genannt ist. Schwerlich dürfte diese Definition, die nur das Verdienst der Eigenthümlichkeit hat, grossen Beifall finden. Ref. wenigstens kann sich mit ihr ganz und gar nicht befreunden. In dem der Erklärung der trigonometrischen oder, wie der Vf. sagt, goniometrischen Functionen gewidmeten Capitel (S. 390—419) handelt der Vf. des Breiteren von der Berechnung der goniometrischen Functionen (S. 390—404), und zeigt dabei, dass für sehr kleine Winkel oder Bogen sin. x = x und cos. x = 1 gesetzt werden kann, zugleich aber, dass im ersten Falle der dabei begangene Fehler kleiner als $\frac{1}{6}x^3$, im zweiten aber kleiner als $\frac{1}{2}x^2$ ist. Hierauf entwickelt er für die Voraussetzung, dass man sich mit 7 Decimalstellen begnügen wolle, eine grosse Zahl von Näherungsformeln. — S. 405 wird das logarithmisch-trigonometrische Handbuch von Vega und zwar in seiner 15., 1836 erschienenen Auflage als dasjenige bezeichnet, welches bei der folgenden Darstellung in Betreff der Einrichtung der goniometrischen Tafeln vorzugsweise ins Auge gefasst werden soll. Warum ignorirt aber der Vf. die neuesten von Hülsse besorgten Auflagen jener Tafeln (von 1839 an), die sich doch vor den früheren durch zahlreiche sehr wesentliche Vorzüge, deren nähere Angabe nicht hierher gehört, auszeichnen? — S. 406 bemerkt der Vf., dass die Logarithmen des Sinus versus und Cosinus versus nur höchst selten gebraucht werden möchten; eben so gut hätte er sagen können, dass man sie gar nicht braucht. — Als Anhang der Trigonometrie theilt er (S. 461—488) die Anwendung der goniometrischen Functionen zur Ausziehung der nten Wurzel aus dem Binomium a + b und zur Auflösung der Gleichungen des 2. und 3. Grades mit, eine Anwendung, die hier wohl um so weniger an ihrer Stelle sein dürfte, als sie, was die quadratischen Gleichungen betrifft, nicht einmal bequem und vortheilhaft genannt werden kann. Dann erst folgt die viel wichtigere Anwendung der Trigonometrie zur Auflösung geometrischer Aufgaben, der ein weit geringerer Raum (S. 488—502) gewidmet ist. — Aus dem Gesagten dürfte zur Genüge erhellen, dass das vorlieg. Werk, als Theil eines Lehrbuchs der Mathematik für Kameralisten betrachtet und somit für das, wofür es sich ausgibt, genommen, gar mancher Einwendung Raum gibt. Damit soll und kann ihm jedoch keineswegs das vom Vf. im Vorwort in Anspruch genommene Verdienst geschmälert werden, manche eigenthümliche Entwickelungen zu enthalten, namentlich in Bezug auf die Lehre von den Parallellinien, auf die Beweise der Lambert'schen Regeln zur Berechnung voller und nicht nicht ganz voller Fässer und auf die Beweise der Ausdrücke für sin. $(\alpha \pm \beta)$ und cos. $(\alpha \pm \beta)$. — Schliesslich kann Ref. nicht unerwähnt lassen, dass er an der Sprache des Vfs. in doppelter Hinsicht Anstoss genommen hat: erstens wegen des häufigen Gebrauchs mehrerer Fremdwörter, die leicht zu vermeiden gewesen wären, insbesondere Object st. Gegenstand (das letztere Wort braucht der Vf. nie), Symbol, involviren u. s. w.; zweitens wegen des unaufhörlichen Gebrauchs der Wendung „in Rede stehend", die fast auf keiner Seite fehlt, auf den meisten mehrmals vorkommt. — Warum schreibt der Vf. z. B. 5°. 7'. 9" statt 5° 7' 9" (sowohl wenn diess 5 Grad 7 Min. 9 Sec., als wenn es 5 Ruthen 7 Fuss 9 Zoll bedeuten soll)?

[1388] **Sammlung von Formeln, Aufgaben und Beispielen aus der Geometrie, ebenen und sphärischen Trigonometrie, nebst Anwendungen auf die Stereometrie und Polygonometrie.** Herausgeg. von **Jos. Salomon,** öff. ord. Prof. d. Elementar- u. höh. Mathematik am polytechn. Institute u. s. w. Mit Holzschnitten. Wien, Gerold. 1843. VI u. 250 S. gr. 8. (2 Thlr.)

Die vorliegende Sammlung hat dem Vorworte zufolge zunächst die Bestimmung, den Zuhörern des Vfs. die vorzüglichsten Beziehungen der goniometrischen Functionen und die wichtigsten Lehrsätze der ebenen und sphärischen Trigonometrie in einer gedrängten Uebersicht darzustellen und ihnen Gelegenheit darzubieten, sich im trigonometrischen Calcul die für die Praxis erforderliche Fertigkeit zu verschaffen. Sie ist in vier Abschnitte getheilt, von denen der erste (S. 3—32) die goniometrischen Functionen, der zweite (S. 33—165) die ebene Trigonometrie, der dritte (S. 166—198) die sphärische Trigonometrie, der vierte und letzte (S. 199—250) die goniometrischen Reihen behandelt. Im Allgemeinen sind die Formeln unbewiesen mitgetheilt, nur bei den goniometrischen Reihen ist die Ableitung ausführlicher angegeben. Die Aufgaben sind theils mit vollständigen Auflösungen versehen, theils ohne alle Auflösung hingestellt; ein Theil der Formeln ist durch Zahlenbeispiele erläutert. Die Sammlung ist so reichhaltig und die getroffene Auswahl des Materials im Ganzen so zweckmässig, dass die Absicht des Vfs., seinen Zuhörern nützlich zu werden und in ihnen Lust und Liebe zu weiteren Forschungen zu erregen, ohne allen Zweifel erreicht werden dürfte. Im Einzelnen sind uns nur wenige Puncte aufgestossen, die Anstoss erregen könnten; dahin gehört freilich gleich der Anfang, wo der Vf. den ersten goniometrischen Formeln, welche die für sich betrachteten goniometrischen Functionen betreffen, unter andern die Bemerkung vorausschickt, dass im Folgenden durch $A \doteq B$ die blosse näherungsweise Gleichheit der Grössen A und B bezeichnet werden solle. Diess ist aber schon desshalb unstatthaft, weil bei vielen, ja den meisten Gleichungen dieses §. keine näherungsweise, sondern eine genaue Gleichheit stattfindet. — S. 8 wird gesagt, man nenne die auf den Halbmesser 1 bezogenen goniometrischen Functionen der Winkel oder Bogen die natürlichen, die gleichnamigen auf den Halbmesser R bezogenen Functionen aber die künstlichen oder linearen. Nach dem gewöhnlichen Sprachgebrauch, wie er sich z. B. auch in Klügel's Wörterbuch erklärt findet, sind aber die natürlichen und künstlichen Sinus, Tangenten u. s. w. so unterschieden, dass diese die Logarithmen von jenen sind. — S. 18 wird der Satz, dass sich die Sinus sehr kleiner Bogen wie die zugehörigen Bogen verhalten, auf folgende Weise begründet und ausgedrückt. Zuerst wird gezeigt, wie man sin. 45′ = 0.0130896 ... und sin. 22′ 30″ = 0.0065449 .. finden könne. Dann heisst es: „Dieser letzte Werth ist beinahe das Doppelte (soll heissen: die Hälfte) von dem vorhergehenden, so dass sich also diese Werthe sehr nahe zu einander verhalten, wie die entsprechenden Bogen. Gehen wir auf diese Art noch zwei Schritte weiter, so können wir dann ohne Bedenken sagen: die Sinusse verhalten sich wie die correspondirenden Bogen, wenn wir diese Werthe nur bis auf sieben Decimalstellen genau haben wollen.“ Eine Art Induction, mit welcher man schwerlich einverstanden sein kann. — Der Brauchbarkeit des Buchs, das ohnehin selbst auf grossen wissenschaftlichen Werth keinen Anspruch macht, thun dergleichen Verstösse natürlich nicht im Mindesten Eintrag. Unter den am Schlusse angezeigten wenigen Druckfehlern fehlt ausser dem vorhin bemerkten noch ein erheblicher auf S. 106, wo es heisst, die Projection eines Vielecks werde gefunden, wenn man den Flächeninhalt desselben mit dem Neigungswinkel seiner Ebene gegen die Bildfläche (statt: mit dem Cosinus des Neigungswinkels) multiplicire.

Staatswissenschaften.

[1301] Beiträge zur Völkerrechts-Geschichte der Wissenschaft von Dr. K. Th. Pütter, ausserord. Prof. d. Rechtswiss. an d. K. Univ. zu Greifswald. Leipzig, Wienbrack. 1843. X u. 221 S. gr. 8. (1 Thlr. 10 Ngr.)

Das Völkerrecht, gleichmässig den Staats- und den Rechtswissenschaften angehörig, hat theils zu viel Positives in sich, theils wird es zu sichtbar von dem Gesetze der äusseren praktischen Nothwendigkeit beherrscht, als dass es so leicht, wie manche andere politische Disciplinen, hätte zum Werkzeug und Spielball der Parteisophistik gemissbraucht werden können. Zudem sind unsere Radicalen mehr auf das innere, als auf das äussere Staatsleben gerichtet, da es ihnen zunächst darauf ankommt, dort die Ordnung und starke Staatsgewalt aufzulösen, die sie in ihren selbstsüchtigen Strebungen behindert. Auch ist die Humanitätsrichtung, gewiss ein edlerer Ausfluss des Idealismus, als die modernen Theorien des Ehrgeizes und der Herrschsucht, jetzt mehr in den Hintergrund getreten und sie war es, die allerdings auch im Völkerrechte ihre Stätte fand und nicht zum Nutzen für die Wissenschaft, aber ohne Schaden für das Leben, manche voreilige Träume hineintrug. Gleichwohl ist die betreffende Wissenschaft sowohl von hohem Interesse, als auch von grosser Wichtigkeit, nicht bloss für ihren nächsten Vorwurf, sondern auch für das ganze System, mit dem sie zusammenhängt, da sich aus ihr sehr erspriessliche Winke für die Genesis des Rechts und die Natur des Staats ergeben. Es ist aber dieser Wissenschaft hauptsächlich dadurch geschadet worden, dass sie, wegen der, im Vergleich zu dem inneren Rechte weit grösseren Schwierigkeit, ihren positiven Inhalt zu erkennen, eine Vermischung mit philosophischem Rechte, mit Politik und Humanitätswünschen ausgesetzt war, wobei die Grenzen ganz in einander schwammen. Nicht eine Erweiterung und nähere Ausbildung, die gar nicht Sache der Wissenschaft, sondern lediglich Sache des Lebens sein kann, thut hier zunächst

Noth, sondern eine Ausscheidung des wirklich Gültigen von der wuchernden Zuthat. Der Vf. der vorliegenden Schrift, dem wir nur eine noch entschiedenere Lostrennung von einer hierher nicht gehörigen philosophischen Schulsprache und etwas weniger Hervortreten seiner kirchlichen Orthodoxie wünschen möchten, scheint der Mann dazu, etwas Tüchtiges in diesem Gebiete zu leisten und die Verläufer, die uns diese Schrift bringt, versprechen von einer systematischen Behandlung der Gesammtlehre viel Gutes. Sehr gründliche gelehrte Studien und zugleich ein in der Hauptsache, unseres Dafürhaltens, ganz richtiger, aus den Verhältnissen gewonnener, nicht in sie hineingetragener Gesichtspunct zeichnen sie aus. Der Letztere tritt vornehmlich in der einleitenden Abhandlung hervor, die sich über Begriff und Wesen des praktischen Europäischen Völkerrechts verbreitet. Dagegen bewährt sich die tiefe Gelehrsamkeit des Vfs. in den sehr interessanten und lehrreichen Abhandlungen, worin die Grundzüge des alterthümlichen und des mittelalterlichen Völkerrechts dargelegt werden. Endlich schliesst der Vf. noch mit einem in die neueste Zeit eingreifenden „Vorschlag zur Güte", das Durchsuchungsrecht gegen „den Menschenhandel und gegen den ehrlichen Kauf- und Frachthandel in Seekriegen" betreffend, wobei er das Erstere gegen das Letztere einzutauschen anräth. Hier handelt es sich also mehr de lege ferenda, als de lege lata.

[1206] Publicistische Abhandlungen von **Aug. Thd. Woeniger**, beider Rechte u. d. Philos. Dr. 1. Thl. I. Die Gründe des wachsenden Pauperismus. II. Die Publicistik des Hrn. von Bülow-Cummerow. Berlin, Hermes, 1843. XVI u. 191 S. gr. 8. (1 Thlr.)

Mit mehr Gründlichkeit, mehr Bescheidenheit und ungleich mehr Klarheit und Verständlichkeit, ungleich mehr in der Sprache anderer vernünftiger Leute, als man in politischen Schriften Berliner Federn zu finden gewohnt ist, tritt der Vf. der vorliegenden Schrift auf. Er hat sich auch weit mehr, als seine Collegen zu thun, oder doch einzugestehen gewohnt sind, um das gekümmert, was vor ihm in demselben Fache geleistet worden, wenn schon seine Literaturkenntniss immer noch nur sehr fragmentarisch und manches von ihm angeführte Werk von ihm eben bloss angesehen zu sein scheint. Im Ganzen aber macht die Schrift einen recht günstigen Eindruck und ist in der ersten Abtheilung ihres ersten Theiles, in der Untersuchung nämlich über den Pauperismus, zwar nicht als eine erschöpfende Lösung, aber doch als ein schätzenswerther Beitrag zur Erledigung dieser Frage zu betrachten. Darin freilich dürfte der Vf. irren, dass er zu glauben scheint, er habe etwas wesentlich Neues entdeckt, als er den Satz aufstellte: das Leben in seiner Totalität erzeuge die zunehmende Armuth. Zudem löst auch bei ihm selbst diese Totalität sich doch wieder in eine Menge einzelner Erscheinungen auf und in diesen dürfte er mit gar manchem Vorläufer zusammentreffen. Mehr das Verdienst der Neuheit hat der gelungene Nachweis, „dass alle politischen Revolutionen die nachhaltigsten Quellen der Verarmung sind“ (S. 122 ff.). — Die zweite Abhandlung will gerade nicht viel sagen, der Gegner, den sich Hr. W. gewählt, war zu unbedeutend.

[[illegible]] Preussens Beruf in der deutschen Staats-Entwickelung und die nächsten Bedingungen zu seiner Erfüllung. Von **Karl Heinr. Brüggemann.** Berlin, Besser. 1843. X u. 146 S. 8. (15 Ngr.)

Geist und Gesinnung in dieser Schrift haben viel Ansprechendes. Der Vf. ist sichtbar ein Mann von Talent und ernstem Streben, und der es wohlmeint mit Vaterland und Menschheit. Er ist gemässigt, besonnen, strebt nach ächter Erkenntniss, will wahrhaft ein Besserwerden, nicht bloss einen Sieg der Partei und hat mehr Einsicht in die wahren Grundlagen und Bedingungen der Freiheit, einer würdigen Volkserhebung und eines kräftigen Gedeihens, mehr richtige Würdigung der wahren Zielpuncte einer vorstrebenden Menschheit, als bei der grossen Heerschaar sowohl des Phrasenliberalismus, der sich jetzt auf dem Markte breit macht, als des boshaften und gierigen Radicalismus zu finden ist, der hinter Jenem bereit steht, um in die von ihm geöffnete Breche zu dringen. Bisweilen scheint der Vf. noch stark in der Entwickelung begriffen, noch nicht wahrhaft durchgedrungen und auf dem sichern Boden, von wo allein ein festes Gebäude zu errichten ist, angelangt zu sein; ja im Vergleich zu der Richtung, die sich in einer früheren Schrift des Vfs. aussprach und deren Irrthümer uns mehr nach der entgegengesetzten Seite hin zu liegen schienen, kommt es uns fast vor, als habe er sich seitdem wieder mehr an andere Illusionen hingegeben, von andern Sirenenstimmen locken lassen. Es fehlt nicht an Widersprüchen, Inconsequenzen und Schwankungen. Der Vf. ist weit entfernt sowohl von dem gemeinen Radicalismus der Parteiwuth, als von einem Hingeben an den hohlen Formalismus, mit dessen Phrasen sich die Oberflächlichkeit bequem beruhigt. Aber bei einem publicistischen Schriftsteller von so guten Intentionen, wie die des Vfs., kommt es vor Allem darauf an, die unsichere Grenze scharf zu halten und zu bewachen, über welcher der wahre Liberalismus in den falschen umschlägt. Der grösste Vortheil des letzteren besteht hauptsächlich in zwei Momenten. Erstens darin, dass er gewisse Phrasen und Schallworte in seinen Bannern trägt, in denen ebensowohl ein sehr vernünftiger und wohl berechtigter, als ein sehr schlechter und verderblicher Sinn liegt. Durch den guten Sinn derselben zieht er die Vernünftigen und Redlichen auf seine Seite, oder entwaffnet sie mindestens; ihm aber bleibt es vorbehalten, sie in dem andern Sinne auszubeuten. Denn, dass so viele gutdenkende Männer die unvermeidlichen Consequenzen gewisser an sich bestehender Sätze und Schritte nicht einsehen und sich einbilden, die Bewegung werde an dem Puncte, der ihnen selbst als der Rechte erscheint, inne halten und von ihnen geleitet werden, während sie unfehlbar, sobald sie einmal entzügelt ist, bis aufs Aeusserste verdrängt und die alle theils fortwirft, theils überfluthet, die sie getrieben hatten. Die jungen Hegelingen z. B., in der Zeit ihrer Reinheit und Unschuld besonders und bevor sie noch durch den Kampf selbst verbittert und verderbt waren, durschschauten die Blösse und Seichtigkeit des ordinären Rationalismus und liberalen Formalismus sehr wohl und abhorrescirten beide; sie glaubten, etwas viel Höheres und Edleres zu haben, weil sie den Begriffen neue Nuancen abgewonnen, sie in ein anderes, allerdings schillerndes Licht gestellt, in eine andere Form, gekleidet hatten; was sie erstrebten, war freilich aus denselben Wurzeln erwachsen und konnte seine Verwandtschaft nicht verläugnen, aber es war Etwas, was man zwar nicht preisen, wovon man aber doch begreifen konnte, dass Männer von Geist und Gefühl sich dadurch gewinnen liessen. Aber sie sahen nicht ein, dass sie ihr Ansehen und ihre Macht über die Meinungen nur dem Umstande verdankten, dass die Masse ihrer Leser aus ihren hohen und mystischen Worten immer wieder das alte Gift der religiösen Libertinage, der systematischen Verneinung und der Politik der Encyklopädisten herauslas und dass ihr Sieg, wenn sie gesiegt hätten, nur zum Nutzen von ihnen selbst verachteter Tendenzen, nur für das Bedürfniss sinnlicher Egoisten und liberaler Bierbankshelden ausgebeutet, alle ihre edlen Formen und feinen Begriffe aber verlacht worden sein würden. Der ordinärste Rationalismus, vielmehr Materialismus und der gemeinste politische Radicalismus haben überall da, wo nicht das Gemüth entgegenstrebt, immer die meisten Chancen in Betreff der Massenmeinung, da sie gerade so recht den herrschenden Begierden und der gewöhnlichen Fassungskraft der Meisten entsprechen, und gar Manche arbeiten unbewusst für Menschen und Zustände, die sie selbst im innersten Herzen verachten. — Unserm Vf. thut aber auch noch ein Umstand einigen Eintrag, die schulphilosophische Sprache und die Sucht nach Kategorien, die dann nicht einmal scharf und genau bestimmt werden. Freilich hätte er das Letztere versucht, so würde er oft erkannt haben, dass die Erscheinungen nur so lange sich unter eine solche Kategorie würden bringen lassen, so lange man sie unbestimmt und vieldeutig liess. Nach preussischer Art spricht er auch wohl über Zustände anderer Staaten ab, ohne sie anders, als aus der trüben Quelle liberaler Journalartikel zu kennen. Bei alle dem hat ihn ein gebildeter Geist und ein gesundes Wollen einer Stufe genähert, auf der er schon jetzt viel Richtiges erkannt und wo sich hoffen lässt, dass er sich völlig durchringen und auf den sichern Grundlagen wahrer politischer Erkenntniss dereinst noch Treffliches leisten werde. Im Uebrigen enthält die Schrift eine geistvolle, wenn auch öfters einseitige Charakterisirung der preussischen Staatsentwickelung und ein Hinarbeiten auf ein selfgovernment des preussischen Volks, was sehr richtig weniger in einem Gegensatze gegen die Verwaltung, oder in einer Herrschaft über die Regierung, als in einer Theilnahme an der Verwaltung, in einer

Emancipation von unnöthiger Bevormundung und in einer inneren Organisation des Volks gesucht wird.

Geschichte.

[[illegible]] Des Jesuites. Par MM. **Michelet** et **Quinet**. Paris, Hachette. 1843. 18¾ Bog. gr. 8. und 12⅔ Bog. gr. 12. (4 Fr. 50 c. und 2 Fr.)

[[illegible]] Die Jesuiten. Vorlesungen von **Jules Michelet** und **Eugen Quinet**. Aus dem Französ. übersetzt u. mit Anmerkk. begleitet von *Aug. Stöber*. Basel, Schweighauser'sche Buchh. 1843. 294 S. gr. 8. (25 Ngr.)

Stimmen aus Frankreich über französische Zustände, die auch für uns von Bedeutung sind. Die Schrift enthält eine Beleuchtung des allgemeinen Geistes der Jesuiten und eine Aufklärung des Geistes namentlich, den sie zunächst in Frankreich bewahren. Michelet und Quinet sind zuerst zufällig, ganz unabsichtlich in dem Stoffe ihrer Vorlesungen zusammengetroffen. Aus der ursprünglichen Unabsichtlichkeit entstand aber etwas recht Absichtliches. Sie wollten an demselben Stoffe arbeiten, jeder von seiner Seite ihn fassen, jeder eine bestimmte Richtung verfolgen und dann ihre Arbeit zusammenstellen, zu Rath und zu Warnung an Alle, die es angeht, an die Regierungen und an die Völker. Indirect hat jüngst auch unser Kortüm denselben Rath, dieselbe Warnung ausgehen lassen (vgl. No. 5965). Wer wird beides doch zumeist hören? Die, welche Rath und Warnung nicht bedürfen. Wer wird nicht hören? Die, welche das Eine und das Andere sehr nothwendig brauchen. Wer hat, als in Frankreich früher eine Katastrophe nahete, wo ein Abgrund seine gähnenden Tiefen eröffnen wollte, gehört, die reinen und milden Geister Massillon, Fénelon, Réal de Courban, Bernardin de Saint-Pierre beachtet! Diejenigen bekanntlich nicht, um deren Rettung es sich handelte. Sie zuckten vornehm die Achseln, als wären jene die Thoren und sie die Klugen. Also wird es auch hier kommen. Sie werden das Glas voll giessen und selbst noch etwas darauf giessen wollen, wenn es voll sein wird, und dabei forthin über ihre grosse Klugheit sich freuen. — Aber nichts desto weniger muss gerathen und gemahnt werden, es ist die Pflicht der Wissenschaft, die Pflicht des Herzens. Michelet macht zuerst auf den Gang aufmerksam, welchen der Jesuitismus gegenwärtig in Frankreich nimmt. Durch die Ereignisse des J. 1830 scheine seine Macht gebrochen; grösser, mächtiger als damals stehe er jetzt da. Die politischen Parteien sind in Frankreich entkräftet, unbedeutend ist das Spiel, das noch zwischen ihnen gespielt wird, wenn man es vergleicht mit einem anderen, grösseren Kampfe, dem Kampfe zwischen dem Geiste des Lebens und des Todes. Sie haben die Welt-Priesterschaft unter sich gebracht, armselig, zitternd steht der kathol. Klerus Frankreichs, besonders der niedere, den Jesuiten entgegen. Es gibt noch Leibeigene in Frankreich, ihre Zahl beträgt 40,000, und ist

eben gesagt worden, wo sie zu finden sind. Der niedere Klerus unbeholfen, einfach, äusserlich-armselig hat sich von der im Jesuitismus personificirten List überwältigen lassen. Und in welcher Weise suchen sie in die Gesellschaft einzudringen, auf dass Frankreich ein grosses Jesuitenhaus werde, in dem Alles Andere todt, nur der Geist des Jesuitismus, d. h. die Angeberei, der Verrath der Gattin gegen den Gatten, des Kindes gegen die Aeltern, das Marmeln der Abgestumpftheit, noch waltend gesehen werde. Sie wenden sich an die Weiber, an die armen, schwachen, sinnlichen, schuldbeladenen Weiblein. Es ist ja bekannt genug, wer sich einmal auch an ein schwaches Weib machte, um das Geschlecht der Menschen sich zu erobern; durch die Weiber bemeistert man sich der Gesellschaft. Ja sie glaubten beinahe, sie hätten sich ihrer schon bemeistert. Zu Anfange des J. 1842 sendeten sie Zöglinge in das Collège de France, um die Freiheit der Lehre durch Lärmen, Toben und Schreien zu vernichten, um einzuschüchtern, zu drohen. Aber etwas zu zeitig kroch der Maulwurf aus seiner düstern Höhle hervor. — Michelet redet indess in seinen Vorlesungen von dem Gange, den der Jesuitismus jetzt in Frankreich nimmt, nicht allein. Er gibt hier, wie es scheint, den wesentlichen Inhalt der Vorlesungen, welche durch den Sturm der Jesuiten unterbrochen wurden. Er beschreibt, wie der Jesuitismus den Menschen, nicht um ihn zu erziehen, sondern um die Herrschaft über ihn zu erlangen, bei der Erziehung ergreifen will, ehe sein Verstand erwacht ist, ehe er sich in Vertheidigungsstand setzen kann. Der Jesuit Cerutti sagt, so wie man die Glieder des Kindes von der Wiege an einwickele, um ihnen Richtung und Verhältniss zu geben, so müsse man, von seiner ersten Kindheit an, auch den Willen des Menschen einwickeln, damit er für das ganze, nachfolgende Leben die gehörige Biegsamkeit empfange. Dann sollen die Menschen in Vereinzelung gehalten, mit bitterem Misstrauen unter einander erfüllt, durch die gegenseitige, immerwährende, immerthätige Angeberei und Spionirerei, unter einander in Schach gehalten sein, auf dass die Herrschaft Derer, welche zu herrschen gedenken, sicher stehe. Die Erde soll ein Wandelplatz lebendiger Leichen sein. Die Ordens-Constitution sagt es ja schon, dass der einzelne Jesuit sich im Verhältniss zu seinen Obern nur als eine lebendige Leiche betrachten solle. Gegenseitige Beaufsichtigung, gegenseitige Anklägerei, vollkommene Verachtung der menschlichen Natur — nichts anderes ist der Geist dieser Constitution. Trübe Blicke wirft Michelet noch auf den Zustand der kathol. Kirche in Frankreich, er malt es mit kräftigen Zügen aus, wie es in der Welt sein werde, wenn der Jesuitismus siege. Dieses Gemälde unterbricht er durch den Ausruf: „doch es ist ja nur ein Traum, der Genius des Lebens lebt ja noch, er wird den Genius des Todes besiegen". Ja wohl wird er das zuletzt, aber um welchen Preis wird sein Sieg bezahlt werden müssen, wenn von gewissen Puncten aus Das, was im wohlverstandenen Interesse der Menschheit nicht gefördert werden sollte, künstlich, ja gewaltsam weiter gefördert wird. — Edgar Quinet beginnt seine Vorlesungen mit dem Ausspruche einer Hoffnung. Die Jesuiten haben versucht, die Freiheit des wissenschaftlichen Worts zuerst im Collège de France zu stören. Sie haben eine Niederlage durch die Presse, durch die öffentliche Meinung erlitten. Schon fängt der niedere Klerus Frankreichs an, sich der schmachvollen Herrschaft der Jesuiten, unter die er gefallen, bewusst zu werden, er will seine Stimme wieder erheben. Schon fangen auch viele Bischöfe an bedenklich zu werden über die Autorität, die sie selbst herbeiziehen zu müssen geglaubt hatten. Die Hoffnungen, welche die Jesuiten sich auf Frankreich gemacht haben, werden sie wohl täuschen, eben so gut wie andere, noch thörichtere, die sie nähren. Ein sehr wahres Wort sagt Quinet dabei über die Erwartungen, welche sich jetzt der Jesuitismus auf eine sogen. Bekehrung des Protestantismus macht. Indem sie die Ereignisse in der anglicanisch-protest., der deutsch-protest. und der griechischen Kirche betrachten, bilden sie sich nämlich ein, dass England, Deutschland und Russland selbst sich ins Geheim auf ihre Seite neigen und an einem schönen Tage, mit verschlossenen Augen, stracks zu dem Katholicismus, wie sie ihn verstehen, übertreten würden. Nichts ist im Grunde kindischer als eine solche Einbildung. Denn sich einbilden, dass das Schisma nur eine Laune von 100 Mill. Menschen sei, und dass dasselbe durch eine neue Laune von Orthodoxie aufgehoben werden könne, ist eine Thorheit von Seiten Derer, die behaupten, dass sie das Zutrauen der Vorsehung in der Leitung der Geschäfte allein besässen. Quinet gibt nun auch den wesentlichen Inhalt einiger Vorlesungen, welche auf der einen Seite von Beifallsruf, auf der anderen von Lärmen und Toben der Jesuiten-Jünger begleitet worden sind. Eine, in welcher freilich die Ausdrücke, die er gebraucht, ungemein heftig sind, setzt auseinander, wie in den Ländern, in welchen der Jesuitismus seine Herrschaft am festesten stellte, auch alles Grosse, Gute und Schöne vorzugsweise vertrocknet und verfault erscheine. Diejenigen, sagt er, welche am meisten von Gott verlassen zu sein scheinen, sind Die, bei denen sich der Jesuitismus am festesten gesetzt hat. Wie viele Regierungen haben schon die Jesuiten erhoben und dann sie vertreiben müssen! Was hat der apostolische Stuhl selbst nicht von ihnen gesagt! Kann man ihnen Schlimmeres nachsagen als was dieser in der Aufhebungsbulle von ihnen gesagt hat? In einer anderen Vorlesung geht er auf den Stifter, auf die Institutionen, den Geist der Gesellschaft über, und verbreitet sich dann weiter auch über seine Wirksamkeit, die in dem, was über Italien und Spanien gesagt worden, freilich im Allgemeinen schon genugsam charakterisirt worden ist. Den Stifter Ignatius Loyola zeichnet vor allen Asceten der Vergangenheit Das aus, dass er sich kaltblütig, logisch beobachten konnte, dass er sich in dem Zustande der Entzückung, der bei allen Anderen selbst die Idee der Reflexion ausschliesst, ins Einzelne zersetzen konnte. Was aus ihm selbstständig hervorgegangen, dringt er seinen Schülern als „Operationen" auf, schreibt ihnen das Buch von den geistlichen Exercitien und bestimmt, durch welche maschinenmässige Verrichtungen sie zu dem Stande der Heiligung gelangen müssten. Es ist eine Anweisung, wie man einen christlichen Automaten fertigen solle. Daher der Unterschied zwischen dem Christenthume Jesu Christi und dem Christenthume des Ignatius Loyola. Im Geiste des Evangeliums wird jeder Schüler selbst ein Lichtheerd, das Jesuitenthum bildet eigentlich nur Werkzeuge, keine Schüler. Die geistlichen Uebungen sollen besonders dazu dienen, den Neuling abzumüden und abzumatten in der einsamen Zelle, damit er, zermalmt und aufgelöst, sich in die Form Loyola's giessen lässt. Und womit sie abgemartert und abgequält werden die Neulinge, was ist es doch? Ist nicht hier Alles bloss Spiel, Täuschung, Hinterlist, selbst die Geisselung, die der Meister vorschreibt. Denn wie soll man sich seiner Vorschrift gemäss geisseln? Nur äusserlich soll man sich die Haut ritzen mit der leichten Geissel, damit kein Schaden an der Gesundheit gemacht werde. Seltsam, so seltsam als wohl überhaupt nur etwas gedacht werden könnte! Wenn der Neuling aufgenommen, fällt er unter die Macht der Gesellschafts-Constitution. Sie ist kalt, eiskalt, wie die Zugänge der Katakomben, in denen die Gebeinhaufen systematisch aufgestellt sind. Das sittlich-geistige Leben ist in diesem Gesetzbuche versiegelt. Es ist das Räderwerk einer ausserordentlichen Verschlingung von Dingen, eine gelehrte Anordnung der Personen und der Sachen. Sie vertritt die Stelle der Gebete, der geistigen Erhebung, welche das Wesen der anderen Orden ausmachen. Der Geist selbst ist hier verdächtig, darum sollen sich die Brüder der Gesellschaft nicht etwa ruhig im Glauben verbunden fühlen wie die ersten Christen, sie sollen sich gegenseitig als eben so viele Verdächtige betrachten. Sich gegenseitig auskundschaften, ausspioniren, angeben, ist das Princip, das Lebenselement der Gesellschaft; der Jesuitismus ist eine Entartung des Christenthums. Dann redet Quinet von den jesuitischen Missionen besonders in der östlichen Welt. Was wollten sie, was trieben sie dort? Die höchsten kirchlichen Gewalten des Katholicismus, die Päpste Clemens IX., Clemens XII., Benedict XIII., Benedict XIV., geben darauf die Antwort, sie, welche durch eine lange Reihe von Breven und Bullen immer vergeblich die jesuitischen Missionaire zum Geiste des Evangeliums zurückführen wollten. Sie boten jenen Völkern ein falsches Evangelium dar, meinten den ganzen Osten der Welt listig in ein Netz locken zu können. Passten sie etwa das Christenthum nur den Sitten, den anscheinenden Bedürfnissen an? Nein, sie verhehlten nur Eins, das Leiden, den Tod des Heilands, sie verläugneten die Schädelstätte. Sie verläugneten den armen und leidenden Christus, darum mussten sie auch die Armen verläugnen und den Parias die Sacramente verweigern. Und was ist aus ihren Missionen im Osten geworden! Nichts bis auf diesen Tag. Darum weiss man nicht, soll man mehr Mitleid oder soll man mehr Zorn auf die Gesellschaft werfen. Wer hat mehr gearbeitet, und wer hat mehr geerntet? Sie haben auf Sand gesäet, weil sie das Evangelium mit List vermischten. Ihre Strafe ist, immer zu arbeiten und nie zu ernten. Und nicht auf diesem Puncte, in den Missionen des Ostens, zum Theil auch in denen des Westens, tritt diese Fügung einer höheren sittlichen Macht mit dem Orden hervor. Sie wird auch sonst, wird allerwärts offenbar. Was haben sie sich nicht geplagt und gemüht, hier, wo es den monarchischen Staat zu vernichten galt, Demokratie und Königsmord, dort, wo es den republicanischen zu erschüttern galt, den Absolutismus zu predigen, dort als Beichtiger die Seelen der Grossen zu zerreiben? Und was haben sie damit erlangt? Immer nur etwas Vorübergehendes. Wenn sie meinten, nun endlich etwas fest und bestimmt zu haben, so schwand es ihnen wieder unter den Händen hinweg, wie ein nichtiges Traumgebilde. Die letzte Vorlesung Edgar Quinet's handelt von den Schulen und der Studienweise der Jesuiten. Sie meinen, die Religion, die Wissenschaft, die Philosophie, die Kunst seien nur Trug, und sie alle werden so von ihnen behandelt. Allein sie haben als Wahrheiten sich gerächt und werden sich noch ferner rächen. Also hofft Quinet. Die Uebersetzung ist Hrn. Stöber wohl gelungen, und seine hier und da beigegebenen Anmerkungen sind dankbar hinzunehmen. *F.*

Bibliographie.

Jurisprudenz.

[7399] Revue de Legislation etc. Aout. (Vgl. No. 6526.) Inh.: Cours d'histoire du droit français; discours préliminaire. Manuscrit inédit de *H. Klimrath*. (S. 129—141.) — *Troplong*, de la législation des mines. (—157.) — *Bressolles*, de l'erreur de droit. (—180.) — *Ortolan*, de l'age chez l'agent des délits quant à l'imputabilité pénale. (—202.) — Revue crit. etc. (—256.)

[7400] Ausführliche Erläuterung der Pandekten nach Hellfeld, ein Commentar von Dr. **Chr. Fr. v. Glück.** 2. unveränd. Auflage. (3. u. 4. Lief.) 3., 4., 13. u. 33. Thl. Erlangen, Palm'sche Verlagsbuchh. 1843. IV u. 630, 474, 570, 478 S. gr. 8. (à Lief. 3 Thlr.)

[7401] Ausführliche Erläuterung der Pandekten nach Hellfeld; ein Commentar von **Chr. Fr. v. Glück.** Nach des Vfs. Tode fortgesetzt von Dr. **Chr. Fr. Mühlenbruch.** 43. Thl. Ebendas., 1843. 494 S. gr. 8. (1 Thlr. 15 Ngr.)

[7402] *Die Lehre von der Frucht nach den gemeinen, in Deutschland geltenden Rechten. Eine Reihe von Abhandlungen von **Gust. E. Heimbach**, Dr. d. R. u. Phil., ausserord. Prof. d. Rechte in Leipzig. Leipzig, Köhler. 1843. XVI u. 318 S. gr. 8. (1 Thlr. 22½ Ngr.)

[7403] **Car. Jo. Rich. Nobel** diss. jurid. inaug. de Cessione. Groningae. (Emden, Rakebrand.) 1843. 4¼ Bog. gr. 8. (10 Ngr.)

[7404] De bona fide rei propriae debitori ad temporis praescriptionem haud necessaria scripsit **Car. Hildenbrand**, phil. et iur. utr. Dr. Monachii, literar.-artist. Anstalt. 1843. 58 S. gr. 8. (10 Ngr)

[7405] De pignore nominis. Commentatio auctore **Herm. Buchka**, J. U. D. Rostochii, Stiller. 1843. 42 S. gr. 8. (7½ Ngr.)

[7406] Das Sassen- u. Holsten Recht, in prakt. Anwendung auf einige im 16. Jahrh. vorgekommene Civil- u. Criminalfälle; nach den im Archive des St. Johannis-Klosters zu Lübeck aufbewahrten Protocollen des vormal. klösterlichen Vogteigerichts, nebst e. tabellar. Uebersicht der im ganzen klösterl. Gerichtsbezirke, in d. ferneren Zeitraume vom J. 1601—1730 vorgekommenen erheblicheren Criminalfälle u. deren Erledigung von Dr. **G. W. Dittmer**, C.-R. Lübeck, v. Rohden'sche Buchh. 1843. 188 S. gr. 8. (20 Ngr.)

[7407] Versuch eines Handbuchs des gemeinen Civil- und Privatrechts in Deutschland, für d. Bürger u. Landmann, überhaupt für jeden Nichtjuristen, mit vorzügl. Rücksicht auf die kurhess. Particulargesetze von **Sigm. Lilienfeld**, Secr. bei d. kurf. israelit. Provinzialvorsteheramt in Marburg. 1. u. 2. Abthl. Cassel, (Messner'sche Schulbuchh.). 1843. IX u. 211 S. gr. 8. (1 Thlr.)

[7408] *Particulares Privatrecht des Herzogthums Braunschweig von **Ad. Steinacker**, Kreissecr. zu Gandersheim. Wolfenbüttel, Holle. 1843. XX u. 665 S. gr. 8. (4 Thlr.)

[7409] **Beiträge zur Kenntniss der altpreuss. Justizeinrichtungen u. Gerichtsverfassung u. dessen, was Noth thut, von W. Ado. Bähl**, Justizrath u. Dir. d. kön. Land- u. Stadtgerichts zu Duisburg. Leipzig, Hermann. 1843. VI u. 140 S. 8. (20 Ngr.)

[7410] **Ergänzungen und Erläuterungen der Preuss. Rechtsbücher durch Gesetzgebung u. Wissenschaft.** Unter Benutz. der Justiz-Ministerial-Acten u. der Gesetzrevisions-Arbeiten herausgeg. von *H. Gräff*, *C. F. Koch*, *L. v. Rönne*, *H. Simon* u. *A. Wentzel*. 2. verb. u. verm. Ausgabe, bearb. von *Gräff*, *v. Rönne* u. *H. Simon*. 3. Bd.: Ergänzungen des allg. Landrechts. Thl. II. Tit. 1—6. Breslau, Aderholz. 1843. 518 S. Lex.-8. (3 Thlr.)

[7411] Lehrbuch des allgemeinen Landrechts. Dogmatisch u. historisch bearb. u. mit Belegstellen versehen von **L. Schröter.** 3. Bd. (das Recht aus Handlungen und Verhältnissen). 2. Hft.: Erbrecht. Bearb. von *K. Schultz*, Kammerger.-Assessor. 3. Hft.: Von gemeinschaftl. Familienrechten, Familien-Stiftungen u. Fideicommissen. Berlin, Heymann. 1843. X u. 210, 34 S. gr. 8. (1 Thlr. 10 Ngr.)

[7412] Sammlung von Gesetzen, Rescripten u. Urtheilen über die Vormundschaften, Interdictionen u. vacanten Nachlassenschaften, herausgeg. von *J. Bapt. Kohn*. Trier, Troschel. 1843. IX u. 271 S. gr. 8. (Subscr.-Preis 1 Thlr.)

[7413] Monatsschrift für die Justizpflege in Württemberg u. s. w. 8. Bds. 2. Abthl. 2. Hft. (Vgl. No. 5190.) Inh.: *Schwab*, Versuch e. krit. Beleuchtung der Artt. 162, 164, 171 u. 172 des Strafgesetzbuches. (S. 265—278) — *Probst*, üb. die Form der Schenkung auf den Todesfall. (—290.) — *Sarwey*, üb. die Behandlung der Ansprüche der Kinder bei Eventual-Theilungen. (—319.) — Uebersicht üb. die in d. J. 1836—1842 ergang. Normalien in Justizsachen. Forts. (—336.)

[7414] Revidirte Vorschriften für Pfleger (Vormünder u. Vermögens-Verwalter) im Kön. Württemberg. Mit Noten u. einem Sachregister. Stuttgart, Steinkopf. 1843. 32 S. 8. (2½ Ngr.)

[7415] Das Jagdrecht der Grundeigenthümer in den zum vormal. Königreich Westphalen gehörig gewesenen preuss. Landestheilen links der Elbe. Von *P...s*. Leipzig, Reclam jun. 1843. IV u. 20 S. gr. 8. (5 Ngr.)

[7416] Zusammenstellung der den Strassenbau u. die Strassen-Polizei betreff. Gesetze u. Verordnungen in d. Königr. Württemberg. Neue Ausg. mit e. tabellar. Uebersicht der neuesten Eintheilung u. Besetzung der Strassenbau-Inspectionen von **Lor. Fr. Hezel**, Rechtscons. u. Prof. Heilbronn, Classische Buchh. 1843. 108 S. 8. u. 1 Tab. in 4. (12½ Ngr.)

[7417] Analyse raisonnée de la legislation sur les eaux, par **Dubreuil.** Nouv. éd., mise en rapport avec le dernier état de la legislation et de la jurisprudence, augmentée d'un supplément, par MM. *Tardif* et *Cohen*, avec des notes de M. *J. J. Estrangin* et précédée d'une notice sur Dubreuil par M. *Ch. Giraud*. Tom. II. Aix, Aubin. 1843. 26½ Bog. gr. 8.

[7418] Das Schifffahrt-Recht in Bezug auf den Ludwigs-Kanal in Bayern von **Fr. Chr. Schnürer**, Adv. in Erlangen. Erlangen, Palm'sche Verlagsbuchh. 1843. VI u. 90 S. 8. (15 Ngr.)

[7419] Grundriss zur Darstellung des positiven Wechselrechts mit bes. Rücksicht auf Deutschland u. einer Auswahl der Wechselrechts-Literatur. Von Dr. **J. L. U. Dedekind**, o. Prof. d. Rechtswiss. am herz. Collegio Carolino. 1. Buch, die Einleitung enth. (Auch u. d. Tit.: Abriss einer Geschichte der Quellen des Wechselrechts u. seiner Bearbeitung in sämmtl. Staaten Europas für Juristen u. Kaufleute.) Braunschweig, Oehme u. Müller. 1843. XX u. 176 S. gr. 8. (26⅔ Ngr.)

[7420] Traité général du droit administratif expliqué en exposé de la doctrine et de la jurisprudence concernant l'exercice de l'autorité du roi etc., par **M. G. Dufour.** Tom. I. Paris, Delamotte. 1843. 43½ Bog. gr. 8. (cpl. 32 Fr.)

[7421] Entscheidungen des königl. Geh. Ober-Tribunals, herausgeg. im amtlichen Auftrage von den Geh. Ober-Tribunalsräthen *Seligo* und *Ulrich.* 8. Bd. Berlin, Dümmler. 1843. XV u. 500 S. gr. 8. (2 Thlr. 20 Ngr.)

[7422] Beiträge zur civilgerichtlichen Praxis von Dr. **Ludw. Höpfner,** ord. Beisitzer d. Juristenfac. an d. Univ. zu Leipzig. 2. Bd. 1. Hft. Leipzig, Köhler. 1843. 86 S. gr. 8. (15 Ngr.)

[7423] Ueber Eidesleistung durch Stellvertreter im Civilprocess von **Fr. Chr. Arnold,** k. b. O.-App.-Gerichtsrath. Erlangen, Palm u. Enke. 1843. VIII u. 112 S. gr. 8. (11⅕ Ngr.)

[7424] Practical Treatise on Actions at Law; embracing the subjects of Notice of Actions, Limitation of Actions, necessary *Parties* to, and proper Forms of Actions, the Consequence of Mistake therein, and the Law of Costs with reference to Damages. By **R. J. Browne.** Lond., 1843. 626 S. gr. 8. (16sh.)

[7425] Traité du pouvoir judiciaire dans la direction des débats criminels, par M. **de Lacuisine.** Paris, Joubert. 1843. 32 Bog. gr. 8. (7 Fr. 50 c.)

[7426] *Die Strafgesetzgebung in ihrer Fortbildung, geprüft nach den Forderungen der Wissenschaft u. nach den Erfahrungen üb. d. Werth neuer Gesetzgebungen u. üb. die Schwierigkeiten der Codification, mit vorzügl. Rücksicht auf d. Gang der Berathungen von Entwürfen der Strafgesetzgebung in constitutionellen Staaten von Dr. **C. J. A. Mittermaier,** geh. R. u. Prof. 2. Beitrag. Heidelberg, Winter. 1843. VI u. 399 S. gr. 8. (n. 1 Thlr. 20 Ngr.)

[7427] Darstellung u. Beurtheilung der deutschen Strafrechts-Systeme, ein Beitrag zur Geschichte der Philosophie u. der Strafgesetzgebungs-Wissenschaft von Dr. **F. C. Th. Hepp,** Prof. des Rechts in Tübingen. 1. Abthl.: Die Vergeltungs- od. Gerechtigkeitssysteme. 2. völlig umgearb. Aufl. Heidelberg, Mohr. 1843. XVI u. 368 S. gr. 8. (2 Thlr.)

[7428] * Grundlinien der criminalistischen Imputationslehre von **Alb. Fr. Berner,** Dr. d. R. Berlin, Dümmler. 1843. XVI u. 310 S. gr. 8. (1 Thlr. 15 Ngr.)

[7429] Handbuch des englischen Strafrechts u. Strafverfahrens von **H. J. Stephen,** sergeant at law. Aus d. Engl. übers., vervollständigt u. erklärt von *Ernst Mühry,* k. Hann. Justizrathe. Göttingen, Vandenhoeck u. Ruprecht. 1843. 664 S. gr. 8. (2 Thlr. 25 Ngr.)

[7430] *Ueber Mündlichkeit und Oeffentlichkeit des Gerichtsverfahrens, dann über das Geschworenengericht von Dr. **Fölix,** Adv. am k. Appellationshof in Paris. Carlsruhe, Bielefeld. 1843. XII u. 116 S. gr. 8. (20 Ngr.)

[7431] Ueber die Hexenprocesse des Mittelalters mit specieller Beziehung auf Tirol. Nebst Anhang, die actenmäss. Darstellung eines sehr interessanten Hexenprocesses v. J. 1680 enthaltend. Von Dr. **Ign. Pfaundler.** Innsbruck, Pfaundler. 1843. 63 S. gr. 8. (n. 7½ Ngr.) Aus d. Zeitschrift des Ferdinandeums bes. abgedruckt.

[7432] Straf-Process-Ordnung für das Königreich Württemberg. Amtliche Handausgabe. Stuttgart, Steinkopf. 1843. 176 S. gr. 8. (12½ Ngr.)

[7433] Straf-Process-Ordnung für das Königr. Württemberg, nebst d. Einführungs-Gesetze vom 22. Jun. 1843. Hand-Ausgabe mit ausführl. Sach-Register. Stuttgart, Metzler'sche Buchh. 1843. 113 S. gr. 8. (12½ Ngr.)

[7434] Preussisches Criminalrecht. Zweiter Theil: Strafrecht in einer Zusammenstellung des 20. Titels 2. Theils des allg. Landrechts, mit den ergänz., abänd. u. erläuternden Verordnungen. Unter Benutzung der Acten u. mit Genehmigung eines Hohen Justizministerii herausgeg. von *A. J. Mannkopff*, k. Pr. Kammergerichtsrath. 1. Supplementheft. Berlin, Nauck u. Co. 1843. gr. 8. (7½ Ngr.)

[7435] Kritik des Entwurfs des Strafgesetzbuchs für die Preuss. Staaten von **J. D. H. Temme**, k. Pr. Criminalgerichts-Director. 2. Thl. Berlin, Rücker u. Püchler. 1843. X u. 413 S. gr. 8. (2 Thlr. 10 Ngr.) Vgl. No. 5199.

[7436] Eine Stimme für Abschaffung der Todesstrafe und der körperlichen Züchtigung. Hervorgerufen durch den Entwurf zum neuen Strafgesetzbuche für d. preuss. Staaten. Danzig, Homann. 1843. 16 S. 8. (3¾ Ngr.)

Mathematische Wissenschaften.

[7437] Journal des mathématiques etc. (Vgl. No. 5012.) Mai. Inh.: *Amiot*, sur une nouvelle méthode de génération et de discussion des surfaces du deuxième ordre. (S. 161—208.) — *Bertrand*, démonstration d'un théorème de géometrie. (—214.) — *Chasles*, théorèmes sur les surfaces du second degré. (—216.) — Juin. *Rodrigues*, du développement des fonctions trigonométriques en produits des facteurs binomes. (S. 217—224.) — *Rodrigues*, sur l'évaluation des arcs de cercle en fonction linéaire des sinus ou des tangentes de fractions de ces arcs décroissant en progression géométrique. (—234.) — *Tchebichef*, sur une classe d'intégrales définies multiples. (—238.) — *Catalan*, sur une formule relat. aux intégrales multiples. (—240.) — *Delaunay*, sur la ligne de longueur donnée qui renferme une aire maximum sur une surface. (—244.) — *Cellerier*, sur la determination d'une fonction arbitraire et sur une classe particul. d'intégrales définies. (—256.)

[7438] Le Opere di **Galileo Galilei**. Prima edizione completa, condotta sugli autentici manoscritti palatini. Tom. II. Firenze, 1843. XXIV u. 408 S. mit 2 Lithogr. gr. 8. (7 L. 50 c.) Vgl. No. 2453.

[7439] *Lehrbuch der Mathematik und Physik für staats- und landwirthschaftliche Lehranstalten u. Kameralisten überhaupt von **Joh. Aug. Grunert**, ord. Prof. d. Math. an d. Univ. zu Greifswald u. s. w. 2. Thls. 1. Abthl. Ebene Geometrie, Stereometrie u. ebene Trigonometrie. Leipzig, Schwickert. 1842. VI u. 502 S. mit 12 Figurentaff. gr. 8. (2 Thlr. 15 Ngr.)

[7440] Élémens de géométrie, par **Eug. Catalan**. Paris, Bachelier. 1843. 22¼ Bog. mit 17 Kpfrn. gr. 8. (5 Fr. 50 c.)

[7441] Die Elemente der Geometrie von Dr. **Geo. Recht**, Lehrer d. Mathem. u. Privatdoc. an d. Univ. München. München, Fleischmann. 1844. VIII u. 254 S. gr. 8. mit 7 Steintaff. in Qu.-Fol. (1 Thlr. 10 Ngr.)

[7442] Geometrisches Port-Folio. Blätter üb. darstellende Geometrie u. ihre Anwendungen. Nebst einem erläuternden Text von **Guido Schreiber**, Prof. d. Math. zu Carlsruhe. 2. Heft, krumme Flächen enth. Carlsruhe, Groos. 15 Bog. Text. gr. 4. u. 22 Taff. Fol. (3 Thlr.)

[7443] *Sammlung von Formeln, Aufgaben u. Beispielen aus d. Goniometrie, ebenen u. sphärischen Trigonometrie, nebst Anwendungen auf die Stereometrie u. Polygonometrie von **Jos. Salomon**, Prof. der Mathematik am k. k. polytechn. Inst. in Wien. Wien, Gerold. 1843. 1843. VI u. 250 S. mit Holzschnitten. gr. 8. (2 Thlr.)

[7444] Die Quadratur des Zirkels auf ihre einfachen Grundregeln zurückgeführt von **J. G. Ewald.** Spremberg. (Cottbus, Meyer.) 1843. 39 S., 1 Tab. u. 1 Holzschn. 8. (12½ Ngr.)

[7445] Tafel logistischer Logarithmen. Zugabe zu den Vega-Hülsse'schen und andern Logarithmen-Tafeln. (Aus *Callet's* „Tables des Logarithmes".) Nürnberg, Riegel u. Wiessner. 1843. 11 S. gr. Lex.-8. (7½ Ngr.)

[7446] Berliner astronomisches Jahrbuch für 1846. Auf Veranlassung der Ministerien des Unterrichts u. des Handels herausgeg. von **J. F. Encke,** Dir. d. Berl. Sternwarte. Berlin, Dümmler. 1843. VIII u. 517 S. gr. 8. (a. 3 Thlr. 5 Ngr.)

[7447] Connaissance des tems ou des mouvemens célestes, à l'usage des astronomes et des navigateurs pour l'an 1846. Publié par le bureau des longitudes. Paris, Bachelier. 1843. 33¼ Bog. gr. 8. (7 Fr. 50 c.)

[7448] Neue Uranometrie. Darstellung der im mittlern Europa mit blossen Augen sichtbaren Sterne nach ihren wahren, unmittelbar vom Himmel entnommenen Grössen. Sternverzeichniss. Von **Dr. Fr. Argelander,** Prof. d. Astron. u. Dir. d. Sternwarte zu Bonn. (Deutsch u. lateinisch.) Nebst Atlas (17 Karten) in Qu.-Fol. Berlin, Schropp u. Co. 1843. XIX u. 119 S. gr. 8. (4 Thlr.)

[7449] *Die Elemente der Mechanik des Himmels, auf neuem Wege ohne Hülfe höherer Rechnungsarten dargestellt von **Aug. Ferd. Möbius,** Prof. der Astronomie zu Leipzig u. s. w. Leipzig, Weidmann'sche Buchh. 1843. XX u. 316 S. mit 2 Figurentaf. gr. 8. (2 Thlr.)

[7450] Ueber die Natur und Bewegung der Kometen. Mit besond. Berücksichtigung des grossen Kometen vom J. 1843 von **K. Kreil,** Adj. an der k. k. Sternwarte. Prag, Haase Söhne. 1843. 60 S. u. 1 lith. Taf. gr. 8. (15 Ngr.)

Naturwissenschaften.

[7451] Annales de Chimie et de Physique etc. (Vgl. No. 5432.) Juin. Inh.: *Andral* et *Gavarret*, recherches sur la quantité d'acide carbon. exhalé par le poumon dans l'espèce humaine. (S. 129—150.) — *Th. Graham*, expériences sur la chaleur dégagée par les combinaisons chimiques. (—179.) — *Dulong*, recherches sur la chaleur. (—182.) — *Cabart*, déscription de la caisse du calorimètre. (—188.) — *Dumas*, rech. sur la composition de l'eau. (—206.) — *Erdmann* et *Marchand*, sur les poids atomiques de l'hydrogène et du calcium. (—215.) — *Will*, obs. relatives aux remarques de M. *Reiset* sur la nouv. méthode pour estimer l'azote dans les composés organiques, et sur le rôle qu'on suppose que joue l'azote de l'atmosphère dans la formation de l'ammoniaque. (—232.) — *Millon*, de l'action de l'acide nitrique sur l'alcohol et de l'éther nitrique. (—23.) — *Gerhardt*, considérations sur les équivalents de quelques corps simples et composés. (—245.) — *Grove*, lettre sur une batterie voltaïque à gaz. (—248.) — *Stenhouse*, sur l'acide pyrogallique et sur quelques-unes des substances astringentes, qui le produisent. (—253.) — *Calvert*, note sur le protoxyde de plomb. (—254.) — *Jacquelin*, moyen de communiquer à la fécule, sans le secours de la torréfaction ni des acides, la propriété et de se dissoudre dans l'eau à 70 degrés et de conserver cette solubilité pendant un an et plus. (—255.) — Observations météorol. (—256.) — Juillet. Inh.: *Aimé*, sur la compression des liquides. (S. 257—289.) — *Reiset* et *Millot*, sur les phénomènes chimiques dus au contact. (—292.) — *Jacquelin*, sur la combinaison de l'acide sulfurique et de l'ammoniaque anhydres, désignée jusqu'ici sous le nom de sulfamide. (—309.) — *Matteucci*, sur l'électricité animale. (—316.) — *Damour*, analyse de la pierre de savon de Maroc. (—321.) — *Caventou*, recherches chimiques sur quelques matières animales saines et morbides.

(—346.) — *Fordos* et *Gélis*, sur les combinaisons du soufre et de l'oxygène. (—354.) — *Walter*, sur l'essence de cèdre cristallisée et liquide. (—356.) — *Bunsen* et *Dumas*, sur l'acide cacodylique. (—364.) — *Rosé*, sur les hypophosbites. (—373.) — *Campbell*, sur les ferrocyanides. (—377.) — *Vogel*, sur la curcumine. (—380.) — Observatt. météorol. (—384.)

[7452] Isis. Encyklop. Zeitschrift u. s. w. (Vgl. No. 6745.) 9. Hft. Inh.: *v. Buquoy*, üb. Eintheilung der Wahrheiten u. Subjectivitätscharakter. (S. 641—644.) — Ueb. den Zustand der Naturwissenschaften im Königr. Neapel. (—654.) — *Küster*, Reisebericht aus Dalmatien. (—665.) — Auszüge aus dem Giornale Toscano v. 1840. (—679.) — Anz. verschied. Schriften von Schwab, delle Chiaje, Agassiz u. A. (—720.)

[7453] *Ph. Fr. de Siebold, Fauna Japonica. Pisces elaborantibus *C. J. Temminck* et *H. Schlegel*. Decas II. Lugduni Bat. (Lipsiae, Fr. Fleischer.) 1843. S. 29—48 u. Taf. 11—20. Fol. (8 Thlr. 15 Ngr.)

[7454] *Beiträge zur Ornithologie Griechenlands. Von **Heinr. Graf von der Mühle**, k. b. Cuirassier-Lieut. Leipzig, E. Fleischer. 1844. VIII u. 152 S. gr. 8. (1 Thlr.)

[7455] *Verbreitung und Einfluss des mikroskopischen Lebens in Süd- u. Nord-Amerika. Ein Vortrag von **C. G. Ehrenberg**. (Gelesen in der k. Pr. Acad. d. Wiss. zu Berlin am 25. März u. 10. Juni 1841 mit spät. Zusätzen.) Berlin. (Leipzig, L. Voss.) 1843. 157 S. mit color. Kpfrtaff. Fol. (5 Thlr. 10 Ngr.)

[7456] **A. v. Jussieu's** Elementarcurs der Botanik, abgefasst nach dem Programme d. Univ. v. Paris vom 14. Sept. 1840. Aus d. Franz. übers. u. mit Anmerkk. u. Zusätzen versehen von *H. M. Schmidt-Göbel* u. *J. Pfund*. Prag, Calve'sche Buchh. 1844. 239 S. nebst 5 Taff. lith. Abbildd. gr. 8. (1 Thlr. 10 Ngr.)

[7457] *Vorlesungen über die Kräuterkunde, für Freunde der Wissenschaft, der Natur und der Gärten von **H. F. Link**, Dir. d. kön. botan. Gartens zu Berlin. 1. Bd. 1. Abthl. Berlin, Lüderitz. IV u. 184 S. mit 2 Kpfrtaff. gr. 8. (1 Thlr. 7½ Ngr.)

[7458] Beiträge zur Entwickelungsgeschichte der Pflanzen. Mit besond. Beziehung auf die vom Prof. *Schleiden* in dessen „Grundzüge d. wissenschaftl. Botanik" Bd. II. gegen meine neueren physiolog. Arbeiten erhobenen Einwendungen von Dr. **Th. Hartig**, herz. braunschw. Forstrath u. Prof. (Als Beil. zu des Vfs. Lehrbuch d. Pflanzenkunde, sowie zur Befruchtungstheorie dess.) Berlin, Förstner. 1843. 28 S. mit 1 Taf. Abbildd. gr. 4. (15 Ngr.)

[7459] *Anatomie der Pflanzen in Abbildungen von **H. F. Link**, Dir. d. kön. botan. Gartens zu Berlin. 1. Hft. Text lateinisch und deutsch. Berlin, C. G. Lüderitz. 11 S. mit 12 lith. Taff. gr. 4. (2 Thlr.)

[7460] Icones Plantarum; or, Figures, with brief descriptive Characters and Remarks, of New and Rare Plants, selected from the Author's Herbarium. By Sir **W. J. Hooker**. Vol. 2. New Series (Vol. 6 of the entire work). Lond., 1843. 100 Kpfrtaff. gr. 8. (28sh.)

[7461] *Icones Florae germanicae, sive collectio compendiosa imaginum characteristicarum omnium generum atque specierum, quas in sua Flora germanica recensuit **Lud. Reichenbach**. Cent. VI. Decas 9. 10. Lipsiae, Hofmeister. 1843. S. 57—64 u. Taf. 311—330. gr. 4. (Schwarz 1 Thlr. 20 Ngr. Col. 3 Thlr.)

[7462] *Zur Flora Mecklenburgs. Von **Joh. Roeper**, Dr. u. Prof. 1. Thl. Rostock, Leopold. 1843. 160 S. gr. 8. (19 Ngr.)

[7463] Genera plantarum exsiccata der Pflanzentauschanstalt des **P. M. Opiz** in Prag. II. Hundert. Prag, Kronberger u. Raiwnatz. 1843. Fol. Versiegelt. (1 Thlr. 10 Ngr.)

[7464] Herbarium florae austriacae der Pflanzentauschanstalt des **P. M. Opiz** in Prag. V., VI. u. VII. Hundert. Prag, Kronberger u. Raiwnatz. 1843. Fol. Versiegelt. (à 1 Thlr. 10 Ngr.) Vgl. No. 3673.

[7465] Herbarium florae boëmicae ders. Anstalt. III. Hundert. Ebendas., 1843. Fol. Versiegelt. (1 Thlr. 10 Ngr.) Vgl. No. 3674.

[7466] Herbarium medicinale ders. Anstalt. IV. Hundert. Ebendas., 1843. Fol. Versiegelt. (1 Thlr. 10 Ngr.) Vgl. No. 3676.

[7467] Herbarium oeconomico-technicum ders. Anstalt. III. u. IV. Hundert. Ebendas., 1843. Fol. Versiegelt. (à 1 Thlr. 10 Ngr.)

[7468] Précis élémentaire de Géologie, par **J. J. d'Omalius d'Halloy.** Paris, Arthus-Bertrand. 1843. 50 Bog. mit 3 Kpfrn. gr. 8. (12 Fr.)

[7469] Paléontologie française. Description zoologique et géologique de tous les animaux mollusques et rayonnés fossiles de France, par **Alc. d'Orbigny.** Terrains crétacés. 70. livr. Paris, Arthus-Bertrand. 1843. ¼ Bog. mit 4 Kpfrn. gr. 8. (Schluss des 2. Bds.)

[7470] *Das Flözgebirge Württembergs. Mit besonderer Rücksicht auf den Jura. Von **Fr. A. Quenstedt,** Prof. zu Tübingen. Tübingen, Laupp'sche Buchh. 1843. IV u. 558 S. gr. 8. (n. 3 Thlr. 7½ Ngr.)

[7471] Naturhistorische Beschreibung des H.-Darmstädt. Odenwaldes nebst seinen westl. Vorbergen von **C. Th.** Frhr. **v. Riedheim.** Heidelberg, Mohr. 1843. VIII u. 137 S. mit 1 Kärtchen. 8. (15 Ngr.)

Geschichte.

[7472] Archives généalogiques et historiques de la noblesse de France, ou Recueil de preuves, mémoires et notices généalogiques etc., publiées par **M. Lainé.** Tom. VIII. Paris, 1843. 30 Bog. gr. 8. (7 Fr. 50 c.)

[7473] Teatro araldico ovvero Raccolta generale delle armi ed insegne gentilizie delle più illustri e nobili casate que esisterono un tempo e che tuttora fioriscono in tutta Italia, illustrate con relative genealogico-storiche nozioni da **L. Tettoni** e **F. Saladini.** Fasc. XLVIII—L. (Vol. II. Fasc. 22—24. Famiglie Sanvitali, Del Bue, Stampa, Ecelini, Vettori, Biandrati, Ticopolo, Mandelli.) Lodi, 1842. 24, 24 u. 26 S. mit 3 color. Stammbäumen. gr. 4. (2 L. 17 c.)

[7474] Sulle famiglie nobili della monarchia di Savoia; narrazioni fregiate de' risp. stemmi incisi da Giov. Mannèrt, ed accompagnate dalle vedute dei castelli feudali, disegnati dal vero da **Enr. Gonin.** Disp. X—XII. Torino, Fontana. 1842. gr. 4. (2 L. 50 c.)

[7475] Genealogia della famiglia Bonaparte ec. Di **Gius. Valeriani.** Fasc. 2—6. Napoli, 1842. gr. 8.

[7476] Ober- u. niedersächsisches Adelslexikon. Ein hist.-genealog.-diplomat.-heraldisch-statistisches Handbuch der fürstl., gräfl., freiherrl. u. adeligen Geschlechter Ober- u. Niedersachsens der ält. u. neueren Zeit. Nebst Angabe der Quellen, einem Literaturverzeichnisse, tabellar. Beiträgen zur Gesch. u. Statistik des Adels, einem herald. Leitfaden, e. Sammlung heraldisch-kritischer Notizen u. heraldischer Beilagen von **H. F. Mannstein.** 1. Bd. 1. Hft. Dresden, Arnoldische Buchh. 1843. XLIII u. S. 1—144. gr. 8. (Prän.-Pr. 1 Thlr. Laden-Pr. 1 Thlr. 10 Ngr.)

[7477] Pommersches Wappenbuch von **J. T. Bagmihl.** 1. Bd. 1.—9. Lief.

Stettin, (Sanne u. Co.). 1842, 43. S. 1—144 u. 54 lith. Taff. gr. Lex.-8. (à Lief. 12½ Ngr.)

[7478] **Manuel d'histoire universelle par Ch. Chambeau.** 2. édit. revue et corr. Berlin, Behr. 1843. IV u. 251 S. 8. (1 Thlr.)

[7479] ***Geschichte des 18. Jahrh. u. des 19. bis zum Sturz des franz. Kaiserreichs.** Mit besond. Rücksicht auf den Gang der Literatur von **F. C. Schlosser**, Geh. Rath u. Prof. d. Gesch. in Heidelberg. 2. Bd., bis zum allgem. Frieden von 1763. 3. durchaus verb. Aufl. Haidelberg, Mohr. 1843. IV u. 672 S. gr. 8. (3 Thlr. 10 Ngr.)

[7480] *Geschichte der neuesten Zeit von **Pet. v. Kobbe.** 2 Bde. Hamburg, Hoffmann u. Campe. 1843. VIII u. 325, 324 S. gr. 8. (3 Thlr.)

[7481] **Papiers d'état du cardinal de Granvelle**, d'après les manuscrits de la bibliothèque de Besançon, publ. sous la direction de M. *Ch. Weyss.* Tom. IV. Paris, 1843. 99 Bog. gr. 4.

[7482] Les ducs de Champagne. Mémoire pour servir d'introduction à l'histoire de Champagne, par **Etienne** (*Gallois*). Paris, Leleux. 1843. 4½ Bog. gr. 8. (1 Fr. 50 c.)

[7483] Recherches historiques sur le depart. de l'Ain, par **A. C. N. de Lateyssonnière.** Tom. IV. Bourg, Bottier. 1843. 29¼ Bog. gr. 8.

[7484] **Histoire critique et relig. de Notre Dame-*de-Lorette*, par A. B. Caillau.** Paris, Vaton. 1843. 20½ Bog. gr. 8. (7 Fr. 50 c.)

[7485] ***Napoleon Bonaparte, Kaiser der Franzosen.** Geschichtlicher, nach den besten Quellen bearb. Versuch von **Fr. v. Rath,** k. Württ. Hauptmann. Eingeführt durch *F. C. Schlosser*, 2 Thle. Stuttgart, Ebner u. Seubert. 1843. XXV u. 407, VI u. 280 S. gr. 8. (3 Thlr. 11⅓ Ngr.)

[7486] Napoléon et Marie-Louise. Souvenirs historiques de M. le baron **Meneval.** Tom. I. et II. — Collection des meilleurs auteurs français du XIX. Siècle. Tom. X. et XI. — Cologne, Welter. 1843. 406 u. 406 S. 16. (1 Thlr.) Vgl. No. 2960 u. 3765.

[7487] Allgemeine Geschichte der Kriege der Franzosen u. ihrer Alliirten, vom Anf. d. Revolution bis zum Ende d. Reg. Napoleons. Fortgesetzt und bearb. von **Fr. J. A. Schneidawind.** 60. Bdchn.: Krieg auf der pyrenäischen Halbinsel. 17. Bd. Darmstadt, Leske. 1843. 247 S. u. 1 Kärtchen. 16. (7½ Ngr.)

[7488] **Ueber die Urbewohner Rätiens u. ihren Zusammenhang mit den Etruskern von Ludw. Steub.** München, lit.-artist. Anstalt. 1843. VI u. 185 S. gr. 8. (26⅔ Ngr.)

[7489] **Guendaline, Fürstin Borghese-Talbot.** Ein Vorbild des edlen Frauengeschlechts. Nach Zeloni u. and. Documenten dargestellt von **Dr. Thd. Scherer.** Einsiedeln, Gebr. Benziger. 1843. VI u. 79 S. mit Titelbild. 12. (7½ Ngr.)

[7490] ***Archiv der Gesellschaft für ältere deutsche Geschichtskunde zur Beförderung e. Gesammtausgabe der Quellenschriften deutscher Geschichten des Mittelalters**, herausgeg. von **G. H. Pertz.** 8. Bd. Hannover, Hahn. 1843. VI u. 897 S. gr. 8. (n. 4 Thlr. 20 Ngr.)

[7491] **Teuton, od. die gemeinsame Abstammung der germanischen, gallischen u. gothischen Völker** vom Urstamme Skandinaviens. Aus d. Quellen nachgewiesen von **J. Nep. Obermayer.** Passau, Pustet'sche Buchh. 1843. 96 S. gr. 8. (15 Ngr.)

[7492] ***Topographische Uebersicht der Ausgrabungen griechischer, römischer,** arab. u. and. Münzen u. Kunstgegenstände, wie solche zu verschied. Zeiten in den Küstenländern d. baltischen Meeres stattgehabt; zugleich als Andeutung üb. d. Handelsverkehr der norddeutschen u. morgenländ. Völker von **H. C. v. Minutoli**, k. Pr. Gen.-Lieutenant. Berlin, Logier. 1843. VI u. 99 S. gr. 8. (15 Ngr.)

[7493] *Geschichte Rudolf's von Habsburg, Königs der Deutschen, dargestellt nach urkundl. u. meist gleichzeitigen Quellen von **Ottmar F. H. Schönhuth**, Pfr. 2 Bde. Leipzig, Fr. Fleischer. 1844. XXVIII u. 488, VIII u. 236 S. mit 1 Stammtafel. 16. (2 Thlr.)

[7494] *Deutschlands literarische und religiöse Verhältnisse im Reformationszeitalter von Dr. **C. Hagen**, Privatdoc. d. Gesch. in Heidelberg. 2. Bd.: Der Geist der Reformation u. seine Gegensätze. 1. Bd. Erlangen, Palmsche Verlagsbuchh. 1843. XVI u. 408 S. gr. 8. (1 Thlr. 15 Ngr.)

[7495] Facsimile eines Schreibens des Ritters Götz von Berlichingen vom Junius 1519. Heilbronn, Classische Buchh. 1843. 1 Bog. in Umschlag. Fol. (15 Ngr.)

[7496] Württembergischer Geschichts-Kalender, oder Geschichte Württembergs in 365 belehr. Erzählungen auf jeden Tag des Jahres. Von **J. C. Faber**, weil. Pfr. in Magstall. Hall, Haspel'sche Buchh. 1844. XXXVI u. 491 S. gr. 8. (n. 25 Ngr.)

[7497] Beschreibung des Königr. Sachsen von Dr. **Glo. Ed. Leo**, C.-Rath u. Sup. zu Waldenburg. Ein Lesebuch. 2. Thl. Waldenburg. (Dresden, Naumann.) 1843. 110 S. 8. (n. 10 Ngr.) Vgl. No. 3929.

[7498] Beiträge zur Geschichte der k. Stadt Eger u. des Egerschen Gebietes von **Jos. Seb. Grüner**, Magistr. u. k. k. Criminalrath d. Stadt Eger. Aus Urkunden. Prag, Calve'sche Buchh. 1843. VIII u. 102 S. gr. 8. (22½ Ngr.)

[7499] Geschichte u. Beschreibung des Fürstenthums Lübeck nach d. neuesten Grenzbestimmung; mit Anhang u. Tabelle. Ein Buch für Schule u. Haus von **P. F. Kirchmann**, Lehrer in Eutin. Eutin. (Lübeck, v. Rohden'sche Buchh. 1843. 92 S. u. 1 Tab. 12. (12½ Ngr.)

[7500] Beschreibung der Merkwürdigkeiten des Rathhauses zu Lüneburg, verfasst von Dr. **Joh. Wilh. Albers**, Senator d. St. Lüneburg u. s. w. Lüneburg, 1843. VIII u. 54 S. mit 4 Lithogr. gr. 4.

[7501] Beitrag zur Geschichte der Osten'schen Güter in Vorpommern, aus Urkunden zusammengestellt von **Albr. Maltzan**, Reichsfreiherr zu Wartenberg u. Penzlin. Schwerin. (Rostock, Leopold.) VI u. 19 S. gr. 8. nebst 3 Stammtaff. in Fol. (15 Ngr.)

[7502] Das Buch von unserm Könige, od. Leben, Reisen, Reden, Anekdoten und Charakterzüge des Königs Friedrich Wilhelm IV. 1.—3. Lief. Leipzig, Schmaltz. 1843. 48 u. 93 S. gr. 8. (15 Ngr.)

[7503] Reden und Trinksprüche Sr. reg. Maj. Friedrich Wilhelm IV., Königs von Preussen. Berlin, Bade. 1843. 34 S. Imp.-8. (n. 10 Ngr.)

[7504] Reden Sr. Maj. des Königs Friedrich Wilhelm IV. seit seiner Thronbesteigung. Gesammelt u. mit e. Vorworte, sowie mit histor. Einleitungen versehen von *Jul. Küllisch.* Berlin, (Springer). 1843. XVI u. 60 S. gr. 8. — 2. Aufl. XVI u. 42 S. gr. 8. (n. 10 Ngr.)

[7505] Denkwürdigkeiten des Prinzen August von Preussen von **F. Hube.** Mit dem Bildn. des Prinzen. Berlin, (Wolff u. Co.). 1843. 16 S. 8. (3 Ngr.)

Thierheilkunde.

[7506] Universal-Lexikon der Thierarzneikunde. Von **J. E. L. Falke**, fürstl. Schwarzb.-Rud. Hofthierarzte u. s. w. Bd. 2. K—Z. Weimar, Voigt. 1843. 470 S. gr. 8. (2 Thlr.)

[7507] Encyklopädie der gesammten Thierheilkunde. Zunächst für gebild. Landwirthe von Dr. **L. Wagenfeld**, Reg. Depart.-Thierarzt in Danzig. Mit 300 zum Theil color. Abbildd. auf 30 Taff. 1. Lief. Leipzig, Mayer u. Wigand. 1843. VIII u. S. 1—40. gr. 4. nebst 3 lith. Taff. in Fol. (20 Ngr.) Erscheint in 10 Lieff.

[7508] Veterinär-medicinisches Wörterbuch. Verzeichniss u. Erklärung der in d. Thierheilkunde vorkomm. Kunstausdrücke u. Fremdwörter mit besond. Berücksichtigung der Etymologie von **C. F. H. Weiss**, Repetitor an d. Thierarzneischule zu Stuttgart. Stuttgart, Steinkopf. 1843. VI u. 99 S. 12. (10 Ngr.)

[7509] Traité de thérapeutique générale vétérinaire, par **O. Delafond**. 1. part. Paris, Labé. 1843. 35½ Bog. gr. 8. (6 Fr.)

[7510] Die Krankheiten des Rindviehes u. die wichtigen Krankheiten der kleineren Haussäugethiere. Von **F. X. Körber**, Depart.- u. Kreisthierarzte u. s. w. 2 Bde. (Auch u. d. Tit.: Specielle Pathologie u. Therapie der Hausthiere. Für Thierärzte u. Viehbesitzer. 2. Bd. 1. u. 2. Thl.: Die Krankheiten u. s. w.) Berlin, Heymann. 1843. VI u. 334, 326 S. gr. 8. (3 Thlr.)

[7511] Blood-letting, as a Remedy for the Diseases incidental to the Horse and other Animals. By **Hugh Ferguson**. Dublin, 1843. 82 S. gr. 8. (n. 3sh. 6d.)

[7512] Kurz gefasste Anleitung zur Haus-Pferdezucht, für den Landwirth als Pferdezüchter. Ein Geschenk d. Vereins f. Verbess. d. Pferdezucht in Ulm an seine Mitglieder von **W. Baumeister**, Prof. an d. k. Thierarzneisch. zu Stuttgart. Ulm, Nübling. 1843. VIII u. 154 S. 8. (10 Ngr.)

[7513] Anleitung zur Kenntniss des Aeussern des Pferdes von **W. Baumeister**, Prof. an d. k. Thierarzneisch. zu Stuttgart. Mit 140 (eingedr.) Holzschn. nach Originalzeichn. des Vfs. Stuttgart, Ebner u. Seubert. 1843. 315 S. 8. (1 Thlr. 15 Ngr.)

[7514] Veterinär-Memorabilien. Beiträge zur prakt. Thierheilkunde von **C. Glo. Prinz**, Prof. d. prakt. Thierheilk. u. Dir. d. Thierheilanstalt an d. k. Thierarzneisch. in Dresden. II.: Die Hoplometrie, od. das Hufbeschlag-Maassnehmen mit besond. Berücksichtigung des von Riquet empfohlenen Verfahrens. Nebst e. Anhange: Der Hufbeschlag ohne Nägel. Dresden, Walther'sche Hofbuchh. 1843. VIII u. 63 S. mit 2 Steindrucktaff. gr. 8. (15 Ngr.)

[7515] Veterinär-Chirurgie. Hausbuch zu seinen Vorlesungen von **J. Schüssele**, Lehrer an d. Vet.-Schule u. Thierarzt b. Landesgestüt in Carlsruhe. 2. oder specieller Theil. Carlsruhe, Braun. 1843. VIII u. 396 S. gr. 8. (1 Thlr. 20 Ngr.)

[7516] Trattato di medicina veterinaria forense, del dottore in chirurgia **C. G. Mongosio**, prof. e prefetto della r. scuola veter. del Piemonte, ad uso degl' allievi della medesima. Torino, 1842. 450 S. gr. 8. (6 L.)

[7517] Sammlung der die Veterinär-Polizei im Kön. Württemberg betreff. Verordnungen, Belehrungen u. s. w. mit Notizen über die k. Thier-Arzneischule zu Stuttgart u. erläut. Anmerkungen. Stuttgart, Steinkopf. 1843. XII u. 276 S. nebst 1 Steintaf. gr. 8. (1 Thlr.)

Belletristik.

[7518] Gedichte von **E. M. Arndt.** Der neuen Ausg. 2. verm. Aufl. Leipzig, Weidmann'sche Buchh. 1843. XII u. 646 S. gr. 12. (2 Thlr.)

[7519] Sagen des Neckarthales, der Bergstrasse u. des Odenwaldes. Aus d. Munde des Volkes u. der Dichter gesammelt von **Fr. Bader.** Mannheim, Bassermann. 1843. XVI u. 432 S. gr. 8. (1 Thlr. 22½ Ngr.)

[7520] Poetical works of **Rob. Burns.** With a life of the author and an essay on the genius and writings of Burns, by *R. Cunningham.* Carefully revised, and prendered perfectly intelligible to the general Reader by a copious glossary. Nürnberg, Fr. Campe. 1843. XXX u. 358 S. 12. (20 Ngr.)

[7521] Die redenden Thiere, ein episches Gedicht. Nebst e. zusätzlichen Gesange: Ueber den Ursprung des Werks. Von **Giambatt. Casti.** Aus d. Ital. übers. von *J. E. A. Stiegler.* 2 Bde. Aachen, Mayer. 1843. XIV u. 335, 391 S. gr. 8. (4 Thlr.)

[7522] Stille Lieder von **Jul. Gerns.** I. Königsberg, Theile. 1843. 88 S. 8. (15 Ngr.)

[7523] Litthauische Volkslieder u. Sagen, bearbeitet von **Wilh. Jordan.** Berlin, Springer. 1844. VI u. 104 S. gr. 8. (n. 20 Ngr.)

[7524] Gedichte von **Nic. Lenau.** 2 Bde. Stuttgart, Cotta. 1843. VIII u. 387, VIII u. 333 S. gr. 8. (3 Thlr. 11⅗ Ngr.)

[7525] The Last Days of Francis the First, and other Poems. By **J. T. Mott.** Lond., 1843. 148 S. 8. (5sh.)

[7526] Quintin Messis. Ein Gedicht in zwölf Gesängen von **A. Werfer.** Augsburg, Wolffische Buchh. 1843. 108 S. 8. (10 Ngr.)

[7527] Lusitania Illustrata: Notices of the History, Antiquities, Literature, etc. of Portugal. — Literary Department: Part I, Selection of Sonnets, with Biographical Sketches of the Authors. By **John Adamson.** Newcastle upon-Tyne, 1842. 112 S. 8. (7sh. 6d.)

[7528] Die schönwissenschaftliche Literatur der Russen. Auserwähltes aus den Werken der vorzügl. russischen Poeten u. Prosaisten ält. u. neuerer Zeit, ins Deutsche übertragen u. mit hist.-kritischer Uebersicht, biograph. Notizen u. Anmerkungen begleitet von **C. W. Wolfsohn.** 1. Bd. (Gedichte. 1. Abthl.) Leipzig, Fort. 1843. XXIV u. 376 S. gr. 8. (2 Thlr. 15 Ngr.)

[7529] Der Sänger am Neckar, od. kleines süddeutsches Lieder- u. Commersbuch, nebst e. Auswahl beliebter Volksgesänge f. fröhliche Gesellschaften. 3. unveränd. Aufl. Heilbronn, Classische Buchh. 1843. XII u. 192 S. 12. (7½ Ngr.)

[7530] Deutsches Liederbuch von **Glassbrenner.** 3. verm. Aufl. Berlin, Plahn'sche Buchh. 1843 302 u. X S 12. (10 Ngr.)

[7531] Liederbuch für Turner. Herausgeg. von Dr. *H. Timm*, Lehrer am Gymn. zu Parchim 2 Ausg. Parchim, Hinstorff. 1843. 96 S. 16. (5 Ngr.)

[7532] Erasmus Agricola. Roman in 3 Büchern. Liegnitz, Strempel. 1843. 294 S. gr. 8. (2 Thlr.)

[7533] Windsor Castle: an Historical Romance. By **W. H. Ainsworth.** Illustrated by *Geo. Cruikshank* and *Tony Johannot*; with Designs on wood by *W. A. Delamotte.* Lond., 1843. 332 S. Imp.-8. (14sh.)

[7534] Schwarzwälder Dorfgeschichten. Von **Berth. Auerbach.** 1. Thl. Mannheim, Bassermann. 1843. IV u. 551 S. 16. (2 Thlr.)

[7535] Die Nachbarn von **Friederike Bremer.** Aus d. Schwedischen. Mit e. Vorrede der Vfin. 2 Thle. 4. verb. Aufl. (Ausgew. Bibl. der Class. d. Ausl. I. u. 2. Thl.) Leipzig, Brockhaus. 1843. XII u. 237, 257 S. gr. 12. (20 Ngr.)

[7536] Life in Sweden. The Neighbours: a Story of Every-day Life. By **Fred. Bremer.** Translated by *Mary Howitt.* 2. edit. revised and corrected. 2 vols. Lond., 1843. 670 S. 8. (n. 18sh.)

[7537] Das Haus, od. Familiensorgen und Familienfreuden. Erzählung von **Fr. Bremer.** Aus d. Schwed. übers. von *G. Fink.* (Das belletristische Ausland, herausgeg. von *C. Spindler.* Cabinetsbibl. der class. Romane aller Nationen. 15.—19. Bd.) Stuttgart, Franckh. 1843. 486 S. 16. (10 Ngr.)

[7538] Life in Sweden. The Home; or, Family Cares and Family Joys. By **Fr. Bremer.** Translated by *Mary Howitt.* 2 vols. Lond., 1843. 638 S. 8. (n. 21sh.)

[7539] Life in Sweden. The President's Daughters; including Nina. By **Fr. Bremer.** Translated by *Mary Howitt.* 3 vols. Lond., 1843. 1002 S. 8. (n. 1£ 11sh. 6d.)

[7540] Die Familie H. Skizze aus dem Alltagsleben von **Fr. Bremer.** Aus d. Schwed. übers. von *G. Fink.* (Das belletr. Ausland u. s. w. 20. u. 21. Bd.) Stuttgart, Franckh. 1843. 244 S. 16. (4 Ngr.)

[7541] Die Prima Donna. Theater-Roman von **F. L. Bührlen.** 2 Bde. Stuttgart, Franckh'sche Verlagsbuchh. 1814. 288 u. 288 S. mit d. Bildn. des Vfs. gr. 8. (3 Thlr.)

[7542] **Ed. L. Bulwer's** sämmtliche Romane. Aus d. Engl. von *Fr. Notter* und *G. Pfizer.* 13. Bd.: Nacht u. Morgen. Aus d. Engl. v. *G. Pfizer.* Stuttgart, Metzler. 1843. 532 S. gr. 8. (1 Thlr.)

[7543] Der Burggeist. Eine Ritter- u. Geistergeschichte aus d. Zeiten Kaiser Heinrich's IV. von **G. F. Busch.** Nordhausen, Fürst. 1843. 235 S. 8. (26⅓ Ngr.)

[7544] The Busy-Body, a Novel. 3 vols. Lond., Bentley. 1843. 856 S. 8. (1£ 11sh. 6d.)

[7545] Peter Schlemihl's Heimkehr. Von **Fr. Förster.** Leipzig, Teubner. 1843. VI u. 316 S. mit 16 Handzeichn. von Hosemann. 16. (1 Thlr. 7½ Ngr.)

[7546] Abfall u. Busse od. die Seelenspiegel. Ein Roman aus der Gränzscheide des 18. u. 19. Jahrh. von **Fr. Bar. de la Motte Fouqué.** 3 Bde. Berlin, Enslin. 1844. 310, 387 u. 214 S. 8. (3 Thlr. 15 Ngr.)

[7547] Edmund von Kucksburg, Eine Rittergeschichte aus den Zeiten der Kreuzzüge von **Wilh. Hansen.** Nordhausen, Fürst. 1843. 190 S. 8. (22½ Ngr.)

[7548] Morley Ernstein; or, the Tenants of the Heart. By **G. P. R. James,** Esq. 2. edit., with alterations and corrections by the Author, 3 vols. Lond., 1843. 1066 S. 8. (21sh.)

[7549] Der Nebelriese. Buntes für Freunde der Laune von **Herm. Kothe.** Hannover, Helwing'sche Hofbuchh. 1843. VIII u. 363 S. mit 6 Federzeichn. gr. 8. (n. 1 Thlr. 15 Ngr.)

[7550] Shakspeare-Erzählungen von **C. Lamb.** Uebersetzt von *F. W. Dralle.* Stuttgart, Erhard. 1843. VIII u. 271 S. nebst d. Portr. Shakspeare's. br. 8. (1 Thlr.)

[7551] Castel aux Chênes, par Mme. la comtesse **Elfride de Mellerath.** Tom II. et III. Paris, Débécourt. 1843. 43½ Bog. gr. 8. (12 Fr.)

[7552] Mittheilungen aus dem Leben eines Richters. 3. (letzter) Bd. Hamburg, Hoffmann u. Campe. 1843. 354 S. gr. 8. (1 Thlr. 15 Ngr.)

[7553] The Stage Coach; or, the Road of Life. By **John Mills**, Esq. 3 vols. Lond., Colburn. 1843. 860 S. mit 8 Illustrat. 8. (1£ 11sh. 6d.)

[7554] Ste. Roche. Von der Vfin. von Godwie-Castle. 3 Thle. 3. verb. Aufl. Mit e. Abbild. des Schlosses. Breslau, Max u. Co. 1843. 389, 443 u. 458 S. 8. (4 Thlr. 22½ Ngr.)

[7555] Göttliche Comödie in Rom. Novelle von **Leop. Schefer**. 2. unveränd. Aufl. Cottbus, Meyer. 1843. VIII u. 247 S. 8. (1 Thlr.)

[7556] Ein Schloss am Meer. Roman von **Levin Schücking**. 2 Thle. Leipzig, Brockhaus. 1843. 248 u. 289 S. 12. (3 Thlr.)

[7557] Der Mensch und das Geld von **Emile Souvestre**. Frei nach dem Franz. von *A. Rosas*. 2 Bde. Altona, Hammerich. 1843. 208 u. 208 S. 8. (2 Thlr. 10 Ngr.)

[7558] Kaleidoskop von Dresden. Skizzen, Berichte u. Phantasieen von **C. O. Sternau**. 2. verm. Aufl. Magdeburg, Inkermann. 1843. 68 u. VIII S. 16. (10 Ngr.)

[7559] Les mystères de Paris, par **Eug. Sue**. 9. (dern.) série. Paris, Gosselin. 1843. 25 Bog. gr. 8. (7 Fr. 50 c.)

[7560] Les mystères de Paris, par **Eug. Sue**. Tome IV. 1. partie. (Collection des meilleurs auteurs français du XIX. siècle. Tome IV. 1. partie.) Cöln, Welter. 1843. 489 S. gr. 16. (15 Ngr.)

[7561] **Eug. Sue's** sämmtliche Werke. 2. correcte u. wohlfeilste Ausg. 8. Bd.: Die Geheimnisse von Paris. Deutsch von Dr. *A. Diezmann*. 1.—8. Bd. Leipzig, O. Wigand. 1843. 179, 154, 156, 159, 156, 162, 142 u. 146 S. 8. (à 10 Ngr.)

[7562] **Eug. Sue's** sämmtl. Werke. 162.—169. Thl.: Die Geheimnisse von Paris, übers. von *A. Diezmann*. 29.—36. Bdchn. (Schluss.) Leipzig, O. Wigand. 266 u. 374 S. 16. (à 20 Ngr.)

[7563] Die Geheimnisse von Paris von **Eug. Sue**. Uebers. von *A. Diezmann*. Mit Illustr. von *Th. Hosemann*. 1. Bd. in 4 Lieff. Berlin, Meyer u. Hofmann. 1843. 254 S. 8. (à 5 Ngr.)

[7564] **Eug. Sue's** sämmtl. Werke. Die Geheimnisse von Paris, aus dem Franz. übers. von *W. Leu*. 1. Bd. Grünberg, Levysohn. 1843. 133 S. 8. (10 Ngr.)

[7565] **Swift's** humoristische Werke. Aus d. Engl. übersetzt u. mit d. Gesch. seines Lebens u. Wirkens bereichert von *Dr. Frz. Kottenkamp*. 3 Bde. Stuttgart, Scheible, Rieger u. Sattler. 1843. VI u. 384, 318, 421 S. 8. (2 Thlr.)

[7566] Die Verirrten. Ein Roman für die Gegenwart. Von **Wilhelmine v. Sydow**, gen. *Isidore Grönau*, Vfin. der „Grafen von Nordheim" u. s. w. 2 Thle. Sondershausen, Eupel. 1843. 203 u. 160 S. gr. 8. (1 Thlr. 15 Ngr.)

[7567] Life in the Ranks. By Serjeant-Major **Taylor**. Lond., 1843. 326 S. 8. (10sh. 6d.)

[7568] Les Pyrénées, par le bar. **L. Taylor**. Paris, Gide. 1843. 39¼ Bog. gr. 8. (8 Fr.)

[7569] Gesammelte Novellen von **A. L. G. Toussaint**. Aus d. Holländ. übers. von Dr. *L. T. Moesler*. 1. Bd. Hamm, Schulzische Buchh. 1843. 280 S. gr. 8. (1 Thlr.)

[7570] The Barnabys in America; or, Adventures of the Widow Wedded. By Mrs. **Trollope.** 3 vols. Lond., Colburn. 1843. 940 S. mit 9 Illustrat. 8. (1£ 11sh. 6d.)

[7571] **A. v. Tromlitz** sämmtliche Schriften. 3. Sammlung. 36. Bdchn.: König Przemysl Ottokar II. Dresden, Arnoldische Buchh. 1843. 333 S. 16. (Prän.-Preis für Bdchn. 28—36. 3 Thlr. 15 Ngr.)

[7572] Trompetenstösse und Puffs. Anekdoten aus der Gegenwart. Herausgeg. von *Ha-He-Hi-Ho-Hu*, kais chinesischem geh. Fahnenschwinger u. Vivatrufer a. D., Inhaber der grünen Pfauenfeder 16. Classe. 370. Aufl. (Die ersten 369 Aufl. wurden bereits vor dem Druck vergriffen.) 1. u. 2. Hft. Demmin, Gesellius u. Co. 1843. 23 u. 22 S. 12. (7½ Ngr.)

[7573] Oisivetés de M. **de Vauban.** Tom. I. Paris, Corréard. 1843. 16 Bog. mit 2 Kpfrtaff. gr. 8. (7 Fr. 50 c)

[7574] Erinnerungen der Schwester St.-Louis aus der Zeit ihrer Erziehung u. ihres Lebens in der Welt. Vom Vf. von „Rom und Loretto" (*L. Veuillot*). 2 Bdchn. Tübingen, Laupp. 1843. XX u. 231, IV u. 263 S. 8. (1 Thlr. 25 Ngr.)

[7575] Wunderbare Schicksale und Irrfahrten der persischen Gräfin mit dem Todtenkopfe. Eine wahre Geschichte, mitgetheilt aus glaubwürd. Papieren von **Heinr. Wach.** Berlin, Bade. 1843. 69 S. 8. (7½ Ngr.)

[7576] Schloss Wildon. 3 Thle. (Roman.) Leipzig, Eisenach. 1843. 276, 255 u. 230 S. 8. (4 Thlr.)

[7577] Agathe od. der Führer durchs Leben für sinnige Jungfrauen von **P. Scheitlin**, Prof., Vf. des Agathon. St. Gallen, Scheitlin u. Zollikofer. 1843. 373 S. mit 1 Stahlst. 8. (1 Thlr.)

[7578] Die Bestimmung der Jungfrau und ihr Verhältniss als Geliebte und Braut. Von Dr. **H. J. Seidler.** 2. Aufl. Quedlinburg, Ernst. 1843. IV u. 159 S. gr. 8. (15 Ngr.)

[7579] Almanach für Vermählte, zur Beförderung von ehel. Glücke, oder: Schilderung der Ehe von Seite der Moral, Natur u. Medicin, für Gebildete aller Stände. Herausgeg. von Dr. *Rob. Hymenophilos.* 2. verm. Aufl. Augsburg, v. Jenisch u. Stage. 1843. 220 S. 8. (22½ Ngr.)

[7580] Berliner Original-Polterabend-Scherze in Fresko-Manier von **Dr. L. Weyl.** 2. Hft. Berlin, Verlags-Buchh. 1843. 71 S. 8. (10 Ngr.)

[7581] Amor und Hymen. Enthüllte Geheimnisse der Liebe und Ehe. 2. Aufl. des „Magazins der Liebe". Ulm, Seitz. 1843. IV u. 104 S. gr. 12. (10 Ngr.)

[7582] Original-Liebesbriefe, od. die Kunst, in kurzer Zeit Liebesbriefe schreiben zu lernen. Berlin, Bade. 1843. 208 S. 8. (10 Ngr.)

[7583] Die neueste Blumensprache, nebst der bisherigen orientalischen. Od.: neue, sinnige u. vollständige Deutung der Blumen. Und einem Anhange: 1) üb. Blumen-Pflege; 2) Haus-Recepte von **O. B. J. Hoppe.** Mit 330 color. Abbildd. Berlin, (Ende). 196 S. u. 37 color. Taff. 8. (2 Thlr.)

[7584] Neueste Etui-Blumensprache. Ein Toiletten-Geschenk für Liebende. Borken. (Wesel, Bagel.) 1843. 78 S. 32. (Geb. mit Goldschn. 5 Ngr.)

[7585] Fleurs de toutes les couleurs. Recueil de charades, énigmes, logogriphes, chansons, romances, calembours, jeux de mots, anecdotes etc. Heilbronn, Class. 1843. 196 S. 12. (15 Ngr.)

[7586] Der neue Lügenkaiser, od. der lustige Gehülfe bei allen fröhlichen Gesellschaften. 2. Aufl. Eisenberg, Schöne. 1843. 142 S. 16. (7½ Ngr.)

[1587] Der lustige Gesellschafter. Eine Auswahl von 38 scherzhaften Stücken zum Declamiren, 26 Wein- u. Wonne-Liedern, 30 Trinksprüchen, 37 Gesellschaftsspielen, 46 Pfänderauslösungen, 27 verfängl. Fragen, 39 Karten- u. physikal. Kunststücken u. 34 Räthseln, Logogryphen u. Charaden. 6. verm. u. verb. Aufl. Nordhausen, Fürst. 1843. VIII u. 232 S. 8. (15 Ngr.)

[1588] Neue Trinksprüche zum Gebr. für alle Stände, bei Geburtstagen, Hochzeiten, Jubiläen u. sonstigen Gelegenheiten improvisirt von **M. Volkert** (Improvisator). Cottbus, Meyer. 1843. X u. 130 S. 16. (7½ Ngr.)

[1589] Narrhalla. Mainzer Carnevalszeitung. 3. Jahrg. Herausgeg. von *L. Kalisch*. 2. Aufl. Mainz, Wirth. 1843. 132 S. gr. 8. (1 Thlr. 10 Ngr.)

[1590] Vorträge und Lieder, am Kannenfeste den 29. März 1842 u. and. fröhlichen Tagen in d. Felsengrotte der Bierhalle zum Gambrinus gesammelt von mehr. Mitgliedern der alten Garde, den Verehrern d. bayer. Biers gewidmet. Berlin, Eyssenhardt'sche Buchh. 1843. 16 S. gr. 8. (5 Ngr.)

Todesfälle.

[1591] Am 6. Aug. starb zu Burnwood in der Grafschaft Gloucester *G. H. Caunter*, esq., ehemal. Herausgeber des „Court Magazine", fleissiger Mitarbeiter an der wissenschaftl. Wochenschrift „The Athenaeum" und besonders als Kritiker im Fache der Musik geschätzt.

[1592] Am 28. Aug. zu London Sir *Thomas Charles Morgan*, Dr. med., Mitglied des k. Collegiums der Aerzte, früher prakt. Arzt in Dublin, Gatte der bekannten Schriftstellerin Lady *Morgan*, als geistreicher Schriftsteller durch mehrere in verschiedene neuere Sprachen übersetzte Werke („Sketches of the Philosophy of Life" 1818 u. ö., „Philosophy of Morals" u. m. and.) und durch zahlreiche Artikel in verschiedenen gelehrten Zeitschriften wohlbekannt.

[1593] Am 15. Sept. zu Posen *Karl Wilh. Geo. von Grolmann*, kön. preuss. General der Inf. u. Chef des 6. Inf.-Regiments, commandirender General des 5. Armeecorps, Grosskreuz u. Ritter vieler hoher Orden, als Schriftsteller im Fache der Militairliteratur durch die vom Major *v. Damitz* herausgegebene, aus Vorlesungen vor einem Kreise von Officieren entstandene „Geschichte des Feldzuges von 1815 in d. Niederlanden u. in Frankreich" (2 Thle. 1837), und mehrere Aufsätze im „Militair-Wochenblatte" rühmlichst bekannt, geb. zu Berlin am 30. Jul. 1777. Auch die von *v. Damitz* herausgegebene „Gesch. des Feldzuges von 1814 in Frankreich" (bis jetzt 2 Bde. 1842, 43) ist nach seinen mündlichen Mittheilungen bearbeitet.

[1594] Am 25. Sept. zu Freiburg Dr. *Fr. Sigism. Leuckart*, ordentl. Prof. in der medicin. Facultät der dasigen Universität, als Gelehrter und Schriftsteller („Zoologische Bruchstücke" 3 Abthll. 1819—42, „Versuch einer naturgemässen Eintheilung der Helminthen" 1827, „Allgem. Einleitung in d. Naturgeschichte" 1832, „Untersuchungen üb. die äusseren Kiemen der Embryonen von Rochen u. Hayen" 1835, „Untersuchungen üb. das Zwischenkieferbein in seiner normalen u. abnormen Metamorphose" 1840 u. m. a.) geschätzt, geb. zu Helmstädt am 26. Aug. 1794.

[1595] Am 27. Sept. zu Freiberg Dr. *Burkh. Wilh. Seiler*, k. sächs. Hof- u. Med.-Rath, Director der medic.-chirurg. Academie u. der Thierarzneischule zu Dresden, Ritter des CVOrdens, vorher von 1804—15 ord. Prof. in der medic. Facultät der Univ. Wittenberg, durch einige grössere Werke „Die Gebärmutter u. das Ei des Menschen in d. ersten Schwangerschaftsmonaten" 1832, „Beobachtungen ursprüngl. Bildungsfehler u. gänzl. Mangels der Augen" 1833 u. s. w., sowie durch zahlreiche kleinere Schriften und Dissertationen, verschiedene Uebersetzungen und Aufsätze in Zeitschriften und Encyklopädien rühmlichst bekannt, Sohn des bekannten Theologen *Geo. Friedr. S.*, geb. zu Erlangen am 11. Apr. 1778.

[7596] An dems. Tage zu Arles Baron *Laugier de Chartrouse*, ehemal. Deputirter, dann Maire daselbst, als antiquarischer Forscher in seinem Vaterlande geachtet.

[7597] Am 30. Sept. zu Breslau der k. Professor *Felder* im 67. Lebensjahre.

[7598] Ende Sept. zu Wien *K. Russ*, k. k. Kammermaler und Custos der k. k. Gemäldesammlung.

Beförderungen und Ehrenbezeigungen.

[7599] Der bisher. Privatdocent Dr. *August Burow* ist zum ausserordentl. Professor in der medicinischen Facultät zu Königsberg ernannt worden.

[7600] Der bisher. Prediger an der Domkirche zu München *K. Eggert* ist zum Canonicus am dasigen Collegiatstifte von St. Cajetan ernannt worden.

[7601] Die erledigte Lehrkanzel der Welt- u. österreich. Staatengeschichte, der Diplomatik u. Heraldik an der Univ. zu Olmütz ist dem Prof. der Weltgeschichte u. latein. Philologie am Lyceum zu Laibach, Dr. *Ado. Ficker*, übertragen worden.

[7602] Die Privatdocenten an der Univ. zu Königsberg, Dr. *Edu. Grube* und Dr. *Geo. H. Fd. Nesselmann*, sind zu ausserordentl. Professoren in der dasigen philosophischen Facultät ernannt worden.

[7603] Der bei dem kön. sächs. Justizministerium beschäftigte Appellationsrath *Mor. Chr. Hänel* ist zum Geheimen Justizrath ernannt worden.

[7604] Dem Prof. an der Thierarzneischule und ausserordentl. Beisitzer des Medicinalcollegiums *Hering* zu Stuttgart ist der Titel als Medicinalrath ertheilt worden.

[7605] Der k. b. Ministerial-Referent u. Prof. an der Univ. München, Dr. *Fr. B. W. Hermann*, hat das Officierkreuz des k. belg. Leopold-Ordens erhalten.

[7606] Der bisher. Prof. der Projectionslehre an der Bergakademie zu Schemnitz, *Joh. Hoenig*, ist zum Prof. der darstellenden Geometrie an dem polytechn. Institute zu Wien ernannt worden.

[7607] Der grossherz. badische Hofgerichtsrath Dr. *Ludw. von Jagemann* zu Freiburg ist zum Ministerialrath im grossherzogl. Justizministerium ernannt worden.

[7608] Die Professur der Staatsarzneikunde an der Wiener Universität ist dem Dr. med. *Jac. Kolletschka* übertragen worden.

[7609] Der Staatsrath und Prof. Dr. *Fr. Kruse* zu Dorpat hat für sein neuestes Werk „Necrolivonica“ u. s. w. (vgl. No. 5358) von dem Kaiser von Russland den St. Stanislausorden 2. Classe, von der kais. Akademie d. Wissenschaften zu St. Petersburg einen Preis von 2500 Rubel B. A. (750 Thlr.), von dem Grossherzog von Oldenburg einen reich mit Brillanten besetzten Ring mit dem Namenszug des Grossherzogs erhalten.

[7610] Der bisherige Director des Gymnasiums zu Emmerich, Dr. *C. W. Lucas* ist zum Regierungs- u. kathol. Schulrath bei dem Provinzialschulcollegium und der Regierung zu Coblenz ernannt worden.

[7611] Die erledigte Professur der Anatomie an der Univ. zu Innsbruck ist dem Dr. med. et chir. *Carl von Patruban* übertragen worden.

[7612] Der ordentl. Professor der Physik u. Chemie an der Univ. Kiel, Etatsrath Dr. *Chr. Heinr. Pfaff*, ist bei der Feier seines Lehrerjubiläums zum k. dän. Conferenzrath ernannt worden.

[7613] Der Metropolitan *Joh. Geo. Pfaff* zu Sontra in Kurhessen ist zum Inspector und ersten Pfarrer an der Stadtkirche zu Hersfeld ernannt worden.

[7614] Der k. württ. Oberjustizrath Dr. *Plieninger* zu Ulm ist seinem Wunsche gemäss auf die erledigte Rathsstelle bei dem Gerichtshofe zu Esslingen versetzt worden.

[7615] Der Professor am obern Gymnasium und Privatdocent an der Univ. Zürich, *J. L. Raabe*, ist zum ausserordentl. Professor in der dasigen philosophischen Facultät ernannt worden.

[7616] Dem Prof. der Bildhauerkunst und Mitgliede der k. Akademie der Künste zu Berlin, *Chr. Rauch*, ist das Ritterkreuz der k. sächs. Civil-Verdienst-Ordens verliehen worden.

[7617] Der bisher. Kammergerichtsrath *Rintelen* zu Berlin ist zum Geh. Ober-Tribunalsrath ernannt worden.

[7618] Die Stelle eines Adjuncten an der k. k. Sternwarte zu Wien ist dem zeitherigen Assistenten derselben *Franz Schaub*, die Stelle eines Adjuncten an der Sternwarte zu Padua dem *Gast. Pietropoli* übertragen worden.

[7619] Dem Consistorialrath, Probst und Hauptpastor *Schroedter* zu Oldenburg in Holstein ist bei der Feier seines 50jährigen Amtsjubiläums das Ritterkreuz des Dannebrog-Ordens verliehen worden.

[7620] Der geistl. Rath und ordentl. Prof der Theologie an der Univ. Freiburg, Dr. *Frz. Ant. Staudenmaier* ist zum Domcapitular bei dem dasigen erzbischöfl. Capitel ernannt worden.

[7621] Das Rectorat an dem Lyceum und der Realschule zu Ravensburg ist dem bisher. Prof. *Widmann* daselbst übertragen worden.

[7622] An die Stelle des zum Regierungspräsidenten zu Landshut ernannten Präsidenten Frhrn. *von Wulffen* ist der bisher. 2. Director des Appellationsgerichts für Unterfranken u. Aschaffenburg, Frhr. *von Thüngen*, zum Präsidenten dieses Gerichtshofes ernannt worden.

Miscellen.

[7623] **London.** Die vor einigen Jahren durch freiwillige Subscriptionen begründete öffentliche Bibliothek (the London Library) ist vom März 1842 bis dahin 1843 um 4000 Bde. vermehrt worden. Die Zahl der Subscribenten ist gestiegen; in dem erwähnten Zeitraume betrug die Einnahme 1768£ 10sh., die Ausgabe 1538£ 7sh.

[7624] Bei der Versteigerung der von dem ehemal. Decan zu Exeter, Dr. *Jerem. Milles* (gest. 1784) nachgelassenen Bibliothek am 10. Apr. ff. d. J. zu London wurde eine Pergamenthandschr. des *Beda* aus dem 12. Jahrh. für das britische Museum mit 29£ 10sh., eine Pergament-Hds. von *Glanville's* tractatus de legibus et consuetudinibus regni Angliae für dasselbe mit 35£ 10sh. zugeschlagen. Besonderes Interesse erregten die Tagebücher des bekannten Reisenden *Rich. Pococke* in mehr als 70 Bden. *Pococke's* und *Milles'* Reisebericht durch Frankreich, Flandern, Holland, Deutschland, Böhmen u. Ungarn im J. 1736 (9 Bde. 4.) wurde mit 22£ 10sh.; die Originalhds. von *Pococke's* Beschreibung des Morgenlandes (20 Bde. 8. u. 1 Bd. 4.) mit 3£ 3sh.; dessen Reisen durch England in den Jahren 1750—56, die Reise in Irland 1752 u. ein Bd. mit Auszügen aus den Berichten anderer (7 Bde. 4.) mit 22£; dessen Reisen durch England im J. 1764, durch Schottland nach den

Orkneyinseln und durch einige Theile Englands u. Irlands im J. 1760 mit Zeichnungen und andern Beilagen (6 Bde. 4.) mit 33£ (für das britische Museum); eine Abschrift von dessen Reisebeschreibung durch Italien, Frankreich, Flandern, Holland, Deutschland, Böhmen u. Ungarn mit Zeichnungen und Ansichten (19 Bde. 4.) mit 20£ bezahlt. Auch für die Autographen wurden ansehnliche Preise erlangt; für einen eigenhändigen Brief von Sir *Phil. Sydney* 4£ 6sh.; für ein Schreiben von *Ol. Cromwell* vom J. 1648 7£; das blosse Handzeichen desselben 3£ 11sh.; für einen Brief *Dryden's* an seine Frau 5£ 12sh. 6d.; für ein Schreiben K. Carl's I. 4£ 14sh. 6d.; für einen Brief von Dr. *Johnson* 2£ 11sh.; für einen Brief von Lord *Nelson* vom J. 1801 3£ 3sh. u. s. w.

[[illegible]] Die Bibliothek des verstorbenen Lords *Berwick* wurde am 22. Apr. ff. in London versteigert. Sie enthielt mehr als 3000 Handschriften u. Zeichnungen über Genealogie, Heraldik und engl. Geschichte. Das britische Museum, Sir *T. Phillipps*, Lord *Hill* u. And. haben viel gekauft und hohe Preise bezahlt. Unter den gedruckten Büchern wurden *Gough's* Sepulchral Monuments (3 Thle. in 5 Bden. Lond., 1786—96 f.) mit 74£, *Pennant's* London mit Zeichnungen von Graves (6 Bde. f.) mit 81£, *Whitaker's* Magna Charta (Golddruck auf Pergament) mit 58£, *Halstead's* Genealogies mit 98£ bezahlt. Dasselbe Exemplar des letztgenannten Werkes war vor etwa 30 Jahren in einer Auction für 2£ 2sh., in *Syke's* Auction für 74£ 11sh. erstanden worden. Der Gesammtertrag belief sich auf 6726£ 12sh.

[[illegible]] Bei der Versteigerung der Bücher von *J. S. Hawkins* zu London am 8. Mai ff. wurden im Allgemeinen mässige Preise bezahlt, z. B. Biblia latina, Nor., Koberger. 1478. Fol. (2£ 13sh.); Terentii comoediae, Cod. ms. membranac. sec. XV. (3£ 5sh. für das britische Museum); die vier Evangelisten, Pergamenthds. d. 15. Jahrh. in 4. (1£ 16sh. f. das brit. Museum); Legenda aurea, Cod. ms. membran. sec. XIII. in 4. (4£ 5sh.) u. s. w.

[[illegible]] Der Pachtinhaber des Haymarket-Theaters in London, *Webster*, hat einen Preis von 500£ für das beste Lustspiel in 5 Acten ausgesetzt, welches englische Sitten und Gebräuche schildert. Zur Prüfung der bis zum 1. Jan. 1844 einzusendenden Stücke ist ein Committée niedergesetzt und dem Sieger ausserdem noch ein Drittheil der Bruttoeinnahme von der 20., 40. u. 60. Vorstellung zugesichert.

[[illegible]] *Roxburghe Club.* Bei der 31. Jahresversammlung am 17. Jun. d. J. wurde eine Druckschrift: „The Decline of the last Stuarts“ mit Auszügen aus den Berichten britischer Gesandten an den Staatssecretär, besorgt von Viscount *Mahon*, unter die Mitglieder vertheilt. Präsident: Earl *of Powis.*

Druck und Verlag von F. A. Brockhaus in Leipzig.

Leipziger Repertorium

der

deutschen und ausländischen Literatur.

Erster Jahrgang. **Heft 43.** 27. Oct. 1843.

Jurisprudenz.

[[illegible]] **Das Nexum, die Nexi und die Lex Petillia. Eine rechtshistorische Abhandlung von Dr. J. J. Bachofen, Prof. Basel, Neukirch. 1843. 160 S. gr. 8. (20 Ngr.)**

Der Vf., welcher sich auf dem Felde der Alterthümer des Röm. Rechtes, bereits durch seine Schrift de Romanorum iudiciis civil., de legis actionibus, de formulis et de condictione diss. hist. dogmat. (Gott. 1840. 8.) mit Glück versucht hat, beschenkt das jurist. Publicum hier mit einer Arbeit, welche aus tiefer Kenntniss der Quellen der Röm. Rechtsgeschichte hervorgegangen ist. Sie betrifft einen Gegenstand, welcher in neuerer Zeit vorzüglich von Niebuhr, Puchta, v. Savigny, v. Scheurl, Schilling und Sell besprochen worden ist — das Nexum, die ältere Grundlage der Veräusserungen im Sachenrechte, der Testamentsform, und des ganzen Obligationenrechtes, ferner die Nexi, welche in den Bewegungen der Plebs eine so bedeutende Rolle spielen, endlich auch den Inhalt der Lex Petillia und ihren Einfluss auf die persönliche Execution, welche das Zwölftafelgesetz für den Fall des Aes confessum und des Judicates angeordnet hatte. Die Untersuchung dreht sich hauptsächlich um die Erklärung der bekannten Stellen bei Varro de lingua Latina VII. (ed. Spengel p. 382 § 105, ed. Müller p. 161) u. Festus s. v. Nexum, um die Erörterung des Begriffs der Nexi bei Livius und Dionysius v. Halic. und ihren Zusammenhang mit dem alten Nexum, endlich um die Auslegung der Stelle des Livius (III. 28), welche den Inhalt der Lex Petillia, d. h. die Aufhebung des Necti bei dem Darlehen ausführlich darstellt. Entgangen ist dem in der jurist. Literatur bewanderten Vf. bei dem Nexum Heimbach de Aelio Gallo Jcto eiusque fragmentis diss. (Lips. 1823. 8.) exc. I. p. 49—59, ferner Rechtslexicon Art. Aes et libra Bd. 1. S. 181 ff.; nicht benutzen konnte der Vf. die Darstellung der Zwölftafelexecution und des Inhalts der Lex Petillia bei Puchta Cursus d. Institut. II. § 179. S. 209—215. — Wir wollen hier die neuen Resultate seiner Untersuchung zusammenstellen. Der Vf. leitet die Anwendung von Aes und Libra bei rechtlichen Geschäften sehr richtig aus dem alten Zuwägen der

Geldstücke her und charakterisirt diese Anwendung als den äusseren Apparat einer vorgenommenen Zahlung, welche dem Geschäfte des jurist. Bestand gibt (§ I. II. S. 1—7). Er bestärkt die Ableitung des Wortes nectere im Sinne von ligare, welche schon Festus andeutet, und wohl auch nicht von Puchta verworfen worden ist, wenn er (Lehrb. f. Institutionenvorles. S. 29 n. 8.) es für Ein Wort mit negotium erklärt hat, denn es hatte dieser doch wohl nur die juristische Bedeutung von Negotium im Sinne, nicht dessen wahre Ableitung von nec und otium, welche namentlich in der Stelle des Cic. de orat. I. 1 recht deutlich hervortritt: „ut vel in negotio sine periculo, vel in otio cum dignitate esse possent." Das Einzelgeschäft, welches zur Kategorie des Nexum gehörte, erhielt nach der Ansicht des Vfs. seine bestimmte Richtung und jurist. Bedeutung erst aus der Nuncupatio, d. h. aus der beigefügten Erklärung der Parteien, welche nach und nach zu stehenden Formularen ward. Schade, dass der Vf. zur Feststellung ihres Wesens die Bemerkungen von Asverus („Denunciation der Römer" S. 102—113) nicht hat berücksichtigen können. Als sich nun späterhin in Folge des veränderten Münzsystems die ursprüngliche Bedeutung des Aes und der Libra verlor, ward dieses aus einem nothwendigen Bestandtheile jeder Zahlung nur eine feierliche Begleiterin derselben, wo es darauf ankam, der Nuncupatio rechtlichen Bestand zu gewähren. So charakterisirt sich das Nexum von selbst äusserlich als jedes Rechtsgeschäft, bei welchem Kupfer und Waage vorkam; es erhält seinen Bestand, seine Richtung durch die beigefügte Nuncupatio, welche bei dem Darlehn sich unmittelbar an die Geldleistung anschliesst und assimilirt sich mit derselben so sehr, dass nicht sie, sondern die Geldleistung selbst nicht nur als Grund der Obligation, sondern auch für alle Theile derselben maassgebend wird. In den Fällen hingegen, wo Kupfer und Waage zur Eigenthumsübertragung an einer Sache dienen, erscheint die Geldleistung nicht mehr als Selbstzweck, sondern im Dienste eines Dritten, völlig fremden Zwecks, und es schliesst sich demnach die Nuncupatio nicht schlechtweg an die Zahlungsleistung an, sondern bezieht sich zunächst nur auf das Schicksal der gekauften Sache (§ VII. S. 12 f.). Das ist nun im Wesentlichen nichts, als eine weitere Ausführung dessen, was von Huschke Stud. d. Röm. Rechtes S. 295 gesagt, vom Vf. nicht erwähnt worden ist. Anders Puchta, welcher a. a. O. S. 39 die Nuncupatio als Etwas dem obligatorischen Nexum Eigenthümliches darstellt. Die Stelle des Varro, welche die Controverse des Manilius und Mucius Scävola über den Begriff des Nexum erörtert, wird unter Billigung der handschriftl. Leseart so erklärt, dass der letzte da, wo eine Eigenthumsübertragung, ein Mancipio dare vorkam, ein Nexum nur da angenommen habe, wo sich mit jener Eigenthumsübertragung eine obligatorische Absicht verbindet, während der erstere, den Zweck der Zahlungsleistung für irrelevant erachtet und also auch jeden Fall der Eigenthumsübertragung, des

Mancipium, unter den Begriff des Nexum eingestellt habe (§ 27. — XII. S. 10—27). Diess ist im Wesentlichen dieselbe Erklärung, welche im Rechtslexicon Bd. 1. S. S. 181 (1838) gegeben ist, und, wenn Ref. die Sache richtig auffasst, auch der Sinn der Puchta'schen Erklärung, welche S. 21 nicht richtig aufgefasst zu sein scheint. Dagegen gebührt dem Vf. das Verdienst, die Schilling'sche Ansicht (Lehrb. f. Institut. § 153. Zusatz 2. S. 514 f.), dass Nexum im engeren Sinne nur die Obligation bezeichne, welche aus der solennen Veräusserung einer Sache fiduciae causa entsteht, mit treffenden Gründen zurückgewiesen zu haben (S. 16—18); eben so wird die Sell'sche Meinung, welche in den Stellen, wo Nexum und Mancipium einander gegenüber stehen, durch beides dieselbe Sache, aber nach verschied. Richtungen hin bezeichnen lässt, mit Glück bestritten und auf eine völlig unzulässige Interpretation der Varro'schen Stellen zurückgeführt (S. 21 f.) — Die Untersuchung über das Wesen der alten Nexi schliesst sich unmittelbar an die Stelle Varro's (§ XIII—XLI. S. 23—91). Der Vf. weist nach, dass die Niebuhr'sche Ansicht, welche in dem Necti eine Verpfändung der eigenen Person erblickt, bereits von Salmasius und J. F. Gronov aufgestellt worden ist; neu ist nur ihre Ausführung in der Weise, dass das Nexum hier nur als Form, als Träger des Vertrags diente, indem der Verkäufer im Besitze blieb und durch Rückzahlung des als Kaufschilling empfangenen Geldes das Pfand lösen konnte, wogegen der Gläubiger bei Unterlassung dieser Rückzahlung sein Eigenthum vor dem Prätor vindiciren durfte. Auch bei Puchta ist das Necti eine Selbstmancipation, die freilich nicht erst durch die Vindication vor dem Prätor, sondern durch die Judicatio ihre ernstliche Wirkung erhält (a. a. O. S. 29). Eine andere Wendung hat die Sache durch v. Scheurl (üb. das Nexum S. 51) erhalten, welcher an die Stelle jener Selbstverpfändung und Mancipation der eigenen Person die Operae des Schuldners setzt, die dem Gläubiger dicis gratia, vielleicht um einen Nummus unus bei dem Gelddarlehn mancipirt worden seien. Und von dieser Ansicht weicht Sell nur insofern ab, als er nicht neben dem Darlehen noch einen symbolisch geschlossenen Kauf annimmt, sondern das Darlehen bald als Kaufpreis für die Person des Schuldners, der sich zum Nexus macht, bald für die Sache, welche zur fiducia hingegeben wird, gelten lassen will. Sehr richtig unterscheidet der Vf. zwischen dem Zustand der Addicti (Judicati) und dem der Nexi, weil die ersten noch vorkamen, als lange schon das Necti bei dem Darlehen aufgehoben war (§ XXIII. S. 62, § XLVI a. S. 105 f.); das Necti wird charakterisirt als eine von der Executionsknechtschaft ganz verschiedene Haft, welche auf einer besonderen contractlichen Verabredung beruht, mithin, wo sie sich fand, als unmittelbare Folge dieses Contractes erschien (§ XXI. S. 55, § XXII. S. 56). Die Gründe für diese Auffassung des Begriffs sind: 1) eine Reihe von Stellen bei Dionys. v. Hal., welche das Necti geradezu auf die

10 *

Grundlage eines Vertrages zurückführen (§ XXI. S. 52—56); 2) einige Stellen aus Livius, vorzüglich II. 23 und 24, in welchen bezeugt wird, dass die Nexi bald in Fesseln schmachteten, bald ohne Fesseln von den Gläubigern gehalten wurden; 3) die Beschreibung bei Varro, welcher das Wesen dieses Rechtsverhältnisses setzt in dare operas suas in servitutem pro pecunia, quam debet, dare, was freilich zum Theil nur auf Conjectur beruht, da die Handschriften statt der Lesart der älteren Ausgaben debet dat; „debebat" bieten. Da nun schliesst sich der Vf. S. 27—29 an die gewöhnliche Auflösung des debebat in debet dat an, während Ref. eher geneigt sein möchte, die jetzt auch von Puchta (Curs. d. Instit. II. S. 216) gebilligte Meinung von Otfr. Müller gut zu heissen, welcher das debebat, das nach der Sitte des Varro eine Anspielung auf die obligatorische Natur des Verhältnisses enthalten soll (nectere heisst ja so viel als ligare und das ist die Grundform von obligare, alligare u. s. w.), unberührt lässt und das dem Zusammenhange des Ganzen nach nothwendige Zeitwort dare durch die Auflösung des quam in quadam wiedergibt. Eine sehr leichte Aenderung, welche dem Zeitalter Varro's auch insofern angemessener zu sein scheint, als dann das Necti als ein im Laufe der Zeiten bereits abgekommenes Institut genannt werden würde. Was der Vf. gegen diese Vermuthung einwendet, ist einer ernstlichen Widerlegung nicht werth. Im Grunde würde die Stelle auch in dieser Wiederherstellung zum Beweisthume des Vfs. tauglich erscheinen, da die Worte: liber, qui suas operas in servitutem pro pecunia quadam debebat, dum solveret, nexus vocatur, ut ab aere obaeratus ihrem endlichen Resultate nach die Knechtesdienste einer freien Person ebenfalls als Gegenstand des Necti viel deutlicher hervorheben, als die gewöhnliche Lesart der Ausgaben. Auch hat die Sache ihre Richtigkeit, da Dionysius da, wo die Parallelstellen bei Livius das Necti und die Nexi erwähnen, die Knechtesdienste dieser Freien als das Drückende in der Lage der Nexi insbesondere hervorhebt. Ganz richtig charakterisirt also der Vf. den Zustand der Nexi nicht als eine Schuldknechtschaft, wie sie bei den Addicti, Judicati vorkommt, sondern als eine Schuldvertragsknechtschaft, deren Hauptinhalt in dem factischen servire besteht, was auch den Ansichten der classischen Juristen die Befugniss auf den Gewinn der Operae in sich schliesst (L. 4. § 4. D. 40. 7. de statu lib.). Nexus ist ihm nach Huschke's (Stud. d. Röm. Rechts S. 296) Vorgange weder der Darlehnsschuldner selbst, noch der, welcher ein Darlehen durch das Versprechen seiner Operae, seiner Dienstbarkeit auf den Fall der nicht geleisteten Zahlung garantirt, sondern bloss der, welcher seinem nicht befriedigten Gläubiger nach dem Verfalltage, wie ein Knecht wirklich dient (§. XVI. S. 36). Eine Darstellung, welche, wenn Müller's Conjectur richtig ist, einer gewissen Modification bedarf. Zur Bezeichnung dieses Rechtsverhältnisses in Abstracto findet sich zwar bei Varro kein Kunstausdruck vor, wohl aber braucht Cicero in der Schilderung des Inhalts der Lex Petillia dafür das Wort Nexum, i., wo Livius von den Nexi im technischen Sinne spricht; auch kommt bei Liv. in ähnlicher Beziehung nexum ire vor, z. B. in der Redensart nexum inire, wofür anderwärts das völlig gleichbedeutende nexum se dare und das einfache necti gebraucht wird (S. 37 f.). Zur näheren Bestimmung des Verhältnisses zwischen dem unbefriedigten Gläubiger und dem Schuldvertragsknecht werden folgende Behauptungen gewagt: der Nexus behält seine staatsrechtliche Stellung, also seine Freiheit und Civität, er erleidet keine Capitis Deminutio, von Infamie ist nirgends die Rede; auch sein Vermögen bleibt unangetastet; daher, um dieses zu retten, mancher sich wohl gern in die Knechtschaft begeben mochte, in der Hoffnung, von anderer Seite her Geld erhalten zu können, als durch Veräusserung des Grundbesitzes. Hiernach geht das Recht des Nexus und des Addictus, deren Verhältnisse im Allgemeinen viele Aehnlichkeit mit einander haben und in manchen Stücken ganz zusammenfallen, bedeutend aus einander; die Schuldknechtschaft des Addictus beruht auf einem Decrete des Magistrats, also auf einer jurist. Grundlage, der Addictus ist also dem Rechte nach servi loco; die Schuldvertragsknechtschaft des Nexus aber erscheint nur als eine von den möglichen Garantien für die Rückzahlung des darlehnsweise hingegebenen Capitals (§ XV. S. 32), sie beruht nur auf Aes et Libra, also auf einer obligatorischen Grundlage, welche dem Gläubiger ausser jener allgemeinen Berechtigung zur Auswirkung einer Addictio seines Schuldners noch mehr Befugnisse in Aussicht stellt, welche im Schuldvertrage von selbst nicht enthalten waren. Zur Verdeutlichung dieser Idee hat der Vf. (§ XVIII. S. 42 f.) sehr geschickt das Rechtsverhältniss des Auctoratus zu seinem Dienstherrn benutzt, der sich unter Bekräftigung des Eides zwar nicht zu Sclavendiensten im Allgemeinen, wohl aber zu Gladiatorendiensten insbesondere verpflichtet, die aber gleichwohl nicht anders, als wie bei dem Nexus, die ganze Kraft und Existenz des Individuums in Anspruch nehmen. Von Verabreden einer vertragsmässig einzuräumenden Privatexecution, an die man wohl gedacht hat, ist hier eben so wenig, wie bei dem Auctoratus die Rede; vielmehr erklärt sich die Sache vielleicht durch die Annahme einer durch privatrechtliche Convention eingeräumten Manus iniectio, deren Wesen darin besteht, dass man sich des Besitzes eines Individuums auch ohne Anrufung des Richters vergewissern konnte. Diese Ausführungen sind mit einer Reihe polemischer Bedenken gegen die Ansichten neuerer Gelehrten an den geeigneten Orten durchwebt, und der Gewinn, welcher sich daraus für die weit. Untersuchung ergibt, dürfte namentlich im folgenden Puncte bestehen. Es ist eine zwar sehr gewöhnliche, aber durchaus den Quellen nicht entsprechende Behauptung, dass der Nexus die Schuld durch seine Operae habe abverdienen müssen, wie in specieller Beziehung auf den Addictus jetzt nach Puchta Curs. d. Institut. II.

S. 160 annimmt. Diese Ansicht beruht auf einer falschen Erklärung der Worte donec solverit bei Varro, welche auf die Dauer der Schuldvertragsknechtschaft bis zu dem Augenblicke, wo die Schuld durch Zahlung getilgt wird, verstanden werden müssen (§ XXXIV. S. 81), wie diess auch bereits von Scheurl (S. 51) bemerkt hatte. Auch in den vielen Erzählungen des Livius und Dionys. über die Verhältnisse der Nexi findet sich nicht die leiseste Andeutung von der Abschätzung ihrer Arbeit. Als ein weiterer Irrthum der gewöhnlichen Interpreten wird es bezeichnet (§ XXVII. S. 68), wenn man bei der Erklärung der Rechtsverhältnisse der Nexi allgemein von der Annahme einer Mancipation ausgeht und darnach den Nexus im technischen Sinne bald als eine Mancipatio der eigenen Person, bald als eine Mancipatio der Operae, das angewendete Aes aber als den für sie zugewogenen Kaufpreis auffasst. Dabei wird besonders Sell bekämpft, welcher das Nexum auffasst als einen Kauf, zusammengesetzt aus einer Darlehnssumme als Kaufpreis, aus einer zukünftigen Leistung als Gegenstand, geknüpft an die Bedingung der Nichtigkeit des Ganzen. Der Vf. (§ XXVI. S. 67) nennt diess ein wahres juristisches Ungeheuer. Den Grundfehler dieser Erklärungen bildet eine Verwirrung der Gebietsgrenzen zwischen der alten Mancipatio und dem Nexum, welche im Sinne des Mucius Scävola genau aus einander zu halten sind, und ausser der Gemeinschaftlichkeit von Kupfer und Waage keine weiteren Berührungspuncte unter einander haben. Frei von diesem Irrthume ist die Darstellung v. Savigny's geblieben, welcher die neue Ansicht zu begründen sucht, als läge die ganze Bedeutung des Nexum als symbolischen Darlehens nur in der Anwendung der strengen Execution der 12 Tafeln, welche sich lediglich auf Darlehen beschränkt habe und durch die Anwendung von Aes und Libra auf andere Obligationsgründe ausser dem Darlehen auch bei diesen möglich geworden sei. Allein der Vf. wendet gegen diese Vermuthung seines Lehrers, wie es scheint, mit Grund ein, dass ihr Boden durchaus unsicher ist, dass das nexum aes bei Festus und die nuncupata pecunia bei Varro und Festus nicht nothwendiger Weise zu beziehen sind auf ein symbol. Darlehen, was unter Anwendung von Aes und Libra abgeschlossen wird, sondern eben so gut gehen können auf das wirkliche Zuwägen der Darlehnssumme, auf das Versprechen der Kaufpreiszahlung, welche bei der Sachmancipation zu einer besonderen Clausel des Nuncupationsactes erhoben wird, endlich auch auf die bei dem Mancipationstestamente auferlegten Damnationslegate einer bestimmten Geldsumme. Erscheint demnach jenes symbol. Darlehen, was in dem Nexum liegen soll, nur als eine müssige Erfindung der Interpreten, so fällt auch zugleich die darauf gebaute Vermuthung v. Savigny's, welcher ein ausdrücklich abgegebenes Versprechen der Dienstbarkeit, und den Unterschied der Schuldvertrags- und Schuldknechtschaft übergeht. Nach diesen Untersuchungen über die Begriffsbestimmung der Nexi wendet sich der Vf. auf die ausführliche Darlegung des Inhalts der Lex Poetilia Papiria, welche nach dem Zeugnisse des Livius den alten Schuldnexus für immer aufgehoben hat, was jetzt auch Cicero de republ. II. 34 bestätigt (§. XLIV. S. 100. — § LIII. S. 125). Der Vf. setzt den Inhalt der lex nach Anleitung von Varro einfach in das gesetzliche Verbot, Knechtesdienste auf den Fall der Nichtzahlung von Capital und Zinsen zu versprechen, und bringt damit die Aeusserungen des Livius in Verbindung, welche sich sämmtlich aus dieser Ansicht erklären lassen. Durch die Entfernung der gefährlichen Capitalsatisdation bei dem Darlehen aus den Rechtsgeschäften des täglichen Lebens erhalten nun die Worte des Livius (VIII. 28): ihre wahre Bedeutung: pecuniae creditae bona debitoris, non corpus obnoxium esset, welche v. Savigny für eine irrige Ausschmückung Desjenigen, was dieser Schriftsteller in seinen Quellen vorfand, ausgegeben hat. Auch wird gezeigt, dass, obschon man auch dem Gesetze mit v. Savigny nothwendlich die Modificationen der Zwölftafelexecution zuschreiben muss, dass die Anwendung von Fesseln und Fussblock hinfort verboten sein sollten, mit Ausnahme der zum Tode verurtheilten Criminalverbrecher (§ XLVI. a. S. 104), es doch nur auf einem Missverständnisse des Zusammenhanges, in welchem die Stelle vorkommt, beruht, wenn man seit Salmasius daraus gefolgert hat, die von dem Zwölftafelgesetz für den Fall des Judicats und der Confessio sanctionirte Schuldknechtschaft sei durch die genannte Lex aufgehoben worden. Die Worte Varro's: et omnes, qui bonam copiam iurarunt, ne essent nexi, dissoluti nimmt der Vf. richtig nach dem Inhalt der Lex als Vorbedingung der Auflösung des Nexus und erklärt sie nicht aus der Ansicht Bekker's, welche diese Auflösung nur für die Begüterten eintreten lassen, d. h. für Die, welche beschwören konnten, dass sie hinreichendes Eigenthum besässen, um ihre Schuld zu bezahlen; auch nicht aus dem Vorurtheile Mancher, die gegen den Wortsinn der angeführten Stelle das Schwurthema gebildet haben: man könne nicht zahlen, sondern er bezieht die Betheurung des Schwurs zunächst nur auf die Gefährde und rückhaltlose Hingabe des Vorhandenen, so dass denn also das Wort copia nicht auf den Inhalt des Vermögens geht, sondern auf den, dem Gläubiger möglich gemachten Zutritt zu diesem Vermögen (§. XLI. a. S. 106—108). Zu dieser völlig neuen Erklärung stimmt ganz auch der Zusammenhang, in welchem das bonam copiam iurasit iuraverit in der Lex Julia Municipalis auf der Tafel von Heraclea vorkommt. — Das Verschwinden des obligator. Nexum aus dem Röm. Geschäftsverkehr wird als eine natürliche Folge des veränderten Geldsystems dargestellt, während es bei dem Kaufe, welcher seiner Natur nach einer mannichfachen, symbol. Anwendung fähig war, sich auch fernerhin formell noch erhielt, insbesondere aber als Tilgungsform von Obligationen, wo es bald als nexi liberatio bald als solutio per aes et libram vorkommt. Beide Ausdrücke, welche die meisten Schriftsteller für gleichbedeutend erachten, werden vom Vf.

auf das Genaueste geschieden (§ LXII. S. 148. — LXVII. S. 158). Nexi Liberatio ist ihm jede Tilgung einer durch Nexum begründeten Schuld, mag diese Tilgung mit oder ohne Anwendung von Kupfer und Waage bewirkt werden; Solutio per aes et libram hingegen besteht umgekehrt in der durch Kupfer und Waage bewerkstelligten Tilgung, gleichviel ob die zu tilgende Schuld ihren Grund in einem Nexum hat oder nicht. Allein der Vf., welcher nur aus der Benennung argumentirt, übersieht dabei ganz und gar, dass Festus nach Aelius Gallus neben der Nexi Datio und Testamenti Factio auch die Nexi Liberatio zu dem Nexum rechnet (quae in genere sunt haec: testamenti factio, nexi datio, nexi liberatio), also das Vorkommen des Aes und der Libra bei jeder Nexi Liberatio voraussetzt, was nach dem Obigen theilweise abgeläugnet worden ist. Die Solutio per aes et libram war in der älteren Zeit, so lange noch das Kupfer zugewogen ward, die einzige Tilgungsweise von wahren Geldschulden; sie findet demnach bald Anwendung als eine wahre, wirkliche Zahlung, bald als blosse Scheinzahlung zum Zwecke des Schulderlasses. Mit der Einführung des Silbergeldes hat sich ihre erstgenannte Function verloren; als Scheinzahlung hingegen blieb sie auch fernerhin noch fortbestehen in allen Fällen, wo durch das Nexum oder das Judicat eine Geldschuld contrahirt worden ist, und dahin gehören nach dem älteren Rechte ohne Zweifel das Darlehen selbst, ferner das Geldlegat eines Mancipationstestamentes, der bei der Mancipation einer Res Mancipi versprochene Kaufpreis, die Verpflichtung zur Bezahlung des doppelten Werthes im Fall der Eviction und das Judicat. Dazu stimmt nun, was uns Gaius Inst. III. § 173—175 von der Anwendung der Solutio per aes et libram zu seiner Zeit berichtet, in welcher das Darlehen längst aus der Reihe der Nexa verschwunden war. Die Meinungsverschiedenheit, welche sich unter den alten Juristen bezüglich des möglichen Inhalts einer solchen Legatschuld zeigte, wird vom Vf. nicht ohne Glück auf den geschichtlichen Umstand zurückgeführt, dass früherhin, als die Form der imaginaria Solutio sich bildete, eine Geldzahlung ohne Anwendung der Waage unmöglich war. Danach ist es nur das Geldlegat, nicht das einer jeden fungiblen Sache, welches nach der von Gaius gebilligten Ansicht durch Anwendung der solutio per aes et libram getilgt werden muss, und nur darauf sind die scheinbar allgemein lautenden Worte bei Gaius (Inst. III. § 175) quod pondere numero constet zu beschränken. Dass auch die Judicatschuld unter den Obligationen genannt wird, welche durch Anwendung von aes und libra getilgt werden können, ist nicht, wie Meyer und Rudorff wollen, aus der Litiscontestation zu erklären, welche ihrer Form nach ein Nexum gewesen sei; auch darf nicht mit v. Scheurl angenommen werden, dass bei der besonderen Gefährlichkeit der aus dem Judicat entstehenden Schuld und der Möglichkeit ihren Beweis leicht herzustellen es habe billig erscheinen müssen, auch dem Schuldner für den schnellen und sicheren Beweis seiner Befreiung zeigen zu lassen, viel einfacher führt der Vf. die Anwendung der Solutio per aes et libram auf die Eigenschaft des Judicats als einer Geldschuld zurück, bei der sie als imaginaria Solutio auch fernerhin stehen geblieben sei, als nach Einführung des Silbergeldes von einer realen Solutio dieser Art nicht mehr die Rede sein konnte (§ LXVI. S. 157). — Neben diesen Hauptresultaten der Schrift finden sich darin auch noch einige gute Andeutungen über mehrere, mit dem Gegenstande der Untersuchung zusammenhängende Materien. Dahin gehören die Bemerkungen über die Geschichte des Begriffs pignus in der älteren Zeit. Der Vf., welcher in Abweichung von der gewöhnl. Ansicht die Verkaufsbefugniss für die ältere Zeit in Abrede stellt, betrachtet mit Recht das ältere Pfandgeschäft lediglich als ein Mittel, den Schuldner mittelbar, d. h. durch den in dem längeren Entbehren der Pfandsache liegenden Nachtheil die Erfüllung des Versprechens abzunöthigen (§ XXIX. S. 71. — XXXII. S. 79). Er weist aus Pauli sent. II. 4. rubr. Isid. etymol. V. 25. § 19, 20, 22, 24 auf überzeugende Weise nach, dass die Alten den Begriff depositum pignus lediglich auf das im Pfandcontracte liegende Besitzrecht beschränkt haben (zur Unterstützung dieser Ansicht hätte auch das Zeugniss von Paul. sent. II. 5. § 1, zur Berichtigung der Titelrubrik in II. 4 die Lex Rom. Burgundionum tit. 14 am Ende benutzt werden sollen); dass ferner das Verkaufsrecht nach den Zeugnissen der class. Juristen auf einen speciellen zwischen dem Pfandschuldner und dem Pfandgläubiger abgeschlossenen Vertrag zurückgeführt werden muss, welcher nicht von Anfang an in dem Begriffe des Pignus lag; dass endlich nach einem Entwickelungsgange, welcher sich in der Röm. Rechtsgeschichte oft wiederholt, dieser Verkaufsvertrag sich auch da von selbst verstand, wo er nicht ausdrücklich dem Pfandgeschäfte hinzugefügt worden war. Nur das scheint zu tadeln, dass die Hinzufügung dieses Vertrags als eine Rückwirkung des durch die fiducia in das Röm. Pfandrecht neu eingeführten Gesichtspunctes auf das alte Pignus charakterisirt wird (§ XXXI. S. 75). Ist doch der Contractus Pigneraticius als ein Geschäft, welches dem Jus Gentium entstammt offenbar jünger, als die fiducia, vgl. Puchta Curs. d. Institut. II. S. 703. Beachtungswerth sind ferner die Bemerkungen über das Verhältniss der Zinsen zum Capitale im ältesten Rechte (§ XXXV. S. 82—84). Hier wird auf überzeugende Weise nachgewiesen, dass die Capitale regelmässig nur auf Ein Jahr vorgestreckt wurden, dass versprochene Zinsen nach Ablauf desselben nicht von selbst weiterliefen, dass endlich dem Gläubiger zur Verzinsung seines Geldes für die Folgezeit kein anderer Weg offen blieb, als dass er die ganze Summe — Capital und Zinsen — von Neuem dem Schuldner zum förmlichen Darlehen hingab. So erscheint für die ältere Zeit der sogenannte Anatocismus conjunctus sehr gewöhnlich gewesen zu sein, welcher durch die Verbindung von Capital und Zinsen zu einem neuen Darlehen realisirt ward. — Nicht ganz neu sind die Ansichten des Vfs. über die ältere Auffassung des Obligationsnexus. Während im späteren Rechte hauptsächlich die Person als verpflichtet hervorgehoben wird, und die Rücksicht auf den Gegenstand der Obligation zurücktritt, so behandelt das ältere Recht den letzteren als den primären Bestandtheil der Obligation und die obligirte Person als den secundären. Am deutlichsten tritt dieser Gedankengang hervor in den Ausdrücken nexa liberata bei Cicero, iudicatum liberari posse bei Gaius u. s. w. (vgl. § LVI. S. 131 f.). Offenbar gehört dahin auch das nexum aes bei Festus, und das pecuniam alligare bei Varro, was der Vf. in der Eile übersehen hat. Das Wesentliche dieser Ansicht findet sich schon bei Huschke Stud. d. Röm. Rechtes S. 286. — Die strenge Execution des Zwölftafelgesetzes wird nicht bloss, wie v. Savigny meint, auf die Schulden aus dem Creditum, sondern auf alle Geldschulden bezogen (S. 131—136), und von Gaius (inst. IV. § 48), welcher für die Zeit der Legisactionen bezeugt, dass die Condemnatio auch auf Sachen ausser Geld erfolgen konnte, nachgewiesen, wie sein Zeugniss auch ohne gewaltsame Textänderung mit jener Thatsache in Einklang gebracht werden könne (§ LVII. S. 134—138). Der Vf. denkt sich die Sache so, dass in solchen Fällen, wo das Judicat nicht auf eine bestimmte Summe baar Geld lautete, sondern auf eine andere Certa Res, eine durch richterliche Dazwischenkunft vermittelte Schätzung des Condemnationsgegenstandes als einziger Ausweg offen blieb, was indess einem ganz neuen, vom ersten Processe unabhängigen Verfahren überlassen blieb. — Möge dem Vf. bald Gelegenheit und Musse werden, weitere Forschungen auf dem Gebiete des älteren Röm. Privatrechtes zu veröffentlichen. Dass der von ihm nicht ohne Glück betretene Weg der Untersuchung der einzig wahre sei, auf welchem man zur gründlichen Erkenntniss des class. Pandectenrechtes gelangen könne, wird jeder Sachkundige einräumen, wenn er auch nicht allen Resultaten des Vfs. beistimmen kann. Möge er nur künftig diese besser ordnen, als es hier geschehen, und dann auch Inhaltsanzeigen und Register beifügen.

Classische Alterthumskunde.

[1920] Hellenische Alterthumskunde. Von **Wilhelm Wachsmuth.** 2. Ausg. (1. Bd.) 1.—5. Heft. Halle, Schwetschke u. Sohn. 1843. S. 1—560. gr. 8. (à Heft 15 Ngr.)

Die erste Abtheilung der ersten Ausgabe dieses Buches erschien im J. 1826: wer die seitdem gefolgte literarische Production auf dem Gebiete der hellenischen Geschichte und Alterthümer beobachtet hat, wird dem Vf. beistimmen, wenn dieser behauptet, die Ankündigung des Bedürfnisses einer 2. Ausgabe seines Werkes habe ihm eben so sehr zur Sorge als zur Freude gereicht. Diess um so mehr, da es nicht bloss um Verarbeitung des massenhaften Zuwachses dahin gehöriger Literatur, sondern um eine aus inneren Gebrechen des Buches bedingte totale Umgestaltung desselben zu thun war. Doch so lange Lust und Liebe zur Sache da ist, hat Häufung von Schwierigkeiten auch ermunternden Reiz, und diesen hat der Vf. empfunden. Also mit dem Bewusstsein, sich über die Natur seiner Aufgabe nicht getäuscht zu haben und mit dem Vertrauen, dass einsichtsvolle Beurtheiler bei einer auch nur flüchtigen Vergleichung der bis jetzt erschienenen fünf Hefte der 2. Ausgabe der hellen. Alterthumskunde mit der 1. des Werkes gänzliche Umgestaltung erkennen werden, beschränkt er sich hier darauf, die Erweiterung desselben zu einem Handbuche der hellen. Alterthumskunde aus dem Gesichtspuncte, nicht bloss des Staats, sondern des gesammten politischen und humanen Lebens, und was den 1. Theil (die beiden ersten Abtheilungen der früheren Ausgaben) betrifft, die neu hinzugekommenen Capp. über die hellenischen Land- und Ortschaften, die Verfassungen und die veränderte Anordnung des Stoffes bemerklich zu machen. In der 1. Ausgabe hat das Bemühen, die Entwickelung der alterthümlichen Zustände nach chronologischer Succession darzulegen, ungünstigen Einfluss auf die Vertheilung der Massen geübt: diesem Uebelstande ist abgeholfen worden; an die Stelle chronologischer Zerstückelung, des in der 2. Abtheilung erster Ausgabe augenfälligen Gebrechens, ist eine Gruppirung getreten, wo die Uebersicht der Geschichte und Alterthümer der bedeutenderen einzelnen Staaten besser als zuvor gewahrt worden ist. In wie weit der Vf. die Schriften des letzten Quinquennien benutzt habe, muss sich aus dem Buche selbst ergeben: leider hat er zu beklagen, dass manche Gelegenheitsschriften ungeachtet des jetzt so förderlichen Austausches akademischer Schriften nicht in seine Hand gelangt sind, und spricht hierbei den angelegentlichen Wunsch aus, dass die Hrn. Verfasser von Programmen, Habilitations-Disputationen u. s. w., so viele sich auf die hellenische Alterthumskunde beziehen, seiner, wo Mühe und Kosten nicht in Frage kommen, freundlichst gedenken wollen!

W. Wachsmuth.

[1021] Quaestiones Homericae. Scripsit Jul. Franc. Lauer, Dr. Phil. A. L. M. Quaestio prima de undecimi Odysseae libri forma germana et patria. Berolini, [illegible]. 1843. 88 S. gr. 8. (15 Ngr.)

Eine interessante Erstlingsschrift, welche für den Scharfsinn, die Combinationsgabe und Belesenheit ihres Vfs. ein günstiges Zeugniss ablegt. Nachdem Hr. L. in dem prooemium (S. 1—10) seine Ansicht über die Einheit der Odyssee durch Berufung auf das Nibelungenlied auseinandergesetzt und näher bestimmt hat, erklärt er von der Odyssee dasselbe nachweisen zu wollen, was G. Hermann und Lachmann an der Ilias gethan, wobei er den Argumenten dieser Gelehrten noch einige hinzufügt. Darauf stellt er drei Arten von Interpolationen auf: Widersprüche, die nicht durch Aussonderung einzelner Verse, sondern nur durch Auflösung der Ilias und Odyssee in einzelne Gedichte zu lösen sind; 2) Verse, welche die Rhapsoden hinzuthaten, um dem Zusammenhange nachzuhelfen und weiter auszuführen; 3) einzelne Stellen, die ohne gegen das Gedicht als Ganzes zu verstossen, doch aus verschiedenen Gründen für eingeschoben gelten müssen. Zum ausführlicheren Belege soll das 11. Buch der Odyssee dienen, eine Rhapsodie die ihrem Inhalte nach zu allerlei Einfügungen gleichsam einladen musste. Zuerst will Hr. L. von den untergeschobenen Versen handeln, dann erweisen, dass die Nekyia ursprünglich ein besonderes Gedicht gewesen, und drittens das wahrscheinliche Vaterland des Gesanges darthun. Im 1. Cap. (S. 10—25) wird die Erzählung vom Elpenor (v. 51—83) untersucht. Der 1. Paragraph thut dar, warum Odysseus in die Unterwelt hinabstieg, und wie mit seinem Hauptzwecke das Zusammentreffen mit den Männern und Frauen stimmte, die er dort sprach. Nur für die Begegnung mit Elpenor lässt sich kein rechter Grund auffinden. Ja, die Unterredung mit diesem (§ 2) hält sogar unnöthiger Weise den Odysseus in Verfolgung seiner Hauptabsicht, den Tiresias zu befragen, auf; die ganze Erzählung stimmt in sich selbst nicht und bietet auch in der Sprache Befremdendes; Nachbildung der Rede des Odysseus mit seiner Mutter und Zusammenstoppelung aus vielen anderen Homerischen Stellen zeigt sich. Ferner (§ 3) stimmt die ganze Art, wie Elpenor auftritt nicht zu den sonstigen Ansichten des Dichters über die Gestorbenen. Cap. II. de Hercule locus defenditur (v. 601—626). Schon alte Grammatiker haben fünf Verdächtigungsgründe gegen diesen Abschnitt aufgestellt und die Neueren noch einige hinzugethan. Indem aber Hr. L. die Verse 602—4 als interpolirt (vgl. S. 43 f.) fallen lässt, schwinden gleich 3 Gründe der Alten und die zwei übrigen, dass 1) Herakles bewaffnet ist und 2) ohne Blut getrunken zu haben mit Odysseus sprach, werden abzuweisen gesucht. Der 3. Paragraph widerlegt die weiteren Argumente, welche Nitzsch und B. Thiersch gegen die Aechtheit vorgebracht haben; der 4. rechtfertigt die Erwähnung des Herakles in der Unterwelt. Cap. III. reliquae *Νεκυίας* interpolationes examinantur (S. 45—55). Hier schliesst sich Hr. L. zumeist an seine Vorgänger in der Homerischen Kritik an. Die besprochenen Stellen sind v. 28—42 (wohl nicht unächt), v. 92, 115—34, 298—304, 321—25, 328—84 (deren Unächtheit auf andere Weise, als von Nitzsch geschehen, erhärtet wird), 565—69, 631. Cap. IV. *Νεκυίαν* carmen aliquando singulare fuisse demonstratur (S. 55—70). Odysseus war in die Unterwelt gestiegen, um den Wahrsager Tiresias zu befragen: allein von diesem erfährt er im Ganzen nur sehr weniges über seine Rückkehr in die Heimath. Viel genauer wird es nachher von der Circe berichtet, welche Einzelnes wie die Gefahr auf der Insel Trinakria zum Theil mit denselben Worten wie Tiresias, nur ausführlicher auseinandersetzt. Das 10. und 12. Buch hangen ganz gut zusammen; zwischen sie ist bei der Redaction zu einem Ganzen die Nekyia eingeschoben. Auch das Alter des als schon erwachsen erwähnten Telemachos (v. 184, 447) ist mit den sonstigen Homerischen Angaben unvereinbar, die jenen zur Zeit, wo sein Vater hinabstieg, höchstens 14 Jahre alt sein lassen. In dem 5. Cap. (pauca quaedam de *Νεκυίας* patria proferuntur S. 70—88) wird das ganze Stück nach Inhalt und Form betrachtet. Die sichere Analogie, dass die ältesten Dichter vorzugsweise einheimische Sagen behandelten, gibt einen Ausgangspunct: Tiresias nämlich weist auf das nachmals Boeotien geheissene Land, wo die Verehrung des Pluto und der Persephone und Nekromantie seit alten Zeiten heimisch war. Ferner gehoren alle Personen, mit denen Odysseus spricht, dem Sagenkreise der Minyer und Thebaner an: Tiresias, Tyro, Antiope, Alkmene, Megara, Epikaste, Chloris, Iphimedia, Maera, Clymene, Eriphyle, Herakles. Endlich erinnert auch die Form, das Katalogische an Boeotien und Hesiods *καταλόγοις γυναικῶν*, wie gleicherweise nur ein Boeotischer Ursprung des Gedichtes die 2 Verse 310 und 11 wo Otos und Ephialtes *πολὺ* [illegible] *μετά γε κλυτὸν Ὠρίωνα* und den Umstand, dass Agamemnon V. [illegible] Orchomenos, nämlich das Minyeische, unter anderen Städten zuerst nennt, genügend erklärt. Dass aber gerade die Boeotier Interesse an der Fabel vom Odysseus in der Unterwelt nehmen konnten, wird aus allerlei Zusammenhang zwischen Boeotien mit Ithaka und Odysseus, der ja dort in Alalkomenae ausgesetzt oder geboren sein sollte, scharfsinnig gefolgert. Näher noch lässt sich vielleicht Theben oder Orchomenos als der Ort angeben, wo das Gedicht in seiner ersten Gestalt abgefasst worden ist. — Die Latinität des Vfs. ist im Ganzen fliessend, doch sind unclassische Wendungen und Ausdrücke nicht überall sorgsam vermieden.

[illegible] Zur Einleitung in Pindar's Siegeslieder. Von Rud. Rauchenstein, Prof., d. Z. Rector d. Aargauischen Cantonsschule. Aarau, Sauerländer 1843. VI u. 151 S. gr. 8. (1 Thlr.)

Diese Schrift soll, nach dem Vorworte, eine Lücke in der Literatur des Pindar ausfüllen: es fehlte seither an einem Buche, welches den gereifteren Schülern der obersten Gymnasialclasse als vorbereitende Einleitung auf den Dichter dienen und sie für das Studium des mehr bewunderten als gelesenen Lyrikers anregen könnte. Nebenbei, äussert Hr. R., sei eine einlässlichere Darstellung wohl auch dem Literaturfreunde angenehm, der, ohne sich näher mit Pindar beschäftigen zu können, mindestens eine bestimmtere Vorstellung von ihm zu erlangen wünsche. Der I. Abschn. des Werkchens selbst (S. 1—16) behandelt die Frage, ob und wie Pindar auf Gymnasien zu lesen sei. Nach bereiter Hinweisung auf die Fülle bildender Kraft in der Poesie der Hellenen ist von der für Schulen nöthigen Beschränkung auf die Muster der drei Dichtungsarten die Rede. Meist nun bleibt das verbindende Mittelglied zwischen Epos und Drama auf den Gymnasien gänzlich, oder doch in seinen wesentlichsten Ueberbleibseln unbeachtet; denn einzelne elegische und epigrammatische Bruchstücke, welche allenfalls noch gelesen worden, langen zur Charakterisirung der Lyrik nicht aus: dazu ist vor Allen Pindar wegen innerer Bedeutsamkeit wie wegen des Umfanges seiner Lieder geeignet. Die Schwierigkeiten freilich, die dieser Sänger bei erster Bekanntschaft hat, sind nicht gering; indessen können sie doch überwunden werden, namentlich eifert Hr. R. gegen den Einwand, als lasse Pindar das jugendliche Gemüth kalt und theilnahmlos. Seinen Erfahrungen könnte Ref. die an zwei bedeutenden Gymnasien Norddeutschlands gemachten zugesellen, auch will dieser daran erinnern, dass gerade in unserer Zeit, wo Fürsten und Völker die Turnübungen wetteifernd wieder erweckt haben, ein innigeres Vertrautsein mit dem was die hellenische Gymnastik dem Leben an Schönheit, Glanz und sittlicher Würde verlieh, unserer Jugend nur erspriesslich sein kann. Denn was heut zu Tage durch die gymnastischen Uebungen erstrebt wird, die edlere Pflege des Leibes, die Bildung desselben zur Gewandtheit, zum Anstand und zur Schönheit, dann die moralische Seite der Pflege und Abhärtung, der Geistesgegenwart und des Muthes, endlich die allgemeinere Rücksicht der Vereinigung der Jugend zu einer edlen und ihrem Alter schön stehenden Freude und der Wehrhaftigkeit für das Vaterland: Alles diess galt auch den Griechen dereinst als Ziel, nur dass bei diesen die Kampfspiele noch eine höhere religiöse Weihe hatten. Pindar nun offenbart wie kein anderer Dichter in klangvoller bilderreicher Sprache die Grundlagen der Blüthe seines Volkes, die dieses belebenden sittlichen Gedanken, den religiösen Glauben und Cultus, die Ordnung des Staates und des Rechts, die Thaten des Krieges und die Wohlfahrt des Friedens, die Liebe zur Heimath und die zarte Ehrfurcht für die Aeltern. Für diesen herrlichen Sänger seine Schüler zu interessiren theilte ihnen Hr. R. zuerst das über Pindar und seine Kunst zu wissen Nöthige mit, dann von einfacheren zu schwierigeren Gesängen fortschreitend gab er ihnen jedesmal vor der öffentlichen Lectüre die erforderlichen Notizen über die Verherrlichten und den Gedankengang des Dichters, wobei er zugleich im Voraus auf die Schwierigkeiten hinwies und so die Selbstthätigkeit des Lernenden, der das schöne Ganze gleichsam selber mit aufbaute, in aller Weise spornte und anregte. Die Darlegung des ersteren Punctes ist die eigentliche Aufgabe des vorlieg. Buches. Daher handelt der 2. Abschn. (S. 17—46) über das Epinikion als ein zu Ehren der Götter und ihres Festes und zu Ehren der durch Satzung geheiligten Sitte im religiösen und nationalen Gedanken gedichtetes Festlied, durch welches der Sieger, sein Haus und seine Stadt, weil sie dem Schönen und dem Lobe nachgestrebt und die Huld der Götter erfahren, von dem Volke gefeiert werden. Der 3. Abschn. über Pindar's Persönlichkeit gibt nach kurzer aber hier genügender Auskunft von den äusseren Lebensverhältnissen, ein sehr wohl gelungenes Bild des Dichters durch Zusammenstellung einiger Hauptzüge aus seinen Liedern. Dem Ref. thut es leid, dass ihm versagt ist, näher auf diesen lebenswarmen Abschnitt einzugehen. Er hebt aus dem vielen Trefflichen nur hervor, dass Hr. R. das Verhalten Pindar's bei der unglücklichen Politik seiner Vaterstadt im 2. Perserkriege mit Glück von dem Vorwurf reinigt, als sei jener dem Nationalfeinde günstig gesinnt gewesen, da er vielmehr seinen unter einander verfeindeten Mitbürgern nur zur Eintracht rieth (S. 70 Note). Sodann konnte bei dem, was über Pindar's Scheu und Kritik in Behandlung der Sagen bemerkt wird, die der Würde der Götter und Heroen widerstreiten, noch Geo. W. Nitzsch in: Die Heldensage der Griechen und ihre nationale Geltung (Kiel 1841) S. 81—83 verglichen werden. Im 4. Abschn. schildert Hr. R. einige Eigenthümlichkeiten und besondere Formen der Pindar'schen Kunst (S. 83—127). Am längsten und ausführlichsten wird hier bei den Mythen verweilt, deren fast kein einziges Pindar'sches Lied entbehrt. Die Auseinandersetzung zeigt, wie der Mythus ein dem Epinikion nothwendiger Bestandtheil wurde, wie der Dichter bei der Auswahl aus dem reichen Mythenschatze seines damit innig vertrauten Volkes verfuhr, und wie er den Mythus in Verbindung mit dem zu preisenden Sieger brachte. Dabei ist gut hervorgehoben, dass ein Bestreben, den Mythus in allen Einzelnheiten auf die Wirklichkeit, auf den Sieger und dessen Verhältnisse zurück zu beziehen, häufig zum künstlichen Ersinnen von Anspielungen führte, an die der Dichter niemals gedacht hat. Ferner wird der Unterschied nachgewiesen zwischen epischer und Pindar'scher Erzählungsart der Mythen: zum Belege dient das längste Lied des Dichters, die 4. Pythische Ode. Hierauf rückwärts zum Polytheismus und Polydaemonismus des griechischen Mythus gehend, beantwortet Hr. R. zuerst die Frage, warum Pindar so selten eigentliche Naturschilderungen hat. Diess führt darauf, auseinanderzusetzen, worin sich die antike Naturanschauung von der modernen unterscheidet, und lässt zuletzt schon erkennen, wesshalb alle längere Naturschilderungen bei Pindar mit Mythen durchflochten sind, und wie in vielfach gestalteter Weise Gegenden und Oertlichkeiten durch Erwähnung der darin wohnenden Gottheiten geschmückt und verherrlicht werden. Den letzten Theil des Abschnittes bilden reichhaltige Bemerkungen über den mannichfaltigen Wechsel an Formen in der Rede des Dichters, seine Metaphern, seinen Humor, die Einmischung seiner eigenen Persönlichkeit, seine Benutzung des Mythus zu feinen politischen Anspielungen u. dgl. m. Der 5. und letzte Abschnitt (S. 128—151) spricht von der Composition, vom Grundgedanken des Liedes, der seine Einheit bildet und von dem Verhältniss der Theile zu dieser Einheit. Die äusseren Veranlassungen der Epinikien sind nicht die Grundideen der Lieder; wenn sich daher der Dichter an das unendlich Mannichfaltige hält, das ihm die äusseren wie inneren Umstände, Verhältnisse und Beziehungen des Siegers darbieten, so besteht die Kunst eben darin, dieses Mannichfaltige unter Leitung einer herrschenden Idee zu einem Ganzen zu verarbeiten. Dagegen ist die Conception der poetischen Idee als der Seele jeden Liedes Sache der Begeisterung und Frucht einer höheren Stimmung. Indem Hr. R. an concreten Beispielen anschaulich macht, wie dieser Gedanke sich in allen Theilen des Gedichtes wiedergespiegelt, handelt er zugleich von den oft sehr überraschenden Wendepuncten der Rede oder den Uebergängen Pindar's. Wie diese Uebergänge der Composition wesentlich dienen, indem sie dazu wirken, den Hauptgedanken durch verschiedene Gänge zu fördern und ihn dabei zu individualisiren, das wird an Olymp. IX gezeigt und zu demselben Zwecke zuletzt eines der grossartigsten und erhabensten Lieder aller Poesie und aller Zeiten, die 1. Pythische Ode, betrachtet. Als Grundgedanke derselben gilt Hrn. R. folgender Satz: die Harmonie, die schöne Ruhe der Ordnung in der Natur, im sittlichen Leben und im Staate ist dem Zeus lieb und steht unter seinem Schutze; die rohe und wilde der Ordnung widerstrebende Gewalt schlägt er. — Vorstehendes im Wesentlichen der Inhalt des vortrefflich geschriebenen, von ächter Begeisterung für den Gegenstand überall zeugenden Buches; eines nachhaltigen Eindruckes wird es bei jugendlich frischen, einer Erregung für das Schöne und Edle fähigen Gemüthern nirgends verfehlen. Erwähnt sei nur noch, dass hie und wieder (S. 18, 28, 31, 40, 43 Note 5, 54, 58, 79, 117, 119 u. s. w.) auch sehr beachtenswerthe Vorschläge zur Textesverbesserung oder neue sinnige Erklärungen mitgetheilt sind. Dem schönen Inhalt endlich entspricht auch die äussere Ausstattung des Werkchens auf angemessene Weise.

[1022] Democriti Abderitae operum fragmenta. Collegit, recensuit, vertit, explicuit ac de philosophi vita, scriptis et placitis commentatus est *Frid. Guil. Aug. Mullachius*, Phil. Dr. Art. libb. mag. in gymn. reg. Gallico super. ordinis praeceptor. Berolini, Besser. 1843. XVI u. 438 S. gr. 8. (2 Thlr.)

Diese umfängliche Monographie macht der ausgebreiteten Gelehrsamkeit, dem unverdrossenen Fleisse und dem Scharfsinne des Hrn. Dr. Mullach alle Ehre und hat er durch diese Schrift die Erwartungen vollkommen bestätigt, welche zwei früher von ihm herausgegebene Quaestiones Democriteae (Berol. 1835 und 1842) rege gemacht hatten. Nach der Dedication an den König von Preussen erklärt sich Hr. M. in der praefatio zumeist über Das, was nach den theilweisen Sammlungen von H. Stephanus, Burchard, Orelli und Philippson besonders in dialektischer Beziehung noch zu thun gewesen sei und welche Grundsätze er selbst bei der Jonisirung der Fragmente befolgt habe. Die Uebersetzung der Bruchstücke musste er zum guten Theile neu machen. Einem ausführlichen Index capitum huius operis (XIV—XVI) folgt dann Quaestionum Democritearum liber primus de Democriti vita S. 1—92. Das 1. Cap. (S. 1—17) enthält die Angaben der Alten über den Vater, das Vaterland und das Zeitalter Democrit's, das 2. referirt über die verschiedenen Bestimmungen, nach denen die Neueren das Geburts- und das Todesjahr des Philosophen festzusetzen gesucht haben (S. 17—18); im 3. (S. 18—36) entscheidet sich Hr. M. für Olymp. 80. 1, 460 vor Chr. als das Jahr der Geburt und bringt die achtzigjährige Wanderung des Mannes (vgl. S. 3) durch die Annahme, das Zeichen π fünf sei für π' achtzig verlesen worden, sehr schön auf ein richtiges Maass und in Uebereinstimmung mit Diodor. von Sicilien XIV, 11. Gestorben ist der Philosoph Ol. 104, 4, vor Chr. 361. Wenn dagegen beim Eusebius Ol. 94, 4 angegeben wird, so liegt muthmaasslich eine Verwechselung des Zahlzeichen *P* mit dem ganz ähnlichen Kappa zum Grunde. Democrit's Blüthe beginnt mit dem Peloponnesischen Kriege, und der berühmte Arzt Hippokrates konnte füglich sein Zuhörer sein. Dagegen wird die Erzählung vom Lastträger Protagoras, den Democritus zur Philosophie berufen habe, mit Fug aus chronologischen Gründen verworfen. Das Zeugniss Democrit's, dass er seinen kleinen *Διάκοσμος* im 730. Jahre nach Ilions Zerstörung geschrieben, stimmt zwar nicht zum Canon des Eratosthenes; allein man weiss auch nicht, welcher Rechnung D. dabei folgte. Hält man sich z. B. an die Bestimmung des Phanias (1130 v. Chr. vgl. griechische und römische Zeittafeln von Fischer und Soetbeer I. S. 14), so fällt jenes Werk in Olymp. 95. 1, 400 v. Chr., was ganz angemessen sein würde; Sicheres lässt sich hier natürlich nicht geben. Das 4. Cap. (S. 36—57) bespricht die Familie Democrit's und die durch einige Fabeln entstellten Reisen desselben. Letztere werden auch in ihrer wahrscheinlichen Zeitfolge aufgeführt. Dass aber Democritus zu Athen unter einem angenommenen Namen gelebt, ist nicht recht glaublich (S. 54). Im 5. Cap. (S. 57—64) ist von dem Aufenthalte des Democritus nach den Reisen in Abdera und den ihm dort erwiesenen Ehren die Rede. Obwohl von seinen Landsleuten zur Staatsverwaltung gezogen, hielt sich der Philosoph, naturwissenschaftlichen Studien hingegeben, meist in der Einsamkeit auf. Bei Diog. Laert. IX, 38 ἤσκει — καὶ ποικίλως δοκιμάζειν τὰς φαντασίας, ἐρημάζων ἐνίοτε καὶ τοῖς τάφοις ἐνδιατρίβων vermuthet Hr. M. sei τάφρεσι zu lesen und diess des Democritus eigener Ausdruck gewesen; allein die von ihm selbst schon nachgewiesene Bewohnbarkeit der Gräber und die Erzählung Lucian's Philopseud. 32, so sehr diese auch aufgeputzt ist, sprechen doch laut für die Vulgata. Das 6. Cap. (S. 65—88) behandelt allerlei Fabeln: über Democrit's freiwillige Blindheit, wobei an die epischen Sänger und Propheten erinnert werden konnte, über sein Lachen, woher er *Γελασῖνος* geheissen, über seine Magie und den Wahnsinn, zu dessen Heilung von den Abderiten Hippokrates brieflich gerufen sein soll. Natürlich sind alle in dieser Angelegenheit zwischen dem grossen Arzt und Democrit's Landsleuten gewechselten noch vorhandenen Briefe untergeschoben und stammen muthmaasslich erst aus dem 3. Jahrh. nach Christus. Das Hauptargument gegen ihre Aechtheit hat jedoch scharfsinnig zuerst Hr. M. besonders geltend gemacht, dass nämlich die Abderiten im Zeitalter des Democritus noch gar nicht in dem späteren Geruch der Geistlosigkeit standen, welche ihnen auch dieser Briefwechsel aufbürden würde. Das letzte, 7. Cap. S. 88—91 betrifft die Ehelosigkeit und den Tod des Democritus; beide Puncte haben allerlei Erdichtungen veranlasst. Ein Excurs über eilf andere bekanntere und erwähnenswerthe Democrite beschliesst das erste Buch (S. 91 f.). Das 2. handelt de Democriti scriptis (S. 93—159). Sein erhabener zum Oeftern an das Poetische streifende Stil liebte seltenere Worter, deren Sammlung schon die Alten veranstalteten; auch fanden seine Schriften unter diesen besondere Erläuterer. Thrasyllos, der bekanntlich ein Gleiches bei Plato gethan [Hermann, Gesch. u. Syst. der Platon. Philos. I. S. 358], hat, wenn er es nicht etwa schon vorfand, die Schriften Demokrit's *κατὰ τετραλογίας* herausgegeben. Diese Tetrologien nun sucht Hr. M. in folgender Weise wieder herzustellen, S. 105: A. Scripta moralia. I. 1) *Πυθαγόρης*, 2) *περὶ τῆς τοῦ σοφοῦ διαθέσεος*, 3) *περὶ τῶν ἐν ᾅδου*, 4) *Τριτογένεια*. II. 5) *περὶ ἀνδραγαθίης ἢ περὶ ἀρετῆς*, 6) *Ἀμαλθείης κέρας*, 7) *περὶ εὐθυμίης*, 8) *ὑπομνημάτων ἠθικῶν η´*. B. Scripta physica. III. 9) *μέγας διάκοσμος*, 10) *μικρὸς διάκοσμος*, 11) *κοσμογραφίη*, 12) *περὶ τῶν πλανήτων*. IV. 13) *περὶ φύσεος πρῶτον*, 14) *περὶ ἀνθρώπου φύσεος ἢ περὶ σαρκὸς β´*, 15) *περὶ νόου*, 16) *περὶ αἰσθησίων*. V. 17) *περὶ χυμῶν*, 18) *περὶ χροιέων*, 19) *περὶ τῶν διαφερόντων ῥυσμῶν*, 20) *περὶ ἀμειψιῤῥυσμιέων*. VI. 21) *κρατυντήρια*, 22) *περὶ εἰδώλου ἢ περὶ προνοίης*, 23) *περὶ λοιμῶν ἢ λοιμικῶν κακῶν α´ β´ γ´*, 24) *ἀπορημάτων*. C. Scripta *ἀσύντακτα*. VII. 25) *αἰτίαι οὐράνιαι*, 26) *αἰτίαι ἠέριοι*, 27) *αἰτίαι ἐπίπεδοι*, 28) *αἰτίαι περὶ πυρὸς καὶ τῶν ἐν πυρί*. VIII. 29) *αἰτίαι περὶ φωνέων*, 30) *αἰτίαι περὶ σπερμάτων καὶ φυτῶν καὶ καρπῶν*, 31) *αἰτίαι περὶ ζώων γ´*, 32) *αἰτίαι ξύμμικτοι περὶ τῆς λίθου*. D. scripta mathematica. IX. 33) *περὶ διαφορῆς γνώμης*, 34) *περὶ ψαύσιος κύκλου καὶ σφαίρας*, 35) *περὶ γεωμετρίης ἢ γεωμετρικόν*, 36) *ἀριθμοί*. X. 37) *περὶ ἀλόγων γραμμέων καὶ ναστῶν β´*, 38) *ἐκπετάσματα*, 39) *μέγας ἐνιαυτὸς ἢ ἀστρονομίης παράπηγμα*, 40) *ἅμιλλα κλεψύδρας*. XI. 41) *οὐρανογραφίη*, 42) *γεωγραφίη*, 43) *πολογραφίη*, 44) *ἀκτινογραφίη*. E. Scripta musica. XII. 45) *περὶ ῥυθμῶν καὶ ἁρμονίης*, 46) *περὶ ποιήσιος*, 47) *περὶ καλλοσύνης ἐπέων*, 48) *περὶ εὐφώνων καὶ δυσφώνων γραμμάτων*. XIII. 49) *περὶ Ὁμήρου ἢ ὀρθοεπείης καὶ γλωσσέων*, 50) *περὶ ἀοιδῆς*, 51) *περὶ ῥημάτων*, 52) *ὀνομαστικόν*. F. Scripta technica. XIV. 53) *πρόγνωσις*, 54) *περὶ διαίτης ἢ διαιτητικόν*, 55) *ἰητρικὴ γνώμη*, 56) *αἰτίαι περὶ ἀκαιριέων καὶ ἐπικαιριέων*. XV. 57) *περὶ γεωργίης ἢ γεωργικόν*, 58) *περὶ ζωγραφίης*, 59) *τακτικόν*, 60) *ὁπλομαχικόν*. Herr Mullach spricht hierauf von der Verbreitung, welche die ersichtlich vielseitigen Schriften Democrit's im Alterthume gefunden haben. Es citirt sie besonders Aristoteles öfters (78 Mal); Plato dagegen hat den Democritus nirgends namentlich genannt, was zu erklären gesucht wird [vgl. Hermann, Gesch. u. Syst. d. pl. Phil. I. S. 153

u. 283]; unter denen aber, welche die Lehren des Demokritus benutzten, ist vorzugsweise Epikur zu erwähnen. Doch je später, desto seltener wird der Abderit noch angeführt, und Suidas hatte wahrscheinlich keines seiner Werke mehr vollständig vor sich. Von S. 113—155 geht dann der Hr. Vf. die gemachten einzelnen Classen des Genaueren durch, bestimmt ihren muthmaasslichen Inhalt und fertigt S. 155—59 die untergeschobenen Schriften ab. Der Fragmentsammlung im 3. Buche, S. 161—254, geht S. 162 eine Untersuchung de Pseudodemocrate voran, worin 86 zuerst von Lucas Holstenius Rom. 1683 herausgegebene, einem gewissen Democrates zugeschriebene sogenannte γνῶμαι χρυσαῖ dem Democritus vindicirt werden. Die gesammten Bruchstücke in der oben vermerkten Ordnung stehen auf S. 164—254 mit lateinischer Uebersetzung unter dem Texte. Die Adnotationes S. 255—372 geben theils Rechenschaft über die Veränderungen und Umgestaltungen des Textes zum Jonismus, wo diesen überhaupt herzustellen rathsam schien, theils erläutern sie den Sinn, und in beiden Beziehungen war für Hrn. Mullach's Fleiss, Sprachkunde und exegetischen Tact noch gar viel zu thun übrig. Auszüge hieraus zu geben, einzelne Nachträge zu machen oder Bedenken zu erheben, dazu ist hier nicht füglich der Ort. Erwähnt sei nur ein Beispiel glücklichen Aenderns, nämlich das in διαθιγή verbesserte διαθηγή (contactus atomorum interse cohaerentium) und das statt κακοθηγίη vermuthete κακοφυίη S. 262 und 335. Im 4. Buche (S. 273—419) ist de Democriti placitis auseinandergesetzt; Fleiss, umsichtige Sorgfalt und Deutlichkeit machen auch diesen Abschnitt zu einem sehr lesenswerthen. Hr. M. hält sich bei seiner Darlegung nur an die Fragmente des Schriftstellers selbst ohne Bezugnahme auf Das, was in der neuesten Zeit über Democrit's Philosophie von Ritter, Brandis, Burchard, Papencordt, Heimsöth und Petersen geschrieben worden ist. Den Schluss des ganzen Werkes bilden drei Indices: 1) Index vocum Democritearum (S. 420—23); 2) rerum et verborum memorabilium S. 424—9; 3) scriptorum qui in hoc opere vel emendantur vel explicantur S. 430—8.

Biographie.

[7634] Goethe. Zu dessen näherem Verhältniss von **C. G. Carus.** Leipzig, Weichardt. 1843. X u. 188 S. gr. 8. (1 Thlr. 20 Ngr.)

Mit Goethe kam Carus in der schönsten Zeit seiner eigenen literarischen Thätigkeit zuerst in nähere Berührung, damals, als er sein Lehrbuch der vergleichenden Anatomie beendet hatte, und dieses Werk, das in der Geschichte der Wissenschaft unstreitig immer einen sehr ehrenvollen Platz behaupten wird, sammt den dazu gehörigen Tafeln Goethe zusandte, dessen Einfluss auch auf seine naturhistorischen Studien er dankbar anerkannte. Goethe mit dem lebhaften Interesse, das er diesen wissenschaftlichen Bestrebungen von jeher zuwandte, nahm sowohl diese Zusendung als die spätere Mittheilung anderer Arbeiten wohlwollend auf, und so entstand die Reihe der bisher noch ungedruckten Briefe Goethe's an den Verfasser, welche uns der erste Abschnitt des Buchs, der Darstellung seines persönlichen Verhältnisses zu dem berühmten Dichter gewidmet, vorlegt. Diese Briefe sind von Seiten ihres Inhalts weniger wichtig, aber sie liefern einen schätzbaren Beitrag zur Charakteristik seiner Individualität und des Eifers, mit dem er noch bis ins späteste Alter jene ihm eigenthümliche Naturbetrachtung auszubilden und die Ergebnisse der eigentlich wissenschaftlichen Forschung zu stützen suchte. Gemäss seinem Vorsatze zu zeigen, in welchem Sinne die Individualität Goethe's ihrem innersten Kern nach aufzufassen und wie von hier aus das wahre Verständniss seiner Werke erst zu gewinnen sei, spricht der Vf. im zweiten Abschnitt von Goethe's Individualität und hebt als eigentliche Basis derselben den Begriff einer nach menschlicher Weise vollkommenen G e s u n d h e i t hervor. Es charakterisirt gewissermaassen den medicinischen Verfasser, gerade diesen Zug hervorgehoben zu haben, der sich zwar im leiblichen Leben von selbst versteht, der aber im geistigen um so mehr selbst der Erklärung bedurfte. Wenn es uns nun auch nicht befriedigt, diese unerklärte Gesundheit des Goethe'schen Geistes den übrigen Betrachtungen als Erklärungsgrund untergelegt zu sehen, so ist doch die folgende Schilderung ansprechend, welche die mannichfaltig andringenden Lebensverhältnisse aus Leidenschaft als die ätiologischen Momente zu Krankheiten ansieht, von denen Goethe, wie er oft selbst gestanden, sich durch die kritischen Processe poetischer Productionen gerettet habe. Der nämlichen eigenthümlichen Bildung des Vfs. ist denn wohl auch seine phrenologische oder vielmehr cranioskopische Relation über Goethe's Kopfbildung zuzuschreiben. Enthält nun dieser Abschnitt wenig Neues, was ein bisher unbekanntes Verständniss über Goethe's Individualität eroffnen konnte, so wird doch auch diese geschmackvolle Darstellung des Bekannten die Leser angenehm anregen. Bei weitem weniger befriedigend ist der dritte Abschnitt ausgefallen, der über Goethe's Stellung zu den Naturwissenschaften handelt. Die Unterscheidung von Naturmenschen und Stubenmenschen erklärt uns, sammt der Gesundheit seines Wesens, Goethe's Hinneigung zur Naturbetrachtung eben so wenig, als die Eigenthümlichkeit derselben daraus klar wird, dass sie vom Allgemeinen, von der Hohe der Idee auf Besonderes, nicht von Besonderem zu Allgemeinem sich fortbewege. So wenig es nun zu einer Darstellung des eigentlich charakteristischen Zuges der Goethe'schen Naturforschung kommt, so wenig würden sich die Leser mit der Würdigung derselben einverstanden erklären können. Und diess wohl aus dem natürlichen Grunde, weil der Vf. selbst zu sehr mit Goethe in der Verfolgung jenes einseitigen Weges idealer Anschauungen übereinstimmt, als dass er ein ungetrübtes Urtheil über deren Werth und Unwerth im Verhältniss zu den Methoden der exacten Wissenschaft haben könnte. Der vierte Abschnitt des Buchs handelt von Goethe's Verhalten zu Menschen und der Menschheit. Flüchtig wird des Einflusses gedacht, den widersprechende Charaktere, wie Merk, Herder, ausführlicher dessen, den Schiller, am weitläufigsten des dritten gedacht, den die Frauen auf ihn ausgeübt. Mit wenig, und für ein abschliessendes Urtheil zu wenigen Worten wird sein politischer Kosmopolitismus, sein Verhältniss zu dem deutschen Elemente und den in der letzten Zeit seines Lebens hervortretenden politischen und socialen Tendenzen berührt. Der letzte, fünfte Abschnitt spricht endlich über das Verständniss der Werke Goethe's aus dem Verständniss seiner Individualität. Das „erste Geheimniss“, welches der Vf. in Goethe's Werken findet, und uns hervorhebt, ist die organische Nothwendigkeit ihrer Hervorbringung; als ein zweites reiht er ihm die Widerspiegelung seines gesammten Wesens in denselben an, die bei einem so bedeutenden Geiste nothwendig nur in einer unendlichen Reihe von Productionen vollständig zu realisiren war und uns daher trotz der bewundernswürdigen Vielseitigkeit der Werke Goethe's, immer noch die schöne, bestimmte Ueberzeugung zurücklässt, dass er in allen diesen sich immer noch lange nicht ganz ausgesprochen habe. Als drittes, als eigenthümlicher innerster Punct der Lebenskunst Goethe's wird endlich seine Ehrfurcht gegen das innere Mysterium seiner eigenen Natur angeführt. Manche einzelne treffende und interessante Bemerkungen füllen ausserdem diesen Abschnitt, dessen eigenthümlicher Gehalt den Lesern wohl schon aus diesen kurzen Andeutungen mit ergänzender Hinzuziehung des Buches über Faust von dem nämlichen Verfasser ersichtlich sein wird.

[7835] Pestalozzi, seine Zeit, seine Schicksale und sein Wirken. Eine Schrift für Freunde der Menschenbildung und Förderer einer besseren Zukunft. Von Dr. **J. B. Bandlin**, Vorsteher einer Erziehungsunternehmung zu Schoren bei Langenthal. Schaffhausen, Brodtmann'sche Buchh. 1843. XVI u. 144 S. gr. 8. (20 Ngr.)

Wen es tief einst ergriffen hat, als er Lavater's an den grossen schweizerischen Pädagogen gerichteten Wunsch: „Schenke Gelingen dir Gott und kröne dein Alter mit Ruhe!“ durch das merkwürdige Selbstbekenntniss zerstört sah, welches der greise Pestalozzi in der Schrift: Meine Lebensschicksale als Vorsteher meiner Erziehungsinstitute in Burgdorf und Iferten (Leipz. 1826.) unter den Trümmern seines Glückes und seines Ruhmes offen vor der Welt ablegte: den muss es doch auch wieder freuen, dass seine ausgezeichneten Verdienste um die Ergründung und Aufhellung der in der Menschennatur liegenden Gesetze der Erziehung und Bildung einmal wieder die Anerkennung finden, die ihr Fortwirken verbürgt. Diess ist der Fall in der vorlieg. Schrift, die, nach einer die Gebrechen der Jetztzeit in Sachen der Erziehung stark geisselnden Einleitung, in der 1. Abth. mit einer recht ansprechenden Parallele zwischen P. und Sokrates eröffnet wird; die 2. handelt über P.'s (geb. zu Zürich am 12. Jan. 1740; gest. zu

Neuhof am 17. Febr. 1827) wichtigste Lebensmomente. „Seine Grabstätte ist unter der Dachtraufe des Schulhauses zu Birr unweit Neuhof; kein Denkmal bezeichnet bis auf diesen Tag noch die Stelle, wo seine Gebeine ruhen“ (S. 24). Die 3. Abth. bespricht P.'s Methode und Lehrmittel, zum Theil mit seinen eigenen Worten, und fügt in der 4. Urtheile von Zeitgenossen (Hagen, Jean Paul, Fichte, Schwarz) über ihn, seine Methode und sein Wirken an. In der 5. werden P. und Basedow einander gegenübergestellt. „Gemeinschaftlich mit einander hatten sie das ernstliche Streben, dass es besser werde mit der Menschheit durch die Erziehung; Beide hatten einen Elementarunterricht und Elementarbücher, ein Institut zur Realisirung ihrer Gedanken, Beide wollten einen Bildungsgang, welcher angemessen sei dem kindlichen Alter und stufenweise fortschreite. Beide sind aber wesentlich verschieden. P. geht aus von dem Kinde selbst und dem Wesentlichen seiner Natur; B. von einem Buche, aus welchem das Kind lernen soll; P. hat einen ursprüglichen Anfangspunct, B. keinen; P. will, dass das Kind sich entwickle, entfalte, sein geistiges Leben aus sich heraus gestalte; B. will Kenntnisse von Aussen in das Kind hineinbringen, dass es sich durch Lernen bilde. B. hat sich an die gebildeten Stände gewendet und fing an mit der Jugend von gesitteten Ständen und wurde von diesen unterstützt; P., umfassend die ganze Menschennatur, fing an mit den allerverwahrlosesten Kindern, ganz von unten, und war froh, dass er Bettelkinder erhielt und eine Wohnung, um mit seiner Idee Versuche im wirklichen Leben zu machen. Das Philanthropin, auf Gold und Silber gebaut, verschwand; P.'s Institut, auf dem Herzen der ganzen Menschennatur errichtet, hielt ohne Gold und Silber auf seiner tiefen und breiten Unterlage als Geistesinstitut so manchen Kampf aus“ (S. 92). In der 6. Abth. werden die Erziehungsgrundsätze des Humanismus und Philanthropinismus unter sich und mit denen P.'s verglichen. Die ganze Schrift, von Excentricität frei, ist ein werthvoller Beitrag zur Würdigung P.'s und zur Geschichte der Pädagogik überhaupt.

[7626] Erinnerungen an Ulrich Hegner, von **E. Schellenberg-Biedermann.** Zürich, Liter. Comptoir. 1843. 153 S. gr. 16. (1 Thlr.)

Die kurze Anzeige dieser Schrift rechtfertige sich durch den Wunsch des Ref., den heitern Genuss, den sie durch ihre Lectüre gewährt, Denen zugänglich zu machen, die sie vielleicht übersehen könnten. Zwar steht der grössere Theil ihres Inhalts zu Hegner (gest. zu Winterthur den 3. Jan. 1840) in etwas entfernterem Bezuge. Denn die Vfin. theilt ausser Briefen an H. ausführlichere Erinnerungen aus ihren Tagebüchern auf Reisen durch Italien und Russland, auch Gedichte mit, welche letztere de meliori empfohlen sein werden, wenn man H. S. 146 von der Vfin. sagen hört: „Ihr Köpfchen ist voll ächter Poesie, nicht von der gewöhnlichen moralisch-alltäglichen Versmacherei unserer neuerwachten, aus jeder

Hecke hervorkriechenden Dichterinnen". Gleichwohl wird der Haupttitel theils durch mehrere Briefe H.'s an die Vfin., theils durch Mittheilung vieler charakteristischer Züge aus seinem Wesen gerechtfertigt, und in klaren Umrissen stellt sich das Bild des jovialen Mannes, den Zschocke „den scharfsinnigsten Spiessbürger" nannte, dem Leser vor die Augen. So sitzt er einmal, selbst wohlbeleibt, mit einem Freunde gleicher Complexion auf der Bank vor dem Hause; aus einer Abtheilung vorüberreitender französischer Husaren ruft einer: „Que diable ont-ils dans leur ventre?" Sogleich schallt's von der Bank zurück: „Messieurs, je n'en sais rien, mais tout est à votre service." — In vorgerückteren Jahren beim Hinaufsteigen auf die Treppe um sein Befinden gefragt, meint er: „cela ne va plus, cela s'en va". — Wir erfahren, dass H. Medicin studirt und das Doctor-Diplom erhalten hatte; allein er practicirte nicht und seine Doctorwürde war nur Wenigen bekannt; er hatte nie grosse Neigung über Krankheiten zu sprechen, fühlte sich aber doch bis an das Ende seines Lebens von merkwürdigeren Krankheitszuständen stark angezogen. Der Rector Troll in Winterthur setzte H. folgende Grabschrift:

Witz, Einsicht, Wissenschaft, Geschmack, Bescheidenheit,
Und Menschenlieb' und Redlichkeit,
Des Bürgers Tugenden, des feinsten Geistes Gaben
Besass der Mann, den gestern wir begraben.
Er zierte seine Stadt; er starb mit stillem Muth.
Ihr Winde, wehet sanft, wo seine Asche ruht.

[7637] Joh. Gottwerth Müller, Vf. des Siegfried von Lindenberg, nach seinem Leben und seinen Werken dargestellt von Dr. **H. Schröder.** Nebst 2 Zusätzen: I. Auswahl aus Briefen berühmter oder merkwürdiger Männer an Müller. II. J. G. Müller, als Knittelversdichter. Itzehoe, Claussen. (Hamburg, Niemeyer.) 1843. 144 S. gr. 8. (20 Ngr.)

Die hier (S. 5—60) über einen unserer besten älteren Romandichter, gewöhnlich Müller von Itzehoe genannt, zusammengestellten biographischen Notizen erschienen ursprünglich in dem 4. Hefte der Schleswig-Holstein-Lauenburgischen Provinzialberichte von 1830 und werden, von dem enger begrenzten Leserkreise aus nunmehr umgestaltet und erweitert, dem grösseren Publicum dargeboten und diesem um so willkommener sein, je dürftiger bisher in den Schriften über deutsche Literaturgeschichte die Angaben über M. waren, zum Theil auch unrichtig. So wird z. B. gleich zu Anfang in der Angabe, dass M. zu Hamburg den 17. Mai 1743 geboren sei, ein Irrthum berichtigt, der sich durch die unrichtige Annahme des J. 1744 fast allenthalben hin verlaufen hat; die zum Theil sehr speciellen Notizen über M.'s Familienverhältnisse, academische Studien und nachmalige literarische Arbeiten sind so anziehend, dass man sich dem Vf. für seinen mühsamen Sammlerfleiss dankbar verpflichtet fühlt. Beispielsweise sei hier des S. 9—12 über Prof. Beireis Mitgetheilten gedacht. M. pflegte oft im Scherze zu sagen, er wolle gerade 101 Jahre alt werden; fast wäre Ernst daraus geworden; er starb zu Itzehoe am 22. Juni 1828. Das am Schlusse der Biographie von S. 56 an mitgetheilte chronologische Verzeichniss der Schriften M.'s ist sehr verdienstlich und sei Literarhistorikern von hier aus bemerklich gemacht. — Die in dem 1. Anhange (S. 61—130) mitgetheilten Briefe an M. (zuerst in Falck's neuem staatsbürgerlichen Magazin Bd. 10. Hft. 2 [Schleswig, 1840] mitgetheilt) aus dem Zeitraume von 1771 bis 1802 von Boie, Bürger, Eschenburg, v. Knigge, Lessing, Lichtenberg, Meissner, Nicolai, Patzke, Sander, Trapp, Voss u. A. enthalten für die richtige Würdigung socialer und literarischer Zustände der Zeit, aus welcher sie sich datiren, so viel Charakteristisches, wofür schon voraussätzlich die Namen ihrer Concipienten bürgen, dass auch für ihre Mittheilung dem Herausgeber der ihm schuldige Dank nicht wird vorenthalten bleiben. Angefügt ist ein Verzeichniss der Recc. M.'s zur Allg. Deutschen Bibliothek. — Der 2. Anh. enthält eine scherzhafte Epistel M.'s in Knittelversen an den am 22. Febr. 1824 verstorbenen k. dän. Etatsrath, Dr. d. Med. Suadicani in Schleswig. Da man durch sie M. von einer bisher unbekannten Seite kennen lernt, wird sie willkommen sein.

[1638] De Victorino Strigelio, liberioris mentis in ecclesia Lutherana vindice. Oratio — — habita a **Jo. Car. Thd. Otto**, Ph. Dr. etc. Jena, Mauke. 1843. 96 S. gr. 8. (n. 10 Ngr.)

Ist es auch dem Vf. dieser fleissigen Arbeit gelungen, seinen Zuhörern in dem ihm eng zugemessenen Raume der Rede (S. 5—30) den freieren Geist anschaulich zu machen, mit welchem Victorin Strigel, in die Fusstapfen Melanthon's tretend, gegen das buchstäblich-starre Festhalten der orthodoxen Lehre Luther's ankämpfte, so würden doch die Leser dieser Schrift unstreitig gewonnen haben, wenn sie gedruckt in eine andere Form hätte umgegossen werden können, vorausgesetzt, dass die Statuten des Gestifts, die sie veranlassten, diess gestatteten. Denn die häufige Unterbrechung des Lesens durch Verweisung aus dem Texte der Rede auf die (120) adnotationes ad vitam et controversias Strigelii illustrandas (S. 31—82) erschwert durch nothwendig daraus hervorgehende Zerstückelung eine sofort erfolgreiche Beschäftigung mit dieser Schrift, obschon sie sich in ihrer Totalität sowohl über die Lebensumstände Strigel's als auch über die durch ihn veranlassten theolog. Streitigkeiten, unter Darbietung eines reichen literarischen Apparates, sehr ausführlich verbreitet. Den Hauptpunct des Ganzen bildet die Auseinandersetzung der Synergistischen Streitigkeit vorzugsweise mit Flacius und der daraus mit Strigel hervorgegangenen misslichen Verhältnisse, und namentlich bei dieser Darlegung ist es dem Vf. gelungen, manche Irrthümer der früheren Berichterstatter über diesen theologischen Kampf zu berichtigen. Für eine ausführliche Geschichte des Lebens und der Lehre St.'s wird in dieser kleinen Schrift eine verlässliche und werthvolle Unterlage dargeboten. Angehängt ist (S. 83—96) ein Verzeichniss der Schriften St.'s, mit anerkennenswerthem Fleisse ausgearbeitet.

[illegible] **M. Joh. Sutellius, Reformator und erster Superint. der Kirchen zu Göttingen und Schweinfurt, Superint. zu Allendorf u. Nordheim, nach gedruckten und ungedruckten Quellen.** Ein Beitrag zur Reformationsgeschichte von **H. Ch. Beck**, ev. Pfr. zu Schweinfurt u. s. w. Schweinfurt, Wetzstein. 1842. 183 S. gr. 8. (22½ Ngr.)

Diese Schrift — zugleich Festschrift zur 300jährigen Jubelfeier der Einführung der Reformation zu Schweinfurt am 1. S. n. Tr. 1842 — schliesst sich vielen ähnlichen ehrenvoll an, welche durch zum Theil erstmalige Veröffentlichung archivalischer, auf einzelne Städte bezüglicher Nachrichten nicht unwichtige Beiträge zu einer umfassenden und genaueren Geschichte des grossen Werkes der Reformation überhaupt liefern. Zweckmässig wird hier in dem 1. Abschn. (S. 15—35) Geschichtliches über die Theilnahme der Stadt Schweinfurt an dem Gange der Reformation vor deren wirklicher Einführung daselbst vorangestellt. Oeffentlich ward diese durch M. J. Sutellius vermittelt und die detaillirte Geschichte seines kirchlichen Wirkens, so wie seines häuslichen Lebens bildet den Inhalt des 2. u. 3. Abschnittes (—156.) S., geb. im J. 1504 zu Altenmorsch bei Melsungen in Hessen, studirte zu Erfurt und Wittenberg, ward zuerst Rector in Melsungen, und im J. 1530 Prediger zu Göttingen. Im J. 1542 übertrug ihm Landgraf Philipp von Hessen, als Schutzherr der freien Reichsstadt Schweinfurt, die Einführung der Reformation und die Anordnung der kirchl. Angelegenheiten daselbst und S. begann seine kirchliche und reformatorische Wirksamkeit mit seiner ersten Predigt in der Kirche des von dem letzten Conventual verlassenen Carmeliterklosters am 1. S. n. Tr., den 19. Juni 1542, über das Thema: „wie man solle Acht haben auf armer Leute Noth, mit ihnen theilen das Brod". — Ausführlich wird sein reformatorisches Wirken, worin er sich durch Melanthon unterstützt sah, geschildert. Als im J. 1546 Schweinfurt durch die bedrohter werdende Lage ihres Schirmherrn in grosse Bedrängniss gerieth, musste S. es verlassen. Nachdem er abwechselnd in Göttingen und Allendorf pfarramtlicher Geschäfte sich unterzogen hatte, amtirte er zuletzt als Superintendent in Nordheim, wo er am 28. Aug. 1575 starb. Im 4. Abschn. (—176) wird das literarische Wirken S.'s geschildert. Dankenswerth ist hier besonders die ausführliche Inhaltsangabe seiner Predigten über „das 11. Cap. Johannis von Lazaro, fast nütze und sehr tröstlich für die kranken und sterbenden Menschen; ausgelegt und gepredigt zu Schweinfurt in Franken", welche die in ihnen liegende ungemeine Glaubens- und Trosteskraft erkennen lässt. Unter den Beilagen (—183) findet sich, ausser Briefen Melanthon's u. A. an Sutellius auch ein bisher noch nicht gedruckter lateinischer Brief der Olympia Fulvia Morata (Grunthlera) an den Schweinfurtischen Senator Wehner.

Linguistik.

[7010] An American Dictionary of the English language; exhibiting the origin, orthography, pronunciation, and definitions of words. By **Noah Webster**, LL. D. Abridged from the quarto edition of the author. To which are added a synopsis of words differently pronounced by different orthoëpists, and Walker's key to the classical pronunciation of greek, latin, and scripture proper names. Revised edition; with an appendix, containing all the additional words in the last edition of the larger work. New-York, White and Sheffield. 1843. XXIV u. 1080 S. gr. 4. (3ℓ 10sh.)

Dr. Noah Webster, der bedeutendste Linguist und Lexikograph der Vereinigten Staaten von Nordamerika, welcher an seinem Wörterbuche der englischen Sprache nicht weniger als 30 Jahre mit dankenswerther Liebe und Ausdauer in der Regel täglich 12 Stunden arbeitete und vor einigen Monaten zum Leidwesen aller Patrioten zu New Haven starb (vgl. No. 6172), erlebte wenigstens die Freude, den vorliegenden von Neuem durchgesehenen Auszug aus seinem grösseren in zwei Quartbänden erschienenen Werke noch vor seinem Tode vollendet und sich so ein Denkmal gesetzt zu sehen, das als der Schlussstein seines ganzen Lebens und Strebens wie er selbst unvergesslich, man kann wohl sagen, unumstösslich sein wird. Der sinkende Zustand seiner Gesundheit erlaubte ihm nicht, die Durchsicht des Auszuges selbst zu übernehmen; er übertrug daher dieses Geschäft Hrn. Joseph E. Worcester, welcher sich desselben, indem er Webster's Grundsätze im Uebrigen festhielt, in folgender Weise entledigte: 1) erweiterte derselbe das eigentliche Wörterbuch in Masse und Zahl der darin aufgenommenen Wörter sehr bedeutend; 2) behielt er zwar die vornehmlichsten Wortableitungen unverändert wie in der Quartausgabe und eben so die Begriffsbestimmungen bei, drängte jedoch die letzteren etwas mehr zusammen, so dass der Auszug etwas mehr als die Hälfte des in den beiden ursprünglichen Quartbänden enthaltenen Stoffes enthält. Die Angabe der Bedeutungen der Wörter ist dieselbe geblieben wie in der grossen Ausgabe, bisweilen sind neue hinzugefügt worden. Erläuterungen, Beweisstellen und Citate wurden in der Regel weggelassen, ausgenommen in zweifelhaften oder bestrittenen Fällen. 3) Bei streitiger Rechtschreibung ist der in der grossen Ausgabe angenommene und befolgte Grundsatz der Aufnahme aller verschiedenen Schreibarten eines Wortes in das Wörterbuch in diesem Auszuge noch bedeutend weiter ausgedehnt worden. Die alte gewöhnliche Schreibart steht voran, und die neue vorgeschlagene folgt unmittelbar darauf. 4) Behufs der Rechtsprechung sind die Wörter sorgfältig nach Sylben mit Angabe des Accents und der Quantität abgetheilt, und wo der in der Sylbe enthaltene Vocal von seinem regelmässigen Laute abweicht, ist ein punctirter Buchstabe gewählt worden, über dessen richtige Aussprache dem Leser der unten fortlaufende key die nöthige Anweisung gibt. 5) Eine Synopsis, welche Hr. Worcester anfertigte, gibt die verschiedene

Aussprache von ungefähr 900 Wörtern nach den Entscheidungen der sieben besten Autoritäten an, wie diese in der Zeit auf einander gefolgt sind, Sheridan, Walker, Perry, Jones, Fulton and Knight, Jameson und Webster, und es sind dann diese Wörter im Wörterbuche selbst durch einen Stern ausgezeichnet worden. 6) Die Unterschiede zwischen sinnverwandten Wörtern sind mit der grössten Genauigkeit angegeben, so dass das vorlieg. Werk auch als ein vollständiger Tractat über englische Synonymen betrachtet und als solcher gebraucht werden kann. Im Appendix sind endlich 7) alle die Verbesserungen enthalten, welche der verstorbene Webster in den zwölf Jahren seit der ersten Veröffentlichung seines Werkes in demselben anzubringen für nöthig und gut befunden hat. Auch enthält dieser 15,000 neue Wörter, meist Kunstausdrücke, welche mit Hinzufügung der ersten 16,000, die schon in der früheren Ausgabe von 1829 enthalten waren, eine Summe von nicht weniger als 31,000 neuen Wörtern geben, welche in der revised edition zu finden sind und woraus man auf die Fortschritte schliessen kann, welche die englische Sprache innerhalb der 80 und mehr Jahre seit dem Erscheinen von Johnson's Wörterbuche gemacht hat. Für eine spätere Auflage dieses Auszuges ist der Bequemlichkeit wegen wünschenswerth, dass die jetzt nach im Appendix enthaltenen Wörter dann an ihrer Stelle in das eigentliche Wörterbuch selbst möchten eingereiht werden. P.

[7841] Njemsko-Serski Słownik. Deutsch-Wendisches Wörterbuch. Mit einer Darstellung der allgemeinen wendischen Rechtschreibung. Von **J. E. Schmaler.** Bautzen, Weller. 1843. XXXIX u. 150 S. gr. 8. (20 Ngr.)

Zu der in diesen Blättern bereits früher besprochenen neuwendischen Literatur ist durch vorliegendes Büchlein ein neuer nicht unwichtiger Beitrag geliefert worden. Der Vf., der schon durch die gemeinschaftlich mit Haupt besorgte Herausgabe der wendischen Volkslieder bekannt ist, erhielt vor einigen Jahren von den oberlausitzischen Ständen des k. preuss. Antheils einige Unterstützung zu einem kräftigen und ungestörten Fortschreiten auf der Bahn, die er durch sein kleines Uebungsbüchlein zum Erlernen der wendischen Sprache: „Maly Serb" eingeschlagen hatte. Die Vorrede enthält so ziemlich dasselbe, was er in den wendischen Liedern, so wie im „Maly Serb" über die wendische Rechtschreibung bereits gesagt hat. Auf Vollständigkeit macht diese kurze Darstellung keineswegs Anspruch. Wichtig ist allerdings, dass nun eine vollständige Vereinigung der verschiedenen neueren Schreibweisen in eine allgemeine slawische erreicht ist. Das Wörterbuch scheint einzig und allein für den nächsten Gebrauch der Umgangssprache bestimmt zu sein; eine Vollständigkeit darf man daher nicht erwarten. Die hin und wieder neugebildeten Worte verdienen grösstentheils Aufnahme. Erwähnung verdient noch, dass der Vf. so ziemlich alle Ortsnamen der Lausitz in sein Verzeichniss aufgenommen hat, was auch für den Gelehrten und den Freund der vaterländischen Geschichte von Wichtigkeit sein kann. *J. P. Jordan.*

Bibliographie.

Literaturgeschichte.

[7642] The History of Literature; or, the Rise and Progress of Language, Writing, and Letters, from the Earliest Ages of Antiquity to the Present Time. By Sir **Will. Boyd**, A. M. M. D. (4 vols.) Vol. I. Lond., 1843. 436 S. gr. 8. (n. 9sh.)

[7643] *Histoire littéraire de la France. Ouvrage commencé par des religieux Bénédictins de la congregation de St. Maur et continué par des membres de l'Institut. Tom. XX., suite du 13. siècle, depuis l'année 1286. Paris, F. Didot. 1843. 108 Bog. gr. 4. (21 Fr.) Die Vff. sind: *Daunou, Em. David, Fel. Lajard, Paulin Paris, Vict. Leclerc* u. *Fauriel*.

[7644] Geschichte der poetischen National-Literatur der Deutschen von **G. G. Gervinus.** 4. Thl. Von Gottsched's Zeiten bis zu Goethe's Jugend. 2. Aufl. (Auch u. d. Tit.: Neuere Geschichte der poetischen National-Literatur der Deutschen von u. s. w.) Leipzig, W. Engelmann. 1843. X u. 592 S. gr. 8. (3 Thlr. 7½ Ngr.)

[7645] Grundriss der Geschichte der deutschen Literatur von Dr. **Joh. W. Schaefer**, Lehrer an d. Hauptschule in Bremen. 3. verb. Aufl. Bremen, Geisler. 1843. XIV u. 165 S. gr. 8. (12½ Ngr.)

[7646] Polens Literatur- u. Cultur-Epoche seit dem J. 1831 in Kürze dargestellt von **Ant. Mauritius.** Posen, Gebr. Scherk. 1843. 210 S. gr. 8. (1 Thlr. 5 Ngr)

[7647] *Bibliotheca magica et pneumatica, od. wissenschaftl. geordnete Bibliographie der wichtigsten in das Gebiet des Zauber-, Wunder-, Geister- u. sonstigen Aberglaubens vorzüglich älterer Zeit einschlagenden Werke. Mit Angabe der aus diesen Wissenschaften auf der k. s. öff. Bibliothek befindl. Schriften. Ein Beitrag zur sittengeschichtl. Literatur. Zusammengestellt u. mit e. doppelten Register versehen von Dr. **J. Geo. Thd. Grässe**, Bibliothekar Sr. Maj. d. Königs von Sachsen. Leipzig, Engelmann. 1843. IV u. 175 S. gr. 8. (n. 25 Ngr.)

[7648] Allgemeines Bücher-Lexikon von *Wilh. Heinsius.* 9. Bd. (die Erscheinungen von 1835 bis 1841 enth.), herausgeg. von **O. Aug. Schulz.** 3. Lief. (Christ — Erdmann.) Leipzig, Brockhaus. 1843. S. 161—240. gr. 4. (25 Ngr. Schreibp. 1 Thlr. 6 Ngr)

[7649] **J. P. Thum's** neues Bücherverzeichniss mit Einschluss der Landkarten u. sonstiger im Buchhandel vorkommender Artikel. Nebst Angabe der Bogenzahl, d. Verleger, d. Preise in Thalern u. rhein. Gulden, literar. Notizen u. e. wissenschaftlich geordneten Register. 1843. 1. Hälfte. Leipzig, Klinkhardt. 1843. LIII u. 234 S. gr. 8. (15 Ngr.)

[7650] Verzeichniss der Bücher, Landkarten u. s. w., welche vom Jan. bis Jun. 1843 neu erschienen oder neu aufgelegt worden sind, mit Angabe der Bogenzahl, d. Verleger, der Preise im 20 Gulden- und 14 Thaler-Fuss, literar. Nachweisungen u. e. wissenschaftl. Uebersicht. 90. Forts. Leipzig, Hinrichs'sche Buchh. 1843. LVIII u. 234 S. 8. (15 Ngr. Mit Reichspreisen 15 Ngr.)

[7651] Serapeum. Zeitschrift für Bibliothekwissenschaft u. s. w. (Vgl. No. 5977.) Jul.—Sept. enth.: *Schoenemann*, Umrisse zur Geschichte u. Beschreibung der Wolfenbüttler Bibliothek. 2. Art. No. 13 u. 14. — *Klüpfel*, die Handschriften der k. Universitätsbibl. in Tübingen. Beschluss. No. 13. — *Vogel*, hist.-chronologische Uebersicht des Ursprungs u. Wachsthums der literar. Sammlungen im brit. Museum zu London. No. 14—17. — *Moser*, der Holzschnitt mit d. Inschrift: Accipies tanti doctoris dogmata sancti. No. 16. — Ders., Nachtrag zu der Literatur der Autographen Savonarola's. No. 16. — *Heller*, üb. einige Druckseltenheiten aus dem 15. u. 16. Jahrh. No. 17. — *Sotzmann*, üb. die gedruckten Literae indulgentiarum Nicolai V. pont. max. pro regno Cypri von 1454 u. 1455. No. 18—19.

[7652] Annales de l'imprimerie des Estienne, ou histoire de la famille des Estienne et de ses éditions. Par **Ant. Aug. Renouard.** 2. édit. Paris, Renouard. 1843. 37¾ Bog. mit 1 Facs. gr. 8.

[7653] Catalogue général des livres composant les bibliothèques du département de la marine et des colonies. Tom. V. (dern.). Table alphabétique des auteurs et des ouvrages anonymes. Paris, imp. royale. 1843. 26¾ Bog. gr. 8. Nicht im Buchhandel.

[7654] Deuxième supplément du catalogue des livres de la bibliothèque publ. de la ville de Rennes, par **Domin. Maillet.** Rennes, 1843. 24¾ Bog. gr. 8. Enth. die seit 1830 in die Bibliothek aufgenommenen Bücher.

[7655] Catalogus librorum impressorum bibliothecae Bodleianae in academia Oxoniensi. III Voll. Oxonii. (Lipsiae, T. O. Weigel.) 1843. X u. 834, 924, 899 S. Fol. (46 Thlr. 20 Ngr.)

[7656] *Beiträge zur ältern Literatur oder Merkwürdigkeiten der herzogl. öffentl. Bibliothek zu Gotha. Herausgeg. von **Fr. Jacobs** u. **F. A. Ukert.** 6. Hft. od. 3. Bd. 2. Hft. Leipzig, Dyk'sche Buchh. 1843. VIII u. S. 213—404. gr. 8. (25 Ngr.)

[7657] Notices sur les collections musicales de la bibliothèque de Cambrai et des autres villes du département du Nord, par **E. de Coussemaker.** Paris, Techener. 1843. 11½ Bog. gr. 8. (6 Fr. 50 c.) 110 Abdrücke.

[7658] Bibliothèque universelle de Génève etc. Vgl. No. 5968. Mai—Juin. Inh.: *Collineau*, analyse physiolog. de l'entendement humain. (S. 5—14.) — *Vullimin*, Guillaume Tell, mythe et histoire, à propos des recherches crit. sur l'histoire de G. Tell. (—30) — Essai sur la vie du Grand Condé, par le vic. *de Mahon*. 3. [dern.] art. (—61.) — Voyages dans l'Amerique centr. et dans le Yucatan, par *Stephens*. (—89.) — Voyage autour du Caucase etc. par *Monpereux*. (—123.) — *Desor*, compte rendu des recherches de M. *Agassiz* pendant ses deux derniers séjours — 3. [dern.] art. (—140) — *Regnault*, sur la chaleur latente de fusion de la glace. (—151.) — *Draper*, sur une nouv. substance impondérable. (—162.) — *Darwin*, sur les îles et les bancs de Corail. (—176.) — Bulletin scientif. (—207.) — *de Caraman*, histoire de France, par M. Michelet. Vol. IV et V. (S. 209—232) — *Bungener*, un sermon sous Louis XIV. (—274.) — *Henriette Martineau*, la Norwége; scènes pittoresques et familières. (—312.) — Voyages dans l'Amerique etc. par *Stephens*. (—325.) — *Saint-Clair-Duport*, de la production des metaux précieux, au Mexique. (—346.) — *Marignac*, sur la décomposition par la chaleur du chlorate, du perchlorate, du bromate et de l'iodate de potasse. (—358.) — *Prichard*, hist. natur. de l'homme et des différentes races humaines. (—377.) — Bullet. scientif. (—420.) — Juillet. Inh.: De la charité. Questions controversées entre

MM. Petitti di Rereto et Luigi Retondo. (S. 5—22.) — *Bungener*, un sermon sous Louis XIV. [2. art.] (—63.) — *H. Martineau*, la Norwège. [2. art] (—99.) — *A. L.*, situation financière de l'état d Ohio. (—112.) — *Schönbein*, sur l'influence, que certains gaz exercent sur le pouvoir d'incandescence du platine. (—120.) — *Couthouy*, sur les glaces flottantes. (—133.) — *Blake*, sur la géologie et l'hist. natur. de la province de Tarapaca dans le Perou. (—142.) — *Péligot*, sur la composition chimique du thé. (—150.) — Bulletin scientif. etc. (—199.)

[7859] Deutsche Monatsschrift; herausgeg. von *K. Biedermann* u. s. w. (Vgl. No. 751.) Februar. *Feldmann*, der unlängst beendigte holsteinische Landtag. (S. 101—112.) — Deutschlands militairische Stellung u. s. w. 2. Art. (—141.) — *Stricker*, die Sprachmengerei der Deutschen. (—144.) — *E. C.*, die Bewegung der polit.-periodischen Presse Deutschlands im J. 1842. (—170.) — *Schmidt*, politische Rundschau auf das Ausland im J. 1842. (—182.) — *Biedermann*, Oesterreich u. dessen Zukunft. (—215.) — Literar. Monatsber. u. Notizen. (—236.) — März: Oesterreich u. seine Verhältnisse zu Deutschland. (S. 237—251.) — *Schmidt*, Stimmen aus Frankreich üb. Deutschland. (—262.) — —er, üb. deutsche Gesetzgebung u. Rechtspflege u. s. w. 2. Art. (—272.) — *E. C.*, die Bewegung der polit.-periodischen Presse u. s. w. Forts. (—284.) — Lit. Monatsber. u. Notizen. (—312.) — April. *Schmidt*, üb. die socialen Gefahren Mitteleuropas. 1. Art. Frankreich u. England. (S. 313—330.) — Blicke in die Zeit vom Standpunct eines preuss. Communalbeamten. (—338.) — Deutschlands milit. Stellung u. s. w. 3. Art. (—358.) — *Biedermann*, Bülow-Cummerow üb. Preussen u. Deutschland. 1. Art. (—395.) — Polit. u. commmercielle Uebersicht, liter. Monatsbericht u. s. w. (—432.) — Mai. *Schmidt*, üb. die socialen Gefahren u. s. w. 2. Art. Deutschland. (S. 433 447.) — *Hansen*, zur Geschichte des deutschen Turnwesens. (—450.) — Die Postreformen Oesterreichs. (—454.) — *Biedermann*, Bülow-Cummerow u. s. w. 2. Art. (—479.) — *Willkomm*, üb. den Nothstand im obern Erzgebirge. (—185.) — Polit. u. commerc. Uebersicht u. s. w. (—504.) — Jun. *Creizenach*, üb. die Communalfrage in den Rheinlanden. (S. 505—528.) — Skizzen aus Wien. (—540.) — *Schulz*, das deutsche Archivwesen. (—542.) — *C. Grün*, das Elsass. (—551.) — *Stricker*, die deutschen Colonien u. die Auswanderung. 1. Art. (—564.) — Polit. u. commerc. Uebersicht u. s. w. (—588.) — Jul. *Stricker*, die deutschen Colonien u. s. w. 2. Art. (S. 1—19.) — *Normandin*, die Deutschen im Böhmerwalde. (—35.) — *Klefeker*, üb. den Anschluss der Küstenstaaten Norddeutschlands an d. Zollverein in handelspolit. Beziehung. (—47.) — Ueber die Freiheit des Unterrichts. (—61.) — Polit. u. comm. Uebers. u. s. w. (—84.) — August. Oesterreichische Censur- u. Literaturzustände. (S. 85—102.) — *Schmidt*, der Zollverein u. die Zollvereinsliteratur. 1. Art. (—118.) — *Krug*, üb. populäre Medicin. (—124.) — *Marggraff*, das deutsche moderne Drama, vom national-politischen u. socialen Standpuncte betrachtet. 1. Art. (—138.) — Ueb. die Postreformfrage. (—149.) — Polit. u. comm. Uebers. u. s. w. (—188.)

[7860] Journal des Savants. 1843. (Vgl. No. 2431.) Mars. Inh.: *Raoul-Rochette*, recherches sur les monuments cyclopéens, par feu L. C. F. Petit-Radel, publ. d'après les mss. de l'auteur. (S. 129—150.) — *Cousin*, nouveaux documents inédits sur le P. André et sur la persécution du Cartesianisme dans la comp. de Jésus. 1. art. (—169) — *Quatremère*, hist. des Seldjoucides de Mirkhond, publiée en persan etc. par J. A. Vullers. 1. art. (—185.) — *Libri*, essais d'expériences faites dans l'acad. del Cimento. 2. art. (—190.) — Nouvelles littéraires. (—192.) — Avril. *Magnin*, la Célestine, tragi-comédie de Calixte et Mélibée, trad. de l'espagnol, annotée etc. par Germond de Lavigne. (—203.) — *Quatremère*, Géographie d'Edrisi, trad. de l'arabe en français par P. Amed. Jaubert. 1. art. (—217.) —

Cousin, nouv. documents inéd. sur le P. André etc. 2. art. (—245.) — *Libri*, essais d'experiences etc. 3. art. (—255.) — Nouvelles littér. (—256.) — Mai: *Flourens*, revue des éditions de Buffon. 1. Idées de Buffon sur la méthode. (—268.) — *Raoul-Rochette*, sur „Visconti, antichi monumenti sepolcrali scoperti nel duc. di Ceri" [Roma. 1836], „Canina, descrizione di Cere antica" [Roma. 1838] et „Grisi, monumenti di Cere antica" [Roma. 1841. f.], 1. art. (—287.) — *Cousin*, nouveaux documents inédits sur le P. André etc. 3. art. (—308.) — *Libri*, essais d'expériences etc. 4. art. (—315.) — Institut R. de France. Livres nouveaux. (—320.)

[7661] Revue Britannique etc. 1843. Mai. Inh.: De la condition physique et morale des classes industrielles et des classes agricoles. (S. 5—34.) — De la phosphorescence dans les corps organ. et inorganiques. (—63.) — Le Mexique et les Mexicains en 1841 et 1842. [Fin.] (—100.) — Une séance de la chambre des Communes. (—131.) — Parallèle des trois princip marines de l'univers. (—156.) — Cheval rouge. [Fin.] (—189.) — La fille du bucheron; conte popul. de l'Inde. (—210.) — Les Thugs de l'Inde. (—218.) — Nouvelles, chronique, bulletin etc. (—218.) — Juin. La marine militaire depuis cinquante ans. (—280.) — Un monastère anglais au XII. siècle. (—316.) — La cour des rois d'Angleterre. (—356.) — (*Kohl*) Nouv. excursion dans la Russie mérid. (—413.) — Episodes d'un voyage en Espagne. (—438.) — La Suttie. Recit d'un témoin oculaire (—464.) — Nouvelles, chronique, bulletin bibliogr. etc. (—480.) — Juillet. *Hook*, celébrités contemporaines. (S. 5—62.) — Relations commerc. de l'Espagne avec la Grande-Bretagne. (—91.) — Prague et la Bohème. (—139.) — Souvenirs de Sainte-Hélène. (—170.) — Kilhweh ou la bauge du Sanglier. (—205. — Nouvelles de sciences, chroniques etc. (—240.) — Aout. *F. C.*, les philosophes français au dix-neuvième siècle. (—292.) — *L. R.*, missions de l'Afrique meridionale. (—311.) — *O. N.*, la pêche au Saumon. (—346.) — *Ad. J.*, une révolution à Mexico. (—385.) — *F. C.*, souvenirs de St. Hélène. (—405.) — Miscellanées, nouvelles des sciences, chronique etc. (—403.)

[7662] La Revue independante. Tom. 8. etc. (Vgl. No. 2433.) Inh.: Livr. I. *Geo. Sand*, Jean Ziska, episode de la guerre des Hussites. (S. 5—56; 161—198.) — *Mickiewicz*, la comédie infernale. (S. 57—72) — Le Salon de 1843. [dern. art.] (—89.) — *Schoelcher*, révolution d'Haïti. (—113.) — *de Laprade*, Hermia, poëme. (—217.) — Revue theatrale, bulletin biblogr. etc. (—150.) — Livr. II. *Chopin*, de la littérature des Russes considerée dans ses rapports avec leur civilisation. (—231.) — *Burnouf*, sur l'origine du bouddhisme. (—241.) — Collége de France, revue music. et theatr. etc. (—307.) — Livr. III. *Cavaignac*, de la colonisation de l'Algérie. (—321.) — Etudes sur Dante. (—361.) — *de Laprade*, Hermia. (—379.) — Correspondance publ., revue scientif. etc. (—481.) — Livr. IV. *Geo. Sand*, la comtesse de Rudolstadt. (—518.) — *Reynauld*, les principautés Danubiennes. (—552) — *Arago*, les auteurs dramat. pendant la première représentation de leurs pièces. (—577.) — *Blaise*, sur l'établissement d'une caisse de retraite pour les classes labourieuses. (—595.) — *Bouvet*, quelques mots sur les fortifications de Paris. (—611.) — *Lachambaudie*, fables. (—616.) — Bulletin bibliograph. etc. (—640.)

[7663] Revue des deux mondes. XIII. année. Nouvelle série. Par., 1843. Vgl. No. 4496. Tom. II. Avril—Juin. Inh.: I. Livr. Les deux rives de La Plata. — Buenos-Ayres et Montevideo. Situation des deux républiques. Rosas et Rivera. (S. 5—49.) — *X. Marmier*, la Russie en 1842. — IV. Varsovie et la Pologne sous le régime russe. La littérature polonaise. (—84.) — *L. Peisse*, le salon de 1843. 1. art. Le Jury. II. La peinture histor. (—109.) — *J. J. Ampère*, de l'instruction publ. et du mouvement intellectuel en Grèce. (—134.) — *J. Lemoinne*, de l'éducation relig. des classes manufacturières en Angleterre. (—149.) — Lettres sur la session. III. Situation et devoirs du parlement. (—164.) — Chronique de la quinzaine. Hist. politique. (—172.) — Livr. 2. *L. de Lavergne*, mouvement littéraire de l'Espagne. Zorrilla. (—208.) — *Barral*, l'industrie et le monopole des tabacs en France et dans les pays étrangers. (—254.) — *L. Peisse*, le salon de 1843. Dern. art. (—287.) — *L. de Carné*, des intérêts de la France dans l'Océanie. (—301.) — *Sainte-Beuve*, Maria, poëme. (—306.) — Revue musicale. (—318.) — Chron. de la quinzaine. Hist. polit. (—328.) — Livr. 3. *G. Libri*, lettres sur le clergé français. I. De la liberté de conscience. (—356.) — *L. Faucher*, des projets de loi sur les chemins de fer. (—383.) — *Ph. Chasles*, revue de la littérature anglaise. (—414.) — *Cypr. Robert*, le monde greco-slave. IV. Les Bosniaques. (—470.) — *A. de Lamartine*, paysage. (—481.) — Chron. de la quinzaine. (—489.) — Théatres. Revue musicale. (—506.) — Livr. 4. *P. Grimblot*, politique coloniale de l'Angleterre. II. Le territoire de l'Oregon. (—539.) — *L. Reybaud*, voyage autour du monde sur la frég. la Venus, de M. *Du Petit-Thouars*. Occupation des îles Marquises et des îles de la Société. (—585.) — *F. de Lagenevais*, le Roman dans le monde. (—614.) — *Th. Pavie*, Calcutta. (—646.) — Écrivains moralistes de la France. X. Le comte de Ségur, par M. *Sainte-Beuve*. (—663.) — Chron. de la quinzaine. (—672.) — Livr. 5. *Lerminier*, des femmes philosophes. (—691.) — *R. S.*, poëtes et romanciers modernes de la Grande-Bretagne. [Thom. Moore.] (—734.) — *Magnin*, de la situation du théatre en France. (—755.) — *Simon*, Spinoza. (—786.) — *de Valon*, l'île de Tine. (—822.) — *de Vigny*, poëmes philosophiques. [Le mont des oliviers.] (—828.) — Chron. de la quinzaine. (—840.) — Livr. 6. *Ch. de Bernard*, un homme sérieux. 1. part. (—892.) — *X. Durrieu*, les Socins et le Socinianisme. Réaction socinienne du XIX. siècle. (—931.) — *L. de Lavergne*, le mois de Mai à Londres. (—967.) — *G. Libri*, lettres sur le clergé français. II. Y a-t-il encore des jésuites? (—981.) — *G. de Molènes*, revue littéraire. Les derniers romans de MM. *Soulié et de Balzac*. (—1001.) — Chronique de la quinzaine. (—1011.) — Lettres sur les affaires extérieures. Sir Rob. Peel et l'Irlande. (—1042.)

[7884] Revue des deux mondes etc. Tom. III. Juillet—Sept. Inh.: 1. Livr. *Sainte-Beuve*, quelques vérités sur la situation en littérature. (S. 5—20.) — *Ch. de Bernard*, un homme sérieux. [2. part.] (—69.) — *Houssaye*, Boucher et peinture sous Louis XV. (—98.) — *Labitte*, poëtae minores. I. Revue du 1. sémestre de l'année. (—138.) — *Rodet*, tarif et tendances du commerce des États-Unis. (—159.) — *Nodier*, Stances à M. Alfred de Musset. (—162.) — Chron. de la quinzaine. (—176.) — 2. Livr. *Cochut*, de la société coloniale. Abolition d'esclavage. Réforme économique. (—228.) — *Ch. de Bernard*, un homme sérieux. [3. part.] (—270.) — *Robert*, le monde gréco-slave. VII. L'union Bulgaro-Serbe; Affaires de Serbie. (—312.) — *Sainte-Beuve*, le comte Joseph de Maistre. (—339.) — Chronique etc. (—360.) — 3. Livr. *Sainte-Beuve*, le comte Jos. de Maistre; dern. part. (—396.) — *Coquelin*, des sociétés commerciales en France et en Angleterre. (—437.) — *Ch. de Bernard*, un homme sérieux. 4. parte. (—482.) — *Lerminier*, de l'éloquence académique. (—502.) — *Patin*, le drame satyrique chez les Grecs. (—525.) — Chronique etc. (—440.) — 4. Livr. *Ampère*, de la poésie du moyen âge. [Le roman de la rose.] (—581.) — *Ch. de Bernard*, un homme sérieux; dern. partie. (—634.) — *Forcade*, de la politique commerciale de l'Angleterre depuis Rob. Walpole. (—672.) — *Binaut*, Aristophane; la comédie polit. et religieuse à Athènes. (—716.) — *Alf. de Musset*, réponse à M. Ch. Nodier. (—722.) — Chron. de la quinzaine. (—732.) — 5. Livr. *Reybaud*, Miss Bewag. 1. part. (—780.) — *Grimblot*, politique colon. de l'Angleterre; les îles Falkland. (—814.) — *Quinet*, réponse aux observations de M. l'archevêque de Paris. (—829.) — *Cochut*, politique financière de l'Autriche. (—848.) — *Sainte-Beuve,* la fontaine de Boileau. (—854.) — Revue littér. etc. (—880.) — 6. Livr. *Fauriel*, les amours de Lope de Vega. La Dorothée. (—924.) — *Reybaud*, Misé Brun; dern. partie. (—963.) — *Th. Pavie*, de la littérature musulmane dans l'Inde. (—990.) — *Cousin*, discours sur les passions de l'amour, fragment inédit de Pascal. (—1007.) — Revue littéraire etc. (—1040.)

[7065] Deutsche Vierteljahrsschrift. Oct.—Dec. Stuttgart, Cotta. 349 S. gr. 8. (n. 1 Thlr. 25 Ngr.) Vgl. No. 5970. Inh.: *W. Menzel*, die Körperübung aus dem Gesichtspunct der Nationalökonomie. (S. 1—30.) — *Pfarrius*, der Unterricht in der Muttersprache, eine Frage der Zeit. (—47.) — Das philosophische Princip in d. Geschichtschreibung. (—85.) — *Riecke*, die Gefängnissreformen in Deutschland. (—124.) — Das deutsche weltliche Volkslied. (—177.) — Ueb. die Befestigung von Paris. (—196.) — *Fr. N.*, Theuerung der Lebensmittel in Folge von Misswachs. (—241.) — *A. M.*, Alterthumsvereine. (—250.) — *v. Closen*, die Verhältnisse von Deutschland zu Frankreich. (—277.) — *H. K.*, amtliche Vielschreiberei. (—290.) — Ein Wort üb. deutsche Belletristik. (—324.) — *Wurm*, die Bedeutung des Vertrags von Verdun. (—340.) — Kurze Notizen. (—349.)

Theologie.

[7066] Die Bibel oder die ganze heilige Schrift des alten u. neuen Test. nach d. deutschen Uebersetzung Dr. *M. Luther's*. Kleine Stereotyp-Ausgabe. (Nonpareille-Schrift.) Hannover, Hahn'sche Hofbuchh. 1843. 1079 u. 308 S. 12. (20 Ngr.)

[7067] *Die Genesis übersetzt u. schwierige Stellen derselben erklärt von Dr. F. Larsow, Prof. am grauen Kloster zu Berlin. Berlin, Oehmigke (J. Bülow.) 1843. IV u. 120 S. gr. 8. (20 Ngr.)

[7068] *Der Prophet Jesaia. Erklärt von Aug. Knobel, der Phil. u. Th. Dr., d. letzt. ord. Prof. zu Giessen. (Kurzgefasstes exegetisches Handbuch zum Alten Testament. 5. Lief.) Leipzig, Weidmann'sche Buchh. 1843. XXXII u. 444 S. gr. 8. (1 Thlr. 25 Ngr.)

[7069] *Der Prophet Habakuk ausgelegt von Frz. Delitzsch, Dr. der Phil., Lic. u. Privatdoc. d. Theol. an d. Univ. zu Leipzig. (Exeget. Handbuch zu den Propheten d. Alten Bundes von *Fr. Delitzsch* u. *C. P. Caspari*.) Leipzig, K. Tauchnitz. 1843. XXX u. 208 S. gr. 8. (1 Thlr. 10 Ngr.)

[7070] Ausgewählte Psalmen. Neu übersetzt, erklärt u. mit *Berthier's* Betrachtungen begl. von Pet. Schegg, Katechet am engl. Erziehungsinst. in Berg. Regensburg, Manz. 1843. XXVIII u. 406 S. gr. 8. (1 Thlr. 7½ Ngr.)

[7071] Commentatio de locis quibusdam epistolae Pauli ad Philippenses. Auct. Corn. Müller, Theol. et Phil. Dr., Joannei Prof. Hamburgi, bibliop. Herold. 1843. 36 S. gr. 4. (10 Ngr.)

[7072] Catenae in S. Pauli epistolas ad Timotheum, Titum, Philemona et ad Hebraeos. Ad fidem codd. mss. edidit *J. A. Cramer*, S. T. P. aulae novi hospitii Principalis, necnon historiae mod. Prof. Oxonii. (Lipsiae, T. O. Weigel.) 1843. V u. 601 S. gr. 8. (5 Thlr. 10 Ngr.)

[7073] *Vorlesungen üb. die Christologie des A. Test. von G. Meinertshagen, Past. am Armenhause in Bremen. Bremen, Heyse. 1843. XVI u. 306 S. gr. 8. (1 Thlr. 15 Ngr.)

[7074] Das Leben Jesus Christus in Harmonie der 4 Evangelien, kritisch-historisch u. praktisch erklärt, zur Belehrung u. Betrachtung dargestellt. Von Dr. Gl. Riegler, Prof. d. Theol. am k. Lyceum zu Bamberg. 1. Bd. Bamberg, Schmidt. 1843. XVI u. 960 S. gr. 8. (3 Thlr.)

[3675] Zeitschrift f. d. hist. Theologie; herausgeg. von *Illgen*. 2. Hft. (Vgl. No. 3578.) Inh.: *Rinck*, von dem Briefe des Königs Abgar an Jesum Christum u. der Antwort Christi an Abgar, sowie von der Bekehrung der Armenier zum Christenthume. (S. 3—26.) — *Perthel*, Papst Leo's I. Streit mit d. Bischof von Arles. (—38.) — *Schmidt*, Claudius von Turin. (—68.). — Ueb. den Ursprung des Christenthums in Polen. Aus d. Russ. (—100.) — *Leopold*, üb. die Ursachen der Reformation u. deren Verfall in Italien während d. 16. Jahrh. (—147.) — Othmar Nachtgall u. Ulr. v. Hutten. Aus *G. Mohnike's* liter. Nachlasse. (—157.) — *Illgen*, kirchengeschichtl. Miscellen. (—167.) — *Frege*, kirchl. Leben in d. Mark Brandenburg. (—176.)

[3676] Annalen der protest. Kirche im Königr. Bayern. Von *K. Fuchs*, Ob.-Cons.-Rath in München u. s. w. Neue Folge. 4. Hft. München, liter.-art. Anstalt. 1843. VIII u. 256 S. gr. 8. (22½ Ngr.) Inh.: Wahrnehmungen u. Zustände. (S. 1—80.) — Die Walhallagenossen. (—98.) — Die Beisetzung des Herzens der Königin Caroline. (—107.) — Das Bisthum in Jerusalem u. sein Verhältniss zu der deutschen prot. Kirche. (—126.) — Trauungen von gemischten Ehen und von Personen aus geschied. Ehen. (—136.) — Convertirungen. (—154.) — Die evang. Kirchengemeinde zu Unteraltenbernheim u. die kirchl. Verhältnisse zu Wülzburg u. Marienberg. (—169.) — Die Secular-Jubelfeier der Reformation in Schweinfurt u. Regensburg. (—181.) — Der prot. Missionsverein. (—188.) — Die Cons.-Räthe Buttenschön u. Schulz. (—197.) — Ein Fragment aus d. Leben des Vfs. (—220.) — Kirchliches aus der bayerischen Ständeversammlung 1842/43. (—256.)

[3677] S. Justini, philosophi et martyris, Opera. Recensuit prolegomenis adnotatione ac versione instruxit indicesque adjecit *Jo. C. Thd. Otto*. Tom. II. Fasc. I. Jena, Mauke. 1843. S. 1—352. gr. 8. (2 Bd. 2 Thlr. 22½ Ngr.)

[3678] S. Vincentii Lirinensis Commonitorium adversus haereses. Juxta editiones opt. recognitum notisque brevibus illustratum a Clerico dioecesis Augustanae. Augustae Vind., libr. Schmid. 1843. XIV u. 118 S. 12. (7½ Ngr.)

[3679] Corpus Reformatorum. Edid. *C. G. Bretschneider*. Vol. XI.: Phil. Melanthonis opera quae supersunt omnia. Vol. XI. Halae, Schwetschke et filius. 1843. 66 Bog. gr. 4. (4 Thlr.)

[3680] Leben der Reformatoren der christl. Kirche. Von *W. Schäfer*, fortges. von Dr. *F. Bauer*. 5. Bd. Meissen, Klinkicht u. Sohn. 1843. 640 S. (1 Thlr. 20 Ngr.)

[3681] Vier Documente aus römischen Archiven. Ein Beitrag zur Gesch. des Protestantismus vor, während u. nach der Reformation. Leipzig, Hahn'sche Verlagsh. 1843. VIII u. 130 S. gr. 8. (20 Ngr.)

[3682] Wo ist Licht und Freiheit, in der katholischen, oder in der protestant. Kirche? Auf Veranlassung des Reformationsfestes in Osnabrück beantwortet von e. Priester d. Osnabrück'schen Diöcese. Münster, Coppenrath'sche Buchh. 1843. 50 S. 8. (6¼ Ngr.)

[3683] Vertheidigung der römisch-kathol. Kirche wider protestant. Angriffe u. Beschuldigungen. Oder: Zeugnisse der Wahrheit zur Abfertigung des Hrn. Past. prim. *F. Mallet* von Dr. **Jul. V. Höninghaus**. Mainz, Kirchheim, Schott u. Thielmann. 1843. IV u. 365 S. gr. 8. (1 Thlr. 5 Ngr.)

[3684] Warum nimmst du das Zeugniss Swedenborg's nicht an? Eine Schrift wider die neue Swedenborg'sche Sectirerei, zur Begründung der Gemüther in d. evangel. Lehre u. Kirche von **Fr. Barth**. Reutlingen. (Blaubeuren, Mangold.) 1843. IV u. 65 S. gr. 8. (5 Ngr.)

[3685] Drei Fragen in Sachen des evang. Vereins der Gustav-Adolph-Stiftung. Frankfurt a. M., Sauerländer. 1843. 29 S. gr. 8. (5 Ngr.)

[7886] Predigten, Betrachtungen und Unterweisungen, in frühern Jahren gehalten von Clem. Aug., Droste zu Vischering, Erzbischof von Cöln. Münster, Aschendorff'sche Buchh. 1843. 417 S. gr. 8. (1 Thlr.)

[7887] Die christliche Kinderzucht. Sieben Predigten über die Pflichten d. Eltern gegen ihre Kinder von Mt. Königsdorfer. Eine ländliche Hochzeitsgabe. 4. Aufl. Durchgesehen, verbessert u. mit e. Vorrede begl. von Dr. K. Egger, Domdechant. Augsburg, Lampart u. Co. 1844. IV u. 100 S. 8. (7½ Ngr.)

[7888] Christliche Sittenlehre d. evang. Wahrheiten, dem christl. Volke in sonn- u. festtägl. Predigten vorgetragen von P. Frz. Hunolt, Dompred. zu Trier. Neue Ausg. 2. Abthl. (Der böse Christ) 1. Thl. (Des ganzen Werkes 5. Thl.) Regensburg, Manz. 1843. VI u. 307 S. gr. 8. (22½ Ngr.)

[7889] Der christliche Glaube. Pred. am S. n. Ostern 1843 bei d. Simultangottesdienste d. reform. u. luth. Gemeinde zu Marburg gehalten von Dr. W. Scheffer, C.-Rath u. ord. Prof. d. Theol. 2. Aufl. Marburg, Elwert. 1843. 15 S. gr. 8. (2 Ngr.)

[7890] Es ist Zeit zum Handeln! Amtsantrittspred. geh. am 24. Juni 1843 in d. Synagoge zu Weilburg von S. Süsskind. Weilburg, (Lanz). 1843. 18 S. gr. 8. (3⅓ Ngr.)

[7891] Das deutsche Volk, wie es war, wie es ist, wie es sein wird. Pred. bei d. Jubelfeier d. 1000jähr. Bestehens der Selbstständigkeit Deutschlands gehalten von L. Detroit, Pred. d. franz. ref. Kirche zu Königsberg in Pr. Königsberg, Theile. 1843. 16 S. gr. 8. (3⅓ Ngr.)

[7892] Die erziehende Weisheit Gottes beim Rückblick auf die 1000jähr. Selbstständigkeit unseres Volks. Gedächtnisspredigt von Dr. Fr. Gotth. Fritzsche, C.-Rath u. General-Superint. in Altenburg. Altenburg, Helbig. 1843. 20 S. gr. 8. (5 Ngr.)

[7893] Predigt am Tage der Feier des 1000jähr. Bestehens der Einheit u. Selbstständigkeit Deutschlands von J. Geo. Fd. Hoppe, Oberprediger. Eisleben, Reichardt. 1843. 17 S. 8. (3⅓ Ngr.)

[7894] Predigt zur 1000jähr. Jubelfeier des Vertrages von Verdun. In der Univ.-Kirche zu Göttingen am 6. Aug. 1843 geh. von Dr. Th. A. Liebner, Prof. u. Universitätspred. Göttingen, Vandenhoeck u. Ruprecht. 1843. 14 S. gr. 8. (3⅓ Ngr.)

[7895] Predigt am 1000jähr. Gründungstage des teutschen Reiches von J. St. Bock, Superint. u. Pfr. Neuwied, Lichtfers. 1843. 11 S. gr. 8. (2½ Ngr.)

[7896] Die erhebende Erinnerung an die ruhmwürdigen Eigenthümlichkeiten uns. teutschen Volkes. Pred. am tausendjähr. Gedenktage d. Selbstständigkeit d. teutschen Volkes von Dr. J. Fr. Röhr. Weimar, Hoffmann. 1843. 18 S. 8. (5 Ngr.)

[7897] Predigt zu Deutschlands Jubelfeier am 6. Aug. 1843 von F. W. A. [illegible], Pred. in Fürstenwalde. Berlin, Springer. 1843. 16 S. gr. 8. (2½ Ngr.)

[7898] Versuch einer Sonn- u. Festtagsliturgie von C. H. Becker, Insp. d. Erziehungsanstalt armer Kinder auf d. Neuhof. 1. Hft., die Liturgie für d. gewöhnl. Sonntagsgottesdienst enth. Mit musikal. Beilage. Strassburg, Wwe. Levrault. 1843. 2 Bog. 8. (6⅔ Ngr.)

[7899] Kurze Erklärung verschiedener Gebräuche, Ceremonien u. gottesdienstl. Anordnungen d. kathol. Kirche. Ein Lehr- u. Erinnerungsbüchlein f. kathol. Christen. Genommen aus liturg. Schriften von Jos. Wildt, Vicar in Borghorst. Münster, Coppenrath. 1843. XII u. 94 S. gr. 12. (5 Ngr.)

[7700] Neue Briefe über die Seelensorge von Frz. Ser. Häglsperger. 4. u. letztes Bdchn.: üb. Seelenleiden u. Menschentröstung nach kath.-kirchlichen Principien. Sulzbach, v. Seidel'sche Buchh. 1843. XII u. 263 S. 12. (20 Ngr.)

[7701] Petri Alcantarae de meditatione et oratione libellus aureus. Ab ipso primum hispanice conscriptus, deinde vero a *F. Ant. Dulcken* latine redditus. Acc. auctoris vita ex B. Theresiae Virg. operibus desumpta. Nova edit. cur. *Mich. Sintzel.* Augustae Vind., libr. Schmid. 1843. XXIV u. 204 S. nebst Titelkpfr. 12. (10 Ngr.)

[7702] Fortitudo et laus mea Dominus. Preces et meditationes verbis sacrae scripturae contextae, ad usum Clericorum et Saecularium edd. a **Marc. Ad. Nickel**, consil. eccl. et Sem. episc. Mogunt. reg. Francofurti ad M., Sauerländer. 1843. 816 S. m. Titelbild. gr. 16. (1 Thlr. 7½ Ngr.)

[7703] Lieder aus der Gemeine für das christl. Kirchenjahr von **Vict. Strauss.** Hamburg, Fr. Perthes. 1843. XCV u. 312 S. nebst 6 S. Notenbeil. gr. 12. (1 Thlr. 15 Ngr.)

[7704] Anleitung zur Gewissenserforschung. 4. Aufl. Neisse. (Breslau, Aderholz.) 1843. 23 S. 8. (1 Ngr.)

[7705] Auserlesene Beicht- u. Communion-Andachten und Confirmations-Gebete. Ulm, Wagner. 1843. 32 S. 8. (2½ Ngr.)

[7706] Betrachtungen u. Gebete zum Gebrauche der Kreuzwegandacht. Neuburg a. d. D., Prechter. 1843. 1½ Bog. 12. (1½ Ngr.)

[7707] Geistlicher Blumenstrauss. Eine Auswahl von Gebeten f. fromme Katholiken. Herausgeg. von e. Missionär d. Gesellsch. Jesu. 4. verb. u. verm. Aufl. Augsburg. (Regensburg, Manz.) 1843. 142 S. 18. (2½ Ngr.)

[7708] Der fromme Christ in seiner Andacht u. im Gefühle der Liebe gegen seinen Schöpfer u. Erlöser. Ein Gebetbuch f. wahre Katholiken jeden Standes, in welchem die vortreffl. u. heissesten Herzensergiessungen frommer Christen gegen Gott in vielfachen der besten gewöhnl. Andachtsübungen enthalten sind. Ein Auszug. Münster, Coppenrath'sche Buchh. 1843. XVI u. 464 S. mit 3 Kpfrn. 12. (7½, 12½ u. mit 4 Stahlst. 17½ Ngr.)

[7709] Neunzig Betrachtungen üb. das Leiden u. Sterben uns. lieben Herrn Jesu Christi, nach d. Betrachtungen des frommen Ludw. de Ponte bearb. von **Ant. Ettinger**, Subregens im bisch. Cler.-Seminar in Regensburg. 2. revid. u. mit einem doppelten Register verm. Aufl. Sulzbach, v. Seidel'sche Buchh. 1843. XVI u. 632 S. gr. 8. (1 Thlr. 10 Ngr.)

[7710] Erbauungsbuch oder der treue Anbeter. Mit Betrachtungen für jeden Tag des Monats und einem Anhange von **Frz. v. Fénélon**, Erzbisch. zu Cambray. Ins Deutsche übers. von *Cath. Flinois*, geb. *Lotter.* Passau, Pustet. 1843. VIII u. 344 S. mit Titelbild. 16. (10 Ngr.)

[7711] Gebetbuch, gewidmet den Anbetern Jesu Christi u. d. Verehrern Mariens u. der Heiligen Ignaz v. Lojola, Franz Xaver u. Aloysius Gonzaga. Straubing, Schorner. 1843. 160 S. mit 1 Stahlst. 8. (6⅕ Ngr.)

[7712] Auserlesene Morgen-, Abend-, Mess-, Vesper-, Beicht- u. Communion-Gebete nebst dem heil. Kreuzweg von **P. Aeg. Jais.** Neuburg a. d. D., Prechter. 1843. 5½ Bog. 16. (4½ Ngr.)

[7713] Kern aller Gebete oder Gebetbuch, worin Morgen-, Abend-, Mess-, Beicht-, Communion- u. Vespergebete, Gebete zur heil. Dreifaltigkeit, zum göttl. Heilande, zum heil. Geiste, zur Mutter Gottes, zu d. Engeln u. Heiligen, Gebete auf die Feste d. Jahres, Gebete f. Kranke u. Verstorbene. Ganz umgearb. Aufl., grossentheils aus Kirchengebeten zusammengetragen vom ... Generalvicar zu Münster. 16. verm. u. verb. Aufl. Münster, Coppenrath. 1843. 8. (7½ Ngr.)

[7714] Beicht- und Communionbüchlein, oder kurze Anleitung zum würdigen Empfange der heil. Sacramente d. Busse u. d. Altars von Ign. Koch. Passau, Ambrosi. 1843. 134 S. gr. 18. (3¾ Ngr.)

[7715] Maria, unsere Zuflucht. Od.: neuntägige Andacht zur Ehre der unbefl. Empfängniss der allerseligsten Jungfrau Maria. Mit e. Messandacht, d. lauretan. Litanei u. ein. andern Gebeten. 3. verm. Aufl. Münster, Coppenrath. 1843. 78 S. u. lithogr. Titelbild. 12. (2½ Ngr.)

[7716] Die Seligkeit im Himmel. Frommen zur Erquickung auf dem Wege zum Himmel von Th. Nolk. Augsburg, Schmid. 1843. IV u. 76 S. 12. (3¾ Ngr.)

[7717] Katholisches Trostbuch. In zwölf Vorträgen über d. heil. Kreuz von P. D. Ant. Passy. 3. mit einem Anhange verm. Aufl. Wien, (Jasper'sche Buchh.). 1844. VI u. 405 S. nebst Titelbild. gr. 8. (1 Thlr.)

[7718] Das Pflegkind Mariä. Oder fünf Andachtsübungen zur Mutter Gottes auf d. verschied. Zeiten d. Jahrs, nebst beigefügten Messgebeten von P. Paulo, Pfr. in Kettenis. 2. Aufl. Aachen, Hensen u. Co. 1843. 70 S. n. Titelbild. 12. (3¾ Ngr.)

[7719] Der lebendige Rosenkranz. Ein vor Gott besonders wohlgefäll. u. wirksames gemeinschaftl. Gebet. Nebst e. Anhange von Morgen-, Abend-, Mess-, Beicht-, Communion- u. verschied. and. trostreichen u. nützlichen Gebeten. (Von *M. Sintzel.*) 12. verm. Aufl. Stadtamhof, (Regensburg, Manz.) 1843. 190 S. 12. (5 Ngr.)

[7720] Gegrüsset seist du, Maria! Ein Gebetbuch für d. andächtige Frauengeschlecht von J. P. Silbert. 4. verm. Aufl. Wien, Wallishausser. 1843. XVI u. 445 S. mit gestoch. Titel u. Titelkpfr. 8. (1 Thlr. 3⅓ Ngr. Prachtausg. 1 Thlr. 20 Ngr.)

[7721] Die heil. Messe od. das Opfer d. neuen Bundes. Ein vollst. Gebetbüchlein f. kath. Christen. Nach *Goffine* u. And. bearb. von Frz. Xav. Stock, kath. Stadtpfr. in Reutlingen. Tübingen, Laupp. 1842. XVI u. 304 S. 16. (11¼ Ngr.)

[7722] Der Meister ist da und rufet dich! Ein vollständ. Gebet- u. Erbauungsbuch f. die gebild. christkathol. Frauenwelt von Mth. Frz. v. Tabouillot, geb. *Giesler.* Borken. (Wesel, Bagel.) 1843. XIV u. 227 S. nebst 1 Titelkpfr. 8. (10 u. 12½ Ngr.)

[7723] Gebetbuch für fromme kathol. Christen von P. Mth. Vogel. Neu bearb. u. verm. Ausg. Augsburg, Kollmann. 1843. VIII u. 348 S. 12. (11¼ Ngr.)

[7724] Gebetbüchlein zur Erweckung eines frommen Sinnes, f. die Jugend, durch Erneuerung d. Taufbundes u. and. feste Entschlüsse, von Sim. Buchfelner, Pfarrvicar. Grätz. (Leipzig, Kummer.) 1843. 197 S. mit 2 Stahlst. 18. (7½ Ngr.)

[7725] Vollständiges Gebet-Büchlein f. die kathol. Jugend von J. B. v. Winklern, weil. Pfr. in Ober-Wölz. Neu herausgeg., verb. u. verm. von *S. Brunner.* Grätz. (Leipzig, Kummer.) 1843. 322 S. mit 3 Stahlst. gr. 18. (19 Ngr.)

[7726] Gnadenschatz, oder Sammlung von Ablässen, welche die röm. Päpste f. die Gläubigen beiderlei Geschlechts auf immer verliehen haben. Nach d. von d. heil. Congregation der Ablässe u. heil. Reliquien zu Rom 1838 approb. Ausg. treu übersetzt u. mit e. kurzen Abh. üb. die Ablasslehre vermehrt von Dr. *A. Sommer*. Augsburg, Kollmann. 1843. XXIV u. 126 S. mit 1 Stahlst. 12. (5 Ngr.)

[7727] Geschichte der heil. Engel von **J. P. Silbert.** Elberfeld, Büschler. 1843. XII u. 303 S. mit 2 Stahlst. 8. (20 Ngr.)

[7728] Das Leben der heil. Cäcilia in drei Gesängen von **Guido Görres.** München, Lentner'sche Buchh. 1843. 48 S. gr. 16. (5 Ngr.)

[7729] Das Leben der heil. Hedwig, Herzogin v. Schlesien, als Andenken an die 600jähr. Jubelfeier ihres sel. Todes zum Besten e. kirchl. Zweckes bearb. von **Frz. Xav. Görlich.** Breslau, Aderholz. 1843. XII u. 290 S. 8. ($27\frac{1}{2}$ Ngr.)

[7730] Leben des heil. Corbinian, ersten Bischofs zu Freising, von **P. Fr. Xav. Sulzbeck,** Prior des Bened.-Stifts Weltenburg. Regensburg, Manz. 1843. 151 S. 8. ($11\frac{1}{4}$ Ngr.)

[7731] Kurze Lebensbeschreibung des heil. Bekenners Rochus. Gebete u. Gesänge zur würd. Festfeier dieses sel. Pest-Patrons vieler Gemeinden von **C. Schmidt,** Pfr. in Bielau b. Neisse. Neisse, Hennings. 36 S. gr. 8. ($3\frac{3}{4}$ Ngr.)

[7732] Lebensgeschichte des heil. Joh. Franc. Regis aus d. Gesellsch. Jesu. Ins Deutsche übers. von *Dom. Schelkle.* Mit e. Vorrede von Dr. *K. Egger.* Augsburg, Schmid'sche Buchh. 1843. X, V u. 256 S. mit 1 Stahlst. gr. 8. ($26\frac{1}{4}$ Ngr.)

[7733] Geschichte der durch die Wundmale Christi wunderbar begnadigten, annoch lebenden zwei Tyroler Jungfrauen: Maria v. Mörl u. M. Dominica Lazzari. 2. theils nach d. Ital. des Probstes *Riccardi*, theils nach authent. Orig.-Mittheilungen bearb., sehr vervollständigte u. durchaus bericht. Aufl. Augsburg, Kollmann. 1843. VI u. 101 S. 12. (5 Ngr.)

[7734] Des seligen Nik. v. d. Flüe lehrreiche u. wundervolle Lebensgeschichte von **Geo. Sigrist,** Chorherr u. Stadtpfr. in Luzern. Luzern. (Augsburg, Lampart u. Comp.) 1843. 127 u. 167 S. nebst 3 lith. Bildern u. 1 Kärtchen. 8. (15 Ngr.)

[7735] Leben des ehrwürd. Dieners Gottes Joh. Berchmans aus d. Gesellsch. Jesu. Aus d. Ital. Augsburg, Kollmann'sche Buchh. 1843. 28 S. u. lith. Bildn. 8. ($3\frac{3}{4}$ Ngr.)

[7736] Erzählung einer vom Bisch. Laurent in Luxemburg bewirkten Teufels-Austreibung. Aus d. Holländ. wörtlich übersetzt. Luxemburg, Michaelis. 1843. 23 S. 8. (5 Ngr.)

[7737] Ankündigung der kirchl. Fürbitten für Spanien in d. Diöcese Breslau, nebst den dabei vorgeschrieb. Gebeten. Breslau, Aderholz. 1843. 28 S. 8. ($2\frac{1}{2}$ Ngr.)

[7738] Beste Weise für Katholiken, christliche Liebe ihren protestant. Brüdern im deutschen Vaterlande zu erweisen. 4. Aufl. Amberg. (Regensburg, Manz.) 1843. 16 S. 8. ($1\frac{1}{4}$ Ngr.)

Medicin und Chirurgie.

[7739] Archives générales de médecine etc. Sept. (Vgl. No. 6546.) Inh.: *Neucourt*, de l'état du coeur chez le vieillard. (S. 1—24.) — *Cossy*, sur quelques altérations de la vessie chez les sujets, qui ont succombé à l'affection typhoïde. (—53.) — *Boudet*, sur la gangrène pulmonaire. 2. art. (—73.) — *Bufz*, affection douloureuse des glandes mammaires. (—88.) — Revue générale, bibliographie etc. (—128.)

[7740] Annales médico-psychologiques etc. Sept. (Vgl. No. 5602.) Inh.: Rédard, questions relat. au magnétisme animal. (S. 165—174.) — Lélut, appréciation des idées de Gall sur les fonctions du cervelet. (—195.) — Bernard, sur l'action de la corde du tympan. (—200.) — Aubanel, des fausses membranes de l'arachnoïde chez les aliénés. (—230.) — Girard, de l'organisation et de l'administration des établissements d'aliénés. (—260.) — Brierre de Boismont, tentatives d'assassinat et de suicide par un monomane triste halluciné; expertise médico-légale. (—277.) — Revue des journaux etc. (—332.)

[7741] Journal für Kinderkrankheiten, u. s. w. 2. Hft. (Vgl. No. 6550.) Inh.: Behrend, Beiträge zur Semiotik u. s. w. Forts. (S. 81—87.) — Henoch, üb. Gehirnatrophie im kindl. Alter. (—95.) — Helfft, Andeutungen üb. das Asthma convulsivum der Kinder. (—106.) — Putegnat, üb. Laryngitis stridulosa. (—113.) — Ders., üb. Asthma thymicum. (—120.) — Kritiken, Notizen u. s. w. (—160.)

[7742] *Untersuchungen üb. periodische Vorgänge im gesunden u. kranken Organismus des Menschen. Von Geo. Schweig. Carlsruhe, Groos. 1843. VIII u. 168 S. mit 5 lithogr. Tabb. gr. 8. (1 Thlr.)

[7743] Ph. Car. Hartmann institutiones medico-practicae. Edid. et contin. P. Jos. Horaczek, Med. Dr. etc. P. I. doctrinam de febribus cont. (Auch u. d. Tit.: Ph. C. Hartmann doctrina de febribus, curante P. J. Horaczek etc.) Viennae, Kaulfuss, Prandel et soc. 1843. XL u. 240 S. gr. 8. (1 Thlr. 20 Ngr.)

[7744] Jos. Frank, Grundsätze der gesammten prakt. Heilkunde, nach der neuesten Originalausgabe übers. von Dr. Geo. Chr. Gfr. Voigt. 6. u. 7. Thl. Auch u. d. Tit.: die Nervenkrankheiten. 1. u. 2. Thl. Leipzig, T. O. Weigel. 1843. XVI u. 472, X u. 616 S. gr. 8. (6.—9. Thl., Nervenkrankheiten 4 Thle. enth. 7 Thlr. 15 Ngr.)

[7745] Geschichtliche Entwickelung der Parasiten-Theorie und ihrer Bedeutung für die Ausbildung der Pathogenie: von H. Ant. Quitzmann, d. Phil. u. Heilk. Dr., prakt. Arzt u. Privatdoc. zu Heidelberg. Heidelberg, (Groos). 1843. 8½ Bog. 8. (20 Ngr.)

[7746] Atlas der pathologischen Anatomie, od. bildliche Darstellung u. Erläuterung der vorzüglichsten krankhaften Veränderungen der Organe und Gewebe d. menschlichen Körpers. Zum Gebr. für Aerzte u. Studirende von Dr. Gottl. Gluge, prakt. Arzt u. ord. Prof. d. Physiol. u. path. Anat. an d. Univ. zu Brüssel. 1. Lief. Jena, Mauke. 1843. IV u. 18 S. nebst 5 illum. Taff. Fol. (1 Thlr. 25 Ngr.)

[7747] Ad morphologiam rhachitidis symbolae nonnullae. Diss. inaug. patholog. auctore E. Ephraim, Dr. med. et chir. Berlin, Springer. 1843. 50 S. gr. 8. (7½ Ngr.)

[7748] De cella vitali. Scrips. Dr. H. Karsten. Accedunt tabulae duae aeneae. Berolini, Schroeder. 1843. 74 S. gr. 8. (n. 12½ Ngr.)

[7749] Lehrbuch der Geburtshülfe für Hebammen von Dr. J. A. Elsässer, Vorsteher d. Gebär-Anstalt u. d. öff. Hebammen-Schule am Catharinen-Hospital in Stuttgart. Stuttgart, (Köhler). 1843. XIV u. 276 S. gr. 8. (1 Thlr. 15 Ngr.)

[7750] Regelmässige Dauer der Schwangerschaft. Hülfstabellen für Aerzte, Hebammen u. s. w. von F. A. Weber. Nordhausen, Schmidt. 1843. 1 Blatt in Fol. (2½ Ngr.)

[7751] Schwangerschafts-Tabellen. Angebinde für Neuverehlichte. Auch für Hebammen. Ulm, Seitz. 1843. 8 S. 8. (3⅓ Ngr.)

[7752] *Beiträge zur britischen Irrenheilkunde aus eigenen Anschauungen im J. 1841 von **Dr. N. H. Julius.** Berlin, Enslin. 1844. X u. 344 S. mit 2 Lithogr. gr. 8. (2 Thlr.)

[7753] Lehrbuch der Chirurgie von **Fr. E. Baumgarten**, Bergchirurgus zu Clausthal. 3. Abthl. Lehrbuch der primär-mechanischen Krankheiten: Erschütterungen, Quetschungen, Zerreissungen, Wunden, Knochenbrüche, Verrenkungen, Beugungen, Hernien, Vorfälle, Fremd-Körperkrankheiten. Osterode, Sorge. 1843. 205 S. gr. 8. (1 Thlr.)

[7754] Die Beschneidung in pathologischer, überhaupt wissenschaftl. Bedeutung, mit der Auseinandersetzung e. neuen Verfahrens in Bezug der Ausübung des zweiten Actes der Operation. Vorzugsweise ein Leitfaden für d. Beschneider von **L. Terquem**, Dr. d. Arzneik. u. Arzt am israelit. Hospital zu Metz. Uebersetzt u. mit Anmerkk. herausgeg. von Dr. *L. Heymann*, prakt. Arzt, Wundarzt u. Geburtshelfer zu Magdeburg. Magdeburg, Baensch. 1844. XII u. 44 S. mit 2 Taff. Abbildd. gr. 8. (11⅓ Ngr.)

[7755] De l'eau sous le rapport hygiénique et médical, ou de l'hydrothérapie, par le doct. **H. Scoutetten**, chir. en chef de l'hôpital milit. de Strasbourg. Paris, Baillière. 1843. 39 Bog. gr. 8. (7 Fr. 50 c.)

[7756] So wird man gesund, oder genaue Auskunft über das Naturheilsystem des Franz Thiel u. sein Verfahren, jede chronische Krankheit der Menschen, sofern sie nicht schon durch Desorganisation unheilbar geworden ist, ohne Medicamente, ohne lästiges Schwitzen u. ohne den Gebrauch der Sturz-, Douche-, Voll-, Wannen- u. Wellenbäder, bloss durch eine milde Wasseranwendung in zweckmässiger Verbindung mit diätetischen Potenzen auf eine leichte Weise u. von Grund aus zu heilen, von **Jos. Schweigl.** Leipzig, Brockhaus u Avenarius. 1843 106 S. gr. 8. (15 Ngr.)

[7757] Mephistopheles und die Kaltwassercur. Wahrheit und Dichtung. Düsseldorf, Schreiner. 1843. 32 S. 8. (10 Ngr.)

Staatswissenschaften.

[7758] Neue Jahrbücher d. Gesch. u. Politik u. s. w. (Vgl. No. 6585.) Nov. Inh.: *Schmidt*, einige im deutschen Zollvereine sich geltend machende Ansichten. (S. 385—402.) — *Heffter*, der Weltkampf der Deutschen u. Slawen u. s. w. 3. Art. (—433.) — *v. Baski*, der asiat. Handel. (—464.) — Neueste Lit. d. Gesch. (—480.)

[7759] *Grundsätze der National-Oekonomie von Dr. **C. W. Ch. Schütz**, o. Prof. an d. staatswirthschaftl. Facultät zu Tübingen. Tübingen, Osiander. 1843. XVI u. 448 S. gr. 8. (2 Thlr. 10 Ngr.)

[7760] Einleitung in die Volkswirthschaftslehre für höhere Gewerb- und Realschulen. Von **K. W. Weigel.** Leipzig, Fest'sche Buchh. 1843. VIII u. 54 S. gr. 8. (10 Ngr.)

[7761] Verhandlungen der Provinzial-Landtage in der Preuss. Monarchie unter der Regierung Friedrich Wilhelms IV. Herausgeg. von *J. F. G. Nitschke.* 3. Bd.: Die Verh. des (sechsten) Provinzial-Landtages der Prov. Sachsen vom J. 1841, nebst dem allerh. Landtags-Abschiede vom 6. Aug. 1841. Auch u. d. Tit.: Landtags-Verhandlungen der Provinzial-Stände in der Preuss. Monarchie. 18. Folge. Berlin, Hayn. 1843. XIV u. 437 S. gr. 8. (1 Thlr. 20 Ngr.)

[7762] Das staatsrechtliche Verhältniss der Standes- und Grundherren u. die Lehensverfassung im Grossherzogth. Baden, dargestellt in einer Sammlung der hierüber ersch. Gesetze u. Verordnungen in chronolog. Folge. (Von *Vogel.*) Carlsruhe, Macklot. 1843. 196 S. Lex.-8. (1 Thlr.)

[7763] Die Prägravations-Frage, od. Rechnung und Gegenrechnung zwischen d. Kön. Dänemark u. den Herzogth. Schleswig u. Holstein, nebst Bemerkungen u. Vorschlägen, die unter den verschied. Theilen d. dänischen Staates obwaltenden geistigen u. materiellen Differenzpuncte betreffend. Von IX. VI. (Abdr. aus d. Flensburger Zeitung.) Flensburg, Bünsow u. Kastrup. 1843. 28 S. 4. (7½ Ngr.)

[7764] De la démocratie en Suisse, par A. E. Cherbuliez. Tom. II. (dern.) Paris, Cherbuliez. 1843. 24½ Bog. gr. 12. (4 Fr.)

[7765] De la défense générale du royaume dans ses rapports avec les moyens de défense de Paris, par A. Rabusson. Paris, Corréard. 1843. 13½ Bog. gr. 8. (6 Fr.)

[7766] Was hat Frankreich in der orientalischen Frage mit Recht gewollt? In Briefen an den Redacteur des Univers beantwortet von P. Guerrier de Dumast. Aus d. Franz. übers. von e. kath. Geistlichen. Reutlingen, Mäcken jun. 1843. 48 S. gr. 8. (1⅕ Ngr.)

[7767] Carricaturen und Silhouetten des neunzehnten Jahrhunderts. Vom Vf. des Mefistofeles. 1. Samml. Coesfeld, Riese'sche Buchh. 1843. 134 S. 8. (15 Ngr.) Inh.: Preussen unter der Regierung Friedrich Wilhelm's IV. — Erinnerungen aus der Zeit der franz. Fremdherrschaft. — Das preuss. Volk und die Verfassungsfrage. — Russlands Grenzsperre. — Staatsanlehen.

[7768] Der Schade Joseph's an unsern Landgemeinden. Gesinnungsvoll aber freimüthig aufgedeckt von K. Bernh. König. Magdeburg, Baensch. 1843. VIII u. 59 S. gr. 8. (10 Ngr.)

[7769] Ueber Handelsfeindseligkeit von John Prince-Smith. Königsberg, Theile. 1843. 87 S. gr. 8. (15 Ngr.)

[7770] Rothschild und die europäischen Staaten von Alex. Weill. Stuttgart, Franckh'sche Verlagsbuchh. 1844. 74 S. 8. (15 Ngr.)

[7771] Beleuchtung der Bittschrift der Handelskammer von Elberfeld u. Barmen an den rhein. Landtag von C. Jung hanns. Leipzig, Fr. Fleischer. 1843. VI u. 96 S. gr. 8. (15 Ngr.)

[7772] Das geographische Element im Welthandel, mit besond. Rücksicht auf die Donau. München, J. Palm. 1843. 28 S. gr. 8. (5 Ngr.)

[7773] Ideen über die im Entstehen begriffene Dampf-Schifffahrt auf d. Emsstrome in Ostfriesland u. Vorschläge zu deren Beförderung u. Fortsetzung bis in die Lippe u. d. Rhein, vermitt eines Verbindungs-Kanals zwischen der Ems u. der Lippe, von der Stadt Rheina ab. Münster nach Hamm; und von da die Lippe herabwärts bis Wesel am Rhein von Carl Reinhold, Geometer. Leer, Prätorius u. Seyde. 1843. 96 S. gr. 8. (11⅕ Ngr.)

[7774] Sechstes Sendschreiben an die Gutsbesitzer bürgerl. Standes in Mecklenburg. Statt handschriftl. Mittheilung. Güstrow, Opitz u. Co. 1843. 79 S. 8. (15 Ngr.)

[7775] Einige Worte an meine Landsleute von Fr. v. Maltzahn. Rostock, Leopold. 1843. 13 S. gr. 8. (3¾ Ngr.)

[7776] Constitution d'Angleterre par H. Jouffroi. Leipzig, Brockhaus et Avenarius. 1843. X u. 418 S. gr. 8. (2 Thlr.)

[7777] Grundgesetz des Königreichs Norwegen. Aus dem Norweg. übersetzt. Königsberg, Voigt. 1843. 46 S. gr. 8. (5 Ngr.)

[7778] Staat und Schule in ihren Verhältnissen zu einander u. gegenüber den Verbrechen. Eine Anschauung der Zeitverhältnisse vom Standpuncte d. prakt. Erfahrung. Berlin, Hermes. 1843. 23 S. gr. 8. (5 Ngr.)

[7779] Dritter Bericht über die Wirkung des Hamburgischen Vereins zur Fürsorge für entlassene Sträflinge von ult. März 1841 bis ult. März 1843. Mit 3 Anlagen. Erstattet im Mai 1843. Hamburg, Perthes-Besser u. Mauke. 1843. 16 S. gr. 8. (3⅓ Ngr.)

[7780] Erster Jahresbericht über die Wirksamkeit des Vereins zur Besserung des Schicksals entlassener Strafgefangener f. die Kirchspiele Oldenburg u. Osternburg vom J. 1842, vorgetr. in der öff. Jahresversammml. am 12. Febr. 1843. Oldenburg, Schulze'sche Buchh. 1843. 23 S. gr. 8. (5 Ngr.)

[7781] Die sittliche Freiheit der Mitglieder der Mässigkeits- und Enthaltsamkeits-Vereine von **J. B. P. Schulte**, kath. Pfarrer in Leer. Leer, Prätorius u. Seyde. 1843. 21 S. 8. (2½ Ngr.)

[7782] Kritische Beleuchtung der preuss. Censur-Instructionen vom 4. Febr. u. 30. Juni 1843; eine vernunftgemässe Untersuchung üb. die Systeme des Christen- u. Judenthums u. üb. die Theorie der Regierungsformen u. Staatsverbände von **E. Herbert**. Altona, Heilbutt. 1843. VIII u. 88 S. gr. 12. (15 Ngr.)

[7783] Zur Judenfrage in Deutschland. Vom Standpuncte des Rechts u. der Gewissensfreiheit. Im Verein mit mehreren Gelehrten herausgeg. von Dr. **W. Freund**. 1. u. 2. Lief. Nebst einer col. Karte des preuss. Staats nach den Grenzen seiner 18 Judenbezirke. Berlin, Veit u. Co. 1843. S. 1—115. gr. 8. (5 Ngr.)

[7784] Organisation des Juden-Wesens im Grossherzogth. Posen, enth. eine Sammlung sämmtlicher hierüber ergang. Cabinets-Ordres, Ministerial-Rescripte, Oberpräsidial-Erlasse u. Verfügungen der k. Regierungen zu Posen u. Bromberg. Herausgeg. von *M. G. Kletke*, Bürgermeister. Berlin, Heymann. 1843. IV u. 361 S. gr. 8. (1 Thlr.)

[7785] Die Judenfrage. Eine Beigabe zu *Br. Bauer's* Abhandlung über diesen Gegenstand von **F. W. Ghillany**. Nürnberg, Schrag. 1843. 47 S. gr. 8. (7½ Ngr.)

[7786] Debatten des rheinischen Landtags über die Emancipation der Juden. Mit einer Einleitung von einem Staatsmanne. Berlin, Voss'sche Buchh. 1843. 48 S. gr. 8. (7½ Ngr.)

[7787] Die Petition des Vorstandes der israelit. Gemeinde zu Dresden und ihr Schicksal in der II. Kammer März 1843. Von Dr. **W. Landau**. Dresden, Walther'sche Hofbuchh. 1843. 30 S. gr. 8. (4 Ngr.)

[7788] Le destin de la France, de l'Allemagne et de la Russie, comme prolégomènes du messianisme. Paris, 1843. 36½ Bog. gr. 8.

Kriegswissenschaften.

[7789] Le spectateur militaire etc. Juillet. (Vgl. No. 1674.) Inh.: Histoire régimentaire et divisionnaire de l'armée d'Italie, commandée par le général Bonaparte. (S. 373—402.) — *de Giustiniani*, essais sur la tactique des trois armes isolées et réunis. (-412.) — *Merson*, des travaux de législation militaire du général Preval. (—436.) — *Poussin*, de la puissance Américaine. (—458.) — Analyses crit., revue des journaux etc. (—500.) — Aout. Inh.: Sur les fortifications de Paris. (—537.) — *Durand*, des progrès de la puissance militaire des Anglais dans l'Inde et des dernières guerres dans l'Afghanistan et en Chine. (—584.) — *Delvigne*, sur l'emploi et les effets des projectiles cylindre-coniques évidés. (614.) — *Delard*, réclamation de priorité au sujet de la nouvelle méthode d'équitation. (—624.) — Actes officiels etc. (—628.)

[7790] Kriegs- und Marine-Verfassung des Kaiserthums Oesterreich von Ign.

Frz. Baumgmayr, k. k. Militair-App.-Rath. 1. Thl. Wien, (Braumüller u. Seidel). 1842. XVIII u. 504 S. gr. 8. (2 Thlr. 10 Ngr.)

[7791] Die Soldaten der französischen Republik u. d. Kaiserreichs von **Hipp. Bellangé.** 2.—6. Lief. Leipzig, Weber. 1843. Text S. 9—88. mit 17 illum. Bll. Lex.-8. (à 10 Ngr.)

[7792] Events of a Military Life: being Recollections after Service in the Peninsular War, Invasion of France, the East Indies, St. Helena, Canada, and elsewhere. By **W. Henry**, Esq. Surgeon to the Forces. 2. edit. 2 vols. Lond., Pickering. 1843. 708 S. 8. (18sh.) Vgl. Monthly Review. 1843. Sept. p. 100 ff. Liter. Gazette. Sept. n. 1386.

[7793] Beiträge zur Geschichte des Jahres 1813. Von einem höhern Officier der Preuss. Armee. 2. Bd. Potsdam, Riegel. 1843. VI u. 475 S., 3½ Bog. Tabb. u. 4 lith. Pläne. Lex.-8. (2 Thlr. 20 Ngr.)

[7794] Beschreibung des gegenwärt. Zustandes der Europ. Feld-Artillerien von **G. A. Jacobi**, Prem.-Lieut. in d. k. Preuss. 7. Art.-Brigade. 10. Hft.: Beschreibung des Materials u. d. Ausrüstung der k. k. Oesterreich. Feld-Artillerie. 2. Abthl. Mainz, Kupferberg. 1843. VIII u. S. 145—284. gr. 8. mit 5 Steintaff. qu. Fol. (20 Ngr.)

[7795] Instruction für den Cavalleristen über sein Verhalten in u. ausser dem Dienste. Von einem Stabs-Officier. 2. verb. Aufl. Brandenburg, Müller. 1843. 96 S. 12. (5 Ngr.)

[7796] Ueber die grossen Cavallerie-Angriffe in den Schlachten Friedrich's u. Napoleon's. Ein Beitrag zur Gesch. des Verfalls der Verwendung dieser Waffe. Berlin, Heymann. 1843. 67 S. gr. 8. (10 Ngr.)

[7797] Rang- u. Quartier-Liste der königl. Preuss. Armee für das Jahr 1843. Redacteur: *Müller*, Kriegsrath. Berlin, Mittler. 1843. XVI u. 504 S. 8. nebst e. Tab. in Fol. (1 Thlr.)

[7798] Anleitung zum Florstfechten für die k. sächs. Infanterie. Dresden, Arnold. 1843. VI u. 114 S. gr. 8. (15 Ngr.)

[7799] Abrichtungs-Reglement mit Bezug auf den Anhang. In Fragen u. Antworten gesetzt von **Carl Hauer**, Lieut. Nebst 13 Plänen. Brünn, Winiker. 1843. 128 S. u. 13 lith. Taff. gr. 8. (15 Ngr.)

[7800] Abrichtungs- und Exercir-Reglement mit Bezug auf den Anhang. In Fragen u. Antworten gesetzt von **C. Hauer.** Nebst e. Planbuche von 78 Plänen in qu. gr. 8. Ebendas., 1843. 446 S. gr. 8. (2 Thlr.)

[7801] Belehrungen über das Percussions-Gewehr u. seine Bestandtheile. In Fragen u. Antworten für die k. k. österr. Armee von **C. Hauer.** Ebendas., 1843. 32 S. gr. 8. u. 1 lithogr. Taf. in Fol. (12½ Ngr.)

[7802] Verhaltungen aus dem ersten und zweiten Theile des Dienst-Reglements. In Fragen u. Antworten gesetzt von **C. Hauer.** 2. verb. u. verm. Aufl. Ebendas., 1843. X u. 262 S. mit 8 Plänen. gr. 8. (1 Thlr. 5 Ngr.)

Todesfälle.

[7803] Am 5. Aug. starb zu London *James Dyer*, esq., Herausgeber des „Manchester Courier", vorher des „Oxford Herald", 39 Jahre alt.

[7804] Am 15. Aug. zu Leeuwarden Dr. *Jul. Vitringa Coulon*, Mitglied des dasigen Stadtraths u. prakt. Arzt, Vf. der Schrift „Leesboek voor Ouders, vooral voor Moeders, over de opvoeding der Kinderen" etc. (Amst. 1841) und mehrerer Preisabhandlungen, 27 Jahre alt.

[7805] Am 15. Aug. zu Hampstead bei London *Rob. Bakewell*, esq., Vf. der in England geschätzten Schrift „The Introduction of Geology".

[7806] Am 29. Aug. zu Carlsruhe Dr. *Gerh. Ant. Holdermann*, grossherz. bad. Ministerialrath, Ritter des Ordens vom Zähringer Löwen, früher Gymnasiallehrer, dann 1797 Stadtkaplan zu Heidelberg, 1813 Pfarrer u. 1814 Decan zu Bruchsal, 1818 Decan, Stadtpfr. u. Seminardirector zu Rastatt, 1828 Mitglied der kathol. Kirchenministerialsection, ein geschätzter und verdienter Beamter, durch „Christl. Religionsvorträge bei gewöhnl. u. besond. Gelegenheiten“ 1806 u. einige kleinere Schriften literarisch bekannt, geb. zu Heidelberg am 21. Dec. 1772.

[7807] Am 2. Sept. zu Clifton Rev. *James Tate*, M. A., Canonicus an der St. Paul's-Kathedrale zu London, früher Rector der latein. Schule zu Richmond, als Lehrer und philologischer Schriftsteller („Greek Grammar“ in 6 Auflagen, „Letters on the Analogia linguae graecae“ edit. sec. 1843, *Dalzel's* „Collectanea graeca majora Vol. sec. complectens excerpta ex variis poetis“ edit. VII. 1830, „Horatius restitutus“ u. m. a.) im Vaterlande sehr geschätzt, 73 Jahre alt.

[7808] Am 10. Sept. zu Brighton Dr. *Thom. Hughes Ridgway*, prakt. Arzt, früher Militairarzt, Vf. mehrerer geschätzter Abhandlungen über verschiedene Gegenstände der Arzneimittellehre, z. B. über den Gebrauch des Silbernitrats in gewissen Augenkrankheiten, 60 Jahre alt.

[7809] Am 28. Sept. zu Thorn der Geh. Regierungs- u. seit 1816 Provinzial-Schulrath Dr. *Reinh. Bernh. Jachmann*, Ritter des Rothen Adler-Ordens, früher Pred. zu Marienburg u. seit 1802 Director d. Erziehungsinstituts zu Jenkau b. Danzig, als Schriftsteller („Prüfung d. kritischen Religionsphilosophie in Hinsicht auf die ihr beigelegte Aehnlichkeit mit d. reinen Mysticismus“ 1800, „Imm. Kant, geschildert in Briefen an seinen Freund“ 1804, „Ueber das Verhältniss der Schule zur Welt“ 1801, „Archiv deutscher Nationalbildung“ herausgeg. mit *Frz. Passow* u. m. a.) bekannt.

[7810] Im Sept. zu Dunchattan bei Glasgow *Charles Macintosh*, esq., Mitglied der k. Gesellschaft der Wissenschaften zu London, durch seine vorzüglichen Leistungen in der Chemie, besonders in ihrer Anwendung auf verschiedene Zweige der Manufactur, die Färbe-, Druck- u. Bleichkunst, die Herstellung wasserdichter Stoffe u. s. w., wohlbekannt.

[7811] Anf. Oct. zu Paris *P. Monnier*, Ingenieur-Hydrograph der französ. Marine, Officier der Ehrenlegion, Vf. der Schrift: „Description nautique des côtes de la Martinique“ 1828.

[7812] Um dieselbe Zeit im Park von Versailles durch Selbstmord *Domeny de Rienzi*, als Schriftsteller durch mehrere historische u. geographische Arbeiten („Tableau de la France, telle qu'elle a été, telle qu'elle est, telle qu'elle peut être“ 1814, „Histoire et description de l'Oceanie“ etc. [deutsch, 3 Bde. Stuttg., 1839, 40.] u. viele and. Schriften und Abhandlungen) bekannt.

[7813] Am 1. Oct. zu Vielau bei Zwickau *Joh. Fr. Hering*, Pfarrer daselbst, vorher von 1795 bis 1807 Conrector am Gymnasium zu Zwickau, im 78. Lebensjahre.

[7814] Am 6. Oct. zu Ratzeburg der Gymnasialdirector Dr. *U. Just. Heinr. Becker*, ein geschätzter Lehrer, auch als Schriftsteller („Ueber Livius XXX, cap. 25 u. 29“ u. s. w. 1822, „Vorarbeiten zu einer Gesch. d. 2. pun. Krieges“ [*Dahlmann's* „Forschungen“ 2. Bds. 2. Abthl.] 1824, „Die Kriege der Römer in Hispanien. I.“ 1826, „Taciti de vita et moribus Agricolae libellus. Textum recens.“ etc. 1826, „Anmerkk. u. Excurse zu Tac. Germania. Cap. 1—18“ 1830, „Ueber deutsche Vaterlandsliebe“ 1839 u. m. a.) rühmlich bekannt, geb. zu Glabitz am 25. Jul. 1791.

Druck und Verlag von F. A. Brockhaus in Leipzig.

Leipziger Repertorium
der
deutschen und ausländischen Literatur.

Erster Jahrgang. Heft 44. 3. Nov. 1843.

Theologie.

[1816] Die neutestamentliche Rhetorik, ein Seitenstück zur Grammatik des neutestamentl. Sprachidioms, von Chr. Glo. Wilke, Past., Vf. der Schriften: der Urevangelist u. Clavis philol. N. T. Dresden, Arnold'sche Buchh. 1843. XXIV u. 524 S. gr. 8. (2 Thlr. 15 Ngr.)

Hiermit bietet uns der seit mehreren Jahren überaus fruchtbare und durch die obengenannten früheren Schriften bereits ehrenvoll bekannte Vf. ein neues bedeutendes Hülfsmittel zum wissenschaftl. Verständnisse des N. T. dar, um so einen längstgehegten und namentlich auch in dem berühmten Buche ausgesprochenen Wunsch zu erfüllen, zu welchem vorstehendes als „ein Seitenstück" sich ankündigt. Und gewiss würde die Ausführung dieses Objects bei der neuerdings vorzugsweise dem N. T. zugewandten theolog.-literarischen Rührigkeit eher erfolgt sein, träten hier nicht so mächtige Hemmnisse entgegen, indem einerseits die Umgestaltung und Ausbildung der Exegese die desfallsigen Ansprüche immer steigern musste, die ehemalige Literatur aber, wie der Vf. sagt, bloss „entweder zu vervollständigende oder zu berichtigende, oder eclectisch zu benutzende Materialien" gewährte, wogegen die Idee einer neutestamentl. Rhetorik selbst allerdings nicht neu und nur zur Zeit noch nicht realisirt gewesen. (S. 4). Vor vorgedachtem und zu jenem Umschwunge der neutestamentl. Exegetik vorzugsweise wirksamen Seitenstücke seiner Schrift — mit dessen Vf. er „5 Jahre lang in seinen glücklichen Tagen zu Leipzig einen Hermann hörte" (S. XVII) — hegt natürlich auch Hr. W., da es ihm gleichsam zum Modell geworden, selbst bei nicht durchgängiger Uebereinstimmung die höchste Achtung, wie er denn sogar ausdrücklich voraussetzt, seine Leser würden die Winer'sche Grammatik stetig vergleichen; demgemäss er sich mit gebührender Bescheidenheit dahin äussert, dass er diesen seinen „Versuch" jenem Werke Winer's „nur in abstracto zur Seite gestellt" wissen wolle, es aber für Pflicht gehalten habe, „den mit der Grammatik begonnenen und bereits so weit geführten hermeneutischen Bau fortzusetzen oder vielmehr von allen Seiten zu befestigen" (S. 8 f.). Auch erklärt sich diese „Einleitung" noch näher über das Verhältniss der Rhetorik zur Grammatik selbst und zur Lexikographie, in deren beiderseitige Grenzgebiete wie anderseits in das der Hermeneutik jene wenigstens in vorlieg. Gestaltung vielfach und nicht bloss obenhin eingreift; demnächst aber auch über den vermeinten Nutzen der hier zuerst angebauten Disciplin, insbesondere für die exeget. Praxis, indem diese an der Hand jener „in den Geist der Sprechenden so weit nur immer möglich eindringe, dass wir mit ihnen zugleich die Worte aus ihrem Inneren heraus entwickeln können und an dem Baue ihrer Rede gleichsam mitarbeiten": — ein Abschnitt, in welchem der Vf., gegenüber dem todten Mechanismus anderweitiger Rhetoriken, seine Aufgabe besonders würdig erfasst. Nach alle dem können auch wir die Frucht dieser Bearbeitung im Voraus als eine directe und eine indirecte bezeichnen, deren letzte in einem überfliessend reichen Material bestehen würde, worin eine Unzahl neutestamentl. Stellen besprochen, vielfach neu beleuchtet und in heuristischer, also ganz tempestiver und besonders für exeget. Adspiranten erspriesslicher Weise erklärt wird. Eben diesen secundären Nutzen der Schrift aber müssen wir unbedingt über den ersten und nächsten stellen, als wodurch der ganze neutestamentl. Redestoff unter den Visirpunct des rhetorischen Systems gebracht, und der freien Formation der heil. Darstellung das Netz der Wissenschaft übergeworfen werden soll. Denn wie gern wir auch dem logischen Verfahren des sprachphilosophischen Vfs. alle Gerechtigkeit widerfahren lassen, es bleibt doch in der Subsumtion der eigentlichen concreten Stellen unter die vorgängige Abstraction vielfache Willkür, so dass feste, unausweichliche und dann auf fruchtbare Normen und Formeln für den Exegeten in praxi bei Weitem nicht aller Orten auftreten. Und so zeigt es sich von Neuem, wie schwer und bedenklich, vor Allem aber an dem „Geist und Leben" der h. Schrift ein ad vivum resecare sei, oder wie die Schematisirung dieses lebendigen und zarten Ausdrucks nur etwa mit dem Versuche verglichen werden möge, das Aufwallen eines frischen Quelles in mathematische Triangulation zu fassen. Die abstracten und darum auch dysmnemoneutischen Regeln dieser §§ erscheinen, obwohl durch Induction und Pragmatismus subjectiv gewonnen, dennoch in Wirklichkeit als oft bloss apodiktische, in diesem Falle aber erst durch die beigefügten Beispiele klar und colorirt; so dass dann, indem es für diese letzteren, geschweige denn für die nicht genannten voraussetzlich analogen Empirien ein planes und zwingendes Criterium zu ihrer Einordnung unter die nicht selten vervielfältigten, verschlungenen und doch nicht einmal immer in Einen Knoten zusammenlaufenden Instanzen nicht gibt, eben nur der oben als secundär bezeichnete Nutzen resultirt, demzufolge die exeget. Intelligenz sich am gegebenen Einzelnen schärfen kann. Beispielsweise nennen wir hierzu nur die Expositionen über Bedeutung der Copula S. 74 ff. (wobei nur u. A. der luth. Abendmahlslehre S. 81 auch nur nach Willkür gedacht werden konnte), über die sogen. Identificationsformel und

(S. 136—145) über die proteusartige Verbindung des Substantivs mit einem Genitiv. Zugleich drängt sich vielfältigst der Gedanke auf, dass die h. Schrift, wäre sie überall so normal verfasst, als der Vf. ihre concreten Ausdrücke vom Interpreten dialektisch-rhetorisch aufgelöst wissen will, vielleicht gerade den wesentlichsten Theil ihrer Reize an Simplicität, Popularität, Kraft und Unmittelbarkeit ihrer Conception verlieren würde. Doch mag andererseits die eindringende Hinweisung auf die oratorischen Verhältnisse der h. Sprache manchem ihrer pastoralen Ausleger, so wenig diess auch vom Vf. beabsichtigt ist, formell zu einer eigenthümlichen institutio oratoria sacra, und die ganze Ausführung, nächst den gedachten logisch-exeget. Momenten und einzelnen fördersamen Beiträgen zur allgemeinen Rhetorik, mannichfach instructiv werden, z. B. Editoren des N. T. durch die Lehre von der Parenthese (§ 68), Dogmatikern durch mancherlei consequenzenreiche Zergliederungen und Combinationen wahrhaft rhetorischer Erscheinungen als solcher (wie S. 252 ff., 352 f.), oder auch durch die sorgfältige Stoffsammlung über die Art der alttestamentl. Citation und Allegation im N. T. (S. 299 ff.). — Sind hierdurch vorläufig die Vortheile, welche man von der neutestamentl. Rhetorik an sich und in dieser Gestalt zu erwarten und nicht zu erwarten hat, im Allgemeinen angedeutet, so ist nächst diesem cui bono? nach des Vfs. eigener Ansicht (S. V) vor Allem des Princips zu gedenken, welches derselbe seine Wissenschaft beseelen lassen will und zwar in Gestalt der ihm eigenthümlichen Definition von Rhetorik. Als das Wesen des Rhetorischen erkennt er nämlich, mit Verwerfung aller anderweiten Bestimmungen, „Alles was am Ausdrucke als (individuale und resp. künstlerische) Willkür erscheint" (S. VI, vgl. 10 ff.) und zwar gegenüber Dem, was vor deren Aeusserung normirt worden. Hiergegen ist aber doch einzuhalten, einmal dass bei jedem treuen Ausdrucke eine innere Nothwendigkeit zu Grunde liegt und sodann, dass der Begriff des zuvor Normirten doch sehr unbestimmt und relativ ist; falls aber auf dem Normirten selbst der Nachdruck liegen sollte, die Rhetorik, eben als inductiv normirende Wissenschaft, zur Selbstmörderin würde: so dass denn auch diese in die ganze Abhandlung tiefeingreifende Begriffsstellung nicht für treffend erkannt werden möchte. Ueberzeugt man sich doch auch durch alle Instanzen hindurch und gerade unter des Vfs. eigener Nachweisung, dass kein einziger Ausdruck im dem vorlieg. Object ganz für einen anderen stehe und darum mit einem solchen ohne Nachtheil vertauscht werden könne, dass mithin überall nichts weniger als „Willkür" obwalte: wie denn selbst die für uns nächste Analogie zu der bibl. Popularität, nämlich unsere Volkssprache, obgleich dieselbe sich an das Fixirte vorzugsweise anschliesst, überaus rhetorisch lautet. Jedenfalls liegt es auf der Hand, dass, wäre der rhetorische Apparat des N. T. nur eine Sammlung von Willkürlichkeiten, die als solche kaum in einigen Exemplaren völlig coincidiren würden, diese näminermehr in ein System gebracht werden könnten, mithin der Vf. von einem solchen, und d. i. eben von einer Rhetorik schon a priori abzusehen hatte. — Ein ferneres Bedenken gegen die Auffassung einer neutestamentl. Rhetorik von Seiten des Vfs. erhebt sich darin, dass er derselben stillschweigend einen viel engeren Sinn zumisst, als der Rhetorik historisch zukommt. Wird diese nämlich, nach alter und richtiger Eintheilung, in die Hauptstücke de inventione, de dispositione und de elocutione zerfällt, so hat Hr. W. sich eigentlich nur dieses 3. Cap. zum Vorwurfe genommen, denn, was ausserdem über das 2. hiervon S. 237—240 beigebracht wird, ist nach seinem eigenen Geständnisse so „summarisch und wie in der Form eines index", dass diese neutestamentl. Dispositionslehre in nuce für einen Ersatz auch nur dieses Theiles durchaus nicht gelten kann und zu dem starken Volumen des Buchs in fast ironischem Contraste um so mehr steht, da in den unmittelbar folgenden Parthien über die „logische Form der neutestamentl. Rede" (d. i. der elocutio) mit wahrhaft luxuriöser Ausführlichkeit gehandelt wird. Glaubte der Vf. sich jener höheren Gebiete der Rhetorik entschlagen und allein auf dem des rhetor. Satzes und Ausdrucks darum verweilen zu müssen, weil sie auf das neutesamentl. Feld weniger Anwendung erleiden könnten: so würde sich doch hier, was die „inventio" betrifft, mindestens negativ mancherlei haben sagen lassen, während schon jeder Commentator neutest. Schriften auch über deren Partition und Division, die neutest. Isagoge aber auch über die Gliederung des ganzen Corpus Rede und Antwort zu geben pflegt. Wenigstens hätte der Vf. bei jener factisch angenommenen Beschränkung seiner Wissenschaft auf den engsten und niederen Sinn auch den Titel seiner Schrift modificiren und daher minder anspruchsvoll aussprechen sollen. Diese Bemerkung würde ihn nicht treffen, hätte es ihm beliebt, das N. T. als Ganzes und dessen Theile durchgängig so zu behandeln, wie es in beifallswerther Weise mit Thema und Argumentation (S. 317 f.) des Römer- und (S. 479 ff.) mit dem Hebräerbriefe geschieht; wogegen freilich Das, was S. 468 f. von der Disposition des Marcus und Joh. und S. 475 f. über die der Paulusbriefe im Allgemeinen gesagt wird, kaum einen dürftigen Anfang zur Sache bildet. Es wird ferner zur Aufgabe der neutest. Rhetorik gehören, unter den verschiedenen Stylarten im N. T. (s. u.), nächst den historischen, speciell die epistolischen und vornehmlich die eigentlich oratorischen als solche stetig zu berücksichtigen. Insbesondere desideriren wir das Eingehen auf die Rhetorik Jesu selbst, welche hier schlechthin mit der seiner Referenten identificirt wird, indem nach S. 468 weder Joh. noch die Synoptiker die Reden Jesu treu wiedergegeben hätten, und nur „gewisse allgemeine Züge in den evangel. Relationen der histor. Wahrheit entsprächen". Freilich schneidet der Vf. die alleinigen Criterien hierzu durch so unbewiesene Bemerkungen geradezu ab, wie S. 458 die über Lucas, dass es „dessen Darstellungskunst charakteristisch sei, die Reden charakteristisch zu machen". — Die von der neutestamentl. Rhetorik ihm hiernach noch übrigbleibenden Stoffe hat der Vf. in folgender Zerlegung behandelt: I. Cap.: der tropische Ausdruck (Synekdoche, Metonymie, Metapher; mehrtheilig bildlicher Ausdruck mit Gnomen, Sprüchwörtern, Vergleichungen; Allegorien u. s. w.); II.: Quantität (d. i. Kürze und Erweiterung des Ausdrucks; III.: Abweichungen von der Strenge der Syntax; IV.: logische (worunter allerdings eigentlich das Ganze oder doch mindestens das zunächst Vorhergehende gehören würde) und V. ästhetische Form des Ausdrucks; VI. die rhetorischen Figuren (d. i. verbale und die figurae sententiarum); VII.: Redeweise der einzelnen neutest. Schriftsteller. Möchte diese Disposition dem ersten Ueberblicke nichtsweniger als eine logische Coordination und Verknüpfung aufweisen, so gibt doch der Vf. darüber sowohl im Voraus (S. 10 ff.) als auch nachgehend über das immer Speciellere seines Schematismus vornehmlich aus prakt. Interesse genügliche Rechenschaft, so dass wir von diesem Standpuncte aus und bei einem so mannichfaltigen Material jene Zerfällung im Grossen und im Einzelnen sammt deren vielfachen inneren Einschachtelungen doch für sachgemäss zu halten geneigt sind, indem wenigstens Zusammenstellung des Verwandten und Vermeidung von Wiederholungen (welche nur im VI. Cap. aus früheren, besonders aus dem V., jedoch auch hier nicht ohne gewisse Modificationen hervortreten) erzielt wird. — Die besondere Wichtigkeit der häufig (wie §§ 9 und 11) geradezu in das Hermeneutische ausschlagenden Regeln, mehr aber noch die der untergesetzten, mit grosser Geschicklichkeit und ausserordentlichem Fleisse zusammengestellten Beispiele (namentlich auch eigentlich rhetorischer wie S. 372 ff.) für die Exegese ward bereits angedeutet, und die letzteren sind selbst in den selteneren Fällen nicht ohne Interesse, wo sie mit ihrem Canon nicht harmoniren (wie wenn S. 267 Mth. 15, 15: *οὐ τιθέασιν αὐτὸν ὑπὸ τὸν μόδιον ἀλλ' ἐπὶ τὴν λυχνίαν* mit *οὐ* das Verbum des Satzes negirt sein soll). Und erklärt der Vf. S. XIV. ausdrücklich, dass er dieses „exegetische Interesse der ganzen Abhandlung vor Allem zu geben versucht habe": so muss Ref. zugleich die hieran sich bewährende exeget. Gelehrsamkeit, Gewandtheit, Scharfsinnigkeit, Selbstständigkeit und dessfallsige Tüchtigkeit desselben rühmend anerkennen, welche er übrigens auch schon in seinen früheren, besonders den lexikalen Arbeiten dargelegt hat. Je reicher aber jene, angehenden wie gelehrten Exegeten empfehlenswerthe Fundgrube, um so unvermeidlicher natürlich auch die Besprechung solcher Stellen und Gegenstände, bei deren Erklärung man dem Vf. zu zu widersprechen versucht ist. Dahin rechnen wir u. A. zu weit gehende Bestimmungen wie S. 72 f. die, es sei *ζῶν* im N. T. nicht bloss „lebend". und (implicite) „lebenspendend, sondern auch (Hebr. 10, 20. 4, 12) „durch Lebendiges hindurch und in Lebendiges eindringend"; während der Vf. ein anderes Mal vielleicht diesseits der sonst behaupteten Höhenschärfe des Begriffs verbleibt, wie wenn S. 19 zwar richtig bemerkt wird, dass „Viele" u. A. dann für „Alle" gesagt werde, sobald „eine Vielheit der Einheit entgegengesetzt würde", nicht aber beigefügt wird, dass diess darum geschehen durfte, weil jene ein Genus von den ihm deshalb zu subsumirenden „Alle" ist: mit welcher Betrachtung der Gegenstand allerdings auch eine andere Stelle (§ 5) erhalten haben würde. So fehlt auch in der Behandlung der Verbindung des Subst. mit einem Genit. namentlich der für das N. T. überhaupt noch viel zu wenig erkannte hebraisirende Fall, wo das dem Genit. nachgesetzte Pronomen wesentlich mit dem Begriffe des ersten Substant. (richtiger mit dem des Ganzen) zu verknüpfen ist; daher z. B. Col. 1, 20 nicht zu übersetzen: „das Blut seines Kreuzes", sondern sein Blut des Kreuzes, oder kürzer: sein Kreuzesblut; eben so (S. 139 f.) 2 Thess. 1, 7 (seine Kraftengel) u. s. w.; wie denn gerade die deutsche Zusammenschweissung beider Substantive, von welcher der Vf. selbst gelegentlich Gebrauch macht, hierbei namhaft erläuternd wirkt. Von sonstigen beachtenswerthen exeget. Resultaten des Vfs. sei hier nur noch genannt, dass er (S. 358) 1 Cor. 11, 10 die berühmte ἐξουσία (wie es wenigstens in der Clavis noch nicht geschehen) in dem „Haare selbst" findet; (S. 19) 1 Cor. 15, 29 bei der Taufe ὑπὲρ τῶν νεκρῶν den „Plur. pro Sing." fasst und den todten Jesus mit allen Todten identificirt"; (S. 72, 339) 2 Cor. 5, 3 unter γυμνοί mit „früheren und meist kathol. Erklärern von Verdiensten Entblösste" (statt mit der Clav. Körperlose) erkennt; (S. 205) den Plural bei Paulus von ihm selbst lediglich für eine amtliche Bezeichnung hält (im Gegensatze des Singulars in den vertraulicheren Pastoralbriefen, obschon er diese S. 477 f. nicht für paulisch anzuerkennen scheint); (S. 216, 230) das „kritische Wagstück", Röm. 2, 16 vor V. 13 zu stellen, da Paulus in seinen Brr. zu manchen Stellen Randglossen mit der Bestimmung ihrer Einverleibung in die Epistel beigeschrieben haben möchte, welche aber dann an unrechte Orte gekommen wären (vgl. 2 Cor. 9, 9 f. Eph. 3, 14. Col. 1, 21). Uebrigens verfolgt der Vf. sein in dem „Urevangelisten" über die Entstehung der Evangelien — das Protevangelium des Marcus, welchem Luc. und Beiden Mth. nachgearbeitet, während Joh., wo er der synop. Grundlage folge, weniger anschaulich referire, in den ihm eigenthümlichen Erzählungen aber weit mehr individualisire (S. 462) — dargelegte Ansicht auch in diesem Werke bei jeder Gelegenheit mit Nachdruck, z. B. S. 202, 227 u. s. w., am vollständigsten aber § 139 ff., wo zu diesem Behufe (vgl. S. XII) sowohl als nach dieser Verannahme die Synoptiker ausführlicher charakterisirt werden. Wenn aber auch schon hierbei gelegentlich z. B. Mc. 9, 39—41 (wohl 38—48, um nämlich V. 41 mit 37 zu verbinden) für „einen später gemachten Einschub aus — Lc. 9, 49 f." (ähnlich auch Mc. 7, 3 f. S. 291) erklärt wird, so scheint denn doch auch das vom Vf. entunächte Licht nicht ohne Wolken zu sein und, trotz seiner scharfsinnigen Bemerkungen und der Zuversicht auf den endlichen Triumph seiner Hypothese (S. 227), die Lösung des änigmatischen Gegenseitigkeitsverhältnisses der Synoptiker noch das Schicksal des Steines der Weisen zu theilen. Doch findet der Vf. auch bei diesem Gegenstande, wie sonst, Gelegenheit, sehr schätzbare Beiträge zur Sprachcharakteristik der einzelnen neutest. Schriftsteller zu geben. Zeigt sich nun derselbe bei alle Diesem in Theorie und Praxis auf der Niveauhöhe heutiger Philologie und Exegetik, um so bedeutsamer müssen einige und zwar eben auf dem Wege der Zeitwissenschaft erlangte Ergebnisse und Bemerkungen sein, welche — nicht bloss frühere laxe und spätere schroffe Behauptungen vermitteln, wie es z. B. S. 54 mit χρᾶσθαι geschieht, — sondern wirklich den Meinungen der älteren Schule sich zuneigen: z. B. δέ „entspreche zuweilen dem deutschen nämlich“, vgl. Philipp. 2, 8 [wo indess ein Gegensatz zu dem gewöhnlichen Tode bezeichnet wird]; oder wenn S. 168 die Rede von einem „exegetischen καί“ ist, oder S. 149 von einer Hendiadys an Stellen wie Lc. 21, 15: στόμα καὶ σοφία („von Weisheit durchdrungene Rede“) während doch wohl „Mundwerk“ und „Weisheit“ auch empirisch oft genug separat anzutreffen sind. Ja selbst die geächtete Enallage wird S. 335 nicht geradezu abgelehnt. Noch eingreifender ist (z. B. S. 97 f.) die dem grammatisch Angenommenen sich geradezu gegenüberstellende Behauptung, dass Paulus auch Substantiven Zusätze mit Präpositionen auch ohne vorherige Wiederholung des Artikels bilde, wenn er nämlich in vorhergehende Worte den Begriff eines Handelns, Werdens, Sichvollziehens u. s. w. lege (z. B. ζωή, Lebung)“. Nur bei dieser effectiv einigermaassen reactionären Tendenz konnte der Vf. auch den an sich sehr dankenswerthen Fleiss auf das so vollständige Cap. von „den rhetor. Figuren“ verwenden, welche er jedoch mit eben so grosser Kritik als Klarheit behandelt, so dass er zugleich Gelegenheit gefunden hat, auch hier durch Definitionen und concrete Bemessungen eine grosse Niederlage unter den an seinen Vorgängern (Glassius u. A.) hieher gestellten Beispielen, wie sonst unter den angeblichen Metaphern (darunter auch Mth. 5, 13 τὸ ἅλας S. 80), Metonymien, Allegorien u. s. w. anzurichten. Bei solcher Ausführlichkeit aber die Ellipse darum ganz zu übergehen, weil sie in das hermeneutische Gebiet gehöre (S. 126), scheint dem Ref. mehr als blosse Inconsequenz zu sein, da sie der Rhetorik wenigstens gleicherweise zukommt, und der Vf. ja sonst gar nicht Bedenken trägt, Verwandtes, z. B. Grammatisches (s. o.) oder rein Lexikales (z. B. Cap. IV bei der Lehre von den Conjunctionen, wo gewiss Manches relativ zu subtil und darum auch schwer behaltbar sein dürfte), in sehr ausgedehnter Weise zu behandeln. — Dass von allen diesen rhetorisch-exegetischen Forschungen auch die Dogmatik nicht unberührt bleibe, bemerkten wir bereits. Möchte der Vf. auf diesem Gefilde für durchaus unvoreingenommen gelten;

streitet er wenigstens z. B. S. 33 f. (entscheidend gegen Bretschneider, den er auch exegetisch vielfältig zurecht weist) wider eine „flache Rationalistik", und tritt er auch sonst Verwässerungen der Schriftlehre entgegen; so vermögen doch auch seine eigenen Erklärungen z. B. von dem Reiche Gottes (S. 46 f., 288) nur wenig zu befriedigen, ebenso wie die von dem joh. Logos als nicht Concretum sondern „der Intelligenz Gottes, der Urvernunft, in Jesu als geistiges Lebensprincip verkörpert und einst in Gott der Weltformung vorangegangen" (vgl. z. B. S. XIV f., 467 u. a.); dem entsprechend auch Paulus Christo keine reale, sondern eine blosse ideale Präexistenz beilege und nur lehre, Gott habe bei der Schöpfung Alles auf das Reich des Messias angelegt und auf ihn bezogen (S. XV); wenn dann freilich Ausdrücke wie *μορφὴ θεοῦ* Phil. 2, 6 auf „eine Bestimmung zur Unsterblichkeit als Messias und Mitherrscher im Lebensreiche Gottes", und andererseits tiefsinnige Formeln wie das *πιστεύειν εἰς Χριστόν* mit herausfordernder Confidenz auf „nichts Anderes als die Erwartung der Auferweckung zum einstigen ewig seligen Leben durch Christus" (S. 484) herabgebracht werden. — Doch wünschte Ref. nicht, durch Anführung dogmatischer Darstellungen des Vfs. von diesem Gehalte demselben das Lob eines ihm sonst inwohnenden exegetischen Feingefühls zu verkümmern; vielmehr erwachsen dieselben wohl aus einer anderen Tendenz desselben, Alles auf möglichst naheliegende und markirte Begriffe zu reduciren, wobei er sich freilich grösser in dem Detail als in der Grosso-Exegese erweist. Hiermit verbunden ist ein gewisser, zuweilen hervorstechender Mangel an Delicatesse und Weihe, welchem u. A. mindestens als unschicklich zu bezeichnende Ausdrücke über die h. Schriften entschlüpfen, indem er z. B. nicht nur dem Lucas „Tautologie und Makrologie" (S. 428), sondern auch dem Johannes „Redseligkeit" (S. 194, 464, d. i. Aufwendung vieler Worte auf eine geringe Quantität von Ideen" S. 198) nachsagt, ja den Epheserbrief „ein Muster von Weitschweifigkeit, Gedehntheit und tautologisirender Verbosität" (S. 195) heisst. Ueberhaupt möchten gerade diese unter die Rubriken der Breite, Gedehntheit (S. 187 ff.) und des Schleppenden (S. 192) gebrachten Beispiele noch sehr einer Sichtung bedürfen, da sich unter den Belegen zu den ersteren Kategorien z. B. auch Mth. 4, 16: *τοῖς καθημένοις ἐν χώρᾳ καὶ σκιᾷ θανάτου φῶς ἀνέτειλεν αὐτοῖς*, also vielmehr eine emphatische Anakoluthie findet, durch deren (hebraisirende) Zertheilung des Satzes eine um so schroffere und drastischere Opposition zwischen Todesschatten und Licht bewirkt wird; in letzterer Beziehung aber z. B. *ἀκολουθεῖν ὀπίσω* nicht minder graphisch als unser „nachfolgen" ist. Wird übrigens unter jene Prädicate und die verwandte Tautologie (§ 52) auch der parallelismus membrorum § 51 gezogen, so würde derselbe, als mehr hebräisch-poetisch gefühlt, doch vielmehr der „ästhetischen Ausdrucksweise" unterzuordnen sein. In ähnlichem Sinne sind die sogen. constructiones praegnantes S. 47 zu modificiren, indem

z. B. [illegible] ebenso wenig gestellt werden muss als etwa dieser „auf einen Gegenstand auffallen", zu deren Wesensdefinition aber bemerken wir, dass auch bei der wirklichen Prägnanz die ursprünglichen Begriffe des Verbums wie der Präposition unverändert bleiben und die scheinbare Metonymie lediglich in der Combination, also ausserhalb beider liegt, mithin mehr eine ideale ist. Dennoch sind die Begriffsbestimmungen des Vfs. im Allgemeinen als scharf und treffend zu rühmen; vielleicht sind sie ersteres manchmal zu sehr, da z. B. hiernach Mth. 13, 24—30 in Verbindung mit V. 36—41 nicht mehr Parabel, sondern Allegorie, diess aber gewiss auch gegen des Vfs. eigene Meinung sein würde. Noch missbräuchlicher erscheinen die rhetorischen Zauberformeln am exeget. Geschäfte, wenn mit ihrer Hülfe z. B. Mth. 12, 35 *ἐκ τοῦ θησαυροῦ τῆς καρδίας* mit *ἐκ τῆς καρδίας ὡς ἐκ θησ.* vertauscht wird, während doch hier der Schatz vielmehr als der Inhalt des Herzens dargestellt werden soll; oder Abschwächungen wie (S. 18) von Phil. 4, 13: *πάντα* (*ἰσχύω*) zu der Relativität von V. 12; von *μισεῖν* (S. 37, 55) zu blossem (angeblich hebr.) „hintansetzen"; (S. 107) von Mc. 9, 47 (*ἐὰν ὁ ὀφθαλμός σου σκανδαλίζῃ σε κτλ.*) zu einem im Cirkel gehenden: „Verhalte dich so, als ob du diese Glieder nicht hättest". — Von der Form der Schrift ist endlich zu sagen, dass die gedachten §§ von meist sehr ausführlichen, enger gedruckten Erläuterungen, Motivirungen, Specialisirungen, Exemplificationen u. dgl. begleitet und in möglichst stetige innere Verbindung zu einander gebracht sind, für deren Uebersicht zuweilen ein noch angemessenerer Gebrauch der Drucksperrung wünschenswerth sein würde. Dass in der Bearbeitung selbst eine grössere quantitative Gleichmässigkeit vermisst werden könne, stellt der Vf. selbst (S. XVIII) nicht in Abrede. Ueber die betr. Literatur berichtet derselbe S. 5; hat er indess von den Classikern vorzugsweise den Auct. ad Herenn. und den Quinctil., von den Neueren des Glassius rhetorica s. und Bauer's rhet. Paull. etc. fleissig angezogen, so ist er an den neuesten Rhetorikern ganz schweigend vorübergegangen und hat auch im Uebrigen, besonders im Philologisch-Exegetischen, sich nicht überall mit Citaten befassen wollen, als worin nur „das Bewusstsein eigener Unmündigkeit" sich manifestire, wohl aber dann es gethan, wenn er von präjudicirter Auctorität abweicht oder in Zweifelfällen von einer solchen sich zu decken hat (XVII). — In dem übrigens einfachen und bezeichnenden Style sind dem Ref. einigemal Incongruitäten aufgestossen, wahrscheinlich Folgen wiederholter Ueberarbeitung (z. B. S. VIII. 11). Ein ausführliches „Inhaltsverzeichniss" (S. XIX—XXIV) und ein dreifaches (Materien-, griechisches Wort- und neutest. Stellen-) Register (S. 494—522) wird die Handhabung des Werkes erleichtern; das letztere zeugt insbesondere von dem Reichthume der zur Sprache gebrachten Schriftstellen. — So möge denn das zwar mit selbständiger und folgerechter Nüchternheit sich entwickelnde, dabei aber vielfach interessante Werk an seinem Theile mitwirken, das Verständniss heiliger Schrift nicht nur zu erhöhen, sondern auch bis in die letzten Fibern seiner Genesis hinab zu verfolgen. Sollte übrigens das umfassende Volumen und die damit verbundene Kostspieligkeit der vorlieg. Bearbeitung den Vf. veranlassen, für das grössere theol. Publicum eine verkürzte Handausgabe zu besorgen, so würde Ref. hierbei, nächst Berücksichtigung der obigen positiven Desiderien, besonders eine der Praxis gewiss nur erspriessliche Zusammenziehung auch des eigentlich doctrinellen Theils empfehlen. Dann möge aber die Verlagshandlung auch für einen correcteren Druck Sorge tragen, da der gegenwärtige — noch ausser den auf den Schlussseiten angezeigten — durch eine Unzahl zum Theil sehr hässlicher Druckfehler im Deutschen, Lat. und vornehmlich im Griech. wie auch in den Stellenziffern entstellt und sein Gebrauch gestört wird; ob aber unter diese Kategorie auch „Accomodation“, „Semmler“, „Sphynx“ u. dgl. gehöre, vermögen wir nicht zu entscheiden.

[7816] Die Zustände der anglicanischen Kirche mit besonderer Berücksichtigung der Verfassung und des Cultus dargestellt von **Herm. F. Uhden,** Cand. d. Predigtamts. Leipzig, K. Tauchnitz. 1843. VI u. 262 S. gr. 8. (1 Thlr. 10 Ngr.)

Gewährt es, nach welcher Seite des menschlichen Wissens hin es auch sei, eine grosse Befriedigung, in irgend einen Organismus möglichst klar einzuschauen und ihn dadurch richtig und unbefangen beurtheilen zu lernen, so darf auch die vorlieg. Schrift auf Anerkennung Anspruch machen, obschon sie in ein neuerlichst bereits von Vielen beschrittenes Gebiet gehört. Denn es hat sich eben durch die hier gemeinte Polygraphie herausgestellt, dass eine blosse Aufzählung der symbolisirten Lehrgrundsätze der anglicanischen Kirche, eine kurze Charakteristik der ihnen untergeschobenen Lehrmittel, eine oberflächliche Darstellung der aus ihnen entwickelten Verfassung und des durch sie hervorgerufenen Lebens nicht ausreiche, die verschiedenen oder vielmehr entgegengesetzten Urtheile über jene Kirche gehörig zu vermitteln. Diess wird nur möglich sein, wenn man, wie der Vf. dieser Schrift, die Kirche von England durch einen längeren Aufenthalt in diesem Lande beobachten oder die Resultate solcher Beobachtungen sich aneignen kann, und zu Letzterem wird man den Vf. um so behülflicher finden, je mehr man sich mit ihm hinsichtlich der Grundsätze einverstanden erklären muss, die er befolgte. „Bei der Beschreibung der Zustände einer Kirche“, sagt er: „sind wir auf die Gegenwart angewiesen und zwar zunächst auf das Eigenthümliche der Gegenwart. Daher stellt sich Dasjenige, was durch die Einflüsse der Zeit irgend welchen Veränderungen oder verschiedener Auffassung ausgesetzt ist, mehr in den Vordergrund, als das Feststehende und Bleibende; denn an dem Letzteren zeigt sich die ganze Vergangenheit der Kirche eben so sehr, als die Gegenwart“ (S. 1). Demzufolge führt der Vf. in seine Arbeit durch eine Charakteristik der engl. Kirche ein, bei welcher er sich fest an die Besheit und Gegenwart hält, so dass er nicht sowohl von der Berufung auf die Geschichte oder der Entwickelung allgemeiner inwohnender Principien ausgeht, sondern von einer Vergleichung ähnlicher Erscheinungen. „Der Zustand einer bestimmten Kirche zeigt sich an dem Einflusse auf den Lebenskreis, der ihrer Wirksamkeit ausgesetzt ist. Es kommt daher für die Beschreibung dieses Zustandes auf ein Zwiefaches an: auf die Beschaffenheit der Mittel, durch welche die Kirche wirkt, und des Kreises, auf den sie wirkt. Zu jenen rechnen wir eben sowohl die persönlichen Organe als die thatsächlichen Mittel; in Beziehung auf beide werden wir sowohl das Bestehende und Blühende in Verfassung und Cultus beschreiben, als auch besonders dann auf Dasjenige Rücksicht nehmen, worin sich das Eigenthümliche der Gegenwart kund gibt. Die Einwirkung der Kirche auf den ihr nahestehenden Kreis spricht sich in dem relig. Leben und der Sitte aus; wir heben hier aber dann noch das besondere Verhältniss der anglic. Kirche zu Denen hervor, welche, einer anderen Kirchengemeinschaft angehörig, durch die bürgerlichen und socialen Verhältnisse mit den Gliedern der Kirche in Verbindung stehen" (S. 2). Nach diesem Umrisse gibt das 1. Cap. (S. 3—36) die Charakteristik der anglic. Kirche. Das Vorherrschen des Bewusstseins der Continuität in dieser Kirche, aber auch ihr Mangel an Universalität wird trefflich nachgewiesen und wie sich das Organisationstalent der Engländer, ausgebildet durch ihre Colonisation, an den Institutionen im Allgemeinen zeigt und auch auf die Kirche seinen Einfluss äussert. Das 2. Cap. (—64) handelt von dem Clerus und der Kirchenverfassung. Bildung und Vorbereitung der engl. Geistlichen, ihre Ordination, Wahl und ihr Verhältniss zur Gemeinde, kirchl. Eintheilung des Landes, die verschiedenen Beziehungen, in denen die Leiter der Kirche stehen u. s. w. werden hier besprochen. Das 3. Cap. (—91) führt die Parteien innerhalb der Kirche, die Evangelical und High Church party und die Puseyite vor. Im 4. Cap. (—113) wird das Common prayer-book, im 5. (—128) Predigt und Seelsorge besprochen. Das 6. Cap. (—153) handelt von den äussern Mitteln und dem Neubau der Kirchen; also von Zehnten (tythes), Jahreseinkünften (Queen Anne's bounty), Stolgebühren (fees) u. dgl. m.; von den Commissionen für die Kirchenbauten, den Bestimmungen über die Bedürftigkeit, der Art der Abhülfe u. s. w. Das 7. Cap. (—181) schildert das religiöse Leben und die Sitte. Sonntagsfeier, Versammlungen der relig. Gesellschaften, Anhänglichkeit an Liturgie und Verfassung, Reaction gegen den Unglauben und den Indifferentismus in den höheren Ständen u. s. w. bilden hier die Incidenzpuncte. Das letzte Cap. (—209) hat die Stellung der Kirche zu den Dissenters — Wesleyaner, Unitarier, Socialisten, Katholiken Englands und Irlands, Kirchen fremder Zunge — zum Gegenstand. Einige Anhänge, die kirchliche Eintheilung in Irland und in den Colonien, der puseyitische Katechismus u. s. w., und ein Sachregister machen den Schluss. Aus dem bisher Mitgetheilten geht hervor, dass diese Schrift, ihrer grossen Reichhaltigkeit und festen Ordnung wegen, die unter No. 3996 angezeigte Gäbler'sche weit übertrifft. Diesen Vorzug behauptet sie namentlich auch darum, weil der Vf. bei seiner Darstellung von dem eigenen Standpuncte abzusehen weiss, was so ungemein schwierig ist und oft eher in persönlicher Beziehung gelingt, als in der auf die eigenthümliche Anschauung der Kirche, welcher der Beobachter angehört. Auch noch dadurch ist dieser Schrift eine grössere Anziehungskraft mitgetheilt, dass, was geschichtlich zur Verständlichkeit gehört, in den einzelnen nöthigen Fällen herangezogen wird, während eine etwa vorangestellte historische Skizze doch nur bekannte Data, wenn auch vielleicht hier und da mit besonderer Auffassung, würde enthalten haben.

Medicin und Chirurgie.

[1817] Die physikalische Diagnose der Lungenkrankheiten. Von **Walther Hayle Walshe**, M. D. Prof. d. pathol. Anat. an d. Univ. zu London, Arzte am Hosp. f. Lungen- u. Brustkranke u. s. w. Aus d. Engl. übersetzt von Dr. *A. Schnitzer*, Hofr. u. prakt. Arzte zu Berlin. Berlin, Hayn. 1843. IV u. 143 S. gr. 8. (25 Ngr.)

Diese Abhandlung erfüllt, was die Vorrede verspricht: einen gedrängten, doch vollständigen Ueberblick der Grundsätze und Ergebnisse der physikal. Diagnose der Krankheiten der Respirationsorgane zu liefern. Im 1. Theile werden die verschiedenen Methoden der physikal. Untersuchung und die durch dieselben sowohl im gesunden, als im kranken Zustande sich darbietenden Erscheinungen beschrieben. Der 2. Theil enthalt in seiner ersten Abtheilung eine tabellarische Uebersicht „der physikalischen Ursachen und des gewöhnlichen Sitzes der physikalischen Zeichen, mit Angabe der Krankheiten, bei denen sie beobachtet werden". Die verschiedenen Arten der diagnostischen Hülfsmittel bilden 5 Sectionen (Inspection, Application der Hand, Mensuration, Percussion, Auscultation), eine sechste — im Texte mit VII bezeichnet — ist auf die Dislocationen der die Lungen umgebenden Theile und Organe gegründet; jede dieser 6 Tabellen ist in 4 Spalten getheilt, mit den Ueberschriften: Name des Zeichens, physikalische Ursache, gewöhnlicher Sitz, Krankheiten, bei denen es vorkommt. — Die 2. Abth. liefert eine Synopsis der physikalischen Zeichen der Lungenkrankheiten. Wie in jener das Zeichen, so steht in dieser Abtheilung der Name der Krankheit an der Spitze jedes Abschnittes; der 3. Theil enthält in 237 §§ erläuternde Anmerkungen zu den beiden früheren. Trotz der grossen Anzahl von Schriften, welche über diesen Gegenstand erschienen sind, erweist sich doch die vorliegende, in welcher die gute Anordnung und gedrängte Darstellung — bei englischen Schriften sonst nicht häufig — wohlthuend ansprechen, der Uebertragung ins Deutsche und der Beachtung der Kunstgenossen werth.

[[illegible]] Leop. Auenbrugger's Med. Dr., ordin. Arzt(es) am k. k. Hospitale d. span. Nation, Neue Erfindung mittelst des Anschlagens an den Brustkorb, als eines Zeichens, verborgene Brustkrankheiten zu entdecken. — Im latein. Original herausgeg., übersetzt u. mit Anmerkk. versehen von Dr. *Ungar*. Begleitet mit e. Vorworte von *Skoda*, Dr. d. Med., Primararzte am k. k. allg. Krankenhause zu Wien u. s. w. Wien, Wallishausser. 1843. VIII u. 72 S. gr. 8. (15 Ngr.)

Die bekannte Schrift „Inventum novum" von Leop. Auenbrugger Edl. von Auenbrugg (geb. zu Gratz am 19. Nov. 1722; gest. zu Wien am 18. Mai 1809), deren vollständigen latein. Titel Ref. an dieser neuen Ausgabe ungern vermisst, verdiente theils wegen ihres Inhalts, der A. den Ruhm eines Begründers der neueren Diagnostik vindicirt, theils wegen ihrer grossen Seltenheit mit Recht einen neuen Abdruck. Nach dem Vorworte des Uebersetzers erschien sie zuerst im J. 1761, dann in einer 2., unveränderten Auflage im J. 1763; 1770 trat ein französ. Uebersetzung von Rozière de la Chassagne, als Anhang zu dessen Manuel de Pulmoniques ans Licht. Van-Swieten und Stoll gedenken gelegentlich der Percussion als eines diagnostischen Hülfsmittels von einigem Belange, nach ihnen gerieth die Sache mit ihrem Urheber in Vergessenheit, bis bekanntlich Corvisart durch seine Uebersetzung der Abhandlung Auenbrugger's (im J. 1808) die Aufmerksamkeit seiner Landsleute auf Beide lenkte und so der Percussion die verdiente Aufnahme in die medicinische Zeichenlehre vermittelte. Der Herausgeber verband mit dem unveränderten Abdrucke des latein. Originals auf den Wunsch des Dr. Edl. von Hoffmannsthal eine deutsche Uebersetzung für Die, welche ein latein. Buch entweder nicht lesen mögen oder nicht lesen können, hat sich aber durch Hinzufügung einer grossen Menge erläuternder und kritischer Noten, die eine genaue Bekanntschaft mit dem jetzigen Standpunkte der Lehre von der Percussion beurkunden, noch überdiess ein besonderes Verdienst erworben.

[7819] Der Weichselzopf. Nach statistischen und physiologischen Beziehungen dargestellt von Dr. Friedr. Beschorner, dirigir. Arzte der Irren-Heil-Anstalt für's Grossherz. Posen. Breslau, Hirt. 1843. VIII u. 78 S. gr. 8. (15 Ngr.)

Trotz ihres geringen Umfanges liefert diese kleine Schrift einen schätzbaren Beitrag zur Lehre von den Volkskrankheiten. Bringt auch der Vf. seiner bescheidenen Aeusserung nach nur ein statistisches Fragment über die Verhältnisse des Weichselzopfs im Grossherzogthum Posen, so gibt er mit ihm doch die ersten amtlich verbürgten Nachrichten über das Vorkommen und die verschiedenen Beziehungen dieser merkwürdigen Erscheinung, und Ref. sieht keinen anderen Unterschied zwischen dieser Arbeit und den früher erschienenen Monographien, als den, welchen der Vortrag grösserer Kürze und Gründlichkeit vermittelt. Der Vf. benutzte seine Stellung als Arzt der ersten, dem Irren-Heilzwecke für eine grosstentheils polnische Bevölkerung entsprechend eingerichteten

Anstalt, um sich über alle zu Erreichung seines Vorhabens erforderliche Beziehungen amtliche Berichte und Uebersichten zu verschaffen; zu genauerem Studium der Krankheit veranlasste ihn die in Polen allgemein verbreitete irrige Meinung, dass das Irrsein mit dem Weichselzopfe in ursächlicher Verbindung stehe. Als Ergebnisse dieser Forschungen und der zahlreichen, von dem Vf. in langjähriger Praxis gesammelten Erfahrungen ist Folgendes zu betrachten: Der Weichselzopf ist als eine nothwendige, durch individuell naturgemässe Beschaffenheit der menschlichen Haare und ihres Wachsthums bedingte, durch die klebrigen Rückstände allgemeiner wie örtlicher dunstförmiger Schweisse in manchen Fällen geförderte Folge des zufällig oder absichtlich unterlassenen täglichen Kämmens zu betrachten. Er ist daher an und für sich keine selbstständige Krankheit, auch übt er keinen wesentlichen Einfluss auf den Verlauf gleichzeitig etwa vorhandener Leiden, ist weder erblich, noch ansteckend, doch kann seine unvorsichtige Entfernung alle durch Erkältung der betreffenden Hautstellen veranlasste Uebel nach sich ziehen. Sein häufiges Vorkommen in manchen Gegenden ist lediglich die Wirkung der dort vorherrschenden Meinung, als sei das Kämmen oder Reinigen der Haare in den meisten Krankheiten schädlich und höchst gefahrvoll. Die gänzliche Entwirrung desselben und die Wiederherstellung eines reinen gleichmässigen Haares ist zu jeder Zeit seines Bestehens nicht nur möglich, sondern auch bei gehöriger Vorsicht mittelst eines höchst einfachen Verfahrens ohne nachtheilige Folgen ausführbar. In der sorgsamen und vorsichtigen, bloss mit den Händen und unter Mitgebrauch der Haarbürste vorgenommenen Entwirrung der verfilzten Haare, dem späteren Kämmen, Waschen und Schlichten derselben besteht ganz allein die Methode, deren sich der Vf. stets mit Erfolg zu schneller und gründlicher Heilung des Uebels bedient hat. Wie auf dieselbe kunstlose Weise auch die durch verjährte Vorurtheile, Aberglauben, mangelhafte Beobachtung u. s. w. in einen wahren Weichselzopf verfitzte Lehre von dem Wesen und den Eigenthümlichkeiten dieses Uebels durch des Vfs. Fleiss und Scharfblick entwirrt worden ist, davon wird sich jeder mit wahrem Vergnügen überzeugen, den das Interesse an dieser Erscheinung, welcher sonach wohl kaum mehr der Name einer Krankheit gebühren dürfte, zu näherer Bekanntschaft mit der besprochenen Schrift hinziehen sollte.

[7820] Betrachtungen über den Scorbut vorzüglich in pathologisch-anatomischer Beziehung von Dr. G. von Samson-Himmelstiern, Ober-Arzt am Alexander-Cadetten-Corps zu Brest-Litowski. Berlin, Veit u. Co. 1843. VIII u. 155 S. 8. (25 Ngr.)

Der Titel sagt, von welchem Gesichtspuncte aus die Krankheit in dieser Schrift fast ausschliesslich betrachtet und behandelt worden ist. Der Vf. holt nach, was seine Vorgänger versäumt haben und konnte, bei der grossen Zahl und theilweiser Vorzüglichkeit der letzteren, des näheren Eingehens in pathologische und therapeutische Fragen, wohl füglich überhoben bleiben. Zu bemerken ist im Voraus, dass die Mittheilungen des Vfs. sich vorzugsweise auf die Formen des Scorbuts erstrecken, die er entweder selbst als Arzt der russ. Marine in St. Petersburg und Kronstadt zu beobachten Gelegenheit hatte, oder von welcher ihm aus anderen Theilen des russ. Reichs glaubwürdige Mittheilungen gemacht worden waren. Auf zweckmässige Weise beschreibt er die Veränderungen, welche der Scorbut hervorbringt, zuerst in Bezug auf die verschiedenen Gewebe, dann nach den einzelnen Eingeweiden, den Flüssigkeiten, Excreten und zuletzt noch den Zustand der Functionen (Psyche) im Scorbutischen. Was zuerst die Haut betrifft, so zeigt der Scorbut entweder erhöhten Torper, rothe Färbung und vermehrte Temperatur, in der Regel mit Torpor des Lungenparenchyms verbunden, oder im Gegentheile Kälte, Blässe und Erschlaffung; ferner als eigenthümliche Erscheinung die Bildung von Gänsehaut und die bekannten Exantheme (Purpura als Folge von Bluterguss in den Haarbälgen, mit Erkrankung und Absterben der Haare verbunden; Petechien, Vibices, Ecchymosen, vesiculöse und papulöse Exantheme, Chloasmata, Erysipelas). Im Zellgewebe unter der Haut: theils diffuse Ergiessungen von seröser und blutigseröser Flüssigkeit, theils umschriebene Geschwülste aus derselben Quelle, an Armen und Füssen, aus denen sich in der Regel Geschwüre bilden. In dem intermuskulösen und subfibrösen Zellgewebe fand der Vf. Ablagerungen, theils seröshlutiger Natur, theils aus coagulirtem Blute oder blutiger Gallerte bestehend, am häufigsten aber unter der Form hell- oder gelblichröthlicher pseudomembranöser Schichten. Affectionen der Muskeln wurden mit in Folge weiterer Verbreitung der obengenannten pathologischen Veränderungen angetroffen; die fibrösen Gebilde widerstehen lange den Einwirkungen der scorbutischen Dyskrasie. Nur das Periosteum und Pericardium leiden leicht an Auflockerung, Blutinfiltration und gänzlicher Auflösung und zwar gehen diese Umänderungen entweder von den sie umgebenden Weichgebilden oder von den Knochen aus und auf sie über. Letztere leiden an Auftreibung, Erweichung und völliger Malacie, Caries und Nekrose, vorzüglich an den Unterschenkeln. Bekannt war schon früher die eigenthümliche Erweichung der Brustbeinenden und Rippen im Scorbut. Unter den krankhaften Veränderungen der Schleimhäute steht die bekannte Umänderung des Zahnfleisches obenan. Das beste Mittel, um schnell diesen Zustand zu bekämpfen, ist nach der Meinung des Vfs. das Cauterisiren mit lapis infernalis. An der Schleimhaut des Magens, so wenig wie an den übrigen Schleimhäuten schien nach seinen Erfahrungen die Krankheit specifische Veränderungen hervorzubringen, wohl aber gaben ihm die mannichfachen Complicationen von Krankheiten des Darmcanals (Diarrhoe, Ruhr, Typhus abdominalis) mit dem Scorbut reichlichen Stoff, über die durch das genannte Zusammentreten bewirkten Modificationen in dem Ansehen und Verhalten der erkrankten Schleimhaut der Gedärme Ausführliches und Interessantes zu berichten. Dagegen traten stets in den serösen Häuten die patholog. Erscheinungen des Scorbuts unter fest ausgeprägten Formen auf, sobald sich mit ihm Stase oder Entzündung vereinigt hatte. Es waren dieselben: livide Färbung, Ecchymosen und Haemorrhagien mit Niederschlägen von verschieden organisirten Schichten von Faserstoff, am häufigsten im Pericardium, dann auf der Pleura und im Peritonaeum. Einmal nur wurde ein derartiger Zustand auf der arachnoidea gefunden; bisweilen kam der erwähnte Zustand in allen den drei zuerst genannten serösen Ausbreitungen gleichzeitig vor. Pericarditis Scorbutica wird jedes Frühjahr in St. Petersburg und Kronstadt beobachtet (Paracentese des Herzbeutels als letztes Mittel — Mittheilung mehrerer Operationsgeschichten). Die ausführliche Behandlung der Pericarditis, Pleuritis und Peritonitis scorbutica bildet den interessantesten Abschnitt des Werkchens. Was das Drüsengewebe betrifft, so sind es namentlich die Inguinaldrüsen, welche bei vorhandener scrophulöser oder syphilit. Dyskrasie vom Scorbut in Mitleidenschaft gezogen werden. Beim Nervengewebe, so wie im Blutgefässsystem gelang es dem Vf. nicht, eigenthümliche pathologische Veränderungen aufzufinden. Von den Eingeweiden sind es vornehmlich die Lungen, die durch die Krankheit beträchtlich leiden und charakteristisch verändert werden. Die Stasis des scorbutischen Blutes bewirkt die eigenthümlichen asthmatischen Erscheinungen und im weiteren Verlauf der Krankheit die scorbutischen Destructionen des Gewebes. Milzanschwellungen fanden sich häufig, doch bilden sie keinen nothwendigen Bestandtheil des Scorbuts; constant waren sie nur bei gleichzeitigem Leberleiden. Complication des Scorbuts mit Wechselfieber, anderwärts häufig, wird seltener in St. Petersburg beobachtet, dagegen fand der Vf. nicht selten kegelförmige Körper auf der Oberfläche der Milz, über deren Natur er nichts Bestimmtes anzugeben vermag. Ein eigenthümliches scorbut. Leiden der Leber ist schwerlich anzunehmen, dagegen sind die Veränderungen, welche am Auge eintreten, bekannt und umständlich auch hier beschrieben. Mehrmals sah der Vf. die Complication mit Nyctalopie und Hemeralopie. In Betreff der Veränderungen am Blute Scorbutischer sucht der Vf. die abweichenden Angaben und Ansichten der früheren Schriftsteller durch Würdigung der Complicationen zu vermitteln; wenig Neues wird über dasselbe, so wie über den Harn mitgetheilt, da der Vf. weder durch das Mikroscop, noch auf chemischem Wege Untersuchungen angestellt hat. Eine Anzahl Krankengeschichten dienen zur Erläuterung des Vorgetragenen. Von einem Verwandten des Vfs., Dr. W. v. Samson, wird nächstens ein Werk über denselben Gegenstand erscheinen.

[7881] Ueber diejenigen Leichenerscheinungen, welche nicht-pathologisch sind, aber dafür gehalten werden können. Vorgelesen im Charing-Cross-Hospitale von **W. D. Chowne**, Arzte des gen. Hospitals. Aus d. Engl. von Dr. *Gumbinner*, prakt. Arzte in Berlin. Redigirt und bevorwortet von Dr. *Fr. J. Behrend*. Leipzig, Kollmann. 1843. 150 S. gr. 8. (20 Ngr.)

Auch u. d. Tit.: Bibliothek von Vorlesungen der vorzügl. und berühmt. Lehrer des Auslandes üb. Med., Chir. u. Geburtshülfe. No. XXVII.

Von einer Seite her, von wo aus bis jetzt die gerichtliche Medicin gerade nicht sehr bereichert worden ist, ging der Redaction der ebengenannten Bibliothek eine Sammlung von Vorlesungen zu, durch deren Aufnahme und weitere Verbreitung in deutscher Sprache sie sich den Dank und den Beifall des gerichtsärztlichen Publicums verdient hat. Es wäre ungerecht, wollte man der deutschen Medicin den Vorwurf machen, sie habe den auf dem Titel genannten Gegenstand jener Vorträge bis jetzt vernachlässigt; dass dem nicht so ist, beweisen die in neuerer Zeit erschienenen Hand- und Lehrbücher, so wie zahlreiche Aufsätze in Zeitschriften. Eben so muss man den französischen Aerzten zugestehen, dass sie für einzelne Puncte jener Lehre viel und Wichtiges geleistet haben. Dem Vf. vorliegender Schrift gehört aber das Verdienst, zuerst eine, wenn auch nicht erschöpfende, doch recht fassliche und brauchbare Zusammenstellung der Erscheinungen am Leichname, welche mit pathologischen verwechselt werden können, theils auf den Grund eigener zahlreicher Beobachtungen aus einer reichen Spitalpraxis, theils unter Benutzung des schon vorgefundenen Materials geliefert zu haben. Der Vorlesungen sind 10, und sie waren in der Lancet (1839) abgedruckt. In der ersten derselben handelt der Vf. von den fälschlich für pathologisch gehaltenen Leichenerscheinungen im Allgemeinen, in den folgenden von dem Werthe und der Natur der Ecchymosen und anderer Hautfärbungen, unter Berücksichtigung der verschiedenen Veranlassungen zu Erzeugung derselben, wodurch von selbst die Lehre von den Kennzeichen einiger gewaltsamen Todesarten, z. B. des Erhängens, Erdrosselns, Ertrinkens in das Bereich der Vorträge gezogen wird; hierauf finden die Erscheinungen am Leichname, welche die Fäulniss bewirkt, meist nach Orfila und Devergie (ohne Günts zu erwähnen) Berücksichtigung; durch sie wird dann der Uebergang zu den spontanen Zerreissungen und Durchlöcherungen einzelner Parthien des Darmcanals gebildet, an welche die pathologischen Erweichungen anderer Gebilde in Vergleich mit ähnlichscheinenden Zuständen, die Verwechselung zulassen, angereiht werden, während einige kurze Notizen über anscheinend und wirklich krankhafte Ergiessungen in die inneren Höhlen und die hierher gehörigen, am Knochensysteme gemachten Erfahrungen, den Beschluss machen. Es bedarf wohl kaum der Bemerkung, dass die Anforderungen, die man an eine gehörig durchgearbeitete Abhandlung zu machen berechtigt ist, bei derartigen Vorlesungen nicht gestellt werden dürfen.

[illegible] Vorlesungen über Arsenikvergiftung in chemischer, gerichtlicher und therapeutischer Hinsicht mit Bezugnahme auf den bekannten Lafarge'schen Rechtsfall von Orfila. Deutsch von Dr. *Ed. Henoch*, prakt. Arzte in Berlin. Mit Abbildd. chemischer Apparate. Leipzig, Kollmann. 1843. 95 S. gr. 8. (15 Ngr.)

Auch u. d. Tit.: Bibliothek von Vorlesungen u. s. w. XXXI.

Bekanntlich gab der berühmte Process der Madame Lafarge Veranlassung zu heftigen Angriffen und Verunglimpfungen Orfila's von Seiten des Chemikers Raspail, die ganze Angelegenheit aber eine lebhafte Aufforderung in Bezug auf die Ermittelung von Arsenikgehalt in Menschen- und Thierleichen, grossartige und genaue Experimente anzustellen, theils um die älteren und bekannten Verfahrungsweisen zu prüfen, theils um neue aufzufinden. Als Frucht dieser umfassenden Versuche und Studien sind diese 8 Vorlesungen Orfila's zu betrachten, in welchen er gewissermaassen öffentlich Rechenschaft über seine Behauptungen und Proceduren ablegt. Sie sind unseren Lesern aus Zeitschriften gewiss schon zum Theil bekannt, erscheinen aber hier zum erstenmale gesammelt und treu übersetzt. In den ersten beiden Vorträgen verbreitet sich der Vf. über die chemischen Eigenschaften und Verbindungen des Arsens mit anderen Körpern, in der 3. beginnt er die Mittheilungen über Untersuchungen auf Arsenik in gerichtlich-medicinischer Beziehung, vornehmlich, was die durch Anwendung des Marsh'schen Apparats zu erlangenden Resultate betrifft. Von welcher Art die Einwürfe Raspalls mitunter waren, dafür spricht am besten eine S. 64 mitgetheilte Behauptung desselben, in Bezug auf den angeblichen, durch die nächsten Umgebungen des Leichnams letzterem mitgetheilten Arsenikgehalt. „Ein Quadratcentimeter (⅓ Q. Zoll) grün gefärbten Papiers auf die, einen Sarg bedeckende Erde gelegt, wird eine hinreichende Menge Arsenik erzeugen, um einen Leichnam von Kopf bis zu den Füssen zu imprägniren." — In der 7. Vorlesung befindet sich der merkwürdige Widerruf Orfila's, in Betreff des im J. 1839 mit so vieler Sicherheit behaupteten und durch zahlreiche Versuche ausser allem Zweifel gesetzten normalen Arseniksgehalts der menschlichen und thierischen Knochen. Er hatte kürzlich vor einer Commission der k. Akad. der Wissenschaften jene Versuche zu wiederholen, war jedoch, obgleich er seine Experimente ganz auf dieselbe Weise, wie früher anstellte, nicht im Stande, die geringste Spur von Arsenik zu entdecken, und gelangte eben so wenig durch anderweite, mit Knochen aller Art, 8 Tage lang fortgesetzte Versuche zu dem gewünschten Zwecke. Im weiteren Verlaufe der 7. und in der 8. Vorl. lehrt der Vf. die Kennzeichen der Arsenikvergiftung und die verschiedenen Gegenmittel kennen, als welche er für die erste Periode der Vergiftung das Eisenoxydhydrat in Verbindung mit Brechmitteln, für die zweite die Beförderung der Stuhlausleerungen unter fortgesetzter Anwendung des Eisenoxydhydrats, und für die dritte die Darreichung der diuretica (5 Dr. Salpeter in 8 Unzen weissen Wein und 20 U. Selterserwasser aufgelöst) zu Ausscheidung der resorbirten arsenigen Säure empfiehlt. Ein kurzer Anhang enthält die Schlussfolgerungen aus einem Berichte der Akad. der Wissenschaften, die Vergiftung mit arseniger Säure betreffend (Commissaire: Thénard, Boussingault; Berichterstatter: Renaud).

Morgenländische Sprachen.

[7022] Horti persici et arabici. In Latii valles transtulerunt *Odoardus Amthorus* et *Arminius Fritzschius.* Pars I. Coburgi, Sinner. 1842. VIII u. 64 S. gr. 8. (12½ Ngr.)

Die wechselnden Gestirne der Mode leuchten auch der Literatur; so eben jetzt die neuen Himmelszeichen Rococo und Renaissance: warum also nicht auch „Horti persici et arabici?" Doch Ref. erinnert sich noch zeitig genug, dass die Verfasser wohl am wenigsten für wenn auch modische Revenants gelten wollen und eine Rechtfertigung ihres Unternehmens von dieser Seite sich ernstlich verbitten möchten. Also vielmehr: sie bringen Herbstspätlinge des grossen Weltjahrs der Poemata, Carmina und Musae, Abschiedsgaben einer, ach! fast schon hinter uns liegenden goldenen Zeit, wo der alte Rossquell einen unterirdischen Durchweg in das gelehrte Deutschland gefunden zu haben schien, wo man bei gewissen Gelegenheiten anständigerweise nur auf griechischen oder lateinischen Füssen einhertreten konnte, wo man sich später das Verdienst erwarb, selbst die naturwüchsigen Lebensgeister der vaterländischen Dichtkunst auf die spracharistokratische Retorte der Schule zu ziehen, z. B. Schiller's Lied an die Freude lateinisch zu reimen und es so, wenigstens halb geadelt, nun erst aus voller Brust inter pocula zu singen. — Ref. kennt beide Vff., besonders Hrn. Dr. Amthor; sie haben ihm sogar die Ehre erzeigt, in der Widmung seinen Namen mit dem des gefeierten Altvaters der deutschen Humanisten zu verbinden; aber er gesteht, dass er nichts desto weniger überrascht war, einen so abgeschlossenen philologischen Glauben in ihnen zu entdecken, wie man ihn unter dem jüngeren Geschlechte wohl selten mehr antrifft, wie er aber allerdings nöthig war, um, wenn nicht Berge, doch Gärten aus Persien und Arabien nach Latium zu versetzen, d. h. ein Mittelbares durch ein anderes Mittelbares für uns zu vermitteln. „Latinam linguam elegimus" heisst es in der geharnischten Vorrede, „non perterriti quorundam vociferatione, sed quum ipsius linguae amore et hercle animi inductione, tum etiam auctoritate doctissimorum quorumque virorum qui omni tempore hac quam vernacula lingua uti maluerunt (alle zu Allem?) eamque commune quoddam doctorum apud omnes (?) nationes Palladium existimarunt, maxime autem, orientis quod pertinet ad studia, exemplum spectantes viri immortalis Guilielmi Jonesii qui et ipse im poeseos asiaticae commentariis plura latinis graecisque versibus elegantissime reddidit, et viri docti ejus qui Haphisi odas Vindobonae anno MDCCLXXI cum Horatiana vere interpretatione edidit.

Quare aequum est vos cognoscere atque ignoscere
Quae veteres factitarunt si faciunt novi."

Uns will nun freilich bedünken, jene todten veteres und diese lebenden novi seien, abgesehen von allen übrigen Verschiedenheiten, durch eine so gewaltige Umwälzung in der ganzen Anschauung und Würdigung dichterischer Kunstnachbildung von einander geschieden, dass diese bei den Mitlebenden sich nicht füglich auf jene berufen können. Doch hören wir das Weitere. Durch Wiederaufnahme jener Uebertragungsweise soll nicht allein den Orientalisten Vorschub geleistet, sondern auch im Interesse der Humanisten bewiesen werden, dass die „lingua absoletissima, latina" trotz ihrer Armuth das Feuer der arabischen und die Fülle der persischen Dichter auf das Treueste wiederzugeben vermöge. Aber diese Behauptung schwächen die Vff. gleich selbst wieder durch den Zusatz, dass sie „mystica omnia quae mere suo auctores immiscuerunt" durchaus weggelassen haben. Dass dieses, wie sie hoffen, mehr zum Vortheile, als zum Nachtheile der Gedichte geschehen ist, muss man ihnen für ihre Uebersetzungen im vollsten Maasse zugeben; denn was wären sie, wenn zu dem jetzt schon stark hervortretenden Ringen mit dem Ausdrucke auch noch das Haschen nach dem Unsagbaren hinzukäme? Aber eine andere Frage ist es, ob mit diesem Bewusstsein jene Fähigkeit dem Lateinischen so uneingeschränkt zugesprochen werden durfte. Man sieht, wenigstens einer der Vff. hat noch keine Ahnung von der ganzen Ausdehnung und Stoffhaltigkeit der mohammedanischen Mystik, einer dem Alterthume völlig unbekannten neuen Welt, in welcher besonders der persische Geist ganz eigentlich heimisch ist und die schönsten, zartesten Blüthen entwickelt hat. Das Lateinische ist von Haus aus eine Sprache frischer Sinnlichkeit, körniger Männlichkeit, nüchterner Besonnenheit, rednerischer Würde und Pracht. So lange sich die morgenländischen Dichter in diesen und ähnlichen Gebieten bewegen, wird es ihnen, mit unendlich vielen, durch Verschiedenheit im Einzelnen bedingten Ausnahmen, folgen können; aber seine angeborene Körperlichkeit so zu vergeistigen, dass es ihnen in die Aetherregionen sufischer Beschaulichkeit und pantheististischer Verzückung nachzufliegen vermöchte, diess könnte, wenn überhaupt, nur durch die gewaltsamsten Mittel erreicht werden, zu deren Anwendung gerade eine todte Sprache die wenigste Berechtigung darbietet. — Demnächst sind wir den Vff. das Zeugniss schuldig, dass sie an der Lösung ihrer selbstgestellten Aufgabe mit sichtbarer Lust und Liebe gearbeitet haben, der nur ein dankbarerer Gegenstand und freilich in vielen Puncten auch ein glückliches Gelingen fehlte. Die Härte und Dunkelheit, welche uns oft in Hrn. Dr. Amthor's deutschen „Klängen aus

Osten“ (s. Repert. Bd. XXXIV. No. 1828) begegnete, finden wir auch hier wieder in gar manchen der lateinischen Verse, zu denen er, so viel wir wissen, den Stoff und Hr. Dr. Fritzsche die Form geliefert hat. Von metrischen und anderen Fehlern schweigen wir, können aber im Allgemeinen nicht bergen, dass es uns scheint, als sei das in der Vorrede aufgestellte Ziel durch diese Nachbildungen nicht erreicht und als dürften die Vff. weder von Orientalisten, noch von Humanisten grossen Dank erwarten. — Inhalt: S. 1—30 Hortus voluptatis, S. 31—42 Hortus gloriae, S. 43—57 Hortus sapientiae, von denen der erste und der dritte Gedichte und Gedichttheile in elegischen und lyrischen Versmaassen, der zweite bloss zwei längere Stücke aus dem Schahname in Hexametern enthält; S. 58—60 Anmerkungen dazu, und S. 61—64 Angabe der Quellen nebst Textberichtigungen zu Rosenzweig's Auswahl aus den Diwanen Dschelaleddin Rumi's und Jones' Poeseos asiaticae Commentarii. Ausser den erwähnten drei Werken haben beigesteuert der Gulistan, das Wiener Specimen poeseos persicae, Grangeret's und Humbert's arabische Blumenlesen, eine Dresdner und mehrere Leipziger Handschriften. Die Fortsetzungen welche das „Pars prima“ des Titels verheisst, macht das Ende der Vorrede von einem günstigen literarischen und buchhändlerischen Erfolge abhängig; doch auch im entgegengesetzten Falle wollen sich die Vff.

„Ut canis a corio nunquam absterrebitur uncto“

(wie sie mit mehr Natürlichkeit, als Geschmack citiren) von der liebgewonnenen Beschäftigung nicht abbringen lassen; da es nach Saadi besser sei, einen eigenen alten Rock aufzuputzen, als ein fremdes Kleid zu borgen. Gegen die Wahrheit dieses Spruches haben wir durchaus nichts einzuwenden, möchten aber den Vff. bemerklich machen, dass er gerade für sie ein gefährlicher Bundesgenosse ist. *Fleischer.*

Länder- und Völkerkunde.

[1894] Reisen in Irland von J. G. Kohl. 1. u. 2. Thl. Dresden, Arnold'sche Buchh. 1843. VIII u. 436, X u. 435 S. 8. (5 Thlr. 20 Ngr.)

Bei dem bedeutenden Namen, welchen sich der Tourist Hr. Kohl, besonders durch seine Reisen in Russland, bereits im grössern Publicum erworben hat, wird gewiss auch diese Beschreibung einer neuen Wanderung viele Leser und Freunde finden, zumal da sie nach Irland gerichtet war, einem Lande, wohin sich jetzt erwartungsvoll so mancher Blick richtet, einem Lande, das, auch wenn man die politischen Zustände der Gegenwart weiter nicht beachtet, schon dadurch das Interesse gewaltig auf sich zieht, weil sein Inneres noch immer fast eine Terra incognita ist. Hr. Kohl weiss seine Sache auch immer von der Seite zu fassen, auf welcher sie das meiste Interesse für die Lesewelt haben muss. Darum ist auch nicht der Osten, nicht der bekanntere Theil Irlands, Leinster und Ulster, wo Engländer und Schotten zahlreich hausen, wo der Protestantismus dem Katholicismus fast die Waage hält, wo das Englisch-Schottische bedeutend vorherrscht, das Hauptziel seiner Reisen und seiner Forschungen, sondern sein Blick ist vorzugsweise auf das eigentlich irische Irland, auf die Provinzen Connaught und Munster, auf den Westen gerichtet. Kaum in Dublin gelandet, wobei dieses nur in der Kürze besprochen wird, durchfliegt der Tourist die Provinz Leinster, um an den schönen und grossen Strom des Shannon zu gelangen, der das englisch-schottische Irland gewissermaassen von dem irischen scheidet. Doch lässt er auch über den Osten, den er nur durchfliegen zu wollen scheint, dem Leser keineswegs unnnterrichtet. Der Osten Irlands wird gepriesen als ein so glückliches, wohlangebautes Land, dass in dem armen Westen man den glücklicheren Osten wie ein irdisches Paradies betrachtet. Aber man darf hier nicht mit dem Maassstabe der wahrhaft civilisirten Theile Europas messen; Kohl findet selbst diesen gepriesenen Osten trübselig und düster, wozu die Ebene viel beitragen mag. Man kann ihn nicht in dem Sinne wie in dem Herzpuncte Europas ein wohlangebautes Land nennen. In dem kleinen und freundlichen Orte Edgeworthtown bleibt Hr. K. stehen, um, nachdem er einiges über die englische Familie der Edgeworth's und ihren Einfluss auf Irland angeführt hat, die irischen Verhältnisse im Allgemeinen zu überschauen. Die Verhältnisse der Hauptmasse des eigentlichen irischen Volkes ziehen natürlich seine Aufmerksamkeit am meisten auf sich. Und wer möchte diese nicht genauer kennen lernen! Durch die furchtbaren, besonders seit Cromwell's Zeit ausgeführten Confiscationen ist die Masse der Irländer des freien Grundeigenthums beraubt. Es gehört den Herren drüben im glücklicheren England. Als Zinsleute und Pächter, preisgegeben vielfacher Willkür, ja oft dem härtesten Drucke müssen sie das Erbe ihrer Väter bauen. Die in das Uebermaass gestiegene Bevölkerung und der Mangel an Industrie bis auf die neuesten Zeiten, hat die Pachtgüter fortwährend verkleinert, ihren Preis aber immer höher gesteigert. Die theuer bezahlte Scholle, welche die arme irische Pächterfamilie ernähren soll und eigentlich nicht ernährt, ist mit jedem Jahrzehnt kleiner geworden, und selbst die ärmliche Hütte, die in der ärmlichen Pachtung steht, ist ihr nicht mehr ein sicherer Hort. Da das Land so knapp geworden ist, kommt immer wieder ein Anderer, der dem Herrn oder dem sogen. Middleman noch mehr bietet, obwohl er weiss, dass er nicht wird zahlen können. Aber er bietet ja auch, nicht um zu zahlen, sondern um seinem Weibe und seinen Kindern wieder eine kurze Zeit das Leben zu fristen. Und der Ueberbotene muss aus der Hütte wandern mit Weib und Kind, muss hungern, vielleicht Hungers sterben, oder morden und rauben. Man kann nicht absehen, was aus diesem entsetzlichen Zustande wird. Auch Hr. Kohl beschäftigt sich mit der Frage über die Zukunft Irlands. Er schlägt eine allmälige Ablösung vor, die dem Irländer nach und nach wieder Eigenthumsrechte einräume. Die Aristokratie müsse Opfer bringen, und zwar mit einem Blicke auf die Vergangenheit, der für sage, wie sie zu dem Besitze des irischen Landes gekommen, und mit einem zweiten Blicke auf die Zukunft. Je tiefer der Tourist in das Innere Irlands kommt: desto mehr zeigt es sich ihm als das Land der Ruinen, der furchtbarsten Armuth. Der Reisende ist an den Shannon gelangt, da wo er aus dem Lough Ree herausströmt. Vor ihm liegt Connaught, das irische Hochland, wo die Bewohner von Leinster noch immer „Sachsen" genannt werden. Es wäre von Interesse gewesen, wenn er in die Provinz Connaught, die noch am meisten alt-irisch ist, tiefer eingedrungen wäre, aber die Reise geht zuerst den Strom Shannon hinunter nach Munster und Limerik, Irlands zweiter Stadt. Von Limerik aus ward die Umgegend durchstreift, und jede Streiferei benutzt der Vf., um entweder aus der Vergangenheit oder aus der Gegenwart Irlands etwas Bedeutsames anzuführen. Doch scheint es, als habe er sich mehr als es geschehen, um das eigentlich irische Volk, das sich auch in Munster ziemlich rein und unvermischt findet, kümmern können. Der Westen Irlands erscheint trostlos. Es fällt auch dem Reisenden schwer auf das Herz, dass hier wohl eine ungeheure sociale Revolution hinter dem Schleier der Geschichte stehen möchte, die vielleicht nur durch grosse Opfer und durch noch grössere Klugheit zu umgehen, auf immer zu verhüten ist. Der Reisende ist besonders dem Laufe des Shannon nachgegangen. In Kilrush bleibt er stehen und berichtet da viel über den bekannten Pater Matthew und seinen Mässigkeitsverein. Es ist doch ein merkwürdiges Schauspiel, zu sehen, wie fünf Mill. Menschen als wären sie von einem Zauberstabe getroffen, plötzlich ihre alten Gewohnheiten durchbrechen, vollkommen neue annehmen, ihren Geist und Körper zu ganz anderen Dispositionen umändern, ja ein neues Wesen aus sich zu machen streben. Die Mässigkeitsvereins-Bewegung ist vorzugsweise unter den Katholiken Irlands zu bemerken. Von der Mündung des Shannon aus folgt Kohl nach Möglichkeit der Küste, um nach Cork, Irlands dritter Stadt, zu gelangen. Dieser Küstenstrich ist in seiner Bildung höchst merkwürdig; hier schneidet das Meer tief in das Land hinein, dort streckt das Land einen mehr oder weniger breiten Pfahl in die Wogen des Meeres heraus. Alles fand Kohl trübe und melancholisch; die Gebirge vermehren durch ihre Kahlheit nur die Trübheit des Ganzen. Selbst die gerühmten Seen von Killarney nimmt er davon nicht aus, fand sie wenigstens weit unter seiner Erwartung. Der Reisende gelangt nun in die Grafschaft Cork, welche die grösste von den irischen Grafschaften ist, wo noch drei Fünftheile des Bodens uncultivirt liegen. Hier bekümmert er sich etwas mehr als er bis jetzt gethan um das eigentliche Volk, indem er es selbst nicht verschmähte in die dumpfen Hütten zu kriechen. Im Allgemeinen urtheilt er von dem eigentlichen irischen Volke, dass man seinen tiefgesunkenen Zustand nicht allein England und den früheren Ereignissen Schuld geben dürfe, es sei auch ein höchst indolentes Volk, das England bedürfe, um nur einigermassen aus seiner Indolenz aufgerüttelt zu werden. Die Beschreibung der Stadt Cork, die man gegen den Schluss des 1. Theiles liest, wird interessiren. Der Reisende geht nun nach Kilkenny und befindet sich am Schlusse des 1. Thles. wieder in Leinster. Nun werden viele Leser mit dem Ref. erwarten, dass im 2. Thle. die Provinz Connaught, überhaupt derjenige Theil Irlands, welcher am meisten als rein irisch anzusehen ist, näher beschrieben werde. Allein vergebens, Connaught bleibt völlig unberücksichtigt, Hr. K. hat diese Provinz gar nicht besucht. Es wird im 2. Thle. zuerst wieder der Provinz Leinster, dem halb-englischen Irland eine grosse Aufmerksamkeit gewidmet. Allerdings sind die Dinge, welche er mittheilt, insgesammt nicht ohne ein gewisses Interesse, aber wir glauben doch, dass eine Beleuchtung der eigentlich irischen Provinzen von noch grösserem Interesse gewesen sein würde. Der Vf. hat dadurch nachzuhelfen gesucht, dass er auch von dem halb-englischen Boden aus die Verhältnisse der eigentlichen und reinen Iren möglichst viel berücksichtigt. So wird der Dichter Thomas Moore als der poetische O'Connell, Pater Matthew als der kirchliche O'Connell geschildert, und wohl mag Kohl darin das Richtige sehen, dass er verschiedene Aeusserungen eines und desselben Geistes annimmt. Die Reise ist von Wexford wieder nach Dublin gegangen. Seinen zweiten Aufenthalt in Irlands Hauptstadt benutzt der Vf., um einer Repeal-Versammlung beizuwohnen und er gibt bei deren Beschreibung eine kleine Schilderung von O'Connells Wesen und Treiben in einer solchen. Er beginnt diese Schilderung mit der sehr richtigen Bemerkung, dass nur bei einem Volke wie die Irländer, das noch so roh nach altem Zuschnitt, ein so ungeheures Ansehn, wie das, dessen O'Connell sich bemeistert, denkbar sei. Die Repeal-Versammlung, welcher Kohl beiwohnte, war fast nur von zerlumpten Menschen besucht, sehr wenige fanden sich darunter, die wie ordentliche Leute aussahen. O'Connell's Rede lautete, wie sie seit 40 Jahren ohne die mindeste Variation immer gelautet haben. „Die Sachsen" haben Irland unterjocht, man muss sich dieser Unterjochung entledigen. Wenn er an die starken Stellen dieses Themas kommt, erheben die Repealer ein wildes Gebrüll. Ekelhaft aber ist der grosse Agitator, wenn er sich mit seiner Familie für die Repeal-Bemühung von den armen Irländern förmlich bezahlen lässt. Er hat ihnen vorgerechnet, welche vortreffliche und einträgliche Praxis er als Advocat haben würde, wenn nicht die Repeal-Bemühung seine ganze kostbare Zeit wegnähme, und so hat er sich eine Repeal-Rente von mehr als 10,000 Pfd. St. zusammengebracht. Kann man sich etwas Verächtlicheres und Nichtswürdigeres denken? Kohl beschreibt dann mit ziemlicher Weitläufigkeit Dublin. Die Reise geht von da über Drogheda in die wahrhaft interessante Provinz Ulster, wo der schottische Presbyterianismus dem irischen Katholicismus die Waage hält. Die Beschreibung der Natur und vieler alter Denkmäler, so wie Blicke auf die Städte, die Menschen, ihre Stellung und ihre Verhältnisse füllen den Rest des 2. Thls. In Ulster scheint die irische Bettelei zuerst zu verschwinden, sie kann auch neben dem strengen und fleissigen Presbyterianismus kaum bestehen. Die Stadt Belfast ist das Haupt und die Königin dieses Fleisses. Von Belfast eilt der Tourist an der Küste entlang, um die wunderbaren Felsengruppen des Nordstrandes zu sehen. Die Beschreibung derselben ist schön. Aber so wie der Vf. sie gesehen, sagt er Erin Lebewohl. — Und so befriedigt namentlich dieser 2. Thl. die Erwartungen der Leser im Allgemeinen gar wenig.

[7825] Das Kaiserreich Russland. Statistisch-geschichtliche Darstellung seiner Cultur-Verhältnisse, namentlich in landwirthschaftl., gewerbl. u. commercieller Beziehung. Vom Frhrn. Fr. Wilh. v. Reden, Dr. d. Rechte. Berlin, Mittler. 1843. XII u. 614 S. gr. 8. (n. 3 Thlr. 20 Ngr.)

Die wichtigen Beziehungen, in welchen hier Russland betrachtet und dargestellt wird, sind von dem Vf. auf dem Titel angegeben und es gebührt ihm das Zeugniss, dass er mit Umsicht, gewissenhaft und unparteiisch die ihm zugänglichen Quellen benutzt hat. Und so dürfte denn dieses Werk alle früheren auf denselben Gegenstände bezüglichen übertreffen und wird Denen, die sich über den Zustand der Cultur, der Landwirthschaft, der Gewerbe und des Handels in Russland belehren wollen, befriedigende Auskunft geben. Das Geschichtliche von den ältesten Zeiten bis auf die Gegenwart, was ganz kurz nur mitgetheilt wird, ist anziehend und gut erzählt. Nach dem Frieden von Adrianopel (11. Sept. 1829) (S. 58 u. 89) umfasste das ganze russische Reich 363,604 □Meilen, oder nach Struve, 330,507 □Meilen, wovon beinahe der dritte Theil aus Steppen besteht. Die Zahl der Bewohner betrug annähernd 20 Mill. im J. 1725, fast 50 Mill. im J. 1826, über 61 Mill. im J. 1842 ohne Sibirien, die Kirgisensteppe, die asiat. Inseln und das amerikan. Russland. Im J. 1838 betrug die Einwohnerzahl in den Ostseeprovinzen Ehst-, Liv- und Kurland 1,525,300 (900 auf 1 □Meile), in Finnland 1,419,000 (206 auf 1 □M.), in Kleinrussland, Tschernigow, Pultáwa, 2,921,600 (1430 auf 1 □M.), in den drei nordwestl. Gouvernements Archangelsk, Olonez, Wologda, 1,216,700 (54 auf 1 □M.), im Königr. Polen, 4,400,000 (1961 auf 1 □M.). Es gibt jetzt 689 russ. Städte (536 Gouvern.- und Kreisstädte, 622 im europ. Russland, ohne Polen, Finnland, Ochotsk und Kamtschatka). Die jährlichen Einkünfte berechnet man zu 115, 125 bis 155 Mill. Thaler. — Der Ackerbau ist im Allgemeinen noch sehr unvollkommen, die Viehzucht nur in den Steppengegenden gut, sonst mittelmässig; Stutereien und Schafzucht haben sich vergrössert, die Waldungen dagegen theilweise vermindert. Die Lindenbastbereitung setzt in Erstaunen, es werden jährlich 14 Mill. Bastmatten geliefert und davon 3 bis 3½ Mill. ausgeführt; 7 bis 900,000 Stämme sind dazu nöthig (S. 89 ff.). Der Bergbau fing seit der Eroberung von Sibirien an, 1580, wurde aber ohne Ordnung und Kenntniss betrieben; Peter verbesserte ihn, und 1786 wurde er durch den Schotten, General Cascoigne, aufs Neue geordnet, 1806 die Bergordnung eingeführt (S. 126). Gold findet sich im Uralgebirge zuweilen in gediegenen Stücken von 8—21 Pf.; Platin von 10—19 Pf.; Silber gewinnt man im Altai und in den Bergwerken von Nertschinsk. Zinn und Kupfer ist reichlich, letzteres so wie Eisen, was sehr verbreitet ist, auch in Finnland, wo 16 Eisenhütten sich befinden. Quecksilber wird in Nertschinsk, Naphta (Erdpech) in Baku, Torf in vielen Gegenden, Steinkohlen am asowschen Meere und in Sibirien gefunden. Der Gesammtwerth aller Bergwerkserzeugnisse wurde im J. 1835 auf 42 Mill. Thlr. geschätzt (S. 134). Das Papiergeld wurde 1768 eingeführt und stand Anfangs dem Silbergelde meist gleich; am tiefsten sank es 1807 seit dem tilsiter Frieden, hob sich allmählig wieder und wird jetzt ganz beseitigt, indem man neue Anweisungen in gleichem Werthe mit dem Silber in Umlauf setzt. — Der Handel von Petersburg ist der ausgedehnteste; im Besitze desselben mit dem Auslande sind überwiegend deutsche und englische Kaufleute, sodann Dänen, Schweden u. A. Erfahrung und Klugheit sind hier höchst nothwendig und der Kaufmann, der auf ein Jahr Credit geben muss, wird sie nur an Ort und Stelle sich zu eigen machen können. Man rechnete 1841 in Petersburg 455,823 Einw., darunter etwa 9000 Ausländer. Nächst Petersburg ist Riga ein besonders wichtiger Handelsplatz. Am weissen Meere (Archangel) dauert die bessere Jahreszeit bloss von der Mitte Juli bis Mitte August. Die Einwohner treiben im Winter Jagd und begeben vom März an sich aufs Meer, um Fische und Seehunde zu fangen. Der Verkehr der Häfen des schwarzen und asowschen Meeres hat seit dem Anfange des 19. Jahrh. einen raschen Aufschwung gehabt. Odessa mit dem besten Hafen am schwarzen Meere ist eine der wichtigsten Städte Europas geworden und zählt bereits 60,000 Einwohner und 40 grosse Fabrikanlagen. Die bedeutendsten Kaufleute sind hier Griechen, Italiener und Deutsche (S. 262 ff.). Die Caravanen, welche durch Perser von Trebisond nach dem Innern Asiens geführt werden, bestehen aus Pferden, oft bis zu 600, auch Eseln und Saumthieren. Ein Pferd trägt 275 Pfund Wiener Gewicht. Die Fracht bis Erzerum beträgt 2¾ bis 4 fl., bis Tauris 11—13 fl. Im Winter braucht man nur die Hälfte der Zeit (bis Erzerum 6, bis Tauris 12 Tage, im Sommer aber bezüglich 12 und selbst 40 Tage), weil man bei Frost nicht Umwege zu machen braucht und die Pferde mit Getreide schnell abfüttert, während im Sommer sie ihr Futter langsam selbst suchen müssen. Seit einigen Jahrzehenten hat der Handel Asiens eine grosse Umwandlung erfahren. Im Allgemeinen ist für die europ. Industrie der asiatische Markt ein Verderb, weil er auch den schlechtesten, oder vielmehr nur schlechten Waaren Absatz sichert. In Russland z. B. werden lediglich dadurch manche Gewerbszweige auf der Stufe der Kindheit erhalten, wie dieses namentlich bei den Metallwaaren-Fabricationen nachzuweisen ist. Der Handel zwischen Russland und Asien vermindert sich, während Englands Ausfuhr nach Asien zugenommen hat. Die Häfen am kaspischen Meere sind sehr unsicher, die Mündung der Wolga ist versandet, man muss 30 Werst ausserhalb der Mündung umladen. Das Wasser am kaspischen Meere sinkt, die Schifffahrt wird immer mehr gehindert (S. 346). Die Versendung der Verbrecher nach Siberien findet seit 1754 statt; in Folge der seit 1822 erlassenen Verordnungen über ihre Vertheilung werden sie 1. als Arbeiter auf Fabriken, 2. als Wegebauer, 3. als Arbeiter in Handwerkshäusern in Städten, 4. als Mitglieder der Dienerzunft, 5. als blosse Ansiedler verwendet. Die Ansiedelung geschieht, a) indem sie neben früheren Einwohnern, ohne Unterstützung der Krone, sich niederlassen oder b) mit Unterstützung zur Bildung neuer Ortschaften bestimmt werden. Von 1823—29 betrug die Zahl der hierher Gesendeten durchschnittlich 10,067 jährlich, meist Vagabonden; schwere Verbrecher waren noch nicht der 7. Theil, 1758 jährlich; die Zahl der Weiber zu den Männern wie 1 zu 10. Im J. 1840 wurde die Verschickung und Verwendung von Neuem geregelt. Nach 10 Jahren können die Verwiesenen in die Zahl der Kronbauern aufgenommen werden, auch früher als Belohnung. Ist der Verwiesene ganz unleidlich und selbst gefährlich, so wird er in einen möglichst menschenleeren Ort versetzt. Die viermalige Wiederholung eines schon früher bestraften Verbrechens zieht dem Verwiesenen 40 Knutenhiebe zu und Ueberführung zur Zwangsarbeit. Raub, Mord, Feueranlegung wird mit 35—50 Knutenhieben und Stempelung im Gesicht, mit Zwangsarbeit von wenigstens 3 Jahren bestraft; die schlimmsten Verbrecher werden nie der Fesseln entledigt, ausser in Folge ärztlichen Gutachtens. Will eine Familie einen Verwiesenen als Schwiegersohn aufnehmen, so erhält das Mädchen 50 Rub. S. zur Ausstattung. — In Kamschatka hat eine landwirthschaftliche Gesellschaft Landbau und Viehzucht eingeführt, auch besteht dort eine Handwerkerschule. Die Niederlassung in Amerika (in Sitka) findet am Nebel, Wald, Sümpfen und Felsen fast unübersteigliche Hindernisse und ist abhängig für ihren Unterhalt vom Ertrage des Meeres. Die Eingeborenen haben keine Gesittung gewonnen, die Krankheiten sich vermehrt. Die Russen bleiben nur 10, die höheren Beamten nur 5 Jahre dort und sind froh, dann es überstanden zu haben. Die Pelzthiere haben so abgenommen, dass man ihrer Verfolgung Einhalt thun musste. Die Verbindungen im Innern, Strassen und Wasserwege, sind grossartig entworfen, aber nur zum Theil ins Werk gesetzt. An den Bau von Eisenbahnen dachte man zu früh, da es noch zu sehr an Fahrstrassen fehlt (S. 374). Nischnei-Nowgorod ist der Ort, von wo Europa unmittelbar Handel mit Asien treibt; es übt für die fortschreitende Cultur Russlands den wohlthätigsten Einfluss. Im J. 1839 hatte von asiatischen Waaren China am meisten geliefert, für beinahe 20 Mill. Rub. S. (S. 398). Moskau war schon im 14. Jahrh. ein wichtiger Handelsplatz; Petersburg that später Abbruch, doch blieb jenes immer der wichtigste Stapelplatz für den asiat. Handel. Schon zu Ende des 17. und Anfang des 18. Jahrh. entstanden hier einige Manufacturen und Fabriken, allein erst seit 1822 wurden diese Unternehmungen solider. Man zählt seitdem über 1000 Fabriken, welche für ungefähr 40 Mill. Rub. Waaren jährlich liefern. Die Spuren der Unfälle von 1812 sind ganz verwischt. Die Zahl der Einwohner beträgt 350,000. Der 4. Theil gehört dem Mittelstande, d. h. den Kaufleuten, die Hälfte der niedern, arbeitenden Classe an. Die Zufuhr an Lebensmitteln ist sehr bedeutend und veranlasst eine weit verbreitete Thätigkeit. Die Baumwollenwebereien verbreiten sich auch in die nächstgelegenen Gouvernements. In Moskau und den nächsten Kreisen werden Seiden- und Halbseidengewebe verfertigt, jährlich etwa für 10 Mill. Rub. S. Die Menge des fabricirten Tuchs wird auf 30,000 Stück feines und 50,000 Stück grobes für die Armee angegeben. In Verbindung damit stehen die Färbereien. Auch eine Maschinenfabrik ist vorhanden. Der Gesammtwerth der angefertigten Arbeiten belief sich in Moskau 1841 über 22½ Mill. Rub. S. Bessarabien ist ein wesentlich Ackerbau treibendes, auch zur Viehzucht wohl geeignetes Land, allein beides wird schlecht betrieben. Flachs z. B. baut man nur des Saamens wegen, man mäht ihn wie Getreide und benutzt die Halme zum Dachdecken der Hütten und zum Heizen (S. 425). Die Handelsverhältnisse mit Preussen, Oesterreich, Polen und Finnland lassen wir, als weniger einflussreich, hier unberührt. Die Klagen, welche Preussen über die Grenzsperre führt, dürften ihren Grund nicht bloss in den hohen Zollsätzen haben, da noch manche andere Hemmnisse die Noth der Grenzbewohner bewirken. Von grösster Wichtigkeit sind die Bemühungen der Regierung um Bildung eines freien Bauernstandes (S. 474). In Grossrussland sind zwar die Bauern auch leibeigen, aber thatsächlich dennoch freier, als in manchen andern Ländern, in Folge des vorhandenen Anbaues des Landes und eines Herkommens, was strenger beobachtet wird, als sonstige Gesetze. Statt der Frohndienste hat sich eine Abgabe in Geld oder Naturalien festgestellt (Obrok), die sich nicht verändern und für deren Entrichtung die Gemeinden solidarisch haften. Nur eine übermässige Bevölkerung, indem die Grundstücke nicht zu klein ausgegeben werden können, und das Ueberhandnehmen von Fabriken würde dieser glücklichen Stellung Eintrag thun. Es ist bewundernswerth, was die Regierung thut, um auf den Apanage-Gütern den Grundbesitz festzustellen, und mit welcher Umsicht und Weisheit die besten Einrichtungen und Verwaltungen angeordnet sind (S. 481). Das Unterrichtswesen (S. 511) wurde unter Alexander einem besondern Ministerium überwiesen. Erst von da an wurde die Bildung des Volkes nach einem umfassenden Plane begonnen, früher war an Volksunterricht nicht gedacht worden. Unter dem jetzigen Minister haben die Universitäten und Schulen (S. 514) manche Verbesserungen und Umänderungen erfahren. Gewiss ist, dass keine Regierung der Erde so viel für den öffentlichen Unterricht aufwendet und diesen so beaufsichtigt. Privatschulen werden möglichst beschränkt, es soll Niemand andere Ideen kennen lernen, als die der Regierung zweckdienlich scheinen. In diesem Sinne wird auch die Schriftstellerei gehandhabt, wie in dem mitgetheilten Berichte des Ministers klar und offen dargelegt wird (S. 521). Recht lehrreiche und unterhaltende Betrachtungen kann der Leser an die hier angegebenen Tabellen über die Universitäten und Schulen anknüpfen. Im J. 1841 hatte im Lehrbezirk von Dorpat die Zahl der Lernenden gegen 1840 ab-, in den russischen Bezirken aber zugenommen. Es ist unter den gegebenen Umständen ganz begreiflich, dass seit 10 Jahren die Erzeugung schriftstellerischer Werke abgenommen, dagegen die Einfuhr ausländischer Bücher (1841 540,000 Bände) seit 5 Jahren um 100 pC. zugenommen hat. In der Verwaltung des Staats ist der Zustand der Finanzen gewiss von der grössten Wichtigkeit. Diese Verhältnisse sind umfassend erörtert, müssen aber in dem Buche selbst eingesehen werden. Wir führen nur an, dass das Prohibitiv-System als die Quelle vieler Uebel dargestellt wird (S. 600). „Die durch dieses System ins Leben gerufenen russischen Fabriken sind hoffnungslos und kümmerlich, denn sie beruhen auf einem für die Dauer unhaltbaren System.“ Seit 1822 hat Russland sich zu isoliren angefangen. Welche Resultate hat dieser Versuch gehabt? 1. Russland hat das übrige Europa und namentlich seine Nachbarn sich entfremdet. 2. Die Staatseinnahmen, kaum im Frieden genügend, gestatten keine irgend erhebliche Verwendung für die Erfordernisse eines Kriegs. 3. Die Steuerkräfte der Bewohner haben sich nicht entwickeln, 4. die Moralität des Beamtenstandes keine genügenden Fortschritte machen können. 5. Die Landwirthschaft hat keine erhebliche Verbesserung erfahren. 6. Die Fabrication kann von der Stufe der Kindheit sich nicht erheben, und selbst die älteren Fabricationen sind nicht mehr im Fortschritt begriffen. 7. Der erlaubte Verkehr bewegt sich in drückenden Fesseln, der unerlaubte dagegen ist unverhältnissmässig blühend und schon der Verwaltung über den Kopf gewachsen. 8. Die Consumenten haben den doppelten Nachtheil hoher Preise und mittelmässiger Waare. 9. Das System hat in sich selbst keine Gewähr des Erfolgs gezeigt, weil es fortwährend hat hinaufgeschraubt werden müssen. 10. Es hat dasselbe aber auch keine Gewähr der Dauer gegeben, — es findet sein natürliches Ende an dem Puncte, wo Ueberspannung eintritt. 11. Es hat zu einem Zustande geführt, welcher einer etwas beschleunigten Aenderung gar nicht fähig ist. 12. Es hat endlich die russische Regierung in eine drückende Abhängigkeit von der künstlich selbst geschaffenen Industrie versetzt.

[[illegible]] **Historisch-geographisch-statistisch-topographisches Handbuch vom Regierungsbezirke Magdeburg.** Unter Genehmigung des königl. statistischen Bureaus und der königl. Regierung zu Magdeburg. Herausgeg. von **J. A. F. Hermes**, Hofr. und **M. J. Weigelt**, Assessor. 1. oder allgemeiner Theil. Magdeburg, (Heinrichshofen). 1843. XII u. 312 S. gr. 4. (n. 2 Thlr.)

Warum der 2. — specielle, topographische — Theil dieses schätzbaren Werkes bereits im vor. Jahre eher als der vorl. 1. erschienen sei, ist bei der Anzeige jenes im Rep. der ges. deutsch. Lit. Bd. XXXIV. No. 1908 bemerklich gemacht worden. Beide Theile schliessen sich nun zu einem Ganzen zusammen, welches einen trefflichen, vollständigen und sehr instructiven Commentar zu dem „Alphabetischen Verzeichniss sämmtlicher bewohnter und benannter Ortschaften im Regierungsbezirke Magdeburg“ (Magdeburg, Rubach. 1820. 4.) bildet, dergleichen sich andere, von den einzelnen kön. Provinzialregierungen zur leichten Uebersicht ihrer Gebiete herausgegebene Ortsverzeichnisse nicht zu rühmen haben dürften. Diess wird sich schon aus der Reichhaltigkeit des Materiales ergeben, welches hier in folgender Ordnung verarbeitet worden ist: Landestheile, aus denen der Regierungsbezirk zusammengesetzt ist, verbunden mit einer kurzen Geschichte derselben; das Land selbst; Bevölkerungsverhältnisse; Culturzustand des Landes; geistige Cultur; Unterrichtswesen insbesondere; innere Staatsverhältnisse. Die Inhaltsübersicht gibt einen gut orientirenden Einblick in die speciellen Verzweigungen dieser Hauptrubriken und erleichtert in Verbindnng mit dem Sachregister den Gebrauch des Werks. Die Zweckmässigkeit der Rubriken selbst springt ins Auge; denn sie liefern Alles, was der Geschäftsmann, namentlich der Verwaltungsbeamte, der aus einer fernen Provinz in die hier beschriebene versetzt wird, zu wissen nöthig hat. Dass aber auch dem Publicum überhaupt mit einer solchen Arbeit gedient sein müsse, dem Schriftsteller, der über vaterländische Dinge denkt und schreibt, der Jugend, welche sich dem Staatsdienste widmet, bedarf keiner näheren Auseinandersetzung. — Angeschlossen sei hier die Anzeige von:

[1827] Der Regierungsbezirk Magdeburg. Historisch, geographisch, statistisch und topographisch dargestellt von Dr. **A. Keber**, Lehrer an d. höh. Bürgerschule zu Aschersleben. Halberstadt, Lindequist u. Schönrock. 1843. VIII u. 224 S. gr. 8. (20 Ngr.)

Der 1. Abschn. (S. 1—56) gibt die allgemeine geographisch-statistisch-historische Uebersicht; der 2. (—210; —224 Reg.) die Topographie der einzelnen Kreise nach dem Schematismus: im Allgemeinen, Städte und Flecken, plattes Land. Der Vf. hatte Plan und Vorarbeiten zu dieser Schrift schon gemacht, als die obige umfangreichere angekündigt ward; gleichwohl wollte er die seinige nicht zurückhalten, da sie, wohlfeiler anzuschaffen, sich den Weg in die Hände Mehrerer bahnen dürfte, als jene kostspieligere. Es leidet auch keinen Zweifel, dass Dasjenige, was der Vf. bietet, für das Bedürfniss der Meisten, zum Theil wohl auch der Behörden ausreichend sein werde. Bei der Schwierigkeit, sich als Privatmann in den Besitz der einzelnen statistischen Angaben zu setzen, hat er sich für seine Topographie an den 2. Thl. des Hermes-Weigelt'schen Werkes, als gewissermaassen officielle Quelle, gehalten. Es würde indess seiner Arbeit offenbar zum Gewinn gereicht haben, wenn er zur Bereicherung des Inhalts ihrer ersten allgem. Abthl. die Erscheinung auch des 1. Thls. jenes Handbuchs abgewartet hätte. Denn wie dürftig z. B. hier die Geschichte des besprochenen Districts auf etwa 6 Seiten ausgefallen sein müsse, lässt sich im Voraus annehmen, besonders wenn man bedenkt, dass gerade bei dem magdeb. Reg. Bezirke, der aus früheren märkischen, halberstädtischen, stiftisch-quedlinburgischen, magdeburgischen, königl. sächsischen, hannöverschen und anhaltischen Ortschaften besteht, so verschiedenartige geschichtliche Momente in Frage kommen.

Bibliographie.

Jurisprudenz.

[7828] **Jahrbücher für hist. u. dogm Bearbeitung des röm. Rechts u. s. w.** 2. Hft. (Vgl. No. 2918.) Inh.: *C. Sell*, von den causis, ex quibus infitiatione lis crescit in duplum. Schluss. (S 175—251.) — *W. Sell*, inwiefern sind Mitglieder e. universitas in Civilstreitigkeiten d. Gemeinheit unfäh. od. verdächt. Zeugen? Schluss. (—301.) — *Hoffmann*, üb. den Umfang der Servituten, vornehmlich der Praedialservituten. (—315.) — *Brackenhoeft*, üb die Wirksamkeit der Contumacialsentenzen des röm. Civilprocesses. (—342.)

[7829] * De l'influence du christianisme sur le droit civil des Romains, par M. **Troplong.** Paris, Hingray. 1843. 23¼ Bog. gr. 8. (9 Fr.)

[7830] Vorlesungen über das gemeine Civilrecht von **J. Fr. Ludw. Göschen.** Aus dessen hinterlass. Papieren herausgeg. von Dr. *Albr. Erxleben*, Prof. d. Rechte zu Zürich. 2. unveränd. Aufl. 2. Bd. 1. Abthl.: Sachenrecht. 2. Bd. 2. Abthl.: Obligationenrecht. 3. Bd. 1. Abthl.: Familienrecht. Göttingen, Vandenhoeck u. Ruprecht. 1843. X u. 426 S., XVIII u. 716 S., X u. 226 S. gr. 8. (1 Thlr. 20 Ngr., 2 Thlr. 22 Ngr., 27½ Ngr.)

[7831] Leitfaden für Pandekten-Vorlesungen von Dr. **K. Ado. v. Vangerow,** grossh. Bad. Hofr. u. ord. Prof. d. röm. Rechts zu Heidelberg. 2. Bdes. 2. Abthl. (4. Buch: das Erbrecht.) 2. unveränd. Aufl. Marburg, Elwert. 1843. XIV u. S. 325—606. gr. 8. (1 Thlr. 7½ Ngr.)

[7832] Philosophie du Droit ou Cours d'introduction à la science du droit, par **W. Belime.** Paris, Joubert. 1843. 34¼ Bog. gr. 8. (7 Fr. 50 c.)

[7833] Cours de droit naturel, professé à la faculté des lettres de Paris, par **Th. Jouffroy.** 2. édit. 2 Vols. Paris, Hachette. 1843. 63¾ Bog. gr. 8. (15 Fr.)

[7834] De Morgengaba secundum leges antiquissimas Germanorum. Dissert. inaug. jur. auctore Dr. **H. G. Gengler.** Bambergae, (Züberlein). 1843. 46 S. gr. 8. (15 Ngr.)

[7835] Statuti civili e criminali di Corsica, publicati con addizioni inedite e con una introduzione, da *Giov. Carlo Gregorj*. Tom. I. Lione, Dumoulin. 1843. 364 S. gr. 8.

[7836] Patenti e risoluzioni sovrane, determinazioni auliche, notificazioni e circolari emanate intorno ad oggetti del diritto civile Austriaco e non contenute nel codice civile generale, raccolte e disposte secondo l'ordine dei paragrafi del codice stesso dal Dr. *Franc. Reale*. Pavia, Bizzoni. 1843. 156 S. gr. 8. (2 L. 61 c.)

[7837] Code of Practice of the High Court of Chancery: cont. a brief History of the Jurisdiction and Practice of the Court; a Chronolog. Table of all the Statutes relating to the Court and useful in Practice, shewing by what Enactments they have been repealed or altered: also a Chronolog. Table of all the General Orders, from the time of Lord Bacon to the Present Time;

and the General Orders from 1814 to the Present Time. With an Index. By **T. Kennedy.** Lond., 1843. 338 S. gr. 12. (12sh.)

[7838] Practical Treatise on the Law of Perpetuity or Remoteness in Limitations of Estates, as applicable to the various Modes of Settlement of Property, Real and Personal, and in its bearings on the different Modifications of Ownership in such Property. By **W. D. Lewis.** Lond., 1843. 878 S. gr. 8. (26sh.)

[7839] Die fünf französischen Gesetzbücher. Mit gegenüberstehendem französ. Texte. Herausgeg. von *Joh. Cramer.* 10. Aufl. der deutschen Abthl. Crefeld, Funcke'sche Buchh. 1843. 69 Bog. 8. (2 Thlr.)

[7840] Vorträge üb. das franz. u. badische Civilrecht, insbesondere üb. dessen Einleitung (titre préliminaire) von Dr. **Ant. Stabel**, o. Prof. d. Rechte zu Freiburg. Freiburg, Emmerling. 1843. VIII u. 216 S. gr. 8. (n. 15 Ngr.)

[7841] De la responsabilité des notaires, par **A. Pagès.** Montpellier, Virenque. 1843. 16¾ Bog. gr. 8. (4 Fr.)

[7842] Annalen für Rechtspflege in den pr. Rheinprovinzen u. s. w. 2. Hft. (Vgl. No. 3226.) Inh. 1. (prakt.) Abthl.: Oeffentliche Strasse — Persönliche Haft — Verfolgung von Injurien in censirten Schriften u. s. w. (S. 57—104.) 2. (theor. Abthl.: *Perrot*, was bedeuten die im franz. Rechte vorkommenden Ausdrücke: action personelle, réelle et mixte? (S. 33—58.)

[7843] Das Hypotheken-, Depositen- u. gerichtliche Sportuln- u. Cassen-Wesen in Preussen. Eine theoret.-prakt. Anleitung für angeh. Justiz-Beamte von **Jos. Evelt**, Land- u. Stadtger.-Director in Dorsten. Münster, Theissing'sche Buchh. 1843. IV u. 220 S. mit 3 Tabb. gr. 8. (1 Thlr. 10 Ngr.)

[7844] Die Patrimonial- u. Polizei-Gerichtsbarkeit, oder: Rechte u. Pflichten der mit der Patrimonial- u. Polizeigerichtsbarkeit beliehenen Rittergutsbesitzer von **W. G. v. d. Heyde**, Hofrath. 4. Aufl. Magdeburg, Baensch. 1843. VIII u. 134 S. gr. 8. (1 Thlr. 5 Ngr.)

[7845] Die Polizei-Gesetzkunde, eine systemat. geordnete, höchst vollständige Sammlung bis zum J. 1843 in Betreff der ausüb. Polizei erlassener Gesetze, Ministerial-Rescripte u. Regierungs-Verordnungen von **W. G. v. d. Heyde**, Hofrath. (Landes- u. Local-Verfassung in den königl. Preuss. Staaten. 3. Thl.) 1. Thl. Ebendas., 1843. X u. 437 S. 8. (1 Thlr. 15 Ngr.)

[7846] Die jetzige Pressgesetzgebung Preussens. Systemat. Zusammenstellung der seit d. 24. Dec. 1841 ergangenen Censur- u. Press-Gesetze sowie Ministerial-Rescripte. Berlin, Deutsche Verlagsbuchh. 1843. VIII u. 56 S. 8. (10 Ngr.)

[7847] Die Preussische Pressgesetzgebung. Vollst. Sammlung aller jetzt gültigen Gesetze, Verordnungen u. Bestimmungen. Für Schriftsteller, Buchdrucker, Buchhändler u. Censoren. Berlin, Hermes. 1843. 69 S. gr. 8. (10 Ngr.)

[7848] Elementi criminali del regolamento sui delitti e sulle pene emanato da N. S. Gregorio XVI. P. R., col confronto delle leggi romane dell' avvoc. **Fil.** de' conti **Marini** caval. etc. Rimini, Marsoner e Grandi. 1842. 104 S. gr. 8. (1 L. 61 c.)

[7849] Urtheil in der Untersuchungssache gegen 1) den Bürgermeister Dr. Scheffer, 2) den Dr. Leop. Eichelberg, 3) den Prof. Dr. Jordan, 4) den Eberh. v. Breidenbach, 5) den Univ.-Zeichnenlehrer Dr. Hach, 6) den Hutmacher G. Kolbe, 7) den Schuhmacher Chr. Bamberger, 8) den Regierungs-Probator G. K. Wagner, 9) den Buchhändler Chr. Garthe, 10) den Tuchmacher J. Häring, 11) den Schreiner B. Stetefeld, 12) den Rector Joh. Chr. Möhl, 13) den Fruchthändler K. Kröcker, 14) den Metzger W. Brauer u. 15) den

Kaufmann J. H. Majerus wegen versuchten Hochverraths, beziehungsweise Beihülfe zu hochverrätherischen Unternehmungen, u. sonstiger Vergehen, nebst den Entscheidungsgründen. Marburg, Elwert. 1843. IV u. 167 S. gr. 8. (22½ Ngr.)

[7850] Der Preussische Entwurf einer neuen Strafgesetzgebung u. sein Verhalten zum Rheinlande. Für Juristen u. Nichtjuristen. Von Gfr. Duden. Bonn, Weber. 1843. X u. 369 S. gr. 8. (1 Thlr. 15 Ngr.)

[7851] Manuale compendium juris canonici, ad usum seminariorum, juxta temporum circumstancias accommodatum, auctore J. F. M. Lequeux. Prima pars: Institutiones canonicae. Tom. II. Paris, Méquignon jun. 1843. 25⅝ Bog. gr. 12. (3 Fr.)

[7852] Les actes de la province ecclésiastiques de Reims, ou Canons et décrets de conciles, constitutions, statuts et lettres des évêques des différens diocèses, qui dépendent ou qui dépendaient autrefois à la métropole de Reims. Publiés par M. Th. Gousset. Tom. II. Reims, 1843. 98¾ Bog. gr. 4.

[7853] Beleuchtung der Schrift: Ueber den Frieden unter der Kirche u. den Staaten von dem Erzbischofe von Cöln, Clemens August Frhr. Droste zu Vischering. 2. Aufl. Elberfeld, Hassel. 1843. 75 S. gr. 8. (10 Ngr.)

[7854] Erster Schuss auf die im Juni 1843 in Elberfeld erschienene Beleuchtung der Schrift: „Ueber den Frieden unter der Kirche und den Staaten von d. Erzbischofe Clemens August" von Joh. Jos. Süss, Pastor in Belmicke. Nebst e. Beiwagen für blinde Passagiere. Cöln, J. u. W. Boisserée. 1843. 48 S. gr. 8. (7½ Ngr.)

[7855] Des Erzbischofs von Cöln Schrift: „Ueber den Frieden unter der Kirche u. den Staaten, nebst Bemerkungen üb. die bekannte Berliner Darlegung". Beleuchtet von J. Ellendorf, Dr. d. Ph. u. d. Rechte. Berlin, Vereins-Buchh. 90 S. gr. 8. (10 Ngr.)

[7856] Der Erzbischof Clemens August, Freiherr Droste zu Vischering als Friedenstifter zwischen Staat und Kirche von Dr. Phil. Marheineke. (Aus d. Jahrb. f. wiss. Kritik bes. abgedr.) Berlin, Schroeder. 1843. 39 S. gr. 8. (n. 5 Ngr.)

Classische Alterthumskunde.

[7857] * Geschichte der classischen Philologie im Alterthum von Dr. A. Gräfenhan, Lehrer am Gymnas. zu Eisleben. 1. Bd. Bonn, König. 1843. XVI u. 547 S. Lex.-8. (2 Thlr. 20 Ngr.)

[7858] Gallery of Antiquities, selected from the British Museum, by F. Arundale and J. Bonomi; with Descriptions by S. Birch. Vol. 1. 124 S. mit 57 Kpfrn. gr. 4. (2£) Erschien in 2 Abthll.: I. 60 S. mit 28 Kpfrn. II. 64 S. mit 29 Kpfrn. (à 1£)

[7859] * Bilder antiken Lebens von Thd. Panofka, Prof. d. Archäol. an d. k. Univ. zu Berlin. 4. u. letztes Hft. Berlin, Reimer. 1843. 3½ Bog. Text und 5 lith. Taff. gr. 4. (1 Thlr.) Vgl. No. 3287 u. 6870.

[7860] * Auserlesene griech. Vasenbilder, hauptsächlich etruskischen Fundorts, von Edu. Gerhard. 25. u. 26. Hft. Berlin, Reimer. 1843. Taf. CLXIII —CLXXV. gr. 4. (4 Thlr.) Vgl. No. 3828.

[7861] Prometheus, die Sage und ihr Sinn von E. v. Lasaulx, Prof. d. alten Lit. an d. Univ. zu Würzburg. Würzburg, Voigt u. Mocker. 1843. 32 S. gr. 4. (10 Ngr.)

[7862] De Eleusiniorum ratione publica commentatio. Scripsit Geo. Gull. Nitzsch. Kiel, (Schwers'sche Buchh.). 1843. 29 S. 4. (10 Ngr.)

[7863] Untersuchungen über die dramatische Poesie der Griechen von **Fr. Vater.** 1. Heft: Recension der neuesten Schriften von *Welcker*, *Schöll* u. *Bode* über die Tragödie der Griechen. Berlin, Eichler. 1843. 76 S. gr. 8. (10 Ngr.)

[7864] * De dialecto dorica scripsit **Henr. Lud. Ahrens.** (Auch u. d. Tit.: De graecae linguae dialectis scrips. etc. Lib. II.: de dialecto dorica.) Gottingae, Vandenhoeck et Ruprecht. 1843. XIV u. 586 S. gr. 8. (2 Thlr. 20 Ngr.)

[7865] A Greek-English Lexikon, based on the German Work of *Francis Passow*. By **H. G. Liddell, M. A.,** and **R. Scott, M. A.** Oxford, 1843. 1602 S. 4. (2£ 2sh.)

[7866] Commentatio critica de Anthologia graeca. Auctore **Alph. Hecker,** Phil. Th. Mag. Lit. Hum. Dr. Lugduni Batav., S. et J. Luchtmans. 1843. VIII u. 498 S. gr. 8. (n. 2 Thlr. 7½ Ngr.)

[7867] Anaxagore, par **Ch. Zevort.** Paris, Joubert. 1843. 13½ Bog. gr. 8. (3 Fr.)

[7868] Recherches critiques sur l'âge et l'origine des traductions latines d'Aristote et sur des commentaires grecs ou arabes employés par les docteurs scholastiques. Ouvrage couronné par l'acad. des inscript. et belles lettres. Par **Amable Jourdain.** Nouv. édit., revue et augm. par *Ch. Jourdain*. Paris, Joubert. 1843. 30½ Bog. gr. 8. (8 Fr.)

[7869] De artis apud Aristotelem notione ac vi scrips. **Guil. Schrader,** Dr. Phil. Berolini, Schroeder. 1843. 88 S. gr. 8. (n. 10 Ngr.)

[7870] * Dionis Chrysostomi opera graece. E rec. *Ad. Emperii.* Pars prior. Orat. I—XXX. Brunsvigae, Westermann. 1844. XXIV u. 359 S. gr. 8. (n. 4 Thlr. 20 Ngr. f. 2 Abthll.)

[7871] Euripidis Iphigenia Aulidensis. Recensuit *Fr. Henr. Bothe.* In usum scholarum. Edit. II. emend. Lipsiae, libr. Hahniana. 1843. 99 S. gr. 8. (10 Ngr.)

[7872] Memoriam Pauli Friderici magni ducis Megapolit. pio animo prosequitur Academ. Rostoch. interprete **Frc. Volcm. Fritzsche,** Eloq. et Poes. P. P. O. Addita est de monodiis Euripideis comment. I. Rostochii, (Leopold). VII u. 51 S. gr. 4. (15 Ngr.)

[7873] * Homeri Odyssea. Ex recognitione *Imm. Bekkeri.* Berolini, Nicolai. 1843. 394 S. gr. 8. (1 Thlr. 20 Ngr.)

[7874] A Lexikon to Homer, for the Use of Schools and the Junior Classes in Colleges; containing all the Words in the Iliad and Odyssey. By **W. Wittich.** Lond., 1843. 206 S. gr. 12. (7sh.)

[7875] Oedipe à Colone, trag. de Sophocle, trad. en français par M. *Bellaguet*, avec le texte grec en regard et des notes, par M. *Benloew*. Paris, Hachette. 1843. 6½ Bog. 12. (2 Fr. 50 c.)

[7876] Les auteurs grecs, expliqués d'après une méthode nouvelle par deux traductions françaises etc. avec des sommaires et des notes, par une société de professeurs. Xénophon. Entretiens memorables de Socrate. 1. livre. Par M. *Sommer*. Paris, Hachette. 1843. 4 Bog. 18. (2 Fr.)

[7877] * Handbuch der Römischen Alterthümer, nach den Quellen bearbeitet von **Wilh. Adol. Becker,** Prof. an d. Univ. Leipzig. 1. Thl. Mit vergleich. Plane der Stadt u. 4 anderen Tafeln. Leipzig, Weidmann'sche Buchh. 1843. XVI u. 722 S. gr. 8. (3 Thlr. 15 Ngr.)

[7878] Vindiciae antiquitatum Romanarum fasc. I. de legislatione decemvirali. Scrips. Dr. **Ad. Haeckermann.** Gryphiae, Koch. 1843. 140 S. gr. 8. (22½ Ngr.)

[7879] M. Tullii Ciceronis Orationes XIV. Praemissa Ciceronis vita. In usum Gymnasiorum edidit selectam lect. varietatem textui subjunxit, indicem nominum addid. *Fd. Schultz*, Ph. Dr., Gymn. Arnsbergensis praeceptor. Arnsberg, Ritter. 1843. X u. 318 S. 8. (12⅓ Ngr.)

[7880] Q. Curtii Rufi de gestis Alexandri magni regis Macedonum libri qui supersunt VIII. Kleinere Ausgabe mit Anmerkk. zum Schulgebrauch von *Jul. Mützell*, Dr. d. Ph. u. Prof. am k. Joachimsth. Gymn. zu Berlin. Berlin, Duncker u. Humblot. 1843. IV u. 351 S. gr. 8. (1 Thlr.)

[7881] The Odes of Horace. Translated by *J. Scriven*. London, 1843. 232 S. 8. (5sh.)

[7882] Q. Horatii Flacci epistolas commentariis uberrimis instructas ed. *S. Obbarius*. Fasc. V., cont. epist. VIII—XII. Lipsiae, G. Wigand. 1843. 161 S. gr. 8. (n. 1 Thlr. 10 Ngr.)

[7883] C. Plinii Caec. Sec. Panegyricus, Nervae Trajano dictus. Panegyrique de l'empereur Trajan, par Pline le jeune. Texte revu par M. *Fr. Dübner* avec notice, sommaires et notes en français par M. *E. Lefranc*. Paris, Perisse. 1843. 4⅔ Bog. 18.

[7884] Corn. Taciti opera quae supersunt, curâ *Fr. Dübner*. Paris, Perisse. 1843. 22 Bog. gr. 12. (2 Fr. 50 c.)

[7885] The Bucolics and Georgics of Virgil, illustrated by English Notes, partly selected from previous Commentators and partly Original; with Prolegomena, etc. By *H. Owgan*. Revised by *G. B. Wheeler*. Lond., 1843. 153 S. 12. (5sh.)

Naturwissenschaften.

[7886] Annales de Chimie et de Physique etc. Aout. (Vgl. No. 7451.) Inh.: *Andral* et *Gavarret*, sur le développement du Penicillium glaucum, sous l'influence de l'acidification, dans les liquides albumineux normaux et patholog. (S. 385—401.) — *Becquerel*, sur l'application électro-chim. des oxydes et des métaux sur des métaux. (—425.) — *Lewy*, sur la composition de l'air atmosphérique. (—478.) — *Scharling*, sur la quantité d'acide carbonique expirée par l'homme dans les vingt-quatre heures. (—497.) — *Ebelmen*, sur la composition chimique de la Pechblende. (—503.) — *Palmieri* et *Santi Linari*, sur les courans d'induction provenant de l'action de la terre. (—505.) — *Ebelmen*, sur la composition du wolfram et sur le dosage du manganèse. (—508.) — Observv. météorol. etc. (—512.)

[7887] Revue scientifique et industrielle etc. Aout. (Vgl. No. 6743.) Inh.: *van Laer*, examen chimique des cheveux. (S. 209—233.) — *Woehler*, sur quelques nouveaux produits de transformation de l'acide quinique. (—235.) — *Haidlen*, sur les sels et l'analyse du lait de vache. (—248.) — *Döpping*, examen chimique du liège. (—257.) — *Rochleder*, faits pour servir à l'histoire du caséum. (—263.) — *Liebig*, sur l'origine de la terre labourable. (—281.) — *Berzelius*, combinaison du phosphore avec le soufre. (—300.) — *Palmieri* et *Santi Linari*, sur les courants d'induction provenant de l'action de la terre. (—304.) — *Levol*, sur la préparation de l'or pur. (—312.) — *Laurent*, série naphtalique. [Suite.] (—349.) — *Thériano*, sur la théorie des courants électriques, appliquée à la physiologie, à la pathologie et à la thérapeutique. (—358.) — *Elkington*, dorure par immersion. (—410.) — Nouvelles publications etc. (—432.)

[7888] *Geschichte der Chemie. Von Dr. **Herm. Kopp**, a. o. Prof. der Physik u. Chemie an d. Univ. Giessen. 1. Thl. Braunschweig, Vieweg u. Sohn. 1843. XX u. 456 S. gr. 8. (n. 2 Thlr.)

[7889] **Die Chemie in ihrer Anwendung auf Agricultur und Physiologie.** Von **Just. Liebig**, Prof. d. Chemie an der Univ. zu Giessen u. s. w. 5. umgearb. u. sehr verm. Aufl. Braunschweig, Vieweg u. Sohn. 1843. XIV u. 506 S. gr. 8. (n. 2 Thlr. 15 Ngr.)

[7890] Productive Farming; or, a Familiar Digest of the recent Discoveries of Liebig, Davy, and other celebrated Writers on Vegetable Chemistry: showing how the Results of English Tillage might be greatly augmented. By **J. A. Smith.** Edinb., 1843. 180 S. 8. (3sh. 6d.)

[7891] **Lectures on the Principles and Practice of Physic, delivered at King's College, London.** By **T. Watson**, M. D. 2 vols. Lond., 1843. 1662 S. gr. 8. (1£ 14sh.)

[7892] *Geschichte der Optik, vom Ursprunge dieser Wissenschaft bis auf die gegenwärtige Zeit von Dr. **Emil Wilde**, Prof. am Berliner Gymnas. z. grauen Kloster. 2. Thl. von Newton bis Euler. Berlin, Rücker u. Püchler. 1843. 407 S. mit 4 Steintaff. gr. 8. (2 Thlr. 10 Ngr.)

[7893] Annales des sciences naturelles etc. Aout. (Vgl. No. 6744.) Inh.: Zoologie. *Chossat*, sur l'inanition; suite. (S. 65—81.) — *Matteucci*, sur l'existence du courant électrique musculaire dans les animaux vivans ou récemment tués. (—93.) — *Bischoff*, sur le détachement et la fécondation de l'oeuf humain et des oeufs des mammifères. (—101.) — *Raciborski*, etudes physiologiques sur la menstruation. (—102.) — *Lereboullet*, sur la Ligidie de Persoon. (—120.) — Botanique. *Payen*, note relative aux caractères distinctifs qui séparent les végétaux des animaux et aux sécrétions minérales dans les plantes. (S. 65—68.) — *Montagne*, sur la tribu des Podaxinées et fondation du nouveau genre Girophragmium, appartenant à cette tribu. (—82.) — *Jaubert* et *Spach*, conspectus generis Gaillonia. (—87.) — *Raffeneau-Delile*, sur quelques plantes nouvelles d'Abyssinie. (—95.) — *Bojer*, descriptio plantarum rariorum, quas in insulis Africae australis detexit. (—106.) — *Bernhardi*, sur les métamorphoses des plantes. (—128.)

[7894] **The Annals and Magazine of Natural History, including Zoology, Botany and Geology.** Conducted by *W. Jardine*, *P. J. Selby*, *Geo. Johnston*, *Ch. C. Babington*, *J. H. Balfour* and *Rich. Taylor*. Vol. XI. London, 1843. gr. 8. (à Heft 2sh. 6d.) Inh.: Jan. *Blackwall*, account of a species of Ichneumon whose Larva is parasitic on Spiders. (S. 1—4.) — *Lee*, notice of Saurian Dermal Plates from the Wealden of the Isle of Wight; m. 1 Kupf. (—7.) — *Owen*, on the Discovery of the Remains of a Mastodontoid Pachyderm in Australia; mit Holzschn. (—12.) — *Miquel*, observationes de quibusdam plantis Surinamensibus. (—16.) — *Hinds*, descriptions of new shells from the Collection of Capt. Belcher. (—21.) — *Leighton*, hints towards a new specific character in the Willows; m. Holzschn. (—22.) — *Richardson*, contributions to the Ichthyology of Australia; contin. (—28.) — *Peach*, observations on the Sea-Cup; m. Kupf. (—30.) — *Walker*, descriptions of Chalcidites discovered in South America by Darwin. (—32.) — *Murcott*, on drying Plants for the Herbarium by means of a Deliquescent Salt. (—35.) — *Brown*, on the relative position of the Divisions of Stigma and Pariental Placentae in the Compound Ovarium of Plants. (—42.) — *Howell*, on the Structure of the Capsule of Papaveraceae. (—43.) — *Loven*, observ. on the Metamorphosis of an Annelide; m. Kupf. (—45.) — *Gray*, description of two new species of Reptiles from the Collection made during the Voyages of Sulphur. (—46.) — Bibliographical Notices, Miscellaneous etc. (—80.) — Febr. *Baird*, the Natural History of the British Entomostraca; m. 2 Kpfrn. (S. 81—95.) — *Griffith*, on the Formation of the Pitted Tissue of Plants; m. 1 Kupf. (—102.) — *Thompson*, the Crustacea of Ireland; contin. (—111.) — *Hassall*, remarks on three species of Marine Zoophytes. (—113.) — *Brandt*, on Siberian Birds described by Latham. (—115.) — *Walker*, descriptions of Chalcidites from Lima. (—117.) — *Gray*, on new Genera and Species of Mammalia. (—119.) — *Reeve*, on the pearly Nautilus and on the construction of its Shell. (—125.) — *Bennett*, on the Parasitic Vegetable Structures found growing in Living Animals. (—127.) — Bibliographical Notices etc. (—160.) — März. *Allman*, on a new Genus of Algae; m. 1 Kupf. (S. 161—165.) — *Blackwall*, on cases of Defective and Redundant Organization among the Araneidea. (—168.) — *Babington*, on a new species of Carex. (—169.) — *Richardson*, contributions etc.; contin. (—182.) — *Wilson*, on the Structure and Functions of the Pollen Granules. (—183.) — *Walker*, descriptions of Chalcidites from Chonos and Coquimbo. (—188.) — *Gray*, some rectification of the Nomenclature of Australian Birds. (—194.) — *Austin*, on new Genera and Species of Crinoidea. (—207.) — *Taylor*, on two new Species of British Musci. (—208.) — Notices etc. (—240.) — April. *Huber*, on the Habits of a Saw-fly. (S. 241—46.) — *Waterhouse*, on some new Coleoptera belonging to the genus Apocyrtus. (—255.) — *Hinds*, descriptions of new Shells. (—257.) — *Babington*, on Fumaria micrantha. (—258.) — Propositions for rendering the Nomenclature of Zoology uniform and permanent (—275.) — *Landsborough*, on the History and Habits of the Rook. (—277.) — *Barry*, on the Pitted Tissue of Plants, and on Muscle. (—280.) — *Forbes*, on a new British Starfish. (—281.) — *Waterhouse*, on a new genus of Carabideous Insects. (—283.) — *Thompson*, on the Birds of Ireland; contin. (—290.) — *Nicolucci*, on the Anatomy of the Triton aquaticus. (—295.) — Notices etc. (—328.) — May. *Owen*, on a new species of Dinotherium, with remarks on the Nature and Affinities of that genus. (S. 329—332.) — *Strickland*, on the Earl of Derby's Collection of Australian Drawings. (—338.) — *Ball*, on the Botany of Sicily. (—351.) — *Richardson*, contributions etc.; contin. (—359.) — *Hassall*, on the Branched Freshwater Confervae. (—364.) — *Hope*, on new Insect from Western Africa. (—369.) — *Gray*, on the soft-billed Duck of Latham. (—372.) — *Ralfs*, on the Species of Desmidium; m. 1 Kupf. (—376.) — *Westwood*, on the Habits of a Saw-Fly. (—377.) — *Griffith*, on the Blood and Fibre. (—378.) — Miscellaneous etc. (—408.) — Jun. *Blackwall*, notes on the Salmon. (S. 409—415.) — *Müller*, on Substances inclosed in Mocha-stones; m. 1 Kupf. (—421.) — *Richardson*, contributions etc. (—428.) — *Hassall*, notices of British Freshwater Confervae. (—437.) — *Griffith*, on the Sacculi of the Polygastrica. (—447.) — *Ralfs*, on the Diatomaceae. (—457.) — Notices etc. (—488.) — Supplementheft. *Richardson*, Contributions etc.; conclud. (S. 489—498.) — *Newport*, on some new Genera of Myriapoda. (—502.) — Proceedings of learned Societies etc. (—544.)

[7885] The Annals and Magazine of Nat. History etc. Vol XII. — Inh.: July, *Martius*, notice of the life and labours of De Candolle. (S. 1—20.) — *Hassall*, of the Freshwater Algae; m. 1 Kupf. (—31.) — *Thompson*, the Birds of Ireland; contin. (—38.) — *Bailey*, on Siliceous Spiculae in Actiniae. (—39.) — *Forbes*, Retrospective Comments. (—42.) — *Wagner*, on some new Brazilian Mammalia. (—45.) — *Walker*, descriptions of Chalcidites. (—49.) — Notices etc. (—80.) — Aug. *Hutton*, observations on Galeodes vorax. (—85.) — *Hassall*, on the Production of Diseases in Vegetables by Fungi. (—88.) — *Taylor*, on two new species of British Jungermanniae. (—90.) — *Blyth*, List of Birds obtained in the vicinity of Calcutta. (—101.) — *Addison*, on the Sacculi of Polygastrica. (—102.) — *Walker*, descriptions of Chalcidites. (—104.) — *Ralfs*, on the Diatomaceae; contin. (—111.) — *Montagne*, on the Podaxineae. (—113.) — *Griffith*, on preserving Microscopic Objects. (—117.) — *Hassall*, on the genus Echinocorium. (—120.) — Notices etc. (—152.) — Sept. *Tulk*, on the Anatomy of Phalangium Opilio; m. 1 Kupf. (S. 152—165.) — *Blyth*, List etc. (—172.) — *Taylor*, on two species of British Jungermanniae. (—173.) — *Vrolik*, on the Anatomy of the Pearly Nautilus. (—175.) — *Richardson*, description of the Lurking Machete from the northern coast of New Holland. (—186.) — *Hassall*, Notices of British Freshwater Algae; m. 1 Kupf. (—188.) — *Forbes*, Note in Reply to Mr. Hassall. (—190.) — Notices etc. (—232.)

[7896] Isis. Encyklop. Zeitschrift u. s. w. 19. Hft. (Vgl. No. 7452.) Inh.: *v. Buquoy*, Jovialitätsprincip, dessen politische Wichtigkeit. (S. 721—723.) — *Brehm*, naturgeschichtliche Bemerkk. auf einer Reise an den Rhein im Sept. u. Oct. 1842. (—732.) — Naturwissenschaftliche Abhandlungen der dänischen Gesellschaft d. Wissenschaften. (—789.) — Anz. mehr. Schriften von Blume, Endlicher, Grube u. A. (—800.)

[7897] Zoologischer Hand-Atlas von Dr. **Herm. Burmeister.** 6. (letzte) Lief. Berlin, Reimer. 1843. 5½ Bog. Text u. 6 Taff. gr. Imp.-4. (1 Thlr. Color. 1 Thlr. 20 Ngr.)

[7898] Zoologische Bruchstücke von **Fr. Sig. Leuckart,** Dr. d. Med. u. Chir. III. Helminthologische Beiträge. Freiburg, (Emmerling). 1843. 60 S. mit 2 Kpfrtaff. gr. 4. (1 Thlr.)

[7899] * Annulatorum Danicorum conspectus, auctore **A. S. Örsted.** Fasc. I. Maricolae. Havniae, Wahl. 1843. IV u. 52 S. mit 8 Lith. 4. (n. 1 Thlr.)

[7900] * Anatomische Untersuchungen über die Edentaten von **Wilh. v. Rapp,** Prof. d. Med. zu Tübingen. Tübingen, Fues. 1843. 79 S. mit 9 z. Thl. color. Steintaff. 4. (3 Thlr. 3¾ Ngr.)

[7901] Naturgeschichte der domesticirten Thiere in ökonom. u. technischer Hinsicht von Dr. **Chr. Ado. Buhle,** Insp. d. zoolog. Museums d. Univ. Halle. 4. Heft: das Haushuhn nebst seinen Verwandten. Mit 1 color. Taf. nach Zeichnungen von *Fr. Naumann.* Halle, Heynemann. 1843. 67 S. gr. 8. (10 Ngr.)

[7902] The Natural History of the Birds of Great Britain and Ireland, Part 4. By Sir **W. Jardine,** Bart. Illustrated by 33 coloured plates, with Portrait and Memoir of *Wilson.* (*Jardine's* Naturalist's Library, Vol. 40.) Edinburgh, 1843. 314 S. 8. (6sh.) Das Werk ist hiermit beendigt.

[7903] Die Arachniden. Getreu nach der Natur abgebildet u. beschrieben von **C. L. Koch.** 10. Bd. 4. u. 5. Hft. Nürnberg, Zeh. 1843. S. 61—112 u. 12 color. Taff. gr. 8. (à 25 Ngr.)

[7904] Uebersicht des Arachnidensystems von **C. L. Koch.** 3. Hft. 3. Abthl. Ebendas., 1843. S. 73—130. u. 4 Kpfrtaff. gr. 8. (25 Ngr.)

[7905] Die wanzenartigen Insecten. Treu nach der Natur geschildert u. beschrieben von Dr. **G. A. W. Herrich-Schäffer.** 7. Bd. 2. Hft. Ebendas., 1843. Mit 6 fein ausgemalten Taff. gr. 8. (25 Ngr.)

[7906] The Insect World, or a Brief Outline of the Classification, Structure, and Economy of Insects. Lond., 1843. 288 S. mit Kpfrn. 8. (5sh.)

[7907] The Natural History of British Fishes, Vol. 2. By **R. Hamilton,** M. D. F. R. S. E. Illustrated by 36 coloured plates, with Portrait and Memoir of Baron *Humboldt.* (*Jardine's* Naturalist's Library, Vol. 39.) Edinburgh, 1843. 424 S. 8. (6sh.)

[7908] Das Wichtigste vom innern Bau u. Leben der Gewächse, für den prakt. Landwirth fasslich dargestellt von **E. A. Rossmässler,** Prof. an d. kön. Akad. für Forst- u. Landwirthe in Tharand. Dresden, Arnold. 1843. XVI u. 220 S. mit 4 Steindrucktaff. gr. 8. (n. 1 Thlr. 10 Ngr.)

[7909] Catalogus Herbarii, oder vollständige Aufzählung der phanerogamischen u. kryptogamischen Gewächse Deutschlands. Nach *Koch's* Synopsis und *Wallroth's* Compendium florae germ. crypt., *Bruch* et *Schimper*, *Nees v. Esenbeck*, *Link* und *Fries*, nebst Aufzählung der bis jetzt bekannten ausländischen Pflanzen von **H. Berger.** 2. Thl.: Synonymik u. Synonymenregister zum 1. Thl. Würzburg, Voigt u. Mocker. 1843. VIII u. 238 S. 8. (1 Thlr.)

[7910] ***Eliae Fries** novitiae florae Suecicae; Continuatio, sistens Mantissam I., II., III. uno vol. comprehensas. Acc. de stirpibus in Norvegia recentius testis praenotiones e maxima parte communicatae a *Math. N. Blytt.* Lundae. (Leipzig, Brockhaus u. Avenarius.) 1842. X u. 204 S. gr. 8. (2 Thlr.)

[7911] Grundzüge der Geologie in allgemein fasslichem Vortrage von **Carl Hartmann.** Leipzig, Weber. 1843. XII u. 427 S. mit 107 (eingedr.) Abbildd. gr. 8. (2 Thlr. 20 Ngr.)

[7912] *Beiträge zur geologischen Kenntniss der östlichen Alpen von **Dr. A. v. Klipstein**, Prof. der mineralog. Wissenschaften an der Univ. zu Giessen. Giessen, Heyer. 1843. X u. 144 S. mit 9 geognost. u. petrefactologischen Taff. (n. 4 Thlr.)

[7913] Geology and Geologists; or, Visions of Philosophers of the 19th Century. Lond., Simpkin, Marshall and Co. 1843. 84 S. gr. 8. (2sh. 6d.)

[7914] *Die Lehre vom tellurischen Dampfe u. von der Circulation des Wassers unserer Erde. Ein Schritt vorwärts in der Erkenntniss unseres Planeten. Von **Dr. Al. Fr. P. Nowák**, k. k. Bezirksarzt. Prag, Ehrlich. 1843. XII u. 228 S. mit 1 Lithogr. gr. 8. (1 Thlr.)

Länder- und Völkerkunde.

[7915] Nouvelles annales des voyages etc. (Vgl. No. 6914.) Aout. Inh.: *Ternaux-Compans*, hist. de la république de Tlaxcallan, par Domingo Munos Camargo; trad. de l'espagnol. II. art. (S. 129—197.) — Analyses critiques [üb. Norman „Rambles in Yucatan" u. Enfantin „colonisation de l'Algérie" von Eyriès]. (+247.) — Chronique etc. (—256.)

[7916] *Geographie der Griechen und Römer von den frühesten Zeiten bis auf Ptolemäus, bearb. von **F. A. Ukert**, Oberbibliothekar u. s. w. 3. Bds. 1. Abthl. (Auch u. d. Tit.: Germania, nach den Ansichten der Griechen u. Römer dargestellt von u. s. w.) Weimar, Geogr. Institut. 1843. X u. 464 S. mit 2 Karten. gr. 8. (2 Thlr. 20 Ngr.)

[7917] *Allgemeine Länder- u. Völkerkunde. Nebst einem Abriss der physikal. Erdbeschreibung von Dr. **H. Berghaus.** 5. Bd. Auch u. d. Tit.: Das europ. Staatensystem, nach seinen geograph.-statistischen Hauptverhältnissen. 2. Thl., enth. Frankreich, das brit. Reich, Schweden u. Norwegen, Dänemark, Belgien, die Niederlande, Portugal, Spanien, die Schweiz, Italien, Neapel u. Sicilien, Sardinien, Kirchenstaat, Toskana, Parma, Modena, Lucca, San Marino u. Griechenland. Stuttgart, Hoffmann. 1840—43. 1070 S. gr. 8. (3 Thlr. 20 Ngr.)

[7918] Reisen in Europa, Asien und Afrika, mit besond. Rücksicht auf die naturwissenschaftl. Verhältnisse der betreff. Länder, unternommen in den J. 1835—41 von **Jos. Russegger**, k. k. österr. Bergrath. 1. Thl. 2. Bd. 1. Abthl. Stuttgart, Schweizerbart. 1843. 1843. S. 321—635. gr. 8. (1 Thlr. 25 Ngr.)

[7919] Der neueste Passagier und Tourist. Ein Handbuch für Reisende durch ganz Deutschland u. die angrenz. Länder bis Paris, Petersburg, Stockholm, Belgrad, Mailand u. Venedig. Nebst e. Beschreib. d. Reisen durch d. Schweiz, Tyrol, d. Salzkammergut, d. Thüringerwald, d. Harz, d. Riesengebirge, d. Karpathen, die sächs. u. fränk. Schweiz, e. Beschreib. d. Donaureise von Ulm bis Pesth, der Rheinreise v. Basel bis Rotterdam u. der Bäder von Deutschland u. der Schweiz. Mit e. Uebersichtskarte der Dampfschifffahrts- u. Eisenbahn-Beförderung in Mittel-Europa, e. Reisekarte von Deutschland u. d. ausführl. Plänen von Berlin, Dresden, Hamburg, München, Prag und Wien. Berlin, Morin. 1843. VIII u. 575, 56 u. 24 S., 2 Karten u. 6 Pläne. 8. (3 Thlr. 10 Ngr.)

[7920] Bilder aus Spanien und der Fremdenlegion von G. von Rosen. 1. Bd. Kiel, Bünsow. 1843. 295 S. 8. (Für 2 Bde. 2 Thlr. 15 Ngr.)

[7921] *Reise eines Norddeutschen durch die Hochpyrenäen in den Jahren 1841 und 1842. Von W. v. R. 2 Thle. Leipzig, Brockhaus u. Avenarius. 1843. X u. 322, VI u. 252 S. gr. 12. (2 Thlr. 20 Ngr.)

[7922] Tour in France, Italy, and Switzerland, during the years 1840 and 1841. By Andr. Clarke, Esq. Lond., 1843. 382 S. 8. (10sh. 6d.)

[7923] Roma nell' anno MDCCCXXXVIII, descritta da Ant. Nibby, publ. prof. di archeologia nella univ. Romana etc. 4 Voll. Roma, 1838—41. VIII u. 668 S. mit 13 Kpfrtaff., 856 S. u. 20 Kpfrtaff., XIV u. 786 S. mit 4 Kpfrtaff., VI u. 1018 S. mit 26 Kpfrtaff. gr. 8. (63 L. 45 c.)

[7924] Die wichtigsten Städte am Mittel- und Niederrhein im deutschen Gebiet, mit Bezug auf alte u. neue Werke der Architektur, Skulptur u. Malerei charakterisirt von W. Füssli. Fortsetzung d. Buches: „Zürich u. die wichtigsten Städte am Rhein", oder 2. Bd. über rhein. Kunst, enth. Schilderungen von Mainz, Wiesbaden, Frankfurt, Coblenz, Bonn, Cöln, Aachen und Düsseldorf. Zürich, literar. Comptoir. 1843. XII u. 672 S. 8. (2 Thlr. 26⅕ Ngr.)

[7925] Beschreibung des Badischen Murg- und Oosthales oder des Forstamtbezirkes von Gernsbach, mit besond. Rücksicht auf die für Forstwirthschaft wichtigen Verhältnisse von W. F. v. Kettner, grossherz. Bad. Forstmeister. Frankfurt a M., Sauerländer, 1843. VIII u. 180 S. gr. 8. (26⅕ Ngr.)

[7926] Handbuch für Reisende auf dem Maine, von S. Hänle und K. v. Spruner. Nürnberg, Stahel'sche Buchh. 1843. XII u. 262 S. gr. 12. (1 Thlr.)

[7927] Ansichten von dem Schloss u. der Stadt Heidelberg. Nebst Beschreibung, Gesch. u Grundriss ders., Karten der Eisenbahn von Carlsruhe nach Mannheim u. des Neckars von Mannheim nach Heilbronn, sowie Reisenotizen für Fremde von C. Frommel. Heidelberg, Winter. 1843. 70 S., 13 Ansichten u. 1 Kärtchen. qu. gr. 12. (1 Thlr. 20 Ngr. In qu. 4. 3 Thlr. 10 Ngr)

[7928] Das Königreich Böhmen; statistisch-topographisch dargestellt von Joh. Gfr. Sommer. 11. Bd. Caslauer Kreis. (Auch u. d. Tit.: Böhmen, Caslauer Kreis, von u. s. w.) Prag, Ehrlich. 1843. XXXII u. 416 S. gr. 8. (2 Thlr. 10 Ngr.)

[7929] Thüringen in der Gegenwart von Ludw. Bechstein. Gotha, Verlags-Comptoir. 232 S. gr. 8. (20 Ngr.)

[7930] Geographisch-statistisch-historisches Handbuch des Mecklenburger Landes von Gust. Hempel. 2. Thl. Parchim, Hinstorff'sche Buchh. 1843. X u. 553 S. gr. 8. (3 Thlr. 15 Ngr.)

[7931] Der Führer durch Potsdam u. dessen Umgebungen; eine Anleitung, in kürzester Zeit die Sehenswürdigkeiten daselbst kennen zu lernen, von H. E. R. Belani. Mit e. Plan von Potsdam. Berlin, Morin. 1843. VI u. 139 S. 12. (10 Ngr.)

[7932] Voyage en Perse de MM. Eug. Flandin, peintre, et Pascal Coste, architecte, attachés à l'ambassade de France en Perse, pendant les années 1840 - 1841. Publié sous les auspices de son Exc. le ministre de l'intérieur et sous la direction d'une commission composée de MM. *E. Burnouf*, *H. Lebas* et *A. Leclère*, membres de l'Institut. 1. livr. Paris, Gide. 1843. 1 Bog. mit 5 Kpfrn. Fol. Das Ganze in 70 Lieff. à 20 Fr.; jährlich 7 bis 8 Lieff.

[7933] Journals of the Rev. Messrs. **Isenberg** and **Krapf**, Missionaries of the Church Missionary Society, detailing their Proceedings in the Kingdom of Shoa, and Journeys in other Parts of Abyssinia, in the Years 1839, 40, 41, and 42. To which is prefixed, a Geographical Memoir of Abyssinia and South-Eastern Africa. By *James M'Queen*, Esq.; grounded on the Missionaries' Journals, and the Expedition of the Pacha of Egypt up the Nile. Lond., 1843. 651 S. mit 2 Karten. 8. (12sh.)

[7934] Columbus über die Entdeckung von Amerika. Eine Schrift für das deutsche Volk von **E. Wislicenus.** Mit e. Karte, die beiden Halbkugeln darst. Leipzig, O. Wigand. 1844. 336 S. 8. (24 Ngr.)

[7935] A Greenhand's first cruise, roughed out from a Log-Book of twenty-five-years, including five months in Dartmoor. 2 Vols. Boston, 1843. (12sh.)

[7936] Letters from New York. By **Maria Child.** Lond., 1843. 329 S. 8. (10sh. 6d.)

[7937] Wahn u. Ueberzeugung. Reise üb. Bremen nach Nordamerika u. Texas in den J. 1839, 1840 und 1841. Schilderungen der Bremer Seelen-Transportirungen, der Schicksale deutscher Auswanderer vor, bei u. nach d. Ueberfahrt; Reisescenen zu Wasser u. zu Lande u. ausführl. Rathschläge für Ansiedler in Bezug auf d. Charakter, d. Sitten u. constitutionellen Verhältnisse der Amerikaner, ihren Handel u. Gewerbe. Nebst der Rückreise über England und Frankreich von **Fr. Höhne**, Kupferschmiedemeister in Weimar. Weimar, Hoffmann. 1843. VI u. 435 S. mit 7 lith. Abbildd. gr. 16. (1 Thlr.)

[7938] Jamaica: its Past and Present State. By **J. M. Phillippo**, Twenty Years a Baptist Missionary in Jamaica. Lond., 1843. 503 S. mit 16 eingedr. Kpfrn. 8. (8sh. 6d.)

[7939] China, od. Uebersicht der vorzüglichsten geograph. Puncte u. Bestandtheile des chines. Reichs; nebst e. kurzen Beschreibung der Naturerzeugnisse, der vorzügl. Städte u. ihrer Merkwürdigkeiten, des Charakters, Gewerbfleisses u. Handels, der Künste, Sprache, Wissenschaften, Religion u. Gebräuche des Volkes, auch e. kurzen Schilderung der Gesetze, der Regierungsverfassung u. der Regenten. Mit Rücksicht auf die neuesten Ereignisse bearb. von Dr. **F. Bischoff-Widderstein**, grossh. Sächs. Justizrath. Wien, Kaulfuss Wwe., Prandel u. Co. 1843. IV u. 203 S. 8. nebst e. Karte von China in gr. 4. (1 Thlr.)

[7940] The War in China. Narrative of the Chinese Expedition, from its Formation in 1840, to the Treaty of Peace in August 1842. By **D. M'Pherson**, M. D. 3. edit. Lond., 1843. 294 S. mit 2 Kpfrn. u. 1 Karte. gr. 8. (12sh.)

[7941] Polytopischer Reiseatlas. Stuttgart, Neff. 1843. (à Blatt 5 Ngr.; in Mappe $7\frac{1}{2}$ Ngr.) Bis jetzt sind erschienen: Atlas zur Rheinreise, 7 Blätter (zus. 1 Thlr.). Reisekarte zur Moselfahrt, 2 Blätter. Eisenbahn-, Post- u. Fluss-Karte zur Reise von Basel nach Strassburg. Eisenbahn-, Post- u. Flusskarte zur Reise v. Strassburg nach Mannheim. Routen v. Stuttgart nach München, 2 Blätter. Eisenbahn-Karte v. Frankfurt nach Mainz. Plan von Stuttgart.

[7942] **Albr. Platt's** grosser Atlas der Erde. 5. Lief. Magdeburg, Rubach'sche Buchh. 1843. 10 Blätter. gr. Fol. (2 Thlr.)

[7943] Handatlas über alle Theile der Erde, in 80 Blättern von Dr. **K. Sohr.** 13.—15. Lief. (à 4 Blätter). Glogau, Flemming. 1843. Fol. (à 10 Ngr.) Vgl. No. 3416.

[7944] General-Karte über alle in Europa vorkommenden Eisenbahnen in Verbindung mit den Haupt- u. Poststrassen, Canälen u. Dampfschifffahrten sowohl auf d. Meeren, als auf d. Seen, Strömen u. Canälen von **Fr. Schilling.** Grätz. (Leipzig, Hermann.) 1843. gr. Imp.-Fol. (Aufgezogen u. in Futt. 1 Thlr. 20 Ngr.)

[7945] **R. A. Schulz's** neue prakt. Reise-Karte, mit Angabe der Distanzen. Zum allgem. Gebr., sowie zur Uebersicht aller Eisenbahnen u. der Dampfschifffahrts-Verbindungen in ganz Deutschland, mit Einschluss d. gesammten Oesterr. Kaiserstaaten, ganz Belgien, Holland, d. Schweiz u. einem Theile von Frankreich, England u. Italien. Wien, Artaria. (Leipzig, R. Weigel.) 1843. 1 Bl. in Fol. (12½ Ngr.)

[7946] Karte für Dampfschiff-Reisende auf d. Maine, enth.: die Ufer des Mains von Bamberg bis Mainz mit genauer Bezeichnung aller einzelnen Orte, Höfe, Ruinen u. s. w., sowie auch die Städtepläne von Bamberg, Würzburg, Aschaffenburg, Frankfurt u. Mainz. Nebst d. Reglement u. d. Tarifsätzen der Maindampfschifffahrtsgesellschaft; ferner der Angabe der Entfernung zwischen d. einzelnen Landungsplätzen von **K. v. Spruner.** Würzburg, Stahel'sche Buchh. 1843. (10 Ngr.)

[7947] Karte vom Laufe des Rheins von Basel bis Rotterdam. Nebst genauer Bezeichnung d. rhein. u. belg. Eisenbahnen; sowie Ansichten u. Städteplänen, color. Abzeichnung d. Länder-Grenze u. einem Wegweiser für diese Reise. Wesel, Bagel. (12½ Ngr.)

[7948] Kreis-Karten der Preussischen Monarchie. 7.—9. Lief. (à 4 Blätter). Berlin, Heymann. 1843. Fol. (à 1 Thlr.) Vgl. No. 3420.

[7949] Zollvereins- u. Handelskarte von Preussen mit Einschluss sämmtlicher d. Zollverbande einverleibten deutschen Staaten von **L. Kindel,** kön. Pr. Prov.-Steuerdir.-Secr. Auch Generalkarte von Deutschland. 2. Aufl. Magdeburg, Baensch. 4 Bll. Imp.-Fol. (1 Thlr. 15 Ngr.)

[7950] Topographischer Atlas des Königr. Sachsen. 2. Lief., enth. die Sectionen Freiberg, Schwarzenberg, Zittau u. Weissenberg, bearb. bei d. königl. Militair-Plankammer von d. Director, Oberst *Oberreit.* Dresden. (Leipzig, Fr. Fleischer.) 1843. 4 Blätter in grösstem Landkartenform. (5 Thlr.)

[7951] Postkarte über das Königr. Sachsen. Nach amtl. Quellen bearb. von **M. R. Voigtländer.** Leipzig, Goetz. 1843. Ein Blatt in Fol. (10 Ngr.)

[7952] Plan von Annaberg. Annaberg, Rudolph u. Dieterici. 1843. Ein Blatt Imp.-Fol. (20 Ngr.)

[7953] Karte vom Harzgebirge. Topographisch, geologisch, mineral. u. historisch bearbeitet von **Wilh. Werner.** Maasstab 1—125,000. Magdeburg, Schmilinsky. 1843. Ein Blatt gr. Imp.-Fol. (20 Ngr.)

[7954] Topographische Karte des Gebiets der freien Hanse-Stadt Lübeck. Herausgeg. von *H. L.* und *G. Behrens* 1827. Berichtigt von *G. Behrens* 1843. Lübeck, v. Rohden'sche Buchh. 1843. Ein Blatt in grösstem Imp.-Form. (1 Thlr. 15 Ngr.)

[7955] Karte von Palästina nach *Robinson*, *E. Smith* u. *v. Schubert* von **C. Helmuth,** k. Pr. Prem.-Lieut. Halle, Anton. 1843. Ein Blatt gr. Imp.-4. (1 Thlr.) Besond. abgedruckt: Plan von Jerusalem. Ebendas., 1843. Ein Blatt gr. Imp.-4. (7½ Ngr.)

[7956] Wandkarte des heil. Landes, nach den besten Hülfsquellen, besonders auch nach d. neuen Ermittelungen von Prof. *Robinson* und *E. Smith*, so wie nach der von Prof. Dr. *C. Ritter* redig. Karte entworfen von **E. Sallmann.** Cassel, Fischer. 1843. 2 Bll. gr. Roy.-Fol. in Oelfarbendruck. (20 Ngr. Handkarte dazu 3⅓ Ngr.)

[7957] Karte von Europa mit Nord-Afrika, Unter-Egypten, Syrien, Klein-Asien, Kaukasien u. s. w., als Uebersicht für Reise, Handel, Politik u. Schule u. s. w. Mit d. neuesten Dampfschifffahrts-, Canal- u. Eisenbahn-Verbindungen, statist. Notizen u. einem Meilenzeiger. München, Piloty u. Loehle. 1843. 4 Bll. gr. Fol. (2 Thlr. 20 Ngr.)

[7958] China nach den besten Materialien, mit Anwendung d. neuesten Entdeckungen der englisch-chinesischen Expedition, im Maasstabe 1:13,000,000 geographisch bearb. von **Pet. Weiss.** München, Mey u. Widmayer. 1843. 1 Blatt gr. Imp.-Fol. (20 Ngr.)

Schöne Künste.

[7959] Ueber die Stellung, welche der Baukunst, der Bildhauerei u. Malerei unter den Mitteln menschlicher Bildung zukommt. Vortrag, geh. am 18. März 1843 im wissenschaftl. Vereine zu Berlin von Dr. **Gust. Waagen**, Dir. d. Gemäldegalerie d. k. Museums in Berlin. Leipzig, Brockhaus. 1843. 48 S. gr. 12. (6 Ngr.)

[7960] Versuch einer Uebersicht sämmtlicher bekannter Bauwerke der Vorzeit u. deren Denkmäler, als Beitrag zur Geschichte u. Archäologie der Baukunst von **W. Emmich**, k. Reg.-Bau-Insp. u. s. w. Frankfurt a. d. O., Harnecker u. Co. 1843. IV u. 136 S. mit 1 Kpfr. gr. 8. (n. 20 Ngr.)

[7961] Choix de monumens du moyen-age, érigés en France dans les 12.—15. siècles. Études d'architecture dite gothique, par **Em. Leconte.** Notre Dame de Paris, recueil cont. les plans, coupes et élévations génér. de cet édifice, avec tous ses détails, tels que: portails, portes et vantaux, tours, tourelles etc. avec leurs divers plans, coupes et profils, mesurés et dessinés avec la plus grande exactitude. 13.—16. livr. Paris, Leconte. 1843. 4 Bog. mit 11 Kpfrtaff. Fol. (à 6 Fr.)

[7962] Die Basiliken des christlichen Roms, aufgenommen von den Architekten *J. G. Gutensohn* u. *J. M. Knapp.* Nach der Zeitfolge geordnet und erklärt u. in ihrem Zusammenhange mit Idee und Geschichte der Kirchenbaukunst dargestellt von **Chr. K. Jos. Bunsen**, d. Phil. u. d. Rechte Dr. 1. u. 2. Hft., enth. Tab 4. 5. 7. 32. 33. 45. 49. u. 6. 12. 13. 16. 17. 18. 26. 27. 28. 29. 30. 34. 44. 48. München, Lit.-artist. Anstalt. 1843. gr. Fol. (4 Thlr. Hierzu: Erläuternder Text. Ebendas., 1843. VIII u. 84 S. nebst 1 lith. Taf. gr. Imp. 4. (1 Thlr. 19 Ngr.)

[7963] Sammlung architektonischer Entwürfe von Dr. **C. F. Schinkel.** Neue Ausgabe. 13.—19. Lief. Potsdam, Riegel. 1843. 5 Bog. Text u. Taf. 73—114. Fol. (14 Thlr.)

[7964] Architektonische Entwürfe für den Umbau vorhandener Gebäude von **L. Persius**, k. Baurath, Hof-Architekt u. Mitgl. der Ober-Bau-Deputation. 1. Lief., enth. den Umbau des k. Civil-Cabinetshauses bei Sanssouci. Potsdam, Riegel. 1843. 2 Bog. Text u. 6 Taff. gr. Imp.-Fol. (2 Thlr. 10 Ngr.)

[7965] Die neuesten Bau-Ausführungen Sr. k. Hoh. des Prinzen Karl von Preussen im Schloss-Park zu Glienike bei Potsdam von **Persius.** (Separat-Ausg. des Heftes IX vom architekton. Album.) Ebendas., 1843. 2 Bog. Text u. 6 Taff. gr. Imp.-Fol. (2 Thlr. 10 Ngr.)

[7966] Ancient Irish Pavement Tiles, exhibiting 32 Patterns, illustrated by 40 Engravings, after the originals, existing in St. Patrick's Cathedral, and

Howth, Mellifont, and Newtown Abbeys. With Introductory Remarks, by **T. Oldham.** Dublin, 1843. gr. 4. (n. 5sh.)

[7967] Der Umbau der obern Pyramide des Wiener Stephansthurmes. Mit 2 Blättern Zeichnungen. (Aus d. allg. Bauzeitung 1843.) Wien, Förster's artist. Anstalt. 1843. 16 S. gr. 4. u. 2 lith. Bll. Fol. (20 Ngr.)

[7968] Annales des ponts et chaussées etc. (Vgl. No. 5322.) Mars et Avril. Inh.: *Garella*, sur les plans inclinés de Liége. (S. 129—163.) — *Fournel* et *d'Yevre*, canaux souterrains de Worsley près Manchester. (—210) — *Commier*, sur les pertes qu'occasionnent les fortes déclivités des routes et leurs tracés vicieux. (—240.) — Lois, ordonnances etc. (S. 81—192.) — Mai et Juin. *Chanoine*, mémoire sur les échappements employés aux barrages de l'Yonne. (S. 241—273.) — *Locart*, des accidents sur les chemins de fer, de leurs causes et des moyens de les prevenir. (—339.) — *Dumas*, de la construction des routes en empierrement. (—380) — État général du personnel de l'administration centrale du ministère des travaux publics etc. au 1. Juillet 1843. (S. 1—144.)

[7969] Die Attribute der Heiligen alphabetisch geordnet. Ein Schlüssel zur Erkennung der Heiligen nach deren Attributen, in Rücksicht auf Kunst, Gesch. u. Cultus. Nebst e. Anhange über die Kleidung der kathol. Welt- u. Ordensgeistlichen u. einem Namen-Register der vorkommenden Heiligen. Hannover, Hahn'sche Hofbuchh. 1843. XII u. 244 S. gr. 8. (1 Thlr. 10 Ngr.)

[7970] Die Formen der Natur für Naturforscher, Künstler u. Mathematiker. Von **E. S.** 1. Hft. Schwäb. Hall, Haspel. 1843. 22 S. mit 16 lith. Taff. Abbildd. gr. 8. (10 Ngr.)

[7971] Natur-Studien als Anhang zur allgemeinen Zeichnungsschule von G. Sipmann von **Pet. Hess.** 1. Hft. München, Lit.-artist. Anstalt. 1843. 10 Blätter Fol. (2 Thlr. 10 Ngr.)

[7972] Studien für geübtere Landschaftszeichner. Nach der Natur gezeichnet von **Gust. Koop.** Chur, Grubenmann'sche Buchh. 1843. 12 lith. Bll. br. 8. (10 Ngr.)

[7973] Pictures of the History of England selected from the most celebrated english historians and other authors and arranged in chronological order by *S. Fränkel.* In three parts. I. from the period of the ancient Britons to the accession of Henry of Lancaster (1399). Berlin, Jonas' Verlagsbuchh. 1843. IV u. 167 S. gr. 8. (15 Ngr.)

[7974] Denkmäler bildender Kunst in Lübeck, gezeichnet und herausgeg. von *C. J. Milde*, Maler, und begleitet mit erläuterndem histor. Text von Dr. *E. Deecke.* 1. Heft, enth.: in Bronce gravirte Grabplatten. Lübeck. (Hamburg, Meissner.) 1843. 1 Bog. Text in 4., 2 lith. Taff. in gr. Fol. u. 3 lith. Taff. in Fol. (Subscr.-Pr. 2 Thlr.)

[7975] Der grosse Christoph. Nebst einem von C. Begas gezeichneten u. lithogr. Bilde u. kunst- u. literar-historischen Bemerkungen von **Fd. Hauthal**, genannt F. F. Franke. Berlin, T. Trautwein. 1843. 78 S. gr. 4. (1 Thlr. 15 Ngr.)

[7976] Das Mozart-Denkmal zu Salzburg u. dessen Enthüllungs-Feier im Sept. 1842 von **L. Mielichhofer.** Nebst lithogr. Abbild. des Denkmals. Salzburg, Mayr'sche Buchh. 55 S. gr. 8. (15 Ngr.)

[7977] Praktische Anweisung zum Daguerreotypiren u. zur Erzeugung schön colorirter Lichtbilder nach d. neuesten Methoden. Mit Beschreibung u. Abbildung der dazu gehörigen Apparate. Nebst Andeutungen üb. galvanoplastische Versuche im Bereiche der Daguerreotypie. 2. verb. u. verm. Aufl. Leipzig, Rein'sche Buchh. 1843. IX u. 99 S. gr. 16. nebst 2 Taff. in 4. (15 Ngr.)

[7978] Die Oelmalerei. Lehr- u. Handbuch für Künstler und Kunstfreunde von **Fr. X. Fernbach**, k. Conservator in München. München, Lit. artist. Anstalt. 1843. VIII u. 308 S. gr. 8. (1 Thlr. 5 Ngr.)

[7979] Die Fabrikation der für die Glasmalerei, Emailmalerei u. Porzellanmalerei geeigneten Farben, nebst e. kurzen Anweisung, die dazu erforderl. Materialien u. chem. Producte vorzubereiten u. darzustellen, sowie die mit d. genannten Farben ausgeführten Malereien einzubrennen, von Dr. **Chr. H. Schmidt.** (N. Schaupl. d. Künste u. Handw. 118. Bd.) Weimar, Voigt. XXII u. 185 S. 8. (22½ Ngr.)

[7980] Die Illuminirkunst, oder gründl. Unterricht im Illuminiren, Tuschen u. Retouchiren von Kupferstichen, Lithographieen, geograph. u. topograph. Karten u. Plänen, geometr. u. architekton. Rissen; in der Gouache- u. oriental. Malerei, in d. Malerei mit sympathet. Farben u. im Reinigen od. Bleichen der Kupferstiche u. s. w. Nach *Blanchard*, *Perrot* u. *Thillaye* von Dr. **Chr. H. Schmidt.** (N. Schaupl. d. Künste u. Handw. 125. Bd.) Ebendas., 1843. XXIV u. 254 S., 1 Bog. lith. Abbildd. u. 1 ausführl. Farbentaf. 8. (1 Thlr. 7½ Ngr.)

[7981] Caecilia, e. Zeitschr. f. d. musik. Welt u. s. w. Hft. 88. (Vgl. No. 6247.) Darin: *Kiesewetter*, üb. die musikal. Instrumente u. die Instrumental Musik im Mittelalter u. bis zu der Gestaltung unserer damaligen Kammer- u. Orchester-Musik. (S. 187—238.) — *Schmid*, Beiträge zur Literatur u. Geschichte der Tonkunst. (—250.)

[7982] Kurgefasste Harmonielehre für Orgelspieler. Enth.: das Nothwendigste aus d. allgem. Musiklehre, die Lehre von d. Accorden, vom vierstimmigen Satz, eine Anweisung zum guten Vortrage d. Chorals, zu Vor-, Nach- u. Zwischenspielen u. s. w. von **C. Herm. Trg. Kahle**, Lehrer am k. Waisenhause u. Schullehrersem. zu Königsberg. Mit einigen Notenbeispielen. Königsberg, Theile. 1843. 148 S. gr. 8. nebst 3 Bll. Noten in 4. (22½ Ngr.)

[7983] Kurze Andeutungen, die Instrumente des Orchesters u. der Militairmusik mit Effect zu verwenden, von **Ferd. Schlotthauer.** Passau, (Ambrosi). 1843. 16 S. mit e. aus 4 Bog. besteh. Notentab. gr. 4. (20 Ngr.)

Todesfälle.

[7984] Am 8. Oct. starb zu Besigheim im K. Württemberg der Decan und Stadtpfarrer *Magn. Fr. Zeller*, Vf. der Schrift „Beschreibung des chines. Reichs u. Volks nebst Uebersicht d. Gesch. Chinas. Mit Rücksicht auf d. Ausbreit. d. Christenth. in diesem Ländergebiet" 1836, 40 Jahre alt.

[7985] Am 10. Oct. zu Wien Dr. *J. Frz.* Edler *von Hieber*, k. k. Hofmedicus, Notar d. medicin. Facultät u. Vorsteher verschiedener Universitäts-Stiftungen, Rector emer. der dasigen Universität, durch seine Theilnahme an der „Pharmacopoea Austr." (1812) und einige Abhandlungen in medicin. Zeitschriften als Schriftsteller bekannt, 79 Jahre alt.

[7986] Am 11. Oct. zu Genua der Cardinal *Giustiniani*, mit dem Purpur bekleidet seit dem 2. Jul. 1832, geb. daselbst am 3. Febr. 1778.

[7987] Am 17. Oct. zu Haynersreuth bei Bamberg der k. b. Staatsminister *Max.* Frhr. *von Lerchenfeld*, früher seit 1806 Gesandter am württemb. Hofe, 1808—14 Generalcommissair zu Ansbach, Nürnberg, Innsbruck u. Würzburg, 1817—25 Finanzminister. 1818—33 Bundesgesandter, 1833—35 von Neuem Finanzminister, dann Gesandter in Wien, geb. zu München 1779.

[7988] An dems. Tage zu Berlin *F. M. von Alten*, Geh. Oberbaurath u. Prof.

a. D., Vf. der Schrift „Kurze prakt. Anleit. z. Anlegung u. Erhaltung der Kunst- u. Landstrassen“ 1816, im 82. Lebensjahre.

[7889] An dems. Tage zu Nürnberg Dr. *Geo. Fr. Wilh. Bärer*, prakt. Arzt, Vf. einer Schrift „über Blasensteinzermalmung“ 1827 u. 30, im 40. Lebensjahre.

[7890] Am 20. Oct. zu Berlin der Kammergerichtsrath *Bardua*, im 50. Lebensjahre.

[7891] Am 21. Oct. zu Bonn Dr. *Phil. Jos. von Rehfues*, 1819—42 königl. Regierungsbevollmächtigter bei der dasigen Universität, Ritter mehr. Orden, früher 1806—14 Hofrath u. Bibliothekar des Kronprinzen, jetzigen Königs von Württemberg, dann im Hauptquartier der Verbündeten u. 1815 Kreisdirector zu Bonn, als Schriftsteller durch mehrere grössere Werke („Neuester Zustand d. Insel Sicilien“ 1807, „Gemälde von Neapel“ 3 Bdchn. 1808, „Briefe aus Italien“ 1809 f., „Spanien nach eigner Ansicht im J. 1808“ u. s. w. 4 Bde. 1813, „B. Dias de Castillo Denkwürdigkeiten od. Gesch. der Entdeckung u. Eroberung von Neu-Spanien übers. u. mit Anmerkk.“ 4 Bde. 1838) und zahlreiche Gelegenheitsschriften, in welchen er häufig den Richtungen des Tages ganz entschieden sich entgegenstellte, wohlbekannt, geb. zu Tübingen am 2. Oct. 1779.

[7892] Am 23. Oct. zu Berlin der Geh. Regierungsrath *Bitter*, Ritter des Rothen Adler-Ordens 4. Cl., im k. Ministerium des Innern unter Andern mit dem Vortrag in Censur- u. Pressangelegenheiten beauftragt, ein Mann von höchst vielseitiger Bildung, der sehr jung schon mit männlicher Kraft u. mit dem günstigsten Erfolge die schwierige Bahn des höheren Geschäftslebens im Staatsdienste betreten hatte, geb. zu Schwedt am 13. Aug. 1809.

Beförderungen und Ehrenbezeigungen.

[7893] Bei der Feier der Wiederkehr des Tages, an welchem vor 25 Jahren K. Friedrich Wilhelm III. von Preussen zu Aachen die Stiftungsurkunde der Universität Bonn vollzog, sind von Seiten der dasigen evang.-theologischen Facultät der ausserordentl. Professor Dr. *F. R. Hasse* daselbst und der Superintendent zu Wesel *F. Lohmann*,

[7894] von Seiten der juristischen der Archivrath u. Bibliothekar *Thd. Jos. Lacomblet* zu Düsseldorf,

[7895] von Seiten der medicinischen der Prof. *W. Buckland* zu Oxford, der Prof. *A. von Ettingshausen* zu Wien, der Prof. *C. Lyell* zu London, der Director der Sternwarte zu Brüssel *A. Quetelet*, die Professoren *H. Rose* zu Berlin und *J. P. Schweigger* zu Halle,

[7896] von Seiten der philosophischen der Geh. OBaurath *G. Hagen* zu Berlin, der Superintendent *A. W. Hülsmann* zu Elberfeld, der Gymnasiallehrer *H. Kanne* zu Bonn, der Privatlehrer *L. J. Magnus* zu Berlin, *F. W. A. von Roisin* zu Bonn, der Director der Malerakademie zu Düsseldorf *W. Schadow von Godenhaus*, der Oberprocurator *K. Schnaase* daselbst, der Herzog *Dom. lo Faso Pietrasanta di Serra di Falco* zu Palermo zu Doctoren honoris causa promovirt worden.

[7897] Der bisher. Pfarrer zu Barmen *J. A. F. Baudri* ist zum Capitular bei dem Metropolitancapitel zu Cöln ernannt worden.

[7898] Der bisher. ausserord. Prof. Dr. *Thd. Ludw. Wilh. Bischoff* zu Heidelberg und der prakt. Arzt Dr. *Phil. Phoebus* zu Nordhausen sind zu ordentl. Professoren an der Univ. Giessen ernannt worden.

[7899] Der bekannte Schriftsteller Dr. *F. Dingelstedt* ist von dem Könige von Württemberg mit dem Charakter eines Hofraths als Bibliothekar der k. Handbibliothek angestellt worden.

[8000] Die bisher. Privatdocenten in der theolog. Facultät zu Göttingen, Lic. *Ludw. Duncker* und Lic. *Carl Wieseler*, der Privatdocent in der medicinischen Facultät, Dr. *Carl Bergmann*, und der Privatdocent in der philosophischen, Dr. *Wilh. Roscher*, sind zu ausserordentl. Professoren in den genannten Facultäten ernannt worden.

[8001] Dem k. k. Hofrath der obersten Justizstelle *Joh.* Edlen *von Enderle* ist das Ritterkreuz des österr. kaiserl. Leopold Ordens verliehen worden.

[8002] Der ordentl. Prof. an der Univ. München, Ministerialreferent u. Hofrath Dr. *Fr. B. W. Hermann*, hat das Officierkreuz des k. belgischen Leopoldordens erhalten.

[8003] Der Ober-Consistorial- u. Studienrath Dr. *Knapp* zu Stuttgart ist unter Beibehaltung der Stelle eines ausserordentl. Mitgliedes des evangel. Consistoriums zum Director des Studienraths befördert und dem Ober-Kirchen- u. Studienrath *von Schedler* der Titel und Rang eines Vicedirectors verliehen worden.

[8004] Der k. b. Oberberg- u. Salinenrath Dr. *Lauck*, Prof. honor. in der jurist. Facultät zu München, ist zum Oberappellationsgerichtsrath daselbst ernannt worden.

[8005] Dem Consistorialrath u. Prof. Dr. *Friedr. Lücke* zu Göttingen ist die Stelle eines Abts zu Bursfelde verliehen worden.

[8006] Die Ordinar-Honorarprofessoren, Hof- u. Justizrath Dr. *Andr. Ludw. Jac. Michelsen* und Dr. *A. H. Em. Danz* zu Jena sind zu ordentl. Professoren der Rechte und zu ordentl. Mitgliedern des Schöppenstuhles u. der Juristenfacultät als Spruchcollegien ernannt worden.

[8007] Dem grossherz. oldenb. Geh. Staatsrath u. Regierungs-Präsidenten *Mutzenbecher* ist das Comthurkreuz des k. hann. Guelphen-Ordens 1. Classe verliehen worden.

[8008] Der bisher. Oberappellationsgerichtsrath *Papius* zu München ist zum Director des Appellationsgerichts zu Aschaffenburg ernannt worden.

[8009] Der bisher. Vice-Präsident des Ober-Landesgerichts zu Münster *von Strampff* ist zum Vice-Präsidenten des Ober-Landesgerichts zu Naumburg, der Geh. Justiz- u. OLGRath *von Olfers* zu Münster zum Vicepräsidenten des dasigen Ober-Landesgerichts ernannt worden.

[8010] Der k. k. Hofrath und Leibarzt Dr. *L.* Frhr. *von Türkheim* hat das Ritterkreuz des k. b. Civil-Verdienst-Ordens erhalten.

Druck und Verlag von F. A. Brockhaus in Leipzig.

Leipziger Repertorium
der
deutschen und ausländischen Literatur.

Erster Jahrgang. **Heft 45.** 10. Nov. 1843.

Literaturgeschichte.

[[illegible]11] **Die Erfindung der Buchdruckerkunst. Kritische Abhandlungen zur Orientirung auf dem jetzigen Standpuncte der Forschung, von Aug. Ernst Umbreit.** Leipzig, Engelmann. 1843. XXXII u. 243 S. gr. 8. (1 Thlr. 15 Ngr.)

Ein Nachhall, aber ein volltönender und kräftiger, der schönen Feier, durch welche Deutschland das vierte Jubelfest der Erfindung der Buchdruckerkunst in so würdiger Weise beging — ein Buch, das mit gründlicher Sachkenntniss und mit ausgezeichnetem Scharfsinn geschrieben, die ernste Beachtung aller Derer verdient, welche sich für solche Forschungen interessiren. — Der Vf. ist auf seinem Gebiete vollkommen zu Hause, und beurkundet bei seinen durchgängig kritischen Untersuchungen eine tüchtige, achtungswerthe Gesinnung; denn so viel ihm auch in ächt patriotischem Eifer daran liegt, dem deutschen Volke die Ehre der grössten und folgenreichsten aller Erfindungen zu vindiciren, so liegt ihm doch weit mehr noch an der historischen, mit der hellen Fackel der Kritik erleuchteteten Wahrheit; und das ist es, was selbst die Bitterkeiten und Härten, die hin und wieder im Urtheile über die Forschungen Anderer, besonders Sotzmann's, des Grafen L. de Laborde und der Holländer vorkommen, entschuldigen wird. — Bei der Behandlung seines Stoffes wollte der Vf. sich so viel als möglich eine freie Bewegung gestatten und widmet daher den verschiedenen zu berichtigenden Puncten auch verschiedene Capitel mit Ueberschriften, welche den jedesmaligen Inhalt angeben. Das 1. Cap. handelt „von dem Princip und der Methode bei den Untersuchungen über die Erfindung“. Um dieses Princip philosophisch klar und bestimmt aufstellen zu können, musste er zunächst die Buchdruckerkunst selbst in ihrer Lebensäusserung festhalten. Diese im Auge haltend, gibt er folgende Begriffsbestimmung: „Die Buchdruckerkunst hat zum Zweck, die beliebige Mittheilung unter den Menschen von Allem, was durch das Medium des Gedankens geht, indem diese Mittheilung vermittelst gedruckter Zeichen stattfindet und vermöge eines technischen Apparates, der durch sich selber eine unbedingte Versalität darbietet“ (S. 7). Aus dieser Zweckbestimmung geht schon deutlich genug hervor, welche hohe Vorstellung der Vf. von der Typographie hat, und dass ihm die Erfindung also „nicht in dem ausgeführten Gedanken, einzelne hölzerne Buchstaben zu schnitzen, um damit zu drucken“, besteht, sondern in dem Aussinnen und wirklichen Herstellen alles Wesentlichen dieser erhabenen Kunst. Hiermit aber erklärt er sich zugleich auch auf das Entschiedenste gegen alle Diejenigen, welche „gar zu gern den Leuten einreden möchten, das Wesen der Erfindung bestehe ja doch eigentlich nur in dem Einfall, die zum Tafeldruck angewendeten Tafeln hinsichtlich der darauf befindlichen Buchstaben zu zersägen, um bewegliche Buchstaben zu bekommen“ — wie die Hrn. Sotzmann und de Laborde gethan haben, während doch „das Aussinnen und Bilden eines vollständigen Giess- und Druckapparates und die Handhabung desselben die Erfindung ist, wobei sich freilich versteht, dass sich das Ganze um die beweglichen Lettern als um seinen Mittelpunct dreht“. — Das 2. Cap. behandelt daher ganz folgerichtig die Frage: „Sollte wirklich die Forschung über die Erfindung der Buchdruckerkunst aus den Untersuchungen über die älteste Xylographie so grosse Resultate gewinnen?“ Sie wird mit der schuldigen Anerkennung der älteren, aber völlig selbstständigen Schwesterkunst verneint, und dabei die Polemik gegen die beiden bereits genannten Herren fortgesetzt. Das 3. Cap. bespricht „die Strassburger Acten und die Strassburger Ansprüche“ in sehr gründlicher Weise. „Wie weit Gutenberg mit seinen Druckversuchen in Strassburg vorgeschritten ist, lässt sich, wenn nicht noch neue hierüber Auskunft gebende Documente gefunden werden, nicht genau bestimmen; ist doch selber nur eine Wahrscheinlichkeit vorhanden, dass sie typographischer Natur waren. Freilich ist diese Wahrscheinlichkeit sehr gross. Schärfer unterscheiden zu wollen, worin diese typographischen Versuche bestanden haben mögen, ob sie mit hölzernen oder mit metallenen Lettern angestellt wurden, zu solch einer Bestimmung liegt kein fester Anhaltepunct vor, obgleich das Zerlassen der Formen metallene Lettern wahrscheinlich macht. Mainz hingegen hat die Freude, dass in ihm die Erfindung ins Leben getreten ist, es hat die glänzende Genugthuung, dass alle Zeugnisse, die in dieser Sache etwas zu entscheiden haben, übereinstimmen, „in Mainz sei die Erfindung gemacht worden“ (S. 54). — 4. Cap. „Von den hölzernen Buchstaben.“ Der Vf. bezweifelt aus beachtenswerthen Gründen und unterstützt von den achtbarsten Autoritäten, dass jemals ein ganzes Buch mit hölzernen Lettern gedruckt worden. — Das 5. Cap. erzählt den „Rechtsstreit zwischen Fust und Gutenberg“. Eine streng-diplomatische Beleuchtung der vorhandenen Actenstücke! „Aus allem Angeführten geht aber hervor, dass man zur Zeit Gutenberg's und in seinem Jahrhunderte diesen Process mit seinen Folgen nicht für so bedeutend hielt, als er späterhin ausgeschrieen werde“ (S. 91). Das 6. Cap. handelt „von Gutenberg und einigen anderen darin vorkommenden Personen, von ihrem Charakter und von sonst einigen ihrer Verhältnisse“.

Eine in der That recht scharfsinnige psychologische Entwickelung des Charakters Gutenberg's (S. 92—110), „der durch die eifrigen über ihn angeregten Streitigkeiten und daraus hervorgehenden Untersuchungen nur um so reiner und geistig bedeutsamer sich darstellt". Ausser ihm werden mit gleicher Gewissenhaftigkeit, wenn auch nicht mit gleicher Vorliebe, in ähnlicher Weise geschildert oder psychologisch analysirt: Joh. Fust (S. 110—117) — „er ist von dem Vorwurfe des Eigennutzes nicht freizusprechen", — P. Schöffer (S. 118—121), „ohne Zweifel ein sehr geschickter Mann, der vielleicht die kupfernen, durch stählerne Stempel geschlagene Matrizen erfunden", — Conr. Humery (S. 122 —125), dem die Bedeutung wieder genommen wird, die ihm einige neuere Schriftsteller ohne hinreichenden Grund gegeben hatten. 7. Cap.: „Albr. Pfister und die erste Verbreitung der Buchdruckerkunst". Hier werden die Ansprüche, welche dieser Bamberger Drucker auf Erfindung der Buchdruckerkunst macht, oder vielmehr Andere für ihn machen, auf überzeugende Weise zurückgewiesen. 8. Cap.: „Kritik verschiedener Zeugnisse über die Erfindung". Ein trefflich und mit vorzüglichem Scharfsinn geschriebener Abschnitt des Buches, den kein künftiger Geschichtschreiber dieser Erfindung unbeachtet lassen kann. Die Zeugnisse von Gutenberg, P. Schöffer, Tritheim, Ulrich Zell, Mariangelus Accursius, Joh. Schöffer, Maximilian I., Bregellanus und Joh. Friedr. Faust von Aschaffenberg, sind hier kritisch beleuchtet. Die beiden letzten Capp. des Buches (IX. u. X.) sind ganz polemischer Art, und weisen die Bestrebungen der Hrn. Leon de Laborde und Sotzmann, welche die Geschichte der Erfindung den vorliegenden Zeugnissen entgegen, aus ihren eigenen vorgefassten Meinungen zu construiren versuchten — mit Strenge, aber freilich auch bisweilen mit allzugrosser Bitterkeit zurück. Die den Beruf zu solchem Werke in sich fühlen, mögen nun selbst urtheilen, wer Recht hat; vor allem Anderen aber mögen die so hart Angegriffenen selbst sich vertheidigen. Schwer mag es ihnen allerdings werden, den sicheren historischen Grund wegzudemonstriren, auf welchem unser Vf. steht. — Den Schluss des Ganzen bilden Anmerkungen, welchen als „Anhang" eine diplomatisch genaue Abschrift des Paragraphen der Cölner Chronik, welcher von der Erfindung der Buchdruckerkunst handelt, beigegeben ist. Ref. sieht in der ganzen Arbeit einen höchst wichtigen Beitrag, die vielfachen Streitfragen, welche bis jetzt noch in Betreff der hier besprochenen Erfindung ventilirt wurden, zur endlichen Entscheidung zu bringen und die Träumereien eines falschverstandenen Patriotismus und Pfahlbürgerthums, so wie die Einmischung ungeschichtlicher Präsumtionen u. dgl. m. in ihrer Nichtigkeit zu zeigen, und das Alles nur um der Wahrheit willen. Darum sei das Buch allen Freunden ähnlicher Forschungen angelegentlich empfohlen. *V.*

[8812] Éclaircissemens sur l'histoire de l'invention de l'imprimerie, contenant: lettre à M. *A. D. Schinkel*, ou réponse à la notice de M. *Guichard* sur le speculum humanae salvationis; — dissertation sur le nom de Coster et sur sa prétendue charge de sacristain; — recherches faites à l'occasion de la quatrième fête sécul. à Haarlem en 1823. Par **A. de Vries**, docteur ès lettres, membre de l'institut-royal de Pays-Bas. Traduit du Hollandais par *J. J. F. Noordziek*, sous-bibliothecaire de la biblioth. royale à la Haye. La Haye, imprim. de A. D. Schinkel. 1843. XLII u. 275 S. gr. 8.

Erst in den ersten Decennien der zweiten Hälfte des 16. Jahrhunderts machte sich von Haerlem aus eine Stadtsage lautbar, besagend, dass die Buchdruckerkunst dort selbst und nicht zu Mainz erfunden worden sei. Die drei Holländer, welche diese Sage zuerst geltend zu machen bestrebt waren, nämlich van Zuren, Coornhert und Hadrianus Junius geben sie auch geradewegs als eine solche. Sie sagen, dass man in Haerlem sage, die Buchdruckerkunst sei daselbst erfunden worden und es beruft sich Keiner von ihnen auf ein literarisches Zeugniss oder auf eine Urkunde, ja sie bejammern sogar alle Drei, dass doch die Welt so gar nichts von einer Haerlemer Erfindung wisse und wissen wolle, und dass es bis zu ihrer Zeit auch Niemand unternommen habe, die Welt hierüber zu belehren. Junius beruft sich demgemäss auch da, wo er sachliche Nachweisungen beizubringen bemüht ist, nur auf ein Hörensagen. Man hat ihm ein Haus gezeigt und gesagt, darin habe der Erfinder gewohnt; man hat ihm zinnerne Weinkannen gezeigt und gesagt, diese seien aus den ehemaligen ersten Lettern gegossen worden; er hat eine mit Holzschnitten versehene Incunabel gesehen und man hat ihm gesagt, diess sei ein Buch, welches der Erfinder gedruckt habe. Nirgends eine Anführung von Documenten oder historischen Nachrichten; Alles hat man ihm so erzählt, und Diejenigen, die es ihm erzählt haben, haben es auch nur von Hörensagen. („Dicam igitur quod accepi a senibus et auctoritate gravibus, et Reipublicae administratione claris, et qui a majoribus suis ita accepisse gravissimo testimonio confirmarunt, quorum auctoritas jure pondus habere debeat ad faciendam fidem".) Was nun vollends die Unbedeutendheit der Haerlemer Stadtsage herausstellt, ist der Umstand, dass die guten Haerlemer zu Coornhert's Zeiten, diese „zeer oude statige ende graeuwe hoofden", gar nicht einmal wussten, wer vor ihnen in Haerlem gedruckt hat, denn sie behaupteten, wie wir von Coornhert erfahren, steif und fest, dass in der Zeit zwischen der Druckerei ihres vermeintlichen Erfinders und der so eben errichteten Coornhert's (also von 1440 —1560) keine Druckerei daselbst existirt habe, welcher Behauptung auch Coornhert beistimmt, indem er ausdrücklich sagt, dass Niemand in Haerlem einer solchen Behauptung widerspräche: „ende dat noch (soo sy seyden sonder yemants wederseghen) overmidts dese hanteringe van niemandt in diese stede ghepleecht en werdt." Nun haben also jene sehr alte, stattliche und gewichtige Häupter anno 1560 eben so wenig als ihre anderen Mitbürger gewusst, dass Haerlem in den Jahren 1483—1486 zwei Buchdrucker besass (Johannes Andrieszon und Jacob Bellaert), welche dort druckten und von denen auch hinreichend datirte und titulirte

Drucke vorhanden sind. Wenn ferner Junius uns den Gang der Erfindung in seinen Einzelheiten erzählt und sagt, dass man ihm auch die Sache so erzählt habe, so kann dieses Letztere wohl wahr sein, trotz der Albernheiten, die er vorbringt; denn die damaligen Haerlemer Philister, welche ja so unwissend in der Geschichte der Buchdruckerkunst waren, dass sie nicht einmal ihre eigenen früheren Drucker kannten und demnach offenbar den ersten Buchdrucker Haerlems mit dem ersten Buchdrucker der Welt verwechselten, diese mögen wohl schöne Dinge über den Gang der Erfindung vorgebracht haben, wenn sie sich unter einander über diesen Gegenstand unterhielten, und beklagten, dass die Leute von dieser den Haerlemern doch zukommenden Ehre gar nichts wüssten. Hätten die guten Leute doch nur selber erst gewusst, wer vor ihrer Zeit in Haerlem gedruckt hat! Endlich sei noch bemerkt, dass die drei genannten Holländer da, wo sie das von ihren Mitbürgern Gehörte wiedererzählen, bei verschiedenen Puncten im grellsten Widerspruche gegen einander stehen, ein Fall, der gewöhnlich eintritt, wenn verschiedene Individuen eine dunkele, unbegründete Sage sich zurechtlegen wollen. Dass die Sage erst nach Andrieszon und Bellaert sich in Haerlem ausgebildet hat, geht auch aus dem Umstande hervor, dass selbst drei Haerlemer in den Jahren 1476—1499 an verschiedenen Orten in Italien (in Bologna, Florenz und Venedig) druckten und Nichts von ihr erwähnen, auch nicht ein zweifelndes Wort über die Angaben ihrer deutschen Collegen laut werden lassen. Auch kein italienischer Gelehrter ihrer Zeit weiss etwas davon, dass von den sich in Italien aufhaltenden holländischen Buchdruckern ein Einspruch gegen die deutsche Erfindung sei gemacht worden. Zugleich sind es aber auch berühmte italienische Gelehrte des 15. Jahrhunderts, welche Deutschland und Gutenberg der Erfindung wegen preisen. Sapienti sat! — Nun ist diese Stadtsage das Einzige, was man in der That bis jetzt zur Begründung der holländischen Ansprüche beizubringen vermocht hat. Es lässt sich daher auch leicht denken, wie man sich bemühen musste, wenn man solch einen schwachen Grund im Verfolge der Zeit nur scheinbar aufrecht erhalten wollte, gegenüber gründlich fortgesetzten Forschungen, welche sich auf Urkunden, ausdrückliche historische Nachrichten, ja auf das laut und vollständig ausgesprochene Zeugniss des gesammten Jahrhunderts der Erfindung, ohne dass damals nur irgend ein Widerspruch erfolgte, stützt. Das Ende eines solchen Beginnens war denn auch, wie es nicht anders sein konnte, ein Ersticken in eigner thörichter Befangenheit, sich manifestirend in den bekannten Schriften Konings. Diese Schriften erwarben sich jedoch, freilich wider ihren Willen, das grosse Verdienst, den Abschluss des Streites zu befördern; denn nach solch einer Vertheidigung der holländischen Ansprüche, konnte man dieselben füglich auf sich beruhen lassen, wie es jetzt auch im Allgemeinen geschieht. Man ist froh, jenes Geschwätz endlich aus dem Kreise historischer Forschungen los zu sein, und wendet jetzt immer mehr Zeit und Fleiss der genaueren Betrachtung anerkannter geschichtlicher Facta zu. Diese Umstände muss man im Auge haben, wenn man nur einigermaassen die psychische Möglichkeit sich begreiflich machen will, dass ein Buch, wie das vorliegende, gemacht und in die Welt geschickt werden konnte. Der Inhalt desselben besteht, wie schon der Titel sagt, aus drei Stücken, welche weiter nichts sind als ein potenzirter Koning. Man kann daher auch zum Vortheil der auf einer gesunden Vernunft ruhenden Ansprüche nur die grösstmöglichste Verbreitung dieses Buches wünschen. Vor allen Dingen sollten aber die Mainzer eine getreue deutsche Uebersetzung davon veranstalten und dieselbe ohne weitere Bemerkungen und Widerlegungen im Publicum verbreiten; sie können sich in der That keine grössere Satisfaction verschaffen. Auch dem Vf. dieser Zeilen hat Hr. Noordziek die Ehre angethan, ihn in einer Note zu erwähnen, welche aus Dankbarkeit hier wiedergegeben wird: „A la veille de faire paraître notre traduction, nous recevons encore l'ouvrage de Mr. A. E. Umbreit, die Erfindung der Buchdruckerkunst. Kritische Abhandlungen zur Orientirung auf dem jetzigen Standpuncte der Forschung. Leipzig, 1843. 8. Le temps ne nous permet plus d'entrer dans une discussion détaillée au sujet des opinions que Mr. Umbreit y avance; d'autant plus qu'il peut considérer l'ouvrage actuel comme une réponse à ses assertions. Il y verra que les Hollandais d'aujourd'hui soutiennent toujours l'existence de ce fabuleux Coster et maintiennent ses droits à l'invention de la Typographie. (Voy. p. V.) Il y trouvera un exposé de l'état de la question, plus complet, plus approchant de la vérité à l'égard des Hollandais, que le sien; une critique plus exacte des auteurs qui ont voulu obscurcir notre gloire nationale, une défence plus judicieuse des divers écrivains hollandais et étrangers qui se sont déclarés en faveur de Haarlem. Enfin l'ouvrage de Mr. Guichard, qu'il loue si fort (p. 215), y est amplement refuté (S. XXXV). — Uebrigens sei dies alles salvo honore des holländischen Volkes gesagt. Glaubensfreiheit und Kunst, diese unvertilgbaren Messiaden der Menschheit, erklingen in bald lieblichen, bald mächtigen Rhapsodien in der Geschichte dieses Volkes, und es sollte verächtlich gemacht werden wegen der Monomanie einiger seiner Scribenten?

A. E. Umbreit.

[[illegible]] The Works of **Will. E. Channing**, D. D. Second complete edition, with an introduction. 6 Vols. Boston, Munroe and Co. 1843. XXX u. 387, 411, 398, 407, 440 u. 420 S. gr. 8.

Dr. Channing ist einer der gefeiertsten Redner und Schriftsteller in den Vereinigten Staaten von Nordamerika, und die vorliegende, vor Kurzem erschienene Sammlung seiner Reden und Abhandlungen hat, wie erwartet werden durfte, eine sehr günstige Aufnahme dort gefunden. Indem wir nun hier dieser Sammlung gedenken, können wir freilich nur ganz im Allgemeinen den Inhalt derselben angeben und die Grundsätze zum Theil blos mit seinen eigenen Worten anführen, die er mit möglichster Consequenz nach verschiedenen Richtungen hin durchzuführen bemüht ist. Drei Ideen sind es vornehmlich, auf welche er seine besondere Aufmerksamkeit richtet und um welche, indem sie wie Grundstriche durch das ganze Werk sich hindurchziehen, die übrigen sich gleichsam als Schraffirung herumreihen: 1) Die Idee von der Grösse und Erhabenheit der menschlichen Seele und Natur; 2) die Idee der Freiheit; 3) die Idee des Friedens verbunden mit der entschiedensten Abneigung gegen den Krieg. In Bezug auf die erste sagt der Vf. in den einleitenden Bemerkungen, dass er diese niedergeschrieben habe nicht sowohl um sich gegen den Vorwurf zu vertheidigen, als erhebe er den Menschen, indem er Gott in seiner unendlichen Erhabenheit und Vollkommenheit herabsetze, als vielmehr um einige Gewissenszweifel zu entfernen, welche sich gegen dieselbe in manchen religiösen Gemüthern erhoben hätten. Die Grösse der menschlichen Seele selbst setzt er (S. VI) in die intellectuelle Energie, welche unbedingte, allgemeine Wahrheit unterscheidet; in die Idee von Gott als dem höchsten Wesen; in Freiheit des Willens und sittlicher Kraft; in Uneigennützigkeit und Selbstaufopferung; in die Grenzenlosigkeit von Liebe; in Anstrebungen nach Vollkommenheit; in Verlangen und Wünsche, welche Zeit und Raum nicht fassen und die Welt nicht erfüllen kann. In dieser Eigenschaft ist die menschliche Seele ein wahrhaftiges Abbild von der Unendlichkeit Gottes, und es können keine Worte ihre Grösse vollkommen bezeichnen. Nach der gewöhnlichen Annahme und Richtung, welche die Theologie bisher genommen, hat man geglaubt, dass man den Menschen nicht genug erniedrigen, Gott dagegen nicht genug erheben könne. Man hat Schöpfer und Geschöpf gleichsam in feindseligen Contrast gegen einander gesetzt, anstatt sich über die Aehnlichkeit zwischen Beiden zu freuen; man hat Gottes Grösse, anstatt sie zu einem Grunde der Hoffnung zu machen, gebraucht, um den Menschen in Verzweiflung zu stürzen (S. VII). Diese Ansichten über die Grösse Gottes und die Unwürdigkeit des Menschen findet der Vf. (S. VIII) sehr natürlich. Denn immer nach Gott sehen habe dieselbe Wirkung wie immer nach der Sonne sehen: man verliere zuletzt die Sehkraft für andere Gegenstände. Gott verbarg sich aber eben desshalb so sehr vor uns und zog in seinen Werken einen undurchdringlichen Schleier um sich, damit die Menschen nicht durch seine Grösse geblendet und ihnen nach ihren Fähigkeiten die Freiheit gelassen würde, sich auch noch an anderen Gegenständen ausser ihm zu üben. Der Vf. erklärt auf das Bestimmteste (S. IX), dass er weit davon entfernt sei, den Menschen von dem Anschauen und der Ueberzeugung von Gottes Unendlichkeit abzuziehen. Gott ist unendlich: das sei die grosse unumstössliche Wahrheit. Aber der Gedanke an seine Unendlichkeit solle nicht allein in der menschlichen Seele lebendig sein.

Das Endliche sei auch etwas Wirkliches eben so wohl wie das Unendliche; Beides aber mit einander auszugleichen, die grosse Aufgabe unserer Theologie. Denn des Menschen freie Thätigkeit sei ja eben so folgewichtig in und für Religion als Gottes Unendlichkeit, und in dem Maasse, wie das Bestreben, die Gottheit zu erheben, diesen Gedanken verdunkele, werde unsere Religion zum Mysticismus verflüchtigt oder löse sich in eine erniedrigende Knechtschaft auf (S. X). Aus der orientalischen Welt, wo Gott Alles, die Creatur Nichts war und galt, kam der Asketicismus und Pantheismus, und dieser führte wieder a) zum Despotismus, indem der Herrscher als Abbild und Stellvertreter des Einen und Unendlichen Alles, das Individuum Nichts und ohne Rechte war, und b) zu einem unwiderstehlichen Quietismus (S. XI). Ganz anders in Rom und Griechenland. Da galt der Mann viel und daher that er auch viel; gerade in der Erkenntniss der Griechen und Römer von der Grösse der menschlichen Seele liegt das Geheimniss ihres ausserordentlichen Einflusses auf die menschlichen Angelegenheiten (S. XII). Dieses Bestreben nun, Gott zum ausschliesslichen und einzigen Gedanken, so zu sagen, zum Gedanken der Gedanken zu machen, und darüber zu vergessen, dass auch noch etwas ausser ihm existirt, habe sich in verschiedenen Gestalten in allen Phasen der Kirche gezeigt; in der katholischen Kirche als Mysticismus; bei Fenelon als Quietismus; im Protestantismus als Quäkerismus und Calvinismus; ja den letzteren bezeichnet der Vf. in seinem Eifer als eine Annäherung an Pantheismus (S. XII f.). Nachdem er nun S. XV noch über den vielfach missverstandenen Bibelausdruck „Gott verherrlichen" gesprochen und gesagt hat, dass er durchaus nicht so viel sei als sich selbst erniedrigen, kommt er S. XVI auf den Einwand, als werde durch diese seine Lehre alle Abhängigkeit von Gott aufgehoben. Er leugnet diess und sagt „die Lehre von der Abhängigkeit wird in keiner Weise geschmälert durch die höchsten Ansichten von der menschlichen Seele" und sucht zu beweisen (S. XVII), dass die Abhängigkeitslehre gar nicht eine Grundlehre der christlichen Kirche und Religion sei. Das blosse Wissen, dass Gott Alles erhält, reiche nicht hin, Liebe gegen ihn zu erwecken. Die grosse Frage, worauf alle Religion beruhe, sei vielmehr: „Was für eine Art von Weltall schafft und erhält Gott?" Mit anderen Worten: „Welches ist die Beschaffenheit, der Zweck und die Absicht der Schöpfung, welche Gott aufrecht erhält?" In der Religion (fährt er S. XVIII fort) müssen wir von unseren eigenen Seelen ausgehen. In ihnen springt die Quelle aller göttlichen Wahrheit. Eine Offenbarung von aussen ist nur möglich und verständlich auf den Grund von Begriffen und Grundsätzen, die schon vorläufig durch die Seele uns zugekommen sind. So ist die Seele die Quelle unserer Erkenntniss von Gott (S. XIX). In einer grösseren Achtung vor den Ansprüchen unserer Seele auf allgemeinere Anerkennung sieht aber der Vf. die wesentliche Bedingung der religiösen sowohl, als der gesellschaftlichen Verbesserung (S.

XIX f.) und dieser Grundsatz bildet nun den Uebergang zu der zweiten Hauptidee, welche sich neben den beiden anderen durch die ganze Sammlung seiner Schriften charakteristisch hindurchzieht, nämlich der Anerkennung der menschlichen Freiheit und freien Thätigkeit, als einem angeborenen Rechte der Seele, so wie für Menschenrechte überhaupt. Er nimmt (S. XX) diese Anerkennung in Anspruch im weitesten Sinne und unter allen ihren Gestalten für bürgerliche, politische und religiöse Freiheit, für Freiheit des Gedankens, der Rede und der Presse. Seinen Eifer und seine Liebe für dieselbe habe er nicht von Rom oder Griechenland entlehnt, sondern aus der Geschichte und insbesondere aus dem Christenthume gelernt, welches die Gleichheit aller Menschen vor ihrem gemeinschaftlichen Vater lehre (S. XXI). Er sieht aber auch in der Freiheit die sicherste Garantie für den Frieden und geht nun (S. XXVI ff.) zum dritten Hauptpuncte über, seinem unüberwindlichen Abscheu vor Krieg, worüber dann im 3., 4. und 5. Bande der Sammlung mehrere ausführliche Abhandlungen enthalten sind. — Als eine weitere Probe der meist sehr entschiedenen Ansichten und Urtheile des Vfs. heben wir noch einige Stellen aus dem Aufsatze über Glaubensbekenntnisse (Bd. II. S. 289 ff.) aus, einem Aufsatze, der in solcher Weise freilich nur in einem Lande, wo die Presse frei ist, veröffentlicht werden konnte. Er kann hier seine fast an Verachtung grenzende Abneigung gegen von Menschen entworfene Glaubensbekenntnisse nicht stark genug aussprechen und bringt dafür folgende vier Gründe bei: 1) Glaubensbekenntnisse entfernen uns von Jesu Christo und sind dem Wachsthum in der Erkenntniss seiner Lehre hinderlich. „Alle protestantische Parteien sagen freilich dem Schüler, dass er auf Jesum Christum hören solle. Aber die meisten von ihnen rufen dabei ihre eigenen Glaubensartikel so ungestüm und gebieterisch aus, dass die Stimme des himmlischen Lehrers dadurch beinahe so gut wie erstickt wird. Man sagt ihm (dem Schüler) allerdings, dass er auf Jesum Christum hören, dass er aber auch verdammt sein solle, wenn er irgend eine Lehre, die nicht in dem Glaubensbekenntnisse ausdrücklich enthalten sei, annehme. Man sagt ihm, dass Christi Wort allein untrüglich sei; dass man ihn aber von der Gemeinschaft der Christen ausschliessen werde, dafern er es nicht annehme nach der Auslegung trüglicher Menschen“ (S. 292). „Was sind menschliche Glaubensbekenntnisse verglichen mit dem Neuen Testamente? Skelette, frostige Abgezogenheiten, metaphysische Ausdrücke von unverständlichen Dogmen; und diese soll ich betrachten als die Auslegungen der frischen, lebendigen, unendlichen Wahrheit, welche von Jesu kam! — Glaubensbekenntnisse sind zu der Schrift, was Binsenlichter sind zu der Sonne“. (S. 293). — Ein zweiter Vorwurf, den er den Glaubensbekenntnissen macht, ist, „dass sie, wo sie nur immer Geltung erlangen, mit jener Einfachheit und frommen Aufrichtigkeit in Widerspruch treten, welche so sehr Bedingung der Wirksamkeit religiösen Lehrens ist“ (S. 295).

„Glaubensbekenntnisse hemmen die freie Aeusserung des Gedankens. Besser für einen Geistlichen in Scheuern zu predigen oder unter freiem Himmel, wo er wenigstens die Wahrheit aus der Fülle seines Herzens noch frei herausreden darf, als in Cathedralen umgeben von Pracht und äusserer Herrlichkeit eine Stimme zu erheben, welche nicht der wahre Ausdruck seiner inneren Ueberzeugung ist“ (S. 296). — Drittens leisten Glaubensbekenntnisse dem Unglauben Vorschub (S. 297). „Das Christenthum, wie es in Glaubensbekenntnissen zur Schau gestellt wird, trägt dunkle Reden, vielfache Räthsel, verwickelte Sätze, ja wohl gar offenbare Widersprüche vor. Und was ist die Folge? Das Christenthum wird mit diesem oder jenem Glaubensbekenntnisse identificirt und hiernach von Vielen als ein Gegenstand angesehen, der wohl recht gut sei für Theologen, um sich darüber zu streiten; aber zu dornig und verworren für vernünftige Leute, um darüber weiter viel nachzudenken; ja es wird vielleicht von Manchen sogar verworfen und selbst verachtet als eine Verstoss gegen die menschliche Vernunft, als ein Triumph des Fanatismus über den gesunden Menschenverstand“ (S. 297). — Endlich 4) haben sich die meisten Glaubensbekenntnisse, während sie voll von Geheimnisslehren über die Menschennatur sind, losgesagt von dem einen grossen Religionsgeheimnisse, der Lehre von dem freien Willen oder der sittlichen Freiheit. „Ist es nicht sonderbar, dass Theologen, die so viele andere Geheimnisslehren gemacht und verschluckt haben, diese regelmässig verworfen und zwar verworfen haben auf Einwendungen hin, welche weniger furchtbar sind als die, die man ihnen gegen ihre eigenen Erfindungen machen könnte? Sie haben die Grundlage der sittlichen Regierung dadurch untergraben, dass sie dem Menschen die einzige Fähigkeit nahmen, welche ihn noch verantwortlich macht, und haben so den Geboten und Verboten Gottes den Stempel einer grausamen Druckherrschaft aufgedrückt. Was für eine Lehre, dass der Mensch sich nicht vermessen solle, seine Weisheit seinen Mitgeschöpfen als die Wahrheit Gottes aufzudringen!“ (S. 298.) — Der Inhalt der vorliegenden sechs Bände ist folgender, 1. Bd.: Bemerkungen über den Charakter u. die Schriften von John Milton. Desgl. über das Leben und den Charakter von Napoleon Bonaparte. Desgl. über den Charakter und die Schriften von Fenelon. Moralischer Beweis gegen den Calvinismus. Bemerkungen über National-Literatur. Desgl. über Associationen. Die Union. Bemerkungen über Erziehung. — 2. Bd.: Sclaverei. Die Abolitionisten. Ueber den Anschluss von Texas an die Vereinigten Staaten. Ueber Katholicismus. Ueber Glaubensbekenntnisse. Ueber Mässigkeit. Selbstbildung. — 3. Bd.: Christum Predigen. Krieg. Unitarisches Christenthum. Die augenscheinlichen Beweise geoffenbarter Religion. Die Ansprüche des Jahrhunderts an das geistliche Amt. Unitarisches Christenthum, der Frömmigkeit sehr förderlich. Der grosse Zweck des Christenthums. Aehnlichkeit mit Gott. Das christliche Predigtamt. Pflichten der Kinder. Ehre, die allen Menschen gebührt. Die augenscheinlichen Beweise des Christenthums. — 4. Bd.: Der Charakter Christi. Christenthum, eine vernünftige Religion. Geistige Freiheit. Selbstverleugnung. Die Nachahmbarkeit des Charakters Christi. Das Uebel der Sünde. Unsterblichkeit. Liebe zu Christus. Das zukünftige Leben. Krieg. Armenpflege. Christliche Gottesverehrung. Die Sonntagsschule. Der Menschenfreund. — 5. Bd.: Bemerkungen über die Sclavenfrage. Vorlesung über Krieg. Vorlesungen über die Erhebung des arbeitenden Theiles der Gesellschaft. Rede, veranlasst durch den Tod des Dr. Follen. Ueber das Predigen des Evangeliums an die Armen. Rede bei der Ordination von Waterston. Desgl. bei der Ordination von Dwight. Tägliches Gebet. Mittel für die Beförderung des Christenthums. Wichtigkeit der Religion für die Gesellschaft. Denkschrift über Gallison. Ueber Vermehrung der Mittel für theologische Erziehung. Das Denunciations- und Ausschliessungssystem in Religion erwogen. Einwürfe gegen unitarisches Christenthum erwogen. Pflichten des Bürgers in Zeiten von Prüfung oder Gefahr. Nachricht über Thacher. — 6. Bd.: Emancipation. Rede über das Leben und den Charakter von Tuckerman. Das gegenwärtige Zeitalter. Die Kirche. Die Pflicht der freien Staaten. Rede, gehalten zu Lenox am Jahrestage der Emancipation im britischen Westindien (am 1. Aug. 1842).

Morgenländische Sprachen.

[[illegible]] **Mâgha's Tod des Çiçupâla.** Ein Sanskritisches Kunstepos übersetzt und erläutert von Dr. C. Schütz. 1. Abth. Uebersetzung, Gesang I—XI. Bielefeld, Velhagen u. Klasing. 1843. S. 1—144. gr. 8. (1 Thlr. 20 Ngr.)

Die beiden alten Epopöen der Indier, Râmâyana und Mahâbhârata, sind für die späteren Indischen Dichter eine unerschöpfliche Quelle neuer Dichtungen geworden. Während die ganze Rama-Sage theils in epischer Form, wie z. B. in Kâlidâsa's Raghuvânça und im Bhatti-kâvya, theils in dramatischer Gestalt, wie z. B. von Bhavabhûti in seinem Mahâvîra-caritra und Uttara-Râma-caritra, von neuem den Indern zugeführt wurden, erlaubte der riesenhafte Umfang des Gedichtes von den Bharatiden nur die Bearbeitung einzelner Episoden und Fragmente des Ganzen. Zu diesen letzteren gehört das Gedicht des Mâgha über den Tod des Çiçupâla, das in Indien im Original mit den trefflichen Scholien des Mallinâtha gedruckt wurde („The Sisupâla Badha, or Death of Sisupâla; also entitled the Mâgha Kâvya, or Epick Poem of Mâgha, in twenty cantos: with a commentary of Malli Nâtha. Edited by Vidyâkara Misra, and Syâma Lâla, Pandits". Calcutta, 1815. VIII u. 760 S. gr. 8.), und von dem Hrn. Dr. Schütz uns eine Uebersetzung in dem vorlieg. Werke bietet. — Während das alte Epos frisch aus dem lebendigen Quelle der

Sage schöpfte, in einfacher schlichter Rede, wenn auch in etwas zu wortreicher Fülle, die alten Ueberlieferungen des Indischen Volkes, die Geschichte seiner Götter und Heroen, seiner alten Königsgeschlechter und Helden vorführt, und mit Liebe und gemüthlicher Breite bei Allem verweilt, was die wunderbare Natur seines Landes und die eigenthümliche religiöse und sittliche Weltansicht seines Volkes darbietet, — hat das neuere Epos der Indier sich wesentlich auf die Form der Darstellung geworfen. In ihm ist alles Kunst und Künstelei, jedes Wort ist genau erwogen, und mit der berechnetsten Ueberlegung gesetzt. Die ganze Subtilität der Rhetorik und Poetik der Sanskrit-Poesie war bereits ausgebildet, als Mâgha, Harshadeva und die anderen Kunstdichter die alten Stoffe neu bearbeiteten; nirgends dürfen wir hier einen Schwung poetischer Begeisterung erwarten, wir können nur die gewaltige Herrschaft über Sprache und Form bewundern. Diese Gedichte sind der schwierigste und zugleich der undankbarste Theil der ganzen Indischen Literatur, und doppelt müssen wir daher dem gelehrten Uebersetzer es danken, dass er der unendlich mühseligen Arbeit sich unterzogen hat, ein solches späteres Indisches Kunstepos bei uns einzuführen. Hr. Schütz hat dabei eine Form gewählt, die das Werk dem flüchtigen Leser weniger anziehend machen wird, bei ihrer gewissenhaften Wörtlichkeit aber Jedem, der den Charakter dieser Kunstpoesie will kennen lernen, als treuestes Abbild des Originals dienen kann. Die vielen, oft sehr weit hergeholten Anspielungen auf Indische Mythen, Sitten, Gebräuche und Ansichten machen einen ausführlichen Commentar ganz unentbehrlich, und diesen dürfen wir mit der Herausgabe der 2. Abth., die das ganze Gedicht vollenden wird, erwarten. Wir wünschen, dass auch diese zweite Abtheilung dem Publicum bald möchte übergeben werden, und dass Hr. Schütz in seinem reinen und schönen Enthusiasmus für die Schöpfungen der Indischen Muse beharren, und nach Vollendung dieser schwierigen Arbeit Anderes aus jenen schwer zugänglichen Regionen bringen möge, die Keiner wie er so bemeistert und bewältigt. — Das Gedicht des Mâgha besteht aus 20 Gesängen und etwa 2000 meist sehr kunstvoll gebauten Strophen. In der vorliegenden Abtheilung gibt uns Hr. Schütz die ersten elf Gesänge. Der Inhalt des Gedichtes ist in Kürze folgender: Der Götterbote Nârada wird von Indra beauftragt, den Krishna aufzusuchen, und ihn zum Kampfe gegen seinen Vetter, aber tödtlichen Feind, Çiçupâla, König von Cedi, aufzufordern. Krishna ist aber zu gleicher Zeit von seinem Freunde und Bundesgenossen Yudhishthira zu einem feierlichen Opfer eingeladen, und nach einer Besprechung mit seinem Oheim und Bruder beschliesst er, zuerst zu Yudhishthira zu reisen, und dem Opfer beizuwohnen, und dann den Auftrag der Götter zu vollziehen. In dem 3. Gesange beginnt die Abreise des Krishna mit seiner Armee und seinem ganzen Gefolge, und die Beschreibung dieser Reise erstreckt sich bis zum 13. Gesange, bildet also den wesentlichsten Theil des ganzen

Gedichtes. Man könnte diess eine poetische Anthologie nennen, denn alle Gegenstände der Natur, die je die Phantasie eines Indischen Dichters beschäftigt, werden hier von Neuem besungen, alle Jahreszeiten gehen an den Reisenden vorüber, und manches schöne Bild, nebst einer Unzahl der geschmacklosesten Concetti tritt uns hier entgegen. In dem 14. Gesange beginnt das Opfer, von dem Çiçupâla aber mit seinen Anhängern sich zurückzieht, eifersüchtig über die fast göttlichen Ehren, die dem Krishna erwiesen werden. Unterhandlungen, um beide Feinde zu versöhnen, schlagen fehl: die Heere rüsten sich zum Kampfe; Çiçupâla's Armee wird gänzlich geschlagen, und in seiner Verzweiflung fodert er im letzten Gesange den Krishna zum Zweikampfe heraus, der nach Indischer Sitte mit lauter übernatürlichen Waffen geführt wird. Nach langem Kampfe tödtet Krishna den Çiçupâla durch einen Pfeilschuss. Dieser letzte Gesang ist zugleich der Gipfel der Kunst unseres Dichters, leider müssen wir aber hinzusetzen, der entartetsten und geschmacklosesten Kunst, die je einen Dichter beschäftigt hat. — Eine zusammenhängende Probe der Darstellungsweise, die in diesem und ähnlichen Kunstgedichten herrscht, und von dem Talente des Uebersetzers, diese gehäuften Schwierigkeiten zu besiegen, zeugt, möge diese Anzeige beschliessen. 11. Gesang. Schilderung der Morgenfrühe. 2) Kaum hat sich das durch die wiederholten Scherze der Liebeslust ermattete Augenpaar geschlossen, so wird schon die das Ende der Nacht verkündigende Pauke laut angeschlagen, die den Schlummer der liebenden Frauen durch die bevorstehende Trennung unterbricht. — 3) Ueber dem klein erscheinenden Polarstern funkelt heller jener zerstreute Kreis der Göttermunis, wie der gewaltige Wagen, dessen Spitze in der Kindheit des Çârngaträgers durch den Stoss seines beweglichen kleinen Fusslotus empor geschleudert wurde. — 4) Ein Mensch, der von Einem, der seine Wache beendigt hat und zu schlafen verlangt, unaufhörlich laut angerufen wird: „Erwache!", wacht dennoch nicht auf, obgleich er wiederholt eine, durch den Schlaf undeutliche, keinen Sinn gebende Antwort ertheilt. — 5) Da der Lebenshort auf dem von dem grossen Hüftenumfang der Geliebten eingenommenen Lager keinen Raum zum Schlafen findet, bringt er mit Mühe, indem er durch Liebesverkehr seine Schläfrigkeit überwindet, die Nacht hin: was soll er machen? — 6) Nach einem Augenblicke Schlafes wieder erwacht, beschäftigt mit der Arbeit an dem meeresgrossen, wie ein Gedicht schwer zu durchschiffenden Königreiche, denken die Fürsten, wie die Dichter, da ihr Geist in der Morgenfrühe Klarheit erlangt hat, über die schwierige Reihe der Bestrebungen (der Bedeutungen) nach. — 7) Den von seiner Lagerstelle auf der Erde aufgestandenen gewaltigen Elephanten, dessen mächtiger Leib von trüber Brunstflüssigkeit benetzt ist, lässt jener Führer sich wieder auf die andere Seite niederlegen, so dass bei der sanften Bewegung der Hinterfüsse die Fusskette erklingt. — 8) Mit raschen Händen rühren die geschickten Hir-

ten in dem wie das Meer trefflichen Fasse, um, wie die Götter-
schaaren den Mond, die frische Butter herauszubringen, während
die geronnene Milch, wie das Wasser, nach Hineinwerfung des
Kernstab-Berges dumpfe Töne von sich gibt. — 9) Da eine Frau,
welche die versöhnenden Worte nicht angenommen hat und abge-
wandt sich stellt, als wenn sie schliefe, am frühen Morgen das
schrille Krähen des Hahnes hört, dreht sie sich ein wenig herum und
umarmt, als wäre sie vor Schlaf blind, mit halbgeschlossenen Augen
ihren Lebenshort. — 10) Die Fürsten, wiederholt vernehmend das
liebliche, zu den von der Vînâ begleiteten Flötentönen stimmende,
den Takt nicht verletzende, tadellose Lied, das von den Sängern,
um sie aufzuwecken, gesungen wird, überlassen sich mit vor Wonne
knospigen Augen dem Schlummer. — 11) Jenes Pferd, das aufrecht stehend, mit schlaff herabhängenden Ohren und Nacken, mit
halbgeschlossenen Augen, einen Augenblick den Schlaf genossen
hat, wünscht wieder, indem seine Nüstern beben und die derben
Lippen sich bewegen, das ihm vorgeworfene junge Gras zu kosten.
— 12) „Der Mond da, der lebhaft glänzend bei der Zusammen-
kunft mit mir zum Aufgange gelangt war, der sinkt auf klägliche
Weise, da er zu einer Andern (zu der westlichen Himmelsgegend)
gegangen ist!“ also tritt sogleich, wie ein spöttischer Lächelglanz,
ein Schimmer hell an der früheren (östlichen) Himmelsgegend-
Geliebten hervor. — 13) Die späteingeschlummerten, dennoch
zuerst erwachten jungen Frauen machen keine Bewegung des Körpers, und lösen nicht die feste Armverschlingung der sie umfassenden Geliebten, welche nach der Ermattung von der langen
Liebeswonne die Süssigkeit des Schlafes geniessen. — 14) Die
westliche Weltgegend gleichsam schmückend mit Sandelpulver,
dessen Weisse durch Saffran ein wenig gemässigt ist, glänzt der
Kühlstrahler mit den wie der Abschnitt eines Lotusknollens weissen
Strahlen, die von der Röthe bei seinem Untergange gefärbt sind.
— 15) Die Gebüsche der weissen und rothen Wasserlilien sind
jetzt in gleichem Zustande; das erstere bietet durch die sich halb
zusammenlegenden Blumenblätter eine verminderte, das letztere,
das mit zarten Tönen von der Bienenschaar besungen werden soll,
beim Entfalten der Blätter eine noch nicht volle Schönheit dar. —
16) Von dem Antlitze der Osten-Jungfrau, das durch den hervortretenden Aruna den Glanz der Trunkenheit erlangt hat, welches
der lange bewahrten Scham gleichsam plötzlich entsagt, sinkt jetzt,
wie ein Schleier, dort das Strahlennetz des weissschimmernden
Mondes. — 17) Der Wind entzündet wieder an dem matten Körper der durch die Anstrengung des unaufhörlichen Liebesspiels
ermüdeten Schönen in der Morgenfrühe das dem Erlöschen nahe
Madana-Feuer, indem er ihn mit dem reinen Staube der Mâlatî-
Blüthen bestreut. — 18) Da es, ohne zu blinzen, die ganze Nacht
hindurch die unaufhörlich neuen Liebesspiele der Glühenden mit
Neugier angeschaut hat, so flackert (rollt) jenes Licht der Lampe

mit geringer Leuchtkraft (Sehkraft), wie ein schläfriges Auge der Wohnungen u. s. w. *Brockhaus.*

[3005] Translation of the Sanhitâ of the Sâma Veda. By the Rev. *J. Stevenson.* London, printed for the Oriental Translation Fund of Great Britain and Ireland. 1842. XV u. 283 S. gr. 8.

Kein Theil der indischen Literatur verdient ein so sorgfältiges Studium als die Vedas, denn unstreitig bilden sie den ältesten Theil dieser alten Literatur, und somit den eigentlichen Schlüssel zu dem tieferen Verständniss der ganzen Indischen Weltansicht. Wir begrüssen daher diese neue Bereicherung unserer Kenntniss der Veda-Literatur mit desto mehr Freude, je grössere Garantie des sicheren Verständnisses dieser ihrem Inhalte und ihrer Sprachform nach gleich schwierigen Denkmäler des Indischen Geistes uns der Uebersetzer bietet, der in Indien zu Bombay lebend die gelehrtesten Brahmanen befragen, und alle sonstigen Hülfsmittel, die mehrere Handschriften und Commentare bieten, benutzen konnte. Hr. Stephenson hatte schon früher die Hymnen des Rig-Veda zu bearbeiten angefangen, ein Buch, das wie alle in Bombay gedruckten, nur zufällig seinen Weg nach Europa findet, und den Titel führt: „Trividyâ trigunâtmikâ" (Bombay, 1833. 4.). Von der Asiatischen Gesellschaft aufgefordert, diese Arbeit lieber aufzugeben, da Dr. Rosen sich mit einer Herausgabe und Uebersetzung gerade dieses Veda's beschäftige, und dafür den Sâma-Veda zu bearbeiten, der für den schwierigsten der vier Veda's gelte, und ohne die Hülfe eingeborener Gelehrten kaum verstanden werden könne, unterzog sich Hr. Stephenson dieser Arbeit, und gibt hier die vollständige Uebersetzung des liturgischen und hymnologischen Theiles des Sâma-Veda. Auch der Sanskrit-Text ist nach seiner Abschrift in London gedruckt worden, dem Ref. aber bis jetzt noch nicht zu Gesicht gekommen. Die theologischen Abhandlungen, oder die sogenannten Upanishats, die zu diesem Veda gehören, dürfen wir auch noch von diesem Gelehrten erwarten. In der Vorrede gibt der Uebersetzer eine kurze Uebersicht alles Dessen, was zum allgemeinen Verständniss dieses Veda's nothwendig ist, woraus wir die folgenden Notizen entnehmen. Die Sanhitâ des Sâma-Veda besteht in einer Sammlung von einzelnen Versen und Hymnen, die besonders bei dem Soma-yâga, oder dem Opfer der Mondpflanze (Sarcostemma viminalis) sollen gesungen werden. Das Lob der verschiedenen Gottheiten, welche die Feierlichkeit mit ihrer Gegenwart ehren und Gebete für das Heil und Wohlbefinden der Opferer bilden den Hauptinhalt dieser Gedichte. Einige weihen das Feuer, in welche das Opfer geworfen wird, Andere weihen den Saft der Soma-Pflanze, welche den wesentlichen Bestandtheil des Opfers ausmacht. Wenn Jemand beschliesst, das Soma-Opfer zu vollziehen, so ladet er Brahmanen der drei höheren Classen ein. Zuerst wird dann die Mond-Pflanze und Araniholz (Premna spinosa), um das Opfer-Feuer anzuzünden, eingesammelt;

diess muss in einer mondhellen Nacht geschehen, indem man von der Ebene zu dem Gipfel eines Berges empor steigt. Die Mond-Pflanzen müssen mit der Wurzel abgepflückt werden, dann streift man die Blätter ab und legt die nackten Stengel in einen Wagen, der von 2 Böcken in das Haus des Opferers, für dessen Wohlfahrt und auf dessen Kosten das Opfer gemacht wird, gezogen wird. Hier legt man nun die Stengel in die Opferhalle, ein Brahmane zerstösst sie mit Steinen, und legt sie dann zwischen zwei Breter, um gänzlich ausgequetscht zu werden. Die Stengel und der ausgepresste Saft werden dann auf ein Sieb von Ziegenhaaren gelegt, mit Wasser besprengt, und mit den beringten Fingern des Opferpriesters ausgedrückt. Der so mit Wasser gemischte Saft fliesst durch das Sieb in eine Opferschaale, wo er weiter mit Gerste, Schmalz und dem Mehle einer anderen Getreidegattung gemischt wird. Man lässt nun das Ganze gähren, bis ein spirituöses Getränk sich gebildet, das zum Opferdienste tauglich ist. Sechs Brahmanen sind zur Vollziehung des Opfers nöthig. 1. Der Kotà, der die Hymnen des Rig-Veda recitirt; 2. der Udgàtà, der die Verse des Sàma-Veda singt; 3. der Potà, der die Materialien zu der Opferhandlung zubereitet; 4. der Neshtà oder Kartà, der den Saft der Mond-Pflanze, den Schmalz u. s. w. in das geheiligte Feuer giesst; 5. der Brahmà oder Upadrishtà, der alle Ceremonien überwacht und leitet; 6. der Rakshà, der mit einer hölzernen Keule versehen an der Thüre steht, um jeden Eindringling abzuwehren. Diese sechs mit dem Yajamàna, d. h. dem der das Opfer ausrichtet, bilden die sieben Priester, die bei einem Soma-Opfer nöthig sind. Ein Brahmane muss stets ein geweihtes Feuer in seinem Hause brennen haben; man nennt diess gàrhapati, oder der Hauswächter; es darf nur mit Palasa-Holz (Artea pondosa) genährt werden. So wie das Soma-Opfer beginnt, wird das Feuer von dem Hausaltare zu zwei anderen Altären getragen, indem man wo möglich noch Feuer des Himmels, d. h. durch einen Blitzstrahl erzeugtes Feuer hinzufügte und Feuer, welches durch das Aneinanderreiben von zwei Stücken aus Araniholz gewonnen wird. Jeder Altar hat seine bestimmte Gestalt und Stelle in der Opferhalle. Während der Dauer des Opfers, das oft mehrere Tage währt, müssen die Opferer die strengste Enthaltsamkeit im Essen und Trinken beobachten; doch wird das Opfer jetzt selten vollzogen. Ist das Opfer vollendet, so schliesst ein reiches Mahl die ganze Feierlichkeit, und mit Geschenken versehen kehren die Opferpriester in ihre Wohnung zurück. — Die theologischen Ansichten in diesem Veda weichen bedeutend von dem des modernen Hinduismus ab. Soma ist hier ganz identisch mit dem ewigen ungeschaffenen Geiste, er ist das Brahma der jüngeren Vedànta. Soma ist Indra, Agni und alle anderen Götter. Bei dem grossen Weltuntergange werden alle Götter vernichtet werden, nur Soma allein bleibt übrig, und wird der Quell einer neuen Welt. Vishnu ist hier nur der jüngere Bruder des Indra, und im Range und Ansehen geringer als dieser. Die Gottheiten, die vorzugsweise verehrt werden, sind Agni das Feuer, Indra das sichtbare Firmament, Mitra die Sonne und Vâyu der Wind; ausser diesen noch Vishnu, die Sonne unter verschiedenen anderen Namen, Varuna der Ocean, Yama der Gott der Unterwelt und des Todes, die beiden Açvin, einige weibliche Flussgottheiten, das Wasser, die vergötterten Brahmanen, die Genien der Opfergefässe, und der Gott der Sünde. Von Brahmâ und Çiva, die später einen so weiten Raum in der indischen Religion und Mythologie einnehmen, ist noch gar nicht die Rede. — Der äusseren Einrichtung nach zerfällt das ganze Werk in 2 Theile, wovon der erste (p. 1—109) 6 Bücher (Prapâthaka) enthält, jedes in 10 Capitel (Daçati) abgetheilt, jedes Cap. besteht aus 10 Versen. Diese Verse sind zum grössten Theile, vielleicht alle, aus dem Rig-Veda entnommen, und werden bei den verschiedenen Opferhandlungen recitirt. Hier ist es nun sehr zu bedauern, dass der Uebersetzer die einzelnen Opferhandlungen von ihrem Anfange an bis zu Ende nicht genau beschrieben hat, denn nur dadurch gewinnen erst diese abgerissenen Bruchstücke eine Bedeutung. Der zweite, bedeutend wichtigere und interessantere Theil (p. 110—287) enthält die Hymnen, die den Sâma-Veda bilden, und zwar in 22 Capiteln (adhyâya); jedes Cap. enthält mehrere Hymnen, deren die ganze Sammlung 402 enthält, die aber alle von sehr mässigem Umfange sind, einzelne selbst scheinen nur aus einem einzigen Çloka oder Distichon zu bestehen. Proben dieser alten religiösen Dichtungen hier mitzutheilen, erlaubt der Raum nicht, doch haben wir bald von einer geschickten Hand metrische Nachbildungen der bedeutenderen zu erwarten. —

Brockhaus.

[888] The Dabistan, or School of Manners, translated from the original Persian, with notes and illustrations, by *David Shea*, of the oriental department in the Honorable East India Company's college, and *Anthony Troyer*, membre of the Royal Asiatic Societies of Great Britain and Ireland, of Calcutta and Paris etc., edited, with a preliminary discourse of the latter. Vol. II. Paris, printed for the Oriental Translation Found of Great Britain and Ireland. 1843. 462 S. gr. 8.

Das vorliegende Werk, eine meist unparteische Darstellung der verschiedenen Religionen Asiens von einem frommen Moslim, gehört zu den interessantesten Erscheinungen in der mohammedanischen Literatur. Nachdem Francis Gladwin zuerst ein Fragment über die älteste Religion Persiens daraus übersetzt hatte, das auch in Deutschland Aufmerksamkeit erregte (Sheikh Mohammed Fani's Dabistan, oder die alte Religion Persiens, aus d. Engl. übersetzt von F. von Dalberg. Aschaffenb., 1809), und nach ferneren Mittheilungen begierig machte, wurde das ganze in Persischer Sprache geschriebene Werk in Calcutta 1809 gedruckt, blieb aber auf dem Europäischen Continente sehr selten, und ist nur von wenigen Gelehrten benutzt worden. Hr. Shea, der gelehrte Uebersetzer der Geschichte des älteren Persiens bis zum Untergange der Dynastie der Sasaniden von Mirchond, begann im Auftrage der Asiatischen Gesellschaft in London eine Uebersetzung des schwierigen Werkes; sein frühzeitiger Tod schien leider die Vollendung verhindern zu wollen, zum Glück aber wurde das bereits Vollendete von der Gesellschaft unserm Landsmanne, Hrn. Capitain Troyer zur Revision überliefert, der sich zugleich der Arbeit unterzog, das in der Uebersetzung noch Fehlende hinzuzufügen. Bericht über das Verhältniss beider Uebersetzer, so wie zugleich Mittheilungen über den Verfasser u. s. w., wird uns die Einleitung zum ersten Theile bringen, der bis jetzt noch nicht erschienen ist; ein dritter Theil wird das Ganze vollenden. Der eben ausgegebene zweite Band umfasst die Capitel II—VI, in welchen die Religion der Indier, Tibetaner, Juden, Christen und Muhammedaner behandelt wird. Wir behalten uns vor, bei dem Erscheinen des ersten und dritten Bandes noch einmal ausführlicher auf dieses Werk zurückzukommen. *Brockhaus.*

[8017] Hdsangs-Blun, oder der Weise und der Thor. Aus dem Tibetischen übersetzt und mit dem Originaltexte herausgeg. von J. J. Schmidt, K. Russ. Staatsrathe u. s. w. 1. Thl., der Tibetische Text nebst der Vorrede. 2. Thl., die Uebersetzung. St. Petersburg, Gräff's Erben. (Leipzig, Voss.) 1843. XXXVIII u. 343, 404 S. gr. 4.

Hr. Schmidt, ein Gelehrter, dem die genauere Kenntniss des östlichen Asiens bereits so viel verdankt, der zuerst die Sprache und Literatur der Mongolen wissenschaftlich bearbeitete, und die interessantesten Beiträge zur Religion, Mythologie und Geschichte der Völker Hochasiens lieferte, fährt mit rüstigem Eifer fort, jene entlegenen Gebiete den Europ. Gelehrten zugänglich zu machen, und gibt uns in dem vorlieg. Buche ein sehr umfangreiches Werk in Tibetischer Sprache mit Deutscher Uebersetzung. In seiner Tibetischen Grammatik (St. Petersburg, 1839. p. 207—273) hatte Hr. Schmidt bereits 2 Erzählungen aus dieser Legendensammlung mitgetheilt, nämlich die 25. und 36., (die späterhin von Hrn. Foucaux in Paris neu nebst einem Vocabular herausgegeben wurden,) und in der Vorrede zu seinem Tibetischen Wörterbuche (St. Petersburg, 1841. p. VII) die Herausgabe des ganzen Werkes versprochen, und schon nach so kurzem Zwischenraume liegt das Buch sauber gedruckt vor uns. Die Tibetische Sprache ist so durch die verdienstvollen Bemühungen dieses Gelehrten einem Jeden zugänglich gemacht, denn wer diesen dicken Quartband philologisch durchgearbeitet hat, wird wohl so ziemlich die Tibetische Sprache bei ihrer grossen Armuth und ihrem im Ganzen genommen einfachen grammatischen Baue, beherrschen, und leicht sich den Zugang zu den übrigen Schätzen dieser Literatur eröffnen. — Das Werk selbst, das aus 12 grösseren Abschnitten besteht, und im Ganzen 51 Capitel oder Erzählungen enthält, ist wie der bei weitem grösste Theil der Tibetischen Literatur aus dem Sanskrit im 9. Jahrhunderte unserer Zeitrechnung übersetzt worden; wann es in Indien verfasst wurde, ist schwer zu bestimmen, doch da der König Açoka schon darin genannt wird, so dürfen wir seine Abfassung wohl nicht vor den Anfang unserer Zeitrechnung setzen. Von den Tibetern hoch geschätzt ist es in die Sammlung ihrer canonischen Bücher mit aufgenommen worden, die den Titel Bkah-hgyur führt und aus 100 Bänden in Folio besteht, und zwar füllt es dort ziemlich den ganzen 28. Band der 5. Abtheilung. Ueber den Charakter und die Einkleidung des Buches sagt Hr. Schmidt in der Vorrede p. XXXI. „Mit sehr wenigen Ausnahmen bildet die Epoche der Gegenwart Buddha Sâkyamuni's auf Erden, dessen Aufenthalt in mehreren Districten und Städten Oberindiens, nebst Begebenheiten, welche sich während dieser Zeit zutrugen, den Inhalt fast aller Capitel des Werkes. Die erzählten Begebenheiten, die Thaten- und Schicksale einzelner damit verflochtener Personen, und was sonst damit in Verbindung steht, diess Alles wird dann von Buddha als die nothwendige Folge, als die unausbleibliche Vergeltung, als die reife Frucht der in früheren Epochen und Generationen begangenen tugendhaften oder lasterhaften Handlungen erklärt, wodurch in demselben Capitel eine zweite, bisweilen auch eine dritte und vierte, Erzählung herbeigeführt wird, welche zum Zweck hat, den Beweis festzustellen, dass kein Verbrechen, kein Laster, kein Vergehen, es sei gross oder gering, ohne sichere Vergeltung und Strafe in einer oder mehreren späteren Wiedergeburten bleibe, dass aber auch jede Tugendhandlung, jede wenngleich noch so unbedeutende, aber aus reinem, aufrichtigem oder andächtigem Herzen vollbrachte Gutthat nicht umsonst geschehe, sondern vielmehr der reichsten Belohnung in Lebensperioden der Zukunft gewärtig sei. Der Tugendhafte ist mithin der Weise, und der Lasterhafte der Thor, und darin findet der Titel des Buchs: „Der Weise und der Thor in verschiedenen Beispielen zur Schau gestellt, seine vollgültige Erklärung". — Das Buch ist bei den Buddhisten sehr beliebt, und es gibt davon eine Kalmückische Uebersetzung, die vollkommen mit dem hier gedruckten Tibetischen Texte übereinstimmt, und eine Mongolische, Üligerün dalai, d. i. das Meer der Beispiele, genannt, die aber in Einzelheiten oft abweicht, und selbst eine ganze Erzählung mehr hat. Eine kurze Analyse dieser Erzählung, die Hr. Schmidt mongolisch und deutsch in der Vorrede mittheilt, mag den Leser mit dem Geiste dieser buddhistischen Legenden bekannt machen. Legende vom Prinzen Ssussati. — Ein König, von seinem rebellischen Minister verjagt, muss mit seiner geliebten Gattin und seinem einzigen siebenjährigen Sohne Ssussati fliehen. Der Reisevorrath geht ihnen aus, da zieht der König das Schwerdt, um seine Gattin zu tödten, und mit ihrem Fleisch sich und das Kind zu erhalten. Der Knabe bittet aber so dringend für die Mutter, dass der Vater von seinem Vorhaben ablässt. Da sprach der Knabe zu seinem Vater Folgendes: „Mein Vater, schneide mir das Fleisch stückweise aus, ohne mich zu tödten, dass es uns dreien als Wegekost diene; denn wenn du mir das Leben nähmest, so würde das Fleisch ver-

17 *

derben und in der Hitze in Verwesung übergehen". Nachdem der König und dessen Gemahlin solchergestalt während zwei Tagen das Fleisch stückweise ausgeschnitten und gegessen hatten, so dass sie bereits bis auf die Knochen gekommen waren, nahmen sie, weil der Weg noch weit war, ihm auch das Fleisch zwischen den Knochen seiner Gliedmassen ab, liessen ihren Sohn zurück, und waren im Begriff, sich zu entfernen, als ihr Sohn zu ihnen sprach: „Ach, meine Aeltern, weil ich ganz von Kräften gekommen bin, so lasset mir ein Wenig vom Fleische zurück, und nehmet den grösseren Theil mit!" Demgemäss theilten die Aelteren das Fleisch in drei Theile, von welchen sie einen Theil dem Sohne überliessen, die anderen zwei Theile aber mitnahmen und sich entfernten. Der Knabe spricht nun den Wunsch aus, dereinst als Belohnung für sein Verdienst als Buddha wiedergeboren zu werden. Sein Wunsch wird erfüllt und nach unzähligen Millionen von Jahren wird er als Buddha Sâkyamuni in Indien wiedergeboren. — In dieser Art sind ziemlich alle diese Legenden, und im Allgemeinen ist daher ihre Lectüre wenig erquicklich; die darin geschilderten Tugenden und Laster sind so überschwänglich, dass die einen nicht erfreuen, die anderen nicht empören. Dabei fehlt aller und jeder poetische Hauch, und das Detail ist oft widerwärtig und physisch Ekel erregend. Zur Unterhaltung möge Niemand nach diesem Buche greifen, nur für den Forscher in der Entwickelungsgeschichte des menschlichen Geistes hat es Werth, und aus diesem Gesichtspuncte betrachtet wünschen wir, dass Hr. Schmidt fortfahren möge aus der reichen Fülle seiner seltenen Kenntnisse uns auch ferner Gaben zu spenden. *Brockhaus.*

Naturwissenschaften.

[2028] Sertum exoticum contenant des figures et déscriptions de plantes nouvelles ou peu connues; publié par F. A. W. Miquel. Tome I. Rotterdam, Kramers. 1842. (pl. 1—5.) 8 S. gr. 4.

Es würde überflüssig sein, theils den Nutzen solcher Unternehmungen wie die vorliegende, theils die Befähigung des Herausgebers, welcher durch seine neueren Arbeiten über die Piperaceen und Cycadeen vortheilhaft bekannt ist, ausführlich nachzuweisen. Die Tafeln wurden nach guten, mit ausreichenden Analysen versehenen Zeichnungen vorzüglich lithographirt und im Ganzen kann man die äussere Ausstattung des Sertum nur mit Lob erwähnen. Man muss aber wünschen, dass die Fortsetzungen nicht lange auf sich warten lassen, indem Werke solcher Art erst nach dem Erscheinen einer grösseren Anzahl von Tafeln einen sicheren Boden erhalten. Von den 5 hier beschriebenen Gewächsen stammen 4 aus Surinam, von Focke gesammelt, 1 aus Mexiko. Taf. 1. Selaginella Poeppigiana Spring (Lycopod. Hook et Grev.). Was das Vorkommen und die von den Schriftstellern bisher falsch citirten Dillen'schen Figuren betrifft: so hätte deshalb Linnaea Bd. IX. p. 11 verglichen werden können. Taf. 2. Soleria Kunthii Miq. unterscheidet der Vf. von S. stricta besonders durch behaarte Blattränder und sparsamere männliche Blüthen. Ueber die Pflanze, welche die Taf. 3 darstellt, Phytolacca bogotensis HBK. ist Hr. M. selbst nicht ganz sicher und seine Bemerkung, dass die Arten der Gattung bis jetzt ziemlich mangelhaft auseinandergesetzt sind, muss Ref. bestätigen. Als Gogomàgo machen die Neger in Surinam denselben Gebrauch von der Pflanze, welchen Aublet bei seiner P. octandra erwähnt. Aehnliche Wirkungen besitzt auch P. drastica P. und E. aus Chile. Taf. 4. Cissampelos canescens Miq. aus Mexiko wurde von Hrn. Kicks mitgetheilt und zwar nur die männliche Pflanze. Sie wird mit C. tropaeolifolia DC. verglichen. Taf. 5. stellt Jonidium viscidulum HBK. dar. — Man sieht, dass von den aufgenommenen Pflanzen, allein die erste, und zwar von Dillen ziemlich ungenügend, dargestellt wurde. Der Vf. wird wohlthun, diesen Grundsätzen treu zu bleiben und nur Arten aufzunehmen, von welchen noch keine Figuren gegeben worden sind.

[8819] Spicilegium florae rumelicae et bithynicae exhibens synopsin plantarum quas aest. 1839 legit auctor **A. Grisebach**, Dr. med. Prof. extr. Gotting. Accedunt species quas in iisdem terris lectas communicarunt *Friedrichsthal*, *Frivaldszki*, *Pestalozza*, vel plene descriptas reliquerunt *Buxbaum*, *Forskål*, *Sibthorp*, *Sestini*, alii. Vol. I. Fasc. I. Brunsvigae, Vieweg et fil. 1843 VIII u. 160 S. gr. 8. (1 Thlr. 10 Ngr.)

Der Vf. durch seine Schrift über die Pflanzen aus der Familie der Gentianeen und manche phytogeographische Arbeiten vortheilhaft bekannt, unternahm 1839 eine Reise nach Rumelien und Brussa, deren Schilderung 1841 in einem besonderen Werke erschienen und mit Beifall aufgenommen worden ist. Er hatte dabei die Absicht, diesen Theil der Flora des Mittelmeeres, welcher in neuerer Zeit nur wenig durchsucht wurde und fast unbearbeitet geblieben war, zu vervollständigen und so zu einer synopsis plantarum Europae, mit welcher er seit Jahren beschäftigt ist, eine Vorarbeit zu liefern. Es gelang Hrn. G. theils durch eigenes Sammeln auf seiner Reise, theils durch Mittheilungen von Friedrichsthal, Frivaldszki und Pestalozza, von denen die des zweiten nach Ref. Bemerkungen nicht ganz vollständig die Sammlungen seiner Emissaire nach Rumelien enthalten, ein ansehnliches Material von mehr als 2000 Species zusammenzubringen und er hofft, es noch in den folgenden Heften durch Ascher-Eloy'sche Pflanzen aus dem Gebiete zu vermehren. In der Vorrede zu dem Spicilegium wird eine kurze topographische Schilderung des Gebiets der Flora, Bosniens mit der Herzogowina, Serbiens, Bulgariens, Albaniens, des westlichen und östlichen Macedoniens und Thraciens gegeben, wovon die ersteren 3 dem nördlichen, die letzteren 4 dem südlichen Theile des Florengebiets angehören, und im Allgemeinen eine regio mediterranea, montana und alpina unterschieden wird, hierauf aber, von Belon (1546) an, die Aufzählung aller Reisenden und ihrer Werke, welche zur Erforschung der Flora dieser Länder beigetragen haben, mitgetheilt. Diese Zusammenstellung ist ganz interessant und dankenswerth. Ueber den Charakter der Vegetation des Erdstrichs hat Hr. G. bereits in seiner Reisebeschreibung gehandelt und verweiset hier darauf. — Das Spicilegium enthält im vorlieg. Hefte die Familien der Leguminosen oder Papilionaceen (S. 1—94) der Rosaceen (bis S. 108) der Myrtaceen, Lythrarieen, Onagrarieen, Halogareen, Lineen, Geraniaceen, Oxalideen, Rutaceen, Zygophylleen, Terebinthaceen, Euphorbiaceen, Rhamneen, Iliclneen, Celastrineen, Staphyleaceen, Ampelideen, Acerineen, Tiliaceen und Malvaceen, letztere noch unvollendet (bis S. 160). Bei den Ordnungen wird auf Endlicher's Genera plantar. verwiesen. Die Gattungscharaktere sind meist umgearbeitet und nicht nur die neuerlich gesonderten Genera meistens angenommen, sondern auch einige eigenthümliche aufgestellt, wie Sypone aus Genista sagittalis und Lembotropis aus Cytisus nigricans. Auf Sectionen, besonders bei artenreicheren Gattungen, ist sorgfältig Rücksicht genommen und auf die Entwerfung scharfer Diagnosen grosser Fleiss verwendet worden. Neben diesen Diagnosen hat nur eine gewählte Synonymik und Literatur, die Angabe der Fundorte und Finder so wie der Bluthezeit Platz gefunden. Kritische und andere Bemerkungen sind nur sparsam eingestreut und Beschreibungen nur bei den neuen Arten gegeben, deren Zahl nicht unbedeutend ist. Die namentliche Angabe derselben mag diese kurze Anzeige des schätzbaren, äusserlich gut ausgestatteten Werks beschliessen. Genista carinalis (micrantha et incerta Friv.); Trifolium fulcratum, prostratum Biasol., cryptoscias, nidificum; Trigonella torulosa, biflora; Tetragonolobus aegaeus, aduncus; Astragalus mesopterus, chlorocarpus, leucocyaneus, sericophyllus; Onobrychis megalophylla; Crataegus Azarella; Potentilla holosericea; Linum decoloratum; Geranium Freyeri; Haplophyllum coronatum, ciliatum; Euphorbia oblongata und thyrsiflora. An ausgezeichneten neuen Varietäten fehlt es ebenfalls nicht, da Hr. G. bekanntlich sehr wenig geneigt ist, denselben die Rechte der Arten einzuräumen.

Länder- und Völkerkunde.

[888] Travels in Egypt, Arabia Petraea, and the holy land. By the Rev. Stephen Olin, D. D., president of the Wesleyan University. With twelve illustrations on steel. In two Vols. New-York, Harper and brothers. 1843. XIV u. 458, XII u. 478 S. gr. 8.

Der Verfasser dieses Werkes, welcher in den Jahren 1839 und 1840 zur Wiederherstellung seiner zerrütteten Gesundheit eine Reise durch die auf dem Titel bemerkten Länder unternahm, bezeichnet als den nächsten Zweck, den er bei Abfassung und Veröffentlichung dieses seines Werkes hauptsächlich im Auge hatte, ein besseres Verständniss und eine höhere Würdigung der heiligen Schriften. Er selbst reiste mit beobachtendem Geiste, offenen Augen und mit der Bibel als Wegweiser in der Hand. Er verzichtet auf die Ehre, in der Weise eines Stephens oder Robinson geschrieben zu haben, verzichtet überhaupt auf alle Ansprüche auf kritische, philologische und antiquarische Gelehrsamkeit, und begnügt sich mit dem einfachen Lobe, Verfasser eines populären Werkes zu sein, „welches in einfacher, klarer und deutlicher Schreibart eine ziemlich vollständige Erzählung alles Dessen enthält, was dem Auge eines Reisenden in diesen interessanten Gegenden begegnet, sei es in der Gestalt ihrer natürlichen Züge und alten Denkmäler, oder sei es in dem Charakter, den Bestrebungen und der gegenwärtigen Lage ihrer Bewohner". Sein Werk soll den Leser auf einen „erhabenen Vordergrund stellen, von welchem aus er Gottes Wort vollkommener verstehen lerne". Daher findet man auch nichts oder beinahe so gut wie nichts z. B. von hieroglyphischen Inschriften, von chronologischen Untersuchungen über das Alterthum ägyptischen Denkmäler u. s. w., wohl aber freimüthige Aeusserungen und Muthmaassungen z. B. über die Stelle, an welcher die Israeliten das rothe Meer passirten, über den Weg, den sie nach dem Sinai und nach Palästina einschlugen u. s. f. Auch gibt der Vf. in Bezug auf Sitten, Gebräuche und religiöse Meinungen der gegenwärtigen Bewohner der von ihm besuchten Länder nur, was er selbst als Augenzeuge sah und für wirklich erkannte, nichts nach blossem Hörensagen; und dieses Alles in der Frische und mit der Lebhaftigkeit eines Mannes, der seine Bemerkungen an Ort und Stelle niederschrieb. Das Ganze ist in der Form eines Reisejournals und Tagebuchs abgefasst, in der Ordnung, wie sich die Ereignisse in Zeit und Raum folgten, und wird daher auch recht wohl als Leitfaden von in dortigen Gegenden Reisenden gebraucht werden können. Der Vf. schlug einen schon vor ihm betretenen Weg ein und erzählt daher allerdings Vieles wieder, was schon von seinen Vorgängern erzählt worden ist; denn die Reise geht im 1. Bde. von Athen aus über Syra und die Inseln des griech. Archipelagus nach Alexandria, Cairo, den Nil-Cataracten und wieder zurück; von Cairo nach Suez, dem Berge Sinai, Akaba und der Felsenstadt Petra; im 2. Bde. von Petra durch Edom nach Hebron, Bethlehem, Jerusalem, mit einem Ausfluge nach Jericho und an das todte Meer; von da nach Beyrout, Smyrna, Constantinopel, Wien, München, durch die Schweiz nach Paris und London und über den atlantischen Ocean wieder nach den Vereinigten Staaten von Nordamerika zurück; es weht aber durch seine Reisebeschreibung ein frommer, gläubiger und in seinem Glauben durch die eigene Ansicht der heiligen Orte noch mehr bestärkter Geist, so dass sich dieselbe recht wohl zum Vorlesen in Bibel- und Sonntagsschulen eignet. Gerade das amerikanische Publicum nimmt aber an dergleichen Werken über das heiligen Land einen besonders tiefen und allgemeinen Antheil, was auch zugleich als Entschuldigung, wenn es überhaupt einer solchen bedürfte, für die Veröffentlichung des gegenwärtigen angeführt wird. Es steht daher zu erwarten, dass dasselbe eine eben so günstige Aufnahme in Amerika wie das von Stephens erfahren werde, was wir ihm denn verdientermassen wünschen und gönnen. Die beigegebene Karte und die Stahlstiche sind, mit Ausnahme von zwei, von Catherwood gearbeiteten nicht gerade ausgezeichnet, der Preis im Verhältniss zu der glänzenden Ausstattung mässig.

[8821] De la Guyane française et de ses Colonisations, par Laboria, Capit. d'artillerie de Marine, offic. de la Légion d'honneur. Paris, Corréard. 1843. X, 164 u. 124 S. gr. 8. (7 Fr. 50 c.)

Die Franzosen wissen wohl ferne Puncte ein- und wegzunehmen, aber nicht zu Colonien zu benutzen; ihr erstes Geschäft ist fast stets Theater und Concertsäle zu bauen, statt Anpflanzungen zu begründen. Seit 13 Jahren besitzen sie Algier und sind im Allgemeinen nicht viel weiter, als zu der Zeit, wo sie die Casauba eroberten. Wer ihre Taktlosigkeit in dieser Beziehung näher kennen lernen will, wird hinlänglich Belege in dieser Schrift finden, deren Vf. sich die undankbare Mühe gegeben hat, die unglaublichen Missgriffe nachzuweisen, welche in der Colonisation des französischen Guyana vom ersten Tage der Besitznahme bis zum heutigen begangen wurden. Seine Arbeit zerfällt in zwei Theile; Der 1. behandelt die Schicksale dieser Colonie unter steter Vergleichung des trefflich angebauten und einträglichen Holländischen Guyana und unter Hinweisung auf die Art und Weise, wie sie hätte angelegt werden sollen, um sichere Renten zu bringen; wobei die Beschaffenheit des Bodens und des Klimas sorgfältig berücksichtigt ist. Im 2. Theile kommen dann eine Menge „Notes et Eclaircissements“ als nöthige Belege hiezu. Für uns hat die ganze Arbeit natürlich ein geringes Interesse und auch in Frankreich dürfte sie wenig beachtet werden, da die Regierung jetzt vielmehr einzelne Inselgruppen der Südsee, die Marquesas-Inseln u. s. w. im Auge hat und schwerlich an das mit Unrecht verrufene Cayenne denken wird, obschon nach der Küste von Guyana ein Schiff kaum so viele Tage, als nach jenem Monate braucht. Jedoch da Laboria fünf Jahre dort stationirt war, und ohne alle Complimente mit der Sprache, wie man sagt, herausgeht, so wird man so manche historische und naturwissenschaftliche Notiz finden, die ausserdem unbeachtet geblieben wäre. Er bezeichnet Guyana als das Land, welches die grösste und einträglichste Colonie hätte bilden können, während sie bisher eine der ärmsten geblieben ist und nur sehr wenig Handel treibt. So fand sie Malouet, der thätigste Gouverneur, den sie gehabt hat, im J. 1777, und so ist sie noch, indem kaum 5—6000 Weisse und 15—16000 Schwarze dort leben, so dass es überall an Arbeitern fehlt, um die Schätze auszubeuten, welche der fruchtbare Boden darbietet. Der mittlere

Wärmegrad beträgt nur 24 Gr. R. und von 100 sterben jährlich kaum 5, während am Senegal durchschnittlich 22 und in den Antillen 15 den Tod finden. Kleine Flüsse durchschneiden das ganze Land und könnten durch Kanäle unter einander verbunden werden, obschon sie durch Wasserfälle die Benutzung erschweren. Von Heerstrassen ist kaum eine Spur da. Die ersten Versuche, sich hier niederzulassen, wurden von Spaniern in Folge des Gerüchts unternommen, man sehe hier das Mährchen vom Eldorado verwirklicht, aber bald wieder aufgegeben. Choiseul hoffte hier im J. 1763 einen Ersatz für Canada zu finden und sendete 14000 Franzosen dahin, wobei natürlich auch eine „troupe des Comédiens et des Musiciens" nicht fehlte. Allein es war nicht das Geringste gethan, um die 14,000 Menschen unterzubringen, und fast alle kamen daher als Opfer der Sorglosigkeit um; dreissig Mill. Liv. waren vergeblich verschwendet! Kleinere Versuche wurden 1768 und 1776 wiederholt; man nahm aus dem Holländischen Guyana 20,000 Maronneger auf, aber der Umlauf des Geldes und die Ausfuhr sowohl wie die Einfuhr, ja selbst die Volksmenge hat sich seitdem nicht gehoben, eher verringert, während Surinam allein schon 1777 ein Einkommen von 24 Millionen Liv. gewährte und 70,000 Sklaven zählte. Einige Unternehmungen des Gouverneurs Lescalier, der 30 Jahre in Westindien verlebte, hatten keinen bessern Erfolg, als die von Malouet; dann kam die Revolution und man erinnerte sich Cayennes nur um Opfer der Politik dahin zu verweisen, wodurch es hauptsächlich in üblen Ruf kam und als höchst ungesund verschrieen wurde. Unter den Bourbons machte man noch eine recht grossartige Anstrengung; man wollte 50,000 Colonisten in Abtheilungen von 10,000 jährlich dahin senden und hoffte Millionen Centner Baumwolle daher zu beziehen, „dont on attend encore la première balle". Aber auch diese Idee erstickte in der Geburt und seit 1823 ist nichts weiter geschehen. So weit das Historische von der Colonie (S. 1—102). Der Vf. lässt nun seine Projecte zur Wiederaufnahme derselben folgen, indem er den Boden, die Producte, die er gibt und geben könnte (Caffee, Zucker, Vanille, Pfeffer), die dahinzusendenden Colonisten (hauptsächlich Landleute, welche den Anbau gemeinschaftlich betreiben sollen), wie es uns scheint, mit vieler Einsicht würdigt. Es bestätigt sich auch hier, dass es keineswegs an Raum fehlt, um Millionen zu nähren, die in Europa verkümmern oder aus Noth wohl gar zu Verbrechern werden; alles kommt nur zuletzt darauf an, wie ihre Kraft in jenen Gegenden wirksam gemacht werden kann.

Geschichte.

[8022] Tableau du monde Romaine sous les premiers empereurs par M. le Comte de Champagny. Vol. I. et II. Paris, au Comptoir des imprimeurs-unis. 1843. XX u. 400, 432 S. gr. 8. (15 Fr.)

Dieses Werk ist keinesweges ohne wissenschaftliches Verdienst und wissenschaftlichen Werth, und mit der Leichtigkeit und Anmuth geschrieben, welche den Franzosen, besonders der höheren Stände wie angeboren ist. Allein es ist dabei auch unter der Herrschaft eines Gedankens geschrieben, welcher bei der Betrachtung der römischen Geschichte sicher nicht der Leitstern sein sollte, der weder für die Gegenwart noch für die Zukunft heilbringend sein kann. Der Vf. meint nämlich, die neue Welt solle und könne weiter nichts sein, als eine Fortsetzung der römischen. Schon im Eingange des 1. Theiles ruft er daher aus: „qu'est notre civilisation, sinon la civilisation de Rome devenue chrétienne. Que sommes nous, sinon des Romains baptisés". Nur die romanischen Völker meint er dabei, wie wohl zu bemerken. Nun geben wir ihm in Beziehung auf diese Recht, aber das ist eben das Unglück der romanischen Völker, das der sittliche Jammer, der auf ihnen liegt, die Fäulniss, die so oft bald in Frankreich, bald auf der pyrenäischen, bald auf der italienischen Halbinsel in revolutionären Gräueln entweder wirklich hervorbricht, oder doch hervorbrechen will, dass sie christliche oder vielmehr getaufte Römer geblieben sind, dass sie das Christenthum nicht viel anders und besser als die römische Welt der Imperatorenzeit aufgefasst haben. Und was ist denn auch wohl auf dem ganzen, weiten Erdenrunde, innerlich möchte man sagen, fauler, erbärmlicher, nichtswürdiger in sittlicher Beziehung gewesen, als diese zuweilen abgöttisch verehrte Römer-Welt der Imperatoren! Selbst das Christenthum, diese hehre Gottesgabe, die den Unwürdigen verliehen ward, rissen sie zu sich herunter, pflanzten ihren groben Materialismus hinein und machten ein Etwas daraus, das bekannt genug ist. Der Vf. hält nun dieses Etwas, eben weil auch er nur ein getaufter Römer ist, für etwas Grosses und Herrliches. Er fühlt, dass dasselbe mächtig erschüttert worden sei unter den romanischen Völkern und meint, es müsse das wankend Gewordene wieder fest gemacht werden, denn darin allein sei das zukünftige Heil der romanischen Völkerwelt zu finden. Aber wahrhaftig darin liegt es nicht. Es war einst fest genug bei den romanischen Völkern, so fest als es wohl überhaupt nur durch die grösste menschliche Kunst und Klugheit gemacht werden konnte. Aber was ist daraus geworden? Wenn man auf das heutige Frankreich, Spanien, Portugal, Italien sieht, so empfängt man genügende Antwort auf diese Frage. In dem Losreissen von dem Geiste der Römer-Welt, aus der sie stammen, in der Adoption des wahren Christengeistes liegt allein das Heil der romanischen Völker der Gegenwart. Sie mögen sich bald dazu wenden, denn es will Abend bei ihnen werden; dass aber auch die bittersten Erfahrungen noch lange nicht bitter genug gewesen, dass ihnen noch viel bitterere kommen und werden müssen, davon kann auch wieder die vorlieg. Schrift einen Beweis geben. Nicht nach dem geistig aufgefassten Christenthume, nicht nach höherer Sittlichkeit, nur nach römischer Unität schreit der Vf. sich heiser. Darum muss nun zuerst bewiesen werden, dass auch die Herrschaft des alten Roms über die Welt, obschon mit Gewalt und Blut gewonnen, doch, einmal gewonnen und befestigt, eine milde, keineswegs auf der rohen, militairischen Gewalt ruhende gewesen sei. Dieses ist, nachdem er eine allgemeine Betrachtung über das römische Reich, die gar nicht ohne Geist geschrieben ist, vorausgeschickt hat, das Hauptthema, das der Vf. beweisen will. Er ist wissenschaftlich und gewandt genug, um den Satz, den er oft wiederholt, dass Rom, einmal Herrin der Welt geworden, nur eine moralische Kraft über die Völker ausgeübt habe, mit einigem Schein zu umkleiden. Nun ist es allerdings wahr, Roms Herrschaft beruhte nicht auf der Gattung administrativer, polizeilicher und militairischer Anstalten, durch welche jetzt viele Staaten zusammengehalten werden, sie beruhte auf anderen, aber doch auf Fundamenten verwandter Art. Rom suchte in dem Augenblicke, wo es seine Herrschaft anbahnte, sich gleich für eine lange Zukunft zu sichern. Es mordete, es schleppte Die fort, in denen man Sinn für Unabhängigkeit und Freiheit, in denen man Kraft vermuthete. Wer erinnert sich nicht daran, wie sie z. B. in Griechenland gewirthschaftet haben! Das armselige Volk, was man in den Provinzen zurückliess und das methodisch geschunden ward, bis der letzte Rest von Lebensgeist heraus war, bedurfte freilich einer sehr kostspieligen Ueberwachung nicht. Die einzelnen Abhandlungen, aus welchen das Werk zusammengesetzt ist, wie z. B. die zwei über die Colonien und das römische Bürgerrecht, sind an sich selbst betrachtet, gar nicht ohne Verdienst, allein die Folgerungen, welche der Vf. aus dem von ihm zwar an sich selbst gut, aber nicht in dem rechten Lichte Angeführten zieht, sind in der Regel grundfalsch. Ganz verkehrt sind die Vergleichungen, welche er zwischen der römischen Welt und der germanischen, zum Nachtheil der letzteren anstellt. Wenn er in der Abhandlung „des jouissances privées“ das Stillleben der römischen Aristokratie zurückschaut; so kann das geradehin nur Unwillen erregen. Ueberhaupt schwächen die von dem Vf. so oft angestellten Vergleichungen, die fortwährend versuchten Beziehungen des Alterthums auf die Gegenwart, herbeigeführt durch das Missverständniss des Einen wie des Andern, gar sehr den Eindruck, den seine Arbeit sonst hätte machen müssen, wenn sie als eine rein wissenschaftliche dastände. Am Schlusse des 1. Thls. spricht er über die religiösen und philosophischen Zustände der Zeit von Augustus bis Nero. Hier hat er verstanden, aus der Masse des vorhandenen Stoffes Das, worauf es vorzugsweise ankommt, gut hervorzuheben und zusammenzustellen. Im 2. Theile wendet er sich zunächst an das innere Rom, zu dem häuslichen, dem Familien-Leben der vornehmen römischen Welt, die natürlich nicht auf die Stadt Rom beschränkt ist. Mit besonderer Liebe und Ausführlichkeit ist das Leben der Matronen, Freigelassenen und Courtisanen geschildert. Champagny hat viel gelesen und nachgedacht, und zwar nicht allein Das, was von Neueren gesagt und geschrieben worden, gelesen. In dem 1. Theile ist Rom, weil es eine Unität unter den Völkern der Erde geschaffen, auf das höchste gepriesen und besonders deshalb gepriesen worden, weil er meint, auf dieser alt-römischen Unität könne allein die neu-römische erstehen und Unität sei in jeder Beziehung überhaupt dem menschlichen Geschlechte nothwendig. Nun will er im 2. Theile die fast nothwendigen Folgen dieser Unität zeigen, begnügt sich aber, sie bloss hinzustellen, und schildert und charaktersirt sie keineswegs als nothwendige Folgen. Und man begreift leicht, warum er es nicht thut und nicht thun kann. Dann geht er auf die wissenschaftlichen und künstlerischen Zustände über, wobei man die scharfen Charakteristiken, welche von Virgil, Lucan u. a. m. gegeben sind, mit Interesse lesen wird. Besonders wahr ist das, was Champagny über den Verfall der bildenden Künste im Alterthume mittheilt. Von der zweiten Hälfte des 2. Theils an erhält das Werk ein noch grösseres Interesse, indem der Vf. auf die stoische Philosophie der Kaiserzeit, welcher er den Namen der neo-stoischen Schule gibt, übergeht. Man findet hier eine treffliche Auseinandersetzung der Philosophie des Seneca und den Beweis, dass diese ohne das Christenthum selbst zu adoptiren und ohne es völlig zu fassen und zu ergreifen, doch unendlich viel aus demselben geschöpft habe. Die bei der Untersuchung dieses Gegenstandes mehrfach ausgesprochene Behauptung, dass das Christenthum überhaupt sehr bald nach seinem Erscheinen auch auf die vornehme Römer-Welt von einem viel grösseren Einflusse gewesen sei, als man gewöhnlich annehme, möchte sich auch sonst noch vielfach bestätigen und erhärten lassen. Um so unbedeutender ist der darauf folgende Abschnitt über das Christenthum. Allenthalben sieht man, dass der Vf., wie so viele Romanen, dasselbe doch nur in der alt-römischen, d. h. groben und sinnlichen Weise aufzufassen im Stande ist. Sie strengen sich wohl an, diesem Materialismus auch ein geistiges Element zu geben, sie versuchen es ihre Empfindeleien als wahre, warme Gefühle für Religion auszugeben, aber das, was hinter allen diesen vergeblichen, hohlen und nichtigen Bestrebungen, Etwas, was nicht sich idealisiren lässt, zu idealisiren, steht, das schwebt hohnlachend und grinsend immer über ihren Häuptern. Im Schluss der Schrift „un mot du paganisme moderne" meint Champagny gegen seine Gegner aufzutreten, tritt aber nur gegen sich selbst auf, und hätte das selbst erkennen müssen, wenn er nicht in dieser Hinsicht blind wäre wie so viele Andere.

Bibliographie.

Medicin und Chirurgie.

[8823] Hufeland's Journ. d. prakt. Heilkunde; fortges. von *Busse*. (Vgl. No. 7193.) Sept. Inh.: *Moser*, die Erkrankungsverhältnisse der Stadtarmenkranken zu Berlin nach Alter u. Geschlecht. (S. 3—39.) — *Zimmermann*, zur Pathologie d. Augenkrankheiten. (—77.) — *Ameling*, gibt es eine Krankheit, die wir mit Recht als Hundswuth bezeichnen? (—89.) — Kurze Nachrichten u. s. w. (—120.)

[8824] Zeitschrift für rationelle Medicin. Herausgeg. von Dr. *J. Henle*, o. Prof. d. Anat., u. Dr. *C. Pfeufer*, o. Prof. d. Pathol. in Zürich. 2. Bds. 1. Hft. Zürich, Schulthess. 1843. 216 S. gr. 8. (3 Hfte. n. 2 Thlr. 10 Ngr.) Enth.: Bericht üb. die Arbeiten im Gebiete der ration. Pathologie seit Anf. des J. 1839.

[8825] Analekten für Frauenkrankheiten u. s. w. 4. Bds. 3. Hft. (Vgl. No. 3789.) Inh.: Die Schwangerschaft ausserhalb der Gebärmutter, nach *Campbell*. (S. 323—380.) — Neue Untersuchungen über die Physiologie der Menstruation, zu genauerem Verständnisse der Anomalien. (—411.) — *Clay*, üb. den Bauchfellschnitt, behufs der Exstirpation erkrankter Eierstöcke, mit grosser, vom Brustbein bis zur Scham reichender Incision. (—470.) — Miscellen u. Notizen. (—480.)

[8826] Journal de chimie médicale etc. Oct. (Vgl. No. 7194.) Inh.: *Lepage*, sur le sulfate de potasse. (S. 561—562.) — *Lassaigne*, sur l'action qu'exerce la dissolution alcaline de plombate de soude sur la soie. (—565.) — *Chappuis*, empoisonnement par l'acide arsénieux. (—571.) — *Barse*, sur l'existence du plomb et du cuivre normal dans l'économie de l'homme, en dehors du cas d'empoisonnement. (—581.) — *Payen*, sur la présence des champignons rouges dans le pain. (—586.) — Nouvelles etc. (—620.)

[8827] Beiträge zur physiolog. u. patholog. Chemie u. Mikroskopie, herausgeg. von *Simon* u. s. w. 1. Bds. 3. Lief. (Vgl. No. 4067.) Inh.: *Oschatz*, üb. Aufbewahrung mikroskop. Praeparate. (S. 317—320.) — *Hünefeld*, üb. das Verhalten der schwefligen Säure u. d. chromsauren Kalis zu verschied. thierischen Stoffen. (—327.) — *Lassaigne*, üb. die Nachweisung d. Stickstoffgehaltes in organ. Geweben. (—334.) — Ueber die Metamorphosen des Albumins. (—336.) — *Nasse*, üb. normalen Lungenschleim. (—339.) — *Simon*, üb. das Verhältniss des specif. Gewichts des Harnes zu seinen festen Bestandtheilen. (—352.) — Ders., üb. Kystein. (—358.) — Ders., üb. die Milch — u. Untersuchung frischer Klapperschlangen-Excremente. (—361. —364.) — *Herberger*, Blut u. Harn Chlorotischer. (—367.) — *Zimmermann*, üb. die Lehre von d. Krisen in den krit. Tagen, insbes. üb. die Harnkrise in Entzündungen. (—382.) — *Hünefeld*, üb. die Beschaffenheit des Exsudats beim Weichselzopf. (—384.) — *v. Bibra*, chem. Untersuchungen einiger Concretionen. (—412.) — *Dulk*, Harnstein aus Xanthic-Oxyd. (—417.) — *Simon*, üb. den Harn u. die Excremente Diabetischer. (—436.) —

Ueber die Einwirkung des Alkohols u. Aethers auf d. thier. Organismus. (—442.) — Ueb. die Benzoësäure. (—444.)

[8028] *Geschichte der Medicin, in den Grundzügen ihrer Entwickelung dargestellt von Dr. **Bernh. Hirschel**, prakt. Arzte in Dresden u. s. w. Dresden, Arnold. 1843. VIII u. 392 S. gr. 8. (2 Thlr.)

[8029] *Vorstudien zu einer philosoph. Geschichte der Medicin, als der sichersten Grundlage für die gegenwärt. Reform dieser Wissenschaft von Dr. **H. Ant. Quitzmann.** 1. Thl.: Die Gesch. der Medicin in ihrem gegenwärt. Zustande. Historisch-kritisch dargestellt. 1. Abthl.: Subjectiver Theil der Geschichte d. Medicin. Carlsruhe, Macklot. 1843. XX u. 291 S. gr. 8. (2 Thlr. 20 Ngr. f. 2 Abthll.)

[8030] Parallèle entre l'enseignement médical des universités de Paris; Berlin et de la Hollande et celui des universités de la Belgique par **J. van Meerbeeck.** Bruxelles, 1843. gr. 8.

[8031] Kranken Physiognomik von Dr. **K. H. Baumgärtner.** 2. verm. u. verb. Aufl. 19. u. 20. (letzte) Lief. Stuttgart, Scheible, Rieger u. Sattler. 1843. S. 233—250 u. Portr. 73—80. gr. 8. (1 Thlr. 20 Ngr.) Vgl. No. 7212.

[8032] *Chemische und mikroskopische Untersuchungen zur Pathologie, angestellt an den Kliniken des Julius Hospit. zu Würzburg von Dr. **J. Jos. Scherer**, Prof. extr. d. med. Facultät. Heidelberg, Winter. 1843. VIII u. 232 S. nebst 1 lith. Taf. gr. 8. (1 Thlr. 7½ Ngr.)

[8033] Pathogenetisch-therapeutische Betrachtung der typhösen Katarrhal-, Schleim- und Darmfieber od. des typhösen Processes in seinen vorherrsch. Richtungen u. Concentrationen von Dr. **Chr. Fr. Häntsch**, prakt. Arzt zu Zittau. Zittau, Birr. 1843. VI u. 70 S. gr. 8. (25 Ngr.)

[8034] Manuel pratique des maladies des voies urinaires et de celles des organes de la génération chez l'homme et la femme; exposé du traitement spécial, qui convient à chacune de ces maladies, par M. **Goeury-Duvivier.** Paris, Garnot. 1843. 35½ Bog. m. Portr. gr. 8. (7 Fr. 50 c.)

[8035] Some Account of the Epidemic of Scarlatina which prevailed in Dublin from 1834 to 1842 inclusive; with Observations. By **H. Kennedy.** Dublin, 1843. 218 S. 8. (n. 4sh. 6d.)

[8036] Ueber die Krätze u. ihre Behandlung nach d. engl. Methode von Dr. **Hm. Vezin**, k. H. Hofmed. u. Arzt zu Osnabrück. 2. Aufl. Osnabrück, Rackhorst. 1843. IX u. 101 S. gr. 8. (19 Ngr.)

[8037] Der Veitstanz keine Krankheit. Allen Medicinern zur Beprüfung gewidmet von Dr. **Frz. v. Erdmann**, k. Russ. Staatsrath, o. Prof. u. s. w. Kasan. (Berlin, Logier.) 1843. 33 S. gr. 8. (10 Ngr.)

[8038] Guter Rath an Mütter üb. die wichtigsten Puncte d. phys. Erziehung der Kinder in d. ersten Jahren, nebst e. Unterricht für junge Eheleute, die Vorsorge für Ungeborne betr., von Dr. **Chr. W. Hufeland.** 5. unveränd. rechtmäss. Aufl. Leipzig, Cnobloch. 1843. XIV u. 225 S. 8. (1 Thlr.)

[8039] Recept zu einem gesunden u. langen Leben oder kurze u. deutliche Anweisung, seine Gesundheit zu erhalten u. geringe Störungen ders. durch einfache Hausmittel zu beseitigen. Mit e. Unterricht für Lebensrettung Verunglückter u. e. Anhang üb. Gymnastik im Allgem. u. Zimmergymnastik im Besondern. Von e. prakt. Arzte. Mit 8 anat. nach der Natur gezeichn. Holzschn. Leipzig, Teubner. 1843. II u. 283 S. 8. (22½ Ngr.)

[8040] Ninon de l'Enclos oder das Geheimniss der ewigen Jugend des Körpers und Geistes. Briefe eines alten Arztes an seine junge Freundin. Herausgeg. von Dr. *J. Lasker.* Berlin, Voss'sche Buchh. 1843. 126 S. 8. (10 Ngr.)

[8841] Annales d'Hygiène publique etc. Oct. (Vgl. No. 4999.) Inh.: *Trébuchet*, sur l'éclairage public de Paris. II. part. (S. 241—258.) — *Chevallier*, sur la santé des ouvriers, qui travaillent le cuivre. (—264.) — *Seguin*, hygiène et éducation des idiots; II. part. (—320.) — *d'Arcet*, des rapports de distance, qu'il est utile de maintenir entre les fabriques insalubres et les habitations, qui les entourent. (—328.) — *Aubergier* et *Lecoq*, de l'influence de la fumée des fours à chaux sur le vin produit par les vignes, qui y sont exposés. (—343.) — *Ollivier*, sur les maladies simulées. (—388.) — *Bayard*, sur le diagnostif différentiel des ecchymoses. (—417.) — *Ollivier* et *Leuret*, sur un cas de tentative d'homicide commis par un halluciné. (—429.) — *Boullenger*, du secret en médecine. (—434.) — Variétés etc. (—480.)

[8842] Zeitschrift für Phrenologie u. s. w. 3. Hft. (Vgl. No. 7292.) Inh.: *Gall*, anatom. Beweise der Mehrheit der Seelen-Organe. (S. 227—248.) — *v. Struve*, das Denkvermögen. (—257.) — *Noel*, Traug. Jul. Schösberg, ein junges musikalisches Genie. (—272.) — *Hirschfeld*, Fälle krankhafter Erregung verschiedener Organe. (—280.) — *v. Struve*, Joh. Müller u. die Phrenologie; u. — üb. Urchristenthum, Protestantismus u. Katholicismus; u. — weitere Mittheill. üb. Phreno-Magnetismus. (—293. —303. —315.) — Bücherschau u. s. w. (—347.)

[8843] Pezzoni und Oppenheim, od. die Pest ist also doch contagiös u. die Quarantainen also doch nothwendig. Allen bei d. Pestquarantainen betheiligten Hohen Regierungen u. Behörden zu ernster Würdigung empfohlen von Dr. **Fr. Alex. Simon** jun., prakt. Arzt in Hamburg. Hamburg, Hoffmann u. Campe. 1843. VIII u. 212 S. gr. 8. (1 Thlr. 15 Ngr.)

[8844] Principles of Forensic Medicine. By **W. A. Guy**, M. B. Part 1. Lond., 1843. 184 S. 8. (4sh.)

[8845] *Die Hauptformen der Seelenstörungen in ihren Beziehungen zur Heilkunde nach der Beobachtung geschildert von **Max. Jacobi**. 1. Bd. Leipzig, Weidmann'sche Buchh. 1844. XL u. 822 S. gr. 8. (n. 4 Thlr.)

[8846] Le magnétisme animal, consideré comme moyen thérapeutique, son application au traitement de deux cas remarquables de névropathie, par **Ch. de Rasimont.** Paris, Germer-Baillière. 1843. 20½ Bog. gr. 8. (5 Fr.)

[8847] Mesmerism: its History, Phenomena, and Practice; with Reports of Cases developed in Scotland. By **Will. Lang.** Edinburgh, 1843. 252 S. gr. 8. (4sh. 6d.)

[8848] Annales de la chirurgie etc. Sept. (Vgl. No. 6551.) Inh.: *Jobert*, sur la grenouillette. (S. 5—17.) — *Debruyn*, sur les luxations du coude. (—100.) — *Laborie*, sur la valeur relat. des amputations partielles du pied. (—138.) — Revue chirurg etc. (—144.)

[8849] The Principles and Practice of Surgery, founded on the most extensive Hospital and Private Practice, during a Period of nearly Fifty Years. By the late Sir **A. Cooper**, Bart. Edited by *Alex. Lee*, M. D. Vol. 3. Lond., 1843. 773 S. gr. 8. (18sh.)

[8850] *Lehrbuch der operativen Medicin, begründet auf normale u. patholog. Anatomie von **J. F. Malgaigne**, Prof. d. med. Fac. zu Paris. Nach der 4. Aufl. d. Orig. aus d. Franz. übers. von Dr. *H. Ehrenberg*. Leipzig, Friedlein u. Hirsch. 1843. XXVIII u. 644 S. gr. 8. (3 Thlr.)

[8851] Die Reposition der Unterleibsbrüche u. richtige Anlegung der Bruchbandagen. Zur nöth. Kenntniss Bruchkranker kurz u. fasslich dargestellt von **Joh. Reichel**, Mechanikus u. Bandagist in Leipzig. Leipzig. (Bautzen, Reichel.) 1843. 93 S. gr. 8. (5 Ngr.)

[8852] *Die Krankheiten u. Missbildungen des menschl. Auges u. deren Heilung. Von Dr. K. Himly, o. Prof. d. Heilkunde an d. Univ. zu Göttingen u. s. w. Nach den hinterlass. Papieren desselben herausgeg. u. mit Zusätzen versehen von Dr. E. A. W. *Himly*, Prof. d. Heilk. an d. Univ. zu Göttingen u. s. w. 2 Bde. Berlin, Hirschwald. 1843. XVI u. 565, VIII u. 521 S. mit d. Bildnisse des Vfs. u. 5 Steintaff. Lex.-8. (8 Thlr. 15 Ngr.)

Geschichte.

[8853] Cours d'études historiques par **P. C. F. Daunou.** Tom. VI. Paris, F. Didot. 1843. 33½ Bog. gr. 8. (8 Fr.) Vgl. No. 1200 u. 3864.

[8854] *Lydiaca. Dissert. ethnographica. Scripsit **Theod. Menke.** Berolini. (Halis Sax., Lippert.) 1843. 56 S. gr. 8. (10 Ngr.)

[8855] *Phocaica. Dissert. philologica. Auctore **Fr. Guil. [illegible]**, Ph. Dr. AA. LL. M. Bonnae, Habicht. 1843. II u. 98 S. gr. 8. (10 Ngr.)

[8856] Histoire du peuple de Dieu, depuis son origine jusqu'à la naissance du Messie, par le **P. Berruyer.** 2. ed., corrigée et enrichie de notes par des directeurs du séminaire de Besançon. 2 Vols. Paris, Méquignon jun. 1843. 299¼ Bog. gr. 8. (30 Fr.)

[8857] État et progrès de la société au quinzième siècle par **M. Ed. de Laplane.** Digne, 1843. 5¾ Bog. gr. 8.

[8858] Histoire de la police de Paris par **Hor. Raisson.** 1667—1844. Paris, Levavasseur. 1843. 25½ Bog. gr. 8.

[8859] Histoire de la cathédrale de Metz, par **C. A. Begin.** Tom. II. Metz, 1842. 30 Bog. gr. 8.

[8860] Notes on the Ministry of Cardinal **B. Pacca**, Secret. of State to h. H. Pope Pius VII., from the 18th of June, 1808, to the Dethronement of the Pope by Buonaparte on the 6th of July, 1809; also, an Account of the Cardinal's Journey to Fontainebleau and Paris, and final Return to Rome on the 24th of May, 1814. Translated from the Italian of Card. Pacca. Dublin, 1843. 432 S. gr. 8. (10sh. 6d.)

[8861] *Geschichte der Eidgenossen während des 16. u. 17. Jahrhunderts von **L. Vulliemin.** Aus d. Franz. 2. Thl. (Auch u. d. Tit.: *Joh. v. Müller's*, *R. Glutz-Blotzheim's* u. *J. J. Hottinger's* Geschichten schweizerischer Eidgenossenschaft, fortges. von u. s. w. 9. Bd. Zürich, Orell, Füssli u. Co. 1844 VI u. 706 S. gr. 8.

[8862] *Uebersicht der Geschichte des österreichischen Kaiserthums von **Ign. Beidtel**, Dr. d. Rechte. Leipzig, Fr. Fleischer. 1844. 405 S. gr. 8. (1 Thlr. 20 Ngr.)

[8863] Der Krieg Oesterreichs gegen Frankreich, dessen Alliirte u. den Rheinbund im J. 1809. Oder ausführl. Geschichte d. Feldzüge in Deutschland, Italien, Polen u. Holland; der Insurrectionen Tyrols u. Vorarlbergs; der Aufstände in d. Altmark u. in Hessen und der Züge des *Herz. Wilhelm v. Braunschweig* u. des *Majors F. v. Schill* im J. 1809 von **Frz. Jos. Ado. Schneidawind.** 3. Bd. Schaffhausen, Hurter'sche Buchh. 1843. 299 S. gr. 8. (1 Thlr.)

[8864] Oberbayerisches Archiv für vaterländische Geschichte. Herausgeg. von dem histor. Vereine von u. für Ober-Bayern. 5. Bd. 1. Hft. München, Franz. 1843. 144 S. mit 3 Steintaff. gr. 8. (n. 20 Ngr.) Inh.: *A. Frhr. v. Gumppenberg*, Pfälzische Verträge mit Bayern. [19 Verträge von 1509—59.] (S. 3—47.) — *F. Würthmann*, ausgewählte Stellen aus U. Füetrer's ungedruckter Chronik von Bayern. (—86.) — *E. Geiss*, Beitr. zur Gesch. des Patriciergeschlechts der Ridler in München. (—115.) — *J. B. Prechtl*, geschichtl. Nachrichten üb. d. Hofmark Pasing bei München. (—134.) — Miscellen. (—144.)

[8665] Julius Echter von Mespelbrunn, Bisch. v. Würzburg u. Herz. v. Franken, von Dr. **Joh. Nep. Buchinger**, erstem Adj. im k. Reichsarchiv. Nebst des Bisch. Portr. u. Facsimile u. 4 radirten Steinzeichnungen in gr. 4. Würzburg, Voigt u. Mocker. 1843. VI u. 395 S. gr. 8. (2 Thlr. 26 1/5 Ngr.)

[8666] Geschichte der Stadt Erlangen von ihrem Ursprunge unter d. fränk. Königen bis zur Abtretung an die Krone Bayern. Nach Urkunden u. amtl. Quellen bearb. von Dr. **Fd. Lammers**, erstem Bürgermeister d. St. Erlangen. 2. Ausg. Erlangen, Bläsing. 1843. VIII u. 252 S. mit 1 Stahlst. u. 3 Lith. gr. 8. (1 Thlr.)

[8667] **Justus Möser's** sämmtl. Werke. Neu geordnet u. aus dem Nachlasse desselben gemehrt durch *B. R. Abeken*. 6. Thl. (Auch u. d. Tit.: Osnabrückische Geschichte von *J. Möser* u. s. w. 1. Thl.) Berlin, Nicolaische Buchh. 1843. XXVI u. 343 S. gr. 8. (n. 25 Ngr.)

[8668] Archiv für Staats- u. Kirchengeschichte der Herzogthümer Schleswig, Holstein, Lauenburg u. der angrenz. Länder u. Städte. Herausgeg. von der S.-H.-L. Gesellschaft für vaterländ. Geschichte. 5. Bd. Altona, Hammerich. 1843. XX u. 603 S. gr. 8. (3 Thlr.) Vgl. Rep. d. ges. deutsch. Lit. Bd. IV. No. 1356 u. Bd. XV. No. 326. Inh.: *Lemmerich*, die Herrschaft Breitenburg. (S. 1—173.) — *Leverkus*, Auszug aus dem Urkundenbuche der Karthause zu Arensbök. (—247.) — Ders., Notizen üb. das Hochstift Lübeck in den 3 letzten Monaten vor dem Tode des Bisch. Heinrich im J. 1535. (—278.) — *Schröder*, Versuch e. Gesch. des Münsterdorfischen Consistoriums im Herz. Holstein. (—416.) — *Jensen*, üb. den liber censualis Episcopi Slesvicensis. (—442.) — *Kalkar*, Isabella v. Oesterreich, Gemahlin Christierns II., Königin von Dänemark. (—519.) — Bemerkk. u. Miscellaneen von *Falck* u. *Ratjen*. (—602.)

Schul- und Unterrichtswesen.

[8669] État de l'instruction moyenne en Belgique, rapport présenté aux Chambres législatives le premier mars 1843 par M. **Nothomb**, ministre de l'intérieur. Bruxelles, 1843. CLX u. 636 S. gr. 8.

[8670] Schulreden nebst einer Abhandlung über Schulfeierlichkeiten als Einleitung von Dr. **C. Fr. W. Clemen.** Cassel, Hotop. 1843. IV u. 131 S. gr. 8. (20 Ngr.)

[8671] Die Emancipation der Schule von d. Kirche in ihrer geschichtl. Entwicklung betrachtet von **E. A. Lilie**, Collab. an d. Gelehrtensch. in Kiel. Kiel, Schwers'sche Buchh. 1843. 120 S. gr. 8. (17 1/2 Ngr.)

[8672] Analytische Betrachtungen über Lilie u. Anti-Lilie. Der holstein. Central-Schullehrer-Conferenz zugeeignet von **J. N. Gross**, Elementarlehrer zu Itzehoe. Itzehoe. (Altona, Aue's Buchh.) 1843. 36 S. gr. 8. (5 Ngr.

[8673] *Die Hebung des Gemeinsinns durch den Unterricht; ein Wort an Alle, die den Fortschritt der Moralität wünschen. Nebst e. Anhange, betr. die ausserhalb der Pädagogik liegenden Bedingungen d. Gemeinsinns u. eine über die allgem. Schule hinausgehende moralisch-polit. Volksbildung, von **Karl Kleinpaul**, Dr. phil., Lehrer an d. Armensch. in Leipzig. Leipzig, O. Wigand. 1843. X u. 76 S. gr. 8. (12 Ngr.)

[8674] Nothwendige Ergänzungen der von Hrn. Dr. Richter angezogenen Stellen aus des Hrn. Dr. Diesterweg's Schriften. Nebst einigen verwandten Zeugnissen von **E. Langenberg**, Lehrer in Kronenberg. Leipzig, O. Wigand. 1844. V u. 165 S. gr. 8. (20 Ngr.)

[8875] Erstes Lesebuch von **Jos. Baader**, Pfr. u. Districts-Schulen-Insp. Augsburg, Kollmann. 1843. 46 S. 8. (2 Ngr.)

[8876] Der kleine Schriftleser, od. Uebungsstücke für das Lesen verschiedener Handschriften, nebst vielen Aufgaben zur Anleit. im Anfertigen schriftlicher Aufsätze, Briefe u. s. w., sowie Erklärungen vieler Fremdwörter. Ein Lese- u. Uebungsbuch f. Elementarschüler von **P. J. Brunner**, Lehrer zu Gartrop. Wesel, Bagel. 1843. VIII u. 80 S. gr. 8. (6 Ngr.)

[8877] Fibel für den gemeinschaftlichen Laut-Lese-Unterricht in den Elementarschulen Deutschlands von **J. G. Fehr.** 2. gänzl. umgearb. Aufl. der prakt. Lautir- und Lesefibel dess. Vfs. Nördlingen, Beck. 1843. 32 S. 8. (2 Ngr.)

[8878] Grundriss der Fibel nebst einigen Winken für Lehrer von **J. G. Fehr.** Ebendas., 1843. 12 S. 8. (1⅕ Ngr.) Wandfibel hierzu, 1 Bog. (1⅕ Ngr.)

[8879] Hamburgisches ABC u. Lesebuch zum Unterricht u. zur Erholung für artige u. fleissige Knaben u. Mädchen von **C. L. Gutmann.** Hamburg. Bödecker. 1843. IV u. 114 S. mit 6 gemalten Kpfrn. 8. (7½ Ngr.)

[8880] Elementar-Lesebuch für d. Schreib-Lese-Unterricht von **J. Hillebrand,** Lehrer in Bingen. 1. Cursus: Lesebuch für das erste Schuljahr. 2. Aufl. Mainz, Faber'sche Buchh. 1843. 48 S. 8. (2½ Ngr.)

[8881] Fibel oder Elementarbuch f. den ersten Unterricht im Lesen nach d. Lautirmethode von **M. Sierck.** 3. verm. Aufl. Kiel, Schwers'sche Buchh. 1843. 157 S. 8. (3⅓ Ngr. Geb. 6⅓ Ngr.)

[8882] Ausführliche Anweisung zum Lese- u. Schreibunterrichte in Verbindung mit d. Orthographie von **H. Stypmann**, Elementarlehrer in Rostock. Rostock, Leopold. 1843. VI u. 157 S. gr. 8. nebst 1 lithogr. Beil. in Fol. (15 Ngr.)

[8883] Der Kinderfreund, ein Buch für Elementarschulen. Enth. I. Erzählungen u. Gedichte zur Uebung im Lesen, Denken u. Erzählen. II. Bibelsprüche u. Verse zum Auswendiglernen u. zu relig. Unterhaltungen. III. Materialien zu Aufsätzen für d. bürgerl. Leben. IV. 80 ein-, zwei- u. dreistimmige Lieder in Ziffern. (Von *F. Lüdeking.*) Lemgo, Meyer'sche Hofbuchh. 1843. X u. 214 S. 8. (10 Ngr.)

[8884] Elementar-Lesebuch von **Jul. Püschel**, Lehrer in Grünberg. Grünberg. (Guben, Berger.) 1843. IV u. 164 S. 8. (5 Ngr.)

[8885] Erstes Lesebuch für Elementarschulen von **J. C. Scholderer**, Lehrer an der Musterschule zu Frankfurt a. M. 2. verb. u. verm. Aufl. Frankfurt a. M., Jäger'sche Buchh. 1843. VIII u. 256 S. gr. 12. (15 Ngr.)

[8886] Deutsches Lesebuch für unt. u. mittlere Gymnasial-Classen u. Bürgerschulen. 4. verm. Aufl. Trier, Lintz. 1843. 396 S. gr. 8. (1 Thlr.)

[8887] Deutsches Lesebuch für Gymnasien u. Realschulen von **Dr. Nic. Bach,** Dir. d. Gymn. zu Fulda. 2. revid. Aufl. Leipzig, Einhorn. 1843. gr. 8. Untere Lehrstufe: 1. Abthl. (Sexta). VI u. 225 S. (15 Ngr.) 2. Abthl. (Quinta). VI u. 237 S. (15 Ngr.) Mittlere Lehrstufe: 1. Abthl. (Quarta). VII u. 360 S. (22½ Ngr.) 2. Abthl. (Tertia) X u. 524 S. (1 Thlr.)

[8888] Christenlehren üb. d. ersten Unterricht von Gott für die lieben Kleinen von **Alb. Schäffler**, Stadtkaplan in Neuburg a. d D. 3 Bdchn. Regensburg, Manz. 1843. XV u. 145, XVI u. 226, XII u. 127 S. 8. (1 Thlr. 10 Ngr.)

[8889] Christlich-evangelische Religionslehre für Confirmanden u. confirmationsfähige Schüler, auf Grundlage der luth. fünf Hauptstücke u. mit Bibelsprüchen versehen von **Chr. A. Berkholz**, Oberpastor an d. Kronskirche zu St. Jacob in Riga. Riga, Deubner. 1843. 95 S. 8. (19 Ngr.)

[8090] Stunden der Andacht für Kinder von 10—14 Jahren unter Anleitung v. Aeltern u. Lehrern von **Amalie Winter.** Leipzig, Baumgärtner. 1843. VI u. 162 S. nebst 1 Stahlst. gr. 12. (15 Ngr.)

[8091] Confirmandenbüchlein für die Jugend evangelischer Gemeinden. 5. Aufl. Mannheim, Schwan u. Götz. 1843. 70 u. 10 S. 8. (5 Ngr.)

[8092] Realkunde, od. das Wissenswürdigste aus der Natur-, Erd- u. Menschenkunde. Für das Bedürfniss der höh. Volksschulen, niedern Real- u. Bürgerschulen bearb. von **Fr. Th. Vernaleken.** 1. Abthl.: Himmelskunde od. math. Geographie. Mit Abbildd. 2. Abthl.: Menschen- u. Thierkunde. In 3 Lehrstufen. St. Gallen, Huber u. Co. 1842, 43. 53 S. u. 3 lith. Taff., VIII u. 106 S. 8. ($7\frac{1}{2}$ u. $12\frac{1}{2}$ Ngr.)

[8093] Historisches u. hist.-geographisches Lehr- u. Lesebüchlein für deutsche Schulen von **L. Kraussold**, Pfr. u. Schul-Insp. Nürnberg, Korn'sche Buchh. 1843. IV u. 48 S. 8. ($2\frac{1}{2}$ Ngr)

[8094] Aufgaben aus der Gesch. u. Geographie zur Uebung der Denkkraft u. zur leichtern Einprägung des Wichtigsten aus d. Welt- u. sächs. Geschichte, aus d. allgem. u. vaterländ. Geographie für Bürger- u. Volksschulen von **C. A. Fr. Mohr**, Oberpfr. zu Colditz. Leipzig, Klinkhardt. 1844. 4 u. 76 S. gr. 8. ($6\frac{1}{2}$ Ngr.) Beantwortung derselben. 96 S. gr. 8. ($7\frac{1}{2}$ Ngr.)

[8095] Abriss der Geographie des Grossherz. Hessen. Zugl. eine Zugabe zu Dr. *Schacht's* kleiner Schulgeogr. Für die Volksschulen nach seiner geogr.-hist.-statist. Beschreibung des Grossherzogthums entworfen von **Fr. A. Schäffer**, Lehrer an d. höh. Gewerb- u. Realsch. zu Darmstadt. Mainz, Kunze. 1843. 31 S. gr. 8. ($3\frac{1}{4}$ Ngr.)

[8096] Merkwürdige Begebenheiten aus der allgem Weltgeschichte. Für d. ersten Unterricht in d. Geschichte, besonders f. Bürger- u. Landschulen von **G. G. Bredow.** 24. verb. Aufl. Altona, Hammerich. 1843. 124 S. 8. (5 Ngr.)

[8097] Ueber Wesen und Einfluss des Geschichtsunterrichtes auf höh. Lehranstalten, namentlich auf Realschulen von Dr. **Karl Grün.** Weilburg, Lanz. 1843. 34 S. gr. 8. (5 Ngr.)

[8098] Lehrbuch der Staatengeschichte des Alterthums u. d. neuern Zeiten für obere Classen d. Gymnasien von **Chr. Fr. Fd. Haacke**, Dir. d. Gymn. zu Stendal. 2. Thl.: Mittlere u. neue Geschichte. 5. verb. Aufl. Stendal, Franzen u. Grosse. 1843. XVI u. 450 S. gr. 8. (1 Thlr.)

[8099] Lehrbuch der Weltgeschichte für Gymnasien von Dr. **J. Chr. K. Hofmann**, ord. Prof. d. Theol. zu Rostock. 1. Hälfte: Die Welt vor Christo. 2. Aufl. Nördlingen, Beck. 1843. X u. 214 S. gr. 8. (20 Ngr.)

[8100] Lehrbuch der Weltgesch. für Gymnasien u. höh. Bürgerschulen von **Th. B. Welter**, Prof. am Gymn. zu Münster. 1. Thl.: Die alte Geschichte. 6. verm. u. verb. Ausg. 3. Thl.: Die Geschichte d. neuern u. neuesten Zeit. 5. verm. u. verb. Aufl. Münster, Coppenrath'sche Buchh. 1843. XVI u. 357, VI u. 396 S. gr. 8. (15 u. 20 Ngr.)

[8101] Lehrbuch der mittleren Geschichte f. Schulen u. Familien von **J. M. Fick**, Priester u. vorm. Lehrer am k. b. Schullehrersem. v. Schwaben u. Neuburg. München, Lentner'sche Buchh. 1843. XVI u. 316 S. gr. 8. (25 Ngr.)

[8102] Die Erde. Ein Lehr- und Lesebuch für die Schule u. das Volk von **H. Süskind**, Pfr. in Suppingen. I. allgem. Thl.: Von dem Leben d. irdischen Natur. Blaubeuren, Mangold'sche Buchh. 1843. XVI u. 152 S. nebst 1 lith. Taf. 8. (10 Ngr.)

[8103] Lebensspiegel. Ein deutsches Lesebuch für Schule und Haus von Dr. **R. Sartorius.** 2. Abthl.: Das Buch der Natur. Breslau, Leuckart. 1843. 326 S. gr. 8. (17½ Ngr.)

[8104] Volks-Naturlehre od. das Wissenswertheste von d. Ursachen u. Wirkungen in d. Natur. Zum Gebr. für niedere Volks-, besond. für Landschulen u. zur Belehrung für d. Bürger u. Landmann, mit Berücksichtigung der neuesten Beobachtungen u. Erfindungen von **F. A. K. Thamius**, Lehrer in Eisenberg. Leipzig, Franke. 1843. 119 S. 8. (5 Ngr.)

[8105] Der Mensch und die Thierwelt. Ein Bilderbuch mit erklär. Text, deutsch u. französisch. Neue, ganz umgearb. Aufl. Esslingen, Schreiber. 1843. 22 S. Text u. 22 illum. Taff. Fol. (1 Thlr. 15 Ngr.)

[8106] Methodischer Leitfaden zum gründl. Unterricht in d. Naturgeschichte für höh. Lehranstalten von **J. F. A. Eichelberg**, Prof. der Naturgesch. in Zürich. 1. Thl.: Thierkunde. 2. umgearb. u. verm. Aufl. Zürich, Meyer u. Zeller. 1843. VIII u. 216 S. gr. 8. (10 Ngr.)

[8107] Die Elemente der Naturlehre. Durch die gewöhnlichsten Spiele der Jugend gelehrt. Aus d. Franz. übers. von Prof *Geo Klesling.* 2. Bd. Stuttgart, Hallberger. 1843. 236 S. 8. (1 Thlr. u. 1 Thlr. 11⅕ Ngr.)

[8108] Praktisches Rechnenbuch für Elementarschulen. Ein Uebungsbuch für Anfänger im Rechnen. Zunächst für Ostfrieslands Schulen bearb. von **Fr. Müring.** Leer, Prätorius u. Seyde. 1843. VIII u. 88 S. 8. (5 Ngr.)

[8109] Das Kopf- u. Denkrechnen. Durch einige Tausend methodisch geordneter, mit Andeutungen zum bild. Gebrauche versehener Aufgaben. Für Mittel- u. Oberclassen von **J. Fr. Heuner.** 3. verb. u. sehr verm. Aufl. Würzburg, Voigt u. Mocker. 56 S. gr. 8. (3⅓ Ngr)

[8110] Die Elemente der Geometrie, nebst e. geordneten Stufengange von 80 Aufgaben aus d. Constructions-, Verwandlungs- u. Theilungslehre. Für Schulen u. zum Privatunterr. Nach einem neuen u. erleichternden Systeme bearb. von **J. G. Habitzel**, Lehrer u. Geometer. Schaffhausen, Hurter-sche Buchh. 1843. 104 S. u. 33 lith. Taff. gr. 12. (20 Ngr.)

[8111] Zweiter Cursus der Planimetrie für Gymnasien u. Realschulen von Dr. **Aug. Wiegand**, ord. Lehrer der Math. an d. Realschule zu Halle. Halle, Lippert. 1843. XII u. 82 S. mit 2 Kpfrtaff gr. 8. (10 Ngr.)

[8112] Musterblätter zur Ausbildung im Schönschreiben für Gewerbe-, Sonntags- u. Bürgerschulen. Eine Sammlung Aufsätze, mit besond. Berücksichtigung der Schreibart im bürgerl. Geschäftsverhältnisse von **Gust. Schulz**, Lehrer in Schwaan. 1. u. 2. Abthl. Berlin, Winckelmann u. Söhne. 1843. Jede 18 lith. Bl. in kl. Fol. (à 15 Ngr)

[8113] Bemerkungen über die Stahlfeder u. ihren Gebrauch. Für das schreibende Publicum von **Hm. Drescher**, Lehrer in Cassel. Cassel, Fischer. 1843. 42 S. gr. 8. (7½ Ngr.)

[8114] Anfangsgründe zum Zeichnen für Volksschulen. 3. Heft, enth. 47 leichte Vorlegeblätter. Berlin, Winckelmann u. Söhne. 1843. Qu.-8. (15 Ngr.)

[8115] Neueste Zeichnen-Schule zum Gebrauch für Stadt- u. Land Schulen, wie auch zum Selbstunterricht anwendbar von **H. Mützel.** 2. Heft a. und b. Ebendas, 1843. Jedes 12 Bl. Landschaftszeichnungen in 4. (à 10 Ngr.)

[8116] Praktische Gesangschule für den öffentlichen u. häusl. Unterricht. 1. Curs. Jena. (Leipzig, Böhme.) 1843. 40 S. 8. (5 Ngr.)

[8117] Theoretisch-praktische Anleitung zum gemeinschaftl. Gesangunterrichte in Volks- u. and. Lehranstalten von **Geo. Wichtl**, fürstl. Hohenzoll. Kammermus. u. Gesanglehrer in Hechingen. Nebst 84 neuen ein-, zwei- und dreistimmigen Liedern und Gesängen. (In 4 Abthll.) 1. u. 2. Abthl. Stuttgart, Erhard. 1843. 4¼ u. 2½ Bog. gr. 8. (6⅔ u. 5 Ngr.)

[8118] Elementarbuch für den deutschen Sprachunterricht in analyt. Methode mit vielen Uebungsstücken u. e. angehängten deutschen Lesebuche von **Geo. Diechhoff.** Münster, Theissing'sche Buchh. 1843. XII u. 161 S. 8. (8¼ Ngr.)

[8119] Deutsche Sprachlehre nach der geistbildenden Methode von **Ant. Heilingbrunner** sen., Schullehrer in Wasserburg. 2 Abthl. für Schüler der 3. Elementar-Classe. 3. verb. Aufl. Regensburg, Manz. 1843. 96 S. 8. (3⅘ Ngr.)

[8120] Handbuch üb. deutsche Sprache u. Orthographie in Verbindung mit method. Stylübungen, zum Gebr. in Volksschulen u. in Elementarclassen der lat. u. Real-Lehranstalten von **J. G. Brude**, Schullehrer in Cannstadt. Stuttgart, Belser'sche Buchh. 1843. X u. 262 S. gr. 8. (25 Ngr.)

[8121] Neues Taschen-Fremdwörterbuch, enth. über 4000 fremde Wörter u. Redensarten mit Angabe ihrer richtigen Aussprache. Ein Hand- u. Nachschlagebuch für Jedermann. Herausgeg. von **Dr. C. D. Adelung.** 3. Aufl. Hamburg, Berendsohn. 1843. 153 S. 16. (3⅓ Ngr.)

[8122] Neuestes und vollständigstes Fremdwörterbuch von Dr. **Jac. H. Kaltschmidt.** Leipzig, Brockhaus. 1843. 832 S. gr. 8. (2 Thlr. 12 Ngr.)

[8123] Neuer praktischer Briefsteller für das geschäftliche u. gesellige Leben von Dr **L. Kiesewetter.** Glogau, Flemming. 1843. VIII u. 344 S. gr. 8. (15 Ngr.)

[8124] Anleitung zum Briefschreiben und zu Aufsätzen aus d. Geschäftsleben für Sonntagsschulen u. zum Selbstunterricht von **A. Zeisiger.** Berlin, Oehmigke's Buchh. (Bülow.) 1843. 80 S. 8. (5 Ngr.)

[8125] Die Gratulanten. Eine Sammlung von auserles. Glückwünschen und Briefen an Neujahrs-, Geburts- u. Namenstagen für Kinder. 3. verb. u. verm. Aufl. Nürnberg, Zeh'sche Buchh. 1843. 78 S. 8. (5 Ngr.)

[8126] Beleuchtung des Ruthardt'schen Vorschlags u. Planes einer äussern u. innern Vervollständigung der grammatikal. Lehrmethode von Dr. **Carl Peter**, herz. S. Mein. Gymnasialdir. u. Schulrath. Leipzig, Reclam sen. 1843. 46 S. gr. 8. (10 Ngr.)

[8127] Lateinische Sprachlehre f. Schulen von Dr. **J. N. Madvig**, Prof. an d. Univ. in Copenhagen. Braunschweig, Vieweg u. Sohn, 1844. VII u. 481 S. gr. 8. (1 Thlr. 10 Ngr.)

[8128] Bemerkungen über verschiedene Puncte des Systems der latein. Sprachlehre u. einige Einzelheiten ders. von Dr. **J. N. Madvig.** (Als Beilage zu seiner latein. Sprachlehre f. Schulen.) Ebendas., 1844. 68 S. gr. 8. (10 Ngr.)

[8129] **Aelii Antonii** Nebrissensis de institutione grammaticae libri quinque. A. Pet. del Campo et Lago. Nova edit. Bordeaux, Laplace. 1843. 10 Bog. gr. 12.

[8130] Aufgaben zur Einübung der lateinischen Grammatik von **O. Schulz.** 9. Aufl. Berlin, Rücker u. Püchler. 1843. 154 S. 8. (11⅓ Ngr.)

[8131] Lehr-Cursus der latein. Sprache od. vollst. lateinisches Elementarbuch von **W. Hm. Blume**, Dr. d. Th. u. Phil., Director u. Prof. der k. Ritter-Akad. zu Brandenburg. 1. Thl.: Lateinisches Elementarbuch 1. Thl. (zum Uebersetzen aus dem Lateinischen in das Deutsche). 2. Thl.: Lat. Elementarbuch 2. Thl. (Uebungen im Uebersetzen aus d. Deutschen in das Lateinische). 6. sehr verm. u. sehr verb. Aufl. Potsdam, Riegel. 1843. VIII u. 157, IV u. 90 S. gr. 8. (10 u. 5 Ngr., 22½ Ngr. f. 3 Thle.) Vgl. No. 6161.

[8122] Lateinische Chrestomathie für mittlere Abtheilungen gelehrter Schulen von **G. Klaiber**, Prof. am ob. Gymn. zu Stuttgart. Mit 3 Karten der alten Welt. 2. verb. Aufl. Stuttgart, Metzler'sche Buchh. 1843. XXII u. 462 S. 8. nebst 3 Karten in 4. (27½ Ngr.)

[8123] Chrestomathia latina in usum auditorum philosophiae anni primi et secundi. Editio emend. et correctior. Viennae, Gerold. 1843. XX u. 463 S. 8. (1 Thlr. 10 Ngr.)

[8124] Grammatisch geordnete Stoffsammlung zu latein. Memorirübungen von Dr. **J. Spiller**, Lehrer am Gymn. zu Gleiwitz. Breslau, Leuckart. 1844. VIII u. 96 S. 8. (7½ Ngr.)

[8125] Theorie des latein. Styls von **C. J. Grysar**. 2. durchaus umgearb. u. stark verm. Aufl. Cöln, Schmitz. 1843. XVI u. 447 S. gr. 8. (1 Thlr. 10 Ngr.)

[8126] Lateinisch-deutsches Schulwörterbuch in etymolog. Ordnung von Dr. **E. Kärcher**, grossh. Bad. Geh. Hofrath, Dir. d. Carlsruher Lyceums u. s. w. 3. verb. Aufl. Stuttgart, Metzler'sche Buchh. 1843. IV u. 343 S. gr. 8. (15 Ngr.)

[8127] Maienglöcklein. Der christlichen Jugend gepflückt von **Ant. Bauer**. Durchgesehen u. mit e. Vorworte begl. vom Vf. von „Pater Edmund's Erzählungen u. Volkssagen". Augsburg, Lampart u. Co. 1843. 144 S. mit 1 Stahlst. 8. (11¼ Ngr.)

[8128] Reinhold's Abend-Erzählungen in d. Gartenlaube zu Lilienthal. Ein Lesebuch f. d. reifere Jugend von **Aug. Edm. Engelbrecht**. Passau, Ambrosi. 1843. 184 S. mit 1 Kupf. gr. 12. (11¼ Ngr.)

[8129] Neuer Fabelschatz oder 101 Fabeln mit Bildern. Chur, Grubenmann. 1843. 110 S. mit 31 (eingedr.) Abbildd. 8. (10 Ngr.)

[8140] Prinzessin Aschenbrödel. Ein Kindermährchen, neu erzählt von **J. G. Fels**. Ebendas. 1843. 18 S. 8. (7½ Ngr.)

[8141] Lichtbilder des ernsten u. heitern Jugendlebens. Ein Buch zur Lehre u. Unterhaltung für Knaben von 6 bis 10 J. von **Carl Glocke**. Berlin, Winckelmann u. Söhne. 1843. 136 S. mit 8 illum. Bildern. 8. (15 Ngr.)

[8142] Kinder- und Hausmährchen von den Brüdern **Grimm**. Grosse Ausgabe. 5. stark verm. u. verb. Aufl. 1. Bd. Göttingen, Dieterich'sche Buchh. 1843. XXXIV u. 505 S. gr. 18. (1 Thlr.)

[8143] Gulliver's Reise in das Land der kleinen Leute von Lilliput. Chur, Grubenmann. 1843. 30 S. mit eingedr. col. Bildern. 8. (12½ Ngr.)

[8144] Der kleine Vater und das Enkelkind. Eine Erzählung für Kinder von **Thekla v. Gumpert**. Berlin, A. Duncker. 1843. IV u. 208 S. mit 2 Abbildd. gr. 8. (1 Thlr. 5 Ngr.)

[8145] Aschenputtel. Ein altes Mährchen, neu erzählt von **Gust. Holting**. Berlin, Winckelmann u. Söhne. 1843. 24 S. mit eingedr. u. col. Bildern. 8. (7½ Ngr.)

[8146] Die Feierabende in Mainau von **Fr. Jacobs**. 2. verb. Aufl. Leipzig, Dyk'sche Buchh. 1843. 460 S. mit 3 Stahlst. gr. 16. (1 Thlr. 7½ Ngr.)

[8147] Liebesgabe. Enth.: Erzählungen, Mährchen, Gedichte u. kleine Schauspiele für Knaben u. Mädchen von 6 bis 10 J. von **Paul Jonas**, geb.

Ewald. Berlin, Winckelmann u. Söhne. 1843. 159 S. mit 8 illum. Bildern. 8. (20 Ngr.)

[8148] Veilchen. Enth.: Erzählungen, Mährchen, Gedichte u. kleine Schauspiele für Kinder von 8 bis 12 J. von **P. Jonas**, geb. *Ewald.* Ebendas., 1843. 152 S. mit 8 illum. Bild. 8. (20 Ngr.)

[8149] Knospen. Erzählungen, Gedichte und Mährchen für Knaben von 7—11 J. von **Rosalie Koch.** Ebendas., 1843. 264 S. mit 9 illum. Bild. gr. 16. (20 Ngr.)

[8150] Vergissmeinnicht. Erzählungen, Gedichte u. Mährchen für Mädchen von 7—11 J. von **Rosalie Koch.** Ebendas., 1843. 285 S. mit 9 illum. Bildern. gr. 16. (20 Ngr.)

[8151] Peter Glückfeld, der gebesserte Müssiggänger, od. die Reise nach einem fremden Stern. Eine unterhalt. Erzählung für d. Jugend von **Phil. Körber.** Nürnberg, Zeh. 1843. 190 S. mit 1 Stahlst. 8. (12½ Ngr.)

[8152] Lehren der Weisheit und Tugend. Ein Cyklus sorgfältig ausgewählter moral. Erzählungen deutscher Dichter zur Bildung d. jugendl. Herzen in zweckmäss. Stufenfolge. Herausgeg. von *Pax* u. *Schultz.* Glogau, Flemming. 1843. VIII u. 296 S. 8. (7½ Ngr.)

[8153] Die letzten Tage von Pompeji von **Lemercier.** Für die reifere christl. Jugend aus d. Franz. von *Rob. della Torre.* Auch u. d. Tit.: Bibliothek für d. reifere christl. Jugend. 3. Bd. Augsburg, Lampart u. Co. 1843. 236 S. mit 1 Stahlst. 8. (20 Ngr.)

[8154] Ludwig, der kleine Auswanderer. Eine Erzählung für Kinder u. Kinderfreunde von d. Vf. der „Ostereier". 2. verb. Originalaufl. (Der „neuen Erzählungen" 3. Bdchn.) Regensburg, Manz. 1843. 165 S. 12. (6¼ Ngr.)

[8155] Wahrheit u. Dichtung. Erzählungen f. d. reifere Jugend von **J. F. Meyer**, Lehrer an d. k. Realschule. Berlin, Winckelmann u. Söhne. 1843. VI u. 268 S. mit 8 illum. Bildern. br. 8. (1 Thlr. 10 Ngr.)

[8156] Ein Büchlein für Kinder von **Pocci.** Schaffhausen, Hurter'sche Buchh. 1834. 108 S. 16. (7½ Ngr.)

[8157] Robert und seine Gefährten. Eine Erzählung für die Jugend vom Vf. des „Robinson Crusoe" nach d. Engl. Stuttgart, Belser'sche Buchh. 1843. 164 S. mit 1 illum. Kupf. gr. 16. (15 Ngr.)

[8158] Vier Erzählungen. Aus d. Franz. von **Nap. Roussel.** Strassburg, Wwe. Levrault. 1843. 142 S. mit schwarzem Titelkupf. 12. (6⅔ Ngr. Mit col. Titelk. 10 Ngr.) Inh.: Adolph u. Jacob. — Die Königin. — Der kleine Kaminfeger. 2. Thl. — Die Geschwister. 2. Thl.

[8159] Schicksale eines Waisenmädchen. Der Jungfernsprung bei Dahn. Zwei Erzählungen f. christl. Familien u. bes. für d. reifere Jugend. Vom Vf. des „verführten Jünglings" u. s. w. Augsburg, Lampart u. Co. 1843. 115 S. mit 1 Titelkupf. 8. (1 Thlr. 10 Ngr.)

[8160] Die Schildbürger. Eine abentheuerliche, wunderseltsame Geschichte zur fröhl. Unterhaltung d. Jugend. Leipzig, Baumgärtner. 1844. 15 S. mit 10 col. Bildern. Qu.-8. (10 Ngr.)

[8161] Die ernsten Stunden eines Jünglings. Aus d. Franz. Münster, Deiters. 1843. VI u. 242 S. 18. (1 Thlr. 10 Ngr.)

[8162] Mädchenspiegel. Lebensbeschreibungen u. einzelne Züge aus d. Leben von Frauen u. Mädchen, die sich durch Tugenden, Künste u. Wissenschaften, Tapferkeit u. Heldenmuth ausgezeichnet haben, von **Is. Täuber.** Wien, Mausberger. (Leipzig, Hunger.) 1843. 190 S. mit 1 Stahlst. 8. (20 Ngr.)

[8163] Unterhaltung in Liedern u. Bildern für gute Kinder von **Wilh. Liebreich.** Chur, Grubenmann. 1843. 12 Blätter mit illum. Bild. u. Text. 8. (7½ Ngr.)

Linguistik.

[8164] Vollständige, die möglichste Erleichterung d. Unterrichts u. d. Sprechens bezweckende prakt. deutsch-englische Sprachlehre von **W. von Schlözer.** Hamburg. (Altona, Blatt.) 1843. XIV u. 465 S. gr. 12. (1 Thlr. 10 Ngr.)

[8165] **T. Robertson's** Handbuch zu Erlernung u. Uebung der engl. Sprache in 47 prakt.-theoretischen Lectionen mit e. erklär. Einleitung u. e. ergänz. Anhange zum öffentl. u. Privatgebr., insbesond. zum Selbstunterr. für Deutsche bearb. von *Geo. Steinbeis.* Heilbronn, Flammer. 1843. VIII u. 288 S. 8. (1 Thlr.)

[8166] Paradigmen zur engl. Formenlehre für d. ersten Unterricht in dieser Sprache. Gotha, Müller. 1843. 26 S. gr. 8. (5 Ngr.)

[8167] Englische und deutsche Gespräche, nebst e. vergleich. Uebersicht d. Grammatik u. d. Idioms beider Sprachen. Zum Gebrauch beider Nationen von **J. H. Hedley.** 2. Aufl. Leipzig, Hartung. 1843. XII u. 338 S. br. kl. 8. (26⅔ Ngr.)

[8168] Uebungen im Sprechen u. Schreiben d. engl. Sprache. Als weitere Entwickelung d. prakt. Anweisung zu e. naturgem. u. schnellen Erlernung d. englischen Sprache von M. **Fr. Wilh. Thieme.** (In drei Cursus.) 3. Cursus. Berlin, Klemann. 1843. 168 S. 8. (10 Ngr.) Vgl. No. 4995.

[8169] **Rabenhorst's** Pocket Dictionary of the German and English Languages. By *G. H. Noehden*, LL. D. Ph. D. 5. edit., materially improved by *D. Boileau.* Lond., 1843. 860 S. gr. 8. (n. 7sh.)

[8170] Ueber den römischen Ursprung der französischen Sprache. Von **Dr. A. Rein,** Rector, und **Hugo Kopstadt,** Lehrer d. franz. Sprache an d. höhern Stadtschule zu Crefeld. Crefeld, Funcke. 24 S. 4. (7½ Ngr.)

[8171] Praktischer Lehrgang zur schnellen u. leichten Erlernung d. franz. Sprache von **Dr. F. Ahn,** Vorsteher e. Erziehungsanstalt in Aachen. 1. Cursus. 14. Aufl. 2. Cursus. 4. stark verm. Aufl. Cöln, Du Mont-Schauberg. 1843. 130, VIII u. 135 S. gr. 12. (à 7½ Ngr.)

[8172] Rudiments de la langue franç. à l'usage des écoles allem. par **J. L. Girard.** I. partie: Tableaux. 2. édit. II. partie: Exercices de phraséologie. Basle, Schneider. 1843. 83, 72 u. 28 S. gr. 8. (5 u. 7½ Ngr.)

[8173] **J. H. P. Seidenstücker's** Elementarbuch zur Erlernung der franz. Sprache. 1. Abthl. oder No. I. 12. Aufl. Hamm, Schulz. 1843. IV u. 92 S. 8. (7½ Ngr.)

[8174] Grammatisches Frage- u. Antwortbuch zum Gebrauch für Deutsche, welche die französ. Sprache in d. möglichst kürzesten Zeit gründlich erlernen u. sich selbst zu strengen od. Lehramts-Prüfungen vorbereiten wollen. Nach d. Anforderungen d. Zeit u. d. Sprachwiss. bearb. von **Fd. Lp. Rammstein,** a. öff. Prof. d. franz. Sprache u. Lit. zu Prag. 1. Cursus. Prag, (Scheib). 1843. XVI u. 416 S. gr. 8. (1 Thlr.)

[8175] Die französische Conjugation nebst e. Versuche üb. die Bildungsgesetze d. franz. Sprache von **H. Kurz.** Zürich, Meyer u. Zeller. 1843. XVI u. 124 S. gr. 8. (20 Ngr.)

[8176] Die Negation in d. franz. Sprache. Wissenschaftl. abgehandelt von

Aug. Seitz, Oberl. am Progymn. zu Norden. Emden, Rakebrand. 1843. IV u. 91 S. gr. 8. (11⅓ Ngr.)

[8177] Traité de l'accent, appliqué à la théorie de la versification par **F. Ackermann.** 2. édit. Berlin, Asher u. Co. 1843. XXIV u. 72 S. gr. 12. (10 Ngr.)

[8178] Der geschickte Franzose, od. die Kunst, ohne Lehrer in zehn Lectionen franz. lesen, schreiben u. sprechen zu lernen. Von e. prakt. Schulmann. Cöln, Lengfeld. 1843. gr. 16. (5 Ngr.)

[8179] Handbuch der franz. Umgangssprache von Dr. **F. Ahn**, Vorsteher e. Erziehungsanstalt in Aachen. 7. verm. Aufl. Cöln, Du Mont-Schauberg. 1843. IV u. 180 S. gr. 8. (12½ Ngr.)

[8180] Cours de leçons. Sammlung franz. Lesestücke aus d. alten u. neuern Literatur. In fortschreit. Reihenfolge u. mit untergelegten grammatikal. Erläuterungen. Nebst e. deutsch-franz. Wörterbuch von **Sig. Fränkel.** 1. Curs. 2. verm. u. verb. Aufl. Berlin, Heymann. 1843. 224 u. 160 S. 8. (22½ Ngr.)

[8181] Neues französisches Lesebuch für höhere Schulen mit beigef. Wörterbuch von Dr. **Jul. Lange**, Lehrer an d. städt. höh. Töchterschule. Berlin, Duncker u. Humblot. 1843. VI u. 356 S. gr. 8. (25 Ngr.)

[8182] Französisches Lesebuch in zwei Unterrichtsstufen nach pädagog. Grundsätzen geordnet, mit sorgfält. bearb. Wörterbuche. (Von Prof. *K. Kärcher.*) 2. verb. u. verm. Aufl. Carlsruhe, Artist. Institut. 1843. XVI, 104, 126 u. 80 S. gr. 8. (20 Ngr.)

[8183] Lecture élémentaire et graduée à l'usage des instituts d'éducation. 2. édit. rev. et corr. Mainz, Faber. 1843. 104 S. 8. (10 Ngr.)

[8184] Französisches Lesebuch für Realschulen u. unt. Gymnasialclassen von **F. Lutz**, Lehrer d. franz. Sprache zu St. Gallen. 2. Cursus. St. Gallen, Scheitlin u. Zollikofer. 1843. 140 S. gr. 8. (12½ Ngr.)

[8185] Blüthen aus d. Gebiete der neuern franz. Literatur. Eine Auswahl der gediegensten Bruchstücke aus d. Classikern 1. u. 2. Ranges des 17., 18. u. 19. Jahrh. Nebst biograph. Skizzen u. grammat. u. krit. Noten üb. jeden der angeführten Schriftsteller, eingeleitet durch e. kurzen Umriss der franz. Literaturgesch. von d. ält. Zeit bis auf Malherbe. Zum Gebrauch für Deutschlands höh. Schulen von **G. H. F. de Castres de Tersac.** Altona, Blatt. 1843. XVI u. 383 S. gr. 8. (1 Thlr.)

[8186] Franz. Lesebuch nebst e. Memorirstoff zu e. neuen, von d. Behördenempfehl. Memorirmethode f. Gymnasien, höh. Bürgerschulen u. zum Privatgebr. von Dr. **L. Schipper**, Gymnasiall. zu Münster. Münster, Theissing'sche Buchh. 1843. X u. 171 S. 8. (10 Ngr.)

[8187] Wörterbuch der franz. Homonymen, oder vollst. Verzeichniss derjenigen franz. Wörter, welche bei gleicher Aussprache sich in d. Bedeutung oder in d. Orthographie unterscheiden, nebst d. deutschen Uebersetzung jedes Homonyms u. mehr als 1500 aus d. besten Schriftstellern u. d. Diction. de l'acad. française ausgewählten Beispielen von **L. C. Grisel.** Leipzig, Friedlein u. Hirsch. 1843. XIII u. 282 S. 8. (1 Thlr.)

[8188] A grammar of the Icelandic or old norse tongue by **Erasmus Rask.** Translated from the swedish by *Geo. Webbe Dasent*, M. A. Frankfort a. M., Jaeger. 1843. VIII u. 272 S. nebst 1 lithogr. Beil. gr. 8. (2 Thlr. 20 Ngr.)

[8189] **B. Biagioli's** italienische Sprachlehre für die Jugend nach d. 8. Aufl. des Orig. zum erstenmale für d. deutsche Jugend bearb. von *Ado. Wolf.* Wien, Rohrmann. 1843. VI u. 200 S. gr. 12. (17½ Ngr.)

[8190] Der Neffe als Onkel und der Parasit von **Schiller**. Lustspiele zum Uebersetzen aus dem Deutschen in das Ital. für bereits vorgerückte Schüler, die in d. Geist des zuletzt genannten Idioms tiefer eindringen u. Fertigkeit in d. Unterhaltungssprache erlangen wollen. Mit sprachwissensch. Erläuterungen. Zum Schul- u. Privatgebrauch bearb. u. herausgeg. von *G. B. Ghezzi*. Leipzig, Baumgärtner. 1843. 182 S. gr. 12. (15 Ngr.)

[8191] Die magyarische Sprache und die etymolog. Sprachvergleichung von **J. E. Klemm**. Pressburg. (Pesth, Geibel.) 82 S. Lex.-8. (20 Ngr.)

[8192] Praktische russische Sprachlehre für Schulen u. zum Selbstunterricht von **M. J. A. E. Schmidt**, öff. Lehrer d. russ. u. neugriech. Sprache an d. Univ. zu Leipzig. Hamburg, Schuberth u. Co. 1843. XII u. 300 S. gr. 8. (n. 1 Thlr. 15 Ngr.)

[8193] Grammatikalische Unterhaltungen. Russische Sprache von **A. v. Oldecop**. St. Petersburg. (Leipzig, Fr. Fleischer.) 1842. XV u. 128 S. gr. 8. (1 Thlr.)

[8194] Dictionnaire français-russe, rédigé d'après les autorités les plus modernes par **E. Oertel**. 2 Voll. Avec supplement: Dictionnaire complet de Zoologie et de Botanique en langues franç., russe et lat. St. Pétersbourg. (Leipzig, Fr. Fleischer.) 1841—43. VIII u. 572; 475, LVII u. VII; 404 S. gr. 8. (6 Thlr.)

[8195] Aperçu de la langue des îles Marquises et de la langue Taïtienne, précédé d'une introduction sur l'hist. et la géographie de l'archipel des Marquises par **J. Ch. Ed. Buschmann**, Prof. Accompagné d'un vocabulaire inédit de la langue Taïtienne par le Bar. *Guill. de Humboldt*. Berlin, Lüderitz. 1843. 197 S. gr. 8. (1 Thlr. 15 Ngr.)

Belletristik.

[8196] Pensieri poetici di **Ces. Boccella**. Lucca, 1842. 18. (3 L. 36 c.)

[8197] Poesieen von **Ferd. Braun**. Strasbourg, 1843. 13 Bog. gr. 12.

[8198] Canti, di **Emman. Celesia**, genovese. Milano, Guglielmini. 1843. IV u. 176 S. gr. 8. (2 L. 61 c.)

[8199] Poetical Remains of **Mary Chalenor**. Lond., 1843. 88 S. 8. (n. 4sh.)

[8200] Iduna. Poesieen über Gott, Unsterblichkeit und Tugend von **Wilh. Drobisch**. Leipzig, Hunger. 1844. XII u. 192 S. 8. (1 Thlr.)

[8201] **Luise Egloff**, die blinde Naturdichterin. Zum Besten der Badarmen herausgeg. von *Edw. Dorer*. Aarau, (Sauerländer). 1843. XXXVIII u. 331 S. mit 2 Stahlst. u. 9 musik. Compositionen. gr. 8. (n. 1 Thlr. 15 Ngr.)

[8202] The Philosopher's Stone, and other Poems. By **Manley Hopkins**. Lond., 1843. 116 S. gr. 8. (5sh.)

[8203] Dichtungen von **Berengarius Ivo**. Innsbruck, Wagner. 1843. IV u. 199 S. 16. (26⅔ Ngr.)

[8204] Klänge aus dem Norden. Von **Theophilie** Gräfin .....g. Dresden, (Arnold). 1843. 64 S. 16. (n. 10 Ngr.)

[8205] Lighter Hours: a Series of Poems. By an Etonian. Lond., 1843. 159 S. 8. (n. 5sh.)

[8206] Maiblumen des jungen Skandinaviens. Aus d. Schwed. übers. von *U. W. Dieterich*. Stockholm, (Bonnier). 1843. 36 S. gr. 12. (5 Ngr.)

[8207] **Joh. Ladisl. Pyrker's** sämmtliche Werke. Neue, durchaus verb.

Ausg. Taschenformat. 3 Bde. Stuttgart, Cotta'sche Buchh. 410, 422 u. 383 S. gr. 16. (1 Thlr. 10 Ngr.)

[8208] Das tausendjährige Reich. Gedicht zur Augustfeier 1849. Hamburg, Hoffmann u. Campe. 1843. 15 S. gr. 8. (5 Ngr.)

[8209] Gesammelte Gedichte von **Fr. Rückert.** 1. Thl. Frankfurt a. M., Sauerländer. 1843. IV u. 655 S. gr. 12. (1 Thlr. 10 Ngr.)

[8210] Siebenzehn Polenlieder von **O. v. Wenckstern.** Leipzig, O. Wigand. 1843. 47 S. 16. (12 Ngr.)

[8211] Dombausteine. Von einem Vereine deutscher Dichter und Künstler. 1843. Als Beitrag zum Ausbau des Cölner Domes. Carlsruhe, artist. Institut. 1843. 452 u. 8 S. Musikbeil. nebst lithogr. Titelbild u. eingedr. Holzschn. gr. Lex.-8. (4 Thlr.)

[8212] Blätter und Trauben. Lieder für heitere Kreise von **Joh. N. Vogl.** Mit Melodien von d. vorzügl. Componisten Oesterreichs. 2. Aufl. Wien, Jasper'sche Buchh. 1844. 124 S. gr. 8. (22½ Ngr.)

[8213] Trommel und Fahne. Ein Liedercyklus; enth.: die kleine Marketenderin, mit Melodien von den vorzüglichsten Kapellmeistern der k. k. österr. Armee von **Joh. N. Vogl.** Ebendas., 1844. 51 S. gr. 8. (11¼ Ngr.)

[8214] Spanische Dramen, übers. von *C. A. Dohrn.* 3. Bd. Berlin, Nicolai'sche Buchh. 1843. X u. 364 S. gr. 8 (n. 1 Thlr. 20 Ngr.) Enth. *Moreto's* Drama: der ritterliche Richter (el valiente justiciero) und *de Roja's* Lustspiel: Dummes Zeug wird hier getrieben (entre bobos anda el juego.)

[8215] Oeuvres de **Corneille.** 5 Vols. Bruxelles, Muquardt. 1843. 164, 154, 155, 159 u. 158 S. 18. (No. 101—105 des Panthéon classique et littéraire.) (1 Thlr. 7½ Ngr.)

[8216] Die Wette um ein Herz, oder Künstlersinn und Frauenliebe. Lustspiel mit Gesang in drei Aufzügen von **C. Elmar.** Wien, Wallishausser. 79 S. gr. 8. (10 Ngr.)

[8217] Der Herzog von Bordeaux. Posse in 2 Aufzügen. Frei nach Oettinger's Erzählung von **E. F. Grünwald.** Darmstadt, Kern. 1843. 36 S. 16. (n. 5 Ngr.)

[8218] Doctor Faust's Hauskäppchen, oder: die Herberge im Walde. Posse mit Gesang in drei Aufzügen von **Fr. Hopp.** Wien, Wallishausser. 1843. 131 S. gr. 8. (15 Ngr.)

[8219] Isenbart, der erste Graf von Hohenzollern. Drama in 5 Aufzügen von **K. L. Hannegiesser.** Berlin, Nicolai'sche Buchh. 1843. 160 S. gr. 8. (15 Ngr.)

[8220] Dramatische Einfälle von **A. von Maltitz.** Thl. 2. München, Franz. 1843. 318 S. gr. 8. (n. 1 Thlr. 10 Ngr.) Enth. 4 Lustspiele: Der Nachlass; Friederike u. Gretchen; Sprung u. Ruf; Taube, Rabe, Geist.

[8221] Papst u. König, od. Manfred der Hohenstaufe. Trauersp. in 5 Acten von **Osw. Marbach.** Leipzig, Franke. 1843. IV u. 130 S. 8. (5 Ngr.)

[8222] Das Schloss Limburg, oder die beiden Gefangenen. Lustspiel in zwei Aufzügen. Nach d. Franz des Hrn. **Marsollier** frei bearbeitet. 2. Aufl. Wien, Wallishausser. 1843. 60 S. gr. 8. (7½ Ngr.)

[8223] Teatro comico di **Alb. Nota.** Vol. 3—8 (ultim.). Torino, Pomba. 1842. 384, 440, 412, 392, 368, 280 S. gr. 8. (4 L. 50 c. für 8 Bde.) Inh.: Bd. 3. L'ospite francese; I litiganti; il filosofo celibe; l'Atrabiliare. Bd. 4. L'Ammalato per immaginazione; il benefattore e l'orfana; la Donna ambiziosa; la Lusinghiera. Bd. 5. La Pace domestica; le risoluzioni in amore; la vedova in solitudine; Alessina; Amor timido. Bd. 6. Il Bibliomane; la Fiera; la Novella Sposa; il diadema. Bd. 7. La Donna irrequieta; lo sposo di provincia; il Prigioniero e l'insognita; la Creola della Luigiana. Bd. 8. Premessa dell' autore; Petrarca e Laura; Lod. Ariosto; Torquato Tasso; discorso sulla traduzione francese del „Teatro“ d' Alb. Nota.

[8224] Lucretia. Trauerspiel in 5 Aufzügen von **Ponsard.** Metrisch übers. von *Aug. Schrader.* (Für die Bühnen Manuscript.) Hamburg, Schuberth u. Co. 1844. (7½ Ngr.)

[8225] Lucretia. Tragödie in 5 Aufzügen von **Ponsard.** Im Versmaasse des Orig. verdeutscht von Dr. *Stolle.* (Als Manuscript gedruckt.) München, (Palm). 1843. 76 S. gr. 12. (10 Ngr.)

[8226] **Ernst Raupach's** dramatische Werke ernster Gattung. 16. Bd. Hamburg, Hoffmann u. Campe. 1843. 407 S. 8. (1 Thlr. 15 Ngr.) Enth.: Cromwell Protector; Drama. — Cromwell's Tod; Trauerspiel.

[8227] The Works of **Shakspere,** revised from the best Authorities: with a Memoir, and Essay on his Genius, by *Barry Cornwall;* also Annotations and Introductory Remarks on the Plays, by many distinguished Writers. Illustrated with engravings on wood, from Designs by *Kenny Meadows.* 3 vols. Lond., 1843. 1832 S. Imp. 8. (3£ 3sh.)

[8228] **Shakespeare's** dramatic works in ten Vol. With notes original and selected by *S. W. Singer.* II. edit. Vol. VII. Halle, Kersten. 1843. 424 S. gr. 12. (15 Ngr.) Hieraus einzeln: No. 24. King Richard III. (7½ Ngr.) No. 25. King Henry VIII. (7 Ngr.) No. 26. Troilus and Cressida. (7½ Ngr.) Vgl. No. 5527.

[8229] The dramatic Works of **Will. Shakespeare.** No. 29—37. Leipzig, Gebr. Schumann. 1843. 16. (à 3 Ngr.) No. 29. Julius Caesar. (67 S.) No. 30. Antony and Cleopatra. (92 S.) No. 31. Cymbeline. (94 S.) No. 32. Titus Andronicus. (66 S.) No. 33. Pericles. (64 S.) No. 34. King Lear. (90 S.) No. 35. Romeo and Juliet. (80 S.) No. 36. Hamlet. (101 S.) No. 37. Othello. (90 S. and Glossary to the dramatic works of W. Shakspeare. XXVII S.) Vgl. No. 5528.

[8230] **Shakespeare's** dramatische Werke übers. von *A. W. v. Schlegel* u. *Ludw. Tieck.* 3. Aufl. 2. Bd. Berlin, Reimer. 1843. 386 S. 8. (10 u. 12½ Ngr.) Inh.: König Heinrich IV. 2. Thl. — König Heinrich V. — König Heinrich VI. 1. Thl. Vgl. No. 5531.

[8231] **Shakspere's** Schauspiele, verdeutscht u. erläutert von *Adelb. Keller* u. *Mor. Rapp.* 11. u. 12. Stück. Stuttgart, Metzler'sche Buchh. 1843. gr. 16. (à 6¼ Ngr.) 11. Stück: Vergeltungsrecht, ein romantisches Schauspiel, übers. von *M. Rapp.* (147 S.) 12. Stück: Julius Cäsar, eine historische Tragödie, übers. von *A. Keller.* (123 S.) Vgl. No. 5530.

[8232] Strafford; a Tragedy. By **John Sterling.** Lond., Moxon. 1843. 232 S. 8. (5sh.) Vgl. Monthly Review. 1843. Sept. p. 90—108.

[8233] Das Duell-Mandat, oder: Ein Tag vor der Schlacht bei Rossbach. Drama in fünf Aufz. von **W. Vogel.** Wien, Wallishausser. 1843. 112 S. gr. 8. (19 Ngr.)

[8234] Ein Handbillet Friedrich's des Zweiten, oder Incognito's-Verlegenheiten. Lustspiel in 3 Aufz. von **W. Vogel.** Ebendas., 1843. 194 S. gr. 8. (26⅔ Ngr.)

[8235] Witzigungen, oder: Wie fesselt man die Gefangenen? Lustspiel in 3 Aufz. Nach dem Engl. von **W. Vogel.** Ebendas., 1843. 134 S. gr. 8. (22½ Ngr.)

[8236] **W. Harr. Ainsworth's** historische Romane und Sittengemälde. In sorgfältigen Uebertragungen aus d. Engl. von *Dr. Ado. Bruder.* 1. Lief.: Schloss Windsor. 1. Bdchn. Stuttgart, Göpel. 1843. 96 S. 8. (5 Ngr.)

[8237] Das Windsorschloss. Ein historischer Roman von **W. Harr. Ainsworth.** Aus d. Engl. übers. von Dr. *E. Susemihl.* 3 Bde. Leipzig, Kollmann. 1843. 246, 186 u. 144 S. gr. 16. (2 Thlr.)

[8238] The Burgomaster of Berlin. Translated from the German of **W. Alexis.** 3 vols. Lond., 1843. 992 S. gr. 8. (1£ 11sh. 6d.)

[8239] The Captive's Vow; or, the Bashaw: a Moral Tale. By **Charity Batchelor.** Lond., 1843. 208 S. 8. (4sh.)

[8240] Un homme sérieux, par **Ch. de Bernard.** 2 Vols. Paris, Gosselin. 1843. 45 Bog. gr. 8. (15 Fr.)

[8241] Bubbles from the Brunnens of Nassau, by an old man. Darmstadt, Lange. 1843. 318 S. u. 6 Stahlst. 12. (1 Thlr.)

[8242] The Wonderful History of Peter Schlemihl. By **Adelb. von Chamisso:** German and English. By *W. Howitt.* Lond., 1843. 298 S. mit 6 Illustrationen. 16. (n. 7sh.)

[8243] The Castle of Falkenbourgh, and other Tales. From the German. 142 S. mit Holzschn. 8. (3sh.)

[8244] Die mächtige Hilfe Gottes in den Tagen der Trübsale, der Noth u. Gefahr. Dargestellt in einer lehrreichen u. rührenden Geschichte zur Belebung des relig. Gefühls, zur Erbauung u. Nachahmung für Jung u. Alt von **Leop. Chimani.** 2. Orig.-Aufl. Neuburg a. d. D., Prechter. 1843. 288 S. mit 1 Kpfr. 12. (10 Ngr.)

[8245] Wyandotté; or, the Hutted Knoll. By **J. Fenimore Cooper,** Esq. 3 Vols. Lond., 1843. 889 S. 8. (1£ 11sh. 6d.)

[8246] Les aventures de Jean-Paul Choppart par **Louis Desnoyers.** Leipsic, Schmaltz. 1843. 173 S. 8. (15 Ngr.)

[8247] Die Milchbrüder. Roman von **Emilie Flygare-Carlén.** Aus d. Schwed. von *G. Eichel.* 3 Thle. Leipzig, Kollmann. 1843. 302, 308 u. 293 S. 8. (3 Thlr. 15 Ngr.)

[8248] Frauen-Album. Mit Beiträgen von *Ph. v. Mettingh, Ch. Livonius, Mary Rubrea, Ida v. Merkel* und *Fanny Tarnow.* 1. Bd. Cassel, Hotop. 1843. 292 S. 8. (1 Thlr. 10 Ngr.) Inh.: Der Autokrator, von *Ph. von Mettingh.* — Der Pflegesohn, dramat. Mährchen von *Ch. Livonius.* — Das Kloster bei Nismes, von *Ph. v. Mettingh.* — Das Taternloch, von *M. Rubrea.* — Eine Künstlernovelle, von *J. v. Merkel.* — Ein Quelle der Verjüngung, von *F. Tarnow.*

[8249] Die eiserne Jungfrau im rothen Thurme zu Wien, oder das Racheopfer der geheimen Richter. Eine Schauergeschichte verflossener Jahrhunderte von **Jos. Alo. Gleich,** gen. *Ludw. Dellarosa.* Wien, Bauer u. Dirnböck. 1843. 179 S. mit 1 Stahlst. 8. (20 Ngr.)

[8250] Cecil. Von **Ida Gräfin Hahn-Hahn.** 2 Bde. Berlin, A. Duncker. 1844. 352 u. 386 S. gr. 8. (4 Thlr.)

[8251] The Banker's Wife; or, Court and City: a Novel. By **Mrs. Gore.** 3 vols. Lond., 1843. 968 S. 8. (1£ 11sh. 6d.)

[8252] Sämmtliche Schriften von **Henriette Hanke,** geb. *Arndt,* Ausgabe letzter Hand. 58.—62. Bd. Hannover, Hahn'sche Hofbuchh. 1843. 47, 82, 103, 110, 50 u. 108 S. 8. (1 Thlr. 20 Ngr.) 58. Bd.: Der Hut. — Minna. 59. u. 60. Bd.: Der Amtsrath. 61. u. 62. Bd.: Die Schriftstellerin.

[8253] Polykarp's nachgelassene Manuscripte, oder eine Familiengeschichte von M. C. Hansen. 3 Thle. (Norwegische Romane und Novellen. Ins Deutsche übertr. von Julie Fabricius. 1.—3. Bd.) Leipzig, Kollmann. 1843. 269, 253 u. 244 S. gr. 16. (2 Thlr. 20 Ngr.)

[8254] Reisebilder von H. Heine. 2. Thl. 3. Aufl. Hamburg, Hoffmann u. Campe. 1843. VIII u. 307 S. 8. (1 Thlr. 20 Ngr.)

[8255] Novellen von G. Hesekiel. Leipzig, Hunger. 1843. 196 S. gr. 12. (1 Thlr. 10 Ngr.)

[8256] The Smugglers: a Chronicle of the Coast Guard. By F. Higginson, Esq. Lieut. R. N. Vol. I. Lond., 1843. 184 S. gr. 8. (7sh.)

[8257] G. P. R. James Romane, in deutschen Uebertragungen herausgeg. von F. Notter u. G. Pfizer. 54.—58. Bdchn.: Das alte Régime. 2.—6. Bdchn. Stuttgart, Metzler. 1843. 100, 107, 115, 143 u. 137 S. 16. (à 3⅓ Ngr.)

[8258] G. P. R. James Romane u. s. w. 59.—64. Bdchn.: Die Tage des Waldlebens. Eine romant. Geschichte aus alten Zeiten. 1.—6. Bdchn. Ebendas., 1843. 126, 136, 111, 145, 115 u. 139 S. 16. (à 3⅓ Ngr.)

[8259] Jenny. Von der Verfasserin von „Clementine". 2 Thle. Leipzig, Brockhaus. 1843. 416 u. 305 S. gr. 12. (3 Thlr. 15 Ngr.)

[8260] Jubilar-Album der Universität Erlangen. Herausgeg. von Th. Koch u. K. Köler. Auch u. d. Tit.: Mittheilungen aus dem Studentenleben. Erlangen, Bläsing. 1843. 168 S. mit 2 Lithogr. gr. 8. (22½ Ngr.)

[8261] Geschichte des Gil Blas von Santillana von Le Sage. Aus d. Franz. Mit Nachrichten üb. das Leben u. die Schriften des Vfs. Mit Illustrationen nach Jean Gigoux. 2 Bde. in 14 Bdchn. Pforzheim, Dennig, Finck u. Co. 1843. 446 u. 464 S. mit 48 Bildern. 16. (1 Thlr.)

[8262] Der hinkende Teufel von Le Sage. Neue sorgfältige Uebertragung. Mit Holzschnitten nach Tony Johannot. 1.—5. Bdchn. Ebendas., 1843. 287 S. u. 12 Bilder. 16. (12½ Ngr.)

[8263] Marryat's sämmtliche Werke in sorgfältigen u. vollständigen Uebertragungen. 4. Bd. (Der Flottenofficier. Aus d. Engl. von C. Kolb.). Stuttgart, Krabbe. 1843. 512 S. gr. 16. (2 Thlr.)

[8264] Jugendbilder von Dr. K. G. Mey. Eisenach, Bärecke. 1843. XVI u. 317 S. gr. 8. (1 Thlr. 10 Ngr.)

[8265] Gesammelte Novellen von Thd. Mügge. 4.—6. Thl. Leipzig, Brockhaus. 1843. 491, 465 u. 428 S. gr. 12. (6 Thlr.) 4. Thl. Liebe in alter Zeit. — Der gefährliche Gast. — Swinemünde u. Rügen. 5. Thl. Jacobine. — Herz und Welt. — Das Medaillon. — Der Weg zum Glück. — Ein Abenteuer in Holland. 6. Thl. Das Gold der Pinheiro's. — Simon.

[8266] Aus der Gegenwart. Von Emma v. Niendorf. Berlin, A. Duncker. 1844. IV u. 188 S. gr. 8. (1 Thlr.)

[8267] Wit Bought; or the Life and Adventures of Robert Merry. By Pet. Parley. Lond., 1843. 178 S. mit Illustrationen. gr. 18. (2sh. 6d.)

[8268] Sylphen. Novellenkränze, herausgeg. von Dr. K. Riedel. Leipzig, Schreck. 1844. VI u. 229 S. gr. 8. (1 Thlr.)

[8269] 1814 und 1815. Historischer Roman von Max Roderich. 3 Thle. Cassel, Hotop. 1843. 386, 390 u. 322 S. 8. (4 Thlr. 15 Ngr.)

[8270] Die Janitscharen von Alphonse Royer. Uebersetzt von Emilie Wille. 2 Thle. Leipzig, Kollmann. 1843. 370 u. 324 S. 8. (2 Thlr. 20 Ngr.)

[8271] Die freien Schützen von Joh. Rudolphi (Vf. des „Steffano Carini"). 2 Thle. Leipzig, Voigt u. Fernau. 1843. 248 u. 306 S. 8. (2 Thlr. 25 Ngr.)

[8271] Paul et Virginie par **Bern. de Saint-Pierre.** Nouv. édit., orné de jolies gravures. Tubingue, Osiander. 1843. 208 S. mit 6 Holzschn. 16. (10 Ngr.)

[8272] Hof-Intriguen. Ein histor. Roman aus der Zeit der Catharine v. Medicis von **J. Satori** *(Neumann)*. 2 Thle. Danzig, Gerhard. 1843. 304 u. 268 S. 8. (3 Thlr. 5 Ngr.)

[8274] Zwei Gräber von **Geo. Schirges.** Leipzig, Brockhaus. 410 S. gr. 12. (1 Thlr. 18 Ngr.)

[8275] Keime und Knospen einer Weltanschauung von **Ulr. Rud. Schmid.** Leipzig, Reclam sen. 1843. 124 S. 8. (19 Ngr.)

[8276] Wanderbilder von den Quellen des Rheins bis zum Rheinfalle von Dr. **Ign. Chr. Schwarz**, Prof. an d. kath. Cantonssch. in St. Gallen. Schaffhausen, (Hurter'sche Buchh.). 1843. VIII u. 270 S. 8. (1 Thlr. 5 Ngr.)

[8277] Waverley, ou ha sissenta anos, por Sir **Walter Scott.** Vertido em portugues pelo dr. *Caet. Lopez de Moura.* 4 Vols. Paris, Aillaud. 1843. 37 Bog. 18. (10 Fr.)

[8278] Adam Brown, der Kaufmann, von **Hor. Smith.** Aus d. Engl. übers. von *W. Ad. Lindau.* 3 Bde. Leipzig, Kollmann. 1843. 298, 281 u. 200 S. 8. (3 Thlr. 15 Ngr.)

[8279] Freund und Bruder, od.: die Herren von Beauvours. Roman in zwei Bänden von **Wilh. Sostmann**, geb. *Blumenhagen.* Braunschweig, Meyer sen. 1843. 240 u. 264 S. gr. 12. (2 Thlr. 15 Ngr.)

[8280] Die Blumensprache entwickelt in kleinen Erzählungen von **Frz. Tauber.** Passau, Pustet. 1843. 136 S. u. Titelbild. 8. (10 Ngr.)

[8281] The Irish Sketch-Book. By **M. A. Titmarsh.** 2 vols. Lond., Chapman and Hall. 1843. 650 S. mit vielen Holzschn. (21sh.) Vgl. Liter. Gazette. 1843. May. n. 1373—75.

[8282] Im Gebirg und auf den Gletschern von **C. Vogt.** Solothurn, Jent u. Gassmann. 1843. 250 S. 8. (1 Thlr. 7½ Ngr.)

[8283] Albert von St. Pouance vom Graf **v. Viel-Castel.** Ins Deutsche übertragen von *Fanny Tarnow.* 2 Thle. Leipzig, Kollmann. 1843. XIX u. 279, 277 S. 8. (2 Thlr. 7½ Ngr.)

[8284] Mittheilungen aus dem Tagebuche eines Arztes von **S. Warren.** Nach der 6. Aufl. des Originals aus d. Engl. von Dr. *C. Kolb.* 2 Thle. (*S. Warren's* gesammelte Werke in neuen Uebertragungen. 15.—21. Lief.) Stuttgart, Liesching. 1843. VIII u. 652, 650 S. gr. 16. (2 Thlr. 10 Ngr.)

[8285] Sagas. Légendes des bords du Rhin, orné de 8 gravures sur acier d'après les dessins des peintres de l'école de Düsseldorf. 2. édit. Aix-la-Chapelle, Kohnen. 1843. VII u. 295 S. gr. 8. (2 Thlr. 15 Ngr.)

[8286] Die Sagen des Harzes u. seiner nächsten Umgebung von **Gust. Ado. Leibrock.** 2. Thl.: Die Sagen des Oberharzes. Nordhausen, Fürst. 1843. 250 S. 8. (1 Thlr.)

[8287] Die Sagen der Stadt Leipzig. Nach geschichtl. Ueberlieferungen mitgetheilt von **Fd. Backhaus.** Leipzig, Hunger. 1844. 176 S. 8. (1 Thlr.)

[8288] Sagen aus dem Riesengebirge, erzählt vom *Kräuterklauber.* Für Reisende der beste Geleitsmann. 1. Bdchn.: Rübezahl, der Herr des Gebirges. Leipzig, Frohberger. 1843. 154 S. 8. (15 Ngr.)

[8289] Danziger Sagen von **O. F. Karl.** 1. Heft. Danzig, Anhuth. 1843. 38 S. 8. (5 Ngr.)

Todesfälle.

[8290] Am 11. Jun. starb zu Neapel *Raffaele Liberatore*, Mitarbeiter am Museo Borbonico, durch seine literarischen Leistungen („Galleria litograf. de' quadri del reale di Sicilia, pubblicata dai signori Zenon, illustr. da *R. Lib.*“ 1833 ff., „Le migliori pitture della Certosa di Napoli pubbl. da *L. Angelini*, illustr. da *R. Lib.*“ 1835 ff., „Delle nuove ed antiche terme di Torre Annunziata“ 1835 und mehr. and. Schriften u. Aufsätze in verschied. Zeitschriften und Sammelwerken), sowie durch seine Theilnahme an den früheren politischen Bewegungen seines Vaterlandes bekannt, geb. am 22. Oct. 1787.

[8291] Im Jun. zu Lemberg *Marcian Ruslan Szaszkiewicz*, Priester der griechisch-russischen Kirche, durch den in der Schrift „Rusalka dniestrowa“ [die Nymphe am Dniepr] 1837 gemachten Versuch, die rusinische Sprache auf weltliche Gegenstände auszudehnen, in der Literatur bekannt.

[8292] Am 11. Sept. zu Washington *J. N. Nicollet*, als Mathematiker und Astronom geschätzt, ehemal. Prof. der Mathematik am k. College Louis-le-Grand zu Paris, vorher Gehülfe am k. Observatorium, dann Astronom des Längenbüreaus, Vf. mehrerer Schriften u. Abhandlungen, z. B. über Trigonometrie besonders f. Seeleute, üb. Wahrscheinlichkeitsrechnung mit Bezug auf Lebensversicherungsgesellschaften u. s. w.

[8293] Mitte Oct. zu Tours *Pietkiewicz*, Prof. der deutschen Sprache am dasigen königl. College, bis 1831 Prof. an d. Univ. Wilna u. Landbote auf dem letzten poln. Reichstage.

[8294] Am 22. Oct. zu St.-Germain-en-Laye *Roman Soltyk*, ehemal. poln. General und Landbote, als Schriftsteller („La Pologne, Précis histor., polit. et milit. de sa révolution“ 2 Vols. 1833 [deutsch in 2 Thln. 1834], „Napoléon en 1812. Mémoires hist. et milit. sur la campagne de Russie“ 1836 [deutsch von *Bischoff* 1837 u. 39] wohlbekannt, geb. zu Warschau 1791. Er hinterlässt eine Geschichte des poln. Kriegs im J. 1809.

[8295] Am 24. Oct. zu Budissin *Ernst Gustav von Gersdorf*, Kreisdirector, Comthur des k. sächs. Civil-Verdienst-Ordens, seit 1833 Präsident der I. Kammer der sächs. Ständeversammlung, ein biederer, in seinem Berufskreise geschätzter Staatsbeamter, im 82. Lebensjahre.

[8296] An dems. Tage zu Lyon *Ant. Berjon*, ehemal. Professor an der dasigen Akad. der schönen Künste, ein geschätzter Blumenmaler, 94 Jahre alt.

Druck und Verlag von F. A. Brockhaus in Leipzig.

Leipziger Repertorium
der
deutschen und ausländischen Literatur.

Erster Jahrgang. Heft 46. 17. Nov. 1843.

Theologie.

[illegible] Der Protestantismus in seiner Selbstauflösung. Eine theologisch-politische Denkschrift in Briefen von einem Protestanten. 2 Bde. Schaffhausen, Hurter'sche Buchh. 1843. XII u. 320, 341 S. 8. (3 Thlr. 7½ Ngr.)

Die vorlieg. Schrift mag wohl als ein Zeichen der politisch und kirchlich zerrissenen Zeit betrachtet werden und gewinnt somit relativ eine Wichtigkeit, welche ihr an und für sich nicht zukäme. Während dieselbe noch vor einem Decennium als eine Art von Monstrum wahrscheinlich verlacht worden wäre, erweckt sie jetzt Wehmuth und fordert zu den ernstesten Betrachtungen auf. Ihr anonymer Vf., der nach S. XII nicht aus persönlicher Scheu, sondern einzig aus Rücksicht auf die Verhältnisse, denen er nicht zu gebieten im Stande sei, in diesem Dunkel geblieben ist, nennt sich einen Protestanten und unternimmt als Solcher, ganz auf kathol. Standpuncte stehend, einen Feldzug gegen seine Kirche, die ihm in einem reissenden Verfalle begriffen zu sein scheint. Ursprünglich hat er, von Zweifeln bestürmt, um des Gewissens willen die theolog. Laufbahn aufgegeben, um nicht der Gemeinde predigen zu müssen, woran er selbst nicht glaube. Später ist er durch mannigfache Führungen und namentlich durch Verbindungen mit gebildeten Katholiken, die er auf Reisen angeknüpft, zu dem Gott seiner Jugend und zum geoffenbarten Worte zurückgeführt worden. Im Protestantismus aber hat er seines Herzens Ruhe nicht gefunden, vielmehr ist ihm je länger je mehr klar geworden, „dass die christl. Kirche nur in der Form, wie der ächte Katholicismus sie gibt, die Bedürfnisse der Gläubigen befriedigen kann, dass selbst die guten Christen unter den Protestanten, sich unbewusst, mehr oder weniger gute Katholiken sind, und dass die abtrünnige Tochter nur in dem Maasse noch einiges Heil zu erwarten hat, als sie der fremdartigen Fesseln, worin ihre Unbedachtsamkeit sie geführt, sich zu entschlagen und der Mutter wieder entgegenzukommen bemüht ist" (S. IX). Mit welchem Rechte freilich der Vf. sich bei solcher Ueberzeugung noch einen Protestanten nennt, ist nicht ersichtlich, er müsste es denn darum thun, dass er rücksichtslos gegen die Principien und den Geist des Protestantismus protestirt. S. 21, da er den kathol. Joseph an seinen protestant. Freund Gustav schreiben lässt: „Du bist nur dem Munde nach Protestant, in Wahrheit aber bist du keiner mehr", spricht er sich selbst das Urtheil, und es wäre demnach gewiss seine Pflicht, alle Rücksichten bei Seite zu setzen und ohne Scheu davor, ein Convertit zu heissen, in den Schoss der kathol. Kirche auch öffentlich mit all seiner Angst und Sorge sich zu flüchten. Abgesehen aber von dieser unmoralischen Halbheit, welche widerwärtig ist und die Lectüre des Buches verleidet, bringt der Vf. allerdings Manches zur Sprache, was auch von den Protestanten wohl zu beherzigen ist. Er hat die Zeitgebrechen scharf beobachtet und den wunden Fleck der evangel. Kirche in unserer so zerrissenen Gegenwart klar erkannt. Wer, dem überhaupt das Wohl der Kirche und das Gedeihen des kirchl. Lebens am Herzen liegt, sollte nicht in seine Klagen über die Unsicherheit des Bekenntnisses, über den zerrüttenden Kampf sich schroff einander gegenüberstehender Parteien, über den Mangel an einem rechten Einheitsbande, welches Alles den Protestantismus seinem unvermeidlichen Verfalle immer gewaltiger entgegendrängt, einstimmen? Allerdings ist es dahin gekommen, dass die rücksichtsloseste Willkür in Glaubenssachen das Wort führt und das Bewusstsein der Kirche vielfach gänzlich verloren gegangen ist. Allerdings ist es nicht zu verkennen, dass an eine anerkannte norma credendorum et docendorum kaum mehr zu denken ist und die Kirche, alles selbstständigen Lebens beraubt, mehr oder weniger eine Polizeianstalt geworden ist. Nirgends Einheit des Cultus, des Glaubens, der Verfassung, der Gesang- und Lehrbücher, der Feste und heil. Zeiten. In so viele Länder und Staaten Deutschland gespalten ist, so viel Verschiedenheit auch macht sich geltend auf dem Gebiete des kirchlichen Lebens, und so sehr es als Hohn klingt, wenn II. 337 von einer Kön.-Preussischen und Furstlich-Reussischen, von einer Kön.-Würtembergischen und Freistädtisch-Frankfurtischen Kirche die Rede ist, welche alle zusammenaddirt noch keine Kirche geben, in der Praxis ist es wahrlich nicht unbegründet. Und abgesehen wieder davon, welch' eine bis zum Grellen bunte Verschiedenheit der Doctrinen und Glaubensansichten, die alle in derselben Kirche Raum haben und sich vertragen sollen! dort der rationalismus vulgaris eines Paulus, Wegscheider, Röhr, hier der speculative Rationalismus von Strauss bis auf Feuerbach und Br. Bauer, und neben und zwischen denselben die Orthodoxen und Supranaturalisten und Pietisten und wie sie weiter heissen. Darum, welch ein Getümmel leidenschaftlicher Kämpfe auf dem Gebiete der sogen. protestant. Kirche, welch' eine Zwietracht, die allenthalben sich geltend macht, wie sie durch das gepriesene und der Idee nach preisenswerthe Werk der Union nicht gehoben, vielmehr vergrössert worden ist! Nirgends zu finden jene Einheit im Geiste durch das Band des Friedens, welche der Apostel preist und fordert. Das Alles liegt offen zu Tage und von verschiedenen Seiten her sind Warnungen ertönt und Vorschläge gemacht worden, den Sturm zu beschwichtigen und drohendes Unheil abzuwenden. Nun leben wir der fröhlichen Zuversicht, dass der Herr fort und fort seine Kirche schützen und auch aus den gährenden Elementen dieser Zeit das Eine und Ewige entwickeln werde; aber die Augen verschliessen wollen vor dem drohenden Unwetter, das von allen Seiten heraufzieht, wäre thöricht und verderblich. So verdient auch der anonyme Vf. dieser Schrift wenigstens insofern allen Dank, dass er scharf und ernst zur Sprache gebracht, was nicht zu vertuschen und zu bemänteln ist. Seine Absicht ist die, die Selbstauflösung aufzudecken, in welcher der Protestantismus begriffen sei, und die Nothwendigkeit nachzuweisen, bei guter Zeit den einstürzenden Bau desselben zu verlassen, und, um dem gewissen Verderben zu entgehen, in die fest gegründete Kathedrale der römisch-kathol. Kirche zu flüchten, welche ihre Pforten schon geöffnet habe. So ist seine Schrift zugleich eine Unglücksverkündigung für die protest. Kirche, und zugleich ein maassloses elogium auf die katholische. Wir beneiden ihm seine Freude an der letzteren nicht, obgleich auch wir gleich ihm von Herzen uns darnach sehnen, die Verheissung des Herrn von der Einen Heerde unter Einem Hirten erfüllt zu sehen. Der Vf. hat für seine Schrift die Briefform gewählt und entwickelt in einem fingirten Briefwechsel zwischen zwei akadem. Freunden, dem Katholiken Joseph und dem Protestanten Gustav, seine Ansicht, indem er es nach II. 274 für zweckmässig hielt, nach Hegel'scher Methode mit dem Anfange anzufangen, nämlich mit der Geburt des Protestantismus selbst, sodann seine Entwickelung zu verfolgen, endlich in der Gegenwart angekommen — ihm den Puls zu fühlen und nach geschehener Diagnose das Prognostikon für die Zukunft zu stellen. Diess der Plan des Buches. Ueber die gewählte Form wollen wir mit dem Vf. nicht rechten, obschon ihr in ästhetischer Beziehung schwerlich Genüge geleistet sein dürfte; das aber leuchtet schon bei einer flüchtigen Ansicht ein, das es der protestant. Gustav seinem kathol. Freunde doch etwas zu leicht macht, indem er Unhistorisches als historisch beglaubigt annimmt und durch dialekt. Spiegelfechtereien sich bestechen lässt. Ueberhaupt ist es unseres Erachtens dem Vf. besser gelungen, die Gebrechen der protestant. Kirche in der Gegenwart zu rügen, als die Herrlichkeit der katholischen, ausser welcher kein Heil, ins Licht zu stellen, und trotz aller Declamation sind wir nicht überzeugt worden, dass, wie II. 240 zu lesen ist, der wohlbegründete, wohlgefügte, wundervoll harmonische Bau des Katholicismus, mit seiner zum Himmel anstrebenden siebenfachen Säulenordnung u. s. w., ein würdigerer Tempel des Herrn ist, als das baufällige Haus des Protestantismus, welches von einigen aus jenem Tempel gestohlenen Steinen und Balken, eben so mühsam als flüchtig, eben so unfest als unsymmetrisch zusammengemauert und gezimmert sei. Man sehe nur, wie gezwungen z. B. der Marien- und Heiligendienst, der Priestercölibat, der Ablass, die Unfehlbarkeit des päpstl. Stuhles u. A. zu deuten und zu rechtfertigen versucht wird, wie der Vf. oft gegen das Zeugniss der Geschichte seiner vorgefassten Meinung das Wort redet, wie er den Jesuitismus und die Jesuitenmoral ganz mit Stillschweigen übergeht, wie er an der einen Stelle zugibt, was er an der anderen bestreitet. Seine kathol. Hauptgewährsleute sind Bellarmin, Görres und Möhler. In der Bekämpfung des Protestantismus, der schon in seinem Principe alle nachfolgende Verwirrung nothwendig bedinge, wird besonderer Accent auf die wirklichen oder scheinbaren Widersprüche zwischen den Lehren der einzelnen Reformatoren unter einander, und zwischen dem, was dieselben zu verschiedenen Zeiten als wahr erkannt hätten, gelegt. Wir leugnen diese Widersprüche nicht, finden sie im Gegentheil ganz in der Ordnung und nothwendig. Alle Rüge aber verdient es und ist eines Protestanten durchaus unwürdig, Luther als Motiv seines Handelns Rachsucht und böswillige Feindseligkeit zuzuschreiben, oder in Beziehung auf seine Verheirathung unlautere Fleischeslust und unzähmbare Begierde. Wehe dem Deutschen, der den Helden seines Volkes zu verunglimpfen wagt! Ueberhaupt verkennt der Vf. die Bedeutung und histor. Berechtigung des Protestantismus, so wie die eigentliche Lebenskraft desselben fast ganz. So ist er z. B. so weit davon entfernt, in den besonderen politischen Conjuncturen, welche der Reformation förderlich waren, die Hand des Herrn anzuerkennen, dass er dabei zu einem todten, unchristlichen Zufalle seine Zuflucht nimmt. Früher wäre nach seiner Meinung Luther gleich Huss verbrannt, später aber gar nicht beachtet worden. Zugegeben, dass es so ist, so folgt daraus aber nichts anderes, als dass der Herr die rechte Zeit und Stunde auch damals erkannte. Dagegen finden wir wahr und treffend, wie der Vf. die Bestrebungen der neuesten philosophischen Schule in ihren verschiedenen Parteien und Fractionen, so wie die Schleiermacher'sche Glaubenslehre charakterisirt. Der letzteren wird mit Recht Zweiseitigkeit und Zweideutigkeit II. 332 Schuld gegeben, also dass es schwer zu bestimmen sei, ob sie zur Theologie oder zur Philosophie, zum Theismus oder zum Pantheismus, zum Supranaturalismus oder zum Rationalismus zu rechnen sei. Mit dem Satze: „der erwartete Phönix einer neuesten allgemeinen Kirche kann nur in der Rückkehr zur ältesten (soll heissen: römisch-katholischen) sich verwirklichen" schliesst der Vf. seine Erörterung. Die sprachliche Darstellung der Schrift ist fliessend, lebendig und oft rhetorisch gehoben, jedoch nicht durchaus correct. So schreibt der Vf. z. B. „Er schauderte zurück über das gefundene Resultat" oder: „Diess ist der Hauptunterschied hinsichtlich der Irrthümer u. s. w. und denen, welche der Protestantismus u. s. w."

k.

[8298] Protestantismus und Kirchenglaube. Bedenken eines Laien an die protestantischen Freunde. 2 Hefte. Glogau, Flemming. 1843. 265 S. gr. 8. (1 Thlr. 7½ Ngr.)

Der ungenannte Vf. dieser Bedenken, nach einzelnen Andeutungen und stylistischen Eigenthümlichkeiten zu schliessen, wahrscheinlich ein Arzt, fühlt sich berufen, als „Sohn des Lichts" den „Werken der Finsterniss" entgegenzutreten, d. h. zu protestiren gegen einen objectiv und allgemein geltenden Kirchenglauben. Ursprünglich entschlossen, Theolog zu werden, hat er aus Entsetzen vor dem weiland Wöllner'schen Edicte den Plan aufgegeben, ohne jedoch das Interesse an der Theologie selber zu verlieren. So wenig wir ihm das Recht streitig machen möchten, auch als Laie unmittelbar an der Gestaltung des kirchl. Lebens Theil zu nehmen, ja so sehr es für eine frischere Entfaltung desselben wünschenswerth wäre, dass die Laien recht lebendig und allgemein von dem Gefühle ihrer priesterlichen Würde ergriffen würden; möchten wir doch dem uns in mancher Beziehung als ein Mann von ehrenhafter Gesinnung erscheinenden Vf. das „ne sutor ultra crepidam" zurufen. Nach seiner Ueberzeugung kann S. 166 „die Reformation sich selbst die fernere Ruhe nicht mehr gestatten; sie muss das liegengelassene Werk wieder zur Hand nehmen; sie müsste sich vor sich selbst schämen und verbergen, wenn sie nicht mit Ausdauer, Umsicht und Stetigkeit das grosse Werk des Ausmerzens aller Zuthat des reinen Christenthums und seine Wiederherstellung in seine Klarheit und Einfachheit fortsetzte, das sie so kräftig und muthig begonnen hat". Bisher also hat die Reformation geruhet, nun ist es an der Zeit, dass sie aufwacht und wie gestärkt durch langen Schlaf hurtig und wohlgemuth das lang vernachlässigte Werk des Ausmerzens wieder aufnimmt und zu Ende bringt. An diesem Werke will denn auch der Vf. in vorlieg. Schrift Theil nehmen. Seinen Standpunct bezeichnet er selbst in dem S. 88 vorgeschlagenen neuen Glaubensbekenntnisse: „Ein einiger Gott, Schöpfer von allem Uebrigen und allen Menschen Vater, den anzubeten und ihm in seiner Vollkommenheit ähnlich zu werden, unser höchstes Bemühen sein muss; Jesus Christus, der Mittler, indem er uns durch Lehre und Beispiel die Anleitung gegeben hat, wie wir durch thätige Liebe zu unseren Mitmenschen unsere Lebensbestimmung erfüllen und durch die Unterdrückung aller Eigensucht und Willkür uns mit Gott versöhnen; der Geist seines Evangelii, der Geist der Weisheit und der Liebe, der Wahrheit und der Freiheit, schafft unsere Vereinigung mit Gott und mit allen gleichgesinnten Menschen, wirkt dadurch Frieden in uns und Seligkeit, und sichert uns die Zuversicht auf ein ewiges Leben, dem das gegenwärtige zu einer Vorschule dient". So folgt er ganz einer Socinianischen Richtung und die Vernunft, die subjective, ist ihm die höchste Richterin auch in Sachen des Glaubens und ausdrücklich wird von ihm behauptet, dass das Ansehn derselben jedes andere überwiege. Ohne Zweifel, das ergiebt sich aus Ton und Haltung der Schrift, meint es der Vf. gut mit seiner Sache und schon dass er ernstlich mit seiner Ueberzeugung herausgeht und doch auch auf Bethätigung eines relig. Lebens dringt, ist in einer

Zeit, wo der Indifferentismus an den Wurzeln des Heiligen frisst, aller Ehre werth. Aber von jener Demuth, welche die Schwachheit einer irrenden Vernunft anerkennt, von jener Willigkeit, welche in Folge dieser Erkenntniss unter eine Autorität sich beugt, von jener kindlichen Einfalt, welche das Evangelium als die höchste Blüthe des Menschenlebens darstellt und welche sich sehr wohl mit wahrhafter Geistesbildung und Geistesfreiheit verträgt, zeigt sich bei dem Vf. keine Spur. So ist er, befangen in den Vorurtheilen seiner Vernunft, durchaus unklar über die Bedeutung und Kraft des christl. Glaubens, so ausführlich auch darüber perorirt wird. Dieser ist ihm nur eine Vorstufe des Wissens; so lange der Mensch zum Wissen nicht hindurchgedrungen sei, glaube er; das rechte Wissen aber schliesse allen Glauben aus; der Mensch, der zur rechten geistigen Freiheit erwacht sei, könne eigentlich nicht mehr glauben. Eben so hat er keinen Sinn für die Gewalt und Nothwendigkeit einer Kirche, als einer Gemeinschaft der Heiligen, wie die Glieder derselben in lebendiger Gemeinschaft mit dem Haupte sich gegenseitig ergänzen, tragen und fördern und die Kraft des heil. Geistes das Ganze durchdringt, vom Haupt bis zu den letzten Gliedern. Ihm genügt es, dass die Einzelnen neben einander stehen und jeder seiner Ueberzeugung folge und thue, was er vor Gott verantworten möge. So findet sich S. 85 die merkwürdige Behauptung, dass die Kirche ihrem Wesen nach mit dem Glauben gar nichts zu thun habe. Schon nach diesen Andeutungen ist es klar, wie das Christenthum des Vfs. im Grunde mit jener vielgepriesenen Trias „Gott, Freiheit, Unsterblichkeit“ abgethan ist. Was seiner Vernunft nicht zusagt, das merzt er als Protestant aus, d. h. alle eigenthümlich und tief christlichen Lehren. Seltsamer Weise geschiehet es dabei wohl, dass er anzunehmen scheint, was er im Grunde verwirft. So hebt er am Schlusse mit Emphase die Auferstehung Christi als etwas geschichtlich durchaus Beglaubigtes, Heilsames und Herrliches hervor, während er doch nichts anderes darunter versteht, als das Erwachen von einem Scheintode. Besonders in seiner Exegese geräth der Vf. in der Regel weit ab von aller Wahrheit und Haltung. Es ist das Buch mit einer Menge von Bibelcitaten geschmückt und es wird ein besonderer Werth darauf gelegt, indem ausdrücklich gebeten wird, dieselben nicht als einen Staat anzusehen, sondern fleissig nachzulesen. Nun aber widerfährt es dem Vf. nicht selten, dass die Citate nicht passen, oder von ihm in willkürlicher Deutung entstellt werden. So verdient schon das alle Rüge, dass er sich erlaubt, als einfache und authentische Bibelworte mit Anführungszeichen anzuführen, was seine subjective paraphrastische Erklärung ist. Der auch dem Vf. wohlgefällige Spruch: „Der Buchstabe tödtet“ u. s. w. wird ohne Weiteres dem Heiland in den Mund gelegt als von ihm gesagt, und S. 250 wird die paulin. Gerechtigkeit aus dem Glauben bona fide erklärt als Herzensreinheit. Ueberhaupt kommt gerade Paulus, freilich nicht der Heidelberger, denn der wird sehr hoch gestellt, in der Regel schlimm weg, und er muss sich gefallen lassen, in der Thatsache seiner wunderbaren Bekehrung mit Mahamed, Jeanne d'Arc und Cromwell in Parallele gestellt zu werden. Besonders auffallend ist, was der Vf. zur Erläuterung der neutestamentl. Wundererzählungen aus seinem eigenen Leben mittheilt, S. 255; er wisse aus eigener Erfahrung, wie leicht und wie fest die Hochachtung eines ernsten und kräftigen Menschen und das Vertrauen zu seiner Güte in einen Wunderglauben umschlagen könne, denn es sei ihm selber vorgekommen, dass zwei Frauen unvermuthet zu seinen Knieen niedergefallen seien und ihn mit heissen Thränen gebeten haben, sie vor dem Teufel zu schützen. So sei es denn dem Heiland gewiss in viel grösserem Maasse geschehen. Mit unzeitigem Spotte nennt der Vf. die biblisch-kirchliche Inspirationslehre eine prächtige, unhistorisch aber Luther einen Knaben S. 249, da sein Begleiter vom Blitze erschlagen wurde. — Was die formelle Seite des Buchs betrifft, so ist namentlich der gewählten Briefform ihr Recht nicht geschehen. Es sind aber keine Briefe, sondern Abhandlungen, und zwar Briefe von monströser Länge. Die Beweisführung ist umständlich und der Vf. mühet sich ab, mit Hülfe der alten Logik und Psychologie seine Ansichten von Religion und Christenthum als die alleinig vernünftigen darzustellen. So mag man sich kaum eines Lächelns erwehren, wenn S. 109 berichtet wird, dass die Vorlesung des 1. Briefes aus den Augen seiner Tochter und einer Freundin derselben Thränen gelockt und ihre Wangen geröthet habe. Eben so seltsam und in sich unwahr ist der Dialog zwischen dem Vf. und einer gebildeten Frau, mit welcher er auf einer Gebirgsreise zusammengetroffen sei, über den Glauben und damit Zusammenhängendes, obgleich S. 59 ausdrücklich behauptet wird, es sei dieses Gespräch keine Erfindung, sondern eine Thatsache, jedoch aus der Erinnerung niedergeschrieben, so dass nicht alle Worte dieselben geblieben seien. Mehr als naiv klingt die Aeusserung im Munde der Frau nach solchem Gespräche: „Das war doch ein genussvoller Abend, mein trauter Freund! Ich liebe dergleichen Symposien für's Leben". Der Vf. nennt sie aber auch eine schöne Frau und seine holde Freundin, und hat sich nicht gescheuet, ihr zu sagen, dass sie mit einem Gedanken schwanger gehe, ihr Kind aber stehe nicht auf dem Kopfe, so dass es von selbst ans Tageslicht kommen könne, darum wolle er ihr Geburtshelfer sein und eine „Wendung vornehmen" S. 29. Besonders schlecht ist er auf die Geistlichen zu sprechen, welche nach seiner Erfahrung nur zum bei weitem kleinsten Theile ihr Amt verstehen, ehren und erfüllen. Den Werth und die Nothwendigkeit stehender liturgischer Formen vermag er gar nicht zu begreifen, wie er denn geradezu den hergebrachten Gebrauch des Vaterunsers für eine Versündigung an demselben erklärt. Im 3. Briefe hat der Vf. viel Noth mit einem Censor, welcher den Druck des 1. Briefes verweigert habe. Wir stimmen ihm unbedenklich darin bei und meinen, das Büchlein dürfte immerhin gedruckt werden, ohne Schaden und Verwirrung anzurichten. Habent sua fata libelli — auch dieses wird seinem Schicksal nicht entgehen; es wird sich wie ein Bächlein im Sande verlieren.

[[illegible]] Ueber die Freiheit des religiösen Cultus. Eine gekrönte Preisschrift von **Alex. Vinet**, jetzt Prof. zu Lausanne. Aus d. Französ. von *Volkmann*, J. U. D. Leipzig, Barth. 1843. VIII u. 240 S., gr. 8. (1 Thlr. 7½ Ngr.)

Es vereinigt sich Vieles, um die hier anzuzeigende Verpflanzung eines französisch geschriebenen Werkes auf deutschen Boden zu rechtfertigen. Einmal hat an und für sich schon der Name des Vfs. auch in Deutschland einen guten Klang und es ist derselbe bekannt durch mehrere Schriften voll christlich tiefen Ernstes und philosophischer Schärfe. Sodann ist die vorlieg. Abhandlung eine von der bekannten „Gesellschaft der christl. Moral" gekrönte Preisschrift; Zeugniss genug für ihre innere Vortrefflichkeit. Endlich aber, und das ist die Hauptsache, gewinnt der Gegenstand derselben für die Gegenwart eine besonders wichtige Bedeutung, da allen Anzeichen nach auf dem Gebiete des kirchl. Lebens grosse Aenderungen sich vorbereiten und namentlich „das grosse Problem der Trennung von Kirche und Staat sich zu einer wahren Lebensfrage gesteigert hat". (Vorw. S. IV). So hat sich der Uebersetzer einer dankenswerthen Arbeit unterzogen, und es steht zu wünschen und zu hoffen, dass dieselbe einen nicht unwesentlichen Einfluss auf die endliche Lösung jener angeregten Lebensfrage unserer Zeit gewinnen wird. Vinet ist ein unbedingter Vertheidiger einer völligen relig. Freiheit und erhebt hier für diese mit rücksichtslosem Freimuthe seine Stimme. Aus der Freiheit des Gewissens, die er verficht, folgt ihm mit Nothwendigkeit auch die Freiheit des relig. Cultus; Gewissens- und Cultusfreiheit verschmelzen sich bei ihm zu einer einzigen, zur religiösen Freiheit. Sein Zweck geht dahin, im Namen der Vernunft, der Religion und der gesellschaftl. Interessen, für die Individuen und für die Gemeinden das freie Bekenntniss ihrer relig. Ueberzeugungen und die freie Ausübung ihres Cultus zurückzufordern. Auf fünf Hauptwahrheiten wird dafür die einzelne Beweisführung zurückgeführt; 1. sind die relig. Ueberzeugungen jedem Urtheilsspruche dadurch entnommen, dass sie ihrer Natur nach keiner Erweisbarkeit unterliegen; 2. gehören sie nicht zu der Zahl der Sachen, mit welchen sich irgendwie zu befassen, den Regierungen ein Recht zusteht; 3. ist jede Unterdrückung derselben eine empörende Ungerechtigkeit; 4. sind die Lehren des Christenthums dieser Freiheit, sowohl wegen des Geistes, den sie athmen, als nach ausdrücklichen Bibelstellen günstig; 5. spricht sich das Buch der Geschichte auf jeder Seite eben so zu ihren Gunsten aus. Nach dem Vf. besteht zwischen der relig. und der bürgerlichen Ordnung eine vollständige Unabhängigkeit; beide sind zwei Wirkungskreise, die sich einander völlig fremd sind und auf der Erde neben einander wie zwei geschiedene Principe bestehen können, deren keines dem anderen etwas anhaben darf. So hat der Staat zwar die Moral der Gesellschaft zu schützen, keineswegs aber ihre relig. Ueberzeugungen zu ordnen; ja es ist für denselben nicht bloss nicht vortheilhaft, sondern geradezu verderblich, solch Vorrecht auszuüben. Die Religion selbst aber bedarf so wenig einer äusserlichen Hülfe von Seiten des Staates, dass sie gerade dann erst ihre volle Kraft entwickelt und ihren reichsten Segen spendet, wenn sie sich selbst überlassen ist und für ein Reich, das nicht von dieser Welt ist, wirkt. So muss es durchaus dem Einzelnen und den besonderen Gemeinden überlassen bleiben, Gott zu verehren in der Weise, wie es ihrem Gewissen am meisten zusagt und selbst der Irreligiöse, der Atheist kann Anspruch machen auf Duldung und Anerkennung, so lange er nicht der öffentl. Sittlichkeit und Wohlfahrt geradezu gefährlich wird. So kann Niemand gezwungen werden durch das Schwert der Staatsgewalt, seine Ehe kirchlich einsegnen oder seine Kinder taufen zu lassen, jene bleibt als Civilehe bürgerlich vollkommen gültig. So sind die Geistlichen in keinerlei Beziehung Staatsdiener, weder vom Staate zu bilden, noch zu besolden. So soll überhaupt von Staatsreligion gar nicht die Rede sein und das vielgepriesene Wort Toleranz könnte ohne Weiteres aus dem Lexikon des gangbar Gewöhnlichen gestrichen werden, weil jeder Glaubensüberzeugung und Cultusform mehr als Duldung zukommt. So darf bei Anstellung von Beamten u. s. w. nach einer besonderen Glaubensrichtung nicht gefragt werden, so lange nur Sittlichkeit und Tüchtigkeit bei ihm gefunden werden. Man sieht aus diesen Andeutungen, wie der Vf. die vollendetste Trennung der bürgerlichen und relig. Gesellschaft fordert, obgleich er überzeugt ist, dass der Vollgenuss dieses erhabenen Gutes von der Vorsehung erst für eine mehr oder minder entfernte Zeit aufgespart ist. Entschiedener Feind von plötzlichen und ungestümen Revolutionen, verlangt er vor der Hand und zur allmäligen Erreichung des eigentlichen hohen Zieles bloss das, dass der bürgerliche Zustand jedes Einzelnen nie von seinem relig. Standpuncte abhängig gemacht werde, und dass jede Secte so lange geduldet werde, als sie nicht die Sittlichkeit der Gesellschaft verletzt. Wir müssen unseren Lesern überlassen, in der Schrift selbst die weitere Darlegung des hier Angedeuteten nachzulesen, dürfen aber versichern, dass Niemand, der überhaupt Interesse an dieser hochwichtigen Sache nimmt, ohne vielfache Anregung und Förderung von der Lectüre dieses Buches scheiden wird. Der Vf. ist ein eben so scharfer Denker, welcher vor keiner Consequenz auf der Bahn der Wahrheit zurückbebt, als ein frommer und gläubiger Christ, dem das Evangelium über Alles geht. Dabei stehen ihm reiche literarische und histor. Kenntnisse zu Gebote. Seine Beweisführung ist fast durchweg mathematisch genau, ohne trocken und ermüdend zu werden, die Sprache klar, elegant, präcis und edel, die Darstellung namentlich in den histor. Abschnitten und am

Schlusse wahrhaft beredt und glänzend. Wir möchten freilich nicht alles unbedingt unterschreiben und können uns namentlich von einer so völligen Trennung des bürgerlichen und relig. Lebens nicht überzeugen, als der Vf. für möglich und nöthig hält, und in jedem Falle liegt die Verwirklichung des hier Gedachten und Gepriesenen noch in sehr weiter Ferne. Aber an der Zeit ist es gewiss, auf das eigenthümlich demokratische Element des Christenthums und der Kirche mit all der Energie hinzuweisen, welche dem Vf. eigenthümlich ist. Dass derselbe die amerikanischen Freistaaten als das Eldorado der geforderten relig. Freiheit ansieht, beruht allerdings, wie auch der Uebersetzer im Vorworte ausspricht, auf einem Irrthum, und hat seinen Grund zum Theil darin, dass schon im J. 1826 das hier Vorliegende niedergeschrieben ist. Die Uebersetzung selbst ist treu, ohne steif und unbeholfen zu werden; sie lässt das französ. Original durchweg durchscheinen, ohne der deutschen Eigenthümlichkeit zu viel zuzumuthen. In der Reihe der im Vorwort aufgezählten Vinet'schen Schriften haben wir seine Rede über die Einsamkeit vermisst, welche auch ins Deutsche übersetzt ist. *k.*

[P300] Die religiöse Glaubenslehre nach der Vernunft und der Offenbarung für denkende Leser dargestellt von Dr. **K. G. Bretschneider**, Gen.-Sup. zu Gotha u. s. w. Halle, Schwetschke u. Sohn. 1843. X u. 406 S. gr. 8. (1 Thlr. 26⅔ Ngr.)

Wenn der Vf. dieser Schrift, dem wiederholte Auflagen seines Handbuchs der kirchl. Dogmatik und seine sonstige vielfache, theologischen und religiösen Gegenständen zugewendete literarische Thätigkeit Veranlassung genug zum Fortbau und Abschluss seiner Ueberzeugungen gaben, in ihr gewissermaassen als Resultat eines dem Studium der Theologie gewidmeten Lebens, sein vollständiges Glaubensbekenntniss ablegt, und wenn ihm dabei voraussätzlich eine ansprechende, klare Darstellungsweise, wie er sie namentlich in mehreren, in ein grosses Publicum eingedrungenen Schriften bewährt hat, zu Statten kommt: so erklärt sich daraus zusammengenommen auf das Befriedigendste die günstige Aufnahme dieser Schrift in ausgebreiteten Leserkreisen, wie diess auch ihre schon nöthig gewordene 2. unveränd. Auflage bestätigt. Hat nun Ref. hinzuzufügen, dass der Vf. in der Hauptsache auch hier seinen anderwärts durchgeführten Ansichten durchaus treu geblieben ist, indem er die speculative Philosophie für eine Stellvertreterin des religiösen Glaubens nicht gelten lässt, und in dem Zurückgehen zur Kirchendogmatik des 16. Jahrh. ein vergebliches Unternehmen erblickt, so dass er seine von Polemik frei gehaltene Entwickelung Denen zunächst darbietet, welche, an eigenes Denken gewöhnt, sich nicht blindlings weder an die theolog. Ueberglaubigkeit noch an die philosophische Ungläubigkeit anschliessen mögen: so dürfte es kaum nöthig sein, die leitenden Principien dieser Schrift ausführlich und besonders erst hervorzuheben, da die Prämissen dazu in des Vfs. kleineren theol. Schriften und Aufsätzen schon längst vorliegen und hier nur als Resultate nochmals und im Zusammenhange ausgesprochen werden. Theologen also, die im Sinne der angedeuteten Duplicität mehr oder weniger Partei genommen haben, werden hier eben so wenig ihre Rechnung finden als sie zu competenten Beurtheilern sich eignen könnten; nur Unbefangene und in ruhigem Forschen Begriffene werden durch sie, wenn auch im Einzelnen nicht immer auf dem nämlichen Wege, doch in der Hauptsache mit dem Vf. dasselbe Ziel erreichen. Aber welche Farbe auch verschiedene Leser zu dieser Schrift mitbringen mögen, sie werden doch der tüchtigen philosophischen Grundlage, auf welcher sie ruht, und der eigenthümlichen, glücklich gewählten Behandlungsweise des Stoffes Anerkennung widerfahren lassen. Denn durch die stete Beziehung der in der Bibel dargelegten Offenbarung auf die allgemeinen Gesetze der Ideenbildung in dem menschl. Geiste wird das religiöse und das bloss geschichtliche Element der Bibel gehörig geschieden, und die besondere Beschaffenheit jenes, wie es im A. T. auftritt, erklärt und gegen Verunglimpfungen gerechtfertigt, eo ipso aber eine Ueberzeugung von der Göttlichkeit des Christenthums angebahnt, welche mit allen Fortschritten des menschl. Geistes in der Erkenntniss in Harmonie tritt und Frieden vermittelt zwischen Glauben und Wissen. In den Hauptzügen wird aber folgender Belehrungsgang von dem Vf. eingeschlagen: Nach einer kurzen, die Wichtigkeit einer wohlbegründeten Ueberzeugung von den religiösen Wahrheiten entwickelnden Einleitung wird im 1. Hauptabschn. der religiöse Glaube nach der Vernunft erörtert; alsdann wird in einem überleitenden Abschnitte die Entfaltung der religiösen Ideen in dem menschl. Geiste (die göttliche Offenbarung) besprochen; die nächstfolgenden Abschnitte verbreiten sich über die Stufenfolge dieser Offenbarung im A. und N. T. Die beiden letzten handeln von der Person Jesu Christi und den religiösen Ideen in der christl. Offenbarung. Diese Skiagraphie lässt jedoch den Reichthum des in den einzelnen Unterabthl. verarbeiteten Materiales nicht sofort erkennen. Beispielsweise sei hier nur der specielle Inhalt des Abschnittes, der die Lehre von der Person des Heilandes erörtert, mitgetheilt, in 8 §§ folgender: Der historische und der speculative Christus; nicht-christliche Zeugnisse vom histor. Christus; christl. Zeugnisse von demselben; das N. T.; die 4 Evv. insonderheit; der histor. Christus nach den apostol. Briefen und nach den 4 Evv.; das öffentliche Leben Christi; der speculative Christus oder der Sohn Gottes. — Wer mit dem Ref. der Ueberzeugung lebt, dass Derjenige, dem es um das ganze Christenthum zu thun ist, sich an keine der jetzt um die Alleinherrschaft kämpfenden theol. Meinungsweisen anschliessen dürfe, sondern es auf dem Wege des schlichten, einfachen Glaubens und Denkens zu suchen, es nach bestem Wissen und Gewissen aufzufassen und festzuhalten streben müsse, wie es die Bibel hat und gibt, der kann die vorl. Schrift unbedenklich als eine kundige Führerin empfehlen.

Medicin und Chirurgie.

[2001] Ueber das Wesen und die Behandlung der Krankheiten des Magens und der Harnorgane. Von Will. Prout, Med. Dr, Mitgl. d. R. College of Physicians. Nach der 3., sehr verm. Aufl. aus d. Engl. von Dr. *Gust. Krupp.* Leipzig, Kollmann. 1843. VIII u. 528 S. gr. 8. (2 Thlr. 15 Ngr.)

Die allgemeine Verbreitung und Anerkennung, welche sich Pr.'s Abhandlungen über die krankhaften Erzeugnisse des uropoetischen Systems seit länger als 20 Jahren, auch in Deutschland, wo schon 1823 eine Uebersetzung in Weimar veranstaltet wurde, zu erfreuen hatten, lässt es überflüssig erscheinen, über den Inhalt dieser neuen Uebersetzung des in der 3. Aufl. ganz umgearbeiteten Werkes etwas mehr als einige allgemeine, mehr literarische Notizen für den Zweck unseres Repertoriums mitzutheilen. Die Vorrede zur 1. Ausgabe ist vom J. 1820 datirt, die zur 2., in welcher der Vf. specieller auf die organischen Krankheiten der Nieren und der Blase selbst einging, vom J. 1825. In dieser 3. hat er sich mehr auf den praktischen Standpunct gestellt, dabei aber den physiologischen und chemischen nicht aus den Augen verloren und Vieles benutzt, was von anderen Schriftstellern in dem letzten Jahrzehend über diese Krankheiten geschrieben worden ist. Unbegreiflich ist es aber, warum so manche wichtige Entdeckungen, wie z. B. die Auflösung der Harnconcremente durch den Gebrauch geeigneter Mineralwässer u. s. w., ganz mit Stillschweigen übergangen oder nur im Vorbeigehen erwähnt worden sind! In Bezug auf die Krankheiten des Magens entspricht der Inhalt dem Titel sehr unvollständig, wie nachstehende kurze Uebersicht der einzelnen Capitel bezeugen wird. Einleitung: Allgemeine Physiologie und Pathologie der Assimilation; Secretion der Galle und des Urins. I. Theil. Functionelle Krankheiten (solche bei denen neben der Störung in den Verrichtungen wenig krankhafte Umänderungen in den assimilirenden und secernirenden Organen beobachtet werden). Cap. 1. Allgemeine Bemerkungen über die Pathologie der Assimilation und Secretion des Wassers (anomale Urinabsonderung in Krankheiten). 2. Allgem. Bemerkungen über die Pathologie der Assimilation und Secretion der zuckerhaltigen Substanzen (Diabetes, kleesaure Diathesis, Milchsäure). 3. Dasselbe in Bezug auf albuminöse Assimilation und Secretion (Uebermaass und Mangel der Urea im Urin; albuminöser Urin, Harnsäure, Blasenoxyd). 4. Pathologie der Assimilation und Secretion der öligen Stoffe (Fettheit und Magerkeit; Cholestrin und dessen Ablagerungen). 5. Allgem. Bemerkungen über die Pathologie der incidentellen Bestandtheile des organischen Products. Der Vf. theilt die hieher gehörigen Krankheiten in 2 Classen: a) solche, die mit unlöslichen sogen. „incidentellen" Stoffen, mit Einschluss des phosphorsauren Bittererde-Ammoniaks und des phosphorsauren Kalkes verbunden sind, und b) solche, bei denen lösliche, incidentelle Stoffe, mit Einschluss von Natron, Kali und Ammoniak in Betracht kommen. II. Theil. Mechanische

Krankheiten, d. h. solche, die durch sichtbare Fehler der Nieren und der Harnblase, besonders aber durch Concremente in diesen Organen entstehen. Cap. 1. Ursprung und Zunahme der Nierenconcremente, Symptomatologie und Therapie derselben im Allgemeinen. 2. Krankheiten der Nieren, die durch Nierensteine entstehen, mit ihnen verwechselt werden und mit ihnen complicirt sein können. 3. Von den Blasensteinen im Allgemeinen. 4. Von den durch dieselben erzeugten Krankheiten der Blase u. s. w. 5. Blutungen der Harnorgane. 6. Suppression, Retention und Incontinens des Urins (ungenügend). 7. Ueber die Entfernung der Steine aus der Harnblase (ebenso). Ein Anhang giebt 6 Tabellen über die Mortalität beim Diabetes und der Lithiasis in verschiedenen Districten von England und Wales, das Vorherrschen und die Gesetze der Bildung und Abwechselung der verschiedenen Steinablagerungen, über das Verhältniss der Steinkrankheit in den verschiedenen Altern und bei den verschiedenen Geschlechtern und das Sterblichkeitsverhältniss nach der Operation des Steinschnitts. — Die Uebersetzung ist gut, wie wir diess von dem Dr. Krupp nicht anders gewohnt sind; Druck und Papier gut.

[8802] Untersuchungen über periodische Vorgänge im gesunden und kranken Organismus des Menschen. Von Geo. Schweig. Mit 5 lithogr. Tabellen. Carlsruhe, Groos. 1843. VIII u. 166 S. gr. 8. (1 Thlr.)

Es giebt Bücher, von denen man mit dem besten Willen nicht im Stande ist, eine nur einigermaassen vollständige und verständliche Inhalts-Uebersicht in wenigen kurzen Sätzen zu geben, während die eigenthümliche Beschaffenheit einer anderen Classe von Schriften den Ref. geradezu auf nur kurze Andeutungen hinweist, und alles tiefere Eingehen verbietet: Beides unbeschadet des Werthes des Inhalts. Zu jenen Werken gehört das in No. 8304 besprochene, zu diesen das ebengenannte. Der Vf. lenkt die Aufmerksamkeit seiner Leser auf eine von ihm zufällig gemachte, aber mit Fleiss und Scharfsinn verfolgte Entdeckung, die, wenn zahlreiche spätere, mit Genauigkeit und Unbefangenheit anzustellende Versuche bestätigend sich aussprechen, von grossem Einflusse für die theoretische und praktische Heilkunde werden könnte. Möglich aber auch, dass sie ins Reich der Hypothesen verwiesen wird. — Es fand nämlich der Vf. bei lange fortgesetzten, dem Harnsäuregehalte des Urins gewidmeten Versuchen, dass die Bildung dieser Säure an gewissen Tagen reichlicher, an andern sparsamer vor sich gehe, und dass namentlich ein 6tägiger Cyclus (von ihm trophischer genannt) hierbei sich bemerkbar mache. Diese Wahrnehmung verfolgend, glaubt er, eine ähnliche Periodicität der Erscheinungen bei anderen Vorgängen des gesunden und kranken Organismus nachweisen zu können, und bezieht sich hierbei auf Beobachtungen über Mortalitätsverhältnisse, Menstruationserscheinen und die Wirkung der trophischen Periode in einigen Krankheiten (Kindbettfieber, Croup, Masern). Mit gründlichen mathemat. und astronomischen

Kenntnissen ausgerüstet, forscht er dem Grunde dieser Erscheinung nach und findet denselben in der wechselnden Stellung der Erde zu der Sonne und dem Monde. Diese Andeutungen werden ausreichen, eine Schrift zu charakterisiren, deren hauptsächlichster Bestandtheil die statistischen und mathematischen Berechnungen bilden, welche zur Begründung und zum Beleg dieser wenigen Sätze erforderlich waren. Zum Schlusse hebt Ref. eine Folgerung des Vfs. heraus, die ihm bezeichnend erschienen ist. „Ist oben gezeigt worden, dass die Zeit vor und nach Apogaeum ungleich mehr Harnsäure producire, als die vor und nach Perigaeum. Bei der Sterblichkeit tritt ein umgekehrtes Verhältniss zu. Bestätigt sich diese Erfahrung auch in anderen Beziehungen, so könnte hierauf ein sehr wichtiger Schluss für die Ernährungs- und Lebensverhältnisse überhaupt gebaut werden, der nämlich, dass, wenn unter gewissen Umständen die Intensität der Ernährung (einstweilen ausgedrückt durch die Summe der erzeugten Harnsäure) sich gesteigert zeigt, die Summe der Todesfälle vermindert wird, und umgekehrt“ (S. 76).

[830] Das Empyem und seine Heilung auf medicinischem und operativem Wege nach eigner Beobachtung dargestellt von Dr. **Alb. Krause**, prakt. Arzte u. Lehrer am K. Provinzial-Hebammen-Institute zu Danzig. Danzig, Kabus. 1843. X u. 210 S. gr. 8. (1 Thlr. 7½ Ngr.)

Müssen wir gleich diese Monographie als eine in allen ihren Theilen vorzügliche und von seltener Beobachtungsgabe, reicher Erfahrung und gründlicher Sachkenntniss des Vfs. zeugende Arbeit bezeichnen, so sind es doch besonders zwei Capitel, welche sich einer besonderen Ausführlichkeit hinsichtlich der Erforschung sowohl, als der Darstellung zu erfreuen gehabt haben; nämlich das, welches von dem anatomischen Charakter des Empyems handelt, und das der Heilung desselben gewidmete. In dieser doppelten Beziehung verdanken wir dem Vf. sowohl eine Anzahl neuer und interessanter, aus eigener Beobachtung hervorgegangener Bemerkungen, als auch eine gründliche Kritik der bisher befolgten Grundsätze in Bezug auf Anwendung des medicinischen, wie des operativen Heilverfahrens; namentlich ist es das letztere, welches durch eine statistische Zusammenstellung der bis jetzt zur öffentl. Kenntniss gekommenen Fälle von Paracentese des Brustkastens mit günstigem oder ungünstigem Ausgange, eine richtige Würdigung gefunden hat und beziehendlich der die Anzeige zur Operation bestimmenden Momente mit sicherer Grundlage versehen worden ist. Im entzündlichen Stadium bewährte sich dem Vf. neben örtlichen und allgemeinen Blutentziehungen als ein, die Schweiss- und Urinabsonderung mit beförderndes antiphlogisticum, vorzüglich die Laennec'sche Verbindung von Brechweinsteinlösung mit Extr. opii aquos. und Syrup. liquir., nach deren Anwendung erst Blasenpflaster in Gebrauch gezogen wurden; war die Entzündung beseitigt, und es handelte sich darum, das Exsudat durch Unterstützung der Aufsaugung zu entfernen, so erwies sich von besonderem Nutzen ein Infusum Digitalis mit Liquor kali acetici und für die äusserliche Anwendung das Bestreichen der kranken Brustseite mit Jodtinctur. Die vergleichende Uebersicht der Ausgänge der Krankheit nach angestellter Paracentese ist nicht geeignet, der frühen Operation das Wort zu reden. Nach des Vfs. Ueberzeugung gibt es nur ein Motiv für die Operation, nämlich Lebensgefahr, die entweder mit Erstickung oder Marasmus droht. Die Operation muss daher gemacht werden, wenn der Erguss durch die enorme Quantität oder rasche Ansammlung die lebenswichtigsten Organe in ihrer Function beeinträchtigt, wenn die Circulation im kleinen und grossen Kreislaufe gehemmt, das Gesicht livid und angsterfüllt, die Dyspnoe unerträglich ist. Der gebildete Congestionsabscess muss so früh als möglich geöffnet werden. Der nothwendige Abfluss des täglichen Secrets muss, sobald er durch irgend einen Umstand unterbrochen wurde, aufs schleunigste wiederhergestellt werden. Die Operation darf gemacht werden, wenn das Empyem mit einer anderen tödtlichen Krankheit complicirt ist, der Kranke von Tage zu Tage mehr entkräftet, dem verderblichen Einflusse beider unterliegt. — Ueber den Act der Operation und die dazu zu verwendenden Instrumente wird im letzten Abschnitte mit gleicher Bestimmtheit gehandelt. Eine Steindrucktafel liefert Abbildungen der Instrumente von Bouvier, Reybard, Recamier, Stanski, Skoda und Schuh; aus des Vfs. eigener Praxis sind 59 Krankheitsgeschichten vollständig mitgetheilt.

[[illegible]] Die Geistesstörungen in ihren organischen Beziehungen als Gegenstand der Heilkunde betrachtet von Dr. **H. Sigism. Sinogowitz.** Berlin, Hayn. 1843. VIII u. 496 S. gr. 8. (2 Thlr. 15 Ngr.)

Ein Arzt, der nicht nur in einer langen Reihe von Jahren das Studium der Geisteskrankheiten zu seiner Lieblingsbeschäftigung gemacht, sondern auch mit Beifall und Erfolg an der Spitze von Irren-Heilanstalten gestanden hat, unternimmt in vorlieg. Werke die Entdeckungen der neuern Zeit im Gebiete der Anatomie und Physiologie zu Forschungen über Entstehung, Natur und Wesen der einzelnen Formen von Erkrankungen des Seelenorgans, zu Deutung der verschied. Erscheinungen im Verlaufe derselben und zu Aufstellung rationeller Grundsätze für deren Heilung zu verwenden. Die Veranlassung zu diesem Unternehmen ist jedenfalls eine höchst löbliche; sie ist identisch mit dem Bestreben nach wissenschaftlicher Forschung und einem tieferen Eindringen in unbekannte Regionen, wo der Bebauer des Bodens in die Fusstapfen des friedlichen Eroberers tritt; die Ausführung desselben in Berücksichtigung des so schwierigen Gegenstandes und der noch so mangelhaften Grundlagen, auf denen der Vf. zu bauen unternahm, verdient Anerkennung, denn sie vereinigt Sachkenntniss mit Gründlichkeit, Deutlichkeit mit Kürze, die äussere Form ist ansprechend durch den klaren, edeln und nicht selten poetischen Vortrag des

Vfs. Was sich gegen die Folgerungen und die Systematik sagen lasse, gehört nicht für diese kurze Anzeige, die doch hauptsächlich dazu bestimmt ist, den Leser darüber ins Klare zu setzen, was er von dem eigenen Studium des Buchs zu erwarten habe. — Der Vf. leitet seine Abhandlung mit allgemeinen, aus vieljährigem Umgange mit Geisteskranken geschöpften Beobachtungen ein und berücksichtigt zuerst das Verhältniss des Arztes und Krankenwärters zu seinen Irren, wobei er manche neue und interessante Ansichten entwickelt, die auch ältere und erfahrene Irrenärzte mit Nutzen und Vergnügen lesen werden, wie unter Andern die vom Vf. zuerst versuchte und mit gutem Erfolge gekrönte Confrontation gleichartiger Geisteskranken. Er begleitet seine Leser ferner zu den Versammlungen der Geisteskranken im Freien, zeigt, wie das verschiedene Benehmen der nach demselben in gewisse stabile Classen zerfallenden Irren ein ziemlich sicheres Mittel zur Beurtheilung der Heilbarkeit oder Unheilbarkeit des kranken Zustandes abgebe, versetzt uns von da in die Versammlungszimmer der männlichen und die Arbeitsäle der weiblichen Geisteskranken, und schliesst diese Einleitung mit Betrachtungen über den Schlaf Geisteskranker, dessen Eigenthümlichkeiten bisher noch nicht in dem Grade gewürdigt worden waren, als sie es verdienen, namentlich in Betracht der aus ihnen zu bildenden Schlüsse auf Form, Entwickelung, Uebergänge und Ausgang der bestehenden Seelenstörung. Auch in diesem Abschnitte, wie in den früheren und folgenden erläutert der Vf. seinen Vortrag durch gut gewählte und eben so gut erzählte Beispiele. Von S. 70 an beginnen einleitende Betrachtungen zu dem Hauptthema: „die Geistesstörungen in ihren organischen Beziehungen". Ihr Zweck ist, das unzertrennliche Zusammenwirken des geistigen und materiellen Lebens in den Lebenserscheinungen anzudeuten, darauf hinzuleiten und aus ärztlicher Naturerscheinung nachzuweisen, wie beide Lebensformen aus einem Urquell entströmen, aus diesem ihre Lebensbedingungen empfangen und sich unter einander nothwendig bedingen. Nach Feststellung allgemeiner Sätze (über Kraft = Nerv, Säfte = Materie; Bildungsgeschichte des Nervensystems, Wechselwirkung der einzelnen 3 Bereiche desselben, deren Quellen gesondert erscheinen, aber zu einem gemeinschaftlichen Zwecke: Darstellung der gesammten Individualität zusammentreten, über das Nervensystem als Ausgangspunct jeder Geistesstörung u. s. w.) geht der Vf. zu den Ergebnissen physiologischer Studien über das Blut- und Nervenleben in Bezug auf Geistesstörungen über, die er in 10 Capp. vertheilt: 1. Ueber die organische Temperatur; 2. Ueber das Blutleben (meist nach Schulz und Magendie. — Ueber die Zulässigkeit der Schlüsse von den verschiedenen qualitativen Zuständen des Bluts auf die cerebralen Thätigkeiten). 3. Die Blutbewegung im Gehirn und Rückenmark (anat. Beschreibung der Gefässe nach Weber und Hildebrand; Würdigung und Deutung der auffälligen Eigenthümlichkeiten in Lage, Lauf und Anordnung der Arterien,

Venen und Sinus). 4. Ueber die Wasserbewegung im Gehirn und Rückenmark (Auszug aus den, von uns unter No. 3361 besprochenen Vorlesungen Magendie's über die cerebro-spinale Flüssigkeit). 5. Die Blut- und Wasserbewegung im Gehirn und Rückenmark in ihren Relationen zu einander betrachtet (Anwendung der anat. und physiolog. Erscheinungen auf die Pathologie; Erklärung geistiger Störungen durch analoge Erscheinungen bei materiellen krankhaften Zuständen des Gehirns). — Corticale und medullare Blutbewegung des Gehirns; Abscheidung der cerebro-spinalen Flüssigkeit aus den Hirnarterien; — das Hirn erscheint als das Herz für die Vertheilung derselben im ganzen Nervensystem; — Wasseransammlungen an allen Puncten, wo graue und weisse Substanz zu eigenthümlichen Gebilden zusammentreten. 6. Mechanismus der Blut- und Wasserbewegung im Gehirn (der Liquor cerebro-spinalis steigt bemerkbar und nachweislich zum Hirn während der Exspiration und sinkt abwärts bei der Inspiration; das Gehirn wird von seinem Innern aus in undulirende Bewegung gesetzt). 7. Ueber cerebrale Congestionen. 8. Uebermässige Blutfülle und Blutstockung im Gehirne. 9. Blutstockung, Entzündung und krankhafte Metamorphosen des Gehirns und Rückenmarks. 10. Ueber das Nervenleben. Geistreiche Skizze der Eigenthümlichkeiten, welche eine vorwaltende cerebrale, cerebello-spinale oder das sympath. Nervensystem betreffende Organisation in ihren Lebenserscheinungen zeigt, unter Hindeutung auf die vielen gemischten Zustände bei Geistesstörungen, welche aus gleichzeitiger gesteigerter oder unterdrückter Ausbildung der einzelnen Sphären des Nervensystems entstehen. Es wird hierdurch der Uebergang zu der besonderen Betrachtung der verschiedenen Geistesstörungen bei vorherrschender Organisation eines der drei Gebiete des Nervensystems vermittelt, und mit der der Geistesstörungen bei vorwaltender cerebraler Constitution begonnen. Es zeigt der Vf. die Entwickelung von Aufregung der Hirnthätigkeit aus vermehrtem Blutandrange und umgekehrt; die Folgen anhaltender derartiger Blutüberfüllung in habitueller cerebraler Erregung und den leichten Uebergang eines solchen Zustandes in wirkliche Geistesstörung; — Delirium tremens, cerebrales Fieber, Einfluss cerebraler Blutfülle mit vermehrter Bewegung und cerebraler Blutstasis auf Sinnesfunctionen und Ideenbildung. Verschiedene Formen des cerebralen Erregungszustandes a) mit allgemein activer Blutfülle (Schlaflosigkeit als Vorläufer des Verstandeswahns, Wahnwitzes, Aberwitzes, der Narrheit; Seltenheit derartiger Geisteskrankheit, ohne dass ein untergeordnetes Nervensystem in Mitleidenschaft gezogen wird; treffende, tiefgedachte Bemerkungen über Narrheit und deren Heilung. Betrachtung dieses Zustandes beim weiblichen Geschlechte, wo er selten, vielleicht nie ganz rein auftritt und gemeiniglich mit krankhaften Lebenserscheinungen des N. sympathicus complicirt vorkommt). b) Cerebraler Erregungszustand mit passiver Blutfülle. Ein in der Regel mit tiefstem Blödsinn und Abulie endender, meist durch Trunksucht oder übermässige Geistesanstrengungen erzeugter Zustand. c) Cerebraler Erregungszustand bei unregelmässiger Blutvertheilung, mit activer und passiver Congestion. — Localisation der Wahnideen einzelner Sinne durch partielle Affection eines Hirntheils; über den Wahnsinn, als seiner buchstäblichen Bedeutung nach als Sinneswahn auftretend; Begründung des cerebralen Wahnsinns a) durch Wahnideen des Gesichts. Beweis, dass die Retina nach anat. und chemischen Untersuchungen unmittelbare Fortsetzung der Hirnsubstanz (Hirnanhang, äusserer Hirnventrikel) sei, und hierauf begründete Erklärung vieler Erscheinungen. Wahnideen der Sinne haften im Bildungsheerde der Sinneserscheinungen, im centralen Hirn, nicht in dem Sinne selbst, sind gleichsam in ihrer vollständigsten Ausbildung bleibende Erzeugnisse einer unvollkommenen und krankhaften Digestion des Wahrgenommenen in dem centralen Digestionsapparate des Gehirns. Bei Ausbildung einer Wahnidee des Gesichts waltet im Bildungsheerde derselben entweder das Blut in verändertem oder gesteigertem Einflusse vor, oder es ist das Nervencentrum dieses Einflusses zum grossen Theile beraubt; dort Symptome cerebraler Irritation (Wuth), hier die der Erschöpfung. b) Wahnideen des Gehörsinnes. Wie im vorhergehenden Abschnitte, ist auch hier die anatomische Darstellung des betreff. Sinnesorgans aus Weber's Handbuche entnommen. Ueber die Häufigkeit und tiefe Bedeutung dieser Art von Sinneswahn, dessen Heilung in der Regel schwer gelingt, da er mit der geistigen Assimilation in der bestimmtesten Beziehung steht. Aberwitz bei Wahnideen des Gehörsinns scheint grenzenloser, als bei jeder anderen Art. Die genannten Wahnideen sind besonders der Schwermuth eigen (Verbindung des N. vagus mit dem Gehörnerven; Stimmenhörer meist Unterleibskrank). —. c) Wahnideen des Geruchssinns. Erklärung der Function der Nase aus der Analogie des Zweckes der Mundhöhle für die Verdauung; Einfluss der Geruchsempfindung auf das ganze Nervensystem. Seltenheit der Fälle, wo Irrsein durch Wahnideen des Geruchssinnes hervorgerufen wurde; Anführung einiger interessanter Beispiele. — d) Wahnideen des Geschmackssinnes erscheinen selten isolirt, können aber doch bei langer Andauer und häufiger Wiederkehr auf die geistige Gesundheit störend wirken, indem sie namentlich in der Regel die Verweigerung der Nahrungs-Aufnahme von Seiten der Kranken zur Folge haben. Zu unterscheiden ist, ob der Geisteskranke wirklich schlechten Geschmack in Folge krankhafter Producte der Schleimhaut empfindet, oder ob ein Erkranken der Ursprungsstelle der Geschmacksnerven die abnorme Vorstellung erregt. — Ekelkur, Uebergang des körperlichen Ekels in geistigen. — e) Wahnideen des Gefühlsinnes finden sich fast bei allen Geisteskrankheiten, dienen, da sie meist durch körperliche Zustände bedingt sind, oft als Wegweiser, um die somatische Veranlassung mancher Seelenkrankheit zu entdecken, und finden sich nach des Vfs. Erfahrungen häufiger bei Leberkranken, Gichtischen und Trinkern. — Von dem

Einflusse des Schmerzes auf Geisteskranke. — Ueber Cerebralepilepsie, als Anhang aus einer Abhandlung des Vfs. in Rust's Magazin v. J. 1826 entlehnt. — Die Geistesstörungen bei vorherrschender cerebello-spinaler Irritation. Der cerebello-spinale Erregungszustand als Disposition zu Geistesstörungen betrachtet (Eigensinn, Wahnwille, blinder Trieb, Wuth, Tobsucht, Raserei und als Ausgang im ungünstigsten Falle: Willenlosigkeit). Nachweisung der Entwickelung jener krankhaften Zustände aus Steigerung der normalen Function des cerebello-spinalen Systems. Betrachtung jenes Erregungszustandes in Folge activer Blutfülle und als rein nervöse Irritation (Mordmonomanie, Zornwüthigkeit der Trinker; überhaupt spricht sich jener Zustand in allen Fallen aus, wo starker Wille zur That reift. Cerebello-spinale Irritation von passiver Blutfülle zeigt sich durch mehr chronischen Wuthzustand ohne Nachlass, während als ihr niedrigster Grad die tollkühne Verwegenheit zu betrachten ist. Der Sitz des Leidens ist hauptsächlich entweder der Hinterkopf (Erotomanie) oder die untere spinale Gegend des N. sympathicus (Störung des Gemeingefühls, Schwermuth, Neigung zum Selbstmord). — Eine Mischung jener beiden Zustände bildet die cerebello-spinale Irritation mit unregelmässiger Blutvertheilung — Mania periodica. — Epilepsia spinalis, aus des Vfs. oben citirter Abhandlung über Krampfformen u. s. w. — Auch die 3. Abth. „die Geistesstörungen bei vorherrschender Organisation des sympath. Nervensystems" wird durch eine anatomisch-physiologische Abhandlung über die Eigenthümlichkeiten und Verrichtungen dieses Systems eröffnet, und hierauf erst der Einfluss des grossen sympathischen Nerven als Organ des Gemeingefuhls auf Entstehung einer besondern Classe von Geisteskrankheiten nachgewiesen. Der Nervus vagus überträgt die vom Gemeingefühl ausgehenden krankhaften Zustände auf das Gehirn, wo selbst durch häufige Wiederholung dieses Vorgangs sich Wahnideen des Gemeingefühls ausbilden. — Verhältniss der Hypochondrie zur ausgebildeten Geisteskrankheit; über die fixen Ideen, (die fälschlich häufig als das Hauptsächlichste einer Geistesstörung betrachtet werden, während sie in der Regel nur Aeusserungen eines vorhandenen Sinneswahns oder einer Wahnidee des Gemeingefühls sind); über Neigungen, Gemüthsbewegungen und Leidenschaften in ihrer Beziehung zu Geistesstörung: über Mondsucht, Epilepsia ex gangliorum systemate (hysteria); die Geistesstörungen durch krankhafte Sexualzustände bedingt, nach ihren verschiedenen Beziehungen, in denen sie zu dieser oder jener vorherrschend ausgebildeten Region des Nervensystems stehen (sexualer Wahn, sex. Tobsucht und Schwermuth), a) in der Periode der geschlechtlichen Entwickelung, b) in der Zeit der schon vollendeten geschlechtlichen Ausbildung, c) im Wochenbette. — In 3 Abschnitten auf 20 Seiten verbreitet sich der Vf. zum Schlusse über erheuchelte Geistesstörungen, über die Prognose und die Therapie der Geisteskrankheiten.

Morgenländische Sprachen.

[2395] Die arabischen, persischen und türkischen Handschriften der k. k. orientalischen Akademie zu Wien, beschrieben von Albr. Krafft, ehemal. Zögling dieser Akademie, Scriptor an der k. k. Hofbibliothek u. niederöst. Landrechtsdolmetsch f. d. orient. Sprachen. Wien, Beck. 1842. XX u. 206 S. gr. 8. (2 Thlr. 20 Ngr.)

Die von Maria Theresia zur Bildung tüchtiger Dolmetscher für den Staatsdienst gegründete orientalische Akademie zu Wien besitzt nicht nur eine Sammlung von beinahe 20,000 (so nach der Vorrede dieses Werkes; nach S. 42 nur beinahe 16,000; wahrscheinlich ist die Zahl während des Druckes so stark angewachsen) morgenländischen Staats- und anderen Geschäftsschreiben, sondern auch 509 Werke der arab., pers. und türk. Literatur in 447 Bänden, welche sie theils ursprünglich von der Kaiserin verliehen, theils im Laufe der Zeit von Gönnern und ehemaligen Zöglingen geschenkt bekommen, theils auf andere Weise erworben hat. Diese Werke führt uns nun Hr. Krafft, nach Vorausschickung eines Verzeichnisses von 120 über arab., pers. und türk. Handschriften bisher erschienenen Büchern und Aufsätzen, in einer den morgenländischen Encyclopädisten entlehnten, sehr zweckmässigen Ordnung vor. Zur Veranschaulichung dieser Ordnung und zur Erleichterung des Nachschlagens dient eine an die Spitze gestellte, mit einem Blattweiser versehene Uebersicht der Wissenschaften, nach welchen die Handschriften eingetheilt sind. In den Haupt- und Unterabtheilungen selbst sind die Werke wiederum nach den drei Sprachen, in so weit es thunlich war, abgesondert zusammengestellt. Ist ein Werk ganz oder theilweise mehrmals vorhanden, oder besteht es aus mehreren Bänden, so sind unter der römischen Gesammtnumer die Exemplare durch lateinische kleine Buchstaben, die Bände durch arabische Ziffern unterschieden. Dagegen ist, gemäss der streng wissenschaftlichen Eintheilung, jeder der verschiedenartigen Theile einer und derselben Handschrift unter einer besondern Numer zu seinem Fache gezogen. Neben den vorgedruckten Numern der Werke steht in arabischer Schrift ihr Titel, wenn er aufzufinden war; unter den Mischhandschriften von gleichartigem Inhalte sind nur die im engeren Sinne so genannten Collectaneen, Abth. XII, mit مجموعه und die Finanz-Rechnungsbücher, S. 108 u. 109, mit دفتر bezeichnet. Die Beschreibung der Werke enthält, ausser den nöthigen und beziehungsweise möglichen Angaben über ihr Aeusserliches und Geschichtliches, so wie über ihre Verfasser, eine nach Maassgabe ihrer grösseren oder geringeren Merkwürdigkeit bald ausführlichere, bald gedrängtere Anzeige ihres Inhaltes und der etwaigen Ausgaben, Uebersetzungen, Auszüge und Benutzungen; bei wichtigeren auch Nachweise über anderswo zu findende Exemplare. Besonders bemerklich machen sich die 35 Handschriften aus dem Nachlasse v. Dombay's, grösstentheils von der Hand seines marokkanischen Lehrers, 'Hasan ben 'Abdelqâhir el-Wâfelâwî; sie enthalten fast durchaus verhältnissmässig seltene oder selbst in ihrer Art bis jetzt einzige Werke der bei unseren orientalischen Bibliographen nur spärlich vertretenen afrikanisch- und spanisch-arabischen Literatur. Am reichsten besetzt ist das Fach der Geschichte mit 77 Numern. Dann folgen, nach abwärts-steigendem Zahlenverhältnisse, die Briefsammlungen mit 72, die Poesie und die Theologie, beide mit 55, die Grammatik und die Astronomie, nebst Astrologie und Kalendariographie, beide mit 36, die Anthologik, Eklogik und Conversationskunde (wohin auch die Mährchen- und Legendensammlungen gezogen sind) mit 28, die Lexikographie mit 17, die juridischen Wissenschaften mit 16, die Physiognomik, nebst Mantik und Kabbalistik, und die Mystik, beide mit 14, die Collectaneenkunde und die Ethik, beide mit 13, die Naturgeschichte, nebst Arzneikunde, und die Denkwissenschaften (Logik und Disputirkunst), beide mit 11, die Encyclopädie und Bibliographie mit 10, die juridisch-politischen Wissenschaften und die Geographie, beide mit 5, die Gnomik und die Arithmetik, beide mit 4, die Prosodie, nebst Reimlehre und Poëtik, und die Rhetorik, beide mit 3, die Graphik, die Stylistik und die Musik, jede mit 2 Numern, endlich die Waffenkunde mit 1 Numer. Von besonderem Werthe sind: No. 1, das von Flügel zu seiner Ausgabe benutzte und in der Vorrede des ersten Bandes gewürdigte Exemplar von Hadschi Chalfa's bibliographischem Wörterbuche; No. 11, eine bisher unbekannte arabische Abhandlung über die Schreibkunst von Abu'l-Hajjân el-Tauhîdî aus dem 4. Jahrh. d. H., in einer Hdschr. vom J. Chr. 1328; No. 31, Ibn-Mâlik's Kâfijet-el-Schâfije, eine vollständige arab. Grammatik in 2757 jambischen Doppelversen; No. 83, ein Theil von Feridûn's Staatsschreiben, Moscheaát Selâtîn, No. 91 und 92, Is'hâk Chodschasi's und Nâbî's Staatsschreiben, No. 93, Râghib Pâscha's ministerielle Vorträge, und No. 128, eine titellose, aber höchst wichtige Sammlung von Staatsschreiben u. s. w. — alle fünf in Hammer-Purgstall's Geschichte des osmanischen Reichs benützt und beschrieben; No. 147, ein Theil von Fikri's Kenz el-kuttâb; No. 175—178, die arabischen Diwane 'Ali ben Abi-Thâlib's, Abu-Mihdschen's, Mutenebbi's und Ibn-el-Fâridh's; No. 186 und 193, zwei vollständige Exemplare des Schâhnâme und des Mesnewî; No. 211, eine wahrscheinlich aus dem 15. Jahrh. stammende Hdschr. von Scheichi's Chosrew und Schirin; No. 216 und 227, zwei bisher unbekannte türkische romantische Epopöen, Humâ und Humâjûn vom Derwisch Seijâmi und die Nachtigallengeschichte von Fuâdî; No. 246, Ghaffâri's pers. Nigâristân, eine nach der Zeitfolge geordnete Blumenlese aus den besten Geschichtsschreibern; No. 249, Defteri's eigenhändiger türkischer Auszug des Hescht Bihischt oder der persischen Geschichte der ersten acht osmanischen Sultane von seinem Vater, dem Richter Idris, mit seiner eigenen, die Regierung Selim's I. umfassenden

Fortsetzung; No. 254, Ibn-el-A'hmar's Randhat-el-nisrin, durch welchen der kleine Karthàs, No. 253, ergänzt und die Geschichte der Meriniden bis zum J. Chr. 1401 fortgeführt wird; No. 302, der erste Theil einer sehr ausführlichen arab. Lebensbeschreibung Mohammed's, von Mes'ûd Dschemmâ, wahrscheinlich einem Maghrebinen, und No. 303, eine in 24 Tabellen auf 16 Folioblättern sehr schön geschriebene und verzierte Zusammenstellung des Wissenswürdigsten aus dem Leben Mohammed's, vom Derwisch Ma'hfûsh, beide bisher unbekannt; No. 309, ein am Ende unvollständiger Ibn-Challikàn; No. 378, das über die Gifte und die ärztlichen Nutzanwendungen der Thiere handelnde 9. Buch von Dschordschâni's Zachirei chârezmschâhi; No. 382, ein bisher unbekanntes, unvollständig gebliebenes türkisches Wörterbuch der einfachen Heilmittel von 'Halimi; No. 459 Chalil el-Dschendi's Compendium der malikitischen Rechtslehre; No. 473 und 474, Mâwerdi's Qawânin el-wizâra, und Ibn-Nubbâta's Sulûk duwel el-mulûk, zwei arab. philosophisch-staatsrechtliche Abhandlungen; No. 479, Tha'âlibi's El-ferâïd we'l-qalâïd, eine ethische Blumenlese. — Nach dieser Probearbeit Hrn. Krafft's können wir dem nun von ihm anzufertigenden ausführlichen Verzeichnisse der morgenländischen Handschriften der Wiener Hofbibliothek nur mit den frohesten Erwartungen entgegensehen. Achtungswerthe Sprach- und Literaturkenntniss, sichtender Sammlerfleiss, Selbstständigkeit des Urtheils und Sorgfalt in der Ausführung befähigen ihn zu einem solchen Werke ganz vorzüglich. Die wenigen Mängel der vorliegenden Arbeit sind meistens rein philologisch; eine blosse Anzeige kann es ruhig der wachsenden Kraft und Einsicht des Vfs. überlassen, sie selbst aufzufinden und später zu beseitigen. Nur noch zwei Bemerkungen und eine Bitte. Erstens: Die türkische Uebersetzung des Pendnâme, No. 191, ist nach dem von Hrn. Krafft Angeführten die unter den Handschriften der Leipziger Stadtbibliothek doppelt vorhandene des Maqâli; s. den Katalog derselben, S. 537, Col. 1, Z. 26 ff. und S. 545, Col. 2, Z. 20 ff. Zweitens: Der von ihm S. 54, Z. 24, nach der Schreibung des Ref. in seinem Dresdner Kataloge angeführte Name Muweidi ist in Muejjedi zu verwandeln: so schreibt ihn v. Frähn in seinem Berichte über die aus der Scheich-Sofy-Moschee in Ardebil für die kaiserl. Bibliothek in St. Petersburg gewonnene literarische Kriegsbeute, Leipz. Lit.-Zeit. 1829, No. 201, Col. 1605, No. 69, und so hat auch eine Randglosse zu dem Raudh el-achjâr, Cod. Dresd. 404, Bl. 2 r., المؤيّدى, was deutlich auf jene Aussprache hinweist. Drittens: Möge es Hrn. Krafft gefallen, in dem Handschriftenverzeichnisse der Hofbibliothek von nicht ganz bekannten Werken immer den Anfang und das Ende anzugeben; Ref. hat nicht nöthig, ihm zu sagen, wie sehr diess Verfahren die Bestimmung der Einerleiheit oder Verschiedenheit zweier Werke aus der Ferne erleichtert.

Fleischer.

[ ] كتاب تهذيب الاسماء The Biographical Dictionary of illustrious men, chiefly at the beginning of Islamism, by Abu Zakariya Yahya El-Nawawî. Now first edited from the collation of two Mss. at Göttingen and Leiden by *Ferd Wüstenfeld*, Dr. of Philos. and Prof. P. E. etc. Göttingen, printed for the London society for the publication of oriental texts and sold by Dietrich. 1842. Part. I. II. 192 S. gr. 8. (à 1 Thlr. 10 Ngr.)

Schon 1832 liess Hr. Prof. Wüstenfeld den Anfang dieses Werkes mit lat. Uebersetzung und Anmerkungen erscheinen. Durch die vorliegende Ausgabe wird nun jene Jugendarbeit beseitigt, und in Betracht des grossen Vorzugs der jetzigen Textgestaltung vor der früheren nimmt Ref. auch an dem „now first edited" keinen Anstoss, indem er darin nicht sowohl eine literaturgeschichtliche Angabe, als vielmehr ein fein ausgedrücktes und zugleich nach beiden Seiten hin gerechtes Urtheil erblickt. Doch wird er hier zum Behufe der Vergleichung nicht umhin können, noch einigemal auf jene Erste vor der Ersten zurückzukommen. — Dass unser Tahdhîb el-asmâ kein allgemeines lebensgeschichtliches Wörterbuch, etwa wie das Ibn-Challikân's, ist, sondern sich auf die in sechs canonisch-juridischen Hauptwerken der Schafeiten erwähnten Engel, Dämonen und Menschen beschränkt, weiss man schon aus Hamaker's Spec. Catal. S. 159 ff. und Flügel's Hadschi Chalfa, No. 3773; auch die Beurtheilung des oben erwähnten Wüstenfeld'schen Buches, Lpz. Lit.-Zeit. 1833, No. 150, gibt das Nöthige über Inhalt, Anlage und Eintheilung. Der zweite Theil über die lughât, d. h. die in denselben Werken vorkommenden seltneren und schwereren Wörter, sollte schon von der ersten Ausgabe wegbleiben, da ihre einzige Quelle, die göttinger Handschrift, ihn nicht enthält; aber nach dem hier gleichlautenden arabischen Titel, ohne واللغات, und der beschränkenden Fassung des englischen ist auch die gegenwärtige nur auf jenen ersten Theil berechnet. Wir würden uns jedoch sehr freuen, das Tahdhîb el-lughât als besonderes Werk aus der Leydner Hdschr. nachgeliefert zu bekommen, da wir gerade in der Sprache der mohammedanischen Gesetzeswissenschaft eines solchen Specialführers noch sehr bedürfen, auch der Vf. in diesem Theile mehrmals auf den zweiten verweist. In Ermangelung eines anderen Anhaltes, als des Umschlagtitels der beiden ersten Hefte (das dritte hat Ref. noch nicht erhalten), kann hier über den Plan der ganzen Ausgabe und anderes damit Verwandte auch weiter nichts gesagt werden. Für den sicheren und gleichmässigen Fortgang der Lieferungen bürgt indessen die Arbeitsamkeit des Hrn. Prof. W. und das Interesse der ehrenwerthen Gesellschaft, auf deren Kosten das Werk, auch äusserlich würdig ausgestattet, erscheint. — Der Theil, welchen die unvollendete Ausgabe von 1832 enthielt, d. h. die Einleitung und der Artikel über Mohammed den Propheten, reicht in dieser bis S. 56, Z. 3; dann folgen bis S. 123 die anderen Personen dieses Namens, an ihrer Spitze der Stifter der Secte des Vfs., Mohammed Ben

Idris el-Schâfi'i, und der grosse Ueberlieferungssammler, Mohammed Ben Ismâ'îl el-Bochâri. Darauf beginnt die alphabetische Reihe der Uebrigen mit Adam, der nicht als Urvater des Menschengeschlechts, sondern bloss wegen der ursprünglichen zwei Alif im Anfange seines Namens vor Abân, Ibrâhîm u. A. steht. Am Ende des zweiten Heftes bricht das G'îm mit G'a'far Ben Abi Thâlib ab. Die beiden ersten Buchstaben zerfallen wiederum in Kategorien (abwâb) mit einem oder mehreren Namen. Ein Grund für diese abwechselnde Vereinzelung und Zusammenfassung ist nicht wohl abzusehen. Sehr erleichternd für das Nachschlagen aber würde es sein, wenn die Namen allen Artikeln, wie den drei ersten, vorgedruckt oder in ihrem Anfange wenigstens überstrichen wären. Die Ausführlichkeit oder Gedrängtheit der Behandlung ist von der grösseren oder geringeren Wichtigkeit der einzelnen Personen in theologisch-juridischer Beziehung und von der damit in Verbindung stehenden häufigeren oder seltneren Erwähnung derselben in jenen Hauptwerken, nebenbei wohl auch von dem Mehr oder Weniger des über sie Bekannten abhängig. Sind der Stellen, in denen sie vorkommen, nicht sehr viele, so werden diese nach Buch und Abschnitt angeführt. Einige Artikel kommen einer wirklichen Lebensbeschreibung ziemlich nahe; die meisten anderen enthalten, ausser den allgemeinsten Angaben über Herkunft, Leben und Tod, nur das für die wissenschaftliche Bedeutung der betreffenden Personen Entscheidende; noch andere sind ganz dürftig ausgefallen, wie der über den Dichter Amru'l-Kais; aber freilich ist dieser Saul auch nur durch die gelegentliche Anführung zweier Verse von ihm in dem Mochtasar und Muheddheb unter die Propheten gekommen. Selbst der Teufel, sonst das dritte Wort der rechtgläubigen (auch mohammedanischen) Gottesgelahrtheit, ist gerade in diesen Schriften ein Hapax legomenon; auch hat er augenscheinlich die Gelegenheit versäumt, durch autobiographische Mittheilungen für dieses Conservations-Lexicon seinen modernen christlichen Geschichtschreibern vorzuarbeiten; nicht einmal die vorzüglichsten Aussprüche des Korans über ihn sind, wie bei anderen dort erwähnten Personen, zusammengestellt, sondern fast der ganze Artikel beschäftigt sich mit den beiden Fragen, ob der Name Iblîs arabisch, oder ausländisch, und ob dessen Inhaber ursprünglich ein Engel, oder ein Dämon sei. — Von den kritischen Vermuthungen des Ref. in der oben erwähnten Recension muss die Vergleichung der beiden Handschriften die meisten bestätigt haben, da sie jetzt neben vielen anderen in den Text aufgenommen sind; einige, denen diese Ehre nicht zu Theil geworden ist, verdammt Ref. jetzt selbst als übereilt und falsch; die folgenden aber muss er gegen Hrn. Prof. W. immer noch in Schutz nehmen:

S. 22, Z. 7, العلمَ st. العلمُ; S. 35, l. Z., واسود st. أسود;

S. 39, drittl. Z. الخَلّ st. الخِلّ; S. 40, Z. 14, ضحكة st. ضحكة;

S. 47, Z. 14, عليه st. عليهم; S. 53, vorl. Z., حلالا st. جلالا. Auch S. 30, Z. 3, möchte das vorgeschlagene نبي (فنبي) st. بلى doch das Richtige sein; wenigstens erinnert sich Ref. nicht, بنى schlechthin für بنى على بنى gelesen zu haben, und dann erwartet man auch hier unter den von der Legende verbundenen Haupt- und Wendepuncten in Mohammed's Leben bei weitem mehr seine Einsetzung zum Propheten, als seine Verheirathung (übrigens welche?) zu finden. In der Stelle S. 47, Z. 1, steht nun ولان statt des لان der göttinger Hdschr. Aber jenes ولان kann eben so wenig richtig sein, als das لكن der ersten Ausgabe; denn womit sollte و den Causalsatz verbinden? Entweder muss also nach dem frühern Vorschlage des Ref. jenes لان in وكان, oder das vorhergehende تنبيها in تنبيه verwandelt und dann لان oder وكان geschrieben werden. Das Letzte ist das Wahrscheinlichste. Uebrigens sind aus der ersten Ausgabe folgende Fehler in die zweite übergegangen: S. 3, Z. 14, لعل انال st. لَعَلِّي اَنَالَ; S. 14, Z. 2, معسود st. مسعود; S. 22, Z. 5, نقض st. نَقَّضَ; S. 46, Z. 12, تغليظة st. تَغْلِيظة; S. 49, Z. 9, وترى st. ويرى; S. 50, Z. 8, الجناية st. الجنابة (vgl. Z. 12), Z. 14, اقتضاء st. اقتضا (eine hier gewöhnliche Schreibart st. اقتضى), und vorl. Z. المباحاة st. المباحات; S. 51, Z. 13, خذفتها st. حذفتها (eben so S. 86, Z. 8, خذفه st. حذفه). S. 55, Z. 8, ist statt des تبتع, wofür die erste Ausgabe يقع hatte, تتبع, und statt des unverständlichen رجا, S. 39, Z. 7, was in jener ebenfalls stand, wahrscheinlich جا zu schreiben. Die Anzeige des dritten Heftes wird Gelegenheit geben, diesen Gegenstand weiter zu verfolgen; nur das sei hier noch bemerkt, dass der Name إبان, S. 125, vorl. Zeile, nach der ausdrücklichen Angabe des Kamus unter ابن und nach der Auseinandersetzung Nawawi's selbst, S. 126, Z. 11 u. 12, أبان zu lesen ist.

Fleischer.

[6007] Tausend und Eine Nacht. Arabisch. Nach einer Handschrift aus Tunis herausgeg. von Dr. *Max. Habicht*, nach seinem Tode fortgesetzt von M. *H. L. Fleischer*. Breslau, Hirt. 1842. Bd. 9. XXIV u. 430 S., Bd. 10. XIII u. 462 S. — 1843. Bd. 11. X u. 473 S., Bd. 12. XCV u. 427 S. 8. (Subscr.-Pr. à 2 Thlr.)

Noch ein halbes Jahr vor dem dafür angesetzten Zeitpuncte sind die vier letzten Bände dieser vor 18 Jahren begonnenen Ausgabe der T. und E. N., grösstentheils nach zwei Habicht'schen, mit den übrigen nun der Universitätsbibliothek in Breslau angehörenden Handschriften, vollendet worden. Die Erhöhung der vom Subscriptions-Prospectus, Mai 1842, angekündigten 11 Bände auf 12 beruht allerdings auf einem Rechnungsfehler von mir; ich hoffe indessen, für dieses Plus in Betracht jenes Minus Nachsicht zu finden. Ermöglicht wurde ein rascheres Vorwärtsschreiten dadurch, dass Hr. Prof. Kutzen in Breslau, dem zunächst die Vollendung dieses Hauptwerkes seines Schwiegervaters zu danken ist, den Druck nach Leipzig verlegte, ich selbst während desselben auf grössere Arbeiten verzichtete, und zwei meiner Zuhörer, die Hrn. DDr. Rosen und Wetzstein, mir einen bedeutenden Theil des Textes für den Druck abschrieben. Aber auch von anderen Seiten her wurde ich freundlich unterstüzt, vorzüglich von Hrn. Archivar Möller durch Zusendung der zweiten Hälfte der gothaischen Handschrift (No. 917 und 918 seines Catalogs) zur Ausfullung einer Lücke von 109 Nächten (776—884) zwischen den beiden letzten Habicht'schen Handschriften; dann auch von Hrn. Prof. Brockhaus und Hrn. Dr. Zenker durch Mittheilung der bulaker Ausgabe, welche ich, jedoch nur mässig, zur Berichtigung des breslauer und gothaischen Textes benutzte, so weit diess möglich war, d. h. bis zum Ende der 884. Nacht. Denn von da an bis zum Schlusse des Ganzen trat der letzte Band der tunesischen Handschrift mit denjenigen Erzählungen ein, welche der sel. Habicht schon im 14. und 15. Bändchen der breslauer deutschen T. und E. N. übersetzt hat. Hier konnte die gothaische Handschrift und die bulaker Ausgabe nur in der Geschichte von den sieben Wesiren, Bd. 12, S. 237—383, verglichen werden; für das Uebrige war ich auf jene einzige Textesquelle beschränkt, und daher auch einigemal genöthigt, verderbte Verse theils auf eigene Verantwortlichkeit wiederherzustellen, theils ganz wegzulassen. Wie ich aber überhaupt von der Beschaffenheit und dem Verhältnisse der mir vorliegenden Texte und von meiner Behandlung derselben in den Vorreden Rechenschaft abgelegt, besonders in der zum letzten Bande die von mir herrührenden stärkeren, wichtigeren oder zweifelhafteren Veränderungen durch alle vier Bände aufgezählt habe, so enthält diese Vorrede auch jene Verse, wie die Handschrift sie gibt: die berichtigten, in so weit das in ihnen Geänderte von der bezeichneten Art ist, die weggelassenen hingegen vollständig. Ausserdem habe ich vor dem 9. Bde. meine Antwort auf die Bemerkungen des sel. Habicht über meine Diss. crit. in dem Vorworte zum 7. Bde. aus der Anzeige dieses und des folgenden Bandes (Repert. Bd. 19, No. 376) wieder abdrucken lassen und vor dem 12. Bde mehrere Berichtigungen jenes Werkchens nachgeliefert, ebendaselbst auch das Verhältniss der ägyptischen Redaction der Sieben Wesire zu der tunesischen und den Inhalt der vier Erzählungen, welche jene mehr hat, in der Kürze angegeben. *Fleischer.*

Naturwissenschaften.

[8308] Schriften der in St. Petersburg gestifteten Russisch-Kaiserlichen Gesellschaft für die gesammte Mineralogie. 1. Bd. 1. u. 2. Abth. (1. Abth. auch u. d. Tit.: Geschichte u. wissenschaftl. Beschäftigungen der Gesellschaft von 1817 bis 1842, vom Mitstifter der Gesellsch., Ing. Obrist *H. A. G. von Pott.*) St. Petersburg. 1842. 28 u. CLXXXVIII S. mit 8 Steindrucktaf.; 2. Abth., 390 S. mit 11 Steindrucktaf. gr. 8. (2 Thlr. 20 Ngr.)

Wenn eine naturwissenschaftliche Gesellschaft nach 25jährigem Bestehen die Herausgabe ihrer von Anfang an gesammelten Schriften veranstaltet, so lässt sich freilich erwarten, dass manches Bekannte und Veraltete mit unterlaufen werde. Diess bestätigt sich denn auch in dem vorliegenden 1. Bande der Schriften der kais. russ. Gesellschaft für die gesammte Mineralogie, bei deren Anzeige sich Ref. lediglich auf eine Darlegung des Inhalts beschränken kann. Die 1. Abth. gibt, wie diess auch der Specialtitel besagt, eine Geschichte der Gesellschaft, und beginnt S. 1—19 mit dem Verzeichnisse aller, seit der Gründung zu ihr getretenen oder erwählten Mitglieder. Dann folgt von S. I bis CLXXXVIII die eigentliche Geschichte und der Bericht über die wissenschaftlichen Beschäftigungen der Gesellschaft, deren Gründung zuerst im J. 1817 durch den Staatsrath v. Pansner veranlasst wurde, worauf sie am 12. Juni dess. J. die kaiserl. Bestätigung erhielt. S. V—XVI werden die Statuten mitgetheilt. In dem weiteren Berichte dürften etwa folgende Angaben einiges Interesse haben. S. XLI ff. nähere Mittheilungen über die Auffindung des schönen farbenspielenden Labradors in Russland (bei welcher Gelegenheit die Beschreibung und Abbildung eines angeschliffenen Stückes gegeben wird, welches die ziemlich regelmässige Zeichnung eines Portraits in altmodischer Tracht in ähnlicher Weise erkennen lässt, wie der vom Grafen Robassomé für 10,000 Louisdors ausgebotene Labrador mit dem Portrait Ludwigs XVI.); S. LIII f. über die Fundorte des Sonnensteines in Russland; S. LV ff. Notizen über die sibirischen Smaragde (von denen das grösste, 8 Zoll lange und 4 Zoll dicke Exemplar abgebildet ist); S. LXIII f. Nachrichten über den, jetzt in Russland befindlichen Brillant Sancy, dessen wahres Gewicht nun endlich zu 53½ Karat bestimmt wird; S. LXXX ff. die Beschreibung des Kämmererites; S. CXVI ff. über den Chrysoberyll des Urals, dessen ausgezeichneter Dichroismus ausführlich beschrieben und sogar durch colorirte Abbildungen veranschaulicht wird; (hierbei erfährt man, dass Nordenskiöld wegen dieser schönen Eigenschaft, und in Bezug auf den Tag seiner Entdeckung vorschlug, diesen Chrysoberyll Alexandrit zu nennen, „denn ein schönes historisches Ereigniss knüpft sich an diesen ausgezeichneten vaterländischen Stein; gerade an demjenigen Tage ward er in Sibirien entdeckt, wie St. Petersburg und das ganze Russland das ihm so heilige Ereigniss der Volljährigkeit Sr. kais. Hoheit des Zesarewitsch, Thronfolgers und Grossfürsten Alexander Nicolajewitsch feierte“); S. CXXXV ff. mehrere Details über das Vorkommen von Platin mit Chromeisenerz in Serpentinstücken die Nischne-Tagilskischen Platinseifen, und S. CLV ff. über die Herstellung des grossen, zum Alexandersdenkmal verwendeten Monolithen aus dem Granit von Pytterlax. — Die 2., 390 Seiten starke Abtheilung des vorlieg. Bandes bietet eine Auswahl der, von den Mitgliedern der Gesellschaft gelieferten Abhandlungen, welche jedoch grosstentheils entweder schon lange auf anderem Wege der Oeffentlichkeit übergeben oder vor vielen Jahren verfasst worden sind, und daher wenig Neues, im Neuen aber wenig Bedeutendes liefern, wie folgende Uebersicht derselben lehrt. 1) Geologische Skizzen der Umgebungen von St. Petersburg, von Fox-Strangways (S. 1—90). 2) Beschreibung der Lager am Bache Pulkowka in der Nähe von St. Petersburg, von dems. (S. 91—104). 3) Nachricht über einen mineralogischen Ausflug in das Uralgebirge von Menge (S. 105—138). 4) Beschreibung des Wasserfalls von Imatra in Finnland, von Fox-Strangways (S. 139—144). 5) Mineralogische Bemerkungen auf einer zwölftägigen Reise von Sidney in Neu-Süd-Wales über Paramatta nach den blauen Bergen, vom Stabschirurgen F. W. Stein (S. 145—162). 6) Mineralogische Bemerkungen über Podolien und über die Moldau, vom Obristleutn. v. Baumer (S. 163—168). 7) Der Soolschacht und die Soolquellen der k. preuss. Saline zu Dürrenberg, vom Salinen-Insp. Bischoff (S. 169—192). 8) Ueber die Sandwichinseln von Geo. Schäffer (S. 193—198). 9) Sind die Aleutischen Inseln ein Product des unterirdischen Feuers, der Flötz-Zeit oder der Ur-Zeit? beantwortet vom Stabschirurgen Stein (S. 199—215). 10) Der Thüringer Muschel-Flötz-Kalkstein und der ältere Kalkstein Würtembergs, hinsichtlich ihrer Versteinerungen, von Stahl (S. 216—230). 11) Geognostische Erfahrungen über die Gebirgs-Lagerungen um Schwarzenbach in Kärnthen, vom Eisenhütten-Verweser C. v. Scheuchenstuel (S. 231—238). 12) Nachrichten über die Naphthaquellen und das sogen. Feuerland bei Baku, vom Gen.-Leutn. v. Trusson (S. 239—245). 13) Ueber denselben Gegenstand, von Eichfeld (S. 246—249). 14) Desgleichen vom Oberstleutn. Taeger (S. 250—252). 15) Ueberblick der Theorien der Geologie Werner's und Hutton's, von Kämmerer (S. 253—268). 16) Résumé über die Petrefacten Würtembergs in Hinsicht ihrer geognostischen Verhältnisse, vom Bergrath Hehl (S. 269—342), 17) Bemerkungen über die

Behandlungen der Beryll- und Rauchtopas-Krystalle in Jekaterinburg, vom Oberbergmeister Kleiner (S. 343—344). 18) Ueber die Manganerze bei Elbingerode am Harz, von Jasche (S. 345—363). 19) Ueber den Jakut, von Frähn (S. 364—371). 20) Ueber das Wachsthum des Eisens, zur Erörterung der Frage, ob dieses Metall unerschöpflich sei? vom Staatsrath v. Roos (S. 372—390). Hoffentlich werden die nachfolgenden Bände, in welchen die übrigen Abhandlungen der Mitglieder der Gesellschaft abgedruckt werden sollen, weniger veraltete und mehr Original-Abhandlungen, überhaupt solche Arbeiten liefern, deren Datum nicht zu weit zurückreicht, und die nicht bereits anderweit veröffentlicht worden sind.

[illegible]

[illegible]

Bibliographie.

Theologie.

[8309] Dictionnaire de Théologie, par l'abbé **Bergier**. Édition enrichie de notes extraites des plus célèbres apologistes de la religion, par Mgr. *Gousset*; augmentée d'articles nouveaux par M. *Doney* et précédée du plan de théologie, manuscrit autographe de *Bergier*. 6 Vols. Besançon, Outhenin-Chalandre. 1843. 235 Bog. gr. 8. (20 Fr.)

[8310] Theol. Studien u. Kritiken. Eine Zeitschrift für das gesammte Gebiet der Theologie, in Verbindung mit Dr. *Gieseler*, Dr. *Lücke* u. Dr. *Nitzsch* herausgeg. von Dr. *C. Ullmann* u. *F. W. C. Umbreit*, Proff. an d. Univ. Heidelberg. (17. Jahrg.) Jahrg. 1844. 1. Hft. Hamburg, F. Perthes. 1844. 310 S. gr. 8. (n. 5 Thlr. f. d. Jahrg.) Inh.: *Bruch*, Zustände der prot. Kirche Frankreichs. (S. 7—76.) — *Liebner*, die prakt. Theologie. [2. Art., über Bekenntniss u. Cultus; Amt u. Verfassung; Eintheilung d. prakt. Theologie.] (—136.) — *Vierordt*, Glaubenstreue der Bürger von Pforzheim in den Zeiten d. 30j. Krieges. (—154.) — *Ullmann*, theol. Aphorismen. (—185.) — *Reich*, üb. die satisfactio vicaria. (—201.) — *Rinck*, Lucas deutet sich in der Apgsch. als im Gefolge Pauli befindlich an. (—202.) — Rec.: *Kling*, üb. Braniss Uebersicht des Entwickelungsganges der Philosophie. (—248.) — Uebersichten: *Reuss*, die wissenschaftl. Theologie unter den franz. Protestanten 1831—1842. (—310.)

[8311] Monatsschrift f. d. ev. Kirche u. s. w. 10. Hft. (Vgl. No. 7137.) Inh.: *Sack*, die Kirche Christi als die freie Mutter der Gläubigen. Pred. (S. 163—170.) — *Forsyth Major*, die Grundzüge der presbyterianischen Kirchenverfassung. (—195.) — *Goebel*, üb. einen modus der Kirchenzucht gegen die Pfarrer. (—204.) — Literarisches. (—206.)

[8312] Zeitschrift f. Philosophie u. kathol. Theologie; herausgeg. von *Achterfeldt* u. s. w. (Vgl. No. 3166.) 3. Hft. Inh.: Ueb. das Recht des Staates u. der Kirche in Betreff der Ehe u. üb. die Weise, dieses der Sache gemäss auszuüben. (S. 1—27.) — Die irländischen Missionaire in Deutschland. Schluss. (—48.) — *Guhrauer*, Leibnitzens ungedruckte Animadversiones ad Cartesii principia philosophiae. Schluss. (—80.) — Recc., Andeutungen, Nachrichten u. s. w. (—208.)

[8313] Offenbarungsglaube u. Kritik der bibl. Geschichtsbücher, am Beispiele des Buchs Josua in ihrer nothwendigen Einheit dargethan von **G. A. Hauff**, Stadtpfr. in Waldenbuch. Stuttgart, Belser'sche Buchh. 1843. XX u. 412 S. gr. 8. (1 Thlr. 22½ Ngr.)

[8314] איוב Das Buch Hiob. Mit Beziehung auf Psychologie u. Philosophie der alten Hebräer neu übersetzt u. kritisch erläutert von **J. Wolfson**. Breslau, Kern. 1843. XVIII u. 332 S. gr. 8. (1 Thlr. 15 Ngr.)

[8315] Remarks upon the Book of Psalms as prophetic of the Messiah. Lond., 1843. 423 S. gr. 8. (8sh. 6d.)

[8316] Novum Testamentum graece Ex recogn. *Knappii* emendatius edidit, argumentorumque annotationem crit. et indices adjecit *C. Gfr. Guil. Theile*, Prof. Lipsiensis. Edit. stereot. Lipsiae, B. Tauchnitz jun. 1844. VIII u. 615 S. 16. (20 Ngr.)

[8317] **Jod. Heringae** dum vivebat Theol. Dr. et in Acad. Rheno-Traject. Prof. ord., disputatio de codice Boreeliano, nunc Rheno-Trajectino, ab ipso in lucem protracto. Edid. *H. Egb. Vinke*, Theol. Dr. et in Acad. Rh.-Traject. Prof. ord. Trajecti ad Rh., Kemink et fil. 1843. VIII u. 103 S. mit Facsimile. gr. 4. (2 Thlr)

[8318] Dr. **Mart. Lutheri** Commentarium in epistolam S. Pauli ad Galatas, cur. Dr. *Joann. Conr. Irmischer*, eccl. Neopolit. Erlangensis pastor alter. Tom. I. Erlangae, Heyder. 1843. XIV u. 389 S. 8. (15 Ngr.)

[8319] Erklärung der heil. Schriften des neuen Testaments von **Frz. Xav. Massl.** 9. Bd. 1. Abthl.: Die Briefe an die Galater u. Epheser. Regensburg, Manz. 252 S. gr. 8. (15 Ngr.)

[8320] *Studies of the New Testament By a Layman. 2 vols. Lond., 1843. 590 S. gr. 8. (15sh.)

[8321] *Das neue Testament nach Zweck, Ursprung, Inhalt für denkende Leser der Bibel von Dr. **K. Aug. Credner.** 2. Thl. Giessen, Ferber. 1843. XIV u. 382 S. gr. 8. (1 Thlr. 20 Ngr.)

[8322] Die Genesis des Judenthums von Dr. **K. Chr. Planck.** Ulm, Wagner'sche Buchh. 1843. 119 S. gr. 8. (15 Ngr.)

[8323] Geschichte der christlichen Kirche. Zum Selbststudium f. Lehrer u. zur Vorbereitung auf den Unterricht von **J. E. Hesse.** Mit e. Anhange, enth. die drei Glaubensbekenntn. u. die Augsb. Confession. Quedlinburg, Basse. 1843. VIII u. 143 S. 8. (12½ Ngr.)

[8324] Tableau des institutions et des moeurs de l'église au moyen-âge, particulièrement au XIII. siècle, sous le regne du pape Innocent III. par **Fr. Hurter.** Trad. de l'allemand par *J. Cohen.* 3 Vols. Paris, Débécourt. 1843. 105¼ Bog. gr. 8. (21 Fr.)

[8325] *Die Leipziger Disputation im J. 1519. Aus bisher unbenutzten Quellen histor. dargestellt u. durch Urkunden erläutert von **Jo. K. Seidemann**, Pastor zu Eschdorf. Dresden, Arnoldische Buchh. 1843. VIII u. 161 S. gr. 8. (26⅓ Ngr.)

[8326] *Vorlesungen üb. Wesen u. Geschichte der Reformation. Von Dr. **K. R. Hagenbach**, Prof. in Basel. 6. Thl. (Auch u. d. Titt.: Der evang. Protestantismus in seiner geschichtl. Entwickelung in einer Reihe von Vorless. dargestellt von u. s. w. Thl. 4. — und: Die Kirchengeschichte des 18. u. 19. Jahrh. aus dem Standpuncte des evang. Protestantismus betrachtet. Thl. 2.) Leipzig, Weidmann'sche Buchh. 1843. XIV u. 479 S. gr. 8. (2 Thlr. 15 Ngr.)

[8327] Bericht von der hundertjähr. Jubelfeier der Gemeine Gnadenfrey im Januar d. J. 1843. Breslau. (Leipzig, Kummer) 1843. 116 S. 8. (10 Ngr.)

[*8328] **Jacobi a Voragine** legenda aurea vulgo historia Lombardica dicta. Ad opt. libror. fidem rec., emend., supplevit, potiorem lection. variet. adspersit, interpunxit, notas histor., prolegomena et catalogum sanctorum bibliographicum adjec. Dr. *J. G. Th. Graesse*, Regis Sax. Bibliothecarius. Fasc. I. Dresdae, Arnold. 1843. S. 1—192. gr. 8. (1 Thlr.)

[8329] Leben der Heiligen. Die ältesten Originallegenden, gesammelt u. mit besond. Beziehung auf die Culturgeschichte bearb. von zwei Katholiken. 10. Bd. (12. Jahrh. 2. Hälfte.) Regensburg, Manz. 1843. IV u. 652 S. gr. 8. (1 Thlr. 7½ Ngr.)

[8330] Das tugend- u. wundervolle Leben des heil. **Joseph Copertino.** Von e. kath. Priester. Aachen, Cremer'sche Buchh. 1843. 228 S. gr. 12. (10 Ngr.)

[8331] Die Siege der Martyrer. Lebensgeschichte der berühmtesten Martyrer in der heil. Kirche von **A. M. v. Liguori.** Nebst einem Anhange, enth.: Das Leben des Redemptoristen P. Cafaro u. der Klosterschwester Theresia. Deutsch herausgeg. von *M. A. Hugues.* (Auch u. d. Tit.: *A. M. v. Liguori's* sämmtliche Werke. I. Abthl. (ascet. Werke). 1. Sect. 6. Bd.) Regensburg, Manz. 1843. XVI u. 392 S. mit 1 Stahlst. 8. (17½ Ngr. Einzeln 22½ Ngr.)

[8332] Die Regel u. das Testament des heil. seraphischen Vaters Franciscus für die Minderen Brüder. Aus d. Lat. von *Rud. Stockner.* Würzburg, Voigt u. Mocker. 1843. VIII u. 43 S. nebst Titelbild. 16. (3 Ngr.)

[8333] Leben der heil. Angela Merici, Stifterin des Ordens der Ursulinerinnen zur Erzieh. d. weibl. Jugend, welche d. 24. Mai 1807 vom Papst Pius VII. heilig gesprochen wurde. Nach d. ital. Ausg. zu Rom 1807 neu herausgeg. von *M. Sintzel.* (Wohlf. Bibliothek guter kath. Bücher. 3. Reihenfolge. 8. u. 9. Bdchn.) Regensburg, Manz. 1843. VIII u. 276 S. 8. (15 Ngr.)

[8334] Die Lebensgeschichte der heil Jungfrau Theresia. Als Anhang einige Gebete aus d. Schriften ders. Heiligen, sammt Morgen-, Abend-, Mess-, Beicht- u. Communion-Andacht von **Sim. Buchfelner**, Pfarrvicar. 2. verb. Aufl. Augsburg. (Regensburg, Manz) 1843. VIII u. 168 S. nebst 1 Stahlst. 8. (10 Ngr.)

[8335] Lebensgeschichte der ehrw. Mutter Maria von Jesu, Aebtissin des Clarissinnen-Klosters von d. unbefl. Empfängniss zu Agreda von **Jos. Xim. de Samaniego**, Franciscaner-Provinzial von Burgos. Aus dem span. Orig. übers. von *M. Sintzel.* (Auch u. d. Tit.: Sämmtl. Schriften der ehrwürd. Mutter Maria v. Jesu. 1. Bd.) Augsburg, Rieger'sche Buchh. 1843. 236 S. gr. 8. (20 Ngr.)

[8336] Histoire de D. Mabillon et de la congrégation de Saint-Maur, par **Emil Chavin de Malan.** Paris, Débécourt. 1843. 17½ Bog. 12. (3 Fr. 50 c.)

[8337] Grundzüge der Geschichte u. der Unterscheidungslehren der ev.-protestant. u. röm.-kathol. Kirche von **Erich Stiller**, Pfr. zu Harburg. 3. verb. u. verm. Aufl. Nördlingen, Beck. 1843. 28 S. 8. (2½ Ngr.)

[8338] Erinnerung an die Kirchenvereinigung in den kurhess. Provinzen Hanau u. Fulda. Für evang. Kirchenglieder zur Stärkung evang. Glaubenstreue u. Kircheneinheit. Nebst e. Predigt von **W. Fr. Böhm**, ev. Pfr. zu Bockenheim. Hanau, König. 1843. 46 S. 8. (3¾ Ngr.)

[8339] Speculum Ecclesiae; or, some Account of the Principles and Results of the Reformation of the Church of England. By the Rev. **J. H. Wergam**, M. A. Lond. 1843. 376 S. gr. 8. (a. 10sh. 6d.)

[8340] Dialogus de ecclesia anglicana et de regimine ecclesiastico ed. **C. F. Weber.** Nerolingae, Beck. 1843. 22 S. 8. (3 Ngr.)

[8341] Dr. **Mart. Luther's** sämmtliche Werke. 33. Bd. oder 3. Abthl. (evangelische deutsche Schriften, nach den ältesten Ausgaben kritisch u. histor. bearb. von Dr. *J. K. Irmischer*). 1. Bd. Erlangen, Heyder. 1843. VI u. 400 S. 8. (15 Ngr.)

[8342] Die Schriften des Doctors **Joh. von Staupitz** Von der Liebe Gottes u. vom christlichen Glauben, mit einer kurzen Lebensbeschreibung desselben versehen von Dr. *G. F. G. Goltz.* Berlin, Athenäum. 1843. 32 S. 8. (5 Ngr.)

[8343] Praelectiones theologicae, quas in collegio Romano S. J. habebat **Jo.**

Perrone, e soc. Jesu. Editio Lovaniensis, diligenter emendata et variis accessionibus ab auctore locupletata. Vol. IX. Cont. tractatus de locis theologicis part. II. et III. Lovanii. (Moguntiae, Kirchheim, Schott et Thielmann.) 1843. 596 S. gr. 8. (Für Vol. VIII u. IX. 2 Thlr. 22½ Ngr.)

[8344] Ueber die unbefleckte Empfängniss Mariä. Polemische Dissertation von **Alo. Lambruschini**, Card. Mit Anmerkungen u. Zusätzen von Dr. *A. Kellner*, Hauskaplan d. Herz. Max in Bayern. München, Lentner'sche Buchh. 1843. VIII u. 128 S. gr. 12. (10 Ngr.)

[8345] The Symbolism of Churches and Church Ornaments: a Translation of the First Book of the Rationale Divinorum Officiorum, written by **W. Durandus**, sometime Bishop of Mende: with an Introductory Essay, Notes, and Illustrations. By the Rev. *J. M. Neale* and the Rev. *B. Webb.* Leeds, 1843. 388 S. 8. (10sh. 6d.)

[8346] *Der christliche Cultus nach seinen verschied. Entwickelungsformen u. seinen einzelnen Theilen hist. dargestellt. Mit zwei Nachträgen über das christl. Kirchenjahr u. üb. den kirchl. Baustyl, sowie mit ausführl. Inhaltsverzeichnissen u. Registern versehen von Dr. **H. Alt.** Berlin, Müller. 1843. XVI u. 610 S. gr. 8. (2 Thlr. 10 Ngr.)

[8347] * Die kirchliche Hymnologie, oder die Lehre vom Kirchengesang, theoretische Abtheilung, im Grundriss. Einleitung in das deutsche Kirchenliederbuch von **J. P. Lange**, Dr. u. ord. Prof. d. Theol. an d. Univ. zu Zürich. Zürich, Meyer u. Zeller. 1843. 96 S. gr. 8. (15 Ngr.)

[8348] Ausführliche Erklärung einiger der vorzügl. evangel. Kirchenlieder für Schule u. Haus von Dr. **G. F. G. Goltz**, Oberpfr. zu Fürstenwalde. Berlin, Athenäum. 1843. X u. 471 S. gr. 8. (1 Thlr. 15 Ngr.)

[8349] Handbuch zum Katechismus der christl. Lehre für d. evang.-protestantische Kirche im Grossh. Baden von **Fr. Chr. W. K. Sell**, Prof. d. Theol. u. Stadtpfr. zu Friedberg. Friedberg in d. W., Bindernagel, 1843. XXXVI u. 450 S. gr. 8. (1 Thlr. 15 Ngr.)

[8350] Was thut unserer Kirche noth? Mit Rücksicht auf die Schrift: „Zustände der evang.-protestantischen Kirche in Baden von *K. Zittel*" zu beantworten versucht von **K. Mann.** Carlsruhe, Holtzmann. 1843. IV u. 111 S. gr. 8. (11⅓ Ngr.) Vgl. No. 1398.

[8351] Mittheilungen aus den Verhandlungen der Generalsynode der ev.-protest. Kirche des Grossherz. Baden vom J. 1843. Redig. von einer aus d. Generalsynode beruf. Commission. Carlsruhe, Macklot. 1843. 38¼ Bog. gr. 8. (1 Thlr. 7½ Ngr. Beilagen [3¾ Bog.] 7½ Ngr.)

[8352] Die gottesdienstliche Eröffnung der evang.-protestant. Generalsynode im Grossherz. Baden am 20. April 1843 von Dr. **Hüffell**, Prälat. Ebendas., 1843. 15 S. gr. 8. (3⅓ Ngr.)

[8353] Das christliche Kirchenjahr. Ein homilet. Hülfsbuch beim Gebrauche der epistol. u. evangel. Perikopen von **Fr. Gust. Lisco**, Dr. theol., Pred. an d. St. Gertraud-Kirche in Berlin. 2. Bd. 3. mit der exeg.-homiletischen Bearbeitung der evangel. Perikopen u. vielen Predigtentwürfen verm. Aufl. Berlin, Müller. 1843. VI u. 474 S. gr. 8. (4 Thlr. 5 Ngr. f. 2 Bde)

[8354] Schriftgemässe Predigtentwürfe über Texte eines vollständigen Kirchenjahres. Bearbeitet von drei befreundeten Geistlichen, herausgeg. von *G. R. Florey*, Past. zu Lauterbach. 1.—3. Bdchn. 2. neugeordnete, umgearb. u. verm. Aufl. Leipzig, Klinkhardt. 1843. VIII u. 196, VI u. [illegible], VI u. 202 S. 8. (1 Thlr. 15 Ngr.)

[8355] Erstes Supplementheft zu d. zweiten Hälfte des Perikopenbuchs f. d. Kön. Sachsen, d. i. Predigtskizzen üb. den im J. 1844 neu verordneten hist.-

didaktischen Cyklus mit dreifachen Texten, herausgeg. in Verbindung mit zwei and. Geistlichen von M. *E. Stange*, Pfr. in Gahlenz bei Oederan. Grimma, Verlags-Comptoir. 1843. 117 S. 12. (7½ Ngr.)

[8356] Magazin von Tauf-, Trau- u. Grabreden. 1. Thl. Herausgeg. von *Andreae, Arndt, Böckel, Couard, Frobenius, Gessken, Gillet, Hildebrandt, Kämpfe, Lomler, Marheineke, Merkel, Nebe, Schirmer, Schröder, Simon.* Magdeburg, Heinrichshofen. 1843. VIII u. 262 S. gr. 8. (1 Thlr.) Enth. 24 Tauf-, 19 Trau- u. 10 Grabreden.

[8357] Predigt-Magazin, in Verbindung mit mehreren kathol. Gelehrten, Predigern u. Seelsorgern herausgeg. von *Frz. Ant. Heim*, Pred. an d. Domkirche in Augsburg. 10. Bd. 1. u. 2. Abthl. Augsburg, Rieger'sche Buchh. 1843. 13 u. 15½ Bog. gr. 8. (à 25 Ngr.)

[8358] The Theological Works of **Will. Beveridge**, D. D. sometime Lord Bishop of St. Asaph. Vol. 2: Sermons 25—51. Oxford, 1843. 459 S. gr. 8. (12sh.)

[8359] Predigt zur Gedächtnissfeier des am 15. Febr. 1843 verstorb. Prinzen Victor Alexander zu Isenburg-Birstein. Nebst d. für d. kirchl. Feier mitgetheilten Personalien von **W. Calaminus**, Pfr. zu Hüttengesäss. Hanau, König. 1843. 19 S. gr. 8. (2½ Ngr.)

[8360] Predigten auf alle Sonntage des kathol. Kirchenjahres, gehalten in d. Domkirche zu Breslau von **H. Förster**, Domherrn, Dompred., fürstbischöfl. Vicariat-Amts- u. Cons.-Rath. 2 Bde. Breslau, Hirt. 1843. X u. 366, VI u. 382 S. gr. 8. (3 Thlr. 22½ Ngr.)

[8361] Predigten von **Fr. Girardet**, weil. Past. der ev.-reform. Gemeinde in Dresden. Aus dessen handschriftl. Nachlasse ausgewählt u. mit e. Vorrede biograph. Inhalts begleitet von *E. Volkm. Kohlschütter*, Archidiak. zu Glauchau. Dresden, R. u. W. Kori. 1843. XXXVI u. 335 S. gr. 8. (1 Thlr. 20 Ngr.)

[8362] Predigt am 2. Pfingsttage 1843 über Ap.-Gesch. 10, 42 von **W. Loehe**, Pfr. zu Neuendettelsau. Nürnberg, Raw'sche Buchh. 1843. 19 S. gr. 8. (2½ Ngr.)

[8363] Eight Sermons: being Reflective Discourses on some Important Texts. By the Rev. **Rob. Montgomery**, M. A. Lond., 1843. 475 S. gr. 8. (10sh. 6d.)

[8364] Kurzgefasste Lehre vom Ablasse. Eine Pred. von **Ludw. Preysinger**. Augsburg. (Regensburg, Manz.) 1843. 24 S. 8. (2½ Ngr.)

[8365] Worte der Erbauung u. des Trostes, bei besonderen Veranlassungen gesprochen von Dr. **C. E. G. Rädel**, Diak. zu St. Nicolai. Nach seinem Tode herausgeg. Leipzig, Hartknoch. 1843. VIII u. 231 S. gr. 8. (1 Thlr. 10 Ngr.)

[8366] Predigt am Tage der erstmal. Eröffnung der Landstände d. 7. Sept. 1843 in d. Stadtkirche zu Sondershausen von Dr. **H. Aug. Schneemann**, Hofpred. u. O.-Cons.-Rath. Sondershausen, Eupel. 1843. 15 S. gr. 8. (5 Ngr.)

[8367] Predigten von **K. W. Schultz**, Kirchenrath u. Pfr. zu Wiesbaden. 1. Bd. 2. verm. Aufl. Giessen, Ferber. 1843. 472 S. gr. 8. (1 Thlr. 20 Ngr.)

[8368] Rede bei der Einführung des Hrn. Archidiak. Lorenz in d. Stadtkirche zu Eisenberg von **K. A. Streicher**, h. s. Kirchenrath u. Superint. in Roda. Eisenberg, Schöne. 1843. 15 S. gr. 8. (1½ Ngr.)

[8369] Sechszehn Predigten, zu Rom gehalten von **H. Thiele**, V. D. M., ev. Pred. an d. k. Pr. Gesandtschaftskapelle. Mit vorgedruckter Liturgie. Zürich, Meyer u. Zeller. 1843. 199 S. gr. 8. (26⅔ Ngr.)

[8370] Antrittspredigt am Tage seiner Einführung in d. Kirche St. Johann zu Lemgo vom Pastor **C. Volckhausen.** Bielefeld, (Velhagen u. Klasing). 1843. 20 S. gr. 8. (2½ Ngr.)

[8371] Das Leben, Lehren u. Wirken Jesu Chr., des Sohnes Gottes. In Betrachtungen auf d. Kanzel nach d. vier Evangelisten von **Dr. Th. Wiser**, Hof-Stifts-Pred. u. Canon. hon. 2. Bdchn München, Lentner'sche Buchh. 1843. XII u. 389 S. gr. 12. (25 Ngr.)

[8372] Jubelpredigt zur Feier des 1000jähr. Bestehens Deutschlands am 6. Aug. 1843 üb. Psalm 126, V. 3. von Dr. **G. F. G. Goltz**, Oberpfr. zu Fürstenwalde. Berlin, Athenäum. 1843. 14 S. 8. (2½ Ngr.) Vgl. No. 7691—97.

[8373] Für den deutschen Landmann. Eine Predigt zur Gedächtnissfeier der 1000jähr. Selbstständigkeit d. deutschen Vaterlandes von **J. K. Ortlepp**, Past. zu Blumberg bei Torgau. Berlin, Eichler. 1843. 16 S. gr. 8. (2 Ngr.)

[8374] Wie lange wird Deutschland noch seine Grösse, seinen Ruhm behaupten? Pred. zur Feier des 1000jähr. Jubiläums der deutschen Selbstständigkeit von **Chr. W. Vogel**, Pfr. in Volkmannsdorf. Schleiz, (Wagner'sche Buchh.). 1843. 16 S. gr. 8. (3 Ngr.)

[8375] Die Pflicht der evangelischen Kirche, für die Verkündigung des Evangeliums unter den Heiden wirksam zu sein, dargelegt in fünf Missionspredigten am 2. Pfingstfeiert. 1843. (Von *J. S. H. Harless*, *Ch. J. Jorns*, *W. Loehe*, *B. St. Steger*, *S. A. C. Sommer.*) Nürnberg, Raw'sche Buchh. 1843. 84 S. gr. 8. (7½ Ngr.)

[8376] Beleuchtung der wichtigsten Einwendungen gegen die Theilnahme an christl. Missionswerke. Predigt von **J. L. Fd. Ebermayer**, Pfr. zu Neuzenheim. Nördlingen, (Beck'sche Buchh.). 1843. 23 S. 8. (2 Ngr.)

[8377] Wo ist u. offenbart sich die Kraft des heil. Geistes zur Ausbreitung des Reiches Gottes od. der Kirche Jesu vor allem Volke u. unter allen Völkern der Erde? Missionspred. von **H. C. E. Meissner**, ev.-luth. Pred. zu Offenhausen. Nürnberg, Raw'sche Buchh. 1843. 32 S. gr. 8. (2½ Ngr.)

[8378] Die wichtigen u. ernsten Gründe, die uns überhaupt u. besonders in uns. Tagen so dringend in das Gewissen rufen: gedenke der Mission. Pred. üb. Ap.-Gesch. 10, 42—48. von **S. A. C. Sommer**, Pfr. zu Ottensoos. Nürnberg, Raw'sche Buchh. 1843. 20 S. gr. 8. (2½ Ngr.)

[8379] Lebensbilder aus der Geschichte der Brüdermission. Ein Beitrag zur allgemeineren Kenntniss u. Förderung der evang. Missionssache überhaupt u. der Missionen der Brüdergemeine insbes. von **H. R. Wullschlägel**, Vorsteher d. Gem. Neudietendorf b. Gotha. Stuttgart, Steinkopf. 1843. VI u. 174 S. gr. 12. (10 Ngr.)

[8380] Beschreibungen üb. das Wesen der Gottheit, der menschl. Natur u. der christl. Religion. Gewidmet allen christlich gesinnten Freunden uns. Zeit von **Christiane Käpplinger**, Bürgerstochter zu Weinsberg. 2 Thle. Heilbronn, Classische Buchh. 1843. XX u. 252, 107 S. 8. (1 Thlr. 10 Ngr.)

[8381] Das Vater unser. Ein Erbauungsbuch für jeden Christen. Mit einer Abhandlung üb. den Inhalt u. Gebrauch des Vater Unsers von *Chr. Fr. von Ammon.* Neue Prachtausg. 11. Aufl. in 4 Lief. Leipzig, B. Tauchnitz jun. 1843. Lex.-8. (1 Thlr. 22½ Ngr.)

[8382] Erbauliche Parabeln von M. **Chr. Scriver**, einst Oberhofpred. und Cons.-Rath in Quedlinburg. Sprachlich verjüngt u. als Schatzkästlein auf alle Tage des Jahres geordnet. 4. verb. Aufl. (27. von „Gotthold's zufällige Andachten".) Barmen, Langewiesche. 1844. XVI u. 421 S. mit 6 Stahlst. 8. (Geb. 1 Thlr. 15 Ngr.)

[8383] Das kleine Communionbuch vom Decan M. **S. C. Kapff** in Münsingen (Ein Auszug aus d. Vfs. grösserem Communionbuch.) 2. Aufl. Stuttgart, Belser'sche Buchh. 1843. IV u. 92 S. 8. (2½ Ngr.)

[8384] Reisepsalter. (Zum Besten der Bibel- u. Missionssache.) Werder bei Jüterbog. (Berlin, Wohlgemuth.) 1843. VIII u. 120 S. 8. (10 Ngr.)

[8385] Christliche Besuche im Gefängnisse. Vorträge u. Ansprachen zum Heile der Gefangenen von **W. H. Suringar.** Aus d. Holländ. frei übers., mit Zusätzen verm. u. einer Einleitung herausgeg. von Dr. *J. N. Müller*, Domprābendar an d. Metropolitankirche zu Freiburg. Carlsruhe, C. Macklot. 1843. XLIV u. 370 S. gr. 8. (1 Thlr. 3⅓ Ngr.)

[8386] Morgen- u. Abendandacht am christl. Hausaltar in Gesängen von **C. H. Heinr. Puchta,** Pfr. zu Eyb b. Ansbach. Erlangen, Heyder. 1843. VIII u. 232 S. gr. 8. (20 Ngr.)

[8387] Fünf und zwanzig Festgebete von **C. Fd. Lüdicke,** Pfr. in Marbach. Meissen, Goedsche. 1844. 56 S. 8. (7½ Ngr.)

[8388] Zionsharfe. Geistliche Lieder u. Sonette von **Gust. Knak,** Pred. zu Wusterwitz. 3. verm. Aufl. Berlin, Wohlgemuth. 1843. VI u. 200 S. gr. 12. (15, Velinpap. mit 6 musikal. Beilagen 20 Ngr.)

[8389] **J. Kasp. Lavater's** ausgewählte Schriften. Supplementband: Zweihundert christliche Lieder. Neue durchges. Ausg. Zürich, Orell, Füssli u. Co. 1843. XVI u. 474 S. gr. 16. (20 Ngr.)

[8390] Hundert Confirmations-Scheine. Herausgeg. von *Ludw. Chr. Kehr.* Neues Testament. 4. Aufl. Creuznach, Kehr. 1843. gr. 8. (25 Ngr.)

[8391] Die kathol. Religionslehre nach ihrem ganzen Umfange, oder hist., dogmat., moral. u. liturgische Darstellung der Religion von Anbeginn der Welt bis auf unsere Tage von **J. Gaume,** Domherr zu Nevers. Nach der 6. Ausg. des franz. Originals übers. Mit e. Vorw. von *K. Zwickenpflug,* Pfr. zu Oberwinkling u. s. w. 2. Bd. Regensburg, Manz. 1843. 404 S. gr. 8. (1 Thlr)

[8392] Handbuch für Beichtväter, besteh. aus den eigenen Worten des h. Franz v. Sales, des h. Alph. v. Liguori, des h. C. Borromäus, des h. Philippus Neri, des h. Franciscus Xav, des gottsel. Leonh. v. Porto Mauritio u. a. gottsel. Männer von **J. Gaume,** Domherr zu Nevers. Nach der 4. Aufl. ins Deutsche übers. Herausgeg. durch e. kath. Geistlichen. 2. unveränd. Aufl. Aachen, Cremer'sche Buchh. 1843. 690 S. gr. 8. (2 Thlr.)

[8393] Durch Glaube und Andacht zu Gott. Neuestes kathol. Unterrichts- u. Erbauungsbuch, in welchem die sonn- u. festtägl. Episteln u. Evangelien, sowie die der heil. Fastenzeit ausgelegt u. die wichtigsten Kirchengebräuche erklärt sind. Nebst Morgen-, Mess-, Abendgebet- u. Kreuzwegandacht. Von e. kath. Geistlichen. Einsiedeln, Gebr. Benziger; Reutlingen, Fleischhauer u. Spohn. 1843. XXIX u. 894 S nebst 3 Stahlst. gr. 8. (1 Thlr. 10 Ngr.)

[8394] Andacht des Marien Maies. Bei der ersten öffentl. Feier dess. in der k. Herzogspital-Hofkirche in München, herausgeg. von Dr. *W. K. R.* 2 Aufl. München, Lentner'sche Buchh. 1843. 48 S. mit Titelbild. 16. (5 Ngr)

[8395] Jesus Christus, der Weg, die Wahrheit u. das Leben. Gebetbuch für kathol. Christen von **A. C. Bauer.** Würzburg, Etlinger. 1843. X u. 372 S. 8. (25 Ngr.)

[8396] Treue Führer zum himmlischen Vaterlande für fromme Christen und

Alle, welche es werden wollen. 5. Thl. Münster, Deiters. 1843. VIII u. 277 S. gr. 12. (15 Ngr.) Inh.: Eigenschaften der wahren Gottseligkeit. Von dem Abbé *Grou*. Aus d. Franz. übers. u. herausgeg. von e. kath. Weltpriester. Im Anhange: Sechs Betrachtungen vom Herausg.

[8397] Die Glocke der Andacht. Ein Gebet- u. Erbauungsbuch für gebild. Katholiken. 9. Aufl. Augsburg, Rieger'sche Buchh. 1843. X u. 316 S. mit 3 Stahlst. u. Titelvignette. 12. (1 Thlr. Prachtausg. mit 4 Stahlst. 1 Thlr. 10 Ngr).

[8398] Der Gnadenpfennig, oder um Weniges — Vieles. Ein Gebetbuch für Katholiken jedes Standes, besond. für das liebe Landvolk. Neu verb. u. verm. von dem Vf. der „Weihe der Andacht". Einsiedeln, Gebr. Benziger. 1843. 216 S. m. Titelbild. gr. 18. (6⅕ Ngr.)

[8399] Christkathol. Unterrichts- u. Erbauungsbuch, enth. eine kurze Anleitung aller sonn- u. festtägl. Episteln u. Evangelien, die daraus gezog. Glaubens- u. Sittenlehren u. die Erklärung der wicht. Kirchengebräuche von **Goffine**. Neue vielfach verb. u. verm. Ausg. Bearb. von e. Priester aus d. Orden des h. Franciscus. Reutlingen, Fleischhauer u. Spohn. 1843. XXVI u. 610, XII u. 285 S. nebst 2 lith. Bildern. 8. (22½ Ngr.)

[8400] Anbetung und Verehrung Gottes im Geiste u. in d. Wahrheit. Ein Gebet- u. Andachtsbuch für fromme kathol. Christen von **J. Jac. Hanbs**, Pfr. zu Graach an d. Mosel. 2. verb. u. verm. Aufl. Würzburg, Etlinger. 1843. X u. 374 S. u. 3 Stahlst. 8. (20 Ngr. Velinp. 25 Ngr.)

[8401] Kern aller Gebete oder tägliche Andachten des Christen, nebst and. höchst nothwend. Gebeten zu Gott, seinen Heiligen u. für die Anliegen der Christenheit. Einsiedeln, Gebr. Benziger. 1843. 216 S. u. Anhang: Andachtsüb. d. heil. Kreuzwegs 36 S. gr. 18. (6⅕ Ngr.)

[8402] Ave Maria, gratia plena! Gegrüsset seist du Maria voll der Gnaden! Ein vollst. Gebet- u. Erbauungsbuch f. die Frommen d. weibl. Geschlechts von **J. Kremer**. 2. Aufl. Cöln, Heinrichs u. Gatti. 1843. VI u. 377 S. nebst 1 Stahlst. gr. 12. (15 u. 22½ Ngr.)

[8403] Besuchungen des allerheiligsten Altar-Sacraments u. der allerseligsten Jungfrau für jeden Tag des Monats von **A. M. v. Liguori**. Neu aus dem Italien. übers. von *M. A. Hugues*. Nebst e. Anhang v. Mess-, Beicht- u. Communion-Gebeten, d. Kreuzwege u. s. w. u. einem kurzen Leben des heil. Vfs. Regensburg, Manz. 1843. 381 S. mit 1 Stahlst. 8. (15 Ngr.)

[8404] Messbuch für Weltleute. Enth. 52 verschiedene heil. Messandachten, eine Erklär. des h. Messopfers u. and. gewöhnl. Andachtsübungen. Neue umgearb. u. verb. Ausg. Einsiedeln, Gebr. Benziger. 1843. 384 S. gr. 18. (10 Ngr.)

[8405] Der Führer zum Himmel. Ein vollständ. Gebet- u. Erbauungsbuch f. kath. Jünglinge u. Jungfrauen als Mitgabe auf d. Weg des Lebens von **M. C. Münch**, Distr.-Schulinsp. u. Pfr. in Unlingen. Neueste nach *Selter's* „Schutzgeist" bearb. u. verm. Ausg. Reutlingen, Fleischhauer u. Spohn. 1843. XII u. 250 S. mit 1 Stahlst. gr. 12. (13⅓ Ngr.)

[8406] **Karl Nack's** vollständ. kathol. Gebet- u. Andachtsbuch zum allgem. Gebrauche. 15. Aufl. (2. Abdruck), durchgesehen, verb. u. verm. von *Fr. Geiger*. Reutlingen, Fleischhauer u. Spohn. 1843. VIII u. 368 S. mit 1 Stahlst. u. 29 Vign. 16. (11⅔ Ngr.)

[8407] Die Perle der Andacht. Ein Gebet- u. Erbauungsbüchlein für Katholiken von **J. T. Reis**. Ebendas., 1843. 174 S. mit Titelbild. 18. (3⅓ Ngr.)

[8408] Philothea oder Anleitung zu einem gottsel. Leben von **Fr. v. Sales**. Aus d. Franz. nach d. Ausg. des P. Brignon bearb. u. mit d. christl. Grund stätten des Heiligen u. s. w. verm. von d. Uebersetzer der Pilgerreise Geramb's nach Jerusalem. Neue, verb. Ausg. von M. Sintzel. Augsburg, Rieger'sche Buchh. 1844. XIV u. 420 S. 12. (6⅔ Ngr.)

[8409] Gebetbuch für kathol. Christen von Gallus Schwab, Reg. d. Clericalsem. zu Regensburg. Nach dem Tode des Vfs. herausgeg. Bamberg, Lit.-artist. Institut. 1843. VIII u. 376 S. mit 1 Stahlst. gr. 12. (12½, mit 4 Stahlst. 20 Ngr., mit 4 Bildern in Golddruck 1 Thlr. 15 Ngr.)

[8410] Lehr- u. Gebetbuch zur Verehrung d. allersel. Jungfrau u. Mutter Gottes Maria, bes. bei Wallfahrten, von M. Sintzel. München, Giel. (Augsburg, Rieger.) 1843. VIII u. 748 S. nebst 1 lith. Abbild. gr. 8. (20 Ngr.)

[8411] Fromme u. heilsame Uebung zur Anbetung und Verehrung des allerheil. Herzens Jesu. Aus dem Ital. übers. von M. Sintzel. Mit e. Anhange. Ebendas., 1843. 59 S. u. Titelbild. gr. 12. (3¾ Ngr.)

[8412] Die Wunder-Medaille, welche 1832 zu Paris geprägt wurde, nebst deren Geschichte, Beschreib. u. Wunder-Wirkungen u. e. neuntäg. Andacht zur Mutter Gottes. Aus d. Franz. 8. Aufl. Aachen, Hensen u Co. 1843. 36 S. 12. (3¾ Ngr.) Mit e. Anhang von P. Pauls: Das Pflegkind Mariä. (7½ Ngr.) Vgl. No. 7718.

[8413] Anweisung zur würdigen Feier d. ersten heil. Communion von J. Pet. Vatter, Pfr. zu Volkach. Würzburg, Voigt u. Mocker. 1843. 100 S. mit Titelbild. 8. (5 Ngr.)

[8414] Einhundert Communionscheine für kathol. Christen. Marienburg, Dormann. 1843. qu. 8. (20 Ngr.)

[8415] Jüdische Bekenntnissschriften. 1. Heft: Das jüdische Glaubensbekenntniss. Berlin, Behr. 1843. 1 Bog. 12. (2½ Ngr.)

[8416] Worte der Wahrheit, oder: der Thalmud u. seine Feinde. Eine Erwiderung auf das von d. Rechtscand. F. Eisenberg u. d. Tit.: Dr. Frankel, der Thalmud u. die Israeliten in d. Rhein. Zeitung vom 8. Jan. d. J. eingerückte Inserat von J. M. Japhet. Cassel, (Messner'sche Buchh.). 1843. 18 S. 8. (2½ Ngr.)

[8417] Der segensvolle Beruf israelitischer Geistlichen u. die Pflichten d. Gemeinden gegen sie von Dr. Heimann Jolowicz, isr. Pred u. Volkslehrer in Marienwerder. Marienwerder, Levysohn. 1843. 16 S. 8. (5 Ngr.)

[8418] Die Erscheinung des Herrn im Menschenleben. Predigt, geh. in d. Synagoge zu Cassel am Sabbath den 22. Oct. 1842 von Dr. S. Levisour. Cassel, (Messner'sche Buchh.). 1843. 16 S. gr. 8. (2½ Ngr.)

Staatswissenschaften.

[8419] Der Staat. Monatschrift für öffentl. Leben, redig. von Aug. Thd. Woeniger. 1. Hft. Sept. Berlin, Springer. 1843. 64 S. gr. 8. (10 Ngr.) Inh.: Die Staats-Controle. (S. 7—15.) — v. Schamberg-Gervasi, üb. die Oeffentlichkeit des Rechtsverfahrens. (—25.) — E. B., die heutigen Bedürfnisse der prot. Kirche. (—32.) — Umrisse wichtiger commercieller Verhältnisse des Zollvereins. (—46.) — Woeniger, Preussens neueste milit. Duell-Gesetzgebung. (—58.) — Ein Wort von der deutschen Einheit. (—64.)

[8420] *Fr. Schmitthenner's 12 Bücher vom Staate oder systematische Encyklopädie der Staatswissenschaften. 3. Bd. 1. Lief. VII. Buch. Allgemeines Staatsrecht. (Auch u. d. Tit.: Grundlinien des allgemeinen od. idealen Staatsrechtes. Von u. s. w.) Giessen, Heyer. 1843. 156 S. gr. 8. (1 Thlr. 15 Ngr.)

[8421] *Sammlung kleiner Schriften staatswirthschaftlichen Inhalts von **J. G. Hoffmann**, Dir. des statist. Büreaus zu Berlin. Berlin, Nicolai'sche Buchh. 1843. X u. 595 S. gr. 8. (n. 3 Thlr.)

[8422] *Hinrichs' politische Vorlesungen. Unser Zeitalter und wie es geworden, nach seinen politischen, kirchlichen u. wissenschaftlichen Zuständen, mit besonderem Bezuge auf Deutschland u. namentlich Preussen. In öffentl. Vorträgen an d. Univ. zu Halle dargestellt von Dr. **H. F. W. Hinrichs**, Prof. d. Philos. zu Halle. 1. Bd. Halle, (Schwetschke u. Sohn). 1843. XII u. 332 S. gr. 8. (Für 2 Bde. n. 3 Thlr. 20 Ngr.)

[8423] Recherches sur la nature et les causes de la richesse des nations par **Adam Smith.** Traduction du comte *Garnier*, entièrement révue et corrigée par M. Blanqui. Tom. II. Paris, Guillaumin. 1843. 45 Bog. gr. 8. (10 Fr.) Vgl. No. 1289.

[8424] *Vorlesungen über Finanz-Wissenschaft von **Ant. Barth**, rechtskund. Bürgermeister. Auch u. d. Tit.: Vorlesungen üb. sämmtl. Hauptfächer der Staats- u. Rechtswissenschaft. Zum Selbststudium für jeden Staatsbürger allgemein verständlich bearbeitet. 10. Bd. Augsburg, v. Jenisch u. Stage. 1843. 378 S. gr. 8. (1 Thlr. 15 Ngr.)

[8425] Blicke in die Schattenseite unserer Zeit. Ein Beitrag zur Würdigung uns. Zeit u. zur Beurtheilung ihrer Erscheinungen von **A. Frantz.** Brandenburg, Müller. 1843. 79 S. gr. 8. (10 Ngr.)

[8426] Mefistofeles. Revue der deutschen Gegenwart in Skizzen und Umrissen. Von *Fr. Steinmann*. 4. Thl. München, Exped. d. Mefistofeles. 1843. 322 S. 8. (1 Thlr.) Inh.: *Fr. Steinmann*, lebende Bilder. — Schwärmer u. Leuchtkugeln. — Die Rothschilde u. die Weltgesch. der Gegenwart. — *Frankenfels*, Oeffentlichkeit und Mündlichkeit, aber kein Schwurgericht. — Unpolitische Gedichte von Mehreren. — *R. Meier*, rheinische Zustände. — Raketen. — Meditationen über den Strafgesetzentwurf für Preussen von e. prakt. Juristen. — Der politische Process wider den Dr. J. Jacoby zu Königsberg. — Hannoversche Hieroglyphen.

[8427] Die Communisten in der Schweiz nach den bei Weitling vorgefundenen Papieren. Wörtl. Abdruck des Commissionalberichtes an die H. Regierung des Standes Zürich. (Von Dr. *Bluntschli*.) Zürich, Orell, Füssli u. Co. 1843. 130 S. 8. (11¼ Ngr.)

[8428] Der Communismus in seiner prakt. Anwendung auf das sociale Leben. Nebst e. Anhang: Die Communisten in d. Schweiz, ein Beitrag zur genauern Kenntniss der jetzigen Parteiverhältnisse im Canton Zürich. (Besond. Abdr. aus dem „Verläufer".) Schaffhausen, Brodtmann'sche Buchh. 1843. 40 S. gr. 8. (3¾ Ngr.)

[8429] Das Staatskassen- u. Rechnungswesen von **W. Dittmar**, Reg.-Rath bei d. Prov.-Steuer-Direction in Cöln. Cöln, Boisserée. 1843. VIII u. 130 S. gr. 8. (22½ Ngr.)

[8430] Die allgemeine Rentenanstalt in Stuttgart, nachdem sie von der öffentl. Meinung verworfen worden, nunmehr auch nach ihrer Grundlage, ihren Wahrscheinlichkeitsberechnungen, der Stellung der Directoren u. den Manipulationen ders. vor den Schranken der Gerichte. Stuttgart, Becher. 1843. 122 S. gr. 8. (8¾ Ngr.)

[8431] Nachweis, dass die Feuer-Vers.-Bank f. D. in Gotha auf durchaus ungerechten Grundsätzen beruht u. ihrer Auflösung entgegensehen kann, sofern deren wesentlichste Verfassungspuncte nicht abgeändert werden, nebst Vorschlägen u. s. w.; von besond. Interesse für diejenigen, welche eine höhere als die Durchschnittsprämie zahlen, von **A. W. Wintzenfeldt** in Bückeburg. Rinteln, Bösendahl. 1843. 62 S. gr. 8. (7½ Ngr.)

[8432] Oesterreich und seine Staatsmänner. Ansichten eines österreich. Staatsbürgers über Oesterreichs Fortschritte seit d. J. 1840. 2. Bd. Leipzig, Ph. Reclam jun. 1843. VIII u. 264 S. gr. 8. (2 Thlr.)

[8433] Der Fortschritt und das conservative Princip in Oesterreich. In Bezug auf die Schrift: „Oesterreichs Zukunft". Von Dr. S. Leipzig, Ph. Reclam jun. 1844. 166 S. gr. 12. (1 Thlr.)

[8434] Ungerns Industrie und Cultur von Joh. v. Csaplovics. Leipzig, O. Wigand. 1843. 83 S. gr. 8. (12 Ngr.)

[8435] Wünsche und Rathschläge. Eine Bittschrift fürs Landvolk. Vom Vf. der Zünfte u. des Sprachkampfs u. s. w. Hermannstadt, v. Hochmeistersche Erben. 1843. 99 S. gr. 12. (12½ Ngr.)

[8436] Hannover und der Zollverein von Dr. Edw. v. d. Horst. 2. Hft. Hannover, Hahn'sche Hofbuchh. 1843. 66 S. gr. 8. (7½ Ngr.)

[8437] Die Bewässerung und Reinigung der Strassen Berlins. Eine Denkschrift zur allgem. Verständigung von J. Baeyer, Major im grossen Generalstabe, u. L. Blesson, Ingenieur-Major a. D. Berlin, Schröder. 1843. 77 S. u. 1 lith. Plan. gr. 8. (10 Ngr.)

[8438] Bemerkungen über die Polizei-Verwaltung der Stadt Oldenburg von W. Köhler, O.-Ger.-Advocat. Oldenburg, Sonnenberg. 1843. XVIII u. 54 S. 8. (15 Ngr.)

[8439] Abwehr eines Oldenburgers gegen die Verunglimpfungen seiner Vaterstadt durch Nr. 21. u. 22. des diesjähr. Mindener Sonntagsblattes, das aus d. Dunkel ans Licht gezogen ist durch den Ritter vom weissen Torf. Oldenburg, Sonnenberg. 1843. 8 S. 8. (2½ Ngr.)

[8440] Commissions-Bericht an die Unterzeichner der Petition vom 8. Jun. 1842. Hamburg, Perthes-Besser u. Mauke. 1843. XII u. 467 S. gr. 8. (1 Thlr.)

[8441] Unsere Löschanstalten und Hr. Edw. James Smith. Berichtigungen und Vorschläge von Dr. Aug. Sutor. Hamburg, Hoffmann u. Campe. 1843. 42 S. gr. 8. (7½ Ngr.)

[8442] Deutschlands Seegeltung. In der Handelsmarine eine Kriegsmarine zu erziehen. Norddeutsch-Baltisch-Nordische Kriegsmarine u. s. w. von J. Andresen-Siemens, Schiffbauer. Hamburg, Kittler. 1843. VIII u. 63 S. gr. 12. (7½ Ngr.)

[8443] Der Nordsee-Besen. Das Helgolander Lootsenwesen unterdrückt; die Nordseeschifffahrt gefährdet! Die Reform. Von J. Andresen-Siemens. Ebendas., 1843. 23 S. gr. 12. (3¾ Ngr.)

[8444] Mémoires de la Société de statistique du département des Deux-Sèvres. Tom. VI. 1841—1842. Niort, 1843. 11¼ Bog. gr. 8.

[8445] Uebersicht der Geburten, neuen Ehen und Todesfälle in den J. 1816 bis mit 1841 nach den für die Stadt Berlin amtlich aufgenommenen Tabellen. Nebst e. erläut. Einleitung von J. G. Hoffmann, Dir. des statist. Bureaus zu Berlin. Berlin, Nicolai'sche Buchh. 1843. 46 S. gr. 4. (20 Ngr.)

[8446] Hof- u. Staatshandbuch des Grossherzogth. Baden. 1843. Carlsruhe, Braun. 1843. XIV u. 478 S. gr. 8. (1 Thlr. 22½ Ngr.)

[8447] Staats- u. Adress-Handbuch des Herzogth. Sachsen-Altenburg 1843. Altenburg, Schnuphase'sche Buchh. 1843. XII u. 208 S. nebst lith. Abbild. des Wappens. gr. 8. (20 Ngr.)

[8448] Adress-Handbuch des Herzogth. Sachsen-Coburg und Gotha 1843. Gotha, Müller. 1843. XXXVI u. 260 S. 8. (1 Thlr.)

Land- und Hauswirthschaft.

[8449] Allgem. landwirthschaftl. Monatsschrift, herausgeg. von *Sprengel* u. s. w. 9. Bds. 3. Hft. (Vgl. No. 4926.) Inh.: *Schmalz*, Einiges üb. die Kartoffeln [üb. den verschiedenen Werth der Kartoffelvarietäten; vom Kartoffelmehle u. s. w]. (S. 246—306.) — *v. Versen*, die Cultur der Kartoffeln. (—314.) — *Schmalz*, Fragen an rationelle Branntweinbrennereien. (—321.) — Landwirthschaftl. Berichte. (—356.)

[8450] Annalen der Landwirthschaft u. s. w., herausgeg. von *v. Lengerke*, 2. Bds. 2. Hft. (Vgl. No. 3454.) Inh.: Auszüge aus d. Verhandlungen in d. Sitzungen des Landes-Oekonomie-Collegiums. (S. 201—291.) — Thaer's Denkmal in Berlin. (—299.) — Prüfung angehender Landwirthe. (—325.) — *Reyne* u. *Radike*, üb. Schafzucht u. üb. die zweckmässigste Benutzung ausgewinterter Rapsfelder. (—330. —344.) — *Lengerke*, Einleitung in die landwirthschaftl. Literatur; Schluss. (—387.) — Notizen u. s. w. (—411.)

[8451] Vermischte Aufsätze üb. verschied. in das Gebiet der Landwirthschaft eingreifende Gegenstände, bes. mit Rücksicht auf Curland, herausgeg. von **O. Baron Wittenheim**, russ. kais. Staatsrath. 3. u. letztes Hft. Mitau, (Reyher). 112 S. gr. 8. (20 Ngr.)

[8452] The Implements of Agriculture. By **J. Allen Ransome**. Lond. 1843. 288 S. gr. 8. (9sh.)

[8453] Hauptverbesserungen in d. deutschen Landwirthschaft, durch welche meistens mit den aus d. Wirthschaft selbst hervorgeh. Mitteln der Ertrag u. Werth der Güter in einer kurzen Reihe von Jahren bedeutend erhöht, oft verdoppelt werden kann. Nach prakt. Bewährung erläutert u. empfohlen von **Mor. Beyer**, Prof. d. Landwirthschaft. Leipzig, Baumgärtner. 1843. XXIV u. 124 S. gr. 8. (20 Ngr.)

[8454] Ueber die gegenwärtige Lage des Ackerbaus, d. Gewerbe u. des Handels im Regierungsbez. Minden; mit besond. Berücksichtigung des phys. u. moral. Zustandes der arbeit. Classen; von d. VI. der gesammten gewerbl. Zustände u. s. w. (*G. F. v. Gülich*). Rinteln, Bösendahl. 1843. 159 S. gr. 8. (15 Ngr.)

[8455] Drewshöfer Ackerwerkzeuge u. Beackerungs-Methode nebst den Grundsätzen der rationellen Beackerung u. Construction der diesen Grundsätzen entsprech. Beackerungs-Werkzeuge von **Fr. Alsen**, Rittergutsbesitzer auf Drewshof bei Elbing. Elbing, Levin. 1843. X u. 435 S. gr. 8. mit 31 lith. Taff. in Fol. u. 53 Plänen in gr. 8. (5 Thlr. 20 Ngr.)

[8456] Dringender Zuruf an Deutschlands sämmtl. Bauern u. Gutsbesitzer, od. das sicherste, überall anwendbare u. dabei einfachste Mittel, durch Bewässerung der Felder auch in d. trockensten Jahren die ergiebigsten Ernten zu erzielen, sowie zu einem dadurch zu bewirkenden ganz neuen Düngsystem ohne Dünger, auch e. Anhange üb. d. muthmaassl. Witterung aller Tage d. Jahres 1843 von **Fr. Kobbe**. 3. Aufl. Leipzig, (Polet). 1843. 24 S. mit Abbildd. 8. Verklebt. (10 Ngr.)

[8457] **C. A. Wild's** prakt. Universal-Rathgeber für d. Bürger u. Landmann. Ein Magazin ökonomisch-technischer Erfahrungen, enth. Präparate der prakt. Fabriken, Haushaltungs- u. Gewerbskunde; Gegenstände d. Kunst, d. Oekonomie, d. Luxus u. des Handels. Aufs Neue, nach d. jetz. Standpuncte der Wissenschaft gänzlich umgearb. von Dr. *Bolzar*. 2 Thle. 6. Aufl. Frankfurt a. M., Sauerländer. 1843. XXVIII u. 272 S. nebst lith. Taf., IV u. 416 S. gr. 16. (26⅔ Ngr.)

[8458] Möglichst vollständ. Anweisung zur Vertilgung der Unkräuter auf Feldern, Wiesen, Hutweiden u. in Waldungen von Anton Bürgermeister,

Wirthschaftsbeamter. 2. verb. Aufl. Prag. (Zittau, Birr.) 1843. 96 S. 8. (20 Ngr.)

[8459] Der Anbau der Arzneigewächse. Nebst botan. Beschreibung ders., Angabe ihrer Heilkräfte u. Berücksichtigung ihrer weitern Benutzung als Fabrik- u. Handelsgewächse von **G. A. Schöller.** Nordhausen, Fürst. 1843. 170 S. 8. (10 Ngr.)

[8460] Der Flachsbau Russlands in seinen mehrfachen staatswirthschaftl. Beziehungen von **J. D. v. Braunschweig**, k. Russ. Collegienrath. Riga, (Deubner). 1843. 111 S. gr. 8. u. 1 Tab. in 4. (26⅔ Ngr.)

[8461] Hersbruck's Hopfenbau als Beweis, dass der inländ. Hopfen den böhm. Hopfen wo nicht übertreffe, doch ihm ganz gewiss gleichkomme, von **Jak. E. v. Reider.** Auch das Ganze des Hopfenbaues u. des Hopfenhandels u. s. w. 2. gänzl. umgearb. Aufl. Mit d. illum., nach der Natur gezeichn. Abbildd. der 4 Arten Hopfen. Leipzig, 'Schwickert. 1843. X u. 134 S. nebst 1 illum. Taf. gr. 8. (20 Ngr.)

[8462] Die edleren Pferde und ihre Zucht. Aus einem Briefe des Hrn. von Frisch auf Nagelshausen. Mitgetheilt von *C....h*, einem Thurgauer. Emmishofen, Liter. Institut. 28 S. u. 1 lithogr. Taf. gr. 8. (5 Ngr.)

[8463] Taschenbuch für Pferdeliebhaber, od. gründliche Anweisung, in kurzer Zeit ein prakt. Pferdekenner u. Reiter zu werden, wie auch junge Pferde schulgerecht zuzureiten. Nebst e. Anhange, enth. Hausmittel b. Krankheiten d. Pferde u. Mittheilung mehr. Geheimnisse u. Kunststücke der Stallmeister u. Rosstäuscher; nach Sir *Rich. Blakmore*, k. Stallmeister in England. Hamburg, Niemeyer. 1843. X u. 94 S. 8. (11⅔ Ngr.)

[8464] Die Abrichtung des Jagd-, Haus- u. Hirtenhundes. Od. wie kann ein Jeder seinen Hund in kurzer Zeit zum Jagd-, Haus-, Hof- u. Hirtendienste mit leichter Mühe abrichten, wie auch seine innerl. u. äusserl. Krankheiten erkennen u. heilen? Von **Fr. Fuhrmeister**, Prof. d. Thierheilk. Quedlinburg, Ernst. 1843. VIII u. 104 S. 8. (15 Ngr.)

[8465] Ueber Böhmens Schafwollhandel u. Industrie, vom Standpuncte der Production, Fabrikation u. Staatswirthschaft, nebst Andeutungen über das, was beiden frommt, von **Fd. Chr. Buschbeck**, Kaufmann in Prag. Prag, (Calve'sche Buchh.). 1843. 24 S. gr. 8. (7½ Ngr.)

[8466] 'Beobachtungen üb. den weissen Kornwurm u. Vorschläge zu dessen Ausrottung von Dr. **Al. Mayer.** Nürnberg, (Korn). 1843. 54 S. 8. (10 Ngr.)

[8467] Anleitung zum Branntwein-Brennerei-Betrieb von **Burow**, Steuer-Insp. 5. verm. Ausg. Lauban, (Göschen). 1843. 77 S. 8. Versiegelt. (1 Thlr.)

[8468] Kurzgefasstes Handwörterbuch für Pächter u. Verpächter, Miether u. Vermiether, die sich gegen Nachtheile u. Unannehmlichkeiten jeder Art sicher stellen wollen. Aus ökonom. u. jurist. Gesichtspuncte, namentlich auf Grundlage d. preuss., sächs. u. österr. Rechtsbestimmungen u. mit Berücksichtigung der Erbzins- u. Erbpachtverhältnisse, bearb. von e. prakt. Juristen. Nordhausen, Fürst. 1843. VIII u. 208 S. 12. (15 Ngr.)

[8469] Theoretisch-praktische Abhandlung über die Ursachen der Feuchtigkeit in d. Gebäuden, üb. Schwamm, Salpeterfrass, Rauch u. Abtrittsgeruch, und Angabe der Mittel, diese Uebel aus alten Gebäuden zu entfernen u. ihnen beim Bau neuer vorzubeugen, von **W. Gth. Bleichrodt**, f. Schw.-Rud. Bauinspector. 4. sehr verm. Aufl. Weimar, Voigt. 1843. XIV u. 280 S. mit 6 lithogr. Taff. 8. (1 Thlr.)

[8470] Ueber verschiedene Heizmethoden, die dabei anzubring. Ersparnisse an Brennmaterialien u. Anleitung zur Construction verschied. Apparate, nebst

e. Anhange üb. Ventilation von **C. Schinz.** (Aus d. schweiz. Gewerbebl. 3. Jahrg. bes. abgedr.) Solothurn, Jent u. Gassmann. 1843. 88 S. nebst 1 lith. Taf. gr. 8. (15 Ngr.)

[8471] Beschreibung eines neuen wohlfeilen Dampf-Waschapparates. Ulm, Seitz. 1843. 8. Verklebt. (5 Ngr.)

[8472] Die Frau in ihren häuslichen u. gesellschaftlichen Verhältnissen von Mrs. **John Sandford.** Aus d. Engl. frei übersetzt von *Mathilde Tobler*. St. Gallen, Scheitlin u. Zollikofer. 1843. VI u. 192 S. gr. 8. (26⅔ Ngr.)

[8473] Eintritt einer jungen Dame in die Welt. Od. Anweisung, wie sich ein junges Mädchen bei Besuchen, auf Bällen, b. Mittag- u. Abendessen, im Theater, Concert u. in Gesellschaften zu benehmen hat. Nebst Belehrungen üb. Toilette, Anweis. zu einigen beliebten Spielen u. dgl. m. von **Adelh. Mercierclair**, Erzieherin. Quedlinburg, Basse. 1843. 56 S. 16. (10 Ngr.)

[8474] Allgemeine Gesinde-Ordnung für d. Preuss. Staaten, nebst den gegenseit. Rechten u. Pflichten der Herrschaften u. d. Hausofficianten. Mit erläut. u. ergänz. Anmerkk. herausgeg. von *J. F. Kuhn*. 3. Aufl. Quedlinburg, Basse. 1843. VII u. 72 S. 8. (10 Ngr.)

[8475] Die Kammerjungfer, wie sie sein soll, wenn sie den Pflichten ihres Dienstes u. denen gegen sich selbst genügen, ihrer Stellung zu d. übrigen Domestiken, namentlich auch zu d. Männern, Söhnen u. Freunden des Hauses klug u. würdig entsprechen u. ihr Glück für d. Zukunft begründen will. Weimar, Voigt. 1843. XII u. 192 S. 12. (15 Ngr.)

[8476] Der vollkommene Kellner u. Marqueur. Nordhausen, Fürst. 1843. 99 S. mit 1 Taf. Abbildd. 8. (12½ Ngr.)

[8477] **Franklin's** goldnes Schatzkästlein, od. Anweisung, wie man thätig, verständig, beliebt, wohlhabend, tugendhaft, religiös u. glücklich werden kann. Herausgeg. von Dr. *Bergk*. 2 Bdchn. 3. Aufl. Quedlinburg, Ernst'sche Buchh. 1843. XII u. 105 S. 16. (à 10 Ngr.)

[8478] Wunderbüchlein, oder enthüllte Geheimnisse aus d. Gebiete der Sympathie, Naturlehre u. natürl. Magie, Mathem., Gewerbskunde, Haus- u. Landwirthschaft. 3. Aufl. Ulm, Seitz. 1843. 94 S. 12. (7½ Ngr.)

Taschenbücher und Kalender für 1844.

[8479] Literarhistorisches Taschenbuch. Herausgeg. von *R. E. Prutz*. 2. Jahrg. 1844. Leipzig, O. Wigand. 394 S. gr. 8. (n. 2 Thlr. 10 Ngr.) Enth.: *Mayer*, das französische Siebengestirn, eine Dichtergruppe des 16. Jahrh. (S. 1—72.) — *Vischer*, Shakspeare in seinem Verhältniss zur deutschen Poesie, insbes. zur politischen. (—130.) — *Kahlert*, Daniel von Czepko. (—152.) — *Rosenkranz*, Hegel's ursprüngliches System. 1798—1806. Aus *Hegel's* Nachlass. (—242.) — *Prutz*, Ludw. Holberg; ein Beitrag zur Gesch. der dänischen Literatur in ihrem Verhältniss zur deutschen. (—383.)

[8480] Christoterpe. Ein Taschenbuch für christl. Leser auf das Jahr 1844. Herausgeg. in Verbindung mit mehr. Andern von *Alb. Knapp*. Heidelberg, Winter. XVI u. 340 S. m. 2 Kpfrn. 16. (n. 1 Thlr 22½ Ngr.) Enth., ausser Gedichten u. Liedern von *Krais*, *Lange*, *Notter*, *Piper*, *Strauss* u. dem Herausg., dogmatische, ascetische, geschichtliche u. novellistische Aufsätze von *Barth*, *v. Schubert*, dem Herausg. u. A.

[8481] Christbaum. Zum Besten der Mission für Heiden u. Israeliten. 6. Jahrg. Stuttgart, Rieger'sche Buchh. 1844. IV u. 315 S. mit 3 Kpfrn. 16. (n. 25 Ngr.) Enth., ausser Gedichten u. Parabeln von *Barth*, *Krais*, *Stein-*

heil u. A., geschichtliche u. novellistische Aufsätze von *v. Schubert*, *Keller* u. And.

[8482] *Taschenbuch zur Verbreitung geograph. Kenntnisse. Eine Uebersicht des Neuesten u. Wissenswürdigsten im Gebiete der gesammten Länder- u. Völkerkunde. Herausgeg. von *J. Gfr. Sommer.* Für 1844. (22. Jahrg.) Prag, Calve'sche Buchh. 1844. CXII u. 404 S. mit 6 Stahlst. gr. 16. (n. 2 Thlr.) Inh.: Allgem. Uebersicht der neuesten Reisen u. geograph. Entdeckungen. S. I—CXII.) — Zur Kenntniss von Japan. (S. 1—157.) — Wanderungen in Neufundland; nach Jukes. (—211.) — Erinnerungen aus Mexico; nach Löwenstern. (—307.) — Skizzen aus Badakschan; nach Wood. (—336.) — Die Marquesas-Inseln; nach Vincendon-Dumoulin u. Desgraz. (—395.) — Vandermaelen's geogr. Anstalt zu Brüssel. (—404.)

[8483] *Historisches Taschenbuch. Herausgeg. von *Fr. v. Raumer.* Neue Folge. 5. Jahrg. Leipzig, Brockhaus. 1844. IV u. 697 S. gr. 12. (n. 2 Thlr. 15 Ngr.) Inh.: *Joh. Voigt*, der Freiherr Hans Katzianer im Türkenkrieg. (S. 1—246.) — *Reumont*, die letzten Zeiten des Johanniterordens. (—390.) — *Jacob*, Goethe's Mutter. (—480.) — *Böckh*, Leibnitz in seinem Verhältniss zur posit. Theologie (—514.) — *Gervais*, die Gründung der Univ. Königsberg u. deren Säcularfeier in den J. 1644 u. 1744. (—680.) — *Kessler*, Prinz Leopold von Braunschweig. (—697.)

[8484] *Taschenbuch für die vaterländ. Geschichte. Herausgeg. von *Jos. Frhrn. v. Hormayr.* XXXIII. Jahrg. der gesammten u. XV. der neuen Folge. 1844. Berlin, Reimer. VIII u. 534 S. mit 4 Bildnissen. gr. 12. (2 Thlr. 15 Ngr.) Enth., ausser Lebensbildern von Speckbacher, v. Lori, v. Westenrieder, v. Stichaner, v. Rudhardt (letztere 4 mit Portr.), Ahnentafeln, Gedichten und geschichtl. Miscellen: Wichtige und seltene Actenstücke zur Gesch. des 30jähr. Krieges. (S. 1—92.) — Sitten u. Gebräuche, Luxus u. Feste, Krieg u. Frieden, Handel u. Charakterstücke der Väter [in 39 Nrn.] (S. 224—407). — Beiträge zur Gesch. des deutschen Municipalwesens (S. 414—465.) — Directorium der vorzüglichsten durch den Herausg. entdeckten u. herausgeg. Urkunden u. Quellen. Forts. (S. 519—534.)

[8485] Almanach de Gotha pour l'année 1844. 81. année. (Avec 6 Portraits.) Gotha, J. Perthes. XVI u. 560 S. 16. (Mit oder ohne Kalender geb. 1 Thlr. Prachtausg. 2 Thlr.)

[8486] Gothaischer genealogischer Hof Kalender auf d. Jahr 1844. 81. Jahrg. (Mit 6 Portr.) — Ohne d. astronom. Kalender u. d. Tit.: Gothaisches genealogisches Taschenbuch auf d. J. 1844. 81. Jahrg. Gotha, J. Perthes. XVIII u. 564 S. 16. (Geb. 1 Thlr.)

[8487] Genealogisches Taschenbuch der deutschen gräflichen Häuser auf das J. 1844. 17. Jahrg. Gotha, J. Perthes. IV u. 690 S. 16. (Geb. 1 Thlr. 15 Ngr.)

[8488] Genealogisches Taschenbuch f. d. Jahr 1844 von *Fr. Gottschalck.* 14. Jahrg. Dresden, Gottschalck. IV u. 432 S. gr. 16. (Geb. 1 Thlr.)

[8489] Bettlers Gabe. Taschenbuch für 1844 von **Wilh. Müller.** 10. Jahrg. Berlin, Deutsche Verlags-Buchh. 322 S. 12. (n. 1 Thlr. 20 Ngr.) Enth.: Die Blutrache; Frauenwerth; der Bessbosnoi; Er (Napoleon) u. seine Söhne — sämmtl. vom Herausg.

[8490] Gedenke Mein! Taschenbuch für 1844. 13. Jahrg. Wien, Pfautsch u. Co. XIV u. 298 S. mit 6 Stahlst. 16. (n. 2 Thlr. 7½ Ngr.) Enth., ausser Gedichten von *Bechstein*, *Bube*, *Rückert*, *Seidl* u. A., die Erzählungen: Brigitta, von *Adalb. Stifter*; der Schauermann, von *J. P. Lyser*; der Spion, von *A. v. Schaden*; Schach der Liebe, von *W. Tesche.*

[8491] Iduna. Taschenbuch für 1844. 24. Jahrg. Wien, Riedl's Wwe. u.

Sohn. IV u. 190 S. mit 7 Kpfrn. 16. (1 Thlr. 5 Ngr.) Enth., ausser Gedichten von *Berger*, *Seidl* u. A., der Leibeigene, Nov. von *Weiner*; Frau Hütt; die graue Schwester; eine obersteierische Hochzeit, Genrebild von *Seidl*; der Traummaler, Phantasiestück von *Puff*.

[8492] Iris. Taschenbuch für das J. 1844. Herausgeg. von *Joh. Grafen Mailáth*. 5. Jahrg. Pesth, Heckenast. IV u. 393 S. mit 6 Stahlst. gr. 16. (3 Thlr. 10 Ngr.) Enth., ausser Gedichten von *Berthold*, *Köffinger*, *Seidl* u. A.: das neue Leben, Nov. von *Ed. v. Bülow*; der Tausch, Nov. von *E. Duller*; Auf- u. Untergang, von *Paoli*; Gilli's Mährchen von dem Mädchen mit den goldenen Augen, vom Herausg.; *Landesmann*, Sonntage eines Poeten; Schleifer's Nekrolog, vom Herausg.

[8493] Libussa. Jahrbuch für 1844. Herausgeg. von *P. Alo. Klar*. 3. Jahrg. Prag. VIII u. 434 S. mit 1 Stahlst. (Führich's Portr.) u. 1 lithogr. Ansicht. 16. (n. 1 Thlr. 20 Ngr.) Enth., ausser Gedichten von *Braun v. Braunthal*, *Ebert*, *Uffo Horn*, *Seidl*, *Swoboda* u. A., Erzählungen: Das fröhlichste Herz, von *Seidl*; die Tyrannin, von *Kolisch*; Ritter u. Vestalin, von *Marrheim*; verbotene Neigung, von *Seidlitz*. Ausserdem: *Wladika*, die St. Nicolauskirche in der k. Stadt Laun; *Fischer*, Beschreibung der grossen Feuersbrunst zu Prag im J. 1541; *Jos. Führich*, Selbstbiographie; *Klar*, die Industrie Böhmens.

[8494] Narrenalmanach für 1844 von **Ed. Maria Oettinger**. 2. Bd. Leipzig, Ph. Reclam jun. VIII u. 408 S. 16. (n. 2 Thlr.) Enth.: Graf Saint Germain; Clerodendron fragrans; Myosotis; eine ganz verrückte Idee — sämmtl. vom Herausg.

[8495] Penelope. Taschenbuch für d. J. 1844. Herausgeg. von *Thd. Hell*. Neuer Folge 4. Jahrg. Leipzig, Hinrichs'sche Buchh. XIV u. 431 S. mit 3 Stahlst. gr. 16. (1 Thlr. 20 Ngr.) Enth.: Blätter aus meinen Erinnerungen, von *W. Alexis*; das getheilte Brot, von *Seyffarth*; Fürstengunst, von *Paolo*; Scenen aus Nord u. Süd, von *Wachenhusen*; lebende Bilder, von *Jul. Mosen*; Briefe von *Fernow* u. Gedichte.

[8496] Perlen. Taschenbuch romantischer Erzählungen von **Rob. Heller**. Leipzig, Ph. Reclam jun. IV u. 451 S. mit 6 Stahlst. gr. 16. (2 Thlr. 10 Ngr.) Enth.: Der Verhaftsbefehl; der Schmied von Antwerpen; das Landhaus am Passeyer — sämmtl. vom Herausg.

[8497] Rheinisches Taschenbuch auf d. J. 1844. Herausgeg. von Dr. *Adrian*. Frankfurt a. M., Sauerländer. XL u. 440 S. mit 8 Stahlst. gr. 16. (2 Thlr. 15 Ngr.) Enth.: Chinas Erretter, von *Leop. Schefer*; Johanna von Arragon, von *Duller*; die Tochter der Luft, Mährchen von *Genth*; ein Frauenherz, von *Schücking*; der grüne Schüler, von *G. v. Heeringen*.

[8498] Rosen u. Vergissmeinnicht. Dargebracht dem Jahre 1844. Leipzig, Leo. IV u. 330 S. mit 7 Stahlst. gr. 16. (2 Thlr. 10 Ngr.) Enth.: Der Morgen der Republik, Nov. von *Köhler*; der letzte Cascar, von *Isidor*; Saggio meteorologico, von *George*; der Verrath, von *Jaffé*.

[8499] Urania. Taschenbuch auf das Jahr 1844. Neue Folge. 6. Jahrg. Leipzig, Brockhaus. IV u. 371 S. mit *K. Förster's* Bildn. 12. (1 Thlr. 20 Ngr.) Enth.: Die Wellenbraut, von *K. Gutzkow*; Physiologie der Gesellschaft, von *A. v. Sternberg*; das Heimweh, von *Jul. Mosen*; der Wilddieb, von *W. Alexis*; nur keine Liebe, von *Schücking*.

[8500] Vielliebchen. Histor. romantisches Taschenbuch für 1844. Von *Bernd v. Guseck*. 17. Jahrg. Leipzig, Baumgärtner. IV u. 479 S. gr. 16. (2 Thlr. 10 Ngr.) Enth.: Die Krone von Sicilien; die Heimathlose; der Falkner — sämmtl. vom Herausg.

[8501] Wintergrün. Taschenbuch auf 1844. Herausgeg. von *Geo. Lotz*.

Hamburg, Herold'sche Buchh. 282 S. 8. Enth.: Die Verlassene, Nov. von *Carlo Brunelli*.

[8602] Jahrbuch deutscher Bühnenspiele. Herausgeg. von *F. W. Gubitz*. 23. Jahrg. für 1844. Berlin, Vereins-Buchh. IV u. 332 S. gr. 8. (1 Thlr. 20 Ngr.) Enth.: Der beste Arzt; Schausp. von *Charl. Birch-Pfeiffer*. — Kaufmann u. Seefahrer; Schausp. von *Heinr. Smidt*. — Erich der Geizhals; Original Schausp. von *C. v. Holtei*. — Die Versucherin; Lustsp. von *Raupach*. — Der Bruderkuss; dram. Scherz von *A. P.* — Sophonisbe; dram. Gedicht von *Fr. Paolo*.

[8603] Dramatisches Vergissmeinnicht auf das Jahr 1844, aus den Gärten des Auslandes nach Deutschland verpflanzt von **Thd. Hell**. 21. Bdchn. Dresden, Arnold. 82, 108 u. 143 S. 8. (1 Thlr.) Enth.: Oscar; Lustsp. — Die Reise nach Russland; Lustsp. — Der Sohn Cromwell's od. Eine Restauration; hist. Lustsp.

[8604] Vor u. hinter den Coulissen. Almanach erprobter Bühnenspiele, humoristischer Polterabend-Masken, Theater-Mysterien, Schauspieler-Novellen u. Anekdoten. Für 1844. Herausgeg. von *Fr. Adami*. I. Jahrg. Berlin, Förstner. 426 S. mit 1 Costümbild. 12. (n. 1 Thlr. 20 Ngr.) Enth., ausser kleineren Aufsätzen: Lord u. Räuber, tragi-kom. Melodrama von *Fr. Adami*; der Onkel als Modell, Posse von *J. Dorich*; Mathilde od. die Leiden einer Frau, Familiengemälde nach Eug. Sue u. Pyat von *Fr. Adami*.

[8605] Das Buch für Winterabende. Volksbuch und Volkskalender auf 1844 von *M. Honek*. Mit Beiträgen von *K. Andree*, *B. Auerbach*, *Ao. Bs.*, *K. Büchner*, *A. Lewald*, *H. B. Oppenheim*, *Fr. Otto*. Carlsruhe, Artist. Institut. VIII, 264 u. 75 S. mit Stahlst., Lithographien u. Holzschn. 8. (10 Ngr.)

[8606] Allgemeiner Geschäfts-Kalender für das Königr. Bayern auf d. Schaltjahr 1844. 8. Jahrg. Bamberg, Liter.-artist. Institut. 16 Bog. Schreibp. gr. 4. (19 Ngr.)

[8607] Sächsischer Geschäftskalender auf das Jahr 1844. 2. Jahrg. Leipzig, B. Tauchnitz jun. 15 Bog. gr. 4. (Schreibp. u. geh. 18 Ngr.)

[8608] Haus- u. Taschen-Kalender 1844. Herausgeg. von *K. F. Klöden*. Berlin, Simion. 112 S. 12. (5 Ngr.)

[8609] Deutscher Jugend Almanach 1844. Herausgeg. von Dr. *Andr. Sommer*. Leipzig, Teubner. VI u. 190 S. mit 60 (eingedr.) Holzschn. und 2 Stahlst. 8. (10 Ngr.)

[8610] Der deutsche Pilger durch die Welt. Ein lustiger u. lehrreicher Volkskalender für alle Länder deutscher Zunge auf d. J. 1844. Herausgeg. von e. Gesellschaft von Gelehrten u. Schriftstellern mit Beitr. von *W. Alexis*, Prof. *Fehling*, *E. Geibel*, *F. Kugler*, *W. Pack*, *F. Röse*, *G. Schwab*, Prof. *Stieffel*, *W. Zimmermann* u. vielen And. Mit Lithographien u. vielen Original-Holzschnitten von *Gnauth*, *Lisle* u. *Mallé*, nebst Musikbeil. 3. Jahrg. Stuttgart, Hallberger. 1843. XXXII, 202 u. 12 S. nebst 1 illum. lithogr. Abbild. gr. Lex.-8. (15 Ngr.)

[8611] Schreib- und Termin-Kalender auf das Schaltjahr 1844. Erfurt, Müller'sche Buchh. 19 Bog. 8. (Geb. 17½ Ngr.)

[8612] Termin-Kalender für die Preussischen Justizbeamten auf d. J. 1844. Nebst e. Karte d. Prov. Posen nach Justiz-Verwaltungs-Bezirken u. verschied. aus amtl. Quellen entnommenen, die Preuss. Justiz-Verfassung u. Verwaltung, sowie das Justiz-Beamten-Personal betreff. statistischen Uebersichten u. Nachrichten. 6. Jahrg. Berlin, Heymann. 300 S. u. 2 Tab. 8. (Geb. 22½ Ngr.)

[8513] Der Volksbote für das Jahr 1844. Mit vielen color. u. schwarzen Bildern. Stuttgart, Hoffmann. VIII u. 268 S., 19 schwarze u. 6 color. Bilder. gr. 8. (15 Ngr.)

[8514] Der Oldenburgische Volksbote. Ein gemeinnütziger Volkskalender für d. Bürger u. Landmann des Grossherz. Oldenburg auf d. Schaltjahr 1844. 7. Jahrg. Oldenburg, Schulze'sche Buchh. LII u. 196 S. nebst 1 Bog. Tabb. 8. (7½ Ngr.)

[8515] Volkskalender für 1844. Herausgeg. von *K. Steffens.* Berlin, Simion. 12 Bog. mit 7 Stahlst. u. 8 Holzschn. 8. (12½ Ngr.)

[8516] Volks-Kalender für das Jahr 1844. Leipzig, Hirschfeld. 9 Bog. mit Holzschn., 1 Karte u. Profil der Gera-Altenburger Eisenbahn u. Tabellen. Imp.-4. (5 Ngr.)

[8517] Christlicher Volkskalender auf d. Schaltjahr 1844. Mit e. lithogr. Beilage in 4.: Das Innere der St. Marienkirche. Danzig, Anhuth. 53 u. 84 S., der Kalender mit Schreibpap. durchsch. 8. (7½ Ngr.)

[8518] Deutscher Volkskalender 1844. Herausgeg. von **F. W. Gubitz.** 10. Jahrg. Berlin, Vereinsbuchh. 50 u. 188 S. mit 120 Holzschn. 8. (12½ Ngr.)

[8519] Gemeinnütziger Volkskalender für d. J. 1844. Neuhaldensleben, Eyraud. 11½ Bog. mit 1 Kunstbeil. u. 1 Karte, der Kalender mit Schreibp. durchsch. 8. (10 Ngr.)

[8520] **Nieritz'** Preussischer Volkskalender für das Schaltjahr 1844. Mit mehr als 80 (eingedr.) Holzschn. u. 1 Stahlst., gez. von *Th. Hosemann*, gest. von *A. Teichel*, erklärt von *H. Kletke.* Berlin, Klemann. 11½ Bog. 8. (10 Ngr.)

[8521] Sächsischer Volkskalender für d. J. 1844. Herausgeg. von **Gust. Nieritz.** Leipzig, G. Wigand. 32 u. 128 S. mit 1 Stahlst. u. vielen (eingedr.) Holzschn. (10 Ngr.)

[8522] Neuer Wirthschafts-Kalender für Katholiken u. Protestanten auf das J. 1844. Herausgeg. von d. Landwirthschaftsgesellschaft in Wien. 7. Jahrg. Wien, (Beck). 65 S., Kalender mit Schreibp. durchsch. 4. (7½ Ngr.)

[8523] Kalender der jüdischen Gemeinde zu Berlin auf 5604 (1843/44) von Dr. *J. Heinemann.* Berlin, Herausgeber. (Leipzig, Fritzsche.) 48 S. 16. (5 u. 7½ Ngr. Auf einem grossen Bogen zum Gebr. in den Synagogen u. in Comtoirs 6 Ngr.)

[8524] Kalender und Jahrbuch auf das Jahr 5604 (1843/44). Herausgeg. von *Isid. Busch.* 2. Jahrg. Wien, v. Schmid u. J. J. Busch. (Leipzig, Kummer.) LXXII u. 236 S., Kalender mit Schreibp. durchsch. gr. 12. (20 Ngr.)

[8525] Jahrbuch (ohne Kalender) für Israeliten auf das Jahr 5604 (1843/44). Herausgeg. von *Is. Busch.* 2. Jahrg. Ebendas. 236 S. gr. 12. (20 Ngr.)

[8526] Volkskalender für Israeliten auf d. Jahr 5604 (1844). Herausgeg. von *K. Klein.* 3. Jahrg. Mit einer Kunstbeilage nach Chopin, darstell.: „Jacob bei Laban" in gr. 4. Breslau, Kern. 13 Bog. 8. (12½ Ngr.)

Todesfälle.

[8527] Am 10. Oct. starb zu Athen Dr. *H. N. Ulrichs*, ord. Professor der latein. Philologie an der dasigen Otto-Universität, vorher Lehrer der latein. Sprache am Gymnasium, durch die Schrift „Reisen u. Forschungen in Griechenland. 1. Thl. Reise über Delphi durch Phocis u. Böotien bis Theben"

1840 und mehrere werthvolle topographische und antiquarische Untersuchungen rühmlichst bekannt, geb. zu Bremen.

[8528] Am 11. Oct. zu Genua *Alessandro Giustiniani*, Cardinal der römischen Kirche, mit dem Purpur bekleidet seit dem 30. Sept. 1831, geb. daselbst am 3. Febr. 1778.

[[illegible]] Am 14. Oct. zu Rom Mons. *Alex. de Retz*, 1828—30 Uditore der Rota für Frankreich, geb. zu Malvieille am 2. Oct. 1783. Er erkannte bis zu seinem Lebensende die Dynastie Orleans nicht an und hatte deshalb den mit seiner Stelle verbundenen ansehnlichen Gehalt verloren.

[8530] Mitte Oct. zu Gray (Haute Saône) *Pradher*, ehemal. Pianist des Königs und Professor am Conservatorium der Musik zu Paris.

[8531] Am 23. Oct. zu Wien Dr. *Joh. Frz. Simon*, Privatdocent in der philosophischen Facultät der Univ. Berlin, durch seine Forschungen im Gebiete der organischen Chemie („Diss. de lactis muliebris ratione chemica et physiologica“ 1838, „Die Heilquellen Europas, mit vorzügl. Berücksichtigung ihrer chem. Zusammensetzung nach ihrem physikal. u. medicin. Verhalten dargestellt“ 1839, „Handb. der angewandten medicin. Chemie nach d. neuesten Standpuncte der Wissenschaft u. nach zahlr. eigenen Untersuch. bearb.“ 2 Thle. 1840—42) rühmlich bekannt, geb. zu Frankfurt an d. O. am 25. Aug. 1807.

[[illegible]] Am 25. Oct. zu Bar im Depart. der Maas Dr. *Champion*, ein sehr ausgezeichneter und berühmter Arzt, Vf. mehrerer Aufsätze u. Abhandlungen in verschied. Zeitschriften, 63 Jahre alt.

[[illegible]] Am 26. Oct. zu Leipzig Dr. *Joh. Chr. Aug. Heinroth*, k. sächs. Hofrath u. ord. Professor der psych. Heilkunde an der Univ., d. Z. Dechant der medicin. Facultät, als akademischer Lehrer und als Schriftsteller in weiten Kreisen rühmlichst bekannt und verdient, geb. daselbst am 17. Jan. 1773. Ein Nekrolog wird nächstens folgen.

[8534] An dems. Tage zu Leipzig *Gust. Butziger*, Rechtscandidat, durch einige literarische Arbeiten („Das 19. Jahrhundert des Thierreichs od. Scenen aus d. Familien- u. Staatsleben der Thiere“ 1841 f. 2. Aufl. 1843, „D und T oder Durst u. Tod oder Nass u. Blass oder Sitis u. Satis. Fassliches. Mit e. nicht fasslichen Anhange“ 1843) bekannt, im 32. Lebensjahre.

[[illegible]] An dems. Tage zu Paris *Bastide*, früher Mitarbeiter an verschiedenen Journalen und in den Jahren der Revolution sehr einflussreich.

[[illegible]] Am 27. Oct. zu Cosnac bei Brives (Corrèze) Mons. *de Cosnac*, Erzbischof von Sens, im 79. Lebensjahre.

[[illegible]] Am 28. Oct. zu Ober-Frauwaldau in Schlesien der Pfarrer, emer. Erzpriester und Kreis-Schuleninspector *Frz. Becker*, 61 Jahre alt.

[[illegible]] Am 29. Oct. zu Thorn der k. Preuss. Criminalrath *Ciborovius*, Mitglied des Criminalsenats des k. Ober-Landesgerichts von Westpreussen zu Marienwerder, Ritter des Rothen Adler-Ordens u. s. w., im 58. Lebensjahre.

Druck und Verlag von F. A. Brockhaus in Leipzig.

Leipziger Repertorium

der

deutschen und ausländischen Literatur.

Erster Jahrgang. Heft 47. 24. Nov. 1843.

Jurisprudenz.

[8639] De l'influence du Christianisme sur le droit civil des Romains par M. **Troplong**, conseiller à la cour de cassation, membre de l'Institut, auteur du „droit civil expliqué". Paris, Hingray. 1843. 368 S. gr. 8. (9 Fr.)

Diese Schrift, welche sich als eine der Pariser Akademie vorgelegte Denkschrift ankündigt, behandelt einen Gegenstand, welcher von den deutschen Gelehrten noch keineswegs erschöpfend untersucht worden ist. Einer der gründlichsten Bearbeiter der Röm. Rechtsgeschichte — Hugo — meint geradezu, der Einfluss des Christenthums auf die Fortbildung und Umgestaltung des Röm. Rechts sei bei Weitem nicht so bedeutend gewesen, als man hätte erwarten können von einer Religion, welche in jeder anderen Beziehung des geistigen Lebens so unermessliche Wirkungen hervorgebracht hat. Indess wahrscheinlich ist diese Ansicht lediglich aus der Betrachtung von Einzelheiten entstanden, in welchen der Erfolg des von dieser Seiten ausgehenden Impulses nicht so schlagend und entschieden hervortritt, da es sich wohl nicht in Abrede stellen lässt, dass ein grosser Theil der kaiserl. Verordnungen, welche in dem Theodosischen Codex und den späteren Rechtssammlungen aufbewahrt worden sind, christlichen Ideen seinen Ursprung verdankt, wenn auch die Gesetzgeber sich nicht überall dieses Ursprungs im Einzelnen bewusst geworden sind (Puchta Curs. d. Instit. I. S. 607). Diess hatte auch bereits der geistvolle Montesquieu erkannt, obschon er Bedenken trug, diesen Einfluss höher hinauf zu verlegen, als es den äusseren Zeugnissen nach geschehen darf. In diesem Puncte ist der Vf. der vorlieg. Schrift minder schwierig. Er hat Einbildungskraft genug, den Lehrer des Nero, Seneca, zu einem heimlichen Christen zu machen (p. 69—81), wenigstens nimmt er als gewiss an, dass dieser Philosoph mit den Lehren des Ap. Paulus seit dessen Auftreten in Rom bekannt geworden, und einen grossen Theil derselben in seinen Schriften als die Frucht des eigenen Denkens niedergelegt habe; ja der Vf. meint, es müsse diese Bekanntschaft mit dem Apostel schon aus älterer Zeit, nämlich aus dessen Verhältnissen zur corinthischen Gemeinde herrühren, wenn sie auch bis zu dessen

Auftreten in Rom innerhalb der Grenzen des Bekanntwerdens par renommée verblieben ist; er weiss endlich sogar das Lebensjahr des Philosophen nach Gründen der Wahrscheinlichkeit zu bestimmen, in welchem ihm das Schicksal den Apostel in Person zugeführt hat. Fragt man nach den Gründen dieser bodenlosen, ja allen bekannten histor. Thatsachen widersprechenden Behauptungen, so wird im Einzelnen Folgendes geltend gemacht, dessen Würdigung wir der gesunden Kritik des Lesers überlassen müssen. Die späteren Kirchenväter, wie Tertullian und Augustin, nennen den Philosophen geradezu Seneca noster, was doch auf weiter nichts deutet, als auf die fortdauernde Werthhaltung seiner Schriften unter den Lehrern des Christenthums. Dass ferner in diesen Schriften einige Ausdrücke, wie caro und angelus, nicht in der gewöhnlichen Bedeutung der Classiker, sondern in einem Sinne gebraucht werden, welcher an den neutestam. Sprachgebrauch erinnert, rechtfertigt auch wohl nicht die Annahme einer christl. Grundlage für diese Schriften, da, selbst wenn wir jene Beziehung als unbezweifelt ansehen wollen, diese Behauptung nur unter der Voraussetzung eines sehr zeitig entstandenen, dem Christenthum eigenthümlichen Sprachgebrauches einigen Schein haben würde. Allein nicht nur, dass dieser völlig unerweisslich ist, so haben sich nach der allgemeinen Annahme der besseren Exegeten die Apostel in der Abfassung ihrer Schriften nur an die Redeweise des gewöhnlichen Lebens angeschlossen, was um so natürlicher war, da sie zum Theil in einer, ihnen weniger geläufigen Sprache und dann für Leute jeden Standes, jeder Bildung geschrieben haben, die durch Erfindung einer neuen Terminologie von der guten Sache abgeschreckt und von dem Verständniss jener Schriften abgehalten werden konnten. Die Sache ist also die: es hatten sich im gemeinen Leben mit den genannten Worten gewisse Beziehungen verknüpft, welche einestheils in den Schriften des Seneca, anderentheils in den Büchern des N. T. fast gleichzeitig hervortreten; kann nun ein besonnener Forscher daraus folgern, dass zwischen beiden eine andere Beziehung, als die allgemeine des gewöhnlichen Redebrauchs stattgefunden habe? Endlich wird aus den Schriften des Philosophen noch eine Reihe von Ideen nachgewiesen, welche christl. Ursprungs sein sollen; dahin gehört die Darstellung der menschlichen Gesellschaft als einer grossen Familie, deren einzelne Glieder durch das Band der natürlichen Verwandtschaft verknüpft seien (p. 58); die Annahme eines Gottes, welcher uns Vater sei, und von uns geehrt, geliebt werden solle, und die Vertheidigung der Humanitätsprincipien in der Behandlung der Leibeigenen (p. 77). Nicht zu gedenken, dass die Besseren jener Zeiten wohl schon lange in ähnlicher Weise gedacht und gehandelt haben, so finden sich in den griech. Philosophen zahlreiche Spuren ähnlicher Ideen, welche doch schon nach chronolog. Gründen nicht auf christliche Grundlagen zurückgeführt werden dürfen. — Sehen wir von diesen Behauptungen ab, welche nur zu sehr bekunden, dass der Vf. bei der Ausarbeitung der Denkschrift die histor. Kritik nicht gehandhabt hat, so gibt auch die Art und Weise, wie er den gegebenen Rechtsstoff zum Zweck seiner Beweisführung benutzt und verarbeitet, kein günstiges Vorurtheil für die Haltbarkeit seiner Theorien. Am natürlichsten und einfachsten wäre es jedenfalls gewesen, den Einfluss des Christenthums auf die Gestaltung der Röm. Rechtsquellen — die sogen. äussere Rechtsgeschichte — in einer besonderen Abhandlung zu beleuchten, und hier hätten vorzüglich folgende Thatsachen berücksichtigt werden sollen: der Erlass kais. Gesetze, welche Religionsangelegenheiten betreffen, die Publication kais. Gesetze durch Vorlesen in den christl. Kirchen, ferner die Berücksichtigung christl. Institute bei der Abfassung des Theodosischen und Justinianischen Codex, die Abfassung besonderer Rechtssammlungen zur Aufnahme solcher Kaisergesetze, welche die Kirche berühren, wie die Collectio 25. und 87. capitulorum, die abendländische Sammlung, aus welcher Sirmond den Appendix Theodos. Codicis entlehnt hat. Von alle dem weiss der Vf. kein Wort zu sagen, Alles diess ist ihm unbekannt; eben so wenig hat er sich die Mühe gegeben, den Einfluss des Christenthums auf das öffentliche Recht der Römer, was doch nach Röm. Begriffen ebenfalls zum Jus civile gehört, und die damit zusammenhängenden Staatseinrichtungen zu beleuchten; er nimmt droit civil im engsten Sinne bloss als Privatrecht, als Inbegriff der gesetzl. Bestimmungen über Mein und Dein. Hätte er aber auch nur in diesem Felde von geringerem Umfange tüchtig aufgeräumt, so würde er sich einen Anspruch auf allgemeine Dankbarkeit erworben haben, da die Schrift von Rhoer „diss. de effectu religionis christ. in iurisprudentia romana fasc. I." (Groning. 1776) nicht beendet ist, und die Preisschrift des Hrn. v. Meysenbug sich nur auf das Personenrecht beschränkt. Allein, wenn es schon für die Leistung des Vfs. nicht günstig zu sein scheint, dass er diese Arbeiten seiner Vorgänger im Fache mit vornehmer Miene ignorirt, obschon er daraus Manches für seinen Zweck hätte lernen können, so dürfen wir zunächst nicht verschweigen, dass er den Stoff, welchen er verarbeitet, fast ganz und gar dem trefflichen Commentar des Jac. Gothofredus zum Theodos. Codex entlehnt hat, ohne diesen seinen Gewährsmann mehr, als einige Mal zu nennen, der es sich ganz geduldig gefallen lassen muss, dass er von den Juristen ausgeschrieben wird, seitdem die Holländer diese Fundgrube tüchtiger Forschung auf dem Gebiete der Rechtsgeschichte stillschweigend als einen locus communis bezeichnet haben, welchen man mit der grössten Gemüthsruhe ausbeuten dürfe, ohne das Schicksal der Krähe theilen zu müssen, welche sich einige Zeit hindurch mit fremden Federn zu schmücken gewusst hatte. Allein vielleicht hat der Vf. in der Durcharbeitung, Beherrschung des Stoffes und übersichtlicher Anordnung seiner Forschungsresultate seine Vorgänger übertroffen? Wir wollen durch eine genauere Charakterisirung des Buches und durch näheres Eingehen in seinen

Inhalt zeigen, ob diese Erwartungen gerechtfertigt werden. Die première partie (p. 1—144) vertritt die Stelle des allgemeinen Theils, einer Einleitung zu den Detailuntersuchungen, welche in der 2. partie (p. 145—355) in 11 Capp. niedergelegt sind. Der Vf. schildert das alte Jus civile der Römer als ein aristokratisches, setzt den Zweck desselben ausschliesslich in die Erziehung und Bildung von Cives, von denen der Staat desto grössere Opfer zu verlangen berechtigt sei, je mehr er Privilegien mit dem Begriff der Civitas verknüpft habe (p. 19 f.). Die Wahrheit dieser Behauptung wird gezeigt an der Lehre von der väterl. Gewalt, der Manus, der Ehe, und der Agnation, welche sämmtlich Civität in der Person der Berechtigten voraussetzen (p. 20—29), warum nicht auch der bürgerlichen Ehre? Für den Begriff der iniustae nuptiae, welcher p. 16 ff. construirt wird, sind nur Rävard und Heineccius benutzt, die Darstellung der Sache in Hasse's Güterrecht der Ehegatten Bd. 1. S. 47 ff. ist dem Vf. unbekannt geblieben. Sodann wird die Dichotomie des Röm. Rechts, das in sich abgeschlossene Wesen des alten Jus Civile weiter verfolgt durch das Herausheben der res mancipi als solcher Sachen, deren Eigenthum nur vom Staate abzuleiten ist, die also nur unter gewissen vorgeschriebenen Formen, zu welchen das Volk in der Gestalt der fünf Zeugen — der Mancipation — seine Zustimmung gibt (p. 33—37); ferner durch die Duplicität des Dominium, welche im Ganzen richtig aufgefasst wird (p. 37—41), endlich durch das Gebundensein an das gegebene Wort, was im Gegensatze zur bona fides namentlich in dem Obligationenrechte heraustreten soll (p. 41—44). Auf diese ausschliessliche Geltung des gegebenen Wortes werden dann die Zwölftafelworte gedeutet: uti lingua nuncupassit, ita ius esto, obschon ihr Zusammenhang mit dem Nexum und Mancipium die Auslegung gebietet, dass der bei diesen Geschäften ausgesprochene, einseitige Wille des Hingebenden Anspruch auf jurist. Geltung haben, also für den Empfänger bindend sein solle; auch die bekannte Anekdote bei Cicero de off. III. 14 erhält eine ähnliche Beziehung, und diese Stelle will der Vf. nicht mit Noodt von einem Contractus stricti juris, sondern bonae fidei verstanden wissen. Demnach sind ihm die Bemerkungen über Röm. Rechtsgeschichte von Schilling S. 372 unbekannt geblieben, welche aus der ganzen Fassung der Stelle dargethan haben, dass die Eigenthümlichkeit des vorlieg. Geschäfts in der Verwandlung der aus dem Kaufe geschuldeten Geldsumme in eine Litterarum Obligatio bestanden hat. An diese Betrachtungen über das aristokratische, in sich abgeschlossene Wesen des älteren Jus Civile sind eine Reihe von Bemerkungen über die Fortbildung des Röm. Rechts unter dem Einfluss der Doctrin und der Aequitas geknüpft; es tritt hier aber in der erstgenannten Beziehung wieder das alte Vorurtheil hervor, dass die Stoische Philosophie hauptsächlich auf die Fortbildung des Rechts unter den Händen der Juristen eingewirkt habe (p. 47 f.), ja der Vf. sucht schon für die Zeiten der class.

Juristen die Einwirkung christl. Ideen auf das Röm. Recht auf dem Wege der Quelleninterpretation zu erhärten (p. 81 f.). Wie schlecht dieser Versuch abläuft, werden die folgenden Bemerkungen anschaulich machen. Florentinus sagt in L. 3. D. 1. 3, es sei erlaubt, unrechtmässige Gewalt und Widerrechtlichkeit von sich abzuwenden; denn schon nach der Construction des ganzen Rechts sei anzunehmen, dass recht handle, wer zur Vertheidigung und zum Schutze der eigenen Persönlichkeit (gegen solche Angriffe) etwas vornehme, und wenn die Natur überhaupt eine Art von Verwandtschaft unter uns eingeführt habe, es folgeweise als unmoralisch gelten müsse, dass Einer dem Anderen auflauere (et cum inter nos cognationem quandam natura constituit, consequens est hominem homini insidiari nefas esse). Diese zufällige Andeutung einer gewissen Art von Verwandtschaft, welche allerdings an eine ähnliche Aeusserung des Seneca erinnert, also wohl beliebten Moralsystemen entnommen ist, gilt dem Vf. (p. 81) als der Ausdruck der allgemeinen Gesinnung der Röm. Juristen, welche durch das Medium des Seneca auf eine christl. Grundlage zurückgeführt wird. — In L. 4. § 1. D. 1. 5 ist die Sclaverei als ein Institut des Peregrinenrechtes geschildert, nach welchem Jemand gegen die Bestimmungen des Jus Naturale dem Dominium eines Anderen unterliegt (qua quis dominio alieno contra naturam subiicitur). Offenbar tritt hier die bekannte Unterscheidung zwischen Jus Naturale und Gentium in Wirksamkeit, und, dass aus jenem die Sclaverei ausgeschieden wurde, ergibt sich schon aus dem Röm. Begriffe derselben. Vgl. L. 1. § 3. D. 1. 1. Gleichwohl schliesst der Vf. aus der Stelle, dass schon die Röm. Juristen eine allgemeine Libertas zur Grundlage ihrer Rechtsanschauungen gemacht haben und kommt so unter Berufung auf L. 32. D. 50. 17., wo die Worte quia, quod ad ius naturale attinet, omnes homines aequales sunt, dem Zusammenhange des Ganzen nach nur auf die Gleichheit der Stellung nach demselben Jus Naturale der Sclaverei gegenüber zu deuten sind, zu der merkwürdigen Behauptung, die beiden Grundlagen des Christenthums — liberté et egalité (??) — bereits im class. Pandectenrechte Wurzel geschlagen und auf die Ausbildung des Röm. Rechts zu einer Zeit eingewirkt haben, wo die christl. Religion von den Röm. Kaisern für einen Irrglauben erklärt, deren Anhänger mit Feuer und Schwerdt vertilgt und die Röm. Juristen besondere Sammlungen der gesetzlichen Vorschriften gegen die Christen angelegt haben. Nicht glücklicher sind die Combinationen des Vfs. für die Periode Constantins d. Gr. Die Einführung der stillschweigenden Hypothek der Mündel an dem ganzen Vermögen ihres Vormundes wird auf die christl. Liebe zurückgeführt, welche namentlich die Kleinen in Schutz nehme (p. 119); das wiederholt eingeschärfte Verbot verzögerlicher Appellationen findet seine Erklärung in Constantins Abneigung gegen die vom Ap. Paulus verdammte Streitsucht (ibid.); die Aufhebung der solennen Legatformeln hat ihren Grund in der Religionspolitik dieses Kaisers (p. 120); die Aufhebung des Unterschiedes zwischen Res Mancipi und Nec Mancipi und der Sieg des naturalen Eigenthums über das Jus Quiritium in der Folgezeit wird als eine Wirkung des christl. Axioms dargestellt, dass die Erde mit Allem, was sie enthält, Gott angehöre (p. 121). — Im speciellen Theile, welcher dazu bestimmt ist, den Einfluss des Christenthums auf die einzelnen Institute des Röm. Privatrechts nachzuweisen, macht der Vf. in der Lehre von der Sclaverei die Entdeckung, dass die Verfügungen der Lex Petronia einer Combination von stoischen und christl. Ideen ihren Ursprung verdanken (p. 152); dass die Uebertragung des Rechts, eigene Sclaven zu tödten an die vom Staat bestellten Richter zu den Zeiten Hadrians und Pius und die humaneren Bestimmungen über die Ausübung des herrschaftlichen Strafrechts ebenfalls als Folgen christl. Ideen anzusehen sind (p. 153) u. s. w. In der Lehre von den Zuwendungen unter Ehegatten und an Verheirathete gilt die Aufhebung der Leges Decimariae und auch die der Caducariae als eine Zurückführung des Civilrechts auf die Bestimmung der christl. Ehe (p. 177—180). Der Begriff der christl. Ehe selbst wird aber in deren Unauflösbarkeit, in deren Dauer auf die ganze Lebenszeit der Ehegatten gesetzt (p. 219), welchem die Ehescheidung auf das Bestimmteste widerspreche; dabei wird Modestin hart getadelt, weil er das consortium omnis vitae, das sich in dem Zusammenhange nur auf die vollständige Lebensvereinigung der Ehegatten bezieht, in den Begriff der heidnischen Ehe aufgenommen hat. Natürlich, weil der Vf. diese totale Vereinigung der Lebensverhältnisse mit dem Andauern der Ehe für die ganze Lebenszeit der Ehegatten verwechselt. Noch mehr, die priesterliche Einsegnung der Ehe schreibt sich schon aus den Gewohnheiten der urchristl. Kirche her, und Verbindungen, welche nicht unter Dazwischentritt der Kirche geschlossen waren, galten schon damals für heimlich und unerlaubt (p. 229). In der Lehre von der väterl. Gewalt ist die Einführung des quasicastrense Peculium, ingleichen die vom älteren Rechte abweichende Behandlung der bona materna, und dessen, was ihnen gleichgesetzt wird, eine Folge des die bisherigen Bestimmungen nach und nach erweichenden Christenthums (p. 263—268). Selbst die gänzliche Losmachung der Frauen von der Geschlechtstutel, die Anerkennung ihrer freieren Stellung in den Gesetzen der christl. Kaiser, überhaupt das allmälige Hervortreten der Frauenemancipation entstammt auf das Unzweideutigste derselben Quelle (p. 295—309). Was Wunder, wenn also auch die in diesen Zeiten immer mehr und mehr hervortretende Berücksichtigung der natürlichen Verwandtschaft in der civilen Intestaterbfolge und zuletzt die gänzliche Verdrängung der Agnation in Justinians Gesetzgebung gleichen Ursprung haben soll (p. 337—355)? Diese Bemerkungen werden hinreichen um den Inhalt eines Buches zu charakterisiren, welches den Mangel alles Talentes für Behandlung der Geschichte auf jeder Seite bekundet, und für die Bearbeiter des Röm. Rechts nur insofern ein pathologisches Interesse haben wird, als es die Unfähigkeit des Vfs., die Quellen des Röm. Rechts zu behandeln auf das Deutlichste nachweist.

[3540] **Ger. Noodt** ICti et antecess. scholae in Digestorum libros XXVIII—L. Edidit *H. U. Huguenin*, J. U. D. Heerenveenae, Hessel. 1842. 393 u. X S. gr. 8. (2 Thlr.)

Man hat die Herausgeber von Vorlesungen berühmter Männer nicht mit Unrecht denen verglichen, welche sich ein Vergnügen daraus machen, literarische Notabilitäten im Nachtgewande dem Publicum vorzuführen, und nur dann eine Ausnahme von der allgemeinen Regel statuiren wollen, wenn diese Vorlesungen durch Gehalt und wissenschaftliche Tiefe sich auszeichnen, vielleicht gar eine Reihe neuer Forschungen enthalten, welche durch die Veröffentlichung als Eigenthum dessen erhalten werden, welcher im Leben nicht Zeit gefunden hat, die Resultate seiner Untersuchungen einem grösseren Publicum gegenüber zu begrunden. Von diesem Standpuncte aus kann es nur gebilligt werden, wenn die Vorlesungen eines Cujacius, Donellus u. A., welche früher nur Eigenthum ihrer Schüler waren, durch den Druck allgemeiner zugänglich geworden sind, da diese grossen Meister auf ihre Vorlesungen eben so grossen Fleiss verwendet haben, als auf ihre Schriften, die ihrem Inhalte und ihrer Form nach grösstentheils ihrer akad. Thätigkeit entsprossen sind. Allein bei der vorlieg. Schrift, welche Noodt's Pandectenvorlesungen von der Stelle an enthalt, wo sein Pandectencommentar aufhört, d. h. vom 28. Buche abwärts, scheint die Herausgabe durch keine der angegebenen Gründe gerechtfertigt. Denn abgesehen davon, dass wir gerade genug Pandectencompendien nach der Legalordnung haben, um neue entbehren zu können, so sind auch diese Vorlesungen bei weitem nicht so gründlich, als man nach den übrigen Schriften des gelehrten Vfs. zu erwarten berechtigt wäre. Zwar will der Herausgeber (praef. p. IX seq.) diess nicht zugeben, muss aber gestehen: critico etiam ingenio non adeo quidem hic indulsit, verum ab innato tamen depravata emendandi studio ne hic quidem abstinuit. Nun wird allerdings der Unterschied, welcher sich zwischen diesen Vorlesungen und dem Pandectencommentar für die Augen des Kenners herausstellt, zum grössten Theile durch die Verschiedenheit des Publicum, für welche beide berechnet sind, hinreichend erklärt; allein die unverhaltnissmässige Kürze, mit welcher die letzten Bücher der Pandecten behandelt und ganze Doctrinen mit ein paar Worten abgemacht werden, wird schwerlich dazu beitragen, diese Vorlesungen zum Gebrauche zu empfehlen. Wenn demnach der Herausgeber die Hoffnung mit Recht aufgegeben hat, dem Studium des Röm. Rechts durch diese Leistung Vorschub zu thun (p. X), so können wir doch ihm nicht beistimmen, wenn er es so hoch anschlägt, dass man nunmehr ersehen könne, qualis de multis quaestionibus fuerit viri magni sententia (ib.). Bei der vollkommensten Achtung vor dem gefeierten Namen des Vfs. bedauern wir, dass der Herausg. vergessen, dass blinder Auctoritätenglaube unter den Juristen Deutschlands, wie unter denen Hollands längst aufgehört hat, und dass eine von einem berühmten Manne ausgesprochene Meinung, sofern sie nicht aus den Quellen des Rechts auf wissenschaftl. Wege unter Anwendung der richtigen Methode construirt wird, heutzutage gerade so wenig beachtet wird, als irgend eine histor. Vermuthung, welche a priori sich als unmöglich herausstellt. Diese kritische Richtung unsers Zeitalters, welche die Grundlagen der gewöhnlichen Doctrin aus der histor. Interpretation der Rechtsquellen zu reconstruiren sucht, und in den Schriften, welche Noodt selbst dem Drucke übergeben hat, bereits so lichtvoll hervortritt, hätte den Herausgeber zur Unterlassung dieser Arbeit um so eher veranlassen sollen, als er sich leicht überzeugen konnte, dass Noodt selbst diese Vorlesungen nicht so veröffentlicht haben würde, falls er länger gelebt hätte. Hat Noodt selbst seinem Testament die Clausel eingesetzt, dass von seinen hinterlassenen Arbeiten nichts publicirt werden solle, wie konnte dennoch der Herausgeber glauben, in seinem Sinne zu handeln, wenn er das, was der Vf. selbst der Veröffentlichung nicht werth erachtete, in dessen Namen dem Publicum zum Kauf bietet? Ist demnach diese Veröffentlichung weder durch das wissenschaftliche Bedürfniss, noch durch die inneren Vorzüge der Arbeit geboten, kann sie auch ferner nicht aus der Absicht des Vfs. gerechtfertigt werden, so erscheint vielleicht die Ausgabe nur aus Speculation des Buchhändlers, welcher vom Rufe des geehrten Landsgenossen einen Vortheil erwartet, und der Herausgeber hat wohl nur den Namen zum Titel hergegeben, vielleicht auch die vom Zufall gebotene Gelegenheit nur ergriffen, um sich dem Rufe Noodts anzuhängen und auf diese Weise dem eigenen Namen ein längeres Gedächtniss zu sichern. Diese Vermuthung gewinnt Wahrscheinlichkeit, wenn man bedenkt, dass der Name des Herausgebers sonst nicht bekannt ist, dass die hier gegebene Vorrede einen Stümper im lateinischen Ausdruck verräth, was zu dem classischen Latein der Vorlesungen selbst gar auffallend contrastirt, überhaupt aber nicht geeignet ist, grosse Erwartungen von seinem Talent, besonders von seiner logischen Methode zu erregen. — Einen gewissen literarhistorischen Werth haben jedoch diese Vorlesungen insofern, als sie uns von der Lehrmethode Noodt's und seiner Art und Weise, das Röm. Recht zu entwickeln, ein anschauliches Bild gewähren. Gewöhnlich giebt er zuerst eine Definition des Begriffs, den er zu behandeln gedenkt, dann Beispiele zur Erläuterung des Gesagten. Von genauer Entwickelung und Reconstruction der Begriffe aus den zerstreuten Fragmenten der Pandectenjuristen ist nicht die Rede; doch ist es gerade dieser Theil der Rechtswissenschaft, welcher im Pandectencommentar mit sichtlicher Vorliebe und dem Gefühle des wissenschaftl. Bedürfnisses behandelt worden ist. Ferner tritt das historische Element bei der Entwickelung der einzelnen

Rechtssätze hinter das Dogmatische zurück, allein bei der Erörterung streitiger Rechtsfragen geht der Gelehrte nach einer ganz richtigen Methode immer auf das Vorjustinianische Recht zurück, was er aus den ihm zugänglichen Quellen in Kurzem reconstruirt, und sofort zur Interpretation des in den Justinianischen Rechtsbüchern aufgestapelten Materials verwendet. Auf diesem Wege wird auf das Bestimmteste gezeigt, was der wahre Sinn der kaiserl. Constitutionen, und der eigenen Verordnungen Justinians sein müsse — also genau dieselbe Methode beobachtet, welche bereits aus andern Werken des Vfs. bekannt ist, und auch seit Hugo und v. Savigny in Deutschland allgemein Eingang gefunden hat. Der analytische Theil der geschichtl. Forschungsmethode, die Dogmengeschichte, wird fast überall absichtlich vernachlässigt, wahrscheinlich desshalb, weil sie für die Vorlesungen wenig Vortheil versprach, auch ihre wissenschaftliche Nothwendigkeit von ihm noch nicht so klar eingesehen ward, als diess heutzutage in Deutschland der Fall ist. Besondere Aufmerksamkeit wird der Restitution und Erklärung der Edictfragmente gewidmet, doch sind manche dieser Restitutionen bereits durch Westenberg's „principia iuris Rom. secundum ordinem Digestorum" bekannt geworden, über welchen der Vf. sich nicht mit Unrecht beklagt haben soll, dass er seine Vorlesungen zur Herstellung der Edictfragmente ganz wacker compilirt habe. Vgl. Haubold in Hugo's civil. Mag. Bd. 2. S. 299 ff. Im Allgemeinen wird man das Urtheil begründet finden, dass der treffliche Gelehrte sich dem Fassungsvermögen seiner Zuhörer ganz wohl anzubequemen gewusst, auch in der Mittheilung des weitschichtigen Stoffes überall Maass gehalten hat; zwei Eigenschaften, welche die Lehrgabe desselben auf das Bündigste beweisen. Nicht ohne Interesse wird die Bemerkung sein, dass diese Vorlesungen die Grundlage des Westenberg'schen Pandectencompendiums geworden sind. Ref., welcher zu diesem Zwecke das 28. Buch beider Werke unter einander verglichen hat, findet diess namentlich in folgenden Rücksichten bestätigt: Ein grosser Theil der Noodt'schen Definitionen ist von Westenberg wiederholt worden; diesem gehören aber die beigesetzten Begriffsentwickelungen an, welche den Noodt'schen Vorlesungen fremd sind. In der Entwickelung der einzelnen Rechtsätze ist der Schüler viel vollständiger, als der Lehrer; die historischen Deductionen sind grösstentheils vom Schüler ausgelassen, überhaupt ist sein Vortrag vielmehr auf ein starres Dogmatisiren gerichtet, was freilich den Zuhörer der Mühe eigener Forschung überhebt, aber auch dafür nicht den Geist so lebendig erfrischt, als die überall den richtigen Weg vorzeichnende Lehrmethode Noodt's.

Classische Alterthumskunde.

[8641] Corpus inscriptionum graecarum. Auctoritate et impensis Academiae litterarum Regiae Borussicae edidit **Aug. Boeckhius**, academiae socius. Vol. II. Berolini, Reimer. 1843. 1136 S. gr. Fol. (17 Thlr.)

Ueber dieses Werk, dessen zweiter Band, nachdem die 1. Lieferung desselben (Inschr. 1793—2378) bereits im J. 1832, die 2. (Inschr. 2379—3126) im J. 1835 erschienen war, nun endlich mit der vorliegenden dritten (Inschr. 3127—3809) nach langem Harren ge;chlossen ist, kann eine ausführliche Recension aus begreiflichen Gründen hier weder gegeben noch erwartet werden. Wir beschränken uns daher auf eine ganz kurze Angabe des Inhalts, wobei wir der Vollständigkeit wegen auch die beiden ersten Lieferungen dieses 2.-Bdes. mit herbeiziehen. Der erste Band enthielt in 6 Abtheilungen, die tituli antiquissima scripturae forma insigniores, und die inscriptiones Atticae, Megaricae, Peloponnesiacae, Boeoticae, Phocicae, Locricae, Thessalicae. Der 2. beginnt mit Pars VII. inscriptiones Acarnaniae, Epiri, Illyrici. sect. 1. Acarnania no. 1793—1796. 2. Epirus no. 1797—1828. 3. Illyricum no. 1829—1837. Pars VIII. inscriptiones Corcyrae et vicinarum insularum no. 1838—1935. Pars IX. tituli aliquot locorum in Graecia incertorum no. 1936—1950. Pars X. inscriptiones Macedoniae et Thraciae no. 1951—2056[c]. Pars XI. Inscriptiones Sarmatiae cum Chersoneso Taurica et Bosporo Cimmerio (Introductio p. 80—117), no. 2057—2134[b]. Pars XII. inscriptiones insularum Aegaei maris cum Rhodo, Creta, Cypro. sect. 1. incertorum in Aegaeo locorum tituli no. 2135—2137. 2. Aegina et Euboea no. 2138—2152. 3. Sciathus, Lemnus, Imbrus, Samothrace, Thasus no. 2153—2164; 4. Tenedus, Lesbus, Hecatonnesi no. 2165—2213[b]. 5. Chius, Psyra, Samus, Patmus, Lerus, Amorgus no. 2214—2264. 5. Delus et Rhenaea cum Cycladibus, Teno, Andro, Ceo, Paro, Oliaro, Naxo no. 2265—2413[b]. 7. Sporades Doricae, Melus, Pholegandrus, Sicinus, Thera, Anaphe, Astypalaea, Cos no. 2424—2523. 8. Rhodus cum Chalcia no. 2524—2553. 9. Creta no. 2554—2612. 10. Cyprus no. 2613—2652. Pars XIII. inscriptiones Caricae. Sect. 1. Cnidus, Halicarnassus no. 2653—2669. 2. Bargylia, Jasus, Mylasa, Labranda no. 2670—2714. 3. Stratonicea no. 2715—2736. 4. Aphrodisias no. 2737—2851. 5. Miletus, Heraclea ad Latmum, Amyzon, Alabanda, Priene cum Panionio no. 2852—2909. 6. Magnesia ad Maeandrum, Tralles, Nysa no. 2910—2952. Pars XIV. inscriptiones Lydiae. Sect. 1. Ephesus cum Marathesio et Caystrianis no. 2953—3030. 2. Colophon cum Metropoli no. 3031—3043. 3. Teos, Clazomenae, Erythrae no. 3044—3136. 4. Smyrna cum Hyrcanis, Magnesia ad Sipylum, Phocaea no. 3137—3415. 5. Philadelphia, Maeones et vicinia, Bagis no. 3416—3449. 6. Sardes et vicinia no. 3450—3472. 7. Loci inter Sardes et Thyatira siti, Thyatira, Nacrasitae no. 3473—3522. Pars XV. inscriptiones Mysiae. Sect. 1. Cyme et vicinia no. 3523—3534. 2. Pergamum, Gambreum, vicina Germae no. 3535—3568. 3. Assus, Alexandria Troas, Ilium, Sigeum et loci his oppidis vicini no. 3569—3639. 4. Lampsacus et Parium no. 3640—3654. 5. Cyzicus cum Artace, insula Halone, insula Proconnesus, Panormus, Besbicus insula, Lopadium, Apollonia ad Rhyndacum, loci Mysiae incerti no. 3655—3709. Pars XVII. inscriptiones Bithyniae. Sect. 1. 1. Apamea Myrleanorum, Prusa ad Olympum, Cius no. 3710—3742. 2. Nicaea, Leucae no. 3743—3767. 3. Nicomedia et vicina, Chalcedon et vicina cum Chalcitide insula no. 3768—3797[b]. 4. Hadriani s. Adriani ad Olympum, Prusias ad Hypium, Nymphaeum, Heraclea, Hadrianopolis, Flaviopolis no. 3797[c]—3809. — Hieran schliessen sich sehr zahlreiche Addenda et Corrigenda S. 982—1136. Dass diese nothwendig wurden, kann natürlich dem Herausg. nicht zur Last gelegt werden, sondern ist dem Umstande zuzuschreiben, dass gerade in dem letzten Decennium eine ausserordentliche Regsamkeit im Aufspüren der alten Steinschriften sich entwickelt hat und demzufolge eben so werthvolle als zahlreiche Entdeckungen auf diesem Gebiete gemacht worden sind, so dass es für die übersichtlichere Anordnung und für die äussere Brauchbarkeit des Corpus inscr. gr. ohne Zweifel erspriesslicher gewesen sein würde, wenn es um 10—20 Jahre später wäre begonnen worden. Doch die Sache ist nun nicht mehr zu ändern, und es kommt jetzt darauf an, die Nachträge auf die für das Nachschlagen angemessenste Weise zu ordnen. Jedenfalls verdient es Billigung, dass Hr. B. in den Anhang zu diesem 2. Band nicht zugleich auch die mittlerweile sehr hoch angewachsenen Supplemente zum 1., sondern bloss nachträglich solche Inschriften aufgenommen hat, welche den in diesen Band selbst fallenden Gegenden und Orten angehören. Vielleicht wäre es aber für den Gebrauch des Werks dienlicher gewesen, wenn diesem Bande überhaupt gar keine Nachträge beigegeben, sondern Alles in den zu erwartenden allgemeinen Anhang verwiesen worden wäre; doch wollen wir darüber nicht rechten: sollten wenigstens die folgenden Bände eben so lange auf sich warten lassen als dieser vorliegende, so würde der einstweilige Ausfall allerdings empfindlich sein. Was aber die hier gegebenen Supplemente betrifft, so hat sie der Herausg. theils aus mittlerweile erschienenen Schriften genommen, wie aus denen von Leake, Ross, Cousinéry, Lebas, Mustoxydes, Francke, Gräfe, Thiersch, Pashley, Fellows u. A., theils durch eigenhändige Mittheilung verschiedener Gelehrten, wie Prokesch, Ross, Pittakis, Kiepert, Dubois, Finlay, Forchhammer, Kellermann, Kramer u. A. m. erhalten. In einem Puncte nur gesteht derselbe das Vorhandene nicht vollständig gegeben zu haben, und der Fall ist allerdings eigenthümlich. Aus dem 2. Hefte der Inscrr. ined. von Ross nämlich sind mehr als 100 Inschriften weggelassen worden, welche von Rechtswegen in die Supplemente dieses Bandes gehören. Allein Ross hatte so eben erst dieses Heft seiner Sammlung beendigt (und, fügen wir hinzu, auf seine eigenen Kosten drucken lassen) dasselbe noch dazu dem Herausgeber gewidmet. Es hätte wie ein Raub an fremdem Eigenthum ausgesehen, wenn Hr. B. sofort alles Neue aus dieser Sammlung in die seinige herübergenommen hätte. Wir ehren diese Gesinnung, wenn wir auch das Zusammentreffen beklagen. Hr. B. wäre in diese Alternative gar nicht gekommen, hätte er alle Nachträge bis zum Schluss des Ganzen aufsparen wollen. Endlich gibt derselbe im Vorwort noch die Nachricht, dass Hr. J. Franz, durch ähnliche Arbeiten und durch die Elementa epigraphices graecae hinreichend bekannt, vom 3. Bande an, dessen von Hr. B. gesammeltes Material er schon zum Theil verarbeitet, die Fortführung des Corpus inscr. gr. übernommen habe; dass aber der bisherige Herausgeber keineswegs gesonnen ist, sich ganz von aller ferneren Theilnahme an dem von ihm begründeten und so weit durchgeführten Unternehmen gänzlich zu begeben, kann den Freunden des Alterthums nur überaus erwünscht sein.

[8542] Anecdota Delphica edidit **Ern. Curtius.** Accedunt tabulae duae Delphicae. Berolini, Besser. 1843. 104 S. u. 20 ungez. Blätter. gr. 4. (2 Thlr.)

O. Müller's Hauptaugenmerk bei seinem Aufenthalte in Griechenland war auf Delphi gerichtet. Gern würde er die Mitte der alten Tempelstätte aufgegraben haben, wenn nicht gerade auf dieser die Baraken des jetzigen Dorfes Kastri sich befänden. Zunächst aber zog eine nur wenig über die Oberfläche des Bodens hervorragende mit Inschriften bedeckte Mauer, die südliche Substruction des Tempels, die Aufmerksamkeit M.'s und seiner Begleiter auf sich; sofort ward so viel Areal angekauft, als nöthig war, um längs derselben zu deren Blosslegung einen Graben zu ziehen; der Erfolg war lohnend, die ganze Wand fand sich bis herab zu dem ursprünglichen Fundament in gleicher Weise wie oben mit Inschriften überdeckt. Hier war es, wo der Keim der Krankheit gelegt wurde, welche dem Leben des trefflichen Mannes so unaufhaltsam schnell und unerwartet ein Ende machen sollte. Was M. selbst aus diesem Fund, der sicherlich auch nur der Anfang zu weiteren Entdeckungen gewesen wäre, zu machen gewusst, und wie sein frischer Geist denselben behandelt und gestaltet haben würde, wissen wir nicht: gewiss aber verdient Hr. C., der persönlich an jenen Ausgrabungen den thätigsten Antheil nahm, allen Dank, dass er für Erhaltung des Materiellen Sorge getragen und unter Hinzufügung der nöthigen Erläuterungen dasselbe allgemein zugänglich gemacht hat. Freilich entspricht das Resultat der Grösse der davon gehegten Erwartungen nicht; allein wir Philologen dürfen auch den kleinsten Gewinn, der unserer Wissenschaft zuwächst, nicht verschmähen. Die Inschriften, welche, wie der Herausg. aus den wenigen darin enthaltenen historischen Andeutungen, so wie aus der Form der Schriftzüge und aus der Orthographie schliesst, sämmtlich einem und demselben Zeitraum, etwa dem 3. Jahrhundert vor Chr., angehören, zerfallen in drei Classen. I. no. 2—39 (der Text S. 56—57) sind Freikäufe von Sclaven, welche Hr. C., nachdem er im Allgemeinen die Sitte der Freilassung charakterisirt und die verschiedenen Arten derselben, die von Staatswegen, die von Privaten theils durch Testament, theils durch öffentliche Erklärung bei Lebzeiten und an öffentlichen Orten (bei welcher Gelegenheit S. 13—16 die bereits von Leake und in der Ἐφημερὶς ἀρχαιολογική bekannt gemachten thessalischen Verzeichnisse von Freigelassen der Vollständigkeit wegen wiederholt werden), unter die Rubrik der manumissio sacra bringt. Es sind nicht einfache Acte der Freilassung, sondern vielmehr der Abtretung von Sclaven durch fingirten Verkauf oder Schenkung an eine Gottheit gleichsam als ἱερόδουλοι, welche gleichwohl als völlige Freigebung zu betrachten ist; eine Maassregel, welche Hr. C. aus dem Wesen des äusserst begünstigten und der Freiheit fast gleich zu achtenden Standes der Hierodulen erklärt. Fingirt war dieser Verkauf auf jeden Fall, was schon Böckh in C. J. inscr. I. p. 780 erkannte; die Erklärung jedoch durch Herbeiziehung der Hierodulen scheint uns etwas gezwungen, ansprechender die, welche Ulrichs (welcher kürzlich im Rhein. Mus. 2. S. 553 ff. eine Reihe ganz ähnlicher Inschriften von Tithora bekannt gemacht hat) gibt: „die Sclaven kauften sich wohl meist aus ihren eigenen Ersparnissen frei, da sie aber selbst keine bürgerlichen Rechte genossen, so übertrugen sie es einem Gotte, den Vertrag abzuschliessen". Die Sitte selbst gehört erst der späteren Zeit an und scheint sich selbst auf eine bestimmte Gegend beschränkt zu haben; alle die Orte nämlich, woher sie bekannt ist, liegen um den Parnass herum in einem Kreise, dessen Mittelpunct Delphi ist, und eben dadurch wohl ist es bedingt, wenn es nur gewisse Gottheiten sind (Dionysos in Naupaktos, Serapis in Chäronea, Tithora und Koroneia, Apollon Nesiotes in Chalia, Asklepios in Elateia und Steiris, Athene Polias in Daulis, Apollon Pythios in Delphi), denen die Freigelassenen zugewiesen werden. Die hier mitgetheilten Inschriften nun sind sämmtlich nach einem Schema gemacht, in welchem folgende Puncte als stehend wiederkehren: zuerst der Magistrat und der Monat (bei Freilassung Fremder auch der Magistrat und Monat des auswärtigen Staates), hierauf in der Freilassungsformel selbst der Consens Derer, welche sonst rechtliche Einsprache erheben konnten, Geschlecht, Name und Herkunft des Sclaven, Preis der Freilassung und Quittung, ferner anderweite Bedingungen, dann Bürgen und Garantien, zuletzt die Zeugen. Ueber alle diese Puncte hat der Herausg. sehr ausführlich, wir fürchten fast mit zu grosser Ausführlichkeit im Einzelnen gehandelt. Als wichtig heben wir namentlich nur hervor, dass das bisher bekannte Verzeichniss der delphischen Monate aus diesen Inschriften um zwei, den Δαιδαφόριος (ist wohl so viel als Δαδοφόριος) und Βοαθόος oder Βοάθοιος vermehrt, und der bisher Αποτρόπιος genannte Monat in Ποϊτρόπιος (d. i. Βοϊτρόπιος) berichtigt worden ist. Beiläufig von den beiden Erklärungen der zweimal vorkommenden räthselhaften Formel μηνὰς ἐνδὺς Ποϊτροπίου S. 30 f. glauben wir, dass bis auf Weiteres nur die zweite stichhaltig ist. Das Namensverzeichniss der Freigelassenen widerlegt übrigens, wie wie Hr. C. richtig bemerkt, die Behauptung Limburg-Brouwer's, dass die Sclaven niemals hätten Namen freier Leute führen dürfen.

— II. no. 40—46 (Text S. 75—79), decreta Amphictyonum, ziemlich unerheblich, sämmtlich Ehrendecrete, und zwar aus der Zeit der Hegemonie der Aetoler; neu ist in denselben, dass nicht, wie man sonst annahm, einzelne Hieromnemonen von den einzelnen Staaten gesandt wurden, auch liefern sie den weiteren Beweis, dass die Frühlings- und die Herbstversammlungen beide zu Delphi stattfanden. — III. no. 1 und 45—67 (Text S. 79—86), acta civitatis Delphorum, gleichfalls Ehrendecrete. Unter den Ehrenbezeigungen ist die *εὐεργεσία* oder der Titel eines *εὐεργέτης* anderwärts nicht so selten als der Herausg. S. 54 annimmt (vgl. ausser den dort genannten Stellen z. B. noch C. J. no. 84. 92. 1334. 1335. 1562 ff. Dem. g. Lept. § 60. Dio Chrys. or. 7. p. 230), selten allerdings die *θεαροδοκία*, Delphi ganz eigenthümlich *δάφνης στέφανος παρὰ τοῦ θεοῦ*, *σκανὰ ἐν Πυλαίᾳ ἁ πρῶτα* und *θησαυρός* (no. 40 *δοῦναι δὲ τοὺς Δελφοὺς Εὐδόξῳ καὶ θησαυρὸν ὅπου τὰ ὅπλα θήσει*). Dazu kommen noch 4 Appendices: 1. S. 87 f. Abdruck eines eine Freilassung betreffenden Papyrus vom J. 354 nach Chr. aus Youngs Hieroglyphics tab. 46, 2. S. 89—91 de dialecto Delphica, 3. S. 92—96 Nomenclator Delphicus, woraus eine reichliche Nachlese zu Pape's jüngst erschienenem Wörterbuche der griech. Eigennamen zu gewinnen ist, 4. S. 96—99 explicatio tabularum cum catalogo lapidum. Endlich Addenda, Corrigenda und Indices. Von den angehängten Tafeln gibt die eine den Plan von Delphi aus Ulrichs Reisen in Griech. 1. Bd. und einen Aufriss der neu entdeckten Inschriftenwand, die andere Fragmente von Reliefs und Ornamenten des delphischen Tempels.

[2848] Demosthenes. Recognoverunt *Jo. Geo. Baiterus* et *Herm. Sauppius.* Vol. V. et VI. Turici, Höhr. 1843. 230, XII u. 254 S. 8. (1 Thlr.)

Die Grundsätze, nach welchen die Hrn. B. und S. den Text des Demosthenes herstellen, sind theils aus den schon erschienenen Bänden, theils aus öffentlichen Beurtheilungen Denen, die sich überhaupt mit der Lectüre dieses Redners beschäftigen, zu bekannt, als dass es hier einer nochmaligen ausführlichen Besprechung auch unserer Seits bedürfte. Sonach könnten wir es bei einer kurzen Notiz über das Erscheinen der vorliegenden Bände, welche den Schluss bilden (sie enthalten die Reden 36—61 nebst den als unächt bezeichneten Proömien und Briefen) bewenden lassen, glaubten wir nicht, dass es in dem Interesse der Herausgeber wie der Leser liege, wenn wir versuchten, die Art der Anwendung jener Grundsätze und das Maass der vorgenommenen Aenderungen und der Abweichungen von Bekker's Texte, wenn auch nur kurz und mehr nach numerischem Verhältnisse an einem Beispiel näher nachzuweisen. Wir wählen dazu aufs Gerathewohl eine Rede aus den vorlieg. Bänden, die 57. gegen Eubulides, freilich gerade eine der minder verderbten. Die Abweichungen von Bekker belaufen sich hier in den 70 Paragraphen derselben, wenn wir uns nicht verzählt haben, nur auf 30. Dieselben zerfallen ihrer Natur nach in drei

Classen, 1. solche, welche auf der Auctorität des einzigen Σ beruhen, 2. solche, welche ausser dem Σ auch noch andere vorzügliche Handschriften für sich haben, entweder nämlich den Marcianus Φ allein, oder diesen und den Marcianus F zusammen, 3. solche, welche von den Herausgebern selbst aus eigener Machtvollkommenheit beliebt worden sind. Von diesen drei Classen sind die erste und die letzte bei Weitem die schwächsten. Zur 1. gehören bloss § 1 die Weglassung des ὑμᾶς, § 13 die veränderte Wortstellung οὐδεμιάς ἐμοὶ δοὺς, und § 49. εἰσπηδῶσιν für εἰσπεπηδηκόσιν. Bedenkt man dagegen, dass allein an 16 Stellen dieser Rede die Lesarten des einzigen Σ, an 14 die der Cod. ΣΦF, an 6 die der Codd. ΣΦ, an 1 die der Codd. ΣF, also im Ganzen 37 Lesarten, bei denen Σ betheiligt ist, zurückgewiesen sind; so fällt die Insinuation, die wohl hier und da laut geworden ist, als hätten die Züricher Herausgeber bloss einen Abdruck des Σ besorgt, in sich selbst zusammen, während freilich auch auf der anderen Seite sich deutlich herausstellt, dass der Werth dieser Handschrift nicht durchgängig für alle Reden ganz derselbe ist. — In die II. Classe fallen folgende Stellen: § 10. ἄστεως aus ΣΦ, § 20. δὲ st. δὴ aus ΣΦF, § 22. εἶναι καὶ συγγενῆ (s. unten), ibid. τῶν gestrichen, § 24. ζώντων desgleichen, § 26 τὸν desgleichen, § 28. τιθέντας, § 32. ὥστε ψηφίσασθαι πάλιν ἀνανεώσασθαι, § 33. τῶν δικαίων ἐγώ, § 34. οὐδέν τι, § 36. οὗτος gestrichen, § 41. τὸν Θούκριτον, § 44. τούτων, ibid. ψηφίσαιντο, § 50. εἰ ἐμαυτὸν, § 54. με, § 56. ὀμνύοντας, sämmtlich Lesarten der Codd. ΣΦF, ibid. ὑμῶν, § 62. διαδικασίᾳ, § 68. εἶτα — υἱοί gestrichen, diese nach ΣΦ. An diesen Stellen ist uns bedenklich § 22 die Entfernung des Artikels, wovon das grammatische Motiv nicht einzusehen ist: vielmehr scheint gerade hier (λαβὲ δὴ καὶ τὰς τῶν πρὸς γυναικῶν τῷ πατρὶ συγγενῶν μαρτυρίας) der Art. τῶν ganz unentbehrlich. Auch τιθέντας ἐάσαι § 28 ist uns etwas zweifelhaft in dieser Verbindung; die Abschreiber konnte das unmittelbar vorhergehende τοὺς leicht irre führen. § 44 scheint ψηφίσαιτο in Verbindung mit εἰ μηδεὶς ἀμφισβητῶν, d. i. εἴ τις μὴ ἀμφισβητῶν, fast nothwendig; der Plural ψηφίσαιντο könnte man zwar ebenfalls mit μηδεὶς verbinden, insofern als darin eine Gesammtheit für den umgekehrten Fall enthalten ist: allein dann würde immer der Plural in der 3. Person anstössig sein, da eben die, welche der Redner ὦ ἄνδρες Ἀθηναῖοι anredet, auch die ψηφισάμενοι sind, also dann die 2. Person zu erwarten war. § 50 können wir der Einschaltung des εἰ, welches den ganzen Zusammenhang stört, keinen Geschmack abgewinnen; und auch δικασίᾳ für δοκιμασίᾳ § 62 möchte schwerlich richtig sein, so weit bis jetzt wenigstens der Rechtsbegriff des Wortes festgestellt ist. — Die 3. Classe endlich besteht aus folgenden ohne handschriftliche Autorität in den Text gesetzten Aenderungen. § 8. ἐκάλει für ἀνεκάλει, wo wir nicht beistimmen können; denn in ἀνακαλεῖν liegt an sich ganz und gar nichts Verfängliches, wenn auch in den folgenden Paragraphen das einfache καλεῖν gebraucht ist, und die Handschriften bieten entweder ἀνεκάλει, oder ἂν ἐκάλει, wie Σ, oder ἐνεκάλει, wie Φ. § 15. Ἁλιμούσιος: doch ist Bekker's Ἀλιμούσιος wohl nur Druckfehler, da weiter unten § 56 u. 60 auch bei ihm die richtiger aspirirte Form erscheint. § 22. [Ἀθηναῖον] εἶναι καὶ συγγενῆ, wo Ἀθηναῖον eigener Zusatz der Herausgeber ist, begründet durch § 20, und allerdings die einzige Auskunft, wenn καὶ aus ΣΦF einmal aufgenommen werden soll. § 25. αὐτοὺς st. αὑτούς. § 27. περὶ τοῦ γένους gestrichen. § 36. ἂν mit Schäfer für ἄ, worauf ἐὰν in ΣΦF und ἂν im r führt. § 38. Ἁλιμεῖ st. Ἀλιμεῖ. § 39. φρατόρων τῶν συγγενῶν st. φρ. καὶ σ., eine Aenderung, der wir unsere Zustimmung nicht versagen können. Denn ganz richtig haben die Herausgeber erkannt, dass συγγενεῖς hier nicht, wie oben § 23 am Ende, mit Meier de gentil. Att. p. 27 für γεννῆται zu nehmen ist; denn diese werden unmittelbar darauf mit den Worten καὶ ὧν τὰ μνήματα ταὐτά (vgl. § 28) bezeichnet. Die συγγενεῖς, cognati, der Mutter selbst haben aber so eben Zeugniss abgelegt. Daher werden nun die Phrateren der mütterlichen Verwandten aufgerufen, um die Verwandtschaft zu bezeugen, was hier um so nothwendiger war, als dieselbe nach der Auseinandersetzung § 37 f. mehrmals durch die weibliche Linie vermittelt war, die Frau aber nach attischem Brauch der Phratrie des Mannes folgte. — Dürfen wir nach dieser Probe, welche in der Hauptsache dem obigen Zwecke entspricht und dem Leser eine allgemeine Ansicht von dem Verfahren der Herausgeber gibt, ein Endurtheil wagen, so müssen wir es aussprechen, dass unverkennbar der Text des Demosthenes durch diese Ausgabe unendlich an Reinheit und Zuverlässigkeit gewonnen hat und seiner ursprünglichen Gestalt um ein Bedeutendes näher gebracht worden ist, dass aber auf der anderen Seite auch ein allzustrenges Festhalten an der Auctorität des keineswegs fehlerfreien Σ Einzelnes hereingezogen hat, was vor einer strengen und unbefangenen Kritik schwer zu verantworten ist. — Nachträglich noch, dass dem letzten Bande S. V—XII Car. Hm. Funkhaenelii symbolae criticae vorausgeschickt sind, welche schätzbare Bemerkungen zu den Reden 43, 46, 57, 59 u. 61 und zu einigen der Briefe enthalten.

[841] Bemerkungen über das Geschichtswerk des Polybius von Dr. F. A. Brandstäter, Oberl. am Gymnas. zu Danzig. Danzig, Gerhard. 1843. 36 S. gr. 4. (10 Ngr.)

Hr. B., durch seine Beschäftigung mit der Geschichte von Aetolien natürlich auf das Werk des Polybius, die Hauptquelle für den letzten Theil der Geschichte von Altgriechenland, hingeführt, vermisste eine befriedigende Untersuchung über den Werth oder Unwerth desselben, indem die neueren Darsteller jener Periode gleich ihrem Führer Polybius alle Vorgänge in Griechenland nur von dem Standpuncte der achäischen Geschichte ansahen und seine Mittheilungen namentlich in Betreff des ätolischen Volkes und Bundes ohne Weiteres als glaubwürdig und gültig aussprachen. Selbst die anerkannt tüchtige Schrift von Lucas „über Pol. Darstellung des ätol. Bundes“ genügte ihm besonders in formeller Hinsicht nicht, und deshalb unternahm er es selbst, diese Lücke auszufüllen und theilt in vorlieg. Abhandlung, welche er jedoch ausdrücklich nur als Vorarbeit zur Lösung der Frage, wie Polybius die Geschichte des ätolischen Volkes und Bundes behandelt habe, betrachtet wissen will, die Resultate seiner Untersuchung mit. Zunächst stellt der Pol. in seinem Verhältnisse zu den Achäern und Aratus dar, und sucht zu zeigen, dass in beiderlei Rücksicht die Stellung des Geschichtschreibers eine falsche sei, indem einmal seine parteiische Vorliebe für Achaja (und Arkadien, sein Vaterland), sodann seine Verblendung über den Werth des Aratus als Oberhaupt des Bundes und seine Ueberschätzung desselben auch als Geschichtschreiber ihm die nöthige Unbefangenheit des Urtheils raubte. Minder bedenklich findet Hr. B. sein Verhältniss zu den Römern und in seiner Stellung zu diesen im Ganzen wenig Veranlassung, die Ereignisse in einem denselben günstigen, falschen Lichte darzustellen; sein Urtheil geht vielmehr dahin, dass P. in Betreff der Römer mit sehr geringen Ausnahmen die Vorschriften einer objectiven, unparteiischen Geschichtschreibung beobachtet hat. Im folgenden Abschnitt über den allgemeinen Zweck der Historik des Polybius findet der Vf., dass P. die Geschichtschreibung nicht als eine Wissenschaft für sich anerkannte, sondern sie gewissermaassen als eine Beispielsammlung betrachtete, aus der sich für den prakt. Menschen und besonders für den Staatsmann viele gute Lehren und Weisungen entweder positiv oder negativ abziehen oder erläutern liessen. Hiermit in genauer Beziehung steht, was ferner Hr. B. beim schriftstellerischen Charakter des P. (wo er S. 19 f. Herodot, Thucydides und Polybius mit den drei grossen Tragikern der Griechen parallelisirt) insbesondere über dessen Pragmatismus sagt, einen Ausdruck, welcher sehr verschiedenartige Auslegung gefunden hat, dessen Wesen aber der Vf. für Polybius nach dessen eigenen Aeusserungen eben in jener praktischen Tendenz findet, welche ihn die Geschichte als einen geeigneten Text zu politischen, moral. und anderen Belehrungen und Betrachtungen ansehen liess. Hierauf wird in der Kürze noch von einigen andern Gebrechen des P. gehandelt, welche das Bild seines schriftstellerischen Charakters vervollständigen, besonders von seiner Eitelkeit und seiner Gehässigkeit im Urtheile über andere Geschichtschreiber (wie Fabius, Philinus, Phylarchus, Timaeus, Theopompus), ferner über seinen Styl (die Eigenthümlichkeiten des Ausdrucks beziehen sich zunächst auf die Wortbildung durch Ableitungen und Zusammensetzungen; es finden sich Substantive und Adjective, welche von der gewöhnlichen Bildung abweichen, viele ungebräuchliche Adverbia, besonders zusammengesetzte von bedeutender Länge, unnütze Verlängerungen durch vorgesetzte Präpositionen, auch neue Wortbildungen; — sodann auf eigenthümliche

Verbalformen — Neuheit im Gebrauch einzelner Worte und ganzer Redensarten, in Hinsicht der Rection der Verba, der Partikeln u. s. w.; — im Allgemeinen Hang zu weitschweifigem Ausdruck, Mangel an Wohlklang und an Geschmack in der Wahl der Bilder u. s. w.), endlich über einige der in das Werk eingeflochtenen Reden, welche als der Ausdruck seiner eigensten Gedanken und Gefühle zu betrachten sind. — Dieser kurze Abriss wird hinreichend sein, unsere Leser auf den wichtigen Inhalt dieser Abhandlung aufmerksam zu machen, welche hinsichtlich der Form der Darstellung gleich sehr zu empfehlen ist. Nur will uns bedünken, als lasse der Vf., was die letztere betrifft, hier und da ohne Noth zu viel Humor, zuweilen einen falschen Humor durchblicken, wie S. 10, 53, wo die Vergleichung der Römer mit den Eskimos doch in der That nicht an ihrem Platze ist, oder S. 17, 104, wo der Vf. sich über einen unschuldigen Druckfehler lustig macht. Unendlich gesucht und fast geschmacklos ist auch der Eingang, und gleich die erste Anmerkung gibt für die Fähigkeit des Vfs., auf seinen Gegenstand gerade los zu gehen, keine günstige Vorbedeutung, die sich glücklicherweise im weiteren Verlauf nicht bestätigt. Was die Sache selbst anlangt, so hat Hr. B. zwar sehr gut beobachtet, auch die Richtigkeit seiner Anführungen überall mit grosser Belesenheit durch zahlreiche und gut gewählte Belege erhärtet, gleichwohl aber bisher nur die eine Seite seines Gegenstandes gegeben, die negative, die Schattenseite. Zugegeben, denn es liegt in der Natur der Sache, dass bei jeder Kritik einer geistigen Grösse allemal gerade diese Seite am schärfsten hervortreten muss, so verträgt es sich doch nicht mit den Grundsätzen einer gewissenhaften Forschung, die Kehrseite unberücksichtigt zu lassen. Eine Kritik, welche bloss die Mängel aufsucht, wird leicht einseitig, ungerecht, gehässig und fällt in das der Lobhudelei entgegengesetzte Extrem. Hr. B. diesen Vorwurf machen zu wollen sind wir nun zwar weit entfernt: doch dürfte sich wohl zeigen, dass von ihm das Eine und das Andere auf die Spitze getrieben worden sei, wenn es darauf ankommt, die von ihm aufgestellten allgemeinen Sätze über des Polybius historische Geltung im Zusammenhange auf jeden besonderen Fall anzuwenden. Ohne im entferntesten dem zu erwartenden Werke des Hrn. B. ein ungünstiges Prognostikon stellen zu wollen, desgleichen er bei seinen gründlichen Studien nicht zu fürchten hat, gestehen wir doch seiner Anwendung jener Sätze auf die ätolische Geschichte mit gespannter Erwartung entgegenzusehen.

[2846] Scholiorum Theocriteorum pars inedita, quam ad codicis Genevensis fidem edidit *J. Adert*, sch. norm. s. et in gymn. Genev. prof. Turici, Meyer et Zeller. 1843. VI u. 94 S. 8. (15 Ngr.)

Die Genfer Handschrift der Scholien zum Theokrit, angeblich aus dem 14. Jahrh. und, wie es scheint, aus derselben Quelle mit Vatic. 3. u. 4. und dem cod. Paris. M (A bei Gaisford) geflossen, war zwar schon von Casaubonus, Valckenaer und Ruhnken benutzt, auch neuerdings wieder für Wüstemann verglichen, gleichwohl aber bei weitem noch nicht erschöpft. So gering nun auch im Ganzen die Ausbeute des Neuen in dem nun vorliegenden bisher ungedruckten Theile im Verhältniss zu dem schon Bekannten angeschlagen werden mag, so wollen wir doch das Unternehmen des Hrn. A. keineswegs für ganz überflüssig erklären, um so weniger, als er auch dadurch, dass er den Genfer Scholien noch die Pariser, welche einzig in der wenig zugänglichen Gail'schen Ausgabe stehen, mit beidrucken liess, seiner Sammlung einen besonderen Werth zu geben gewusst und somit ein sehr willkommenes Supplement zu der Kiessling'schen und Gaisford'schen Ausgabe geliefert hat. Der Text der Genfer Scholien ist ziemlich verderbt. Hr. A. hat sie gegeben, wie sie sind, allein zugleich S. 56—90 als Commentar eine Reihe von Erläuterungen und Verbesserungen hinzugefügt. Dieselben sind, wie es die Sache verlangt, meist kurz und nur andeutend, zwar in keinem sehr musterhaften Latein geschrieben, bieten aber in den meisten Fällen das Nothwendige und treffen häufig das Rechte. Unter den Verbesserungen sind viele ganz evident und hätten ohne Weiteres in den Text gesetzt werden müssen; seltener nur ist es ihm nicht geglückt, das Richtige zu finden. Ref. hebt zum Beleg aus den Bemerkungen zu den ersten Gedichten einige wenige Fälle heraus. I. 3. ἀποισῇ καὶ λήψῃ περισπαστέον. ἐπὶ τοὺς μέλλοντας τῶν ὁριστικῶν περισπῶσιν οἱ Δωριεῖς. Hier will Hr. A. ἀεὶ für ἐπὶ, doch näher liegt ohne Zweifel ἐπεὶ. 34. zu καθεικότες τὰ γένεια möchten wir statt barbam pascere lieber b. promittere, καταβάλλειν, vergleichen. 52. ἀκριδοθῆκαν ἤγουν κόφινον ἢ σπηρίδαν, ἐν ᾗ ἀποτίθενται τὰ ὀπῶρα. Hrn. A.'s Vorschlag, ἀσκοπήραν für σπηρίδαν zu schreiben, ist viel zu gewaltsam, das Wahre ist gewiss σπυρίδα. Zu 67 konnte Strab. 9. p. 427 verglichen werden. 106. ἐνθάδε ταπεινῇ βοτάνῃ ἀπεπαυμένος ὁ ἀὴρ καὶ οὐ δυνήσῃ λαθεῖν συνδονίζουσα. Die Aenderung des Herausg. ἀπαυαινόμενος für ἀπεπαυμένος ist uns ganz unklar; der Sinn verlangt etwas wie ἀναπεπταμένος, obwohl auch das nicht genügt. 139. will Hr. A. καταστῆναι für παραστῆναι, warum nicht ἀναστῆσαι? 147. wird vermuthet, dass der Scholiast, der Aigilos ein Vorgebirg nennt, an den Berg Aigaleos gedacht habe; allein die übrigen Scholien zeigen, dass man vielmehr an den Danaos Aigilia dachte, der im Südosten von Attika lag. II. 17. hat Hr. A. εἰ stehen lassen, was ohne Frage in εἰς geändert werden muss. Daselbst κηρὸς oder τροχὸς für ῥόμβος zu schreiben, scheint keine Nothwendigkeit vorhanden. 122. πορφυροῖς λιμνίσκοις ist nicht mit dem Herausg. λεν[illegible], sondern λημνίσκοις zu corrigiren. 149. ist σε nicht einzuschalten. 159. κρούσει τὴν Ἀΐδου πύλην, τουτέστι καταχειριοῦμαι αὐτόν. Hr. A. will οὐ vor καταχ. einschieben, da καταχειρίζομαι bedeute e manibus mitto, dimitto, wobei ihm die eigentliche Bedeutung des Wortes entgangen. III. 42. ist [illegible] für [illegible] zu schreiben hen. 43. ist in den Lesart ἵνα ἄγηται. τῷ ἀδελφῷ τὴν Πειρώ nichts zu ändern, wie die vom Herausg. selbst angeführte Erzählung bei Apollodor zeigt. V. 107. u. 148. sind dieselben Lesarten, die schon im Texte stehen, als Emendationen gegeben, so dass man nicht erfährt, was eigentlich in der Handschrift steht. S. 54 f. ist aus derselben noch ein kurzes Fragment über den dorischen Dialekt mitgetheilt, woran sich ein anderes bereits von Gail bekannt gemachtes über die Dichter der Pleias schliesst. Es ist Hrn. A. entgangen, dass dieses Stück aus den Scholien des Tzetzes (vol. I. p. 263. ed. Müll.) entnommen ist. Der geschichtlichen Ueberlieferung gemäss wenigstens muss in demselben Ἀρσινόης für das erste Βερενίκης und Ἀντιγόνης für Ἀντιγόνου geschrieben werden, weiter sodann auch ohne Zweifel ἢ Αἰαντίδης, Φιλίσκος statt ἢ Αἰαντίδης Φίλισκος.

[1516] Q. Curtii Rufi de gestis Alexandri Magni regis Macedonum libri qui supersunt octo. Kleinere Ausgabe mit Anmerkungen zum Schulgebrauch von Jul. Mützell, Dr. phil. u. Prof. am K. Joachimsthalschen Gymnas. zu Berlin. Berlin, Duncker u. Humblot. 1843. IV u. 351 S. gr. 8. (1 Thlr.)

Hr. Mützell, der im J. 1841 schon mit einer neuen Bearbeitung des Curtius hervortrat, als deren Zweck er die Lösung der in diesem Schriftsteller obwaltenden sehr bedeutenden kritischen und exeget. Schwierigkeiten bezeichnete und in welcher er zugleich das philologische Publicum in den Stand setzen wollte, über die Zumpt'sche Textesrecension zu einem selbstständigen Urtheile zu gelangen, gibt hier eine kleinere, ausschliesslich für Schüler bei den öffentlichen und Privatlectüre bestimmte Ausgabe desselben Autors. Zwar erklärte er damals jene erstere Ausgabe schon als für das Bedürfniss der Schule berechnet; allein er scheint sich später in Folge unserer und anderer Recensenten Bemerkungen und durch eigene Erfahrung überzeugt zu haben, dass jene Ausgabe für die Sphäre der Schule zu hoch stehe und zu viel für die Schüler nicht Gehöriges enthalte, wesshalb er zur Ausarbeitung dieser kleineren Edition schritt, die allerdings den Bedürfnissen und Forderungen der Schülerclasse, von welcher Curtius gelesen zu werden pflegt, in weit höherem Grade als die frühere entspricht. Die Einrichtung ist im Allgemeinen der grössern Ausgabe so viel als möglich angepasst, vermuthlich, um auf keine Weise den Gebrauch beider neben einander zu hindern. Demgemäss schliesst sich der Text an die Zumpt'sche Recension an, und alle diejenigen Anmerkungen der grösseren Ausgabe, welche dem Zwecke einer Schulausgabe entsprechen, sind in die kleinere unverändert aufgenommen worden. Um jedoch anderseits dieser kleinen Ausgabe einen eigenthümlichen Werth zu verleihen, hat der Herausgeber nicht nur die anderen Anmerkungen, falls sie für Schüler angemessen erschienen, abgekürzt, erweitert oder anderweitig zweckmässig umgewandelt, sondern auch noch andere ganz umgearbeitet und als eine für den Schüler ganz besonders nöthige und nützliche Zugabe hinzugethan. Unter diese letzte Classe gehören z. B. die hier und da, freilich im Ganzen sehr spärlich, eingestreuten, zum fruchtbarem Nachdenken und nützlicher Selbstthätigkeit anregenden Fragen, wie p. 2. „Warum ist moenia nicht unangemessen?“ oder p. 78. „Crebris arietibus. Entweder mit vielen Maschinen oder mit häufigen Stössen?“, ferner die in reichem Masse gegebenen, von scharfer Beobachtungsgabe zeugenden Bemerkungen theils über latein. Sprachgebrauch überhaupt, z. B. p. 16. über den speciellen Gebrauch von interpretari und interpres, wo wie über donum; p. 4 f. über captivi und capti; p. 18. über die Bedeutung von exprimere, wenn es von Gold- und Silberarbeiten gesagt wird; p. 48. über ähnliche Verbindungen, wie anus avia, filia virgo, homo servus u. A.; p. 33. über deturbare als militairischer Ausdruck; p. 34. über noxius in der Bedeutung „unschuldig“; p. 77. über inhibere remis; p. 51. über educere und educare; theils über Sprachgebrauch des Curtius insbesondere, z. B. p. 1. über dessen mannigfache Construction der Redensart exercitum admovere; p. 2. über den Gebrauch von tempestas; p. 15. über den Gebrauch von habitus; p. 3 f. über die Anwendung und die Bedeutung von ceterum; über utromne; über equidem in Vergleichung mit dem Gebrauche des Wortes bei anderen Schriftstellern; über den Unterschied von nec—quidem und ne-quidem und den eigenthümlichen Gebrauch beider Redeweisen bei Curtius u. s. w. Schwierigere Stellen sind von dem Herausgeber theils durch die zum Verständniss nöthigen histor. Notizen, z. B. X, 29, 16. IX, 38, 1. u. s. w., theils durch geographische Bemerkungen, z. B. IX, 16, 15. VIII, 45, 8. u. s. w., theils durch Angabe des Zusammenhanges und Sinnes, wie VI, 6, 13. X, 25, 5. erläutert worden, wobei zugleich am gehörigen Orte die Irrthümer und Missverständnisse oder die unklaren Darstellungen des Curtius besprochen und durch des Herausgebers Bemerkungen aufgeklärt und berichtigt werden. Vgl. VIII, 49, 18. IX, 15, 8. IX, 39, 4. u. s. w. Die Anmerkungen haben den Vorzug der Kürze und Präcision und sind fast durchgängig in einer leicht verständlichen, einfachen Sprache geschrieben. Nur die ersten Seiten, vgl. die Bemerkung III, 1. zu inter haec und III, 1, 5. u. 8. zu ceterum, erinnern noch an den in unserer früheren Anzeige an dem Vf. getadelten, etwas stark manierirten und schwerverständlichen Ausdruck der ersten Ausgabe, nach und nach wird jedoch die Darstellung immer klarer, einfacher und den rechten Ton so wie das rechte Maass treffend. Die ausführlichen historischen und geograph. Expositionen, namentlich die langen, wörtlichen Auszüge aus französ. und engl. Reisebeschreibungen finden sich hier nicht, der Leser erhält dafür jedesmal in einigen wenigen Zeilen das kurze résumé und damit die Erläuterung des Punctes, um den es sich handelt. Auch griech. und lateinische Beweisstellen sind mit Recht weit sparsamer gegeben, als in der grossen Ausgabe, die gegebenen aber sind, was wir durchaus billigen, fast stets in extenso ausgeschrieben worden, damit sie der Schüler gleich bei der Hand hat und sie zu legen genöthigt müssen gewärtigen ist. Der Text der vorlieg. Ausgabe schliesst sich zwar, wie schon erwähnt, ziemlich in derselben Weise, wie in der früheren an die Zumptische Recension an; dabei ist jedoch der Herausgeber jetzt zu einer grösseren Anzahl von Stellen seinem eignen Urtheile gefolgt. Diese Veränderungen sind in den Anmerkungen überall bestimmt angegeben, und zugleich ist zur Erleichterung des Gebrauches der verschiedenen in der Classe neben einander sich vorfindenden Ausgaben allenthalben die wesentliche Abweichung des gegebenen Textes von der Freinsheimischen Ausgabe kurz angedeutet worden. Die kritisch schwierigen und verderbten Stellen hat der Vf. mit kräftiger Hand, nach bester Einsicht, ohne Weiteres geändert und emendirt und mit ein paar Worten in den Anmerkungen, kurz, decidirend, die Sache abgemacht — ein Verfahren, das in diesem Falle für um so zulässiger gefunden werden mag, als es sich in dieser Ausgabe um einen lesbaren, verständlichen Text, aus dem das offenbar Falsche ausgeschieden ist, vorzugsweise handelt. Jedem einzelnen Buche ist übrigens eine deutsche Inhaltsanzeige vorgesetzt, auch finden sich, da wo es dem Herausgeber nöthig erschien, z. B. X, 12, 14. und X, 13, 2. die Ergänzungen der dort befindlichen Lücken nach Freinsheim. Dagegen hat der Herausgeber eine Inhaltsanzeige der beiden ersten verlornen Bücher oder eine kurze Erzählung der dem Beginne des 3. Buches vorangehenden Ereignisse zum Verständniss der nun folgenden Begebenheiten nicht gegeben. Allein ein solches Argumentum dürfte in mancher Hinsicht eben so erwünscht gewesen sein, als eine kurze bloss die interessantesten und sicherten Data enthaltende Biographie und Charakteristik des Curtius, die uns in eine für die Schüler, namentlich auch für die Privatlectüre derselben bestimmte Bearbeitung eines Schriftstellers nothwendig zu gehören scheint. Weniger wollen wir es tadeln, dass ein Index zu den allerdings vielfach schätzbaren Anmerkungen fehlt.

Geschichte.

[illegible] Geschichte des achtzehnten Jahrhunderts und des neunzehnten bis zum Sturze des französischen Kaiserreiches. Mit besonderer Rücksicht auf den Gang der Literatur von F. C. Schlosser. 1. Bd. bis zum Belgrader Frieden. 3. durchaus verb. Aufl. Heidelberg, Mohr. 1842. VI u. 681 S. gr. 8. (2 Thlr. 20 Ngr.)

Wir haben jüngst in diesen Blättern über die 2. Abth. des 3. Bandes des vorlieg. Werkes berichtet (No. 4684), und schon tritt uns die seltene Erscheinung entgegen, dass, während das Ganze noch unvollendet ist, von dem Anfange eine neue, die 3. Auflage erscheint, was sicher eine grosse Theilnahme des Publicums voraussetzt. Und weil nun das Publicum dieser Arbeit eine so bedeutende Aufmerksamkeit schenkt, tritt auch für uns die Pflicht, die vorliegende Erscheinung wiederum etwas näher zu betrachten, um so entschiedener ein. Das Vorwort der 2. Auflage ist in dieser dritten durch eine Vorrede ersetzt worden, welche von Vielen nicht ohne Interesse wird gelesen werden, indem der Vf. hier nicht allein in der Kürze auseinandersetzt, wodurch die 3. sich von der 2. Auflage unterscheide, sondern namentlich auch Mehreres über den Gang seiner Studien und den Charakter seiner Werke mittheilt. Die politische und die literarische Geschichte mit einander in Verbindung zu bringen, hat er als die Aufgabe seiner schriftstellerischen Thätigkeit betrachtet, und es ist diese besonders in der grossen Geschichte des Alterthums und in dem vorliegenden Werke durchgeführt worden. Was das Publicum hier von ihm empfängt, ist das Ergebniss 30jähriger Studien und 20jähriger wiederholter Vorträge, wenn man von der Zeit an rechnet, wo die Geschichte des 18. und 19. Jahrhunderts zum erstenmale erschien. — Diese 3. Auflage enthält nun zunächst eine andere Einleitung, als die früheren Auflagen. Wenn dort am Eingange nur ein Blick auf die am Anfange des 18. Jahrh. bestehenden politischen Verhältnisse und Zustände gegeben ward, so sind jetzt besonders die inneren Zustände der europäischen Welt, wie sie sich besonders in und durch die Literatur ausdrücken, berücksichtigt. Der Vf. theilt hier einige Gedanken über das Wesen des Mittelalters und den Gang der Cultur in demselben mit, und schildert dann die Civilisation, welche aus altclassischen und modernen Elementen gemischt zu Anfange des 16. Jahrh. in Italien eingetreten war, und von dort aus besonders nach Spanien, Frankreich und England übergegangen war oder überzugehen im Begriff stand. Von den Erscheinungen, die sich nun weiter in diesen Ländern bis auf die Zeit Ludwigs XIV. gebildet, werden indess nur die französischen mit einiger, verhältnissmässiger Ausführlichkeit betrachtet, wie es scheint, aus dem Grunde, weil sie doch später Musterbilder für Deutschland geworden. Wir sagen absichtlich, „mit einiger, verhältnissmässiger Ausführlichkeit“, denn an sich selber ist das, was über Marot, Rabelais, Montaigne, Pascal, Descartes, Mallebranche, Fénelon u. A. gesagt wird, mehr flüchtige Bemerkung als einigermaassen erschöpfende Betrachtung. Diese völlig neue Einleitung nimmt einen Raum von einem und einem halben Bogen ein. In dem Vorwort wird dann ferner bemerkt, dass auf Styl und Ausdrucksweise eine vermehrte Sorgfalt gewendet worden sei, man daher beides wohl klarer und bestimmter finden werde, als es früher der Fall gewesen. Indessen kommen auch jetzt noch, und selbst in diesem neuen Stücke Sätze vor, die so gebildet sind, dass es entweder schwer ist, die eigentliche Meinung des Vfs. daraus zu sehen, oder dass man, selbst wenn man sich, wie man doch nicht anders kann, an das Vorliegende und Gegebene hält, etwas findet, dem der Charakter der Wahrheit nicht vollkommen beigemessen werden kann. So sagt z. B. der Vf.: „Alle die spanischen Werke, welche dramatischen Arbeiten der Franzosen und Engländer zum Grunde liegen, sind genial, aber keineswegs nach

Aristoteles Regeln gearbeitet, weshalb bekanntlich Corneille in Rücksicht auf Genialität Racine übertrifft, hinter dem er in anderen Beziehungen weit zurücksteht". Die Rede nimmt hier einen Sprung von den Spaniern auf Corneille, der durch sie selbst gar nicht, und durch das Vorausgegangene, wo gesagt wird, dass die spanische Poesie auf die französische viel eingewirkt habe, nur sehr schwach modificirt und herbeigeführt wird. Es hätte ganz einfach gesagt werden sollen, Corneille sei deshalb, weil er nach spanischen Vorbildern gearbeitet, auch genialer als Racine. Bei einer solchen Stellung würde auch noch etwas Falsches, was jetzt da steht, weggefallen sein. Corneille hat ja, nur mit Ausnahme des Cid, streng nach den sogen. Aristotelischen Regeln sich gerichtet, und so kann er schwerlich deshalb für genialer als Racine angesehen werden, weil er, gleich den Spaniern sich über die Regeln des Aristoteles hinweggesetzt. Dann folgen in der Einleitung, die auf das politische Leben Bezug haben soll, nur noch einige kleine, wenig bedeutende Veränderungen, welche nicht den Stoff, sondern die Form betreffen. Die Ankündigung einer dritten durchaus verbesserten Auflage auf dem Titelblatte liess eine allgemeine Durcharbeitung des Werkes erwarten. Allein eine solche hat nicht Statt gefunden, wie der Vf. diess selbst in dem Vorworte ausspricht. Das Werk ist mit Ausnahme weniger Zusätze unverändert geblieben. In dem ganzen 2. und 3. Cap. haben wir ausser einigen stylistischen Umgestaltungen nichts verändert gefunden. In dem 3. Cap. finden sich bei der Geschichte des österreichisch-türkischen Krieges einige Zusätze, die jedoch keineswegs von grosser Bedeutung sind. So hat denn eigentlich der ganze erste Abschnitt dieses Bandes, welcher die politische Geschichte enthält, eine einzige Umgestaltung, welche Aufmerksamkeit erregen könnte, erfahren. Dasselbe ist auch bei dem zweiten Hauptabschnitte des Bandes der Fall, der die Philosophie und die Literatur überhaupt bespricht. Nicht einmal im Style ist etwas ganz Wesentliches, oder wenigstens, so oft als es wohl nöthig gewesen, geändert worden, innerlich vielmehr Alles geblieben, wie es war. Nur die Ansichten Tolands, die vielleicht gerade nicht von ganz besonderer Bedeutung für diese Zeit sind, finden wir etwas ausführlicher auseinander gesetzt. Verfasser und Verleger haben daher den Ausdruck „dritte durchaus verbesserte Auflage" wohl in einem etwas beschränkten Sinne verstanden.

[8548] Die Theogonie, Philosophie und Kosmogonie der Hindu, von dem Grafen **M. Björnstjerna.** Aus d. Schwed. übersetzt und mit Anmerkungen begleitet von *J. R.* Stockholm, Norstädt u. Söhne. 1843. 202 S. gr. 8. (3 Thlr. 10 Ngr.)

Der Vf., welcher viele Jahre hindurch und bis auf die neueste Zeit schwedischer Gesandter in England war und seinen Aufenthalt in London unter andern dazu benutzte, um die Quellen, welche dort für die Kenntniss Indiens zu finden sind, kennen zu lernen, veröffentlichte bereits im J. 1838 ein Werk „das britische Reich in Indien", welches für die Kenntniss jenes Landes, namentlich der britischen Organisationen in Indien von allgemeinem Interesse ist. Schon in diesem Werke hatten auch die Hindu selbst, und vorzüglich ihre religiös-philosophischen Systeme seine Aufmerksamkeit auf sich gezogen; doch konnte er dort nur beiläufig von diesen Dingen sprechen. In dem vorlieg. Buche will nun der achtungswerthe Vf. diese Gegenstände selbstständig behandeln, indem er sich nach einem eifrigen Studium aller ihm zugänglichen Quellen über Indien mit Recht dazu für befähigt ansieht. Er gesteht dabei zunächst in dem Vorworte, dass er sich um die verschiedenen in Deutschland aufgestellten und einander nicht selten widersprechenden Systeme Schelling's, Hegel's, dann Stuhr's, Creuzer's u. s. w. wenig gekümmert, sich lieber an die Quellen, so weit ihm diese durch englische Uebersetzungen zugänglich geworden, gehalten und dadurch, wie er hoffe, eine volle Selbstständigkeit bewahrt habe. Er habe aber um so mehr in dieser Weise verfahren zu müssen geglaubt, als ihm geschienen, dass jene Systeme sich in Extreme verlören, indem von dem Einen die Religion zu einem polytheistischen Materialismus herabgewürdigt, von dem Anderen zu einem monotheistischen Spiritualismus erhöht worden sei. Ihm sei die Religion der Hindu's als eine Naturreligion erschienen, die sich aus ihrem eigenen Kerne entwickelt habe und höher, ja bedeutend höher als die griechische und römische Mythologie stehe. — Dieser Erklärung zu Folge kann man nun wohl sagen, dass die vorlieg. Schrift weniger die Gelehrten vom Fach in Deutschland ansprechen wird, auch eigentlich für diese nicht bestimmt ist, darf aber hinzusetzen, dass sie allen Anderen eine belehrende und interessante Gabe sein wird. Zuerst wird über das Kastenwesen und das wahrscheinliche Alter der Veda's gesprochen. Der Vf. nimmt eine monotheistische Periode der religiösen Entwickelung der Hindus an, die er zwischen die J. 1500 bis 900 vor Chr. setzt. Die Lehren der Veda's werden durch die Vedantas in einen festeren und innigeren Zusammenhang gebracht. Die 2. Epoche ist die der Gesetzbücher des Manu. Ein Commentator veränderte zum grossen Theil den reinen Inhalt der ursprünglichen Bücher, und führte die Lehre vom Monotheismus auf pantheistische Grundsätze. Manu erst sagt, dass Gott und die Welt eins, Geist und Materie unzertrennlich seien, und führt das Dogma der Seelenwanderung und die Kasteneintheilung als ein religiöses Gesetz ein. Eine weitere Entwickelung wird durch die Purana's (etwa 800 J. vor Chr.) gegeben und damit eine 3. Hauptepoche begründet. Die Puranas verbinden das Princip der Dreiheit mit dem Principe der Einheit und führen das Dogma der Incarnationen ein. Die Puranas bilden Brahma, Wischnu und Schiwa, indem sie die Einheit der göttlichen Potenz in die drei Haupttheile zerlegen, in welche sie von dem Gedanken zerlegt werden kann. Der Vf. scheint geneigt, die ganze bunte Götterwelt der Hindus als wesentlich nur auf den Puranas beruhend und aus ihnen hervorgehend zu betrachten. Diese Ansicht möchte sich indess schwerlich klar und vollständig rechtfertigen lassen. Auch hat Björnstjerna selbst früher angedeutet, dass der Epoche der Vedas eine frühere des Sabaismus vorausgegangen sei, und gerade in dieser müsse die Götterwelt der Hindus ihren wahren Ursprung haben. Es werden auch mehrere merkwürdige Aeusserungen von Brahminen, in welchen der absurde Götterdienst verworfen und zum Monotheismus zurückgestrebt wird, mitgetheilt. Der Vf. wirft dann einen Blick auf die philosophischen Systeme Indiens. Allein es ist dieser offenbar zu flüchtig ausgefallen, indem eigentlich nur die mystische Schule eine etwas ausführliche Betrachtung findet. Dasselbe gilt von Dem, was über Ramayana und Mahabharata gesagt wird. Die zweite Hauptbetrachtung Björnstjerna's ist dem Buddhismus gewidmet, der als eine mönchische Asketik in der Moral, und als philosophischer Scepticismus in der Religion charakterisirt wird. Zwei Dinge erklärt der Vf. für besonders merkwürdig in dem Buddhismus. Zuerst, dass er unter allen Religionen die meisten Bekenner habe. Und diess ist allerdings ein unläugbares Factum, da der Buddhismus gegenwärtig an 400 Mill. Bekenner haben mag. Zweitens, dass auch in anderen Religionsbekenntnissen sich so viele Spuren und einzelne Züge vom Buddhismus fänden. Ritter war in seiner „Vorhalle der europäischen Völkergeschichte" derselben Ansicht. Da sollten denn nun in Griechenland, in Gallien, Germanien und anderwärts noch deutliche Spuren der Einwirkung des Buddhismus sich finden. Auch beruft sich Björnstjerna auf jene frühere Schrift Ritter's. Allein wir haben die Ueberzeugung, dass dieser gelehrte und verdiente Forscher längst von jener unhaltbaren Ansicht zurückgekommen ist, nach welcher dem Buddhismus eine so ungemein breite und frühzeitige Einwirkung zugeschrieben wird. Unläugbar ist es anderseits freilich, dass die christliche Welt der ersten Jahrhunderte von den Einflüssen desselben nicht frei geblieben. Die Beweise dafür stehen ja noch gegenwärtig da. In einer dritten Hauptbetrachtung wird die Kosmogonie der Hindus mit den Kosmogonien anderer Völker des Alterthums und mit der Natur verglichen. Auch auf diesem Felde bewegt sich der Vf. mit Leichtigkeit, obwohl er dem vielfach unsicheren Boden eine grössere Festigkeit zu geben nicht vermag. Wir können die kleine Schrift Allen, welche die Gegenstände, die sie behandelt, interessirt, mit Recht empfehlen.

Biographie.

[8549] Nikolaus Hunnius. Sein Leben und Wirken. Ein Beitrag zur Kirchengeschichte des 17. Jahrhunderts, grösstentheils nach handschriftl. Quellen. Von Dr. Ludw. Heller, Pred. an d. St. Lorenz-Kirche in Travemünde. Lübeck, v. Rohden'sche Buchh. 1843. VIII u. 236 S. gr. 8. (1 Thlr. 15 Ngr.)

In dem Helden dieser Biographie spricht sich eine der bedeutendsten Richtungen der Theologie seiner Zeit zu entschieden aus, als dass sie nicht ein lebhaftes Interesse in Anspruch nehmen sollte, welches dadurch nur erhöht werden kann, dass der Vf., ausser den hierher gehörigen Druckschriften, eine Menge handschriftlicher Quellen (vornämlich durch die ihm gestattete Einsicht in das reichhaltige Lübeckische Ministerial-Archiv und durch Mittheilungen aus dem Archive der ehem. Universität Wittenberg unter freundlicher Vermittelung des Hrn. Dr. Förstemann) zu seiner gelungenen Darstellung benutzen konnte. Sie ist in 3 Abschnitte vertheilt. Der 1. (S. 1—11) bespricht „die Jugend des Hunnius, seine akad. Studien und seine erste Wirksamkeit in Wittenberg“. N. H., geb. d. 11. Juli 1585 zu Marburg, wo sein Vater, Aegidius H., Prof. der Theol. war, konnte, durch vorzügliche Lehrer — Sasebeth, Schröder, Meelführer, Jordan — sorgfältig vorbereitet, schon in seinem 15. Jahre die Universität (Wittenberg, wo sein Vater von 1592 an lehrte) beziehen, ward 1604 Magister, hielt seit 1609 als Adjunct der philos. Facultät selbst Vorlesungen und fing an als Schriftsteller thätig zu sein. Der 2. Abschn. (—59) schildert H. als Superintendent in Eilenburg u. Prof. d. Theol. in Wittenberg, 1612—1623. Dass des Vfs. Bemühungen, aus Eilenburg selbst mit einigen speciellen Nachrichten, an denen es doch im Ephoral-Archive nicht ganz fehlen kann, unterstützt zu werden, gänzlich erfolglos blieben, ist zu beklagen. Aber auch ohne sie wird kurz und kräftig der treffliche Geist angedeutet, in welchem H. als Superint. u. Pastor (vom 22. Juli 1612 bis zum S. Oculi 1617) fungirte. Eine Frucht seiner fortgesetzten Beschäftigung mit der Theologie war seine hauptsächlich dem Augustiner-Mönch Lancelot in Mecheln entgegengesetzte: Demonstratio ministerii Lutherani divini adeoque legitimi (Viteb. 1614.), welche in der protestant. Kirche freudigen Anklang fand und nicht wenig dazu beitrug, dass er nach dem am 23. Oct. 1616 zu Wittenberg erfolgten Tode Leonhard Hutter's als Prof. d. Theol. dahin berufen ward und schon mit dem Sommersemester 1617 seine Vorlesungen begann. Sehr anziehend sind die theilweise sehr speciellen Angaben über die academ. und literarische Thätigkeit H.'s, die hier sich finden, eines Auszuges aber nicht wohl fähig. Im Jan. 1623 fragte der Bürgermeister der freien Stadt Lübeck, Heinr. Brokes, bei H. an, ob er eine Vocation nach Lübeck anzunehmen gesonnen sei? H. war nicht abgeneigt; der Kurf. von Sachsen, Johann Georg I., offerirte ihm 2000 Gulden Gnadengeld, wenn er sich die Vocation nach Lübeck verbitten und bei seiner Professur verbleiben würde. Als sich aber der Rath von Lübeck selbst an den Kurfürsten wendete, gab dieser dem Gesuche mit dem Vorbehalte nach, dass, wenn H. einst auf kurfürstl. Universitäten oder sonst in sächs. Landen von Nöthen sein würde, er alsbald wieder dahin folgen, auch der Rath von Lübeck ihn folgen lassen sollte. Im letzten Abschn. (—286) tritt nun H. als „Pastor u. Superintendent in Lübeck“ (1623—1643) auf. Am 19. Mai 1623 ward H. als Pastor an der Marienkirche angenommen. Als Beitrag zur Sittengeschichte jener Zeit wird erwähnt, dass bei dieser Gelegenheit auch de loco sessionis in conventu ministerii von Seiten der übrigen Pastoren mit ihm geredet worden sei, die ihm bei Hochzeiten, Leichenbegängnissen u. s. w. als promovirtem Doctor Präcedenz liessen, während er „in consessu ministerii inter pastores ultimum locum zu occupiren habe". H. begehrte auch, so lange er Pastor war, keine andere Stelle. Schon im folg. Jahre aber ward er zum Superintendent erwählt und liess sich die gewissenhafteste Ueberwachung des Kirchen- und Schulwesens sehr angelegen sein. Diess erhellt aus dem sehr ausführlichen Berichte des Vfs. über die Kämpfe H.'s theils gegen einzelne Fanatiker, z. B. Bannier, Wessel, Sinknecht u. A., welche auf ihren oft weiten Zügen auch Lübeck heimsuchten, theils gegen die Bekenner der evang.-reformirten Lehre, welche, besonders als der Rath, durch Handels-Interessen bewogen, gegen ihre Ansiedelung sich nachsichtiger zeigte, in immer grösserer Zahl in Lübeck sich einfanden und auf Duldung und Anerkennung Anspruch machten, theils endlich und hauptsächlich gegen die Papisten, die durch den Riss, welchen die grosse Kirchenspaltung dem morschen Tempel der Hierarchie verursachte, zu Vieles hatte einbüssen müssen, als dass sie nicht auch in Lübeck, der für sie einst wichtigen Stadt, darauf hätten ausgehen sollen, Verlorenes wieder zu gewinnen. Die literarische Thätigkeit, welche H. in diesen Fehden entwickelte, wird mit grosser Genauigkeit nachgewiesen, so wie auch die ausgezeichneten Verdienste des wackern Mannes um das gedeihliche Bestehen und die zweckmässige Fortbildung der Schulen der Stadt trefflich gewürdigt werden. Nach einer 20jährigen Amtsführung verschied er zu Lübeck am 20. Apr. 1643. Das in der Marienkirche ihm errichtete Epitaphium bezeichnet ihn als Theologum incomparabilem und beurtheilt nach seiner, nicht nach unserer Zeit, kann die Vergegenwärtigung seines ehrenwerthen Charakters und kräftigen Wirkens, wie Beides durch den Vf. vermittelt wird, nicht anders als belehrend und anregend zugleich auf den Leser wirken.

[8550] Wilhelm und Konrad, Brüder Nesen, Nikolaus von Dornspach und M. Procopius Naso. Von Dr. **Ernst Fr. Haupt.** Zittau, (Schöps). 1843. IV u. 158 S. gr. 8. (25 Ngr)

Allen Freunden der literar. Geschichte überhaupt und der sächsischen insbesondere wird diese Schrift willkommen sein. Ihr Vf., gest. am 1. Mai d. J. zu Zittau und um dessen städtisches Gemeinwesen, an dessen Spitze er als Bürgermeister eine lange Reihe von Jahren hindurch stand, hochverdient (vgl. No. 2883), hat in ihr mit grossem Fleisse und anerkennenswerther Belesenheit in Beziehung auf den ersten der hier biographisch Geschilderten aus grösstentheils seltner gewordenen Schriften, in Beziehung auf die übrigen, welche als Bürgermeister in Zittau fungirten, aus Druckschriften und handschriftlichen Jahrbuchern zusammengestellt, was einen fruchtbaren Ueberblick über die Lebensverhältnisse und die literarische und amtliche Wirksamkeit dieser Männer gewährt; die Art aber, in welcher die Zusammenstellung geschieht, bestätigt aufs Neue, welch ein vielseitig gebildeter Gelehrte der Vf. war. Das allgemeine Interesse nimmt Wilh. Nesen (geb. 1493, am 5. Juli 1524 in der Elbe bei Wittenberg ertrunken) in Anspruch (S. 3—27; Anmerkk. S. 59—77). Hellen Geistes und frischen Lebensmuthes nahm er in mehreren amtlichen Stellungen an den Fortschritten des Reformationswerkes lebhaften Antheil und war Luther und Melanthon besonders werth. Sein vielfach bewegtes Leben wird hier anschaulich geschildert und sein geringer liter. Nachlass miteingeflochten. Besonders anziehend ist es, dass W. N.'s Freunde — Luther, Melanthon, Camerarius, Eob. Hessus u. A. — mit ihrer eigenen treuherzigen Sprache über ihn angeführt werden, so dass man nicht nur die Anerkennung der Verdienste und den tiefen Schmerz über den Verlust des Frühvollendeten vernimmt, sondern auch nicht selten den Wiederhall jener bewegten Zeit, wo aufgehendes Licht mit der Finsterniss stritt. Da übrigens W. N., bevor er sich im J. 1523 nach Wittenberg begab, an mehreren Orten — Paris, Löwen, Basel, Frankfurt a. M. — von seinen ausgebreiteten humanistischen Kenntnissen Gebrauch zu machen veranlasst ward, so ist es nicht unwahrscheinlich, dass die hier gegebenen biographischen Bruchstücke aus den Archiven der genannten Städte mehr oder weniger vervollständigt werden können. — Die biograph. Nachrichten über Konr. Nesen (S. 25—58; Anm. 77—88), Nic. v. Dornspach (S. 89—138) und Proc. Naso (—156) müssen der Natur der Sache nach zunächst für Zittau, wo diese Männer längere oder kürzere Zeit erst als Rathsherren, dann als Bürgermeister wirkten, und dessen Umgegend Anziehungskraft und Belehrungsfähigkeit haben, und man kann sich darum ihrer Veröffentlichung nur freuen. Aber in einer Zeit, wo die Geschichte immer tiefer wurzelt und in ihr ein mächtiges Mittel erkannt wird, das Bewusstsein des Volks zu wecken und zu heben, kann auch für die allgemeineren Kreise eine Zeichnung gediegener Männer der Vorzeit, wenn gleich ihr Wirkungskreis zunächst nur ein städtisches Gemeinwesen umfasste, nicht unerheblich und nutzlos sein. Ausserdem werden selbst Geschichtsforscher mancher wichtigen, aus amtlichen Quellen entlehnten Angabe begegnen, die ihnen sonst nicht leicht erlangbar sein dürfte. Beispielsweise sei hier des Pönfalls gedacht, der nach der Zertrümmerung des Schmalkaldischen Bundes durch die Mühlberger Schlacht die Kraft und den Wohlstand der Sechsstädte auf lange Zeit hin brach und über den S. 41 ff. viele anziehende Einzelheiten beigebracht werden. Auch mag noch ausgehoben werden, dass der Vf. K. N.'s in Paris geschriebenen, sehr anziehenden „dialogus de funere Calliopes" nach einem auf der Leipz. Universitätsbibliothek vorhandenen und ihm mitgetheilten Exemplare, auf dessen Titel die Jahrzahl 1519 bemerkt ist, in den Anmerkk. 77—84 vollständig hat abdrucken lassen. Wie aber der Vf. dieser Schrift es sich hat angelegen sein lassen, aufrichtig und sine ira et studio über frühere verdiente Amtsgenossen an die Nachwelt zu berichten, so möge er auch selbst bald Jemand finden, der seine vielfachen und besonders aus den Kriegsjahren 1812—13 datirenden Ansprüche auf die Erhaltung seines Andenkens sichere und es dem jetzt lebenden Geschlechte in würdiger Darstellung vorführe.

Bibliographie.

Jurisprudenz.

[8651] Revue de Législation etc. Sept. (Vgl. No. 7399.) Inh.: *Thierry*, sur l'organisation de l'administration centrale dans l'empire Romain. (S. 257—291.) — *Giraud*, les anciennes coutumes de Bourgogne. (—324.) — *Mittermaier*, de l'état actuel de la science du droit commercial en Italie. (—332.) — Analyses, Bulletin bibliograph. etc. (—384.)

[8652] De nomine pignoris comment., auct. **Herm. Buchka**, J. U. D. Rostochii, Stiller. 1843. 44 S. gr. 8. (n. 10 Ngr.)

[8653] Études historiques et critiques sur la législation civile et criminelle en France par **A. F. Couturier** de Vienne. Paris, au compt. des impr. unis. 1843. 36 Bog. gr. 8. (7 Fr. 50 c.)

[8654] Zeitschrift für Rechtspflege; herausgeg. von *Tauchnitz* u. *Richter*. 3. Bds. 5. Hft. (n. 15 Ngr.) Vgl. No. 5854. Inh.: *Ackermann*, Versuch einer Darstellung des Armenrechts nach kön. sächs. Rechte. (S. 399—436.) — *Brückner*, über das Holzungsrecht. (—442.) — *Nehrhoff von Holderberg*, ist Anlagesteuer für eine erst neuerdings eingeführte Abgabe zu achten? und welchen Einfluss übt diese Frage auf privatrechtliche Verhältnisse aus? (—445.) — *Hänsel*, zur Geschichte des Leipziger Handelsgerichts. (—454.) — *Rothe*, üb. den in Bankerottfällen zuständigen Criminalgerichtszustand u. üb. die zum Verbrechen des betrüger. Bankerotts erforderlichen Voraussetzungen. (—465.) — Präjudicien. (—478.)

[8655] Archiv für d. Praxis des in Oldenburg geltenden Rechts; herausgeg. von *Grosskopff* u. s. w. 2. Hft. (Vgl. No. 4266.) Inh.: Zur Lehre von der exceptio rei judicatae. (S. 133—137.) — *v. Buttel*, üb. das Recht der Armencassen, die an Arme verabreichten Unterstützungen zurückzufordern, wenn letztere später zu Vermögen gelangen. (—141.) — *v. Steun*, über die Aufnahme von Urkunden. (—147.) — Die Rechtsfähigkeit der minderjähr. Ehefrau, die mit ihrem grossjährigen Ehemanne in Güterverhältnissen nach der Regel: „längst Leib, längst Gut" lebt. (—161.) — Beihülfe aus Fahrlässigkeit. (—167.) — Ueb. Diebstahl mittelst Einbruchs. (—172.) — *v. Buttel*, die Strafbestimmung im Schlusssatze des §. 22. des Steuergesetzes. (—177.) — Ueb. restitutio contra rem judicatam. (—184.) — *v. Beaulieu-Marconnay*, zur Lehre vom Gewohnheitsrecht. (—189.) — *v. Buttel*, haftet das gemeinsame Ehevermögen nach Münsterschem Eherechte auch für die nur in der Person des einen Ehegatten begründeten obligationes ex lege vel ex delicto? (—190.) — Ueb. l. 17. cod. de fide instrumentorum. (—206.) — *Schloifer*, der Grunderbe u. die Abfindlinge. (—260.)

[8656] Lehrbuch des deutschen gemeinen Civilprocesses von **Just. Thib. Balth. v. Linde**, b. R. u. d. Phil. Dr., grossh. hess. Geh. Staatsrath u. s. w. 6. verb. u. verm. Aufl. Bonn, Marcus. 1843. IV u. 586 S. gr. 8. (2 Thlr. 20 Ngr.)

[8657] *Das Verfahren in geringfügigen Rechtssachen nach den neuesten in den Sächs. Ländern gültigen Rechten. Nebst e. Anhange üb. den Handelsgerichts-Process. 2. Thl. (Auch u. d. Tit.: Das Verfahren in ganz geringfügigen Rechtssachen nach dem k. sächs. Rechte, verbunden mit e. Darstellung des bei dem Handelsgericht zu Leipzig stattfindenden Verfahrens.) Von **Ph. H. Fr. Hänsel**, Stadtger.-Rathe zu Leipzig. Leipzig, Hinrichs'sche Buchh. 1844. XIV u. 208 S. gr. 8. (2 Thlr.)

[8658] Code de procedure commerciale mis en rapport avec la doctrine et la jurisprudence, suivi des lois organiques et des dispositions réglementaires concernant les tribunaux de commerce, par M. **Em. Cadrès.** Paris, Videcoq. 1843. 29½ Bog. gr. 8. (8 Fr.)

[8659] Archiv des Criminalrechts. 3. Stück. (15 Ngr.) Vgl. No. 4658. Inh.: *Mittermaier*, üb. den gegenwärt. Zustand des Gefängnisswesens in Europa u. N.-Amerika, üb. das Ergebniss der Erfahrungen u. üb. die Forderungen, welche an den Gesetzgeber in Bezug auf die Strafanstalten gestellt werden können. (S. 289—343.) — *Zachariae*, üb. die Strafbarkeit der Widersetzlichkeit gegen öffentl. Beamte. (—376.) — *Arnold*, Erfahrungen u. s. w.; Forts. (—411.) — *v. Woringen*, Beitrag zur Theorie der Brandstiftung; Schl. (—426.) — Literatur u. s. w. (—435.) Vgl. No. 8561.

[8660] * Die Theorie des Anzeigenbeweises nebst vorausgeschickter Darstellung des Criminalbeweises überhaupt von **Dr. Ant. Bauer.** (Auch u. d. Tit.: Abhandll. aus dem Strafrechte u. dem Strafprocess von u. s. w. 3. Bd.: Theorie des Anzeigenbeweises.) Göttingen, Dieterich'sche Buchh. 1843. X u. 302 S. gr. 8. (n. 1 Thlr. 15 Ngr.)

[8661] Kritik des Entwurfs eines Strafgesetzbuchs für d. preuss. Staaten. Von Dr. **L. F. Osc. Schwarze**, Beisitzer d. k. App.-Gerichts zu Dresden. (Beilageheft zu d. „Archiv d. Criminalrechts" 1843.) Halle, Schwetschke u. S. 1843. 184 S. 8. (15 Ngr.)

[8662] Ueber Strafgefangene und Strafanstalten im Geiste der Zeit, nebst e. Anhange üb. Vermehrung u. Verminderung der Verbrecher von **C. v. Mauschwitz.** Berlin, Dümmler. 1843. 98 S. 8. (10 Ngr.)

[8663] Gesetz über die Verfassung u. Verwaltung der Gemeinden, u. Gesetz üb. die Rechte der Gemeindebürger u. die Erwerbung des Bürgerrechts. Amtliche Ausgabe. Carlsruhe, C. Macklot. 1843. 84 S. 8. (3⅓ Ngr.)

[8664] Handbuch für preussische Justiz-Subalternbeamte. Nebst Formularen u. mit Berücksicht. d. neuesten Vorschr., namentl. des Geschäftsregl. vom 3. Aug. 1841, sowie mit Allegirung der Gesetzstellen u. Verordn. von **W. F. Kuhn.** Quedlinburg, Basse. 1843. XII u. 342 S. 8. (22½ Ngr.)

[8665] Das Gesetz über die Erwerbung u. d. Verlust der Eigenschaft als preuss. Unterthan, sowie üb. d. Eintritt in fremde Staatsdienste vom 31. Dec. 1842 nebst Erläuterungen u. Ergänzungen von **E. A. Hübner**, Reg.-Secretair. Liegnitz, Reisner. 1843. 23 S. gr. 8. (5 Ngr.)

[8666] Das Recht zu Mühlen-Anlagen jeder Art u. zu Mühlen-Veränderungen nach preuss. Gesetzen, insbes. nach d. Edicte v. 28. Oct. 1810 u. der Cabinetsordre v. 23. Oct. 1826, den dazu ergang. Ergänzungen u. Erläuterungen u. den sonst damit in Verbind. steh. Bestimmungen. Nebst e. Anhange, betr. die Mühlengesetzgebung in den vormals sächs. Landestheilen u. e. zweiten Anhange, enth. das Gesetz wegen des Wasserstau's u. s. w. vom 15. Nov. 1811, das Vorfluth-Edict für Schlesien v. 20. Dec. 1746 u. die schles. Mühlen-Ordn. v. 28. Aug. 1777 nebst erläuternden Anmerkk. von **E. A. Hübner**, Reg.-Secr. Ebendas., 1843. VIII u. 142 S. nebst 3 Tabell. gr. 8. (1 Thlr.)

[8667] Der Gast- u. Schenkwirthschafts-Betrieb, sowie der Kleinhandel mit Getränken in d. kön. preuss. Staaten. Eine Zusammenstellung der üb. diesen Gewerbe-Betrieb ergänz. Gesetze u. gesetzl. Bestimmungen von W. Seemann, Reg.-Secretair. Minden, Essmann. 1843. 63 S. gr. 8. (7½ Ngr.)

[8568] Ergänzungen zum Handbuche der Polizei-, Militair-, Steuer- u. Gemeinde-Verwaltung in d. k. preuss Staaten von H. Ostermann, Premierlieut. a. D. Münster, Coppenrath'sche Buchh. 1843. XII, 428 u. 84 S. gr. 8. (1 Thlr. 15 Ngr.)

Medicin und Chirurgie.

[8569] Revue médicale franç. etc. Sept. (Vgl. No. 7192.) Inh: *Jolly*, sur la syphilis et les syphilides. (S. 5—21.) — *Boudet*, sur la guérison natur. ou spontanée de la phthisie pulmonaire. (—34) — *Aubert Roche*, de la reforme des quarantaines et des lois sanitaires de la peste. (—81.) — Literature etc. (—160.)

[8570] Archives générales de médecine etc. Oct. (Vgl. No. 7739.) Inh.: *Damoiseau*, rech. cliniques sur plusieurs points du diagnostic des épanchements pleurétiques. (S. 129—156.) — *Conté*, sur le traitement des ulcères des jambes. (—194.) — *Girard*, du traitement de la bronchite aigue par les vomitifs. (—201.) — *Gosselin*, sur les canaux excréteurs de la glande lacrymale. (—206.) — Revue générale etc. (—248.)

[8571] Medicinische Jahrbücher für das Herzogth. Nassau. Aus Auftrag der Landes-Regierung herausgeg. von Dr. *J. B. v. Franque*, Ober-Med.-Rath u. s. w., Dr. *W. Fritze*, Hofmedicus u. s. w., Dr. *P. Thewalt*, Med.-Beamter in Limburg u. s. w. 1. u. 2. Hft. Wiesbaden, Friedrich. 1843. VI u. 188, IV u. 384 S. gr. 8. (n. 20 Ngr. u. 1 Thlr.) Inh.: *v. Franque*, Witterungsverhältnisse u. allgemeiner Krankheitszustand von 1811—1830. (S. 1—33.) — *Müller*, üb. die seit 25 Jahren im Herzogth. Nassau vorgekommenen Unglücksfälle. (—51.) — *Haas*, bestätigte Erfahrungen der Wirksamkeit des Leberthrans. (—85.) — *v. Franque* u. *Lanz*, das Wechselfieber im Herz. Nassau u. im Amte Rüdesheim. (—156.) — *Reuter*, üb. das Vorkommen von Cephalaematoma bei Kindern. (—165.) — *Kniesling*, üb. die Kopfblutgeschwulst der Neugebornen. (—173.) — *Bertrand*, zwei Krankheitsfälle. (—188) — Statistische Notizen üb. die Curorte Nassaus in d. J. 1840/42. (S. 1—4.) — *Müller*, üb. die Heilkräfte der Thermen zu Wiesbaden. (—21.) — *Haas*, Uebersicht der bei der Anwendung der Wiesbadner Thermen in d. J. 1840/42 erhaltenen Resultate. (—40) — *Döring*, der chron. Rheumatismus u. die Scrophulosis in ihren Beziehungen zu der Heilkraft der Emser Thermen. (—56) — *Müller*, Langenschwalbach im Sommer 1842. (—68.) — *Kniesling*, Beobachtt. üb. die Heilkräfte Schlangenbads. (—88.) — *Roth*, medicin. Ergebnisse der letztverflossenen Jahre aus Bad Weilbach. (—128.) — *Thilenius*, Soden im dem Sommer 1842. (—155.) — *Küster*, Kronthal in d. J. 1840/42. (—205.) — *Thomä*, physikal. u. geognost. Bemerkk. üb. die warmen Quellen zu Wiesbaden. (—247.) — *Jung*, Beiträge zur chemischen Analyse der Mineralquellen. (—384.)

[8572] *Allgemeine Grundsätze der medicinischen Statistik od. Entwickelung der für die numerische Methode gültigen Regeln von Jul. Gavarret. Aus d. Franz. ins Deutsche übertr. von Dr. *S. Landmann*. Erlangen, F. Enke. 1844. XVI u. 208 S. nebst 1 lith. Taf. gr. 8. (1 Thlr.)

[8573] Institut. medicinae pract. quas auditoribus suis praelegebat Jo. Bapt. Burserius de Kanilfeld. Vol. I: De febribus, praemittitur commentariolum de inflammatione. Edit. cur. *Jul. Leo*. (Bibliothek classischer Schriften der praktischen Medicin. Herausgeg. von e. Verein v. Aerzten. 1. Bd.) Berlin, Weidle. 1843. XIV u. 413 S. 8. (1 Thlr.)

[8574] Medicinische Klinik in einer Auswahl von Beobachtungen, gesammelt in dem Hospitale der Charité (Klinik des Hrn. Lerminier) von **G. Andral**, Prof. der allg. Pathol. u. Ther. an d. med. Fac. zu Paris. 4. durchges., verb. u. verm. Aufl. 2. Bd.: Krankheiten des Unterleibes. 2. Thl. Uebersetzt von Dr. *H. E. Flies*, Amtsphys. zu Saalmünster in Kurhessen. Quedlinburg, Basse. 1843. 510 S. gr. 8. (1 Thlr. 20 Ngr)

[8675] Die Krankheiten der Harn- und Geschlechtsorgane praktisch dargestellt von Dr. **Civiale.** Deutsch bearbeitet von Dr. *Siegm. Frankenberg* u. Dr. *S. Landmann*. Mit e. eigends für diese deutsche Bearbeitung vom Originalauter verfassten Vorworte. 1. Thl.: Die Krankheiten d. Harnröhre. 2. bedeut. verm. Aufl. Leipzig, Hartknoch. 1843. VIII u. 496 S. mit 3 Taff. Abbildd. gr. 8. (2 Thlr. 22½ Ngr.)

[8676] *Die Embryothlasis oder Zusammendrückung und Ausziehung der todten Leibesfrucht, in die geburtshülfl. Operationen eingeführt u. den ausübenden Geburtshelfern empfohlen durch **K. Cph. Hüter**, o. Prof. der Geburtshülfe zu Marburg u. s. w. Leipzig, O. Wigand. 1844. IV u. 167 S. mit 3 Taff. Abbildd. gr. 8. (1 Thlr. 15 Ngr.)

[8677] ***Durand-Fardel's** gekrönte Abhandlung üb. die Hirn-Erweichung. Uebers. u. mit Zusätzen versehen von Dr. *Eisenmann*. Leipzig, O. Wigand. 1844. XVI u. 461 S. gr. 8. (n. 2 Thlr. 20 Ngr.)

[8678] ***Friedr. Tiedemann** von der Verengung u. Schliessung der Pulsadern in Krankheiten. Heidelberg, Groos. 1843. XVI u. 316 S. mit 3 Taff. Fol. (n. 6 Thlr.)

[8679] Medicinisch-kritische Miscellen von Dr. **Krüger-Hansen.** Güstrow, Opitz u. Co. 1843. VI u. 248 S. gr. 8. (1 Thlr. 10 Ngr.)

[8680] Die Verirrungen der Medicin von ihrem Grundprincip u. die Feststellung dess. in d. homöopathisch-specifischen Heillehre von Dr **Frz. Fischer**, prakt. Arzt in Berlin. Berlin, Mittler. 1843. 66 S. gr. 8. (12½ Ngr.)

[8681] Anleitung zur Kenntniss u. Prüfung d. gebräuchlichen einfachen und zusammengesetzten Arzneimittel von **E. Aug. Em. Riegel**, Dr. d. Phil. u. Apotheker I. Classe. Trier, Lintz. 1843. 531 S. Lex.-8. (2 Thlr. 2½ Ngr.)

[8682] Handbuch der Chirurgie zum Gebr. bei seinen Vorlesungen von **Max. Jos. Chelius**, Dr. d. Med. u. Chir., grossh. bad. Geheimerrath u. s. w. I. Bd. 1. Abthl. 6. verm. u. verb. Orig.-Aufl. Heidelberg, K. Groos. 1843. XXX u. 434 S. gr. 8. (8 Thlr. f. 2 Bde. in 2 Abthll.)

[8683] System der Chirurgie von **Ph. Fr. v. Walther.** 1. Bd. 2. neu bearb. Aufl. Freiburg, Herder'sche Verlagsh. 1843. 477 S. gr. 8. (2 Thlr. 10 Ngr.)

[8684] *Ueber eine neue Reihe subcutaner Operationen. Von Dr. **W. Hennemann**, grossh. meckl.-schwer. geh. Med.-Rathe u. s. w. Rostock, Stiller'sche Hofbuchh. 1843. XIV u. 194 S. mit 1 Lithogr. u. d. Portr. des Vfs. gr. 8. (1 Thlr. 5 Ngr.)

[8685] Ueber Wiedererzeugung der Knochen nach Resectionen bei Menschen. Nebst e. tabellar. Uebersicht aller Resectionen, welche seit 1821 im k. Julius-Hospitale gemacht worden sind, von **Caj. Textor**, Dr. d. Phil., Med. u. Chir., ord. Prof. d. Chir. u. s. w. zu Würzburg. 2. Aufl. Würzburg, Voigt u. Mocker. 1843. 90 S. mit 3 Tabb. u. 1 Steindruck. gr. 8. (15 Ngr.)

[8686] *Handbuch der gerichts-ärztlichen Praxis mit Einschluss der gerichtlichen Veterinairkunde von **J. B. Friedreich.** 1. Bd. Regensburg, Manz. 1843. 768 S. gr. 8. (4 Thlr.)

[8687] Recherches statistiques sur l'aliénation mentale dans le département de la Marne par **G. Dagonet.** Chalons, 1843. 3 Bog. gr. 8.

[8568] Repertorium der k. k. österreich. Medicinal-Verordnungen mit besonderer Rücksicht auf die Provinz Nieder-Oesterreich. Von *Thd. Jurie*, Mitgl. d. med. Fac. zu Wien. Wien, Kaulfuss Wittwe, Prandel u. Co. 1843. VIII u. 249 S. gr. 8. (n. 1 Thlr. 10 Ngr.)

[8569] Arznei-Taxe für das Herzogthum Oldenburg u. die Erbherrschaft Jever 1843. Oldenburg, Stalling. 1843. 56 S. gr. 8. (10 Ngr.)

[8570] Die Euganeen u. ihre unter dem allgem. Namen: Bäder von Abano berühmten heissen u. kalten Mineralquellen-Gruppen, nebst dem kräftigsten Schwefel-Mineralschlamme, den man von dieser Classe besitzt. Eine geschichtl., topograph., naturhistor. u. medicinische Abhandlung für Naturforscher, Aerzte und Curgäste zum ersten Male deutsch u. vollständig bearb. von Dr. **Frz. Köstl.** Wien, Gerold. 1843. XVIII u. 282 S. gr. 8. (1 Thlr. 10 Ngr.)

[8571] Warnemünde, dessen Seebad u. die Wirkung der dortigen Luft. Ein kleines Handbuch für Aerzte u. Curgäste von Dr. **C. Hanmann**, Privatdoc. an d. Univ. u. prakt. Arzt zu Rostock. Rostock, Leopold. 1843. VIII u. 93 S. gr. 16. (15 Ngr.)

[8572] Der wohlerfahrene Wasserarzt für das Haus u. für Wasserheilanstalten von **C. L. Müller**, Gründer u. Director e. Wasserheilanstalt in Burg. Quedlinburg, Basse. 1843. 64 S. 8. (10 Ngr.)

[8573] Die Krätze in zwei Tagen heilbar. Mit besond. Rücksicht auf die neue englische Behandlungsweise von Dr. **R. H. Hauschild.** Ebendas., 1843. 24 S. 8. (7½ Ngr.)

[8574] Der Fussarzt. Nebst den nöthigen Belehrungen üb. die Pflege der Füsse im Allgemeinen u. üb. das Verhalten auf Fussreisen insbesondere von Dr. **L. A. V. Damköhler.** Ebendas., 1843. 48 S. 8. (10 Ngr.)

[8575] Die Heilkraft der menschlichen Hand. Ein Beitrag zur Lehre u. richt. Anwendung der Heilkräfte des Lebens-Magnetismus von **Jul. Neuberth**, Magnetiseur in Dresden. Grimma, Verlagscomptoir. 1843. 92 S. gr. 12. (12 Ngr.)

[8576] Erprobte Mittel gegen Zahnschmerzen nach ihren verschied. Ursachen von **J. Alb. Hecker.** Quedlinburg, Basse. 1843. 54 S. 8. (10 Ngr.)

[8577] Der Arzt und Bildner der Jugend von **Jos. v. Vering**, Dr. der Arzneikunde. Wien, Mechit.-Congreg.-Buchh. 1843. 17 u. 222 S. gr. 8. (1 Thlr. 5 Ngr.)

Mathematische Wissenschaften.

[8598] Journal de Mathématiques etc. Juillet. (Vgl. No. 7487.) Inh.: *Roberts*, sur une représentation géometr. des fonctions ellipt. de première espèce. (S. 263—264.) — *Liouville*, sur l'équation $\frac{d^2\varphi}{dx^2}+\frac{d^2\varphi}{dy^2}=o$. (—267.) — *Jacobi*, sur les nombres premiers complexes que l'on doit considèrer dans la thorie des résidus de 5., 8. et 12. puissance. (—272.) — *Le Verrier*, sur l'orbite de Mercure et sur ses perturbations. Détermination de la Masse de Vénus et du diamètre du soleil. (—296.)

[8599] Leçons de mathématiques, par l'abbé **L. Bordes.** 2. édit. 2 Vols. Paris, Périsse. 1843. 46½ Bog. mit 8 Kpfrn. gr. 8. (8 Fr.)

[8600] Théorèmes et problèmes de géométrie élémentaire par **H. Ch. de La Fremoire.** Paris, Carilian-Goeury. 1843. 27¾ Bog. mit 13 Kpfrn. gr. 8. (6 Fr.)

[8601] Die Kegelschnitte für den Gebrauch in Gymnasien u. Realschulen bearb. von **K. H. Schellbach**, Prof. d. Math. am Fr. Wilh. Gymnasium in Berlin. Berlin, Simion. 1843. IV u. 192 S. mit 7 Figurentaff. gr. 8. (n. 1 Thlr. 10 Ngr.)

[8602] Sammlung von Lehrsätzen, Formeln u. Aufgaben aus der gewöhnl. Rechenkunst, Mathematik u. Physik von Dr. **J. Götz**, Prof. der Mathematik. 1.—3. Thl. — 1. Thl.: Aufgaben aus der gewöhnl. Rechenkunst. 2. Thl.: Lehrsätze, Formeln u. Aufgaben aus der Arithmetik, Algebra u. allgem. Grössenlehre. 3. Thl.: Lehrsätze, Formeln u. Aufgaben aus der ebenen Geometrie, analyt. u. ebenen Trigonometrie, ebenen Polygonometrie, Stereometrie, sphär. Trigonometrie u. sphärischen Polygonometrie. Berlin, Reimer. 1843. VIII u. 114, VI u. 151, IX u 306 S. mit 12 Figurentaff. gr. 8. (10 Ngr., 12 Ngr. u. 1 Thlr. 7½ Ngr.)

[8603] *Die Lehre von den Transversalen in ihrer Anwendung auf die Planimetrie. Eine Erweiterung der Euklidischen Geometrie von **C. Adams**, Lehrer d. Math. an d. Gewerbsch. in Winterthur. Winterthur, Steiner'sche Buchh. 1843. V u. 138 S. gr. 8. nebst 12 lith. Taff. in gr. Halb-Fol. (1 Thlr. 15 Ngr.)

[8604] Ueber den Einfluss der Gestalt des Terrains auf die Resultate barometrischer u. trigonometr. Höhenmessung, so wie auf die Bestimmung der geograph. Lage eines Punctes auf d. Oberfläche der Erde von Dr. **Wilh. Fuchs**, k. k. Berg-Verwalter u. Markscheider zu Agordo. Wien, Gerold. 1843. 68 S. gr. 8. (15 Ngr.)

[8605] Versuch einer objectiven Begründung der Lehre von den drei Dimensionen des Raumes von Dr. **Bern. Bolzano**. (Aus d. Abhandll der kön. böhm. Gesellsch. der Wiss. V. Folge. 3. Bd. bes. abgedr.) Prag, (Kronberger u. Rziwnatz). 1843. 15 S. gr. 4. (5 Ngr.)

[8606] De accuratione, qua possit quantitas per tabulas determinari et quidem cum per tabulas in universum, tum singulatim per tabulas logarithmicas et trigonometricas scripsit **C. Aem. Mundt**, Scholae Soranae Adj. Hauniae. (Lipsiae, L. Schumann.) 1843. 146 S. gr. 4. (2 Thlr.)

[8607] Tables trigonométriques, donnant pour tous les angles du quart de cercle calculés de cinq en cinq minutes centésimales et appliqués à toutes les hypothénuses possibles, les sinus, cosinus ou segmens des bases avec des décimales etc. par MM. **Mazure** et **Bellinaut**. Montmirail, Brodais. 1843. 16¾ Bog. nebst 1 Kupf. gr. 8. (6 Fr.)

[8608] *Beiträge zur Theorie bestimmter Integrale von Dr. **Osc. Schlömilch**. Jena, Frommann. 1843. VIII u. 103 S. gr. 4. (n 1 Thlr. 10 Ngr.)

[8609] Théorie analytique du système du monde, par **G. de Pontécoulant**. Tom. IV. 1. livr. Paris, Bachelier. 1843. 31⅓ Bog. gr. 8.

[8610] De Galilei Galileii circa Jovis satellites lucubrationibus, quae in J. et R. Pittiana Palatina bibl. adservantur, ad clariss. ac reverendissimum patrem Joh. Inghiramium **Eug. Alberii** brevis disquisitio. Florentiae, 1843. 16 S. gr. 8.

[8611] Mappa coelestis, sive tabulae quinque inerrantium septimum ordinem non excedentium et usque ad XXX. gradum decl. austr. pertinentium, quas pro medio seculo XIX. stereographice construxit *G. Schwinck*. Lipsiae, Köhler. 1843. 3 Bll. u. 5 Karten. gr. Imp.-Fol. (6 Thlr. 20 Ngr.)

Biographie.

[8612] Studii biografici di rinomati Italiani, di **Gius. Mar. Bozoli**. Ser. III. Milano, Guglielmini. 1843. 106 S. gr. 8.

[8613] Biographical Illustrations of Westminster Abbey. By **G. L. Smith.** Part I. Lond., 1843. 132 S. gr. 8. (3sh. 6d.)

[8614] *Theodor Beza nach handschriftlichen Quellen dargestellt, von **Joh. W. Baum**, Lic. d. Theol., a. o. Prof. am protest. Seminarium in Strassburg. I. Thl. Mit Beza's Bildniss. Leipzig, Weidmann'sche Buchh. 1843. XVI u. 525 S. gr. 8. (2 Thlr. 15 Ngr.)

[8615] A Memoir of the Life, Writings, and Mechanical Inventions of Edm. Cartwright, D. D. F. R. S. Inventor of the Power Loom etc. London, 1843. 384 S. 8. (10sh. 6d.)

[8616] Biographie der jungen amerikanischen Dichterin Margarethe M. Davidson von **Wash. Irving.** Aus d. Engl. Leipzig, Brockhaus. 1843. 160 S. gr. 12. (18 Ngr.)

[8617] A Memoir of Greville Ewing, Minister of the Gospel, Glasgow. By his Daughter. London, 1843. 684 S. mit Portrait. gr. 8. (12sh.)

[8618] Histoire littéraire de Fénélon, ou revue historique et analytique de ses oeuvres, pour servir de complément à son histoire et aux différentes éditions de ses oeuvres, par M. ***, directeur au séminaire de St.-Sulpice. Lyon, Périsse. 1843. 30⅞ Bog. gr. 8.

[8619] Der selige Chorherr Franz Geiger. Laute aus dessen Leben, gesammelt vom Herausgeber seiner sämmtl. Schriften (*J. Widmer*). Luzern. (Augsburg, Kollmann.) 1843. VII u. 212 S. gr. 12. (10 Ngr.)

[8620] Hauptmann von Gerlach (General von Grolman), 1812 Student in Jena. Aus den ungedruckten „Rückblicken in mein Leben" von **H. Luden.** Jena, Luden. 1843. 48 S. 12. (7½ Ngr.)

[8621] Sam. Hahnemann's Verdienste um die Heilkunst. Ein Vortrag in d. Versammlung homöopath. Aerzte am 10. Aug. 1843 in Dresden geh. von Dr. **K. Fr. Trinks**, h. s. Medicinalrath. Leipzig, L. Schumann. 1843. 30 S. 8. (5 Ngr.)

[8622] Zehn Actenstücke über die Amtsentsetzung des Prof. Hoffmann von Fallersleben. Mannheim, Bassermann. 1843. 30 S. 8. (2½ Ngr.)

[8623] Erinnerungen aus dem Leben Joh. Geo. Kaltenbach's, Pfarrers zu Möchweiler auf d. Schwarzwalde von **C. Fr. Ledderhose**, Pfr. zu St. Georgen auf d. Schwarzwalde. 2. stark verm. Aufl. Heidelberg, Winter. 1843. VI u. 160 S. 8. (8⅓ Ngr.)

[8624] Leben u. Wirken Dr. M. Luther's im Lichte unserer Zeit von **E. T. Jäkel.** 3. Bd. Leipzig, Naumburg. 1843. 381 S. nebst Abbildd. 16. (1 Thlr.)

[8625] Züge aus dem Leben Joh. Jac. Moser's von **C. Fr. Ledderhose**, Pfr. zu St. Georgen auf d. Schwarzwalde. Heidelberg, Winter. 1843. IV u. 118 S. gr. 12. (7½ Ngr.)

[8626] Meine Gefangenschaft zu St. Petersburg in d. J. 1794, 1795 u. 1796 von **Jul. Urs. Niemcewicz.** Nachgelassenes Werk, nach dem eigenhänd. Manuscr. d. Vfs. herausgeg. auf Veranlassung d. poln. hist. Comités zu Paris. Deutsch von Dr. *Ludw. Eichler.* Leipzig, Thomas. 1843. 191 S. 8. (1 Thlr.) Vgl. No. 7134.

[8627] Briefe des königl. pr. Legationsraths **Carl Ernst Oelsner**, an den wirkl. Geh. Rath *Fr. Aug. v. Stägemann* aus den Jahren 1815 bis 1827. Herausgeg. von Dr. *Dorow.* (Auch u. d. Tit.: Briefe preuss. Staatsmänner, herausgeg. von Dr. *Dorow.* 1. Bd. C. E. Oelsner an Fr. Aug. v. Stägemann.) Leipzig, Teubner. 1843. XVIII u. 314 S. mit Facsimile. gr. 8. (2 Thlr.)

[8628] Das Leben des Fürsten von Pückler-Muskau von Dr. **Aug. Jä-**

ger. Mit d. Bilde des Fürsten. Stuttgart, Metzler'sche Buchh. 1843. 363 S. gr. 8. (2 Thlr. 10 Ngr.)

[8629] Rede am Grabe des weil. Hrn. Dr. Joh. Gfr. Scheibel, geh. auf dem Johannes-Kirchhofe zu Nürnberg am 24. März 1843 von Mich. Vanbrugg, Stadtpfr. Nürnberg, Raw'sche Buchh. 1843. 13 S. gr. 8. (2½ Ngr.)

[8630] Shakspere: a Biography, by C. Knight. Pictorial Edition. Lond., 1843. 550 S. mit vielen Illustratt. Imp.-8. (25sh.)

[8631] Kurze Lebensbeschreibung des M. C. Gfr. Siebelis, Rectors am Gymnas. zu Budissin, von ihm selbst verfasst. Bautzen, Weller. 1843. 64 S. 8. (7½ Ngr.)

[8632] Reliquien von Ludw. Winter, grossherz. bad. Staatsminister u. Abgeordneten zur II. Kammer d. bad. Stände. Biographie und Schriften. Von Dr. Wild. Weick, Prof. an d. Univ. Freiburg. Mit Winter's Portr. in Stahlst. Freiburg, Emmerling. 1843. VIII u. 507 S. gr. 8. (1 Thlr. 7½ Ngr.)

[8633] Biographischer u. juristischer Nachlass von Dr. C. Sal. Zachariä v. Lingenthal, o. Rechtslehrer an d. Univ. zu Heidelberg u. s. w. Herausgeg. von dessen Sohne, Dr. C. E. Zachariä v. Lingenthal. Stuttgart, Cotta. 1843. IV u. 192 S. gr. 8. (1 Thlr. 5 Ngr.)

Belletristik.

[8634] Gedichte von Caroline Ballkow. Berlin, Enslin. 1844. X u. 233 S. gr. 8. (n. 1 Thlr.)

[8635] Liederbuch von L. U. Bock. Neue Ausg. Brandenburg, Müller. 1843. XII u. 355 S. mit Noten. qu. gr. 16. (22½ Ngr.)

[8636] C. F. Gellert's sämmtliche Fabeln u. Erzählungen in drei Büchern. Prachtausgabe mit Gellert's Portrait, eleg. Titel u. 46 Illustrationen u. Vign. von *G. Osterwald*. 2. Aufl. Leipzig, Hahn'sche Verlagsbuchh. 1844. IV u. 138 S. hoch 4. (4 Thlr. 20 Ngr.)

[8637] Gedichte von Dr. Rud. Johannsen. Leipzig, Einhorn. 1844. 168 S. 8. (1 Thlr.)

[8638] Slawische Melodien von Siegfr. Kapper. Leipzig, Einhorn. 1844. X u. 156 S. 8. (22½ Ngr.)

[8639] Unsterblichkeit. Ein Sonnettenkranz von Osw. Marbach. Leipzig, Franke. 1843. 20 S. gr. 16. (5 Ngr.)

[8640] Die Weisheit des Brahmanen. Ein Lehrgedicht in Bruchstücken von Fr. Rückert. Neue Ausg. in 1 Bde. Leipzig, Weidmann'sche Buchh. 1843. 698 S. gr. 12. (geb. 2 Thlr. 10 Ngr.)

[8641] Gedichte von J. G. Fr. Seume. 5. verm. Ausg. Leipzig, Hartknoch. 1843. VI u. 396 S. mit 1 Stahlst. 16. (geb. 1 Thlr. 22½ Ngr.)

[8642] Die Frithjofs Sage von Es. Tegnér. Aus d. Schwed. von *Glt. Mohnike*. 2. Aufl. der Taschenausg. Leipzig, Cnobloch. 1844. IV u. 118 S. gr. 16. (11¼ Ngr.)

[8643] Neueste Dichtungen von Joh. Nep. Vogl. Pesth, Heckenast. 1843. IV u. 222 S. gr. 8. (1 Thlr.)

[8644] C. Weitzmann's sämmtliche Gedichte in rein deutscher u. schwäbischer Mundart. 5. Aufl. Reutlingen, Fleischhauer u. Spohn. 1843. 419 S. u. Bildn. des Vfs. 12. (27½ Ngr.)

[8645] Poetischer Hausschatz des deutschen Volkes von O. L. B. Wolff. 6. Aufl. Leipzig, O. Wigand. 1844. IV u. 1163 S. Lex.-8. (2 Thlr.)

[8646] Poetischer Hausschatz des deutschen Volkes von **Dr. O. L. B. Wolff.** Supplementband. 2. Aufl. Ebendas. 1843. IV u. 104 S. gr. 8. (15 Ngr.)

[8647] Dichterhalle. Auswahl des Schönsten u. Gediegensten aus Deutschlands Dichtern der Gegenwart. (1815—1843.) Neue verm. Aufl. des Büchleins junger Lieder. Berlin, Heymann. 1844. IV u. 576 S. 8. (1 Thlr.)

[8648] Allerhand schnaksche Saken tum Tiedverdriew, åwers Wåhrheeten, ümm sick meeto to speegeln in unse Modersprak' von **Diederich Geo. Babst.** Im Auszug aufs Neue herausgeg. Rostock, Stiller'sche Hofbuchh. 1843. 12 u. 312 S. gr. 12. (1 Thlr.)

[8649] Deutsche Burschen-, Volks- u. Kriegslieder. Auswahl. Erlangen, F. Enke. 1843. VII u. 102 S. (5 Ngr.)

[8650] Westentaschenliederbuch. 10. sehr verb. Aufl. Jena, Hochhausen. 1843. 168 S. 32. (2½ Ngr.)

[8651] Chefs-d'oeuvre tragiques de *Routrou*, *Crebillon*, *Lafosse*, *Laurin*, *de Belloi*, *Pompignan* et *Laharpe*. Tom. I. Paris, F. Didot. 1843. 20¼ Bog. 12. (3 Fr.) Enth.: Saint-Genest et Venceslas, v. *Routrou*; Manlius v. *Lafosse*; Rhadamiste et Zénobie v. *Crébillon*; Didon v. *Pompignan*; Spartacus v. *Laurin*; Siège de Calais v. *de Belloi* u. Coriolan v. *Laharpe*.

[8652] Hermance, oder ein Jahr zu spät; Schauspiel in 3 Aufzügen. Frei nach dem Franz. der Madame **Ancelot** bearb. durch *L. V. G.* Carlsruhe, Macklot. 1843. 88 S. gr. 8. (12½ Ngr.)

[8653] Sämmtliche Werke von **Jos.** Frhrn. **v. Auffenberg** in 20 Bänden. Erste von der Hand des Vfs. sorgfältig revidirte, vollständige, rechtmässige Gesammtausgabe. 2. u. 3. Bd. Siegen u. Wiesbaden, Friedrich. 1843. 290 u. 464 S. gr. 16. (à 12½ Ngr Subscr.-Pr.) Inh. 2. Bd.: Die Bartholomäus-Nacht, Trauersp. in 5 Aufz.; die Flibustier, rom. Trauersp. in 4 Aufz. 3. Bd.: Ludwig XI. in Peronne, Schausp. in 5 Aufz.; das böse Haus, Schausp. in 5 Aufz.; der Löwe von Kurdistan, romant Schauspiel in 5 Aufz. Vgl. No. 7056.

[8654] Die Liebe am Abend. Lustspiel in 3 Aufzügen. Frei nach d. Franz. bearb. von *L. V. G.* Carlsruhe, Macklot. 1843. 45 S. gr. 8. (7½ Ngr.)

[8655] Oliver Cromwell. Trauerspiel in fünf Acten von **Herm. Müller-Strübing.** Berlin, (Nauck). 1843. 115 S. gr. 8. (1 Thlr.)

[8656] **Shakspeare's** dramatic works in ten Vol. With notes original and selected by *S. W. Singer*. II. edit. Vol. VIII et IX. Halle, Kersten. 1843. 496 u. 509 S. gr. 12. (à 15 Ngr.) Hieraus einzeln: No. 27. Timon of Athens. (6 Ngr.) No. 28. Coriolanus. (7½ Ngr.) No. 29. Julius Caesar. (6 Ngr.) No. 30. Antony and Cleopatra. (7½ Ngr.) No. 31. Cymbeline. (7½ Ngr.) No. 32. Titus Andronicus. (5 Ngr.) No. 33. Pericles Prince of Tyre. (6 Ngr.) No. 34. King Lear. (7½ Ngr.) Vgl. No. 8228.

[8657] Oeuvres complètes de **Shakespeare.** Traduction nouvelle par *Benj. Laroche*. Tom. 6 et 7 (dern.). Paris, Gosselin. 1843. 17 u. 18 Bog. gr. 12. (à 3 Fr. 50 c.)

[8658] Zum Tode verurtheilt. Volksdrama in drei Acten von **Fr. Steinmann.** Münster, Exped. des Mefistofeles. 1843. 107 S. 12. (1 Thlr.)

[8659] Stella oder das Gespenst von Oriol. Drama in fünf Aufzügen. Nebst einem Vorspiele: Die Katakomben, in 1 Aufz. Frei nach d. Franz. bearb. von *L. V. G.* Carlsruhe, Macklot. 1843. 85 S. gr. 8. (12½ Ngr.)

[8660] Théâtre français en prose, publié par *C. Schütz*. IV. série. 3., 4., 7. et 8. livr. Bielefeld, Velhagen u. Klasing. 1843. 16. (à 2½ Ngr.)

3. Hft.: Le Bourgmestre de Sardam ou le Prince Charpentier, par *Mélesville, Merle* et *Boirie*. 60 S. 4. livr.: Pourquoi? par *Lockroy* et *Anicet*. — La suite d'un bal masqué, par Mad. *de Bawr*. 98 S. 7. livr.: La seconde année, ou à qui la faute? par *Scribe* et *Mélesville*. 65 S. 8. livr.: Le mariage au Tambour, par *de Leuven* et *Brunswick*. 103 S.

[8661] Die Vendetta oder die corsicanische Rache. Posse in 1 Aufzuge. Nach d. Franz. bearb. von *L. V. G.* Carlsruhe, Macklot. 1843. 38 S. gr. 8. (7½ Ngr.)

[8662] Festspiel zur ersten Jubelfeier der Universität Erlangen von **C. M. Winterling**. Erlangen, Bläsing. 1843. 22 S. gr. 8. (3⅗ Ngr.)

[8663] Antigone in Berlin. Frei nach Sophokles von **Ad. Brennglas**. 2. Aufl. Mit 1 Titelkupf. von *E. Hahn*. Leipzig, Jackowitz. 1843. 46 S. 8. (10 Ngr.)

[8664] Buntes Berlin von **Ad. Brennglas**. 13. Hft.: Komische Scenen aus dem Leben. Berlin, Plahn'sche Buchh. 1843 55 S. 12. (7½ Ngr.)

[8665] Berliner Lichtbilder und Schattenspiele. Herausgeg. von *J. Lasker*. 1. Heft. Berlin, Plahn'sche Buchh. 1843. 53 S. 12. (5 Ngr.)

[8666] Berliner Wespen von **Feodor Wehl**. 2.—4. Hft. Leipzig, Ph. Reclam jun. 1843. à 48 S. gr. 16. (à 5 Ngr.)

[8667] Josephine. Geschichtlicher Lebensroman von **H. E. R. Belani**. 3 Thle. Leipzig, Fritzsche. 1844. 290, 322 u. 308 S. 8. (4 Thlr. 15 Ngr.)

[8668] Christoph der Kämpfer, Herzog von Bayern oder der Löwenbund. Histor. Erzählung von **Fr. W. Brückbräu**. Augsburg, v. Jenisch u. Stage. 1843. VIII u. 320 S. mit 1 Stahlst. 8. (26⅕ Ngr.)

[8669] Der Mohr oder das Haus Holstein-Gottorp in Schweden von **J. M. v. Crusenstolpe**. 5. Bd. Aus d. Schwed. Berlin, Morin. 1843. 495 S. 8. (2 Thlr.)

[8670] Laurence Stark, a family picture of **Engel**. Translated by *Thom. Gaspey*. Heidelberg, Ch. Groos. 1843. IV u. 241 S. gr. 12. (15 Ngr.)

[8671] Der Erzähler oder das Buch für lange Winterabende. Allen Ständen zur Unterhaltung gewidmet von Dr. *C. Greif*. Jahrg. 1843. 3. u. 4. Bd. Grimma, Verlags-Comptoir. 1843. IV u. 380, IV u. 372 S. gr. 8. (à 1 Thlr. 10 Ngr.)

[8672] Kreuz und Halbmond. Hist. Roman von **Will. Fitz-Berth** (*Fr. W. Arming*). 2 Bde. Wien, Stöckholzer v. Hirschfeld. 1843. 204 u. 194 S. 8. (2 Thlr.)

[8673] Octavio u. Brunella oder die Ruinen des Heidenschlosses. Hist.-romant. Geschichte aus Preussens Vorzeit von **U. Garlieb**. Wien, Stöckholzer v. Hirschfeld. 1844. 185 S. u. Titelkupf. 8. (22½ Ngr.)

[8674] Basil le Forban, par **Eug. Ligneau-Grandcour**. 2 Vols. Paris, Souverain. 1843. 45¼ Bog. gr. 8. (15 Fr.)

[8675] Der Prinz von Oranien. Histor. Roman von **Rob. Heller**. 3 Bde. Leipzig, Gebr. Reichenbach. 1843. 298, 331 u. 340 S. 8. (4 Thlr. 15 Ngr.) Inh.: I. Brüssel unter Alba. Die Meergeusen. II. Lumei u. seine Genossen. III. Die Belagerung von Leyden.

[8676] Das Wort der Frau. Eine Festgabe von **Fr. v. Heyden**. Leipzig, Einhorn. 1843. VIII u. 223 S. gr. 16. (1 Thlr. 15 Ngr.)

[8677] Die Marquise von L*** von **Jean Charles**. Roman in 3 Bdn. Berlin, Duncker u. Humblot. 1843. 241, 236 u. 211 S. 8. (3 Thlr.)

[8678] Fleur d'épine ou Maltè sous les chevaliers. 3. (dern.) épisode de 1798 par **A. de Kermainguy**. 2 Vols. Paris, de Potter. 1843. 53 Bog. gr. 8. (15 Fr.)

[8679] Ritter und Bauer. Roman in vier Büchern von **J. F. Lentner**, Vf. des „Tyroler Bauernspiels". 3 Bde. Magdeburg, Baensch. 1843. 368, 311 u. 272 S. gr. 12. (3 Thlr. 15 Ngr.)

[8680] Sämmtliche Erzählungen von **Friederike Lohmann**. Ausgabe letzter Hand. (In 18 Bden.) Mit einem Vorw. der Vfin. von „Godwie Castle" u. s. w. 3 u. 4. Bd. Leipzig, Focke. 1843. 287 u. 253 S. gr. 16. (à 20 Ngr.)

[8681] Herz und Kopf. Eine humoristische Vorlesung von **J. E. Mand**. Prag, Borrosch u. André. 1843. 16 S. 16. (7½ Ngr.)

[8682] Narrative of the travels and adventures of Monsieur Violet, in California, Sonora, et Western Texas. Written by Capt. **Marryat**. (Collection of british authors. Vol. LIII.) Edition sanctioned by the author. Leipzig, B. Tauchnitz jun. 1843. VI u. 384 S. gr. 16. (15 Ngr.)

[8683] Gesammelte Schriften, Novellen und Dichtungen von **Thd. Mundt**. 2. Bd.: Moderne Lebenswirren. Leipzig, Einhorn. 1844. 383 S. 8. (1 Thlr. 20 Ngr.)

[8684] Mémoires d'une Lorette, publiés par *Max. Perrin*. Tom. 3—4. Paris, Leclerc. 1843. 42 Bog. gr. 8. (15 Fr.)

[8685] Vier Brüder aus dem Volke. Ein Roman aus Oesterreichs jüngsten Tagen von **Jos. Rank**. 2 Thle. Leipzig, Einhorn. 1844. 282 u. 185 S. 8. (2 Thlr. 15 Ngr.)

[8686] Consuelo par **Geo. Sand**. Tom. 7 et 8 (dern.). Paris, de Potter. 1843. 47 Bog. gr. 8. (15 Fr.)

[8687] **Geo. Sand's** gesammelte Werke. Aus d. Franz. übertr. von Mehreren. 1. Bd.: Der Uskoke. Histor. Roman. Ins Deutsche übertragen von *Thd Hell*. Grimma, Verlags-Comptoir. 1844. 336 S. gr. 12. (15 Ngr.)

[8688] Die Jüdin. Roman von **Amalie Schoppe**, geb. *Weise*. 2 Thle. Leipzig, A. Taubert. 1843. 274 u. 322 S. 8. (3 Thlr.)

[8689] Diane de Chivry, par M. **Fréd. Soulié**. Paris, Boulé. 1843. 4 Bog. gr. 8. (1 Fr.)

[8690] **Em. Souvestre's** gesammelte Werke. Aus d. Franz. übertr. von Mehreren 3. Bd.: Peter Landais od. der Schneider als Minister. Histor.-romant. Erzählung aus d. Franz. von Dr. *Aug. Diezmann*. Grimma, Verlags-Comptoir. 1844. 182 S. 8. (15 Ngr.)

[8691] **Eman. Straube's** Schriften 2. Bd.: Die Schweden vor Brünn. Histor. Novelle. Wien, Stöckholzer v. Hirschfeld. 1843. 180 S. gr. 12. (1 Thlr.)

[8692] Mathilde. Mémoires d'une jeune femme, par **Eug. Sue**. Vol. 3—6. (Collection des meilleurs auteurs modernes français, ital. et espagnols. Tom. II et III.) Grimma, Verlags-Comptoir. 1844. 213, 182, 200, 213 S. gr. 16. (1 Thlr.)

[8693] Novellen u. Erzählungen von **Marie v. Thurnberg**. 1. Bdchn.: Der Kerker in der Gastein. 2. Bdchn.: Amalie. — Die Säusenberger-Klamm. Zwei Erzählungen. Wien, Stöckholzer v. Hirschfeld. 1843. 116, 90 S. gr. 16. (à 15 Ngr.)

[8694] Novellen und Erzählungen von Dr. **C. Toepfer**. Hamburg, Niemeyer. 1844. 284 S. 8. (1 Thlr. 15 Ngr.) Inh.: Die Blödsinnige. — Der Mord. — J. J. Rousseau, der Jüngling. — Der gespenstische Sänger.

[8695] Ausgewählte Novellen und Dichtungen von **Heinr. Zschokke.** Taschenausg. in 10 Thlen. 6. verm. Orig.-Aufl. 4.—6. Thl. Aarau, Sauerländer. 1843. 400, 424 u. 414 S. gr. 16. (Druckp. 5 Thlr. 10 Ngr. Maschinenp. 6 Thlr. 20 Ngr.) Inh. 4. Thl.: Prolog. — Abenteuer der Neujahrsnacht. — Die Walpurgisnacht. — Der Blondin v. Namur. — Kriegerische Abenteuer eines Friedfertigen. — Die Bohne. — Es ist sehr möglich. — Erzählungen im Nebel. — Die isländischen Briefe. — 5. Thl.: Rückwirkungen. — Der zerbrochene Krug. — Herrn Quint's Verlobung. — Die Nacht in Brezwezmcisl. — Das Bein. — Hans Dampf in allen Gassen. — Tantchen Rosmarin. — Die Reise wider Willen — Der Abend vor der Hochzeit. — Das Wirthshaus zu Cransac. — 6. Thl.: Addrich im Moos.

[8696] Das Buch der angenehmen Unterhaltung u. nützlichen Belehrung für das J. 1843. (Abdruck aus d. Volkskal. 1843.) Neuhaldensleben, Eyraud. 1843. 128 S. 8. u. 1 lith. Bild in Fol. (5 Ngr.)

[8697] Das witzige Handbüchlein zur heitern Unterhaltung einer Gesellschaft von **Carl Ritter.** Auch u. d. Tit.: Conversations- u. Gesellschafts-Bibliothek. Leipzig, Schmaltz. 1843. 57 S. 16. (3⅘ Ngr.)

[8698] Zeitvertreib ernster u. lustiger Art für den Vortrag in geselligen Kreisen von **H. Carlo.** Posen, (Mittler). 1843. 72 S. 8. (10 Ngr.)

[8699] Goethe- u. Schiller-Sprüche. Als Denkverse für Stammbücher u. als Aufgaben zu Aufsätzen für Gymnasien, Akademien u. s. w. Breslau, Freund. 1843. II u. 76 S. gr. 16. (7½ Ngr.)

[8700] Neueste Stammbuchs-Flora. Eine Auswahl der schönsten u. zweckgeeignetsten Geistesblüthen von 188 deutschen, 33 französ. u. 22 engl. Dichtern u. Prosaikern. Mit besond. Berücksicht. jüngerer Dichter, deren Poesien meist noch in ähnlichen Sammlungen fehlen, von **H. Gauss.** Weimar, Voigt. 1844. X u. 272 S. gr. 12. (22½ Ngr.)

[8701] Der Weg durchs Leben oder Erfahrungen u. Rathschläge für Jünglinge, welche sich als Künstler, Kaufleute u. Gewerbtreibende von ihrem Austritte aus d. Schule an bis zum Eintritt in d. eignen Hausstand für alle Verhältnisse des Lebens würdig bilden u. auf ihrem künftigen Berufswege segensreich wirken wollen, von **Lehr. Siegm. Jaspis,** Dr. d. Phil. u. Theol., Stadtpred. u. s. w. zu Dresden. 2 verm. u. verb. Aufl. Leipzig, Gebr. Reichenbach. 1844. VIII u. 272 S. 8. (20 Ngr.)

[8702] Die Umgangskunst, oder der Mensch in gesellschaftlichen Verhältnissen, nach den Regeln der Weltklugheit u. d. prakt. Lebensweisheit. Nach *Knigge, Pockels, Heidenreich, Montaigne* u. A. bearb. Neue Ausg. Pesth, Hartleben. 1843. VIII u. 168 S. gr. 16. (15 Ngr.)

[8703] The Art of Living. By Dr. **Henry Duhring.** London, 1842. 152 S. 8. (n. 5sh.)

[8704] Bausteine zum Tempel häuslichen u. Familienglückes von **Heinr. Ney,** Vorsteher einer Erziehungsanstalt. Hamburg, Niemeyer. 1843. IV u. 189 S. gr. 8. (15 Ngr.)

[8705] Anleitung unter die Haube zu kommen. Ein Talisman für Mädchen von **Fernand.** Wien, Gerold. 1843. IV u. 233 S. 12. (25 Ngr.)

[8706] Neuestes Complimentirbuch oder der vollkommene Galanthomme, von **W. Adami.** Grünberg, Levysohn. 1843. VIII u. 160 S. 8. (10 Ngr.)

[8707] Der Daguerreotypen-Krieg in Hamburg, oder Saphir, der Humorist, ti. Biew, der Dagtuerreotypist, vor dem Richterstuhl des Momus. Ein humorist. Bülletin von Cephir. Hamburg, Berendsohn. 1843. 16 S. gr. 8. (3⅓ Ngr.)

[8708] Humoristisch komisches Witz- und Karikaturen-Pfennig-Magazin. 17.—28. Lief. Leipzig, Schmidt. (Schmaltz.) 1843. 22 Bog. mit 36 Blättern Karikaturen. gr. 8. (à 2½ Ngr.)

Todesfälle.

[8709] Im Jun. starb zu Lemberg Graf *Jos. Dunin-Borkowski*, ein junger, strebsamer Gelehrter von ausgezeichneter philologischer Bildung, 33 Jahre alt. Er hat eine handschriftl. Geschichte der griech. Sprache u. Literatur in Polen und bedeutende Vorarbeiten zu einem walachisch-slawischen Wörterbuche hinterlassen.

[8710] Am 12. Jul. zu Rokeby Park in Yorkshire *John Bacon Sawrey Morritt*, esq., durch seine wiederholten Reisen nach Griechenland und in den Orient, seine Untersuchungen und Streitschriften über die Lage des alten Troja, eine engl. Uebersetzung der kleineren griech. Dichter, den durch *Lockhart* veröffentlichten Briefwechsel mit *W. Scott*, zahlreiche Aufsätze in dem „Quarterly Review“ und polit. Broschüren, sowie als thätiges Mitglied der Society of Dilettanti wohlbekannt, im 72. Lebensjahre.

[8711] Am 15. Jul. zu Santa Fé da Bogota in Columbien *Rob. Stuart*, esq., k. grossbrit. Chargé d'affaires u. Generalconsul daselbst, Vicepräsident der Highland Society zu London, 1831—41 Parlamentsmitglied, ein ungemein befähigter Mann, 37 Jahre alt.

[8712] Am 20. Jul. zu Streatham in Surrey Rev. *Henry Blunt*, M. A., Pfarrer daselbst, als Kanzelredner sehr geschätzt und durch mehrere Predigtsammlungen, welche grösstentheils in wiederholten Auflagen erschienen sind („Eight Lectures upon the History of Jacob“ 1828, „Nine Lectures upon the Hist. of St. Peter“ 1829, „Twelwe Lectures upon Hist of Abraham“ 1831, „History of St. Paul“ 2 Thle. 1832 f., „Lectures upon the History of our Lord and Saviour Jesus Christ“ 1834 u. m. a.), rühmlich bekannt.

[8713] Am 13. Aug. zu Vieille in den Pyrenäen *James Barlow Hoy*, esq., Parlamentsmitglied, ein eifriger und kenntnissvoller Ornitholog. Mit der Jagd seltener Vögel beschäftigt, zersprang sein Gewehr und beschädigte den linken Arm so bedeutend, dass er in Folge dessen starb.

[8714] Am 2. Sept. zu Ovendon bei Halifax Mr. *Thom. Crossley*, Vf. der „Flowers of Ebor“ und verschiedener anderer Gedichte, Mitarbeiter an mehreren belletrist. Zeitschriften, im 40. Lebensjahre.

[8715] Am 3. Sept. zu Ilfracombe in Devonshire Rev. *Thom. Edw. Bridges*, Dr. theol., seit 1823 Präsident des Corpus Christi College zu Oxford, 62 Jahre alt.

[8716] Am 6. Sept. zu Cambridge Rev. *Anth. Grayson*, Dr. theol., seit 1824 Principal der St. Edmundshall daselbst, 68 Jahre alt.

[8717] An dems. Tage zu Leeds Rev. *Geo. Morley*, ehemal. Präsident der Wesleyischen Akademie von Woodhouse-grove und Begründer der Wesleyischen Missionsgesellschaft in ihrer jetzigen Gestaltung, im 71. Lebensjahre.

[8718] Am 22. Sept. in der Nähe von London Rev. *John Clayton*, esq., früher methodistischer Prediger, dann Pastor einer Independenten-Gemeinde, ein geachteter Homilet, 90 Jahre alt. Mehrere seiner Predigten und Reden sind gedruckt worden.

[8719] Am 23. Sept. zu Turlogh in Irland Dr. *Burke*, Bischof der römisch-kathol. Diöcese von Elphin.

[8720] Am 13. Oct. zu London *John Bohn*, als Buchhändler ehemals sehr bekannt und geschätzt, im 86. Lebensjahre.

Beförderungen und Ehrenbezeigungen.

[8721] Die Decoration des k. Preuss. Rothen Adler-Ordens ist neuerdings verliehen worden in der 2. Classe mit Eichenlaub: dem Geh. Justiz- u. Ober-Landesgerichtsrath *Schlüter* zu Münster und dem evang. Pfarrer u. CRath Dr. *Hartmann* zu Düsseldorf, Letzterem bei Gelegenheit der seltenen Feier seines 70jährigen Amtsjubiläums;

[8722] 2. Classe: dem Leibarzte der Grossherzogin von Mecklenburg-Schwerin, Geh. Medicinalrath Dr. *J. D. Wilh. Sachse*;

[8723] 3. Classe: dem k. Hann. Geh. Cabinetsrath *von Lütcken* und dem ordentl. Prof. an der Univ. zu Bonn, Geh. Hofrath Dr. *Chr. Fr. Harless*;

[8724] 4. Classe: dem Gymnasiallehrer *Kanne* zu Bonn, dem evang. Prediger *Niemann* zu Hohenseeden im Kreise Burg, den kathol. Pfarrern *Schult* zu Bachem bei Cöln und *Slowinski* zu Wissek im Kreise Wirsitz u. m. A.

[8725] Der bisher. ausserordentl. Prof. der Philosophie an der Univ. Leipzig, Lic. *Rud. Anger*, ist zum ausserordentl. Professor in der theolog. Facultät designirt worden.

[8726] Der Geh. Medicinalrath u. Prof. Dr. *Steph. Fr. Barez* zu Berlin ist zum Geh. Obermedicinalrath ernannt worden.

[8727] Der an der Specialschule der lebenden orientalischen Sprachen zu Paris durch Ordonnanz vom 22. Oct. gegründete Lehrstuhl des Vulgärchinesischen ist *Bazin* übertragen worden.

[8728] Der ordentl. Professor in der medicinischen Facultät zu Heidelberg, Geh. Rath Dr. *Max. Jos. Chelius* hat das Ritterkreuz des k. b. Verdienst-Ordens vom h. Michael erhalten.

[8729] Dem zum Appellationsrathe zu Leipzig ernannten Justizamtmann *C. Fd. Damm* zu Plauen (vgl. No. 7381) ist mit der auf sein Ansuchen ertheilten Genehmigung, dass er in seinem zeitherigen Amte verbleibe, der Charakter eines Hofraths verliehen und dem bisher. Justizbeamten zu Sachsenburg *C. Heinr. Pietsch* die Rathsstelle bei dem Appellationsgericht zu Leipzig übertragen worden.

[8730] Der ordentl. Prof. an der Univ. zu Berlin, Geh. Medicinalrath Dr. *Joh. Fr. Dieffenbach* hat den kais. russ. St. Annen-Orden 2. Cl. erhalten.

[8731] Dem k. k. Appellationsrathe *Ant. v. Hoffer* zu Venedig ist die Stelle als Präses des Collegialgerichts zu Trient übertragen worden.

[8732] Der grossherz. Geh. Rath Dr. *Kramer* zu Baden hat das Ritterkreuz des Zähringer Löwenordens erhalten.

[8733] Die erledigte Stelle eines Oberjustizraths bei dem Gerichtshofe in Ulm ist dem Oberjustizassessor *Krauss* in Tübingen übertragen worden.

[8734] Die Ernennung des Landdechanten u. bischöfl. Delegaten *von der Marwitz* zu Tuchel und des Gymnasialdirectors Dr. *K. Richter* zu Kulm zu Mitgliedern des Domcapitels zu Culm hat die königliche Bestätigung erhalten.

[8735] Die Dignität des Custos des Wiener Metropolitancapitels ist dem Cantor dieses Stifts u. Weihbischof *Matthias Pollitzer*, die erledigte Stelle des

Custos des Domcapitels zu Tyrnau in Ungarn dem Professor des biblischen Studiums am dasigen Lyceum *Franz v. Pribély* verliehen worden.

[8736] Dem bisher. k. b. Landgerichtsarzte Dr *Fr. Chr. Rothmund* zu Volkach ist, nachdem der Prof. der Chir. u. chir. Klinik an der Univ. München, Dr. *Forster*, in zeitlichen Ruhestand versetzt worden, die erledigte Professur der Chirurgie zugleich mit den Functionen eines Primärarztes und der Leitung der chir. Abtheilung an dem städtischen allgemeinen Krankenhause in München übertragen worden.

[8737] Der Oberconsistorialrath und Hofprediger Dr. *Fr. Strauss* zu Berlin ist zum wirkl. Oberconsistorialrath ernannt und dem Consistorialrath und Hofprediger *K. Snethlage* der Charakter eines Oberconsistorialraths beigelegt worden.

[8738] Der k. k. wirkl. Gubernialrath und Oberbaudirector in Böhmen *Paul Strobach* ist in den Adelstand des österreich. Kaiserstaates mit dem Ehrenworte „Edler von" erhoben worden.

[8739] Der Gesandte der Vereinigten Staaten von Nordamerika am kön. preuss. Hofe *Henry Wheaton* ist zum Ehrenmitgliede der k. Akademie der Wissensch. zu Berlin erwählt und diese Wahl vom Könige bestätigt worden.

[8740] Dem Appellationsgerichtsrath *Winkler* zu Amberg ist die erledigte Rathsstelle im Oberappellationsgericht zu München übertragen worden.

Druck und Verlag von F. A. Brockhaus in Leipzig.

Leipziger Repertorium

der

deutschen und ausländischen Literatur.

Erster Jahrgang. Heft 48. 1. Dec. 1843.

Theologie.

[8741] Quellensammlung zur Geschichte des neutestamentlichen Canons bis auf Hieronymus, herausgegeben und mit Anmerkungen begleitet von **Johannes Kirchhofer**, Prof. d. Theol. u. Diacon am St. Johann in Schaffhausen. Zürich, Meyer u. Zeller. 1842, 43. 328 S. gr. 8. (1 Thlr. 15 Ngr.)

Längst wurde das Bedürfniss empfunden, die zur Kritik und Geschichte der neutestamentl. Bücher gehörigen Originalstellen der älteren Kirchenlehrer vollständig zusammen zu haben, um bei der gegenwärtigen Krisis und Gährung in diesen Studien leichter eine Uebersicht zu gewinnen und ein positives Urtheil sich bilden zu können. Denn das grosse Werk von Lardner über die Glaubwürdigkeit der evangel. Geschichte, was noch den reichsten Apparat enthält, ist theils nur Wenigen zugänglich, theils überladen, und überdiess in der deutschen Uebertragung unvollendet. Die schätzbaren Programme aber von Jo. Casp. v. Orelli, „Selecta patrum ecclesiae capita ad εἰσηγητικὴν sacram pertinentia“ (1820—23), erstrecken sich nur über Tradition und Scription, das Ev. des Matthäus, sec. Hebraeos, über Marcus, Lucas, das Ev. Marcions, den Brief an die Hebräer, üb. Ulphilas und die Apokalypse. Der Vf. hat sich daher durch die Herausgabe dieses Werkes, welches die Quellen über die Geschichte des Canons im Ganzen und Einzelnen bis auf Hieronymus, diesen eingerechnet, enthält, ein in der That sehr anerkennungswerthes Verdienst erworben. Kein neutestamentl. Isagogiker, der gründlich verfahren will, wird dieses Buch entbehren können, da es ihm die so nothwendigen Belege zu seinen Ergebnissen liefert. Dabei zeichnet sich der Vf. durch grosse Anspruchslosigkeit aus, und indem er wiederholt versichert, dass er neue Resultate nicht geben könne, begleitet er gleichwohl mit recht brauchbaren und lichtvollen Bemerkungen und Uebersichten seine fortlaufenden Quellenauszüge und ist somit nicht bloss Studirenden, wie er wünscht und beabsichtigt, sondern selbst Gelehrten, welchen an einem schnellen Ueberblicke oft viel gelegen ist, nützlich [illegible]. In seinem Urtheil geht er von solider historischer Basis aus, wie sie bei der desultorischen und falsch genialen Kritik im neutestamentl. Gebiete unserer Zeit am meisten

Noth thut. Die Ausgaben der Kirchenväter hat er grösstentheils selbst eingesehen, die aus griechischen Vätern entlehnten Stellen aber für die der Sprache weniger Kundigen mit einer lat. Uebersetzung versehen, welche aus den älteren Ausgaben genommen ist, da ihm, wie er sagt, zur Fertigung einer neuen Uebersetzung Zeit und Kräfte mangelten. Diess ist freilich ein kleiner Uebelstand, der jedoch dem Zwecke des Vfs. wenig Eintrag thut, zumal da viele Stellen gut und richtig übersetzt sind. Eben so wenig konnte es in seinem Plane liegen, den patristischen Text kritisch vollständig zu berichtigen, und er begnügt sich daher mit der wahrscheinlicheren Lesart. Die Ordnung, in welcher er die alten Zeugnisse auf eine recht übersichtliche Weise mittheilt, ist indess nicht die gewöhnliche, sondern beruhet besonders bei den einzelnen Büchern auf gewissen wahrscheinlichen chronol. Resultaten. Sie ist folgende: I. Die alten Canones oder Verzeichnisse sämmtlicher Schriften des N. T. Das Fragment bei Muratori (Antiqq. Ital. III. 843). Der Canon des Origenes, des Eusebius, Athanasius, die Synopse des Athanasius, des Laodicen. Concils v. 364, des 3. Karthagischen Concils v. 397, des Cyrill v. Jerusalem, Epiphanius, Hieronymus, der apostol. Canones C. 58. II. Die Schriften des N. T. im Allgemeinen. Ignatius. Melito. Irenäus. Clemens Alex. Tertullian. Dionysius v. Corinth. Origenes. Lactantius. III. Die Evangelien überhaupt. Die Catenen des Victor von Capua über die vier Evangelisten von Polycarpus, Papias. Justinus Mart. Der Brief an den Diognetus. Die Evangelisten zur Zeit Trajans (nach Eusebii Nachricht). Irenäus. Tatian. Theophilus. Clemens Alex. Tertullian. Origenes. Dionysius Alex. Eusebius. Epiphanius. Hieronymus. IV. Die apostol. Väter über die Synoptiker. Barnabas. Clemens v. Rom. Pastor Hermae. Ignatius. Polycarpus. Unter V—XXXIII folgen nun in ähnlicher chronolog. Reihe die Zeugnisse der Alten zu den einzelnen neutest. Büchern in nachstehender Ordnung: Matthäus. Marcus. Lucas. Johannes. Apostelgeschichte. Die Episteln überhaupt. Die Briefe Pauli überhaupt. Der 1. und 2. Brief an die Thessalonicher, Galater, der 1. u. 2. Br. an die Corinther, an die Römer, an Philemon, an die Colosser, Epheser, Philipper, der 1. und 2. Br. an Timotheus, an Titus, an die Hebräer, die katholischen Briefe überhaupt, der Brief des Petrus, der 1., 2. und 3. Br. des Johannes, des Judas, die Offenbarung. — Es ruht diese Anordnung auf Voraussetzungen, welche freilich nicht allgemeine Zustimmung erhalten werden, ist aber im Uebrigen nicht störend. Nur hätte zur Erleichterung des Auffindens eine Uebersicht vorausgeschickt werden sollen, was nicht geschehen. Ein sinnstörender irre leitender Druckfehler findet sich S. 5 wo bei dem Canon des Eusebius Z. 2 v. u. statt im engeren gelesen werden muss: im weiteren Sinne. S. 67 neigt sich der Vf. in einer Note bei Eusebius dahin, das vielbestrittene Zeugniss des Josephus von Christo für ächt zu halten, und zwar aus einigen nicht ganz ungewichtigen Gründen;

doch fehlt eine weitere Ausführung und Begründung. Bei den äusseren Zeugnissen für die Apokalypse, die allerdings sehr zahlreich vorhanden sind, bestrebt sich der Vf. in einer längeren Anmerkung, ihr Gewicht zu stärken und hervorzuheben, und die angeblich inneren Gründe gegen die Aechtheit und johanneische Abkunft, welche besonders seit Dionysius Alex. geltend gemacht worden sind, zu entkräften. Und so erblicken wir überall, wo er selbstständig spricht, die Tendenz, den Stimmen des christl. Alterthumes mehr Glauben zu schenken, als bei den gegenwärtigen Extremen in der destructiven Kritik, welche ebenfalls ihre Voraussetzungen und Vorurtheile hat, an der Tagesordnung ist. Ref. kann dem nur aus voller Ueberzeugung beistimmen, so wenig er sonst zur Leichtgläubigkeit geneigt ist. Es ist hohe Zeit, dass man einmal den einseitigen Standpunct verlasse, von dem man Alles nur darauf ansieht, ob es nach seiner Aechtheit bezweifelt werden könne, oder dass man endlich gerecht und wahrhaft historisch werde. Der Vf. fordert in der Vorrede insbesondere die jüngeren Theologen auf, sich auch für die Einleitung in das N. T. durch das Studium dieser Beweisstellen einige Vertrautheit mit dem Geiste und Sinne der christl. Kirchenväter zu verschaffen, und gedenkt bei diesem Anlasse seiner eigenen akademischen Jahre (1820—1822), wo man von den Kathedern herab viel zu geringschätzig über nicht wenige Productionen der apostol. Väter abgeurtheilt habe. Und allerdings sollte in dieser Beziehung mehr Wissen und Gerechtigkeitssinn verbreitet sein, da, wenn auch jene Schriftwerke als solche geringfügig erscheinen sollten, dennoch der feste Glaube, die sittliche Gesinnung und die Charakterstärke, welche in den meisten derselben sich ausdrücken und abspiegeln, Anerkennung und Achtung verdienen, und Eigenschaften bethätigen, die gerade unserem reflexionsvollen Zeitalter in keinem hervorstechenden Maasse beigelegt werden können. Sodann ist dem Herausgeber zuzugestehen, dass nach tieferer Kenntnissnahme dieser Zeugen über die Aechtheit, Glaubwürdigkeit und apostol. Herkunft der neutest. Schriften, in der strengen Ordnung, wie uns diess Alles hier vorgeführt wird, wenigstens ein Gewinn in der immer fester werdenden Ueberzeugung zurückbleibt, dass es mit diesen Schriften nach ihrem historischen Werthe gar nicht so schlimm bestellt sei, als einzelne Pseudokritiker durch gewagte, im günstigsten Falle nur blendende Combinationen vorspiegeln wollen. So z. B. findet sich bei Theophilus von Antiochien unstreitig schon ein und zwar das erste Citat aus dem Ev. Johannis. Dass erst mit Irenäus gegen Ende des 2. Jahrh. ausführlichere und allgemeiner gewöhnliche Anführungen eintreten, diess lässt sich, wie auch der Vf. andeutet, ganz wohl erklären theils aus dem langsamen literarischen Verkehre jener Zeit, theils aus der neuen Anschauung vom Christenthume, welche in diesem Buche lebte und nur mühsam bei den Begabteren Eingang fand, theils endlich auch daraus, dass das vierte Evangelium sicherlich zuletzt geschrieben werde, anderer Möglichkeiten und Zufälligkeiten, die sehr wahrscheinlich nicht gefehlt haben und uns unbekannt geblieben sind, nicht zu gedenken. Von dem Presbyter Johannes, dem Doppelgänger des Apostels, der nach Bretschneider das Evangelium geschrieben haben sollte, wissen wir im Grunde nicht mehr, als dass er im 2. Jahrh. zu Ephesus gelehrt hat und dort begraben wurde. — Die Lückenhaftigkeit der Geschichte des 2. Jahrh. christlicher Zeitrechnung tritt zwar auch nach diesen werthvollen Ueberresten überall nicht undeutlich hervor; allein es ist vor Allem die Frage, wie man Lücken ausfülle, und ob man sie auszufüllen vermöge. Mit positiven Conjecturen ist gemeinhin nicht Viel gewonnen, da sie nur zu oft ins Bodenlose verlaufen, wie z. B. Lützelberger in seiner Schrift über die Tradition vom Apostel Johannes durch sein eigenes warnendes Beispiel recht evident gezeigt hat. Es ist keineswegs eine Schmach, einzugestehen, dass man dieses und jenes nicht mehr wisse, und der Grund, warum man es nicht mehr wissen könne, ist oft die einzige Frucht langer wissenschaftlicher Bemühungen. Nach des Ref. Dafürhalten hätte der Herausgeber nicht mit Hieronymus, sondern mit Augustin schliessen sollen, da dieser Kirchenlehrer bekanntlich auf die letzten Concilien über den Canon bedeutenden Einfluss geübt hat. Auch ist das Erscheinen der verheissenen 3. Abth., welche die Bruchstücke der apokryphischen Evangelien enthalten soll, sehr wünschenswerth. — Noch sei schliesslich bemerkt, dass, da manche patristische Stellen zwei, drei, ja noch mehrere Male hätten wiederkehren müssen, da sie theils für etwas Allgemeines, theils für ein einzelnes Buch zeugen, hier durch Verweisungen der wiederholte Abdruck, der das Buch unnöthiger Weise erweitert und vertheuert haben würde, verhütet worden ist. Die Verlagshandlung hat die Schrift sehr geschmackvoll ausgestattet, und verdient daher neben dem Herausgeber Lob und Anerkennung. *Fleck.*

[868] Kirchenlehre und Ketzerglaube. Eine Umschau über Religion und Christenthum, Gerechtigkeit und Gnade, Diesseits und Jenseits. Von Dr. Adq. Drechsler. Leipzig, Theile, 1844. 123 S. gr. 8. (18 Ngr.)

Ein anziehend geschriebenes, lesenswerthes Buch eines jungen Theologen, der die wichtigsten theol. Lebensfragen in prägnanter eigenthümlicher Weise verführt und beantwortet. Kann man ihm auch nicht überall beipflichten, so lässt sich doch das Anregende in seinen Ansichten nicht verkennen und die Klarheit und Schärfe, mit welcher schwierige Probleme beleuchtet und beurtheilt werden, verdient Anerkennung. Der Vf. führt in der Vorrede drei Systeme auf, deren Darstellung und theilweise Kritik er unternehmen will, das der strengen Orthodoxie, der speculativen Theologie, die er die vermittelnde nennt und als deren Repräsentanten er Schleiermacher, v. Ammon, Strauss und B. Bauer betrachtet, und der selbstständigen Philosophie, worunter er nicht die Dogmen des einen oder anderen Denkers versteht sondern die Thätigkeit und That der Vernunft, welche völlig unabhängig von den christl. Glaubenslehren ist. Voraus sei bemerkt, dass uns für die in der Mitte stehende Denkweise die Zusammenstellung jener Männer nicht treffend erscheint, indem offenbar v. Ammon und selbst Schleiermacher nicht in dem Sinne philosophische Idealisten in der Dogmatik heissen können, als Strauss und B. Bauer, ja in gewisser Beziehung erstere als Antipoden der letzteren gelten. Der Vf. beginnt S. 1—13 mit einer inneren Entwickelung des gegenwärtigen Religionsstreites. Hier spricht er eindringlich von dem Bedürfnisse der Religion, den Religionsstiftern, von Pflichten und Hoffnungen des Menschen, von Hierarchie, Orthodoxie und freier Vernunftforschung. Orthodoxie, Vernunft und die vermittelnde speculative Theologie streiten bis heute um die Herrschaft über die Religion der Menschheit, und das Volk, das die Freigeisterei eben so wie den Buchstabenglauben hasst, folgt aufmerksam diesem Kampfe der Gegenwart. Nach kerniger Darlegung des status causae gibt der Vf. S. 13 ff. eine Charakteristik der strengen Orthodoxie, der speculativen Theologie und der selbstständigen Philosophie. Alle drei sprechen dasselbe Gebot aus: „liebe Gott über Alles und deinen Nächsten als dich selbst", begründen es aber in verschiedener Weise; die Wichtigkeit der Motivirung vermag nur der kleinere gebildete Theil der Menschen zu schätzen. Die verschiedenen Erklärungen der Religion, von der alle Parteien bekennen, dass sie dem Menschen unentbehrlich und charakteristisch sei, bezeichnen im Grunde mehr oder weniger eine und dieselbe Sache. Aus den Definitionen, die mitgetheilt werden, erhellt, dass Alle die Religion auf das Bewusstsein des Menschen gründen, dass ausser ihm ein Gesetz, der Ausdruck eines Willens, der überhaupt nicht oder noch nicht der eigene ist, vorhanden sei, dem er gehorchen könne und solle. In Streit aber gerathen die Parteien um den Ursprung der Religion überhaupt, und in jedem einzelnen Menschen insbesondere, um deren Inhalt, um das Wesen und den Willen Gottes, als den Grund der im religiösen Bewusstsein erwachten sittlichen Gesetze, endlich um den Zweck der Religion, den der Mensch verfolge oder verfolgen solle. Diess wird im Einzelnen sorgfältig durchgeführt und S. 30, 33, 41 werden die Resultate gewonnen und ausgesprochen. Die strenge Orthodoxie findet den Ursprung der Religion in dem Gottmenschen Christo und seinen gotterleuchteten Vorgängern, die speculative Theologie erkennt ihn in dieser unmittelbaren Offenbarung Gottes und in der menschlichen Vernunft, die selbstständige Philosophie leitet alle Religion aus der menschlichen Vernunft allein her. Den Inhalt angehend, so bildet den Mittelpunct aller Verheissungen und Gebote in der Religion der strengen Orthodoxie die Gnade Gottes; in der Religion der speculat. Theologie, die Gnade und Gerechtigkeit Gottes; in der selbstständigen Philosophie, die Gerechtigkeit Gottes, die weder aus Gnaden noch aus Ungnaden aufgehoben wird. Endlich als Zweck der Religion erkennt die erste Partei das ewige selige Leben des Menschen, die zweite Seligkeit im Himmel und wo möglich zugleich Glückseligkeit auf Erden, die dritte nur wahrhafte Glückseligkeit auf Erden, mit welcher der selige Zustand nach dem Tode in nothwendiger Verbindung steht. — S. 42—85 folgt unter der Aufschrift „Christus und Vernunft" ein Abschnitt über den kirchl. Christus oder über den wahrhaft menschgewordenen Gott, über den speculativen oder die Idee der Einheit und Menschheit in Christo, nach Schleiermacher, v. Ammon, Strauss, B. Bauer, mit reichen Belegen aus deren bekannten Hauptwerken; endlich über den vernünftigen Christus, oder Christus den wahrhaften Menschen. Jede Partei ist frei, kühn, und, wenn man die Prämissen zugibt, treu und wahr gezeichnet. — S. 86—105 „Gnade und Gerechtigkeit Gottes". Der gnädige Gott der Orthodoxie, der gnädige und gerechte Gott der speculat. Theologie, der gerechte Gott der selbstständigen Philosophie. Die letztere erkennt nichts als wahr an, was von einem gnädigen Gott gewirkt werden soll. Sie überlässt diese Anerkenntniss dem Glauben der Orthodoxie. Die speculat. Theologie, welche die Uebereinstimmung der Gerechtigkeit und Gnade im Wesen Gottes aufzuzeigen sich vergeblich abmühet, und dadurch in lauter Widersprüche mit sich selbst geräth, ist der selbstständigen Philosophie verhasst; die Orthodoxie, welche in Einheit mit sich selbst die volle Gnade Gottes ausspricht, ist von ihr geachtet; aber sich selbst glaubt sie im Besitz der Wahrheit, indem sie einen nur gerechten Gott denkt. — S. 106—129. „Diesseits und Jenseits". Die Seligkeit und Glückseligkeit der Menschen nach der strengen Orthodoxie, Seligkeit und Glückseligkeit der speculat. Theologie, Glückseligkeit und Seligkeit der selbstständigen Philosophie. Nur in der Abfolge weichen diese Denkweisen von einander ab, was aber hier von Einfluss und Bedeutung ist. — Der Vf. hat mit Scharfsinn und Entschiedenheit die angedeuteten dogmatischen Ausführungen und Gruppirungen vorgenommen. Nur sind wir aber der Meinung, dass so streng gesonderte Parteien weder im Leben noch selbst in der Wissenschaft existiren, dass Benennungen nur a potiori geschehen, und dass die Wahrheit ein Gemeingut ist, dessen sich Jeder bedienen soll, um Einseitigkeiten auszugleichen und Anknüpfungspuncte zu finden. Der Begriff „Orthodoxie" ist schon etwas Relatives und die Frage, „nach welcher Confession orthodox", drängt sich hier unabweisbar auf. Sodann hat der Vf. den neuesten anerkannten Sprachgebrauch im Worte „speculative Theologie" verletzt, indem er Männer und Denkungsarten, wie die vermittelnden, darunter rangirt, die anders bezeichnet werden. Dadurch wird Widerspruch erregt, und es kann leicht Missverstand, ja Verwirrung der Begriffe entstehen. Auch können wir in den allerdings sehr schwierigen Begriffen der göttlichen Gnade und Gerechtigkeit nicht diejenigen inneren Widersprüche entdecken, von denen der Vf. ausgeht, um auf sie zwei entgegenstehende dogmatische Systeme zu basiren. Das eigene Glaubensbekenntniss desselben schimmert nicht deutlich hervor; doch kommt auch bei einer nicht wissenschaftlich objectiven Untersuchung darauf nichts an; einige Abschnitte sind mit unverkennbarer Vorliebe ausgeführt. Der vermittelnden Denkweise scheint er nach seiner Sinnesart am meisten abhold. Er blickt mit achtungsvoller Theilnahme auf die Seligkeit der streng und fest Gläubigen, so wie er andererseits die Energie der selbstforschenden von Liebe und Wahrheit geleiteten Vernunft enthusiastisch zu erheben geflissen ist. Wir wünschen aufrichtig, dass sich dem unläugbaren Talente und guten Willen des Vfs., welche beide sich durch Leben und Wissenschaft noch mehr abklären und reifen werden, eine entsprechende Laufbahn bald eröffnen möge. *Fleck.*

[8348] **Initia institutionis christianae moralis,** edidit **L. G. Pareau,** Theol. Prof in acad. Groning. Groningae, Oomkens. 1842. 406 S. gr. 8. (2 Thlr. 20 Ngr.)

Auch u. d. Tit.: Series compendiorum theologicorum. Compendium theol. chr. moralis, auctore etc.

Der ernste Sinn der holländischen Theologen ist seit Jahrhunderten eben so bekannt, wie ihre wissenschaftliche Empfänglichkeit und Tüchtigkeit. Auch das vorlieg. Handbuch legt hiervon erfreuliches Zeugniss ab. Die in trefflichem Latein geschriebene Dedication an van Oordt, Prof. der Theol. zu Leyden, entwickelt die inneren Gründe, welche den Vf. bestimmten, sein Leben vornehmlich dem Studium der christl. Ethik und der Förderung praktischer Christlichkeit in seinem Kreise zu widmen. Er wählte für sein Werk die Aufschrift „initia", einmal weil er es für Studirende bestimmt hatte, und nicht der Umfang der Wissenschaft erschöpft werden konnte, dann mit besonderer etymologischer Beziehung auf initiari, weil er seine Leser in die christl. Erkenntniss einzuweihen wünschte. Er beruft sich dabei auf die Analogie in der Schrift von van Heusde „Initia philosophiae Platonicae", und stimmt dem Ausspruche dieses Denkers bei, dass die Philosophie nur die kleinen, die christl. Religion erst die grossen Geheimnisse enthalte. Was die Lösung der schweren und hohen Aufgabe betrifft, welche der Vf. sich gesetzt hat, so erkennt Ref. vollkommen an die Gediegenheit der Gesinnung, in welcher das Ganze gehalten, so wie die mannichfaltige Gelehrsamkeit, welche das Werk schmückt. Die Literatur ist freilich sporadisch und hier und da nur zufällig aufgegriffen, so dass sie mit den Fortschritten der deutschen Theologie in diesem Gebiete nicht gleichmässig sich darstellt. Allein wir können diesen Mangel nicht für wesentlich halten in einer Schrift, welche das specifisch und speciell Christliche überall mit solchem Nachdrucke hervorhebt und den ächten Schriftglauben mit grosser Entschiedenheit festhält. An Wiederholungen fehlt es zwar nicht, doch sind sie an manchen Orten kaum zu vermeiden gewesen. Indessen wollen wir nicht verhehlen, dass sie zum Theil wenigstens in dem übermässigen falschen Streben.

nach Gründlichkeit, bei welcher man den Lesern zu wenig zutraut, ihren Grund haben. Der scholastische Zuschnitt der holländischen Lehrbücher, welcher deren Lectüre besonders in unseren Tagen erschwert, ist auch hier noch nicht verschwunden, doch weniger fühlbar, als in früheren Schriften. Es wäre zu wünschen, dass die Gelehrten sich aus diesen formalen Fesseln zu grösserer Einfachheit und Freiheit in der Behandlung immer mehr herausarbeiteten, und, natürlich ohne Schaden der Sache und deren gründlicher Entwickelung, ausser der Schule auch das Leben im Auge behielten. Das non scholae tantum, sed vitae discere des Seneca gilt vor Allem in der Moral, selbst in deren wissenschaftlichem Vortrage. Das vorl. Werk ist weniger eine systematische, als biblische Sittenlehre in dem Sinne, wie man unter den deutschen Theologen jetzt eine biblische Theologie als abgesonderte, selbstständige Wissenschaft kennt, und sie in zwei Haupttheile, biblische Glaubenslehre und Sittenlehre in engerer Bedeutung scheidet. Denn das, was bei uns in ein vollständiges christlich-moralisches Lehrgebäude aufgenommen zu werden pflegt, Abriss der Geschichte der Ethik, reiche Begriffsentwickelung, concrete Ausführungen und Beispielsammlungen aus dem Leben u. s. w., das Alles findet sich hier nicht. Des Vfs. Tendenz geht mit Ernst einzig darauf, das Werk Jesu als eine Erziehungsanstalt Gottes für das Menschengeschlecht, besonders aber als neue Lehre darzustellen, mit welcher das Geheimniss sittlich-religiöser Wiedergeburt unauflöslich verknüpft sein müsse; wonach sich dann alles einzelne Thun und Handeln von selbst verstehe, da es aus dem Quelle eines geheiligten Gemüthes mit Leichtigkeit und natürlich hervorgehe. Er schliesst sich an die verwandten Bestrebungen von Beck, Harless u. A. unter den Deutschen an; und es lässt sich nicht bezweifeln, dass auch nach Luthers Vorgange in solchen Grundlehren tiefer gegraben werden müsse, als die verflachenden und abschwächenden Empiristen und Popularphilosophen unter der Schaar der Moralisten lange Zeit zugeben wollten. Andererseits ist nicht zu verkennen, dass eine mit dem Reichthume der Geschichte ausgestattete Sittenlehre bei sonstiger klarer Begriffsentwickelung auch ihre Vorzüge habe, und auf viele gebildete Leser am meisten unmittelbar einwirke. Sagt doch auch Luther, dass der Gaben mancherlei sind; eine Seite muss die andere ergänzen. Die vom Vf. beigegebene Literatur zeigt eine vertraute Bekanntschaft mit Cicero's philosophischen Schriften, mit den Scholastikern, mit Plato, Aristoteles und einigen Kirchenvätern. Unter den einheimischen Denkern wird besonders auf Hemsterhuis häufig verwiesen. Aber Grund und Stamm bildet überall die Schriftlehre, wobei sich der Abschnitt über Ursprung und Wesen der Sünde auszeichnet (S. 61—88), bei welchem besonders auf Jul. Müller und Ullmann nicht ohne Widerspruch Rücksicht genommen ist. Trefflich ist ferner die Vergleichung der christl. Menschen- und Bruderliebe mit heidnischer Sinnesart und Vaterlandsliebe (S. 334 f.) und Das, was über Ehe, Familienleben,

Staat (S. 351 ff.), über die Unnöthigkeit des Eides für den wahrhaft christl. Menschen (S. 287 ff.) gesagt wird. — Unter den Gelehrten eines so praktischen Volkes, als die Niederländer sind, war es natürlich, dass die neueste hohle pantheistische Speculation nicht aufkommen und Freunde gewinnen konnte, so wenig als in England. Will man das ein Zurückbleiben hinter der Zeitbildung und den Zeitansprüchen nennen, so werden sich doch jene Männer leicht darüber zu trösten wissen und keinen wahren Verlust in diesem Nichtwissen erblicken. Garve wird häufig benutzt und auch auf Schleiermacher hat der Vf., besonders auf dessen Predigten, sich bezogen, wohl auch weil ihm diese verständlicher und brauchbarer erschienen, als die systematischen Werke. Ueberall zeigt sich die classische Durchbildung des Vfs., und der lat. Styl ist in diesem jedenfalls lehrreichen Buche so correct und fliessend, dass man mit wahrem Vergnügen liest. Für das tertullianische revelatio im theol. Sinne wird das classische patefactio, für das übliche consequentia das seltenere sequela besonders in der Mehrzahl gebraucht. Letzteres lässt sich schwer rechtfertigen. Die lat. Sprache, welche in modernen abstracten und speculativen Gegenständen immer allgemeiner für unzureichend geachtet wird, hat in diesem Werke einen Triumph gefeiert, die tiefere Erkenntniss der christl. Ethik aber einen sehr schätzbaren Zuwachs gewonnen.

Fleck.

Morgenländische Sprachen.

[8744] De auctorum graecorum versionibus et commentariis syriacis, arabicis, armeniacis persicisque Commentatio, quam scripsit **Jo. Geo. Wenrich**, Litterat. bibl. in Instituto theol. August. et Helvet. Conf. Addictorum Vindobonensi Prof. C. R. Lipsiae, Vogel. 1842. XXXVI u. 306 S. gr. 8. (2 Thlr. 15 Ngr.)

Eine von der Göttinger Akademie der Wissenschaften gekrönte Preisschrift, zu welcher ausser den einschlagenden Druckwerken folgendes ganz oder zum Theil noch Ungedruckte benutzt worden ist: 1. Ein Auszug von El-Kifti's Târich el-hukemâ. (Dass nicht „Kofti“, sondern Kifti die richtige Aussprache ist, zeigt Munk im Journ. asiat. 1842, Juill., S. 6 u. 7). 2. Ibn Abî 'Oseibi'a's Lebensbeschreibungen berühmter Aerzte. 3. Hâdschi Chalfa's bibliographisches Wörterbuch (dessen Titel Hr. Wenrich, S. XVI der Vorr., und Hr. Krafft in dem neulich angezeigten Handschriftenverzeichnisse, S. 1, gegen Flügel in der Ausgabe, Bd. 1, S. 5, noch immer falsch übersetzen, indem sie عن von الظنون abhängig machen, in welchem Falle في stehen müsste). 4. Ibn el-Nedîm's Fihrist, so weit er in Wien vorlag. („Ibn Nedîmi s. Mohammedis ben Ishak elenchus scriptorum Arabum“ bei Golius, über dessen Inhalt Hr. W. S. XX u. XXI d. Vorr. noch ungewiss ist, hat sich in der Leydner Bibliothek wieder aufgefunden und enthält die letzten vier Abschnitte; s. Weijers im 1. Bde. der „Orientalia", S. 328 —332.) Von diesen Quellenschriften gibt die Vorrede ausführliche Nachricht. Das Ende derselben berechtigt uns zu der Hoffnung, dass Hr. W. diese Arbeit vervollständigen und fortsetzen wird, wie schon das die morgenländischen Erklärungen griechischer Schriftsteller Betreffende zu der ursprünglichen Preisschrift, die, gemäss der Aufgabe, sich nur mit den Uebersetzungen beschäftigte, hinzugekommen ist. Auf die Vorrede folgt ein alphabetisches Namensverzeichniss der angeführten Uebersetzer und Erklärer. (Statt des doppelten Abu Baschar ist mit Flügel, Diss. de arabicis scriptorum graecorum interpretibus, S. 20, 21, 26 u. 38, Abu Bischr, und statt Abulmeali, S. 186, Z. 3, mit demselben, S. 23, Abulmaali zu schreiben.) Das Buch selbst hat zwei Theile; der erste, § 1—50, enthält die allgemeine, der zweite, § 51—199, die Einzelgeschichte dieses Literaturkreises; jener zerfällt nach der Zahl der betreffenden Völker in vier Capitel, dieser in folgende Artikel: Homerus, Aesopus, Pythagoras, Empedocles, Democritus, Hippocrates, Cebes, Plato der Philosoph, Plato der Arzt, Aristoteles, Theophrastus, Euclides, Archimedes, Eutocius und Diocles, Apollonius von Perga, Theodosius, Autolycus, Aristarchus, Hypsicles, Menelaus, Hipparchus, Hero, Dioscorides, Rufus von Ephesus, Plutarchus von Chaeronea, Plutarchus der Philosoph, Ptolemaeus der Geograph, Ptolemaeus der Philosoph, Apollonius von Tyana, Galenus, Diophantus, Alexander von Aphrodisias, Porphyrius, Themistius, Syrianus, Proclus, Ammonius, Alexander von Tralles, Andronicus von Rhodus, Archigenes, Aristippus von Cyrene, Artemidorus, Callisthenes, Costus (Festus?), Dionysius der Thracier, Dorotheus von Sidon, Jamblichus, Julius der Afrikaner, Macidorus, Nicolaus, Nonnus, Olympiodorus, Oribasius, Paulus von Aegina, Philagrius, Philemon, Simplicius, Theon von Alexandrien. Die reichhaltigsten Artikel sind Aristoteles mit 27, Galenus mit 13, Hippocrates mit 10, Cl. Ptolemaeus mit 9, Euclides und Apollonius von Perga mit 8, und Plato mit 7 §§. Ausser den Genannten erscheinen zwar bei El-Kifti, Ibn Abi Oseibia und Ibn el-Nedim noch einige andere griechische Schriftsteller, aber theils sind sie nicht ausdrücklich als übersetzte genannt (was freilich wohl auch von mehr als einem der hier aufgezählten Werke gilt), theils ihre Namen bis zur Unkenntlichkeit entstellt. — Schon das gegebene Verzeichniss sagt deutlich aus, was die Morgenländer, auch hierin von uns verschieden, bei den Griechen suchten: nicht die lautere Milch, sondern die feste Speise, nicht die Blüthe und den Duft, sondern die Frucht, das Fleisch und den Kern. Land und Leute, wie sie waren, das eigentliche Griechenthum in Geschichte, Leben, Religion und Kunst, der Geist und die Schönheit seiner Formen, — alles Diess blieb den späteren Morgenländern ein Jenseitiges, Fremdes, Unverstandenes, kaum Geahntes; daher auch, ausser einer syrischen und armenischen Uebersetzung des Homer, keine Spur von Beschäftigung mit griechischen Dichtern. Nur das allgemein

Wahre und das allgemein Nützliche der griechischen Wissenschaft strebten sie sich anzueignen, und in letzterer Beziehung huldigten sie aufrichtig den praktischen und materiellen Interessen. Das Hauptverdienst des vorliegenden Werkes besteht nun eben darin, dass es über die Entstehung, die Richtung, die handelnden Personen und den Verlauf dieser ganzen Uebersetzer- und Erklärerthätigkeit, dann über ihre einzelnen Erzeugnisse, das davon in unsern Bibliotheken Gerettete und das wenige davon Gedruckte eine klare und vollständige Uebersicht gibt. Ein tieferes Eingehen auf die Beschaffenheit dieser Uebersetzungen und Erklärungen, in so weit es überhaupt möglich ist, lag ausser dem Plane des Vfs. Die hier und da vorkommenden Urtheile über ihren grösseren oder geringeren Werth sind entweder auf Wahrscheinlichkeitsrechnung gegründet, oder von Anderen entlehnt; eine Ausnahme davon macht, wie es scheint, nur Das, was S. 39 und 40 nach Elichmanns Ausgabe über die arabische Tafel des Cebes und S. 44 und 45 nach den lateinischen Uebersetzungen über die Erklärungsschriften des Averrhoës zum Aristoteles gesagt ist. (Von Lokmân's Fabeln sehen wir hierbei natürlich ab.) Nebenbei sind viele Irrthümer Casiri's, Herbelot's u. A. berichtigt. Dass die christlichen griechischen Schriftsteller, als solche, ausgeschlossen sind, kann nur gebilligt werden; denn das kirchliche Interesse, welches so zahlreiche Uebersetzungen derselben bei den Syrern und Armeniern hervorrief, scheidet sich scharf ab von dem wissenschaftlichen, gegen die Staats- und Volksreligion wenigstens gleichgültigen, welches den hier behandelten Uebersetzungen zu Grunde liegt und aus dem sich vor den Augen des Lesers die eine der beiden Brücken aufbaut, über welche der wissenschaftliche Geist der Griechen seinen ersten Einzug in den christlichen Westen hielt. Es ist zu bedauern, wenn auch bei dem späteren Ueberhandnehmen der rein scholastischen Studien im Morgenlande nicht zu verwundern, dass uns von diesen Denkmälern einer freisinnigeren und vielseitigeren Bildung, ausser den Namen, so Wenig übrig geblieben ist, zumal da sie mittelbar sogar manche Lücke in dem philosophischen, mathematischen, astronomischen, physikalischen und medicinischen Theile unserer griechischen Literatur ausfüllen könnten. Schon Das, was wir haben, ist einigemal mit Nutzen zur Kritik der Urschriften benutzt worden und könnte noch weit öfterer dazu benutzt werden. Man sehe nur z. B. in der Anmerkung S. 163 St. Martin's Worte über des Armeniers David Uebersetzungen aristotelischer Schriften. Einiges Unächte, theils von den Griechen selbst, theils von den Arabern Untergeschobene, thut wenigstens dem Werthe des Uebrigen keinen Abbruch. — Zu dem, was Hr. W. S. 80 u. 81 über den fabelhaften Lokmân zusammengestellt hat, kommt nun Rödiger's glückliche Bemerkung, Hall. L.-Z. 1843, No. 95, Col. 151, dass لُقْمَانُ بْنُ بَاعُورَ = בִּלְעָם בֶּן בְּעֹר ist, was auch noch durch die gleiche Bedeutung von

لقم und בלע bestätigt wird. Auf S. 84 vermissen wir die Angabe, dass Chardin in der zweiten Hälfte des 17. Jahrh. eine persische Uebersetzung der ältern 37 Lokman'schen Fabeln bei den Persern in allgemeinem Gebrauche fand und sie im zweiten Theile seiner Reisebeschreibung in das Französische übertragen hat. Eine neuere persische Uebersetzung ist die bei Krafft im Handschriftenverzeichnisse der Wiener orientalischen Akademie, No. CLXXIII. — Die alte Fabel, dass Maimonides nie gewagt habe, die Arzneikunst wirklich auszuüben, S. 114, Z. 8 u. 9, widerlegt sich schon durch die bekannte Thatsache, dass er der Leibarzt Saladin's war, worüber de Sacy zu ʿAbdollatif, S. 490, Col. 1, Ibn Abî ʿOsaibiʿa's Zeugniss beibringt. In der Anm. S. 229 über den Beinamen des Cl. Ptolemaeus, القلوذى, ist die gewiss richtige Erklärung von Frähn's übersehen, nach welcher dieses Gentilicium aus Missverständniss der syrischen Abkürzung ܩܠܘܕ entstanden ist, Lpz. Lit.-Zeit. 1827, No. 19, Col. 147 u. 148. — S. 238 behauptet Hr. W. die ausschliessliche Identität des بلينوس mit Apollonius (von Tyana). Die Morgenländer haben aber in jenen Namen allerdings auch den des Plinius hineingemischt, so dass nun aus ihrem Belinus ein nebelhafter Zwitter geworden ist, der z. B. Lehrer Alexanders des Grossen gewesen sein soll, aber auch ein Buch سِيَر طبيعى, Naturalis Historia, geschrieben hat, worin doch wahrhaftig Plinius nicht zu verkennen ist; s. Catal. mss. bibl. senat. Lips. S. 508, Col. 1, Anm. 2, u. S. 531, Col. 2, Z. 26. Aber, sagt Hr. W., Plinius müsste auf arabisch افلينيوس, wie Plato افلاطون, heissen. Nicht nothwendig; denn der erleichternde Vocallaut tritt in solchen Fällen theils vor, theils hinter den ersten Consonanten, wie اِسْكندر und سِكندر, اَفْلاطون und فِلاطون; p aber geht ebensowohl in b als in f über, wie in Hrn. W.'s eigenem Buche S. 257 Πίσων بيسن, S. 263 Πραξαγόρας برکساغورس, S. 289 Πρόκλος برقلس, und unläugbar konnte Belinus leichter aus Plinius, als aus Apollonius entstehen. Andere sprachliche Bemerkungen überlässt Ref. ausführlichen Beurtheilungen und schliesst mit der vollsten Anerkennung des Verdienstes, welches sich Hr. W. durch dieses Werk um die morgenländische Literaturgeschichte erworben hat. *Fleischer.*

Naturwissenschaften.

[8745] Geschichte der Optik vom Ursprunge dieser Wissenschaft bis auf die gegenwärtige Zeit, von Dr. **Emil Wilde**, Prof. der Math. u. Physik am Berlin. Gymn. zum grauen Kloster. Thl. II. Von Newton bis Euler. Berlin, Rücker u. Püchler. 1843. 407 S. mit 4 Kpfrtaf. gr. 8. (2 Thlr. 20 Ngr.)

Da nach der in diesem Werke befolgten Anordnung die Geschichte der Optik weder streng chronologisch, noch nach der wissenschaftlichen Reihenfolge der optischen Lehren behandelt wird, sondern in Aufsätze über die bedeutendsten Coryphäen der Wissenschaft zerfällt, so erhalten wir hier fünf einzelne Abhandlungen, in denen Newton, Huygens, Mariotte, Bouguer und Lambert nach ihren Leistungen und ihrer wissenschaftlichen Bedeutung besprochen, zugleich aber die vorkommenden Lehren und Sätze ausführlich erörtert und mathematisch begründet werden. Den grössten Theil des Bandes (S. 1—248) nimmt der Abschnitt über Newton ein, dessen Biographie allein 24 Seiten füllt. Der Vf. behandelt nach einander Newton's Farbenlehre nebst seiner Construction des Spiegelteleskops und Spiegelmikroskops, seine Lehren von den Anwandlungen der leichteren Transmission und Reflexion, so wie von der Beugung des Lichts, seine Aeusserungen über die Undulationstheorie, und geht dann (S. 131 ff.) zu einer Darstellung der zahlreichen gegen die Newton'sche Farbenlehre gemachten Einwürfe über. Als Gegner der Farbenlehre treten nach der Reihe Pardies, Hooke, Huygens, Linus, Mariotte, Rizzetti, Du Fay, Gautier, Marat, Goethe und Hegel auf, wobei die Einwürfe Goethe's (S. 153 ff.) bei weitem am ausführlichsten dargestellt und widerlegt werden. Das Urtheil über die Leistungen des grossen Dichters auf diesem Felde, dem er nicht gewachsen war, konnte natürlich nicht günstig ausfallen, da derselbe zwar Newton's Lehren mit der grössten Geringschätzung und Hintansetzung aller dem unsterblichen Forscher schuldigen Rücksichten behandelt, aber an die Stelle derselben nur Behauptungen gestellt hat, die mit den ersten Elementen der Dioptrik im Widerspruche stehen. Nachdem der Vf. nicht nur die Einwürfe Goethe's gegen Newton's Theorie (und bei dieser Gelegenheit in einer längeren Digression die seit der frühesten Zeit gemachten Versuche, alle Farbennuancen, deren der Maler bedarf, auf wenige Grundpigmente zurückzuführen, welche die Richtigkeit von Le Blond's Behauptung darthun sollen, dass man alle Pigmente aus den rothen, gelben und blauen mischen könne und daher nur drei Grundpigmente anzunehmen habe), sondern auch S. 197 ff. die Grundphänomene der Goethe'schen Farbenlehre erörtert hat, sagt er S. 216 f.: „So beging also Goethe ein Unrecht, als er Newton vor aller Welt der Unredlichkeit und absichtlichen Täuschung, und alle Naturforscher der Erde einer einfältigen Leichtgläubigkeit anklagte." Newton musste vielmehr von der Wahrheit seiner Erklärung der Farbenmischungen eben so durchdrungen sein, wie es alle Diejenigen waren und sind, die seine Theorie kannten und kennen. Wenn auch die Nachwelt gern bereit sein wird, unserem grossen Dichter alle Irrthümer zu verzeihen, denen er aus Mangel an einer gründlichen Kenntniss der Wissenschaft, die er umgestalten wollte, unterlag: so wird sie doch nie die schonungslose Weise, in welcher er einen der ausgezeichnetsten und edelsten Männer angriff, zu rechtfertigen im Stande sein, zumal da er es bei seiner tiefen Menschenkenntniss wissen musste, dass man um so mehr in Gefahr ist, sich von der Wahrheit zu entfernen, je mehr man sich leidenschaftlichen Anschuldigungen hingibt". Die von Goethe ausgesprochenen ungerechten Schmähungen hat übrigens nach ihm Hegel wiederholt. Die Farbenterminologie Goethe's (S. 218 ff.), welcher die Benennungen subjective und objective, katoptische, physiologische und pathologische, paroptische und exoptische Farben zuerst einführte und sich in dieser Hinsicht ein gewisses Verdienst erwarb, führt auf die Erklärung der physiologischen Farben, über welche Goethe mehrere sinnreiche Versuche angestellt hat. Der Vf. zeigt, dass auch diese Farben einen neuen Beweis für die Wahrscheinlichkeit dreier Grundfarben liefern und theilt S. 225—248 die neueren Entdeckungen über die verschiedenen Eigenschaften der prismatischen Farben von Fraunhofer, Herschel, Scheele, Ritter, Wollaston, Goethe und Morichini (den noch immer zweifelhaften Photomagnetismus) mit. — Ungleich kürzer sind die übrigen Abhandlungen. Von Huygens (S. 248—272) werden nur seine Beobachtungen über die doppelte Brechung des Lichts im isländischen Krystalle, so wie seine Erklärung derselben mitgetheilt, von Mariotte (S. 273—294) seine Erklärung (als die befriedigendste) der grösseren Höfe um Sonne und Mond, die einen innern rothen Saum haben, und der Nebensonnen, woran die Geschichte dieses ganzen Theils der meteorologischen Optik geknüpft wird. In dem Abschnitte über Bouguer (S. 294—338) wird zuerst von den vor dem J. 1760 angestellten photometrischen Versuchen von Huygens, Franciscus Maria, Celsius und Buffon, hierauf von den Vorrichtungen gehandelt, deren sich Bouguer bei seinen Versuchen bediente, und endlich ein Auszug aus der Photometrie desselben mitgetheilt, in welchem von der Absorption des Lichtes, wenn es von festen oder flüssigen Körpern reflectirt, oder durch eben solche Mittel durchgelassen wird, und von der Durchsichtigkeit und Undurchsichtigkeit der Körper die Rede ist. In der Abhandlung über Lambert (S. 338—384) werden die Principien der Photometrie desselben mitgetheilt, dann vom Verhältnisse der unter verschiedenen Neigungswinkeln vom Glase reflectirten und durchgelassenen Lichtmengen, von dem durch gläserne Spiegel reflectirten Lichte, von der Absorption des Lichtes bei dem Durchgange durch die Atmosphäre und von der Erleuchtung der Planeten durch die Sonne gehandelt; schliesslich werden die fragmentarischen neueren Untersuchungen über Photometrie von Rumford, Brewster, Herschel, Ritchie, Lampadius, Wollaston, Leslie, Talbot besprochen. — Den

Schluss des Bandes macht eine durch ihre Ueberschrift und Behandlungsart von den vorhergehenden abweichende Abhandlung von den phosphorescirenden Körpern, wobei von Kunkel's, Balduin's, Homberg's, Canton's, Marggraf's, Osann's und Heinrich's Phosphoren gehandelt und jede der fünf Arten von Phosphorescenz — jenachdem dieselbe durch Insolation, Erwärmung, von selbst (bei Körpern aus dem Pflanzen- und Thierreiche), durch Druck, Bruch und Reibung oder bei chemischen Zersetzungen entsteht — mit Beispielen erläutert wird.

[8746] Die Venetianer Alpen. Ein Beitrag zur Kenntniss der Hochgebirge, von Dr. **Wilh. Fuchs,** K. K. Bergverwalter zu Agordo. Mit 1 geognost. Charte (in 6 Sectionen) und Gebirgsprofilen in 18 Tafeln. Solothurn, Jent u. Gassmann. 1844. IV u. 60 S. gr. qu. Fol. (n. 10 Thlr. 15 Ngr.)

Ein mehrjähriger Aufenthalt im Gebiete der Venetianischen Alpen und eine vielfache, durch alle Hilfsmittel seiner amtlichen Stellung unterstützte Untersuchung derselben berechtigten den Vf. zu einer Prüfung der geologischen Hypothesen, welche über die Gebirgs-Verhältnisse der Alpen des südlichen Tyrols und des angränzenden Königreichs Venedig aufgestellt worden sind. Die bei dieser Prüfung gewonnenen Thatsachen und die daraus gefolgerten Resultate veröffentlicht er nun in diesem, dem Erzherzog Stephan gewidmeten, und sowohl in typographischer, als in charthographischer Hinsicht äusserst elegant ausgestattetem Werke. Der Vf. bemühte sich darin, das Gewisse vom Hypothetischen, die Beobachtungen von den Folgerungen schärfer zu trennen, als es gewöhnlich geschieht, und fügte daher auch keine idealen Durchschnitte, sondern nur solche Bilder der Gebirgsverhältnisse bei, welche bloss hinsichtlich der Farbe dem Urbilde unähnlich sind. Auch vermied er bei der Schilderung der Gebirgsformationen alle, die Bildungsperiode bezeichnenden Benennungen, und gibt hierüber nur gelegentlich so wie ausführlicher im dritten Abschnitte seine Meinung zu erkennen. — Der 1. Abschnitt, welcher ein geognostisches Bild der ganzen Gruppe der Belluneser Hochalpen geben soll, beginnt mit einer Schilderung der Umgegend von Agordo, des dortigen Thonschiefers, rothen Porphyrs, rothen Sandsteines und Muschelkalkes, welche letzteren beiden Bildungen mit denen im Fassathale und in andern Thälern des südlichen Tyrols identisch sein dürften. Dann führt er den Leser das Cordevolethal abwärts durch Bildungen, welche der Juraformation angehören, bis an den südlichen Fuss des Peron, und verfolgt von dort aus die Abdachung des Gebirges von der Piave bis zum Gardasee. Hierauf wendet er sich zur Betrachtung der eruptiven wesentlich auf Augitporphyr zurückführbaren Formationen und der mit den Augitporphyren zusammenhängenden Tuffbildungen; und hier ist es besonders, wo wir vielen interessanten Thatsachen und einer ganz neuen, sehr bedeutungsvollen Ansicht des Vfs. begegnen, indem er zu beweisen sucht, dass jene Tuffe mit der, in diesen Alpengegenden so verbreiteten (und noch ganz neuerdings von Klipstein für Grauwacke angesprochenen) grauen Sandsteinbildung im genauesten Causalzusammenhange stehen, dass beide von einander nicht getrennt werden können, und dass (wie noch nachträglich S. 59 bemerkt wird) auch die jetzt so viel besprochenen Schichten von St. Cassian als Dependenzen dieser Tuff-Sandstein-Bildung angesehen werden müssen, welche häufig untergeordnete Kalksteinschichten führt, und auch an andern Puncten (z. B. am Duran bei Agordo, an der Mojazza, am Sasso di Pelmo) dieselben Versteinerungen enthält, wie bei St. Cassian. Sollten sich diese Folgerungen bestätigen, so würde über einen bedeutenden Theil der so räthselhaften Alpinischen Sediment-Formationen ein neues Licht verbreitet und den Augitporphyren eine neue sehr wichtige Rolle in der Geogenie der Alpen zugewiesen werden. — Der 2. Abschnitt beschäftigt sich mit den Lagerungs-Verhältnissen der Voralpen, von den Hügeln Coneglianos bis an den Lago di Garda, und gibt zuvörderst eine Beschreibung der Schichten um Belluno, welche der Vf. zu der Kreideformation (?) zu rechnen geneigt ist; dann folgen Beobachtungen über die bekannten und höchst merkwürdigen Bildungen der Gegend von Vicenza, aus denen der Vf. ebenfalls manche eigenthümliche Ansichten folgert, und es namentlich in Bezug auf die berühmten Schichten des Monte Bolca und den Bellunesér Sandstein wahrscheinlich findet, dass sie als geognostische Aequivalente, und als Verbindungsglieder zwischen der Kreideformation und den Tertiärbildungen zu betrachten sind. — Der 3. Abschn. enthält eine kritische Zusammenstellung der Beobachtungen, und liefert eine Parallelisirung der geschilderten Alpinischen Gebilde mit denen im übrigen Europa constatirten Gebirgsformationen, so wie eine weitere Begründung mancher, zum Theil schon oben berührter Ansichten. Sehr beachtenswerth sind die Bemerkungen gegen die, auf Sublimation der Talkerde gegründete Hypothese über Dolomitbildung, so wie die Hinweisungen auf die Wichtigkeit der verschiedenen Bildungstiefen für die Entwickelung verschiedener Thierformen. — Der 4. Abschn. gibt Nachweisungen über die Vegetations-Gränzen, und der 5. Abschn. Höhenmessungen im Gebiete des untersuchten Alpendistricts. Ref. schliesst die Anzeige dieses sehr interessanten Buches mit dem Wunsche, dass es dem Vf. hätte gefallen mögen, etwas mehr auf frühere Arbeiten (z. B. von Studer und Catullo für Belluno, von Brongniart und Bronn für das Vicentinische) Rücksicht zu nehmen, und dass der Corrector seine Pflicht besser erfüllt hätte, um die vielen Druckfehler zu entfernen, welche in einem mit typographischer Pracht ausgeführten Werke doppelt auffällig und anstössig sind.

[[illegible]] Beiträge zur geologischen Kenntniss der östlichen Alpen, von Dr. A. v. Klipstein, Prof. d. mineralog. Wissenschaften an d. Univ. zu Giessen. 1. Lief. Mit geolog. u. petrefactolog. Tafeln. Giessen, Heyers Verlag. 1843. X u. 144 S. gr. 4. (n. 4 Thlr.)

Dieses, dem Erzherzoge Johann dedicirte Werk zerfällt wesentlich in zwei Theile. Der 1., geognostische Theil, gibt S. 1—98 eine Schilderung der Reise des Vfs. durch Bayern nach dem Salzkammergute und der hohen Tauernkette, so wie die Beschreibung einiger der interessantesten Gegenden des südlichen Tyrols und der lombardischen Alpen. Im 2., petrefactologischen Theile, wird der Anfang einer Beschreibung neuer Versteinerungen von St. Cassian und von einigen andern Localitäten mitgetheilt. Die 1. Abth. des ersten Theiles (Bayern, das Salzkammergut und die Tauernkette betreffend) ist vom Vf. bereits früher in Karsten's und v. Dechen's Archiv für Mineralogie, Geognosie, Bergbau und Hüttenkunde (Band 16, 1842) veröffentlicht worden. Sie enthält manche recht interessante Beobachtungen und Bemerkungen über die lithographischen Kalkschiefer, über die Bildung des Portlandkalksteines, über die Dolomite Bayerns und über die Entstehung der letzteren; ferner über die bedeutenden Dislocationen des Schichtenbaues am Traunsee und Hallstädter See, über die geognostische Stellung der Formationen des Salzkammergutes, über die Bildungen der Gosau und des Kressenberges; endlich über die primitiven Gebirge des oberen Gasteinthales, des Rathhausberges, Grossglockners und der hohen Tauernkette, wobei die Begründung des Kalkglimmerschiefers und Kalktalkschiefers als neuer, selbstständiger Felsarten geltend gemacht wird, was allerdings sehr nöthig war, da diese Gesteine schon lange von Saussüre als wichtige Glieder des primitiven Alpen-Gebirges erkannt, auch von Hitchcock in Massachusets nachgewiesen, und noch neuerdings aus dem Kreise ob dem Manhartsberge von Holger unter dem Namen Blauschiefer beschrieben worden sind. — Die 2. Abth. des ersten Theiles schildert zuvörderst die Enneberger Alpen nebst den angränzenden Gebirgspartien in Tyrol, bei welcher Gelegenheit die Schichten von Wengen beschrieben und die allgemeineren Verhältnisse ihrer Verbreitung in diesem Theile der Alpen hervorgehoben werden. Dann folgt eine ausführliche, Wissmann's frühere Mittheilungen wesentlich ergänzende und berichtigende Beschreibung der Schichten von St. Cassian, nebst allgemeinen Bemerkungen über das Vorkommen und den Erhaltungszustand der dortigen Petrefacten, von denen Münster bereits über 400 Species erkannte, und der Vf. noch mehr als 300 neue Species zu fixiren vermochte. Bei Schilderung der, durch die Augitporphyre und deren Tuffe so merkwürdigen Gegend von Araba berichtet der Vf., dass es ihm geglückt ist, in dem dortigen Kalkstein ein ganz unzweifelhaftes Exemplar von Ceratites nodosus zu finden, wodurch die Richtigkeit der Benennung calcaire coquiller dargethan wird, welche L. v. Buch dieser Kalksteinbildung gab. Sehr interessant sind die Beobachtungen am Molignon, wo der Vf. zuerst die (später durch Fuchs bestätigte) Verknüpfung der grauen Mergel mit den Tuffen der Augitporphyre und das Vorkommen von Cassianer Versteinerungen in beiden bemerkte. Bei der Beschreibung des Fleimser

Thales werden besonders die Verhältnisse des Granits und Porphyrs am Mulato und Mullgrande ausführlich dargestellt, und die Gründe für die Annahme einer späteren Eruption und Ausbreitung des Porphyrs über dem Granite entwickelt. Hierauf folgen Schilderungen mancher interessanter Erscheinungen aus dem Fassathale, Cordevolethale und aus der Gegend von Belluno. — Vom zweiten, petrefactologischen Theile, ist in gegenwärtiger Lieferung nur der erste, die Cephalopoden betreffende Abschnitt enthalten. Der Vf. behält noch einstweilen die Eintheilung der Ammoniten in Goniatiten, Ceratiten und eigentliche Ammoniten bei, obgleich diese drei Gruppen durch Uebergänge verbunden sind und bei St. Cassian zusammen vorkommen. Graf Münster beschrieb schon von dorther 27 Species; der Vf. fügt noch über 50 neue Arten hinzu, so dass nun im Ganzen gegen 80 bekannt sind. Die im vorliegenden Hefte ausführlich beschriebenen und durch sehr schöne Abbildungen veranschaulichten Cephalopoden begreifen 32 Ammoniten, 7 Ceratiten, 14 Goniatiten und 3 Orthoceratiten. Möge der Vf. die 2. Lieferung recht bald nachfolgen lassen.

Länder- und Völkerkunde.

[8748] Allgemeine Länder- und Völkerkunde. Nebst einem Abriss der physikalischen Erdbeschreibung. Ein Lehr- und Hausbuch für alle Stände von Dr. Heinr. Berghaus, Prof. in Berlin u. Director der geograph. Kunstschule in Potsdam. Bd. V. Stuttgart, Hoffmann. 1843. 1070 S. gr. 8. (3 Thlr. 20 Ngr.)

Auch u. d. Tit.: Das Europäische Staatensystem nach seinen geographisch statistischen Hauptverhältnissen. 2. Thl.

Von diesem langsam fortschreitenden Werke (der 1. Bd. erschien 1837) ist jetzt endlich die 4. und letzte Lieferung des 5. Bdes. erschienen; die erste und zweite wurden bereits 1840, die dritte 1841 ausgegeben und beim Erscheinen der 1. zeigte die Verlagshandlung an, dass die Zahl derselben auf 3 beschränkt sein sollte. Viele der zahlreichen Subscribenten mochten schon die Hoffnung aufgegeben haben, nur den 5. Band, geschweige denn das ganze bei seinem ersten Auftreten vielversprechende Werk vollständig in ihren Händen zu sehen. Bevor wir uns einer Anzeige des vorliegenden Bandes unterziehen, können wir nicht umhin, unseren unumwundenen Tadel über die in diesem langsamen Erscheinen liegende Vernachlässigung der Käufer des Buchs auszusprechen, an welcher allem Anscheine nach nicht der Verleger, der sich feierlich dagegen verwahrt hat, sondern einzig der Vf. Schuld ist. Der letztere fand zwar Zeit, mehrere andere geographische Arbeiten auszuführen und zu vollenden (seit 1840 erschien von ihm in Breslau bei Grass, Barth u. Co. ein Grundriss der Geographie in 5 Büchern), aber zur Vollendung des früher begonnenen, umfänglicheren Werkes scheint er die Lust nachgerade ziemlich verloren zu haben, und dem

Verleger gelang es trotz aller Bitten nicht, ihn zu einer schnelleren Manuscriptlieferung zu veranlassen. Neuerdings hat der Verleger bekannt gemacht, dass auch das Manuscript des 6. und letzten Bandes wenigstens zum grössten Theile in seinen Händen und das Erscheinen desselben daher bald zu erwarten sei. Ob diess so buchstäblich zu nehmen sei, wird sich zeigen. Dass aber der Vf. nur mit Unlust an der Vollendung des Buchs gearbeitet hat, ist aus vielen Stellen desselben nur zu deutlich wahrzunehmen, und somit kommt das Publicum in jedem Falle zu kurz, das Buch mag nun wirklich vollendet werden oder nicht. — Nachdem in den 3 ersten Bänden die allgemeine, d. i. mathematische und physikalische Geographie mit grösster Ausführlichkeit oder vielmehr Weitschweifigkeit und Breite, im 4. aber Deutschland nebst den ausserdeutschen Ländern der österreich. und preussischen Monarchie abgehandelt worden ist, umfasst der vorliegende alle anderen Theile Europas und zugleich die Colonien der europäischen Staaten in folgender Ordnung. Frankreich S. 1—248. Das britische Reich S. 249—483 (in Europa incl. der ionischen Inseln —425, asiatische Länder —458, amerikanische —472, afrikanische —478, australische —483). Das russische Reich S. 484—639 (Polen 617—627, Finland —631, Kaukasien und Transkaukasien —635, Sibirien —639). Schweden und Norwegen S. 640—686. Dänemark S. 687—737 (Colonien 728—737). Belgien S. 738—771. Niederlande oder Holland 772—819 (Colonien 813—819). Portugal S. 820—846 (Colonien 843—846). Spanien S. 847—895 (Colonien 889—895). Schweiz S. 896—934. Italien S. 935—1024. Griechenland S. 1024—1053. Zusätze S. 1053—1071. Bei jedem dieser Staaten behandelt der Vf. zuerst das Land in folgenden Rubriken: Lage und Grenzen; Grösse; politische Eintheilung; physische Beschaffenheit; klimatische Verhältnisse; Mineralreichthum; Pflanzenreich und Cultur des Bodens; Thierreich und Viehzucht; dann das Volk, wobei folgende Rubriken angenommen sind: Allgemeine Bevölkerungsverhältnisse; Stammverschiedenheit; Ständeverhältnisse und Volkscharakter; Religionsverschiedenheit und kirchliche Verhältnisse; Cultur (dieser Abschnitt umfasst auch die Nachrichten über Handel und Industrie, so wie über Münzen, Maasse und Gewichte); Erinnerungen an die politische Geschichte; Verfassung und Verwaltung; Topographie, welche letztere verhältnissmässig ziemlich kurz abgefertigt wird. — Sollen wir den allgemeinen Charakter des Werks angeben, so müssen wir es als eine reiche Compilation von Notizen bezeichnen, womit auch Das, was der Vf. in der Vorrede zum 1. Bde. über die „Geschichte des Buchs" sagt, übereinstimmt. Namentlich statistische Tabellen findet man hier in einer Ausführlichkeit, wie kaum in einem anderen ähnlichen Werke; nur gehen die Angaben über Bevölkerung u. s. w. selbst in der zuletzt erschienenen Abtheilung des Bandes nicht immer ganz bis auf die neueste Zeit. Aber freilich ist ein sehr grosser Theil Dessen, was in dieser Beziehung geboten wird, für die grosse Mehrzahl der Leser völlig unbrauchbar, wiewohl sich das Buch den Charakter eines Lehr- und Handbuchs für alle Stände beilegt. Mitunter finden sich sehr seltsame Notizen, aus denen man sieht, dass der Vf. bei ihrer Aufnahme nicht eben mit viel Kritik zu Werke gegangen ist. Was der Vf. im 4. Bde. S. 192 über die Stadt Zwenkau in Sachsen sagt, ist in dieser Beziehung charakteristisch für ihn und sein Buch: man traut seinen Augen kaum, wenn man es liest, und da es in seiner Art in der ganzen geographischen Literatur einzig dastehen dürfte, mag es vergönnt sein, es hier mitzutheilen, wenn auch hier zunächst vom 5. Bde. die Rede ist. „Der Name dieses Orts wird in der sächsischen Mundart Zwenke ausgesprochen. Daran knüpft sich folgende Anekdote: Als einst Iffland auf der Leipziger Bühne Gastrollen gegeben hatte, vermaass sich ein Schauspieler Namens Henke, der es kaum bis zur Mittelmässigkeit gebracht hatte, zu der Behauptung, es dem berühmten Mimen nächstens gleich thun zu wollen; da sagte ein Zuhörer: Iffland und Henke — Leipzig und Zwenke!" Risum teneatis. — Auch im 5. Bande, ja in diesem vor allen, finden sich zahlreiche Beweise von einer Nachlässigkeit in Bezug auf Form und Inhalt, die in Werken dieser Art zum Glück nicht häufig ist; man sieht nur zu deutlich, dass es an Sichtung und sorgfältiger Bearbeitung des Materials, wenigstens sehr oft, um nicht zu sagen ganz gefehlt hat. Hierbei ist jedoch anzuerkennen, dass die ersten Lieferungen des Bandes noch mit ungleich grösserer Sorgfalt und Genauigkeit gearbeitet sind, als die letzte, wo die Flüchtigkeit hier und da ins Unglaubliche geht. Mit besonderer Vorliebe scheint das britische Reich behandelt, über dessen Institutionen, wie über den Charakter des Volks der Vf. mit einer begeisterten Anerkennung und in einer nicht selten schwungvollen, fast poetischen Sprache spricht. Ausnahmsweise ist hier eine raisonnirende Einleitung über die hohe Bedeutung der britischen Macht vorausgeschickt. — Ref. hebt nun Einzelheiten aus, die vorzugsweise auffallend sind und grösstentheils keiner weiteren Bemerkung bedürfen. S. 79: „In den Dörfern der Nieder-Bretagne wollen die Schneider, die eine Kaste für sich bilden, nicht in Gegenwart von Fremden ihr Idiom sprechen, welches Lunache d. h. Kälbersprache heisst und das fast alle seine Wörter aus dem Griechischen entlehnt hat". — S. 250: „Britannien ist das vornehmste Werkzeug, dessen sich der Weltregierer bedient, die höchste Potenz der Civilisation durch den Ruf: Christus ist auferstanden! auf der Erde zu verbreiten". — S. 260 ff. ist die Grösse der englischen und schottischen Grafschaften in englischen Quadratmeilen, gleich darauf die der irischen nur in Acres angegeben, deren Verwandlung in Quadratmeilen doch sehr leicht gewesen wäre. Das Verzeichniss der gemessenen Höhen in Grossbritannien füllt 7, die Angaben über Pflanzenreich und Bodencultur ebendaselbst 10, die Charakteristik des britischen Volks 5 Seiten. Sehr ungenügend ist S. 347 ff. die Aufzählung der Anf. 1840 schon vorhandenen englischen Eisenbahnen. Nicht wahr ist es, dass die Eisenbahnverbindung zwischen den vier Städten London, Birmingham, Manchester und Liverpool seit dem 3. Juli 1837 hergestellt sei, da die Bahn von London nach Birmingham erst am 17. Sept. 1838 vollständig eröffnet wurde. Unterirdische Eisenbahnen in Bergwerken gehören gar nicht hierher. Mit welchem Rechte die kurzen Eisenbahnen im Fürstenthum Wales „bedeutend" heissen können, ist nicht abzusehen; eben so wenig wie die unter 8, 9, 13, 14 aufgeführten Bahnen, die nur zum Transport von Mineralien dienen, zu den wichtigsten Schienenwegen Grossbritanniens gerechnet werden können. Die Bahn von Bristol nach Gloucester (No. 11) ist nicht 2, sondern gegen 7 d. M. lang, aber bis jetzt noch nicht eröffnet. Dass in Irland eine Bahn von Limerick nach Waterford (No. 17) vollendet sei, ist ganz falsch; sie ist nicht einmal in Angriff genommen oder ernstlich projectirt worden. — S. 350 heisst es: „Der Einfluss, welche die Eisenbahnen auf den Verkehr in England ausüben, ist ungeheuer; man kann es schon daraus beurtheilen, dass die 100 L. Actien der Eisenbahn von Manchester nach Liverpool zum Curse von 210 L. ihre Nehmer finden." Gewiss ein seltsames Argument. — S. 543: „Ein wichtiges Beförderungsmittel des Verkehrs sind auch die Bank zu St. Petersburg, die Leihanstalten, Sparcassen, Versicherungsgesellschaften gegen Seegefahr, Brand u. s. w., so wie die Lebensversicherungs-Gesellschaften". Mit dem Verkehr haben aber die letzteren so gut als nichts zu thun. — S. 544: „Die Banknoten dienen als Zeichen des Werthes und als Aushülfe zur Erleichterung des Verkehrs und zwar zu dem ein für allemal festgesetzten Preise von 350 Kopeken". Diess ist sehr undeutlich; es sollte heissen, dass der Preis des Silberrubels zu 3½ Rubel Banco bestimmt ist. Ebendaselbst heisst es: „1 Gulden polnisch = 2 Sgr. preuss. Cour.", was ganz unrichtig ist, da ein poln. Gulden ungefähr 5 Sgr. gilt. Wie könnte auch sonst der Ducaten (was gleich nachher folgt) nur 19—20 Gulden gelten? Uebrigens ist nach dem Ukas vom 2. Febr. 1841 der Silberrubel auch für Polen als Münzeinheit zu betrachten. — S. 545 ist die vergleichende Angabe der russ. Hohlmaasse für flüssige Körper offenbar nur ein Auszug oder Fragment einer grösseren Tabelle, die aber ganz gedankenlos excerpirt ist; sie enthält nicht weniger als 5 Vergleichungen zwischen Eimern und Riga'schen Strof (soll heissen Stoof), von denen 3 ganz überflüssig sind. Ganz weggelassen ist die Eintheilung des Wedro oder Eimers in 10 Stoof à 10 Tscharken, so wie die grösseren Maasse, Fass, Anker u. s. w. S. 549 fehlt unter den Universitäten in Russland, deren der Vf. 6 aufzählt, Helsingfors, wiewohl bald nachher S. 552 f. die Verlegung der Universität von Abo nach Helsingfors erwähnt und dieselbe sogar viel ausführlicher als die anderen besprochen wird; bei genauerer Untersuchung zeigt sich, dass der Vf. überall zwischen Russland und Finnland einen Unterschied macht. Die „Blicke auf die politische

Geschichte Russlands" S. 559—560 schliessen mit den folgenden Worten: „Nikolaus fährt fort, für die geistige und leibliche Wohlfahrt seines Volks zu sorgen, und ist, wenn auch der mächtigste unter den Herrschern, doch wie ein Vater unter seinen Kindern, kräftig, ein Beschützer der Ordnung und als Mensch hoch zu ehren. Was England zu Wasser, das ist Russland zu Lande". Lief. IV. S. 642 heisst es vom Götha-Elf: „er kann gleichsam als die Pulsader des gothischen Reichs angesehen werden". Was ist darunter zu verstehen? — S. 645 wird die Volksmenge Schwedens für kein späteres Jahr als 1825 angegeben, obgleich seitdem 3 Zählungen stattgefunden haben (die von 1830 ergab 2,888,082, die von 1835: 3,025,439 Einw.). — S. 671 lässt der Vf. bei Angabe des Flächeninhalts Norwegens die Wahl zwischen 5640, 3970 und 5860 geogr. □M., also zwischen Angaben, die sich ungefähr wie 2 : 3 verhalten, ohne sich nur mit einem Worte für die eine oder andere zu entscheiden. — S. 700 heisst es bei Dänemark: „Alle diese fremden Glaubensbekenner sind verpflichtet, den Glaubenseid zu schwören, sich der Bespottung und Feindseligkeit zu enthalten und andere Religionsbekenntnisse anzugreifen, und ihre religiösen Grundsätze nicht auszubreiten". — S. 728 ist die Rede von einem Kirchthurm, „der zur Landkenntniss dient". Island erscheint S. 729 unter den amerikanischen Colonien Dänemarks. — S. 738 wird der Flächeninhalt Belgiens zu 1,177 □M. angegeben, worunter nur geographische □M. gemeint sein können, da sonst immer nur von solchen die Rede ist; er beträgt aber in der That nicht halb so viel, nur etwa 536 □M. — S. 749 wird angegeben, wie viel Menschen in Belgien in den J. 1836—38 durch Selbstmord oder Unglücksfälle umgekommen seien und beigefügt: „ausserdem verloren noch viele Personen in den Steinkohlenbergwerken so wie auf der Eisenbahn das Leben". Diess ist insofern unrichtig als statt „viele" stehen muss „einige". — S. 756 steht Deuvres st. Dover; warum der französische Name für eine englische Stadt? — S. 757: „Die Einheit der Landesmünze (in Belgien) ist der Francs (sic), der 10 (sic) Centimes hat". — S. 761: „Der Senat, der aus Deputirten der Repräsentantenkammer besteht". Ganz und gar unrichtig; auch im Widerspruch mit dem kurz vorher Gesagten. — S. 764 heisst es von Brüssel: „eine grosse Menge neuer und prächtiger Hôtels ist seit dem J. 1829 entstanden und zwar meistens im unteren Theile der Stadt". Hier muss stehen: „im oberen". — S. 773: „Die Lage der Niederlande bringt es mit sich, dass sie keinen europäischen Hauptfluss besitzt" (sic; der Vf. braucht die Niederlande immer als Singular). Ist denn der Rhein kein Hauptfluss? — S. 776: „Uebrigens haben die Niederländer dreierlei Arten von Fischerei, die Härings-, die Kabeljaufischerei (gewöhnlich Stockfisch genannt) und der Wallfischfang". — S. 784 heisst es bei Gelegenheit der in Holland in neuerer Zeit angelegten Eisenbahnen: „Wir bemerken die Eisenbahn von Haarlem nach Amsterdam und von Maastricht nach der preussischen Grenze". Letztere

Bahn hat aber nur als ein (jetzt aufgegebenes) Project existirt. — S. 798: „Mit Begeisterung vernahm Deutschland, ja fast ganz Europa die Siege der heldenmüthigen Holländer (im J. 1831), denen sich schon längst die allgemeine (?) Theilnahme zugewandt hatte". — Der Volkscharakter der Portugiesen wird S. 828 f. so geschildert: „Die Portugiesen sind mehr klein als mittelgross und haben unter den Bewohnern Europas die dunkelste Gesichtsfarbe. Die Haare sind schwarz, die Augen feurig, der Bart stark. Die Frauenzimmer haben schöne, schmale Hände, kleine Füsse, mitunter einen magern Hals und schwache Schnurrbärtchen. Im Uebrigen sind die Portugiesen reizbar, rachsüchtig, eitel, sehr sinnlich, am Alten hangend, träge, Freund von langem Schlafen, abergläubisch, aber geduldig, mässig und höflich. Gesellschaften, grosse und kleine, Theater und Bälle beginnen gewöhnlich um 8 Uhr und enden um Mitternacht; die Dienerschaft ist zahlreich und wie mit der Herrschaft verwachsen; die Heirathen werden selten aus Liebe geschlossen; die Erziehung der Kinder wird total vernachlässigt, und die Jugend ist meistens in den tiefsten Lastern versunken". — Damit vergleiche man die Schilderung der Spanier: „Der Spanier ist mehr klein als mittelgross, am kleinsten in Castilien, hager, von bräunlicher oder olivenartiger Hautfarbe, hat regelmässige Gesichtszüge, sehr lebhafte Augen und, wo er maurischer Abkunft ist, eine stumpfe Nase. Seine Zähne sind gut, sein Gesicht erscheint voll Geist, und seine Geberden sind ausdrucksvoll. Im Essen und Trinken sind die Spanier mässig und nüchtern; ausserdem lieben sie Pracht, Feinheit, Prahlerei, den Müssiggang und besitzen viel Nationalstolz. Sie sind ernst, wenig gesprächig, zurückhaltend, nicht zuvorkommend, und der Cultus zieht sie mehr an, als die Religion. Das Wort „Protestant" war früher ein geringeres Schimpfwort, als das Wort „Jude"; jetzt hat sich aber Vieles geändert. Kochkunst und Essen der Spanier sind sehr einfach, die Mittagsschläfchen gewöhnlich und der Tanz allgemein verbreitet". — Auf ders. S. steht oben, früher sei der achte Mensch in Spanien ein Edelmann gewesen, unten steht: der siebente Mann. S. 859: „Wie gross die Zahl der Klöster gegenwärtig ist, lässt sich nicht mit Sicherheit bestimmen, zumal sie durch ein Decret aufgehoben worden sind". Demnach ist ja ihre Zahl sehr leicht zu bestimmen! — S. 865: „Die artistische Bildung hat die Spanier in mehreren Zweigen der schönen Künste, besonders in der Malerei, excelliren lassen". Dieselbe schöne Wendung wird S. 758 von den Belgiern, S. 789 von den Niederländern gebraucht. — S. 866: „Wenden wir uns zu den Wissenschaften, so haben sich nur die Spanier in der Geschichte, in den statistisch-politischen und staatswirthschaftlichen Wissenschaften, sowie in dem Gebiete der Länder- und Völkerkunde ausgezeichnet". Etwas ganz Neues! — Bald nachher: „Ueber die sittliche Bildung des spanischen Volkes können wir nur wenig statistische Nachrichten geben und bemerken nur, dass nach den statistischen Mittheilungen der Generaldirection der Gefängnisse in Spanien 1 Gefangener auf ungefähr 1000 Inwohner kommt, darunter 1 auf 78,212 für Empörung, 1 auf 8506 für Mord und Todtschlag, 1 auf 8408 für Beraubung auf offener Strasse, und 1 auf 3104 für Diebstahl — merkwürdige Zahlenverhältnisse, die, wenn sie genau sind, sich in keinem andern gebildeten Lande wiederfinden dürften". Das Letztere wäre freilich ein höchst wunderbarer Zufall; weshalb aber jene Zahlenverhältnisse so merkwürdig sein sollen, ist nicht recht klar. — S. 873 heisst es: „Die 2 Kammern der Cortes bestehen aus der Kammer der Proceres und der Procuradores". Diese Benennungen haben bekanntlich mit dem Estatuto real schon längst ihre Gültigkeit verloren. S. 875 beweist der Vf., dass die Zahl der Vaterlands-Vertheidiger in Spanien im Fall eines Krieges schnell vermehrt werden kann, und zwar damit, dass auf 7,200,000 männliche Spanier 2,400,000 Mann zwischen 18—42 Jahr kommen, wovon nach Abzug der körperlich Untauglichen (1/12) 2,200,000, nach Abzug der Unverheiratheten aber (2/3) noch 1,400,000 Mann bleiben. Vortrefflich! Zu verwundern ist nur, dass dieselbe Berechnung nicht bei jedem Staate wiederholt ist. — Bei der Schweiz wird wieder hinsichtlich des Flächeninhalts die Wahl zwischen 718 und 875 □M. gelassen. S. 911 erfahren wir, dass seit 1816 alle Cantone ihre Münzstätten geschlossen haben, was auch vielen Lesern neu und überraschend sein dürfte. Köstlich ist wieder die Schilderung des schweizerischen Volkscharakters, deren Schluss so lautet: „Im Ganzen sind die Schweizer recht ordentliche Leute, aber etwas schwerfällig und wenig gastfrei; sie nennen den ausländischen Deutschen einen Tütschländer und Wälschen, sprechen viel von ihrer Freiheit, trinken namentlich in den französischen Cantonen ausserordentlich viel Kaffee und haben einen etwas unruhigen Geist; daher die vielen Parteien. Auch findet man mitunter eine grosse Geldaristokratie. Es ist nicht zu verkennen, dass man noch viele Schweizer alten Schlages findet, doch würde sich der sehr irren, welcher in der Schweiz überall Biederkeit und eine Unschuldswelt suchen wollte". S. 990 führt der Vf. an, wie gross die Zahl der Cardinäle 1836 und 1837 gewesen sei; weiter gehen seine Quellen nicht, wiewohl jeder genealogische Kalender die Cardinäle aufzählt. — S. 1032 wird die durch einen hohen Grad von Richtigkeit ausgezeichnete Behauptung aufgestellt, der Unterschied zwischen der altgriechischen und neugriechischen Sprache sei nicht so gross, als zwischen der lateinischen und griechischen Sprache. — Doch es wird Zeit abzubrechen. Fast ist diese Anzeige schon zu lang geworden; aber dem Ref. schien es nöthig, die unverantwortliche Nachlässigkeit und Flüchtigkeit eines Schriftstellers von einigem Ruf in einer Zeit, wo das „nonum prematur in annum" immer seltner befolgt wird, einmal recht ins Licht zu stellen.

[8749] Les Slaves de Turquie, Serbes, Monténégrins, Bosniaques, Albanais et Bulgares, leurs ressources, leurs tendances et leurs progrès politiques. Par M. Cyprien Robert. 2 Voll. Paris, C. Passard, Jules Labitte. 1844. III u. 360, 416 S. gr. 8. (15 Fr.)

Der Vf. hat sich mehrere Jahre auf dem Boden, dessen Bewohner er der Betrachtung vorführen will, aufgehalten, und, wie es scheint, eine gute Beobachtungsgabe mitgebracht. Der Gegenstand ist der höchsten Aufmerksamkeit würdig und berührt selbst die Interessen Deutschlands auf das Lebhafteste. Das Scheinleben, was die hohe Pforte jetzt noch führt, kann nicht lange mehr währen, und die hochwichtige Frage wird in nicht gar langer Zeit zur Entscheidung kommen müssen, was auf dem Boden des türkischen Reiches Neues gebildet werden soll. Robert hat sein Werk von dem französischen Standpuncte aus geschrieben. Er will guten Rath geben, wie bei der neuen Gestaltung der Dinge, die bald unvermeidlich werden wird, Frankreichs Interesse zu wahren und zu fördern sei. Darum kann aber das Buch, das so reich ist an neuen Berichten und an Ort und Stelle geschöpften Mittheilungen, nicht an Interesse für Deutschland verlieren. Mit grossem Recht, wie wir glauben, setzt der Vf. zuerst auseinander, dass man sich vergeblich bemühe, wenn man von einer Regeneration der Türken rede; wäre bei ihnen etwas zu regeneriren, die Möglichkeit dazu vorhanden, so würden sie selbst doch am wenigsten dabei in Betracht kommen können. Denn der eigentlichen Türken möchten in Europa nicht viel über eine Million sein, und der anderen Mohammedaner etwa wieder eine Million. Diese anderen Mohammedaner sind aber Renegaten desselben Stammes und derselben Sprache wie die christlich gebliebene Bevölkerung, welche den bei weitem grössten Theil der Bevölkerung noch bis auf den heutigen Tag ausmachen, und zu denen sich die Mohammedaner wie 1 zu 5, vielleicht selbst zu 6 verhalten. Die Slawen herrschen in dieser christlichen Bevölkerung vor, doch steht ein nicht unbedeutender griechischer Stamm neben ihnen. Die Zeit hat die Feindschaft zwischen den Slawen und den Griechen ausgetilgt; selbst die beiderseitigen Volkslieder drücken jetzt den Drang nach Befreundung und Verschmelzung aus. Ein Föderativ-Staat würde der passendste für sie sein, und zwar ein solcher, welcher den Gemeinden diejenige Freiheit liesse, an welche diese Völker sich gewöhnt, und welche selbst die türkische Herrschaft bei ihnen befestigt hat. Auf einen solchen müsste nun auch Frankreich hinarbeiten; durch ihn würde man die Vorherrschaft Russlands am besten verhindern können, und eben so die Vorherrschaft Oesterreichs, welche freilich weniger zu fürchten sei als die russische. Robert tadelt, dass sich Frankreich bis auf die neuesten Zeiten immer nur höchstens in Staats-Angelegenheiten um diese Gegenden gekümmert habe, dass man aber auch selbst hierin viel zu wenig für Frankreich thue und den Handel mit den Donauländern immer mehr in Oesterreichs Hände fallen lasse. Sehr eindringlich wird das französische Gouvernement an mehreren Stellen gemahnt, sich der Sache dieser slawischen Völker anzunehmen, da eine Entscheidung nicht lange mehr ausbleiben könne. Wenn man sie in einen Föderativ-Staat gestalte, würde man unendliche Vortheile davon haben. Die Abneigung dieser Slawen gegen Oesterreich und überhaupt gegen das deutsche Element sei gross. Die Bildung eines slawo-griechischen Föderativ-Staates sei für diese Völker sehr wünschenswerth und für Frankreich jedenfalls vortheilhaft. Robert hat nun zuerst mehrere allgemeine Blicke auf diese noch so unbekannte Völkerwelt geworfen und sie in ihren mercantilen, politischen und socialen Verhältnissen beleuchtet, wo er dann, besonders was das letztere verlangt, aus eigener Erfahrung und Anschauung vieles Interessante beibringt. Die Unabhängigkeit und grösste Freiheit der Gemeinden, die oft buchstäblich nichts weiter sind als erweiterte Familien, scheint allerdings ein Element zu sein, dass nun so tief in das Leben dieser Stämme eingewachsen ist, um ihnen wieder entrissen werden zu können. Eine büreaukratische Centralisation würden sie schwerlich vertragen. Das Werk geht nach dieser Einleitung zu dem kleinen Staat Montenegro über. Doch ist, wie Robert bemerkt, Staat eigentlich nicht der rechte Ausdruck, da ein Staat hier erst im Werden begriffen ist. Montenegro ist eine Föderation freier Gemeinden, die noch auf dem Puncte des Naturlebens stehen, eine Föderation aller freigesinnten Slawen, welche die Tyrannei der Türken bekämpfen wollen. Sie gleichen den Christen der Berge von Asturien und Biscaya im 10. Jahrhundert. Das Leben geht noch völlig in dem Kampfe gegen die Feinde der Christenheit auf. Der kleine Staat, wenn man ihn so nennen will, ist indess in den letzten Jahrzehnten immer bedeutender geworden. Er besteht aus etwa 120,000 Menschen, die gegen 20,000 Streiter zusammenbringen können. Ein homerisches Epos will sich eben unter ihnen gestalten. Es wird den ganzen Kampf der freien Männer gegen die Barbaren zum Inhalt haben. Die Volksgesänge, Piesmas genannt, die den Streit erzählen, werden einst die verschiedenen Gesänge des Heldengedichts bilden. Die Söhne der freien Berge spinnen diese Lieder fort mit dem sich fortspinnenden Kampfe. In Montenegro kämpft Alles, wenn der Tag der Jagd auf die türkischen Barbaren kommt. Selbst der Priester gürtet sich dann mit dem scharfen Säbel, aber die Kirche meidet das Blut. Der Priester von Montenegro erwürgt daher lieber den Türken, der in seine Hand fällt. Robert wirft einen interessanten Blick auf die frühere Geschichte des schwarzen Berges seit 1703, von welcher Zeit an man den kleinen Staat als vorhanden betrachten kann. Dieser Blick wird, wie billig immer breiter, je näher die neuere Zeit kommt, und höchst passend ist, dass auch lange Stellen aus den Piesmas, welche die Ereignisse der neuesten Zeit betreffen, mitgetheilt werden. Seitdem Cattaro im Frieden von Campo-Formio an Oesterreich kam, und Ragusa alle Bedeutung verlor, begannen die Serben auf den Vladika von Montenegro als ihren natürlichen Vereinigungspunct zu sehen. Als Cattaro und Ragusa an den Kaiser und Frankreich fielen, nahmen die Montenegriner eine feindliche Stellung gegen beide an. Die Engländer, die Cattaro 1813 eroberten, überliessen es den Montenegrinern, die es jedoch 1814 nach verzweifeltem Widerstande wieder an Oesterreich überlassen mussten. Ein Piesma besingt noch klagend den Kampf gegen Oesterreichs Uebermacht. Dann schweigt die Geschichte von den Montenegrinern bis 1820, wo Dehelaludin, Pascha von Bosnien, das Gebirge angreift. Aber mit blutigen Köpfen werden die Barbaren zurückgewiesen. Im J. 1830 starb der grosse Vladika Peter, der beinahe ein halbes Jahrhundert das Oberhaupt des Volkes gewesen. Unter dem zweiten Peter griffen die Türken, vom Grossvezier selbst angeführt, im J. 1832 Montenegro abermals vergeblich an. Der gegenwärtige Vladika Peter II. hat durch die Unterdrückung des sogen. Gobernadours seine Gewalt im Verhältniss zu seinen Vorfahren bedeutend vergrössert. Er will der Reformator dieser Berge im Geiste des Zar Peter des Grossen werden. Es ist ihm auch gelungen die ersten regelmässigen Gerichte aufzustellen und zu behaupten. Früher wurden fast alle Streitigkeiten nur mit dem Säbel in der Faust geschlichtet. Selbst ein Besteuerungssystem hat er durchgesetzt, freilich nicht ohne grossen Widerstand. Noch im J. 1840 wurden zwei Knesen erschossen, weil sie nicht zahlen wollten. — Dann wendet sich Robert zum Fürstenthum Serbien, das, wie er sehr richtig bemerkt, keineswegs alle Serben umfasst. Das Fürstenthum hat kaum eine Mill. Einwohner und der gesammte serbische Stamm, von dem die Majorität griechisch, die Minorität katholisch ist, zählt gegen 5 Mill. Menschen. Auch die Eigenthümlichkeiten dieser Serben werden von Robert beschrieben. Ein Muselmann hat die Serben die Araber Europas genannt und damit ihr Wesen sehr treffend bezeichnet, indem sie noch ganz in dem Stamm- und Familien-Verhältniss leben. Dieses herrscht auf dem Lande noch vollständig vor; in den Städten freilich ist eine künstliche Brüderschaft an seine Stelle getreten. Die Serben, welche unter Oesterreichs Herrschaft leben, haben deutschen Einfluss vielfach erfahren, und nach ihnen kann die eigentlich nationale Weise nicht beurtheilt werden. Nachdem eine allgemeine Beschreibung des Landes und des Volkes von Serbien gegeben worden, geht der Vf. auf die Verhältnisse über, welche sich in Folge des 1804 gegen die Pforte beginnenden Freiheitskampfes gestalteten. Die Türken hatten die alten nationalen Tribus aufgelöst, es gestalteten sich schon im Anfange des Freiheits-Kampfes neue, welche unmittelbar aus dem Kriege hervorgegangen, sie waren daher militairisch, die kriegerischen Häuptlinge standen an ihrer Spitze. An der Spitze ihrer Garden (momkes) bemeisterten sie sich auch der Civil-Gewalt, Jeder in seinem District, und der von den Türken confiscirten Güter. Gewöhnlich entstand das Feudal-Wesen aus der Eroberung, in Serbien aber entstand es aus der Emancipation. Indess die Volks-

Partei erhob sich im J. 1805, stellte Georg den Schwarzen an die Spitze des sich bildenden Staates und näherte sich durch die Errichtung eines Senats (Soviet) den Formen der constitutionellen Monarchie. In dieser Zeit verstand weder der Kaiser Napoleon, noch auch das österreichische Cabinet, welches die Serben als Rebellen behandelte, und sie dadurch für immer von sich stiess, einen gehörigen Einfluss in Serbien sich zu verschaffen; und so war es wohl natürlich, dass er an Russland fiel. Russland liess indessen, durch einen französ. Einfall bedroht, die Protection der Serben fallen, und reichte sogar, als 1814 die Türken Serbien wieder barbarisch niederwarfen, diesen gewissermaassen die Hand. Milosch Obrenowitsch spielte dabei eine nichtswürdige Rolle; er war der erste unter den Dienern und Knechten der Türken und wurde von diesen zum Oberknesen ernannt. Es werden hier über das frühere Leben des Milosch ganz andere Aufschlüsse gegeben, als sie bei Ranke und anderwärts sich finden. Erst die eigene persönliche Gefahr führte ihn zu der Partei der Freiheit, die sich bald wieder gegen die Barbaren erhob, allein er lähmte offenbar je länger je mehr die nationalen Kräfte. Vergebens rief der nach Serbien zurückgekehrte Georg zum Kampfe für die Befreiung auf; Milosch entledigte sich seiner durch Mord, und schloss mit dem Pascha eine Art von stillschweigendem Waffenstillstand, der den Serben nicht einmal Sicherheit vor der Wiederkehr der blutigsten Tyrannei bot, bis endlich 1820 die Pforte selbst den Serben einige Zugeständnisse machte. Unter dem Schutze derselben setzte sich Milosch immer fester, und gewann 1827 von der serbischen Nation die Anerkennung als fürstliches Haupt. Russland gegenüber benahm er sich mit so viel Schlauheit, dass er als ein Russenfreund angesehen ward. Man verschaffte ihm von dieser Seite 1830 das Berat, welches ihn als Erbfürsten von Serbien anerkannte. Nun folgt eine Schilderung der Regierung des Milosch Obrenowitsch, bei welcher auch Rücksicht auf die deutschen Berichte über Serbien, namentlich von Richter und Possart, deren Schriften als ungenau, deren Ansichten über Milosch als falsch bezeichnet sind, genommen wird. Milosch ist nach Robert's Darstellung ein abscheulicher Tyrann, ein Blutsauger und Monopolist, ein Mann, der mit eigener Hand Mordthaten vollbracht, der den glühendsten und gerechtesten Hass der Serben in wenigen Jahren auf sich ziehen musste. Die Serben nennen ihn mit seinen Brüdern Ephraim und Johannes „das höllische Triumvirat". Die Katastrophe von 1839, welche ihn aus Serbien trieb, wird mit allem Vorhergegangenen und in allen ihren einzelnen Theilen geschildert. Der Vf. hat seine Kenntniss der Sache an Ort und Stelle geschöpft, seine Anführungen scheinen zuverlässig zu sein. In dem 2. Bde. wendet sich Robert zuerst nach Bosnien. Bosnien ist als eine der Hauptstützen der früheren Macht der Pforte zu betrachten. Die alte Aristokratie des Landes wendete sich bei der türkischen Eroberung zum Islam, um ihre Macht nicht nur zu behalten, sondern wo möglich noch auszudehnen. Diese bosnische Aristokratie, die Kapetani und Spahi, behaupteten sich lange in fast republicanischer Unabhängigkeit. Die Pforte musste einen Vizir ernennen, der ihr angenehm war und der immer wenig zu bedeuten hatte. Die christlichen Bosniaken auf dem Lande mussten freilich dieser Aristokratie zahlen, doch war das Verhältniss so lange ein erträgliches, bis die Pforte auf den Gedanken kam, jene Aristokratie zu brechen, und desshalb anfing, die Rajas zu begünstigen. Diess rief Hass und Druck und besonders mit dem J. 1803 eine lange Reihe von Bewegungen und Stürmen herbei. Die Christen konnten um so weniger zur Freiheit durchdringen, als der elende Milosch sie verliess und sie im eigentlichen Bosnien nur die Minorität bildeten. Es gelang aber nun der Pforte, die Macht der bosnischen Aristokratie allmälig zu brechen. Eine grosse Menge Ländereien, welche sie ausserhalb des eigentlichen Bosniens fruher an sich gebracht hatte, entriss ihr die Pforte und so war jene Aristokratie um 1820 auf das eigentliche Bosnien zuruckgedrängt. Sehr natürlich warf sie einen furchtbaren Hass auf den reformirenden Sultan Mahmud, und als dieser 1827 die Janitscharen aufhob, flüchteten sehr viele derselben nach Bosnien. Die Erbitterung gegen Mahmud stieg fortwährend und war so gross, dass die bosnische Aristokratie es nicht ungern sah, dass der russische Angriff von 1828 den Sultan ziemlich dicht an den Rand des Unterganges drangte. Im J. 1831 stand sogar diese Aristokratie selbststandig gegen den Sultan auf, und konnte nur mit Hulfe der Christen besiegt werden. Die Pforte fasste nun immer bestimmter den Gedanken, Bosnien zu desorganisiren, um auf den Trummern der Aristokratie zu einer wirklichen Macht über das Land zu gelangen. Desshalb wurden nun auch 6 bosnische Districte an Milosch uberwiesen. Die bosnische Aristokratie, die Kapetani und Spahi, wendeten nun natürlich ihre Wuth gegen die von Mahmud fast begünstigten Christen, die auch ihrerseits 1834 sich wieder mit den Waffen zu erheben suchten. Die Pforte zog, wie sie glaubte, einen Gewinn aus dem entsetzlich verworrenen Zustande Bosniens. Sie sprengte 1840 die bosnische Aristokratie auseinander, hob die erblichen Aemter auf, und zerstörte das Lehnswesen, was bis dahin im Lande bestanden hatte. Aber die Pforte wähnt nur einen Vortheil gewonnen zu haben, in der That hat sie sich selbst einen Stoss versetzt. Die mohammedanische Bevölkerung Bosniens, einst die beste Stütze des Thrones von Stambul, hat sich ganz von den Türken abgewendet. Mehrere Bosniaken erklärten dem Vf. geradehin, dass sie sich an die Christen anschliessen würden, so wie diese nur mit einem Heere erschienen. — Der Vf. wendet sich dann zu Albanien, und gibt eine höchst interessante und sehr ausführliche Beschreibung der verschiedenen Stämme dieses so eigenthümlichen Landes und ihrer Sitten. Albanien ist das einzige europäische Land, wo die Anarchie und das Faust- und Fehde-Wesen der Feudalzeit noch vor Kurzem bestand. Jetzt ist es der Pforte wenigstens zum Theil gelungen, auch hier die feudalistische Aristokratie zu vernichten oder doch wenigstens zu demüthigen. Sehr ausführlich beschreibt Robert die Massacre der Beys vom J. 1830 und alle Bewegungen, welche seit dieser Zeit bis heute Albanien erschüttert haben. Die Pforte träumt auch hier, wenn sie meint, damit für sich etwas gewonnen zu haben. Nicht sie, nur die Christen haben gewonnen. Wären nur nicht in Albanien diese Christen in die beiden Parteien der römischen und der morgenländischen gespalten, die sich nicht selten mit der grössten Wuth gegen einander erheben, die Pforte würde ihre Missgriffe viel ernster fühlen müssen. — Der letzte Abschnitt des Werkes beschäftigt sich mit den Bulgaren, die Robert auf 4½ Millionen theils auf russischem, theils und zum bei weitem grössten Theile auf türkischem Gebiete schätzt. Das eigentliche Bulgarien zählt freilich noch nicht eine volle Million Menschen, aber in den benachbarten Provinzen sind die Bulgaren sehr zahlreich. In Salonichi bilden sie z. B. die grössere Hälfte der Bevölkerung. Die Bulgaren sind eine sanfte, ungemein fleissige Nation. Desshalb aber hat die türkische Gewaltherrschaft sich auch am härtesten auf sie gelegt. Die türkischen Spahis pressen, die Paschen pressen für sich und für den Sultan, Alles betrachtet die still-fleissigen Bulgaren als einen vollen Schwamm, der ausgesaugt werden müsse. Und doch sind die Bulgaren sich ihrer Nationalität noch nicht so vollständig als die übrigen Christen des türkischen Reiches bewusst geworden. Ein Haupthinderniss für das Bewusstwerden der Nationalität bildet ihr Klerus. Die Türken treiben mit den klericalischen Stellen in Bulgarien einen schmählichen Handel, und verkaufen sie fast nur an Nicht-Bulgaren, welche, ebenfalls wieder die Papas-Stellen so theuer als möglich verkaufen. Die Menschen, welche so in die Kirchenstellen gekommen, sind die Hauptgegner der bulgarischen Nationalitat. Ihre Regungen sind bis jetzt noch unkräftig gewesen. Freilich hatten schon früher die Heiducken gewissermaassen Freiheit nach Bulgarien bringen wollen, doch scheint es an der Nation, ohne grossen Eindruck zu machen vorübergegangen zu sein. Erst als 1829 die Schwäche des türkischen Reiches völlig offenbar geworden, bildete sich unter dem edleren Theile der bulgarischen Nation eine Hetairie, die 1837 schändlich verrathen ward, aber keineswegs ganz vernichtet worden ist. Die unglücklichen Versuche von 1840 und 1841 sich gegen die Pforte zu erheben, gaben die Schwäche der Bulgaren zu erkennen. Zum Schlusse bespricht der Vf., indem er noch vielfach in dem Gange der Darstellung die Interessen des französ. Handels berührt, zuerst die Zukunft des türkischen Reiches, und stellt mehrere Dinge auf, durch welche die anderen Grossmächte die Absichten Russlands wohl noch, und ziemlich leicht zu vereiteln im Stande sein möchten, wenn die Herren Diplomaten sich nur die Mühe geben wollten, den wahren und wirklichen Zustand der Provinzen der europäischen Türkei kennen zu lernen, um dann richtige Maassregeln zu nehmen und die Gefahr zu vermeiden, abermals düpirt zu werden, wie es ihnen, seiner Ansicht nach, bei den jüngsten Ereignissen in Serbien gegangen sei. Denn Russlands Absicht sei offenbar darauf gegangen, zu verhindern, dass ein fester und permanenter Stand der Dinge in Serbien entstehe, weil in einem solchen sich schwerer Gelegenheiten zu weiteren derartigen Bewegungen, wie Russland sie künftig zu machen gedenke, voraussichtlich finden würden. Diesen Zweck nun habe Russland erreicht; es scheine aber, als sei von den übrigen Mächten Das, was von Seiten Russlands eigentlich beabsichtigt werde, entweder gar nicht, oder nur unvollständig und unklar erfasst worden. Wir lassen diese Ansichten des Vfs. auf sich beruhen, und sagen schlüsslich nur, dass das ganze Werk für Alle, welche die Gegenwart beschäftigt, von dem höchsten Interesse ist.

Bibliographie.

Anatomie und Physiologie.

[8750] Repertorium für Anatomie und Physiologie. Kritische **Darstellung fremder u. Ergebnisse eigner Forschung.** Von *G. Valentin.* 8. **Bdes. 1. Abthl.** (Jahrg. 1843.) Bern, Huber u. Co. (cpl. n. 2 Thlr. 15 Ngr.) Enth.: Die Fortschritte der Physiologie im J. 1842. Einleitung; Literatur; Hülfsmittel; allgem. Physiologie; normale Anatomie des Menschen u. der Thiere. (S. 1—136.)

[8751] ***Die anatomischen Abbildungen des 15. u. 16. Jahrh. Historisch und** bibliographisch erläutert von Dr. **Ludw. Choulant.** Leipzig, (L. Voss). 1843. 28 S. gr. 4. (12 Ngr.)

[8752] **Encyclopédie anatomique, comprenant** l'anatomie descriptive etc. Trad. de l'allemand par *A. J. L. Jourdan.* Tom. II et VIII. Paris, Baillière. 1843. 78½ Bog. gr. 8. u. 2 Atl. gr. 4. (à 7 Fr. 50 c.) Vgl. No. 3665.

[8753] Vollständiger Hand-Atlas der menschlichen Anatomie von **J. N. Masse,** Dr. der Med. u. Prof. d. Anat zu Paris. Deutsch bearb. von Dr. *Fr. W. Assmann*, Privatdoc. an d. Univ. Leipzig. 1. u. 2. Lief. Leipzig, Brockhaus u. Avenarius. 1843. VIII u. S. 1—32 nebst 10 Taff. 8. (Mit schwarzen Kpfrn. à 11⅕ Ngr. Mit illum Kpfrn. à 17½ Ngr.)

[8754] Dr. **M. Oesterreicher's** anatom. Atlas oder bildl. Darstellung des menschl. Körpers. Neu bearb., mit 30 Tafeln verm. u. mit erklär. Texte begl. von *M. P. Erdl*, Dr. d. Phil. u. Med., ausserord. Prof. d. Physiol. u. vergl. Anat. an d. Ludw.-Max.-Univ. 11. u. 12. Lief. München, Palm. 1843. 20 lith. Taff. in Roy.-Fol. u. 1 Bog. Text in gr. 8. (3 Thlr.) Vgl No. 777. 3648. 6221.

[8755] Erläuterungstafeln zur vergleichenden Anatomie von **Dr. C. Gust. Carus.** In Verbind. mit **Dr. Ad. W. Otto.** Heft VI, enth. auf 8 zum Theil color. Kpfrtaf. die Erläuterung der Gefäss-Systeme in d. verschied. Thierclassen. Leipzig, Barth. 1843. 18 S. Text. gr. Imp. Fol. (12 Thlr.)

[8756] Tabulae anatomiam comparativam illustrantes quas exhibuit Dr. **C. Gust. Carus**, junctus cum Dr. **Ad. Guil. Ottone.** Textum in lat. sermonem vertit Dr. *F. A. L. Thienemann.* Pars VI., cont. VIII tabulas aere incis. et pro parte color. vasculosa systemata variis animalium class. propria illustr. Lipsiae, Barth. 1843. 16 S. Text. gr. Imp.-Fol. (12 Thlr.)

[8757] Anatomische Abbildungen der Haussäugethiere von Dr. **E. F. Gurlt,** Prof. an d. k. Thierarzneischule in Berlin. 2. Aufl. 7. u. 8. Heft. Berlin, Reimer. 1843. Taf. 61—80 in Fol. u. Text Bog. 18—20. 8. (3 Thlr. 5 Ngr.)

[8758] *Handwörterbuch der Physiologie mit Rücksicht auf physiolog. Pathologie. In Verbindung mit mehreren Gelehrten herausgeg. von *R. Wagner.* 1. Bd. Braunschweig, Vieweg u. Sohn. 1843. 930 u. LVIII S. nebst 7 Taff. Abbildd. (6 Thlr.)

[8759] De la physiologie dans ses rapports avec la philosophie par **J. J. Virey.** Paris, Baillière. 1843. 29¼ Bog. gr. 8. (7 Fr.)

[8760] *Lehrbuch der Physiologie des Menschen. Für Aerzte u. Studirende von Dr. **G. Valentin**, ord. Prof. d. Physiol. u. vergl. Anat. an d. Univ. Bern. (In 2 Bden.) 1. Bd. 1. u. 2. Lief. Braunschweig, Vieweg u. Sohn. 1844. 560 S. mit in den Text eingedr. Holzschn. gr. 8. (2 Thlr. 20 Ngr.) Binnen Jahresfrist vollendet.

[8761] *Beiträge zu der Lehre von dem Leben von **Phil. Jac. Cretzschmar**, Dr. med. 2. Thl.: Die Entstehungslehre. Frankfurt a. M., Sauerländer. 1843. XVI u. 520 S. gr. 8. (2 Thlr. 10 Ngr.)

[8762] *Grundzüge einer allgemeinen Physiologie von Dr. **E. Alex. Platner**. 1. Von der organischen Kraft oder von der Erregbarkeit. Jena, Mauke. 1843. VIII u. 56 S. gr. 8. (10 Ngr.)

[8763] Popular Cyclopaedia of Natural Science. Animal Physiology. By **W. B. Carpenter**, M. D. Lond., 1843. 591 S. mit Holzschn. 8. (10sh. 6d.)

[8764] Physiologische Untersuchungen üb. die Bewegungen des Gehirns u. Rückenmarks, insbes. den Einfluss der Crebrospinalflüssigkeit auf dieselben von Dr. **Alex. Ecker**, Prosector an d. Univ. Heidelberg u. s. w. Stuttgart, Schweizerbart. 1843. VIII u. 124 S. gr. 8. (15 Ngr.)

[8765] Memoria sulla natura dei denti umani del prof. **Giov. Gorgone**. Palermo, 1842.

[8766] Cours de microscopie complémentaire des études médicales. Anatomie microscopique et physiologie. Des fluides de l'économie. Par **Al. Donné**. Paris, Baillière. 1843. 35 Bog. gr. 8. (7 Fr. 50 c.)

[8767] Physiologie des sensations par **M. J. M. Amédée Guillaume**, D. M. Tom. I. Dôle, 1843. $32\frac{1}{2}$ Bog. gr. 8.

Classische Alterthumskunde.

[8768] Adversaria in Aeschyli Prometheum vinctum et Aristophanis Aves philologica atque archaeologica. Scripsit **Frid. Wieseler**, Pr. p. extr. in univ. lit. Georgia Augusta. Gottingae, libr. Dieterich. 1843. VI u. 133 S. gr. 8. (n. 20 Ngr.)

[8769] Euripidis fabulae selectae. Recogn. et in usum scholarum edid. *Aug. Witzschel*. Vol. I: Hippolytus. Jenae, Mauke. 1843. X u. 134 S. 8. ($11\frac{1}{4}$ Ngr.)

[8770] Platonis de summo bono doctrina. Ratione et antiquiorum sententiarum et Aristotelis judicii habita expos. et illustravit **Thd. Wehrmann**, Dr. Phil. Berol., Reimer. 1843. VI u. 138 S. gr. 8. (20 Ngr.)

[8771] Sophocles Antigone. Deutsch von *Wolfg. Rob. Griepenkerl*. Braunschweig, Westermann. 1844. 107 S. gr. 8. (n. 15 Ngr.)

[8772] Miscellanea Sophoclea scripsit M. **Ed. Wunder**, illustr. Moldani Rector et Prof. I. Grimma, Verlagscomptoir. 1843. VI u. 24 S. gr. 4. (15 Ngr.)

[8773] Cosmographie d'Ethicus. Trad. pour la première fois en français par M. *Louis Baudet*. Paris, Panckoucke. 1843. $5\frac{1}{2}$ Bog. gr. 8.

[8774] Oraciones escogidas de M. T. Cicero n. Traducidas del latin al castellano por D. *Rodrigo de Oviedo*. 2 Vols. 3. ed. Paris, Rosa. 1843. $30\frac{3}{4}$ Bog. gr. 12. (6 Fr.)

[8775] *Q. Horatii Flacci opera omnia. Recogn. et commentariis in usum scholarum instruxit *Guil. Dillenburger*, Ph. Dr., in gymn. Aquisgr. sup. ordin. praec. Bonnae, Marcus. 1844. X u. 565 S. gr. 8. (1 Thlr. 20 Ngr.)

[8776] Géographie de Pomp. Mela, trad. par M. *Louis Baudet.* Paris, Panckoucke. 1843. 15 Bog. gr. 8.

[8777] C. Corn. Taciti opera, secundum editionem *Burnouf* recensuit notisque selectis illustravit *A. Beyerle.* Ad usum scholarum. Paris, Delalain. 1843. 23½ Bog. gr. 12. (3 Fr.)

[8778] Corn. Taciti vita Agricolae, brevi annotatione explicuit *Fr. Dübner.* Paris, Périsse. 1843. 1 Bog. 12.

[8779] Vibius Sequester. Nomenclature des fleuves, fontaines, lacs, forêts, marais, montagnes et peuples, dont il est fait mention dans les poëtes, trad. pour la première fois par M. *L. Baudet.* Paris, Panckoucke. 1843. 4¼ Bog. gr. 8.

[8780] Publius Victor. Des régions de la ville de Rome. Trad. pour la première fois en français par M. *L. Baudet.* Paris, Panckoucke. 1843. 3¾ Bog. gr. 8.

[8781] Publ. Virgilii Maronis opera ad optim. codd. et edd. fidem rec. *L. Quicherat.* Paris, Hachette. 1843. 10⅞ Bog. 18. (1 Fr. 25 c.)

[8782] P. Virgilii Maronis opera, ad opt. codd. et edd. fidem recensuit et variorum suisque notis illustravit *L. Quicherat.* Paris, Hachette. 1843. 20⅙ Bog. 12. (2 Fr)

[8783] Bullettino Archeologico Napoletano; edit. Cav. *Franc. Avellino.* Napoli, 1843. Monatlich 1 Bog. mit Kpfrn. 4. (à 6 c.) März: *Scacchi*, sulla maniera come fu seppellita Pompei. — Sepolcri scoverti in Napoli. — Bibliografia etc — April: Argenteria scoverta ne' sepolcri di Armento; iscrizione latina di Minturna; vaso dipinto di Armento ed altro della collezione Fittibaldi — sämmtl. vom Herausg. — Bibliogr. etc. — Mai: Scavi di Pompei del 1842; notizia di un dipinto pompejano scoverto nel 1843 e rappresentante l'arrivo di Danae e di Perseo in Serifo; indicazione d'una tavola, rappresentante un vaso di Ruvo col mito di Niobe e de' Niobidi — vom Herausg. — Juni: Scavi u. s. w. (Schluss.) — *Minervini*, vasi Nolani. — *Dom. Diodati*, sulla topografia dell' antica Napoli — *Avellino*, osservazioni sulle notizie degli scavi pausilipani. — Juli: Iscrizioni sepolcrali dell' antica Capua; statua scoverta in Isoletta; suggello antico di bronzo; gruppo pompejano di bronzo di Ercole con cervo etc.; — vom Herausg. — Aug.: *Cavedoni*, sopra alcune medaglie di Larino, di Taranto, di Brettii. — *Avellino*, combattimento di Teseo col Minotauro, musaico dell' antica Formia etc. Bibliografia u. s. w.

[8784] Epitome de' Volumi Ercolanesi del Cav. **Lorenzo Blanco**, alunno interprete nella reale officina de' papiri. Napoli, 1842. 220 S. gr 8.

[8785] Saggio della Semiografia dei Volumi Ercolanesi del Cav. **Lor. Blanco** etc. Napoli, 1842. 61 S. m. 1 Tab. gr. 8.

[8786] Il Museo Antoniniano, rappresentante la Scuola degli Atleti, transferito per ordine del regnante pontifice Gregorio XVI. dalle terme di Caracalla al Palazzo Lateranese, ora delineato descritto e illustrato per cura dell' eminentiss. principe Card. **Ant. Tosti**, pro-tresoriere gen. della R. C. A. Roma, Salviucci. 1843. IV u. 89 S. mit 2 Kpfrtaff. 4.

[8787] Osservazioni sopra un sepolcreto etrusco scoperto nella collina Modenese, Modena, Soliani. 1842. 49 S. gr. 8. Bes. abgedr. aus dem 13. Bde. der „Continuazione delle Memorie di Religioni, di Morale e di Letteratura".

[8788] *La Moneta primitiva e i Monumenti dell' Italia antica messi in rapporto cronologico e ravvicinati alle opere d'arte delle altere nazioni civili dell' antichità per dedurre onde fosse l'origine ed il progresso delle arti e dell' incivilimento. Dissertazione del Dottore **Achille Gennarelli**, coronata dalla pontificia Accademia Romana di Archeologia. Roma, 1843. IV u. 168 S. mit 9 Kpfrn. gr. 4.

[8789] *Handbuch der griechischen Antiquitäten von Dr. **E. F. Bojesen,** Lect. der griech. Sprache an der Soro-Akademie. Zum Gebrauche für Gymnasien u. Schulen aus d. Dän. übers. von Dr. *J. Hoffa*, Privatdoc. an d. Univ. zu Marburg. Giessen, Heyer. 1843. XX u. 148 S. gr. 8. (20 Ngr.)

[8790] Die Mythologie der asiat. Völker, der Aegypter, Griechen, Römer, Germanen u. Slaven von **Conr. Schwenck,** Conr. am Gymnas. zu Frankfurt a. M. 1. Band, die Mythologie der Griechen f. Gebildete u. die studir. Jugend. Frankfurt a. M., Sauerländer. 1843. VIII u. 614 S. mit 12 lithogr. Taff. gr. 8. (2 Thlr. 10 Ngr.)

Staatswissenschaften.

[8791] Neue Jahrbücher d. Gesch. u. Politik u. s. w. (Vgl. No. 7758.) Dec. Inh.: *Kolb*, die Wahlgesetze behufs Bildung der Abgeordnetenkammer u. der Kreislandräthe in Baiern. (S. 481—506.) — *Sternberg*, das röm. Recht in Teutschland. (—518.) — *Bülau*, Constitution u. Constitutionelle. (—553.) — Neueste Lit. d. Gesch. u. s. w. (—570.)

[8792] Journal des économistes. Révue mensuelle etc. (Vgl. No 1863.) Juillet. Inh.: *Dunoyer*, examen de quelques reproches adressés aux tendances industrielles de notre temps. (S. 233—259.) — *Dussard*, quelques mots sur l'état de l'Irlande. (—270.) — *S.*, rejet du projet de loi sur la refonte des monnaies de cuivre et de billon. (—275.) — *Méher*, études sur les subsistances. (—294.) — *Say*, compte-rendu des deux ouvrages de Troplong et Delangle des sociétés civile et commerciale. (—303.) — *Raybaud*, la Polynesie et les iles Marquises. (—308.) — Bulletin, Bibliographie, Chronique etc. (—344.) — Août. *Chevalier*, comparaison des budgets de 1830 et de 1843. [Fin.] (S. 1—31.) — *Renouard*, des anciens réglements et priviléges de fabrication en France. (—47.) — *Say*, de l'administration du départ. de la Seine et de la ville de Paris. (—67.) — Bulletin, Bibliographie etc. (—112.) — Sept. *Dunoyer*, influence du régime prohibitif sur les relations sociales et sur le développement des diverses industries. (—138.) — *de Lafarelle*, première lettre sur le régime répressif et pénitentiaire dans les principaux états de l'ancien et du nouveau monde. (—154.) — *Clément*, petitions relat. à l'industrie, au commerce et à l'agriculture. (—162.) — *Loiseleur-Deslongchamps*, sur les Céréales et principal. sur les froments. (—171.) — *Blaise*, statistique minérale de la France. (—180.) — Revue, Bulletin etc. (—216.) — Oct. *Ramon de la Sagra*, sur l'état social de l'Espagne. (—223.) — *Vincens*, sur la cherté des grains de 1811 à 1812. (—245.) — *H. Say*, de l'administration du depart. de la Seine et de la ville de Paris. Suite. (—253.) — *Lacroix*, avenir du commerce français en Chine. (—273.) — *Richelot*, commerce du royaume-uni avec ses colonies et avec l'étranger pour la période décennale 1831 à 1840. (—290.) — Analyses; Bulletin etc. (—328.)

[8793] *Grundriss zu Vorlesungen üb. die Staatswirthschaft. Nach geschichtlicher Methode. Von **Wilh. Roscher.** Göttingen, Dieterich'sche Buchh. 1843. VI u 150 S. gr. 8. (n. 20 Ngr.)

[8794] ***Fr. Rohmer's** Lehre von den politischen Parteien. 1. Thl. (Auch u. d. Tit.: Die vier Parteien. Durch *Thd. Rohmer.*) Zürich, Beyel. 1844. XXII u. 364 S. gr. 8. (1 Thlr. 15 Ngr.)

[8795] Programm zur Philosophie des heutigen Zeitgeistes. Erster Theil als Ganzes für sich. Von Dr. **Gust. Andr. Lautier.** Denken, Lieben, Glauben, Arbeiten! Berlin, Logier. 1843. XLVIII u. 225 S. gr. 8.

[8796] Reden über die gegenwärtige Krisis der Weltgeschichte und wie sie geworden ist von Dr. **Sengler**, ord. Prof. d. Phil. an d. Univ. zu Freiburg. Freiburg, Herder'sche Verlagsb. 1843. 54 S. gr. 8. (10 Ngr.)

[8797] Deutsches Staatsarchiv. Herausgeg. vom Reg.-Rath *Buddeus.* 5. Bd. Jena, Frommann. 1844. IV u. 356 S. gr. 8. (n. 1 Thlr. 20 Ngr.) Vgl. No. 3359. Inh.: *v. Zirkler*, üb. die staatsbürgerl. Wahlrechte der Verurtheilten u. Begnadigten. (S 1—18) — *Beidtel*, über die Privatvereine. (—82.) — *Murhard*, Versuch einer wissenschaftl. Begründung des hochwichtigen Unterschiedes zwischen Grundvermögens- u. Grundeinkommens-Steuern. (—139.) — Das Landesverfassungsgesetz für das Königr. Hannover vom 1. Aug. 1840 und der Bundestagsbeschluss vom 5. Sept. 1839. (—218.) — *Buhl*, die Grundsteuerbefreiungen der Rittergüter in Preussen u. Hr. v. Bülow-Cummerow. (239.) — Actenstücke, Recc., Miscellen. (—356.)

[8798] Table générale chronologique et alphabétique du Recueil des Traités, Conventions et Transactions des Puissances de l'Europe et d'autres parties du Globe, servant à la connaissance des relations étrangères des États dans leur rapport mutuel. Commencé par *Geo. Fréd. de Martens* et continué jusqu'à nos jours. 2. partie. Goettingue, libr. de Dieterich. 1843. IV u. 428 S. gr. 8. (2 Thlr. 10 Ngr.)

[8799] Nouveau Recueil général de Traités, Conventions et autres Transactions remarquables, servant à la connaissance des relations étrangères des Puissances et États dans leurs rapports mutuels. Rédigé sur des copies authentiques par *Fréd. Murhard.* (Continuation du grand Recueil de feu M. *de Martens.*) Tome I., l'an 1840, avec des suppl. aux tomes antérieurs de cette collection. Goettingue, libr. de Dieterich. 1843. IV u. 624 S. gr. 8. (3 Thlr. 10 Ngr.)

[8800] Der Preussische Huldigungs-Landtag im J. 1840 von **Alfr. v. Auerswald.** Königsberg, Gebr. Bornträger. 1843. 59 S. 8. (10 Ngr.)

[8801] Die Verhältnisse zwischen den Rittergutseigenthümern u. dienstpflichtigen bäuerl. Kleinstellenbesitzern in d. Prov. Schlesien von **A. W. Kartscher**, pr. Justiz- u. Oekonomie-Commissarius. Breslau, Aderholz. 1843. 79 S. 8. (10 Ngr.)

[8802] Deutsche u. Stadt-Hannoversche Ansichten vom deutschen Handels- u. Zollvereine. Beleuchtet von e. Deutschen, der zugleich Hannoveraner ist. Berlin, Schröder. 1843. 58 S. gr. 8. (7½ Ngr.)

[8803] Stimmen aus Dänemark über die schleswigschen Verhältnisse. Eine Sammlung von Aufsätzen aus d. dänischen Wochenblatte. Herausgeg. von Dr. *J. F. Schouw*, Prof. Copenhagen, Gyldendal'sche Buchh. 1843. 141 S. 8. (15 Ngr.)

[8804] Zur Judenfrage in Deutschland. Vom Standpuncte des Rechts und der Gewissensfreiheit. Im Verein mit mehr. Gelehrten herausgeg. von Dr. *W. Freund.* 3. Lief. Berlin, Veit u. Co. 1843. S. 117—184. gr. 8. (5 Ngr.)

[8805] Darf ein Jude Mitglied einer Obrigkeit sein, die üb. christliche Unterthanen gesetzt ist? Ein freundliches, schlichtes Wort, zu dem deutschen Bürger u. Landmann gesprochen von *Treumund Wahrlieb.* 6. verm. Aufl. Minden, Essmann. 1843. 16 S. 8. (1⅛ Ngr.)

[8806] Leben und Wirken O'Connell's mit dessen Denkschrift an die Königin von England von **E. A. Moriarty.** Mit dem Portr. O'Connell's. Berlin, T. Trautwein. 1843. VII u. 168 S. gr. 8. (1 Thlr.)

[8807] Vierteljahrsschrift aus u. für Ungarn. 1843. Herausgeg. von Dr. *Emrich Henszlmann.* 3. Bdes. 1. Hälfte. (Vgl. No. 6905.) Inh.: Einleitung. (S. 1—8.) — Verzeichniss der Mitglieder der Ständetafel. (—12.) — Reichstag des Jahres 1843. (—26.) — Verhandll. üb. die Antwortsadresse auf die Thronrede. (—43.) — Die Nationalsprache. (—54.) — Die Verification der Beglaubigungsschreiben u. Turopolya. (—100.) — Verhandl. üb. die Religionsangelegenheiten u. die Mischehe. (—206.)

[8808] Oesterreich im Jahre 1843. 2. Aufl. Hamburg, Hoffmann u. Campe. 1843. 211 S. 8. (1 Thlr.)

[8809] Die orientalische, das ist russische Frage. Hamburg, Hoffmann u. Campe. 1843. 86 S. 8. (15 Ngr.)

Geschichte.

[8810] Considérations sur les causes de la grandeur des Romains et de leur décadence par **Montesquieu.** Édit. classique, avec notice littér. et notes par *Paul Longueville.* Paris, Delalain. 1843. 5¾ Bog. 12. (1 Fr. 20 c.)

[8811] Histoire des expéditions maritimes des Normands et de leur établissement en France au dixième siècle par M. **Depping.** Nouv. édit., entièrement réfondue. Paris, Didier. 1843. 35¼ Bog. gr. 8. (7 Fr. 50 c.)

[8812] Histoire maritime de France depuis la paix de Nimègue jusqu'à nos jours par **Léon Guerin.** (Fin du tom. II.) Paris, Abel Ledoux. 1843. 16¾ Bog. mit 15 Zeichn. gr. 8. (10 Fr.)

[8813] Esquisse féodale du comté d'Amiens au douzième siècle, servant d'introduction à la 3. série des Coutumes locales du baillage d'Amiens, que publie la société des antiquaires de Picardie, par M. **A. Bouthors,** greffier en chef de la cour royale d'Amiens. Amiens, Duval. 1843. 7 Bog. gr. 4.

[8814] Das Leben Napoleon's. Unter kritischer Benutzung der vorzügl. französ., deutschen u. engl. Werke über denselben in Kürze — volksthümlich und möglichst wahrheitsgetreu — geschildert von **G. Fr. Kolb.** Mit Napoleon's Bildn. in Stahlst. 2. verm. Ausg. Speyer, Lang. 1843. II u. 182 S. gr. 16. (10 Ngr.)

[8815] Rapport à Mons. le ministre de l'intérieur sur les documens concernant l'histoire de la Belgique qui existent dans les dépots littéraires de Dijon et de Paris. I. part. Bruxelles, Muquardt. 1843. 353 S. gr. 8.

[8816] Chronyke van Antwerpen, sedert het jaer 1500 tot 1575, gevolgd van een beschryving van de historie en het land van Brabant sedert het jaer 51 voor J. C. tot 1565, volgens een onuitgegeven handschrift van XVIe eeuw, met aenteekeningen van den uitgever (*van Dieren*). Antwerpen, 1843. gr. 8.

[8817] Études historiques et littéraires du pays Wallon par **Fr. Henaux.** Liége, 1843. 99 S. gr. 8. (1 Thlr.)

[8818] **Witikind** ou les Saxons etc. Trad. de l'allem. par M. *E. de la Bedollière.* Tom. III. Paris, 1843. 10½ Bog. 12. Vgl. No. 5099.

[8819] Jahrbücher des Vereins von Alterthumsfreunden im Rheinlande. III. Bonn, Marcus. 1843. 211 S. mit 8 Lithogr. gr. 8. (n. 1 Thlr. 15 Ngr.) Inh.: *Osann*, Gesonia. (S. 1—12.) — *Krosch*, Lippeheim, ein Castell des Drusus. (—16.) — *Lersch*, die Siegel u. Wappen Bonns. (—30.) — *Düntzer*, die Alamannenschlacht des Chlodowig. (—42.) — *v. Florencourt*, der vicus Belginum am stumpfen Thurm. (—55.) — *Schneider*, die Römerstrasse von Wasserbillig nach Neuhaus. (—59.) — Ders., antiquarische Entdeckungen im Reg.-Bez. von Trier. (—82.) — *Dillenburger*, Alterthümer bei Tüdderen. (—85.) — *Klein*, Mainzer Inschriften. (—91.) — *Urlichs*, Telephos u. Orestes. (—95.) — Ders., Bereicherungen des k. rhein. Museums vaterländischer Alterthümer. (—101.) — *Lersch*, der Tod der Lucretia. (—112.) — *Wieseler*, Mars Victor. (—124.) — *Jäger*, röm.

Alterthümer bei Grimmlinghausen u. Neuss. (—127.) — *Urlichs*, Bacchus der Sieger der Inder — u. das röm. Grabmal in Weyden. (—133. —148.) — Literatur, Miscellen, Chronik. (—211.)

[8820] Jahrbücher des Vereins für meklenburgische Geschichte u. Alterthumskunde, aus den Arbeiten des Vereins herausgeg. von *G. C. F. Lisch*, grossh. meklenb. Archivar u. s. w. 8. Jahrg. Schwerin. (Rostock, Stiller'sche Hofbuchh.) 1843. IV u. 272 S. mit 3 Lithogr. u. 1 Holzschn. gr. 8. (n. 1 Thlr. 20 Ngr.) Vgl. Rep. d. ges. deutsch. Lit. Bd. XI. No. 272; XIV, 1968; XX, 632; XXXIII, 1128. Inh.: *Lisch*, über die Stiftung der Klöster u. Kirchen zu Bützow u. Rühn. (S. 1—8.) — Ders., Geschichte des bischöfl. schwerinschen Wappens; — üb. die evang. Kirchen-Visitation v. Jahre 1535; — Verordnung des Herz. Joh. Albrecht I. beim Antritt seiner Regierung 1552. (—36. —51. —59.) — *Glöckler*, das Leben des Kanzlers Heinr. Husan. (—160.) — *Dittmer*, der reichsgerichtliche Pfändungsprocess in besond. Anwendung auf das ehem. lübeckische Dorf Strisenow. (—176.) — *Lisch*, üb. die rostocker Chroniken des 16. Jahrh. (—197.) — *Günther*, plattdeutsche Sprüchwörter u. meklenb. Volkssagen. (—212.) — *Lisch*, Fragmente altniederländischer Gedichte. (—218.) — Miscellen, Nachträge u. s. w. (—271.) — Hierzu gehört:

[8821] Jahresbericht des Vereins für meklenb. Geschichte u. Alterthumskunde, herausgeg. von *A. Bartsch*, Dompr. zu Schwerin u. s. w. IV u. 159 S. gr. 8. Gibt über die äusseren Verhältnisse des Vereins u. dessen Thätigkeit für die Erreichung seiner Zwecke nähere Kunde.

[8822] Geschichte Joseph's II., Kaisers von Deutschland, von **Camille Paganel**, Staatsrath. Aus d. Franz. von Dr. *Fr. Köhler*. 2 Bde. Leipzig, Ph. Reclam jun. 1844. 251 u. 205 S. 8. (2 Thlr.) Vgl. No. 2096.

[8823] Landes- u. Rechtsgeschichte des Herzogthums Westfalen von **Joh. Suib. Seibertz**. 3. Bd.: Urkundenbuch. 2. Bd. (1300—1400.) Arnsberg, Ritter. 1843. VI u. 706 S. gr. 8. mit 49 Siegel-Abdrücken auf 4 lith. Taf. in gr. 4. (3 Thlr. 15 Ngr.)

[8824] Geschichte der k. schwed. und herz. sachsen-weimar. Zwischenregierung im eroberten Fürstenthume Würzburg im J. 1631—1634 von Dr. **C. G. Scharold**, k. b. Legationsrath. 2. Heft. Würzburg, Voigt u. Mocker. 1843. S. 95—193. u. Urkunden S. 21—59. 8. (15 Ngr.)

[8825] *Ueber die Halloren als eine wahrscheinlich keltische Colonie, den Ursprung des halleschen Salzwerkes u. dessen technische Sprache. Ein Versuch von **Ch. Keferstein**. Halle, (Heynemann). 1843. VIII u. 119 S. gr. 8. (20 Ngr.)

[8826] Wie u. warum heissen wir Preussen? Von **F. W. Benicken**. Quedlinburg, Basse. 1843. 127 S. gr. 8. (20 Ngr.)

[8827] Das Leben Herzog Albrecht's des Beherzten. Als Einladungsschrift zu der 400jähr. Feier seiner Geburt im Schlosse zu Grimma am 27. Jul. 1843 vom Dr. phil. **R. Dietsch**, Oberlehrer. Grimma, Verlagscomptoir. 1843. 72 S. u. lith. Bildn. des Herzogs. gr. 8. (10 Ngr.)

[8828] Beschreibung der Feier des Albrechts-Festes zu Grimma am 27. Jul. 1843. (Von Dr. *Dietsch*.) Grimma, Verlagscomptoir. 1843. IV u. 27 S. gr. 8. (7½ Ngr.)

[8829] Geschichte der merkwürdigsten deutschen Frauen von Dr. **Carl Ramshorn**. 1. Bd. Leipzig, Einhorn. 1843. VIII u. 453 S. gr. 16. (1 Thlr. 15 Ngr.)

[8830] Études historiques. Tom. III. Histoire moderne, extraite des ouvrages de Guizot, de Daru, de Lacretelle etc. par **Louis Alb. Beauvais**.

Berlin, Duncker u. Humblot. 1843. VI u. 804 S. gr. 8. (n. 1 Thlr. 15 Ngr.) Vgl. No. 74 u. 3865.

[8831] Taschenbuch der neuesten Geschichte. Herausgeg. von Dr. G. Bacherer. Geschichte des Jahres 1842. Darmstadt, Leske. 1843. XIV u. 416 S. mit 4 (Dahlmann's, v. Itzstein's, Rumann's u. Steinacker's) Portr. 16. (1 Thlr. 20 Ngr.)

[8832] Der dritte September 1843 in Athen. Von einem Augenzeugen beschrieben u. mit den betreff. Actenstücken begleitet. Leipzig, Brockhaus. 1843. VIII u. 60 S. gr. 8. nebst 1 Tabelle in 4. (12 Ngr.)

[8833] Letzte Ereignisse des Feldzuges in China mit statist. u. sittenschildernden Beobachtt. vom Cap. **Granville G. Loch.** Nachtrag zu dem „Krieg in China" von *C. Richard.* Aachen, Mayer. 1844. VIII u. 176 S. gr. 8. (1 Thlr.)

Schul- und Unterrichtswesen.

[8834] Pädagogische Real-Encyklopädie oder encyklopäd. Wörterbuch des Erziehungs- u. Unterrichtswesens und seiner Geschichte. Redig. von *C. G. Hergang.* 2. Bd. 1.—5. Hft. (— Mädchenschulen.) Grimma, Verlags-Compt. 1843. 144 S. hoch schm. 4. (à 7½ Ngr.)

[8835] Universal-Lexikon der Erziehungs- und Unterrichtslehre für ältere u. jüngere christliche Volksschullehrer, Schulkatecheten, Geistliche u. Erzieher von *M. C. Münch*, vorm. Seminar-Rector, k. Schulenaufseher u. Pfr. zu Unlingen. Augsburg, Schlosser. 1844. 40 Bog. gr. 8. (1 Thlr. 15 Ngr.)

[8836] Bemerkungen über den Studienplan für die grossherz. hessische Landesuniv. zu Giessen von Dr. **A. A. E. Schleiermacher**, grossh. hess. Geh. Rath. Darmstadt, Jonghaus. 1843. 75 S. gr. 8. (10 Ngr.)

[8837] Erwiederung auf die Bemerkungen des Hrn. Geh. Raths Dr. *A. A. E. Schleiermacher* üb. den Studienplan f. die grossh. hess. Landesuniv. zu Giessen von **J. T. B. v. Linde**, grossh. hess. Staatsrath u. s. w. Ebendas. 1843. X u. 69 S. gr. 8. (10 Ngr.)

[8838] Der Mensch u. seine Erziehung von **H. Langethal**, Schulvorsteher in Bern. Jena, Luden. 1843. 195 S. gr. 8. (22½ Ngr.)

[8839] Deutschlands gesammtes Volksschulwesen nach seiner nothwend. Reformation u. seinem künftigen Verhältnisse zum Staat, zur Kirche u. zum Leben. Von e. sächs. Schulmanne. Bautzen, Schlüssel. 1843. XVI u. 271 S. 8. (22½ Ngr.)

[8840] Der Weg zum Paradies. Oder: Die einzigen u. wahren Mittel, das physische u. moral. Elend unserer Zeit im Keim zu ersticken u. auszurotten. Ein Aufruf an Erzieher u. Lehrer, an edle Väter u. Mütter, an Jünglinge u. Jungfrauen, an Kranke u. Gesunde von **Zimmermann.** Quedlinburg, Basse. 1843. 107 S. 8. (12½ Ngr.)

[8841] Eine kurze Unterweisung, wie man die Jugend in guten Sitten und christlicher Zucht erziehen und lehren solle, von **Huldr. Zwingli.** Ins Schriftdeutsche übers. von *R. Christoffel*, V. D. M. (Auch u. d. Tit.: Zeitgemässe Auswahl aus *H. Zwingli's* prakt. Schriften. 7. Bdchen.) Zürich, Meyer u. Zeller. 1843. 36 S. gr. 8. (3⅗ Ngr.)

[8842] Ein deutsches Schullehrer-Seminar u. die Vorbereitung zu demselben von **B. G. Kern**, Dir. d. Schull.-Sem. u. s. w. in Hildburghausen. Leipzig, Goetz. VIII u. 54 S. gr. 8. (10 Ngr.)

[8843] Offenes Schreiben an Hrn. Dr. Diesterweg, Schull.-Seminar-Dir. in Berlin. Die in der Rhein. Bll. 25. Bd. der neuen Folge 1. Hft. S. 101

stehende Recension betr. Ein Wort für Freunde der Wahrheit von **W. E. Schultheiss**, Lehrer in Nürnberg. Nürnberg. (Leipzig, Goetz.) 1843. 22 S. gr. 8. (2½ Ngr.)

[8844] ABC Buch für kleine Kinder mit 60 schönen Bildern u. Leseübungen. Wien, Müller. 1843. 4 Bog., 12 illum. Bll. u. illum. Titelblatt. 4. (2 Thlr. 20 Ngr.)

[8845] ABC in Bildern und Versen. Leipzig, Hirschfeld. 1843. 3 Bog. mit 46 Abbildd. 8. (5 Ngr.)

[8846] Fibel. Buchstabir- u. Lesebuch. 3. verb. u. verm. Aufl. Paderborn, Winkler. 1843. 47 S. 8. (2 Ngr.)

[8847] Das Alphabet in Bildern zum Zwecke, den Kindern die Buchstaben spielend ins Gedächtniss zu bringen. Mit umfassendem Texte von **J. Voltz.** Reutlingen, Fleischhauer u. Spohn. 1843. 3 Bog. Text u. 12 color. Bilder. gr. 4. (1 Thlr. 19 Ngr.)

[8848] Hamburgsche Fibel, oder erstes Bilderbuch für Kinder, als ABC Buch nach einer leichten u. fassl. Methode bearb. von **C. L. Gutmann.** Hamburg, Bödeker. 1843. 32 S. mit 6 illum. Kpfrn. 8. (7½ Ngr.)

[8849] Handfibel für den Schreiblesenunterricht in der ersten Elementarclasse von **J. A. Dreher**, Musterlehrer am königl. Schullehrer-Seminar in Gmünd. Wiesensteig. (Leipzig, Melzer.) 1844. 52 S. 8. (2½ Ngr.)

[8850] Nouveau syllabaire, ornée de 26 figures élégamment coloriées et cont. des exercices pour apprendre à épeler et à lire, de petits contes, des fables, des dialogues et des prières. Berlin, Winckelmann et fils. 1843. 64 S. u. 26 illum. Bilder. qu. 8. (1 Thlr.)

[8851] Anleitung zur Behandlung der biblischen Geschichte in deutschen Schulen. Nürnberg, Raw'sche Buchh. 1843. 50 S. gr. 8. (5 Ngr.)

[8852] Dr. **M. Luther's** kleiner Katechismus, erklärt u. mit nöth. Zusätzen verm. zum Gebr. f. d. Jugend u. zur Erinnerung u. Erbauung f. Erwachsene. Von *J. L. Parisius.* 15. verb. Aufl. Leipzig, Barth. 1843. 96 S. 8. (5½ Ngr.)

[8853] Biblisches Spruchbuch nach Dr. M. Luther's kl. Katechismus geordnet, z. Gebr. beim Religionsunterr. nach demselben, zunächst zum Auswendiglernen f. d. Mittel- u. Oberclasse einer Volksschule von **C. Fr. Glauch**, Schull. in Sachsenburg. Frankenberg. (Mitweida, Billig.) 1843. 4 u. 76 S. 8. (2½ Ngr.)

[8854] Kleines Spruchbuch, zugleich als Leitfaden beim Religionsunterr. für die Unterclasse einer Volksschule von **C. Fr. Glauch.** Ebendas., 1843. 24 S. 12. (1⅕ Ngr.)

[8855] Leitfaden beim Religionsunterrichte in d. Mittelclassen evang. Volksschulen von **F. Chr. Brand**, Schulinsp. zu Clausthal. 2. Aufl. Osterode, Sorge. 1843. XVI u. 256 S. 8. (15 Ngr.)

[8856] Neues Religions- u. Spruchbuch nebst hinzugefügten passenden Gedenkversen, in einem 2jähr. Cursus abgefasst für Kleinkinderschulen u. für die untersten Classen in Bürger- u. Landschulen von **C. G. Holzmüller**, Schullehr. in Dresden. Leipzig, Kruppe. 1843. 48 S. gr. 12. (3¾ Ngr.)

[8857] Katechismus der christ-kathol. Lehre. Zum Gebrauche bei Schul- u. Kirchen-Katechesen von **Th. Burkart**, Pfr. in Seedorf. 3. verm. u. durchaus verb. Aufl. Villingen, Förderer. 1843. 144 S. 8. (5 Ngr.)

[8858] Die vorzüglichsten Wahrheiten der Religion in vertraul. Erklärung, vornehmlich zum Gebr. f. d. Jugend von **E. v. Lamartine.** Aus d. Franz. Regensburg, Manz. 1843. 228 S. u. III S. 8. (20 Ngr.)

[8859] Lehr- u. Aufgabenbuch der deutschen Sprache für Elementarschulen. Im Wesentlichen nach *Wurst's* Ansichten bearb. von **J. A. Corsten**, Lehrer in Burtscheid. 1. Thl.: Die Rechtschreiblehre in 245 Aufg., nebst vorangeh. kurzen Belehrungen u. Regeln. Aachen, Hensen u. Co. 1843. 96 S. 16. (3⅘ Ngr.)

[8860] Handbuch der deutschen Sprache. In stufenweiser Ordnung bearb. für Lehrer in Land- u. Stadtschulen von Dr. **C. Oph. Knoblauch**, Diak. zu Kelbra. 2. Thl. (zu dem 3. u. 4. Cursus des „Leitfaden zur Anwend. der deutschen Sprachregeln" von dems. Vf.) Quedlinburg, Basse. 1843. VIII u. 302 S. gr. 8. (25 Ngr.)

[8861] Leitfaden zu einem wissenschaftl. Unterrichte in d. deutschen Grammatik u. Literatur für die obersten Gymnasial- u. Realclassen u. zum Selbstunterrichte von **Fr. W. Reimnitz**, Prof., Dir. des Gymn. zu Guben. 2. völlig umgearb. und mit e. Wörterb. bereich. Ausg. Cottbus, Meyer. 1844. VIII u. 344 S. gr. 8. (1 Thlr. 10 Ngr.)

[8862] Deutsches Lesebuch für Bürgerschulen u. untere Classen höherer Lehranstalten von Dr. **C. Fr. W. Clemen**, 2. Lehrer der Realsch. in Cassel. Cassel, Bohné. 1843. XII u. 284 S. gr. 8. (20 Ngr.)

[8863] Geschichte der deutschen Poesie in leichtfassl. Umrissen f. die reifere Jugend beiderlei Geschlechts von **Chr. Oeser.** In zwei Theilen. 1. Thl. Leipzig, Einhorn. 1844. XII u. 391 S. gr. 8. (3 Thlr. f. 2 Thle.)

[8864] 1200 neue Aufgaben zum Rechnen auf der Tafel, für die ersten Anfänger im Rechnen bestimmt, enth. die vier Grundrechnungsarten, von **Bauriegel**, Schulmeister in Pulgar. 1. Cursus. 2. unveränd. Aufl. Leipzig, Reclam sen. 1843. 31 S. 8. (2 Ngr.)

[8865] 2000 neue Aufgaben zum Rechnen in ungleich benannten Zahlen, gemeinen Brüchen und Decimalbrüchen, mit Rücksicht auf das neue sächs. Münz-, Maass- und Gewichtssystem von **Bauriegel.** 2. Cursus. 2. mit e. Anh. verm. Aufl. Ebendas. 1843. 185 S. 8. (7½ Ngr.) Resultate hierzu. 2. verm. Aufl. 64 S. 8. (5 Ngr.)

[8866] Anhang zu den neuen Rechnungsaufgaben, enth. 150 zusammengesetzte Aufgaben aus allen bisher eingeübten Rechnungsarten, von **Bauriegel.** 2. Cursus (z. 2. Aufl. gehör.). Ebendas., 1843. 29 S. 8. (2½ Ngr.) Resultate hierzu. 20 S. 8. (2 Ngr.)

[8867] 1500 neue Aufgaben zum Rechnen auf der Tafel, enth. die einfache u. zusammengesetzte Regeldetri, mehr. vermischte Aufgaben u. in e. Anhange die Zinseszinsrechnung, Rabattrechnung, Flächen- u. Körperberechnung u. einige algebraische Aufg., von **Bauriegel.** 3. u. letzter Cursus 2. verb. Aufl. Ebendas., 1843. 190 S. 8. (15 Ngr.) Resultate dazu. 2. verb. Aufl. VIII u. 63 S. 8. (7½ Ngr.)

[8868] Gründliche und fassliche Anweisung zum höh. Kopfrechnen und zur grösstmöglichen Vereinfachung des ges. Unterrichtes im Rechnen von **Gotth. Escher**, ehem. Dir. u. erstem Lehrer der protestant. Schulanstalt in Brünn. Pesth, Hartleben. 1843. IV u. 177 S. gr. 8. (19 Ngr.)

[8869] Neue arithmetische Uebungsbeispiele, für Deutschlands Gymnasien u. Bürgerschulen, sowie für Berg-, Forst-, Militair- u. and. Institute bearb. von **Fr. Löhmann.** 1. Heft: Die 4 Rechnungsarten mit ganzen gleich- u. ungleichbenannten Zahlen. 2. verm. Aufl. Leipzig, Barth. 1843. XVI, 85 u. 20 S. 8. (11⅕ Ngr.) 2. Heft: Die 4 Rechnungsarten gleich- u. ungleichbenannter Zahlen mit gemeinen Brüchen. 2. verm. Aufl. IV, 66 u. 17 S. 8. (7½ Ngr.)

[8870] Sammlung von Beispielen u. Aufgaben aus d. Buchstabenrechnung u. Algebra zum Gebr. in Real- u. Bürgerschulen von Dr. **H. Gräfe.** 1. Hft.

Jena, Hochhausen. 1843. VIII u. 184 S. 8. (11⅓ Ngr.) Resultate zu vorstehender Sammlung. 87 S. 8. (11⅓ Ngr.)

[8871] Raumlehre oder Geometrie, nach den jetzigen Anforderungen der Didaktik f. Lehrer u. Lernende bearb. von Dr. **F. A. W. Diesterweg**, Dir. des Sem. f. Stadtschulen in Berlin. 2. verb. u. verm. Aufl. Bonn, Weber. 1843. XII u. 303 S. mit 9 Steintaff. gr. 8. (1 Thlr.)

[8872] Leitfaden für den ersten Unterricht in der descriptiven Geometrie von Dr. **Ch. Gugler**. (Aus d. grösseren „Lehrbuch" des Vfs. vorzugsweise für d. Gebr. in Gewerbschulen.) Nürnberg, Schrag. 1844. VI u. 101 S. gr. 8. nebst 2 Kpfrtaff. in Halb-Fol. (26⅔ Ngr.)

[8873] Kleine Geographie mit besond. Berücksichtigung des dänischen Staates von **J. Bruhn**, Insp. u. Lehrer in Copenhagen. 6. verb. Aufl. Copenhagen, Reitzel. 102 S. 12. (7½ Ngr.)

[8874] Leitfaden beim Unterrichte in d. Erdkunde f. Bürger- u. Landschulen von **J. Greve**, Lehrer u. Cantor in Kiel. 2. verb. Aufl., verm. mit e. Anhang von Palästina. Kiel, Universitäts-Buchh. 1843. 32 S. 8. (2 Ngr.)

[8875] Die deutsche Geschichte in ihren wesentlichsten Grundzügen u. in e. übersichtl. Zusammenhange. Ein Leitfaden f. d. mittlere histor. Lehrstufe in Schulen, wie im Selbstunterrichte von Dr. **H. Dittmar**. 2. verb., grossentheils umgearb. u. verm. Aufl. Carlsruhe, Holtzmann. 1843. IX u. 382 S. gr. 8. (22½ Ngr.)

[8876] Weltgeschichte für Töchterschulen und zum Privatunterricht. Mit besond. Beziehung auf das weibl. Geschlecht von **Chr. Oeser**. 3 Thle. 2. revid. Auflage. Leipzig, Einhorn. 1843. XIV u. 270, VI u. 314, IV u. 331 S. gr. 8. (2 Thlr. 15 Ngr.)

[8877] Kurze Geschichte u. Geographie der Prov. od. des Grossherz. Posen von **C. A. W. Entress**, Cantor u. Lehrer in Wreschen. Für Lehrer. Lissa, Günther. 1843. 51 S. 8. (5 Ngr.)

[8878] Kleiner naturhistorischer Schul Atlas nebst Anweisung üb. Fang, Zubereitung u. Aufbewahrung d. Thiere von **J. C. Dufft**. Leipzig, Hartung. 1843. 61 S. u. 16 lith. Taff. 8. (10 Ngr.)

[8879] Neuestes Bilderbuch aus den drei Reichen der Natur zur Belehrung u. Unterhaltung für Kinder von 6—12 Jahren von **Trg. Lessig**. Hamburg, Heubel. 1844. X u. 114 S. mit 24 color. Taff. qu. 8. (1 Thlr. 15 Ngr.)

[8880] Bilderbuch zur Belohnung für gute Kinder. 2. verm. Aufl. Leipzig, Hirschfeld. 2 Bog. mit 16 Abbildd. 8. (7½ Ngr.)

[8881] Kleine Bilderschau für gute Kinder mit 17 Darstellungen u. Versen. Reutlingen, Fleischhauer u. Spohn. 1843. 2 Bog. mit illum. Bildern. 8. (10 Ngr.)

[8882] Die Puppenwelt. Eine neue Bilderlust für kleine Mädchen. Nürnberg, Zeh. 1844. Mit 12 illum. Kpfrn. 4. (15 Ngr.)

[8883] Die Soldatenspiele. Eine neue Bilderlust für muntere Knaben. Nürnberg, Zeh. 1844. Mit 12 illum. Kpfrn. 4. (15 Ngr.)

[8884] Contour-Zeichnungen, die Repräsentanten der einzelnen Familien des Thierreichs darstellend, als ein Hülfsmittel für d. naturgeschichtl. Unterricht, sowie als Vorlegeblätter zum Zeichnen, von **H. L. Elditt**, Lehrer an d. höh. Töchtersch. zu Königsberg in Pr. 1. Heft: Säugethiere u. Vögel. 2. Heft: Amphibien, Insecten u wirbellose Thiere. Berlin, Winckelmann u. Söhne. 1843. 36 u. 36 lith. Bll. 4. (In Futt. à 15 Ngr.)

[8885] Allgemeine deutsche Vorschriften für d. ersten Unterricht im Schönschreiben von **G. A. Berger**. 2. Abthl. in 3 Stufen, jede von 10 Blättern. Nördlingen, Beck. 1843 4. (Jede Stufe 3⅓ Ngr.)

[8886] Kalligraphische Wandvorschriften in engl., sogen. latein. Schrift von **A. Decker**, Rector an d. Bürgersch. zu Neustadt-Magdeburg. Magdeburg, (Inkermann). 1843. 41 Bog. Schreibp. Fol. (1 Thlr. 15 Ngr.)

[8887] Das kleine und grosse Alphabet der deutschen Schreibschrift zum Aufkleben f. Wandtafeln in Elementarschulen von **Joh. Heinrigs.** Cöln. (Berlin, Trautwein u. Co.) 1843. 12 Bll. in qu. Fol. (20 Ngr.)

[8888] Schulvorschriften von **C. G. Rossberg.** 1. Hft. 2. Aufl. Leipzig, Hunger. 1843. 12 Blätter. 4. (10 Ngr.)

[8889] Der Schreibmeister. Deutsche u. engl. Vorschriften. Erster Unterricht. (Von *F. Silber.*) Berlin, Heymann. 1843. 12 lith. Bll. 8. (5 Ngr.)

[8890] Die musikalische Taktlehre. Aus *J. Gersbach's* musikal. Reihenlehre od. Elementarrhythmik entnommen u. in übersichtl. Tabellen zusammengestellt von **Ant. Gersbach**, Seminarl. in Carlsruhe. Carlsruhe, Holtzmann. 1843. 63 S. qu. gr. 8. (15 Ngr.)

[8891] 120 ein- und mehrstimmige Lieder für Schulen von **F. G. Bogenhardt**, Seminarlehrer in Hildburghausen. 2. Aufl. Hildburghausen, Kesselring. 1843. 138 S. br. 8. (7½ Ngr.)

[8892] Sammlung älterer, meist unbekannter Choräle u. Melodien zu Kirchenliedern, vierstimmig gesetzt u. zunächst für d. Gebr. des neuen würtemberg. Gesangbuches herausgeg. von **Gph. Blumhardt**, Pfr. in Möttlingen bei Calw. I. Abthl. Nr. 1—100. Melodien zu drei- bis sechszeiligen Liedern. Stuttgart, Steinkopf. 1843. XII u. 72 S. gr. 8. (15 Ngr.)

[8893] Melodien zum Diöcesan-Gesangbuche für das Erzbisthum Freiburg. Zum Behuf der Einübung in d. Schulen aus d. Hauptwerke ausgezogen. Einstimmige Ausgabe mit Text. Carlsruhe, Müller'sche Hofbuchh. 1843. 164 S. 8. (10 Ngr.; ohne Text [32 S.] 3⅓ Ngr.)

[8894] Conversations-Lexikon für die Jugend. 21.—28. Hft. (3. u. 4. Bd.) (Otto—Toggenburg.) Meissen, Goedsche. 1843. S. 369—464 u. 1—264. 8. (2 Thlr.)

[8895] Allemannia. Erstes Lesebuch. Ein Schul- u. Festgeschenk für die deutsche Jugend in e. Auswahl der besten Mährchen, Sagen, Erzählungen, Fabeln, Parabeln, Legenden, Romanzen, Balladen; e. Reihenfolge von Charakterschilderungen, Kriegs- u. Heldenthaten, Schilderungen, Beschreibungen, Lehren u. Lebensregeln. Herausgeg. von *Alfr. v. d. Aue.* Anclam, Dietze. 1843. XX u. 424 S. 8. (15 Ngr. Festausgabe mit 3 Stahlst. 1 Thlr.)

[8896] Kleinere Erzählungen für die christliche Jugend von Dr. **Chr. Gl. Barth.** 1. Bdchn. Stuttgart, Steinkopf. 1843. 292 S. 8. (20 Ngr.)

[8897] Kindergarten mit Blumen, Blüthen u. Früchten. Eine Sammlung von 300 kurzen u. anmuth. Geschichten zur Unterhaltung, Belehrung u. Ermunterung f. Knaben u. Mädchen von **Leop. Chimani.** Wien, Müller. 1843. 232 S. mit 12 illum. Bildern. gr. 16. (1 Thlr. 10 Ngr.)

[8898] The History of little Jack. A story for children by **W. Day.** Dresden, Bromme. 1843. 89 S. 16. (10 Ngr.)

[8899] Reisebilder, für die Jugend bearb. von **Thd. Dielitz**, Oberl. an d. k. Realschule in Berlin. Berlin, Winckelmann u. Söhne. 1843. VI u. 313 S. mit 8 illum. Bildern. br. 8. (1 Thlr. 10 Ngr.)

[8900] Der kleine Vielwisser od. Unterhaltungen einer Mutter mit ihrem Söhnchen üb. die im tägl. Leben am meisten vorkomm. Gegenstände d. Natur u. Kunst von **Aug. Frommherz.** Wien, Müller. 1843. 106 S. mit 37 col. Bildd. gr. 16. (1 Thlr. 10 Ngr.)

[8901] Mährchen aus dem Morgenlande für die Jugend von **A. L. Grimm.**

Mit 5 farb. Stahlst. von *J. B. Sonderland.* 2. Abdr. Hamburg, Heubel. 1843. VIII u. 234 S. br. 8. (1 Thlr. 10 Ngr.)

[8902] St. Clodoald Ahnungen eines Kindes. Eine Gesch. aus d. Zeitalter der siegenden Kirche, f. d. reifere Jugend erzählt von **Thd. Herberger.** Augsburg, Rieger'sche Buchh. 1843. 156 S. mit 1 Stahlst. 8. (11⅕ Ngr.)

[8903] Knospen u. Blüthen für die reifere Jugend von **L. Hibeau,** Erziehungs-insp. d. Louisenstifts in Berlin. Berlin, Athenäum (Th. Scherk). 1843. 362 S. gr. 16. (20 Ngr.) Hieraus einzeln:

[8904] Iwan III. Czar von Russland. Eine Erzählung für reifere Knaben von u. s. w. Ebendas., 1843. 100 S. gr. 16. (5 Ngr.)

[8905] Die Familie Walter. Eine Erzählung für die reifere Jugend von u. s. w. Ebendas., 1843. 100 S. gr. 16. (7½ Ngr.)

[8906] Des Töpfers bester Thon. Eine Erzählung für die reifere Jugend von u. s. w. Ebendas., 1843. 152 S. gr. 16. (7½ Ngr.)

[8907] Der neue Kinderfreund Herausgeg. von *Hrm. Kletke.* Mit Zeichn. von *Th. Hosemann* u. vielen Vignetten. Berlin, A. Duncker. 1843. 486 S. u. 10 Zeichn. gr. 8. (2 Thlr. 20 Ngr.)

[8908] Der Klausner bei der Stein-Kapelle oder die Gründung des Klosters Schönthal. Eine Sage der Vorzeit. Von dem Vf. des Wilh. Tell. Reutlingen, Fleischhauer u. Spohn. 1843. 79 S. u. Titelbild. gr. 12. (3¾ Ngr.)

[8909] Das Vergissmeinnicht. Eine Geburtstags- und Weihnachtsgabe für Kinder d. höh. u. höchsten Stände von 5—10 Jahren von **Lossius.** 3. veränd. Aufl. Mit 8 farb. Bildern von *J. B. Sonderland.* Hamburg, Heubel. 1843. 139 S. 8. (1 Thlr.)

[8910] Marie Rosa oder die Hütte im Wallliserland. Hist.-romant. Erzählung aus d. röm. Kaisers Carl's VI. Tagen. Für d. reifere Jugend. Von dem Vf. der Glocke der Andacht. Reutlingen, Fleischhauer u. Spohn. 1843. VI u. 214 S. mit 1 Stahlst. 8. (15 Ngr.)

[8911] Kindliches. Eine Auswahl von Gedichten, verfasst in ihrem 10.—13. Jahre von **Anna Menzel.** Gesammelt u. herausgeg. von *C. A. Menzel.* Halle, Kümmel's Sortimentsb. (Knapp). 1843. VI u. 110 S. 8. (15 Ngr.)

[8912] The Young Maiden. By **A. B. Muzzey.** Lond., 1843. 202 S. gr. 12. (4sh. 6d.)

[8913] Der Papagei. Eine neue Erzählung für Kinder u. Kinderfreunde von **Th. Nelk.** 4. Aufl. Nördlingen, Beck. 1843. 56 S. u. Titelbild. 12. (3¾ Ngr.)

[8914] Seppel od. der Synagogen-Brand zu München. Zu Nutz u. Frommen f. Jung u. Alt erzählt von **Gust. Nieritz.** Leipzig, Wöller. 1843. 142 S. mit 1 Titelkpfr. 8. (11⅕ Ngr.)

[8915] Die schönsten u. lehrreichsten Mährchen u. Erzählungen aus Tausend u. Eine Nacht. Für die Jugend beiderlei Geschlechts ausgewählt von **H. Rebau.** Reutlingen, Fleischhauer u. Spohn. 1843. 191 S. mit 6 illum. Kpfrn. 8. (22½ Ngr.)

[8916] Stephan und Valentin od. Lüge u. Redlichkeit. Von Mlle. **Ulliac Tremadeure.** Aus d. Franz. Ebendas., 1843. 195 S. mit 4 Kpfrn. gr. 12. (15 Ngr. Mit color. Bildern 19 Ngr.)

[8917] Vaterlandsliebe und Treue in Kampf und Tod, od. Richard, der edle Gebirgsjäger am Königs-See. Eine hist. Erzählung für d. reif. Jugend. Von dem Vf. der „Kinder der Wittwe". Augsburg, v. Jenisch u. Stage. 1843. IV u. 190 S. mit 1 Stahlst. 8. (17½ Ngr.)

[8918] Die Wallfahrt nach Monserrat oder die Macht der Erziehung. Eine lehrreiche Geschichte aus d. letzten Zeiten der Maurenherrschaft in Spanien. Eltern, Erziehern u. Kindern nach Quellen erzählt von **J. Geo. Waitzmann.** Augsburg, Lampart u. Co. 1843. 136 S. mit 1 Stahlst. 8. (11⅓ Ngr.)

[8919] Die poetische Kinderwelt. Eine Sammlung sorgfältig ausgewählter u. lehrreich geordn. Gedichte f. d. Jugendalter von 5—10 J. von **K. F. W. Wander.** Grimma, Verlagscomptoir. 1843. XVIII u. 245 S. 8. (5 Ngr.)

[8920] Alma's Wäldchen. Lebensbild für Kinder von 6 bis 10 Jahren von **Am. Winter.** Ebendas., 1843. 92 S. mit 6 illum. Kpfrn. 8. (20 Ngr.)

Handelswissenschaft.

[8921] Grosse industriell-mercantilische Encyklopädie alles Wissenswürdigen und Interessanten aus dem Gebiete der gesammten Waarenkunde u. Waarengeschichte Mit besond. Rücksicht auf Europas Handel, Industrie u. deren Geschichte. Herausgeg. von einem Vereine literar. gebild. Männer u. redig. von *F. L. Hübsch*, prakt. Kaufmann. 1. Bd. 1.—4. Hft. Prag, Kronberger u. Rziwnatz. 1843. à 6 Bog. mit Abbildd. gr. Lex.-8. (1 Thlr. 20 Ngr.)

[8922] Vollständiges Lexikon der Waarenkunde in allen ihren Zweigen. 3. verb. u. verm. Aufl., herausgeg. von *Alb. Frz. Jöcher.* 3. Bd. Quedlinburg, Basse. 1843. 766 S. gr. 12.

[8923] Abriss einer Geographie für Kaufleute, worin das Münzwesen aller Länder der Erde nach d. preuss. Münzfusse berechnet ist, von **M. Arnheim**, Lehrer d. Rechnenkunst u. d. Erdkunde in Dessau. Leipzig, Hunger. 1843. 59 S. gr. 12. (10 Ngr.)

[8924] Reductions-Tabellen, enth. theils Verwandlungen der Münzen-, Maass- u. Gewichttheile in Decimalbrüche, theils Uebertragung früher gebräuchlich gewes. Flächenmaasse in das neue württemb. Maass, u. die Verhältnisse zu d. ausländ. Maassen u. s. w., nebst e. kurzen Anleitung zur Decimal-Rechnung, von **Luc. Huber**, Hofkammer Revisor in Sigmaringen. Stuttgart, Beck u. Fränkel. 1843. VI u. 53 S. gr. 8. (12½ Ngr.)

[8925] Kaufmännische Arithmetik. Enth. die Gold- u. Silbermünzen nach ihrem gesetzmässigen Gehalt und Gewicht, das Papier-, Rechnungs- und Wechselgeld, die Wechsel- u. Staatspapier-Course u. die höh. Zinsrechnung nebst Aufgaben üb. alle diese Theile, von **J. Th. H. Rosenberg**, Lehrer d. Math. u. d. kaufmänn. Arithmetik. Hamburg, Herold. 1843. 106 u. 15 S. gr. 8. (15 Ngr.)

[8926] Handbuch der praktisch-kaufmänn. Rechenkunst nach d. kürz. u. leichtesten Methoden, sowie nach d. neuesten Angaben der Wechselcourse, mit verschied. Courstabellen u. d. Rentenberechnung, von **L. Wallerstein**, Lehrer d. Math. u. d. kaufm. Rechenkunst in Frankfurt a. M. 2. verm. Ausg. Frankfurt a. M., Schmerber'sche Buchh. 1843. VI u. 174 S. gr. 8. (1 Thlr.)

[8927] Der Kaufmann als Lehrling, Commis u. Principal von **Fr. Noback.** 2. Bd.: Der Commis in den verschied. Kreisen seines Wirkens, als Buchhalter, Cassirer, Correspondent, Lagerdiener, Reisender, Disponent u. im Kleinverkehr. Seine Stellung u. seine Aussichten. Leipzig, O. Wigand. 1843. VIII u. 485 S. gr. 16. (1 Thlr. 10 Ngr.)

[8928] Niederlagskunde für Materialwaarenhändler oder Lehre von d. Aufbewahrung, Prüfung u. Verbesserung der Materialwaaren, wie auch Anweisung zu vortheilhafter Selbstverfertigung vieler Artikel, von **G. A. Cassak.** Nordhausen, Fürst. 1843. X u. 233 S. 12. (22½ Ngr.)

[8829] M. Meinemann's Geschäftsführer als Buchhalter od. zweckmässigstes Buchhaltungs-System für d. Kaufmanns-Stand. Mit Rücksicht auf d. Kleinhandel u. das Wechsel- u. Fonds-Ein- u. Verkaufs-Geschäft. 2. völlig umgearb. u. sehr stark verm. Aufl. Herausgeg. von *Ign. Bh. Montag*. Weimar, Voigt. 1843. VIII u. 284 S. 4. (1 Thlr. 25 Ngr.)

[8830] Provisorische Tarife der Canal- u. Hafengebühren, dann der Krahnen-, Waag- u. Lagergebühren in d. Häfen u. Lagerhäusern des Ludwig-Canals u. Vorschriften üb. die Schiffs-Aichung. Mit tabellar. Gebühren-Berechnungen. Bamberg, lit.-artist. Institut. 1843. 32 S. gr. 8. (3½ Ngr.)

[8831] Grosses Adressbuch der Kaufleute, Fabrikanten u. hand. Gewerbsleute von Europa u. d. Hauptplätzen der fremden Welttheile. Nr. 8: Preussisch-Sachsen, Anhalt, Detmold, Lippe-Schaumburg, Waldeck u. Reg.-Bezirk Trier. Nr. 9: Brandenburg, Preussen, Posen, Pommern, Schlesien. Nürnberg, Leuchs u. Co. 1843. 474 u. 519 S. gr. 8. (à 27 Ngr.)

[8832] Allgemeiner Schlüssel zur kaufmänn. Correspondenz oder gründlicher Leitfaden zum Geschäftsstyl in e. reichhaltigen Sammlung deutscher u. franz. Originalbriefe über eine Reihenfolge von Geschäften, nebst Erklärung der sich daraus ergebenden ersten Buchungen, sowie sämmtlicher darin vorkommender Kunstausdrücke, u. einer allgem., die Regeln des kaufmänn. Briefwechsels enthaltenden Einleitung, von **C. Courtin**, Prof. d. Handels-Wiss. 3. unveränd. Aufl. Stuttgart, Weise u. Stoppani. 1843. IV u. 282 S. gr. 8. (1 Thlr.)

[8833] Correspondance commerciale, suivie de la traduction en Allemand des principaux termes employés dans les lettres et terminée par un recueil explicatif des mots les plus usités dans le commerce par **Aug. Schiebe**, Dir. de l'école publ. de commerce à Leipzig. 2. édit. revue et augmentée. Leipzig, Barth. 1843. XXIV u. 357 S. gr. 8. (1 Thlr. 15 Ngr.)

[8834] Lehrbuch der deutschen Handelscorrespondenz von **Lud. Schleier**. 2. verb. Aufl. Leipzig, Klinkhardt. 1844. XXII und 619 S. 8. (geh. 1 Thlr. 22½ Ngr.)

[8835] Manuale di scritturazione mercantile, o sia L'Arte di tenere i registri di commercio in partita doppia e semplice insegnata in lezioni XXI senza bisogno di maestro, tolta dalla celebre opera del sig. Jaclot professore in contabilità mercantile a Parigi, per cura di *G. B. Margaroli* già estensore del „Giornale di commercio" con aggiunte e schiarimenti. Seconda edizion nella quale si sono introdotti i miglioramenti che il signor Jaclot fece nelle sua nona edizione stata adottata per teste nelle scuole di Francia, oltre le seguenti preziose aggiunte del sig. Rees. Lestienne: primo, di un trattato delle cambiali, biglietti all' ordine e mandati di commercio; secondo, di un metodo chiaro e semplice di calcolare gl' interessi; terzo, di un piccolo dizionario dei principali termini di commercio. 2 Tomi. Milano, 1843. 152 u. 176 S. gr. 8. mit 5 Tabellen in Fol. (6 L.)

Todesfälle.

[8836] Am 25. Oct. starb zu Montpellier Baron *Capelle*, ehemal. Minister Carl's X., früher Generalsecretair zu Nizza und Präfect an verschiedenen Orten, des ehemal. Départ. de la Méditerranée zu Livorno, zu Genf, des Départ. de l'Ain zu Besançon, de Seine et Oise zu Versailles u. s. w., 68 Jahre alt.

[8837] Am 31. Oct. zu Ronneburg Dr. *Jonathan Schuderoff*, Geh. Cons.-Rath, seit 1806 Superintendent u. Oberpfarrer das., seit 1842 emeritirt, vorher seit 1790 Pfr. zu Drakendorf b. Jena, 1798 Diakonus u. 1805 Archidiak. zu

Altenburg, in seiner vielseitigen literarischen Thätigkeit weniger durch wissenschaftliche Tiefe, als durch vorzügliche Gewandtheit in der stylistischen Darstellung, regem Eifer und eine daher auch nicht immer leidenschaftslose Polemik bekannt, geb. zu Gotha am 24. Oct. 1766.

[8838] Am 1. Nov. zu Celle *Sal. Phil. Gans*, einer der tüchtigsten Anwalte der Stadt und des Landes, als juristischer Schriftsteller („Das Erbrecht des Napoleon. Gesetzbuchs in Teutschland“ 1810, „Von dem Amte der Fürsprecher vor Gericht“ 1820 u. 27, „Von dem Verbrechen des Kindermords“ 1824, „Krit. Beleuchtung des Entwurfs e. Strafgesetzes f. Hannover“ 2 Thle. 1827 f., „Entwurf e. Criminal-Processordnung f. d. Kön. Hannover“ 1836, „Zeitschrift f. d. Civil- u. Criminal-Rechtspflege im K. Hannover“ 1826 f. u. a. m.) rühmlich bekannt, 55 Jahre alt.

[8839] Am 3. Nov. zu Zurzach im Aargau *Joh. Keller*, Pfarrer und Stiftsdecan, ein sehr geschatzter Geistlicher, 43 Jahre alt.

[8840] Am 5 Nov. zu Leipzig *Joh. Heinr. Hirzel*, seit 1817 Pastor der reformirten Gemeinde, als Kanzelredner und Seelsorger von grossem Ruf und wohlverdientem Ansehen, mild und anspruchlos in seiner Gesinnung, der durch sein segensreiches Wirken bei Vielen ein dankbares Andenken auf lange sich gesichert hat, geb. zu Zürich 1794.

[8841] An dems. Tage zu Darmstadt Dr. *Klaus Kröncke*, grossherz. hess. Geh. Rath u. Ober-Baudirector, bis 1838 Chef der grossh. Ober-Baudirection, früher seit 1798 Chausseeinsp. u. Wasserbaumeister zu Giessen, 1801 a. o. Prof. an dasiger Univ., 1802 Steuerrath u. ORheinbauinsp. zu Darmstadt, 1803 Kammerrath u. s. w., ein in seinem Berufe vielfach verdienter Mann, als Schriftsteller durch einige grössere Werke („Allgem. auf Gesch. u. Erfahrung gegründ. theor.-praktische Wasserbaukunst“ 1. Bd. 1798 [*Wiebeking's* Wasserbauk. 1.], „Das Steuerwesen nach seiner Natur u. s. Wirkungen untersucht“ 1804, „Ausführl. Anleitung z. Steuerregulirung“ 2 Thle. 1810 f., „Abhandlungen üb. staatswirthschaftl. Gegenstände“ 4 Thle. 1812—19) und zahlreiche kleinere Schriften u. Aufsätze in Zeitschriften bekannt, geb. zu Osten im ehemal. Herzogth. Bremen am 30. März 1771.

[8842] Am 6. Nov. zu Gera Dr. *Aug. Ghi. Rein*, fürstl. reuss. Schulrath und Director emer. der dortigen Landesschule, ein Mann von ächt humaner Bildung und regem wissenschaftlichen Eifer, in weiteren Kreisen durch verschiedene Gelegenheitsschriften, insbesondere die „Disput. de studiis humanitatis nostra etiam aetate magni aestimandis. P. I—XXXII“ (1803—39) rühmlich bekannt, geb. zu Dobiau am 15. Nov. 1772.

[8843] Am 7. Nov. zu Mannheim der kön. bayer. pens. Geh. Staatsrath *Frz. Xav. von Zwackh*, Grosskreuz u. Comthur mehr. Orden, früher Bevollmächtigter mehr. fürstl. u. gräfl. Häuser zu Wetzlar, während des Rheinbundes k. b. Gesandter in Frankfurt, zuletzt Regierungspräsident zu Speyer, ein vielfach verdienter, bis zu seinem Tode geistigkräftiger Mann, fast 90 Jahre alt.

Beförderungen und Ehrenbezeigungen.

[8844] Die Decoration des k. preuss. Rothen Adler-Ordens ist verliehen worden in der 1. Classe mit Eichenlaub in Brillanten dem wirkl. Geh. Rathe, ausserordentl. Gesandten und bevollmächt. Minister am k. sächs. Hofe *Joh. Ludw. von Jordan*;

[8845] 3. Classe mit der Schleife: dem Curator der rhein. Friedrich-Wilhelms-Universität zu Bonn, Geh. Ober-Reg.-Rath Dr. *Aug. von Bethmann-Hollweg*, dem ord. Prof. in der dasigen philosoph. Facultät Dr. *Gust. Bischof*, dem ord. Prof. in der medicin. Facultät der Univ. Breslau, Geh. Med.-Rath Dr. *Ado. Wilh. Otto*;

[8846] 3. Classe: dem Superintendenten *Kopf* zu Weferlingen, Kreis Gardelegen, dem Grafen *Bastard* zu Paris;

[8847] 4. Classe: dem ord. Prof. in der evang.-theol. Facultät der Univ. Bonn, Cons.-Rath Dr. *K. H. Sack*, dem ord. Prof. in der kathol.-theol. Facultät, Domcapitular Dr. *J. Mt. Aug. Scholz*, dem ord. Prof. in der jurist. Facultät Dr. *Ferd. Walter*, den ord. Professoren in der medicin. Facultät Dr. *C. Mayer*, Dr. *Mor. Naumann* und Dr. *H. Fd. Kilian*, sämmtlich zu Bonn, dem Land- u. Stadtgerichtsdirector zu Bromberg, OLGRath *Horn*, dem Stadtphysikus Dr. *Meineke* zu Treptow an der Tollense, dem Prediger *Wichelhauss* zu Bonn, den Pfarrern *Schmidt* zu Saalhausen, Kreis Olpe, *Weischmeyer* zu Langenberg, Kreis Wiedenbrück, u. And.

[8848] Der Prof. der Rhetorik am k. Collège zu Angers, Dr. *Edm. Arnould*, ist an *Maignien's* Stelle zum Prof. der französ. Literatur in der Faculté des lettres zu Strassburg ernannt worden.

[8849] Der bisher. Obervogt zu Durlach, Geh. Rath *Baumüller*, ist zum Director des evangel. Oberkirchenraths zu Carlsruhe ernannt worden.

[8850] Der Director der Taunuseisenbahn, Hofrath *Beil* zu Frankfurt am Main, hat das Ritterkreuz des k. belg. Leopold-Ordens erhalten.

[8851] Der bisher. Secretair bei der grossbritann. Botschaft zu Paris *Henri Lytton Bulwer* ist zum ausserordentl. Gesandten und bevollmächt. Minister am k. spanischen Hofe ernannt worden.

[8852] Der bisher. ausserordentl. Professor Dr. *Wilh. Cruse* und der prakt. Arzt Dr. *Geo. Hirsch* zu Königsberg sind zu ordentl. Professoren in der medicinischen Facultät der dortigen Universität ernannt worden.

[8853] Der bisher. grossh. badische Gesandte am deutschen Bundestage *Alex. von Dusch*, als Gelehrter durch eine deutsche Bearbeitung des Lesage'schen Atlas bekannt, ist zum Staatsminister des grossherz. Hauses u. der auswärt. Angelegenheiten ernannt worden.

[8854] Der durch mehrere literarische Arbeiten, unter andern eine Uebersetzung von Goethe's Faust bekannte Lord *Francis Egerton* ist zum Lord-Warden der Universität Aberdeen erwählt worden.

[8855] Der bekannte Reisende Frhr. *von Hallberg* (Eremit von Gauting) hat von dem Schah von Persien den grossen Stern des Sonnen- u. Löwen-Ordens in Brillanten erhalten.

[8856] Der Professor Dr. *von Lattenberg* ist von dem Directorate der Gymnasien der Provinz Steiermark enthoben und mit dem der philosophischen Studien an der Universität zu Gratz beauftragt worden.

[8857] Der Lehrstuhl des Kirchenrechts, der bibl. Exegese und der orientak. Sprachen am Lyceum zu Bamberg ist dem Prof. Dr *Geo. K. Mayer*, der Lehrstuhl der Encyklopädie und Kirchengeschichte dem Domcapitular Dr. *A. Gengler* übertragen worden.

[8858] Der k. sächs. Bundestagsgesandte Geh. Rath *Jul. Glo. Nostitz und Jänckendorf* hat das Comthurkreuz des k. s. Civil-Verdienst-Ordens erhalten.

[8859] Der Professor am Seminar der Jesuiten zu Sitten *de Preux* ist zum Bischof von Sitten erwählt worden

---

Druck und Verlag von F. A. Brockhaus in Leipzig.

Leipziger Repertorium

der

deutschen und ausländischen Literatur.

Erster Jahrgang. Heft 49. 8. Dec. 1843.

Theologie.

[[illegible]] Biblische Studien von Geistlichen des Königreichs Sachsen, herausgeg. von Dr. J. E. R. Käuffer, k. sächs. Cons.-Rath u. evang. Hofprediger. 2. Jahrg. Dresden, Arnold'sche Buchh. 1843. VIII u. 234 S. mit 1 Karte. (1 Thlr. 10 Ngr.)

Wie den 1. Jahrgang dieses neuen literarischen Landesinstituts eine solche von dem LCVPräsidenten Dr. von Ammon eröffnete, so steht an der Spitze dieses zweiten (der jubilirenden St. Afra-Schule zu Meissen dedicirten) eine verwandtschaftliche Abhandlung von (dem Universitätspred. u. ord. Prof. der Theol. zu Leipzig) Dr. A. L. G. Krehl: „Ueber die Parabel von den Arbeitern im Weinberge, Matth. 20, 1—16" (S. 1—36). Die gesammte bisherige wissenschaftliche Auslegung der Perikope findet der Vf. irrig, richtiger, doch exegetisch unbestimmt die praktische. So wendet er sich zu einer vollkommeneren „Erklärung" der Parabel, indem er uns von derselben „Inhalt, Schwierigkeit" und eigene „Auslegung" präsentirt. Den Schlüssel zu dieser erkennt er in der beginnenden und wiederum schliessenden Gnome Mth. XIX, 30 u. XX, 16, die er mit Hülfe sowohl des Zusammenhanges als vornehmlich der Parallelstelle Luc. XIII, 30 (dort ist ἔσχατοι an das Concrete temporell, hier local angeschlossen) dahin versteht, dass die Prädicate πρῶτοι und ἔσχατοι keine climactische, sondern eine specifische Trennung, nämlich schlechthin Selige und und Unselige bezeichneten. Was nun die vermeintlich Ersten zu wirklich Letzten mache, Das eben solle die Parabel lehren (S. 9). Zur Seligkeit sei die Arbeit im Weinberge oder im Dienste des irdischen Gottesreiches zwar nothwendig, allein nicht ihre mehr von Zufälligkeiten abhängige Quantität, sondern ihre Qualität gebe hierzu den endlichen Ausschlag; oder: der (um den Lohn dingende) gemeine, neidische und pochende Werkstolz schliesse aus vom Heile, die (vor der Welt oft verdächtige) in Demuth Alles Gott anheimstellende Selbstverleugnung mache zu πρώτοις und ἐκλέκτοις (d. i. zu wirklich Seligen); kurz: „Im reinen Herzen, nicht im Thun allein wurzelt das Himmelreich" (S. 12). Alle parabolische Details — selbst die Verschiedenheit der Tageszeiten, selbst die anscheinende Hauptsache d. i. der allen gleichmässig gezahlte Denar — gehörten lediglich zur ästhetisch-dramatischen Veranschaulichung jener Kernlehre; wie denn überhaupt in den Parabeln Jesu ein, nur ein höchst einfacher, bloss am leitenden Faden des Zusammenhangs aufzufindender Grundgedanke herrsche (S. 26). — Von S. 16 ab folgt eine Geschichte der desfallsigen Auslegung, in welcher zuerst rückwärtsschreitend 22 Commentatoren von Meyer bis Luther (der mit Scharfblick die rechte Erklärung angebahnt habe), und weiter bis zu Origenes, sodann noch 10 Monographen zumeist mit deren eigenen Worten und specieller, theilweise selbst an den wohlwollenden Sarkasmus anstreifender Kritik aufgeführt werden. — Die Geistesfreiheit, Frische und Klarheit, welche man an dem Vf. kennt, weht uns auch aus dieser Untersuchung entgegen. Mit exegetischer Schärfe (vgl. z. B. die knappe Fassung des παρά Mth. 19, 26 als nicht von der Kraft, sondern vom Urtheile) verbindet sich ein feiner, das Allgemeine überschauender, aber auch das Einzelne scharf durchspähender Beobachtungsblick; die theoretische und die (hier besonders ethisch-) praktische Gottesgelahrtheit durchdringen sich eine die andere hülfreich. So wird die lebensvolle, gedankenreiche Darstellung den Leser eben so fesseln als ihm instructiv und erbaulich werden. — II. „De memorabili glossemate, quod locum I. Cor. 4, 6 insedisse videtur, exposuit Fr. A. Bornemann, Th. et Phil. Dr., Past. prim. Kirchberg.“ (S. 37—44). Der als griech. Philolog ausgezeichnete und hier von Neuem als solcher sich bewährende Vf., welcher uns auch bereits im 1. Jahrg. begegnete, stellt die ingeniöse Vermuthung auf, dass die unterstrichenen Worte der angef. Stelle: ἵνα ἐν ἡμῖν μάθητε τὸ μὴ ὑπὲρ ἃ γέγραπται, ἵνα μὴ εἷς ὑπὲρ τοῦ ἑνὸς κτλ. nur aus der Marginalbemerkung eines alten griech. Abschreibers in den Text gekommen seien, welcher habe anzeigen wollen, dass in seiner Urschrift μή über ἵνα gestanden hätte („τὸ μὴ ὑπὲρ ἃ γέγραπται“), demnach zweifelhaft sein könnte; wie denn diese Negation in den Codd. wirklich rücksichtlich ihrer Existenz und Stellung schwankt. Uebrigens will Hr. Dr. B. das μή beibehalten und εἷς ὑπὲρ τοῦ ἑνός durch „alter plus altero“ erklärt wissen. Kann auch über jene Conjectur die letzte Entscheidung bloss von der äusseren Kritik gegeben werden, so bleibt doch die Idee selbst höchst interessant und beachtenswerth. (Eine ungleich sanftere Lösung der Schwierigkeit findet sich zufällig in diesem Jahrg. S. 217, 222 f. vom CR. Dr. Heymann, welcher die betr. Worte als Verbot allzutief allegorischer Schriftinterpretation auffasst.) Noch tilgt Hr. Dr. B. V. 2 nach ὃ δὲ (nicht ὧδε) λοιπόν aus philologischen Gründen das Komma und übersetzt: „jam vero quod in oeconomis requiritur, hoc est, ut fideles sint“. Den Beweis führt er in gewohnt klarer und gelehrter Weise. Aus demselben Geiste ist hervorgegangen desselben Vfs. — III. „Conjectaneorum in Salomonis testamentum Part. I.“ (S. 45—60); ein Versuch, viele Stellen des verderbten Textes von dem nicht unelegant und einfach griechischen „Testamente Salomo's“ aus Fleck's Anecdotis (S. 113—141) durch Conjecturalkritik wiederherzustellen, mit eingestreuten sprachlich-exegetischen Bemerkungen. Eine Verbindung mit den „biblischen Studien“ scheint dieser Aufsatz lediglich in einigen Anspielungen gedachter Schrift an neut. Stellen zu suchen. — IV. „Zur Verständigung üb. Sinn und Bedeutung der Versuchungsgeschichte Mth. 4, 1—11 u. s. w. in besond. Berücksichtigung der Bemerkungen des Hrn. Dr. Ullmann [Die Sündlosigkeit Jesu. 4. Aufl. S. 120 ff. u. Beilage], mitgetheilt von E. V. Kohlschütter, Archidiac. in Glauchau“ (S. 61—80). Zwar ausgehend von der Ullmann'schen Vorstellung der Versuchung Jesu (als einer Gedankenversuchung durch Vergegenwärtigung des falsch Messianischen) findet der Vf., um die psychologische Wahrheit in der histor. Erzählung mehr zu erschöpfen und auch die Realität des Factums unangetasteter (?) zu lassen, in der Perikope — als eine vermuthlich an gangbare Sprüchwörter angeschlossene und recht (!) verstanden vermeintlich an prakt. Momenten unendlich reichere Geschichte des inneren Lebens in der Form eines äusseren Vorgangs — Jesu Erlangung der subjectiven Gewissheit, ob er nun, erfüllt mit dem h. Geiste, auch stark genug sei, die Versuchungen, welche ihm fortbin von aussen her entgegentreten mussten und dann auch wirklich entgegengetreten wären (nämlich a. sinnliche Entbehrungen; b. Misstrauen gegen Gottes Beistand, c. Anmuthungen zu Verwirklichung fleischlicher Messiashoffnungen) zu überwinden. Und zwar sei diess eine selbsteigene und „absichtliche“ Versetzung in die Zukunft, eine absichtliche Anwendung des Gedankens auf das Verführerische gewesen! — Würde hiernach der Versucher, welchen die h. Schrift „den Teufel“ nennt, niemand anderes als der Herr selbst gewesen sein, so ist diese Erklärung zwar buchstäblich entgegengesetzt der pharisäischen Herleitung der Werke Christi von Beelzebub Mth. 12, 22 ff.; um so unumgänglicher aber wird dadurch dieselbe „Sünde wider den h. Geist“ (vgl. das Nächstfolgende Mth. 12, 31 ff.) den Evangelisten, oder vielmehr ihrer Urquelle d. i. Christo Selbst aufgebürdet. Eine von dem nachdenklichen Vf. gewiss unberücksichtigte, aber eben so schauerliche als nothwendige Consequenz! Möge sie und ihr Selbstgericht Vielen zum ernsten Warnungsexempel gereichen! — „Die Sache aber menschlich angesehen“ (S. 65), liegt jener Deduction nicht nur eine Verkennung von Obmacht der Wirklichkeit über die Dialektik zu Grunde, da der blosse Sieg in Gedanken dem heissen Kampfe in lebendiger Realität gegenüber nicht viel mehr als ein blutloses Phantom und jeder imponirenden Beispielskraft entkleidet ist; sondern sie setzt auch in dem eben erst mit dem h. Geiste erfüllten Gottessohne eine Phantasie voraus, welche, indem sie mögliche Versuchungen in dieser Art erschaffen konnte, uns bei a. als kindisch, bei b. und c. aber als ausschweifend erscheinen müsste. — — V. „Commentarius exeg.-criticus in Deborae canticum Judd. c.

V. Scripsit Gust. Boettger, Past. Dresd. ad aedem Annae" (S. 81—100). Fortsetzung; und zwar hier: „argumentum", „translatio latina", „exegetica singulorum verss. explicatio", doch letztere bloss bis V. 9, also mit abermaliger Vertagung des Schlusses. Besonnen und klar, doch etwas breit. Neue Gedanken sind dem Ref. nicht aufgestossen, ausser dass V. 5 זֶה סִינַי gut vom Tabor, als diesem, dem zweiten Sinai oder Gottesberge erklärt wird. Sollten aber dergleichen, zudem so langsam fortgehende Commentare den Zwecken einer solchen bloss jährlichen Zeitschrift, sollten dieser nicht vielmehr Mittheilungen nur wirklich neuer Ideen entsprechen? — VI. „E codice sacro non posse certo cognosci, quot homines Deus initio procreaverit. Scrips. C. A. Dietrich, Past. apud Gloesenses" (S. 101—21). Ob zwar das A. T. unzweifelhaft unser aller Abstammung von Einem Originalpaare lehre, so bestätige diess doch Jesus nicht, da er Mth. 19, 4 oder Mc. 10, 6 (?) lediglich accommodirt und ad hominem spreche; eben so auch Paulus in den Briefen an die Römer (über welchen mehrere, nicht gerade neue, exegetisch-dogmatische Excursionen anti-augustinischen Inhalts) und an die Cor. Nun habe zwar Letzterer (Paulus) nach 1 Tim. 2, 13 und Act. 17, 26 für seine Person wirklich an die Sagen der Genesis geglaubt; doch enthalte ja diese am Ende desfalls bloss getrübte Tradition; zudem berufe sich der Apostel hierbei nicht auf Christum, sei darum nicht von bindender Autorität, und habe sonst sogar evident geirrt. Aus dem Allen folge, „dogma de communi omnium hominum ab iisdem parentibus origine salva religione christiana abrogari posse". Eben so geschickt weiss der Vf. die aus der zeitherigen biblischen und von den neueren namhaften Naturforschern mitbehaupteten Annahme fliessenden ethischen und praktischen Momente zu beseitigen und vielmehr dem theolog. Centralisationssysteme zu huldigen: „modo teneamus, genus humanum originem suam Deo debere". Die etwaigen physiologischen Gründe aber, welche die Schriftlehre also verdächtigen könnten und des Vfs. vorliegenden Bemühungen hervorgerufen hätten, beizubringen, überlässt er billiger- und kluglicher Weise den „Historikern". — VII. „Zur Vertheidigung des Christenthums. Von Diac. M. Thenius" in Neustadt-Dresden (S. 122—67). Der durch seine schriftstellerische Thätigkeit bereits vortheilhaft bekannte Vf. will hierdurch zur Fortification des Grundes von der neuerdings so heftig berannten christl. Burgveste, d. i. zur Verstärkung der geschichtlichen Basis des auch auf dem A. T. ruhenden Christenthums, den unterminirenden Gegnern zuvorkommend, mitwirken; und zwar für jetzt durch „geographischen Beweis für die Glaubwürdigkeit der historischen Schriften des A. T." Diesen führt er vorzugsweise „aus dem genauen Zusammentreffen vieler altt. Erzählungen mit den vorhandenen Oertlichkeiten", unter Benutzung des neuesten palästinischen Reisewerks von Dr. Robinson und Smith, nach dessen musterhaft-objectivem Atlas unser Vf. auch ein zufolge seiner eigenen Erklärung „sorgfältig copirtes", doch von ihm selbst etwas bereichertes und in den Angaben von Beth El (mit Ai) und Rama Samuel's mit ausführlichen und überzeugenden Motiven unzweifelhaft berichtigtes Kärtchen des Gebirges Ephraim und Juda beigegeben hat, und zwar gerade diese Parthie desshalb, weil er seine Beispiele vorzugsweise den Büchern Josua u. Samuel entnimmt. Aus diesen nämlich wird erwiesen die Harmonie der dort nachgezeichneten Oertlichkeiten a) mit den Grenzangaben von Juda, Benjamin u. Ephraim bei Josua, so wie b) mit den einzelnen Stellen Jos. 10, 10 f., I. Sam. 6, 10 ff. Cap. 9 f., d. i. Saul's auf der Karte farbig gezogenen Fahrten zu Aufsuchung der verirrten Eselinnen (mit verbessernder Angabe des Rahelgrabes als nicht bei Bethlehem, sondern weit nördlich bei Yebrud d. i. Ephrat im St. Benjamin) — und dessen sonstigen Begebenheiten, namentlich Cap. 14; sodann mit dem Leben David's Capp. 17. 23, 24—28. 25, 20. II. Sam. 2, 13. 13, 34. 16, 13. Diese eines Auszugs nicht wohl fähige aber praktisch-apologetisch wichtigen Specialuntersuchungen sind gleich wissenschaftlich genau als anziehend. Als „Anhang" folgt ihnen (S. 155—167) noch der gleich interessant und scharfsinnig geführte „Beweis, dass die unterirdischen Aushöhlungen bei Deir Dubbân [Gatti] und Beit-Jibrin zur Feier von [phönizischen Astarte-] Mysterien gemacht worden seien". — VIII. „De egestate Christi. Scripsit Dr. F. Otto Siebenhaar, Past. prim. et Sup. apud Penigenses" (S. 168—196). Der Glaube an Jesu Armuth sei ein traditionaler, katholischer, wie evangelischer Aberglaube. Derselbe sei vielmehr nur pauper („qui non affluit opibus nec tamen eget"), nicht egenus („cui res ad vitam necessariae desunt"), also dem glücklichen Mittelstande angehörig gewesen. Der Beweis hierfür: 1) a priori: weil Er die Lebensnothdurft erforderlichenfalls sich verschaffen konnte (als körperlich gesund und geistig begabt), wollte (als weder bequemlicher Unthätigkeit nach falschen Begriffen von Würde zugeneigt, Almosen aber zu begehren oder auch nur zu nehmen viel zu ehrenhaft), und auch durfte (da Er nur als pauper für Arme und Reiche musterhaft werden konnte, diess aber bei fortwährender Abhängigkeit von Gottes blosser Wunderkraft nicht wäre! — auch nicht als ein lebendiger Beweis von Gottes Fürsorge für die Seinen, wie für die Vögel und die Lilien?); — 2) a posteriori; d. i. a) trotz der Stellen Luc. 2, 7 (wozu das Nöthige mit der Vermuthung, dass die Geburt in der vermeintlichen Höhle in Folge der Reisemühen beschleunigt und vor Erreichung der Stadt erfolgt sein möchte! Doch sagt V. 6: ἐν τῷ εἶναι αὐτοὺς ἐκεῖ, so dass immer das Nächste und Einfachste das V. 7 angegebene Motiv des Raummangels in der Herberge, besonders bei einer Geburt, bleiben wird); 2, 24 (woraus nur kein Reichthum folge), u. s. w. Mth. 8, 20 (Er war nur gerade unterwegs und wollte falschen Missionserwartungen vorbeugen!); 17, 24 ff. (?); Joh. 19, 26 f. (mehr ein geistiges Vermächtniss) u. s. w. b) zufolge der Stellen Luc. 22, 35. Joh. 4, 8. 12, 13 ff., bes. V. 8; Act. 20. 35. (?)

u. s. w. Hiernach wird denn vielmehr angenommen, dass der Herr als Lehrer das Nöthige zwar nicht als Lohn aber als „Honorar" erhalten und hiervon, wie noch die jetzigen Geistlichen, sein Auskommen gehabt habe. — Die gewiss dankenswerthe Monographie ist mit Geschick und Geist geschrieben; ob aber Aeusserungen, wie S. 170: „... Papam, cui plerumque ea perplacent, quae a veritate quam longissime recedunt", zu dem eben dort gerügten mönchischen „Fanatismus" wohl ein evangel. Gegenstück bilden? — IX. „Differunt inter se Paulus et Synoptici in nomine υἱῶν τοῦ θεοῦ Christianis imponendo scr. Dr. J. E. R. Kaeuffer (S. 197—212). Wie es jedem unbefangenen (?) Luther-Theologen zur brusterleichternden Freude gereiche, ein bisheriges übervernünftiges Dogma nicht oder doch nicht so in der Schrift begründet zu finden, also — sagt der verehrte Herausgeber und Vf. — sei es u. A. ihm mit der Benennung Jesu als des υἱὸς τοῦ θεοῦ ergangen. Dieser Ausdruck sei nämlich a) bei den an historischer Treue über die unwissentlichen Subjectivitäten des Joh. und des Paulus (s. u.) zu stellenden Synoptikern ein jüdischer „anthropo-theokratischer", mit blosser Bezeichnung des Messiasamts; [entstände aber so nicht ein Pleonasmus, wenn noch ὁ χριστός unmittelbar vorausgeht Mth. 16, 16. 26, 63 f., ganz wie auch bei Joh. 6, 69. 11, 27. vgl. 1, 50 ?] b) bei Paulus aber so wie im Hebräerbriefe und noch mehr bei Joh. (hier sogar mit dem Beisatze ὁ μονογενής) ein „metaphysisch-theokratischer", zu Benennung der von Gott erzeugten, übermenschlichen, vorweltlichen und weltschöpferischen (Aeon-)Natur, welche in Jesu Fleisch geworden und nach vollbrachtem Erdenwerke zum Himmel heimgekehrt sei, um bald d. i. zur Apostelzeit in göttlicher Majestät wiederzukommen, die Todten zu erwecken, das Weltgericht zu halten und nun das Reich Gottes zu stiften. Dem gegenüber erschienen die υἱοὶ τοῦ θεοῦ 1. bei den Synoptikern (Mth. Luc.) nur als die wirklichen Theilnehmer an dem mit Christi Parusie realisirten Gottesreiche; dahingegen 2. bei Paulus, welcher der uns synoptisch referirten Jesuslehre unkundig gewesen, daher auch nur in zweiter Reihe stehe, um so bewusster aber das vermeinte Privilegium Israëls auf die Gotteskindschaft habe vernichten und vielmehr die Knechtschaft unter dem Gesetze hervorheben wollen, — als mit den (johanneisch sogar ausschliesslichen) τέκνοις τοῦ θεοῦ identisch und einer schon diesseits verliehenen, obwohl erst nach der Parusie zu enthüllenden Würde und Herrlichkeit theilhaft. Sieht nun der Hr. Vf. eine der Ursachen zu dieser Differenz insonderheit auch darin, dass von den einfacheren und originaleren Synoptikern diese Parusie und Palingenesie eben sehr bald nach Jesu Hingange erwartet worden und, da solches nur in einer Frist geäussert werden mochte, wo diese Hoffnung noch habe erfüllt werden können, auch deren Authentie um so verbürgter sei; wogegen Paulus schon viel mehr den hinhaltenden Begriff der inzwischen bereits angewachsenen Kirche ausbaue: so will diess doch weder mit den vorhin als paulinisch bezeichneten Paränesebegriffen, noch auch mit der ausdrücklichen chronolog. Bemerkung über jene Synoptiker (S. 206) recht stimmen: „quippe quorum (librorum) de numero ne unus quidem ante epistolas a Paulo missas scriptus est“ und findet auch keine völlige Lösung in der betreff. Hauptstelle selbst (S. 210): „hoc ipsum [d. i. die innere Priorität der Synoptt.], quanquam non eo valet, ut post conscripta demum evv. synoptica epistolas a P. missas esse pateamus, quas ante datas constat, profecto tamen facit aliquid ad αὐθεντίαν horum evv. confirmandam; docet enim, res, quae in iis leguntur, tempore priores esse iis, quas apud Paulum legimus“. Von diesem nun auch die ihm aufgelegte Folgerung insoweit nicht sicher tragenden, übrigens vielleicht bloss verbalen Aenigma, so wie von etlichen sonstigen zwar nahegelegten, aber hier doch zu weit abführenden Fragen und endlich einigen wünschenswerthen Nebenuntersuchungen (z. B. über ὁ πρωτότοκος, dessen Verhältniss zu ὁ μονογενής u. s. w.) abgesehen, zeigt der Vf. auch jetzt seine wohlüberlegte Sorgsamkeit, schonende Freisinnigkeit und subjective Treue gegen sein Lebensmotto II. Cor. 13, 8. — X. „De Apollonio Alexandrino ejusque amicis ecclesiam Corinthiorum perturbantibus. Scripsit Dr. Chr. Maur. Heymann, Cons. reg. Consiliar., Dioec. Dresd. Superint.“ (S. 213—24). Nachdem aus der Qualität der bisherigen Literatur die Nothwendigkeit vorliegender Erörterung nachgewiesen worden, gibt dieses Heft das erste Drittheil derselben, nämlich die Besprechung der neut. Stellen, welche des Apollos (für diese zusammengezogene Form erscheine gut lateinisch nur „Apollonius“) ausdrücklich gedenken: nämlich Act. 18, 24 ff. (wo ἀνὴρ λόγιος ein dialektisch-beredter Mann und δυνατὸς ἐν ταῖς γραφαῖς [vgl. I. Cor. 4, 6] des tieferen Schriftsinnes kundig), Tit. 3, 13. I. Cor. 1, 12. 3, 4 — Tadel bloss der Apollonianer, nicht des Apollos, welcher vielmehr V. 5. 6 „honoris causa“ erwähnt werde, gegen den auch V. 11 ff. nicht gerichtet seien, der vielmehr im Folg. besonders 4, 6 als Muster genannt werde; 16, 12 (mit Restriction des ἐλθεῖν auf eine parteienlosere Zeit). Hiernach stelle denn das N. T. den Apollos nirgends mit einer Rüge, sondern vielmehr als gemässigt, klug und unbescholten dar, den seine Anhänger nur missverstanden hätten. Ueber die letzteren selbst und das Verhältniss des Apoll. zum Hebräerbriefe verheisst uns der umsichtige und gelehrte Vf. das Weitere für die Zukunft. — So sind es denn viel- und mancherlei Gaben, welche in dem diessmaligen Jahrbuche der sächs. Geistlichkeit dargeboten werden. Konnte die hinsichtlich der Mitarbeiter eigenthümlich exclusive Grundidee an demselben einen Widerspruch zu enthalten scheinen, inwiefern es nur theoretische Arbeiten von nur praktischen (auch katholischen?) Landestheologen vorführen soll, oder gar den befremdlichen Glauben erwecken, als sei es hiermit auf eine hierarchische Wissenschaft abgesehen; so leuchtet doch wenigstens aus manchen der bisherigen „Studien“ auch eine praktische Förbung leise hindurch, und leistet gegen letzteren Verdacht der ehrenhafte, strebsam wissenschaftliche Sinn und Charakter der Redaction selbst die beste Bürgschaft. Vielmehr möge der sächs. Klerus sich Glück wünschen, in einem solchen Organe sich concentrirt und repräsentirt zu sehen, wie denn dasselbe auch noch im „Anhange" (S. 225—234), welcher wiederum Mittheilungen über die zum Theil recht interessanten Verhandlungen vieler Predigervereine und über Schriften von Geistlichen Sachsens aus d. J. 1842 enthält, von dem regsamen und vielseitigen geistig-geistlichen Leben im Lande ehrenvoll zeugt. Nur ist zu wünschen, dass diesem Schösslinge der theologisch-periodischen Literatur nicht bloss eine gewisse geistliche Aristokratie Säfte und Kräfte zuführe, sondern an seiner Belebung auch der hierzu wohlbefähigte tiefere Kern des sächs. Predigerstandes activ sich bethätige, dessen grosse Mehrzahl das junge Journal bis jetzt allerdings nur durch Subscription mitgetragen.

[887] Commentatio de locis quibusdam Epistolae Pauli ad Philippenses. Scripsit Herm. Mueller, Theol. et Phil. D., Johannei Professor. Hamburgi, in bibliop. Herold. 1843. 30 S. gr. 4. (n. 10 Ngr.)

Die vorlieg. Schrift erschien als Programm des Johanneums zu Hamburg. Diese mehr äussere Veranlassung, die jedoch auf den in den Buchhandel gekommenen Exemplaren nicht ausgesprochen ist, entschuldigt einigermaassen den Mangel an rechten innerlichen Motiven zu dieser Veröffentlichung. Denn dass die hier revidirten Stellen an eine höhere oder gar letzte Instanz gelangt seien, wird der sehr bescheidene Vf. selbst nicht meinen. Neue Ansichten, oder wenigstens neue Momente für oder wider bisherige Erklärungen hat Ref. nicht gefunden. Selbst da, wo die Einkleidung jenes glauben lassen konnte, ist dem nicht so; wie denn z. B. die Annahme einer Aposiopesis I, 22 (S. 20 f.) schon einen älteren, im Hölemann'schen Commentare S. 78 genannten Vorgänger hat, oder die zuversichtliche Herleitung des berühmten ἀναλῦσαι I, 23 aus dem Gebrauche des nomadischen נסע („aufbrechen") nur schweigende Adoption einer Originalvermuthung des nurgedachten Commentators selbst ist. Auch würde schon bei einer genaueren Besprechung der Umfang der Schrift zu der Anzahl der hier besprochenen und gerade wichtigeren Stellen in einem anderen Verhältnisse stehen müssen, als es der Fall ist. So können wir denn in diesen wenigen Bogen nur ein Pflücken und Kosten, wie von dem Gebiete des Briefs, so von dem seiner Exegeten, mehr Ergehen als Eingehen wahrnehmen. — Will man nun aber von namhaften neuen Resultaten absehen, so wird man übrigens dem Vf. einen gesunden und guten Sinn für Auswahl des Richtigen gern zugestehen, ohne dass jedoch hiermit alle einzelne Bemerkungen desselben gutgeheissen werden sollen, wie z. B. S. 35 die offenbare Vertauschung von Grund und Folge, wenn Phil. IV, 5, 6: ὁ κύριος ἐγγύς· μηδὲν μεριμνᾶτε κτλ. erklärt wird: „Deus ad opitulandum paratum esse iis, . . . qui anxias curas procul habeant" u. s. w.;

woraus denn auch mit Rücksicht auf das folg. γνωρίζεσθω πρὸς τὸν θεόν jene ganz unpaulinische Fassung des κύριος geflossen ist. Ebenso vereinzelt trifft man aber auch sehr beachtenswerthe Beobachtungen an, z. B. (zu II, 4) S. 25 die Hinweisung auf den Unterschied zwischen σκοπεῖν und ζητεῖν τά τινος, oder S. 6 f. zu Act. 16, 11 f. 10, hier mit Hervorhebung des motivirenden Momentes in ὅτι ... Die von dem Vf. in jener bald flüchtigeren bald verweilenderen Weise behandelten Stellen des Briefes selbst sind folgende: I, 1. 2. 3 ff. 8. 9. 10. 16. 17. 18. 21 ff. 23 f. II, 4. 6. 7. 9 ff. 11; von Capp. III und IV findet sich nur Einiges über deren Verhältniss zu C. I und II, so wie über IV, 4—7. Diesen Erklärungen voran geht eine kurze Charakteristik der bald nach einander in Deutschland, den Niederlanden und der franz. Schweiz erschienenen 3 neueren Commentare über den Philipperbrief von Hölemann, van Hengel und Rilliet (der neueste von de Wette ist mit dieser commentatio gleichzeitig vollendet worden), von welchen der Vf. vorzugsweise an den mittleren sich hält und zwar zumeist ihm opponirend. — Wir würden indess dem Vf. Unrecht zu thun glauben, wenn wir nach dieser limitirten Anerkennung nicht auch noch Zweierlei ausdrücklich rühmten. Einmal nämlich hegt derselbe bei einer (z. B. S. 1. 2. 34. 35. 36 und überall) hervortretenden Liberalität durchaus keine rationalistische Scheu vor supernaturalistischen Ergebnissen der Exegese; daher er z. B. II, 6 ἐν μορφῇ θεοῦ ὑπάρχων von dem vorzeitlichen Christus und V. 7 ἑαυτὸν ἐκένωσε vom zeitlichen Abthun der Gottgleichheit mit Nachdruck und ohne „ne transversum quidem unguem" zu weichen, (S. 29) verstanden wissen will. Die zweite Auszeichnung der Schrift ist ihre Form, welche überall davon Zeugniss ablegt, dass der Vf. in einem altcassischen Tempel zu Hause ist. Daher allenthalben Eleganz und durchsichtige Klarheit; daher auch die ächte und doch so seltene Frucht der humaniora, nämlich eine äusserst wohlwollende, liebenswürdige Humanität. Und so wird denn diese Abhandlung wenn auch nicht gerade eine sehr erhebliche Ausbeute für die eigentlich exegetische Wissenschaft, doch gewiss eine sehr angenehme Lectüre darbieten. —hn.—

Naturwissenschaften.

[illegible] Beiträge zur Ornithologie Griechenlands. Von Heinrich Graf von der Mühle, königl. bayer. Cuirassier-Lieutenant. Leipzig, Ernst Fleischer. 1844. VIII u. 152 S. gr. 8. (1 Thlr.)

[illegible]. Faune ornithologique de la Sicile, avec des observations sur l'Habitat ou l'apparition des oiseaux de cette île, soit dans le reste de l'Europe, soit dans le nord de l'Afrique; précédée d'un aperçu de l'histoire politique, scientifique, littéraire et artistique de la Sicile, par Alfred Malherbe (de l'île de France), Jugé au Tribunal civil, président de l'Acad. roy. d. scienc. lettres et arts de Metz etc. Metz, typogr. de S. Lamort. 1843. 242 S. gr. 8.

Die Vögel im Süden von Europa wurden bis jetzt verhältniemässig nur wenig beachtet, noch weniger beobachtet und mit Ausnahme dessen, was Savi, Polyd. Roux, della Marmora und Gené, so wie C. Bonaparte bekannt gemacht haben, ist nur Weniges und meist von Nordländern, die flüchtig den Süden bereisten, für diesen Theil der Naturwissenschaften geschehen. Um so erfreulicher ist das Erscheinen der beiden obengenannten Schriften, denen sich noch eine dritte: „Ornithologie du Dauphiné par Hippol. Bouteille avec la collaboration de Mr. de Labatie“ 1. livr. Grenoble 1842. 8. anschliesst, die aber bis jetzt nicht hierher gelangt ist. Die Arbeiten der Hrn. von der Mühle und Malherbe zeichnen sich besonders dadurch aus, dass die Vff. nicht nur jagten und bestimmten, sondern auch das Leben der Vögel beobachteten. No. 1 erhält auch insofern einen zufälligen Werth, als unter den jetzigen politischen Verhältnissen wohl kaum so bald, und am wenigsten von den Griechen selbst, weitere ornithologische Nachrichten zu erwarten sein möchten. Die Vorrede zur Schrift des Grafen von der Mühle, welche dem Kronprinzen von Bayern gewidmet ist, gibt über die Entstehung der Beiträge mehrere Nachrichten und diese erwecken zu dem Vf. volles Vertrauen; auch hat Hr. Prof. Naumann das Manuscript durchgesehen und seine Bemerkungen sind bei dem Abdrucke benutzt worden. Des Grafen Keyserling und Blasius Werk über die Wirbelthiere Europas ist zu Grunde gelegt und die einschlagende Literatur sorgfältig berücksichtigt. Die Einleitung gibt eine, ziemlich poetisch gehaltene Charakteristik der griechischen Fauna der höheren Säugethiere und Vögel. Ganz interessant ist die Notiz über das Vorkommen der Gemsen auf dem Velachi und einer Ziegenart, von der es noch zweifelhaft bleibt, ob Ammon oder Aegagrus, welche ebendort und auf dem Ostagebirge so wie auch der, einen Eremiten ausgenommen, unbewohnten Insel Juro, nördlich von Euboea, und hier sogar häufig gefunden wird. Bären sind auf dem Olymp und Pindus. — Bei den Vögeln ist auf den Zug, die Zeit der Ankunft und des Abganges stete Rücksicht genommen und viel Wichtiges hier mitgetheilt; auch Nestbau und Eier sind nicht selten von den in Griechenland, aber nicht nördlicher, brütenden Arten beobachtet und kurz beschrieben worden. Auch die Angabe der Namen, welche die Griechen den häufig vorkommenden oder doch auffallenden Vögeln beilegen, halten wir für einen der Sprachkunde geleisteten Dienst, der sogar auf Erklärung der alten Schriftsteller nicht ohne Einfluss sein kann. Ausser den Benennungen und den Citaten aus dem oben erwähnten Keyserling-Blasius'schen Werke, aus denen von Naumann, Temminck, Gloger, Susemihl-Schlegel, Brehm (Lehrbuch), Savi und Pallas (zoograph. Rosso-Asiatica) werden regelmässig nur Bemerkungen über das Vorkommen, den Aufenthalt, die Sitten, Nahrung, Brutorte, bisweilen Nest und Ei, Jagd und andere Notizen, theils aus dem eigenen, während eines mehrjährigen Aufenthalts mit Sorgfalt geführten Tagebuch, theils aus den Beobachtungen einiger eifrigen Jagdfreunde mitgetheilt. Der kundige

Leser wird finden, dass alle Gruppen mit gleicher Sorgfalt beobachtet sind, so namentlich auch die Singvögel, und es finden sich im Ganzen einige wahrscheinlich neue Arten, z. B. Lanius leucometopon, Numenius syngenicos kurz charakterisirt, auch eine Anzahl kaum schon als südeuropäisch bekannter Vögel, z. B. Columba aegyptiaca Temm., Anser minutus Naum. kommt auch in Griechenland vor und brütet wahrscheinlich daselbst. — Larus leucophthalmos Lichtst. findet sich nur auf dem Zuge. Hr. v. d. M. hat nur selbstgesehene Vögel aufgenommen und führt gleichwohl schon 321 Arten auf, die am Schlusse alphabetisch verzeichnet sind. Was der Vf. Brotfruchtbaum nennt, ist jedenfalls Johannisbrodbaum Ceratonia Siliqua. Druck und Papier sind elegant. — No. 8963 dem eine sehr magere und oberflächliche Einleitung über die Geschichte, den politischen und wissenschaftlichen Zustand Siciliens vorausgeschickt ist, zählt fast eben so viele Arten auf als die vorige, 318, und ist ungefähr in gleicher Weise gearbeitet. Nur hat Hr. Malherbe, da er nur kurze Zeit auf der Insel verweilte, auch weniger selbst beobachten können und es ist die systematische Seite hier vorwaltend. Es wird die Literatur sorgfältig benutzt und der Vf. macht auf eine Menge, in Deutschland wenig bekannte italienische und französische Schriften und Abhandlungen aufmerksam. Den Anordnungen von Cuvier und Temminck, besonders des Letzteren Manuel wird gefolgt und es sind besonders die Synonyme von Swainson (classificat. of birds) und de Lafresnaye (im diction. univers. d'hist. natur.), aber mit viel Aufwand von Raum auch eine Menge anderer Schriftsteller beigegeben. Die Provinzialnamen der Vögel, meist verschieden von den italienischen, sind ebenfalls angegeben. Der Vf. nimmt zugleich auf das Vorkommen der aufgeführten Arten in Aegypten, Algier (nach den Mittheilungen von Ledoux in Bona), in Dalmatien und Griechenland, so wie in Frankreich beständige Rücksicht und gibt hiermit schätzbare Beiträge zur ornithologischen Geographie. Handschriftliche interessante Nachrichten erhielt der Vf. auch von den Hrn. Bruch und Rüppell. Von weniger bekannten Arten will Ref. einige hier anführen: Falco melanopterus Lath., pallidus Sykes (wahrscheinlich dalmatinus Rüpp., der nicht erwähnt ist), Strix Ascalaphus Vieill. — (Strix scops L. zieht im Herbste aus Sicilien fort.) Sylvia melanopogon Temm., sarda Marm. (die zunächst verwandte S. melanocephala ist das ganze Jahr in Sicilien und eine dort vorkommende grössere Form ist, wie Hr. M. bemerkt, 1839 auch in Metz erlegt worden). S. angusticauda Gerbe (mag. de zool. 1840) kommt wahrscheinlich unter S. trochylus vor, S. Nattereri Temm., Motacilla cinereo-capilla und melanocephala Savi, Anthus longipes Holandre (Richardi Vieill., auch bei Metz) rufescens Temm., rufogularis Brehm, Hirundo rufula Levaill. rupestris L. Alauda bifasciata Licht. Emberiza palustris Savi, caesia Rüpp. Fringilla incerta Riss., Merops Savignyi Vieill., Alcedo rudis L. — Perdix francolinus L. wird immer mehr vertilgt und ist bereits selten. Hemipodius tachydromus Temm. Von Trappen nur Otis tetrax L. Cursorius isabellinus Mey. (bei Mola 1822), Numenius tenuirostris Vieill. gemein im Winter und Frühling, Porphyrio hyacinthinus Temm., sehr häufig; auch Benoit alte Exemplare im October mit 2 langen Bartfedern an der Brust, Larus tenuirostris Temm., melanocephalus Natt. stricilla L., Sterna affinis Rüpp. leucopareia Natt., leucocephala Temm. auf dem Zuge, Pelecanus Onocrotalus mag der Vf. wohl mit P. crispus verwechselt haben, der schwerlich in Sicilien fehlt. Mormon fratercula und Alca torda kommen bisweilen vor. Eine systematische Uebersicht des Inhalts schliesst die dankenswerthe, auch äusserlich gut ausgestattete Schrift. Wie Ref. vernimmt, ist der Vf. jetzt mit einer Monographie der Spechte beschäftigt, welche bald erwartet werden darf.

[881] Catalog der Käfer-Sammlung von Jacob Sturm, m. gel. Gesellsch. Mitgl. Mit 6 ausgemalt. Kupfertaf. Nürnberg. (Leipzig, Voss.) 1843. XII u. 386 S. Lex.-8. (5 Thlr.)

Die Sturm'sche Insektensammlung gehört zu den reichsten Privatsammlungen ihrer Art in Deutschland. Von der Abtheilung der Käfer, in welcher sie jetzt 13,266 Arten enthält, hat der Besitzer schon zu drei verschiedenen Perioden seines thätigen Lebens 1796, 1800 und 1826 Verzeichnisse, stets mit vorzüglichen Abbildungen und Beschreibungen einer Anzahl neuer oder wenig bekannter Arten herausgegeben, welche für die Verbreitung der Entomologie von Einfluss gewesen sind. Das vorliegende 4. Verzeichniss wird um so mehr den Zweck, Sammlern zu einem nützlichen Handbuche zu dienen, erfüllen, als der Vf. eine durchaus systematische, nicht wie früher theilweise alphabetische Anordnung zu Grunde gelegt hat. Es ist dabei der Dejean'sche Catalog benutzt, aber mehrfach durch neuere Entdeckungen, so wie durch Angabe der vorhandenen Monographien und Abbildungen ergänzt und durch Beifügung der Gattungssynonyme brauchbarer gemacht worden, so dass das Buch, namentlich auch der vorausgeschickten vollständigen Literatur wegen, selbst für Anfänger der Entomologie zur Uebersicht, als Rahmen dienen kann. Deutsche Benennungen der Gattungen sind wiederum hinzugefügt. Vollständige Register der lateinischen und deutschen Gattungsnamen werden nicht vermisst und so hat der Vf. Alles gethan, den Catalog für Andere brauchbar zu machen, während er für sich den Nutzen beabsichtigt, seine Sammlung durch hier fehlende Arten bereichert zu sehen. Von allgemeinem Interesse ist der Anhang des Buchs, die Beschreibungen und Abbildungen neuer, so wie einiger noch wenig bekannter Arten der Sturm'schen Sammlung enthaltend. Ref. hat den Inhalt dieses Anhangs kürzlich anzugeben. Lia Eschsch. 3 neue Arten aus Brasilien: fasciata, multipunctata und 10 punctata. Eine neue, zu Oxystomus unter die Scaritiden gestellte Gattung mit grossem keilförmigen Endgliede der Ladentaster ist Axinidium africanum St. Taf. I. Fig. 4. — Iniodis Rothii St. von Jerusalem. — Lycus appendiculatus St. vom Senegal. Besonders interessant ist der von Riehl bei Cassel entdeckte, in der Sammlung des Ref. aus Sachsen befindliche Hydrophilus substriatus St. Taf. I. Fig. 7 von der Grösse des H. caraboides, welcher wohl mit St. scrobiculatus Pz. zu vergleichen gewesen wäre, der im Cataloge daneben steht. — Von Phanaeus 3 mexikanische Arten: P. Pegasus, palliatus und laevipennis in beiden Geschlechtern. Scarabaeus Petiverii Es. (Golofa Porteri) ist hinreichend bekannt. — Von Pelidnota ist eine kleine Monographie mexikanischer Arten, nicht weniger als 8 gegeben: aeruginosa St. amoena Klg. modesta, latipennis, lanliventris, psittacina, laeta St. und ornatissima Manhm. und sind dieselben trefflich abgebildet. Es möchte aber wohl noch zu beobachten sein, ob nicht einige dieser Arten auf Sexualdifferenzen begründet sind. — Amphicoma Papaveris St. von Jerusalem. Der ausgezeichnete Chiasognathus Grantii Steph. tritt in beiden Geschlechtern hier wieder auf; auch Ryssonotus nebulosus Ky. und eine neue türkische, dem Lucanus Cervus verwandte Art L. turcicus St. Taf. V Fig., aber mit 6- nicht 4-blättrigen Fühlerkamme. Endlich aus den Lucaniden noch der seltene Coryptiona capensis Dej. — Aus den Melasomen: Zopherus [illegible] Mus. Berol., wie alle übrige Arten mexikanisch. — Zu der merkwürdigen Gattung der Curculioniden Amycterus Ky. kommt eine neue, eben so merkwürdige Art: A. paradoxus St. Taf. V. Fig. 3. ♂, ferner Tachygonus (Tachygonus Schhr.) Lecontei Dej. — Aus den Cerambicinen ist interessant Purpuricenus dalmatinus St., welchen Hr. Loew auch in der Türkei entdeckt hat. — Oeodes mexicanus St. Dorcadion tomentosum St. und Saperda graeca St., beide aus Griechenland. Zwei neue Gattungen der Chrysomelinen sind: Mesophalacrus Spinolae St. aus Neuholland Taf. VI. Fig. 7, höchst merkwürdig, zwischen Sagra und Donacia stehend und die brasilische Platatchenia limbata St. zunächst Alurnus. Taf. VI. Fig. 8. Die Tafeln sind mit der bekannten Sturm'schen Meisterschaft gearbeitet und Druck und Papier schön.

Staatswissenschaften.

[[illegible]] Sammlung kleiner Schriften staatswirthschaftlichen Inhalts. Von J. G. Hoffmann, Dir. d. statist. Bureaus zu Berlin. Berlin, Nicolai. 1843. X u. 595 S. gr. 8. (3 Thlr.)

Eine Sammlung der kleineren Aufsätze, die der ehrwürdige Verfasser seit 20 Jahren in der Preussischen Staatszeitung und sonst veröffentlichte, und die er nun, so weit er sie nicht als Material für die vortrefflichen Schriften benutzt hat, mit denen er seit einigen Jahren die staatswissenschaftliche Literatur bereicherte, zusammenstellt. Wir wollen nicht fürchten, dass er dem gleichzeitig angekündigten Vorsatz, hiermit seine schriftstellerische Laufbahn beschliessen zu wollen, treu bleibt, hoffen vielmehr, dass diese

Quelle unerschöpflicher Belehrung für Jeden, der lernen will, noch recht oft und reichlich sich ergiessen möge. In der That können wir, bei Betrachtung dieser in so viel Jahren entstandenen Sammlung einige allgemeine Bemerkungen nicht unterdrücken. Zuvörderst, von wie manchem elenden Pamphlet, von wie seichtem Geschwätz unberufener Halbwisser ist nicht in diesen letzten Jahren ein Geschrei gemacht worden, als hätten ihre Verfasser neue Welten von Staatsweisheit entdeckt, während Aufsätze und Schriften, wie die vorliegende, von den Leuten, die sich stellen, als brennten sie auf staatliches Wissen und gründliche Förderung des Staatswesens, und die nirgends Das, was sie zu suchen vorgeben, so reich und trefflich finden könnten, wie hier, gänzlich unberücksichtigt gelassen wurden. Während sie jedes Product unreifer Schmähsucht und einer seichten Oberflächlichkeit, die nur durch den Hass, von dem sie geschwängert war, einiges Leben empfing, dem Volke auspósaunten, haben sie nie daran gedacht, ihm diese Fundgruben ächter, gediegener Belehrung zu zeigen und anzuempfehlen. Mag es sein; es haben deshalb doch gar viele tüchtigere Köpfe sie gefunden, und sie werden in spätester Zukunft noch als Denkmäler deutschen Geistes und ächten politischen Wissens benutzt und anerkannt werden, während so Manches, was kaum vor Jahresfrist mit gewaltigem Lärm in die Welt trat, jetzt schon vergessen und verschollen ist. — Dann, man hat diese Zeit daher viel Redens gemacht von dem gänzlichen Mangel an Oeffentlichkeit in dem deutschen, speciell dem preussischen Staatswesen, und wie es hier so ganz unmöglich sei, eine Kunde von staatlichen Dingen zu erlangen. Nun hier sind diese Aufsätze, seit 20 Jahren in öffentlichen Organen erschienen, über die wichtigsten Seiten des Staatswesens sich verbreitend, die bewährteste, vollständigste Kunde darüber bringend, von einem Manne verfasst, dem Niemand irgend ein Misstrauen, weder hinsichtlich seines Urtheils, noch hinsichtlich seiner treuen Gewissenhaftigkeit entgegensetzen kann — und es soll dichtes Geheimniss, es soll dunkele, undurchdringliche Nacht über dem Staate gelagert haben! nichts zu erfahren, der Staat dem Volke fremd gewesen sein. Freilich, wenn man nur in dem Schwatzen Aller über Alles und in dem Zuhören und Einmischen jedes Unberufenen und Urtheilslosen, der seine Neugierde, seinen Vorwitz befriedigen will, die Oeffentlichkeit sieht, da hat man Recht. Aber freilich mit solchen Datis, wie sie Hoffmann gibt, wissen diese Menschen nichts anzufangen. Sie verstehen sie nicht, sie sind ihnen zu trocken, zu ernsthaft. Ja wenn es Phrasen oder Scandalosa wären! Und dergleichen will über den Staat urtheilen und Staatsmänner meistern! — Die vorliegende Sammlung hat folgenden Inhalt: „Uebersicht der im Pr. Staate 1841 vorgekommenen Geburten, Trauungen und Todesfälle und Würdigung ihrer staatswirthschaftlichen Bedeutung, verglichen mit dem Zeitraume von 1811—1840 incl.“; „Ueber die Besorgnisse, welche die Zunahme der Bevölkerung erregt“; „Ueber die Versuche, die mittlere Dauer des menschlichen Lebens, sowohl von der Geburt als vom Eintritte in besondere Altersstufen ab zu berechnen"; „Uebersicht des Zahlenverhältnisses der schulfähigen Kinder zu denjenigen, welche wirklich Unterricht in öffentlichen Schulen erhalten;" „Zahlenverhältnisse der Gymnasien, Progymnasien und höheren Bürgerschulen im preussischen Staate von 1831 bis mit 1841"; „Uebersicht der Seminarien zur Bildung von Elementarschullehrern im preussischen Staate, nach der zu Ende des J. 1840 aufgenommenen Kirchen- und Schultabelle"; „Uebersicht der auf den sämmtlichen Universitäten des preuss. Staats vom Sommersemester 1810 bis zum Wintersemester 18$\frac{4}{4}\frac{2}{3}$ Studirenden, mit Bemerkungen über das Verhältniss derselben zu den Bedürfnissen der Zeit"; „Betrachtungen über die gegenwärtige Lage des höhern Schulunterrichts und die Mittel, denselben für die Wissenschaft und das Leben fruchtbarer zu machen"; Betrachtungen über das Verhältniss der Universitäten zu den Anforderungen an die Wissenschaft und das Leben auf der Bildungsstufe der Gegenwart"; „Betrachtungen über den Zustand der Juden im preuss. Staate"; „Darstellung des Zustandes, worin sich die Bereitung und der Verbrauch des Branntweins in Bezug auf staatswirthschaftliche und sittliche Verhältnisse dermalen im preuss. Staate befindet"; „über die wahre Natur und Bestimmung der Renten aus Boden- und Capitaleigenthum".

[[illegible]] Grundsätze der National-Oeconomie von Dr. C. W. Th. Schütz, ord. Prof. an d. staatswirthschaftl. Facultät zu Tübingen. Tübingen, Osiander. 1843. XVI u. 448 S. gr. 8. (2 Thlr. 10 Ngr.)

Der Vf. hat sich den doppelten Zweck vorgesetzt: ein Hülfsmittel für seine Vorlesungen zu gewinnen, dann aber auch einem grösseren Kreise von Lesern die Prüfung seiner Grundsätze möglich zu machen. Der erstere Zweck ist auf eine sehr anerkennenswerthe Weise erreicht worden. Die Schrift bietet alles für diesen Zweck Wünschenswerthe in der erforderlichen Vollständigkeit, Gedrängtheit, Klarheit und Präcision, gibt Bewährtes und Sicherbegründetes, ist einfach, nüchtern und besonnen gehalten. Würde dagegen unter dem zweiten Zwecke die Darstellung eines Handbuches für den Selbstunterricht „Gebildeter" zu verstehen sein, so wäre allerdings eine grössere Ausführlichkeit der Beweise und eine mehrere Polemik zu wünschen gewesen; indess dem Vf. scheint es um eine Darlegung der wirklichen Grundsätze der in neuerer Zeit von Sophisten und Ignoranten so hart angefeindeten Schule zu thun gewesen zu sein, und auch das ist verdienstlich. Der Vf. beleuchtet auch die communistischen Träumereien. In der Schutzzollfrage erklärt er sich für die Handelsfreiheit und nur in gewissen Ausnahmsfällen für ein gemässigtes Schutzsystem, das immer darauf berechnet sein müsse, mit der Zeit einem Systeme grösserer Freiheit zu weichen. Das ist auch unsere Ansicht.

[illegible] Vorlesungen über Finanz-Wissenschaft. Zum Selbststudium für jeden Staatsbürger allgemein verständlich bearbeitet von Ant. Barth, rechtskundigem Bürgermeister. (Vorlesungen über sämmtl. Hauptfächer d. Staats- u. Rechtswissenschaft. 2. Bd.) Augsburg, v. Jenisch u. Stage. 1843. 378 S. gr. 8. (1 Thlr. 15 Ngr.) Vgl. No. 1165.

Die Allgemeinverständlichkeit des Vfs., der schon viele Theile der Staatswissenschaften bearbeitet und dabei bereits in manche Materie eingegriffen hat, die er jetzt wieder vornimmt, artet freilich nicht selten in Breite und Wässrigkeit aus. Schärfe und Tiefe gehen ihm überhaupt ab; dagegen hat er etwas Populäres und manches technische und praktische Detail, auch die nöthigste Kenntniss von den Ergebnissen der eigentlichen Wissenschaft. Für einen gewissen Kreis sind seine Schriften nützlich.

[8968] Hinrichs' politische Vorlesungen. In zwei Bänden. 1. Bd. Halle, (Schwetschke u. Sohn). 1843. XII u. 232 S. gr. 8. (3 Thlr. 20 Ngr. f. 2 Bde.)

In Hegel'schem Jargon und mit der oberflächlichsten renommistischen Suffisance wird hier unter tausendfältigen Anticipationen, Seiten- und Vorwärtssprüngen, ohne Ordnung, Begründung, Untersuchung über die Geschichte radottirt, um sie gerade für den neuesten Standpunct des Schul- und Parteibedürfnisses und für den Geschmack gerade dieses Zuhörerkreises aus diesem Semester zuzurichten. Welche tolle Behauptungen und wie seicht, wie verworren und haltlos die Gründe. Was dem Vf. zu behaupten beliebt, dafür ist er niemals um einen Grund verlegen: der erste beste Einfall genügt. Er würde eben so gut das Entgegengesetzte haben behaupten und beweisen können. Dabei spricht er zwar ewig vom Pathos, aber wahrlich Erhebung, Gefühl, reine Begeisterung sind so wenig in seiner Schrift zu finden, wie gewissenhafte Forschung und gesundes Urtheil. Wahrlich, wenn dieser künstvoll aussehende Apparat des Hegelthums, mit dem die Schrift verbrämt ist, zu weiter nichts führt, als zu diesen Trivialitäten, so hätte sich der Vf. viele Mühe ersparen können. Die politische Weisheit, die in dieser Schrift zu finden, bringt Einer zusammen, der nichts als die neuesten Tageblätter und irgend ein Compendium einer Weltgeschichte gelesen. — Die Geschichte wird so ein bischen von der Seite angesehen und dann so gedacht und ausgelegt, wie es gerade passen will, während das mindeste Eindringen und Nachdenken in den meisten Fällen das Gegentheil gelehrt haben und es selbst dem Vf. nicht schwer gefallen sein würde, ganz andere Dinge zu behaupten. Dass manche einzelne Wahrheit mit unterläuft, ist schon recht; die aber sind auch so trivial und unter der Masse von Irrthümern, Vorurtheilen und Oberflächlichkeiten so willkührlich verstreut, dass man auch jene Wahrheiten dem Vf. durchaus nicht zum Verdienst rechnen darf. Hätte er die Sprache des gesunden Menschenverstandes geschrieben, so würde er selbst das Buch ungedruckt gelassen haben, aber in diesem schulphilosophischen Jargon mag ihm manche Trivialität neu und bedeutsam geklungen haben und mancher handgreifliche Irrthum doch als Wahrheit erschienen sein. Wenn irgend ein junger Kaffeehauspolitiker, oder sonst ein gesinnungsvoller Dilettant so ein Buch schreibt, so hat die Wissenschaft gar nichts dazu zu sagen. Von einem Universitätsprofessor dagegen erwartet man, dass er nach redlicher Forschung tiefe und ernste Wahrheiten darlegt, dass er aber nichts schreibt, was er nicht versteht und vor allen Dingen, dass er den Leuten nicht nach dem Munde redet. Das Allerwiderwärtigste in diesem Buche ist in letzterer Beziehung dieses unwürdige, gesuchte, wahrhaft läppische Buhlen und Kokettiren um die Gunst der „Commilitonen"; wie es in dieser Art, unseres Erachtens, wenn die Commilitonen noch die rechten Leute sind, gerade das Gegentheil von dem bewirken muss, was er bezweckt hat. Wir haben nichts wider den politischen Standpunct des Vfs., wenn wir ihn auch nicht theilen; aber es ist uns aus seinen Kreisen noch keine Schrift vorgekommen, die selbst diesen Standpunct, für den noch nicht viel Tiefes und Gründliches gesagt worden, in so gänzlich unwissenschaftlicher Weise vertreten hätte. Denn die Sprache reicht da nicht aus. Was würde die Partei, zu der sich der Vf. mit dieser Schrift schlägt, gesagt haben, wenn er entgegengesetzte Tendenzen in gleicher Weise vertreten hätte?

[[illegible]] Die National-Einheit der Deutschen aus geschichtlichen, religiösen und politischen Gesichtspuncten von Jos. Mayer, Pfr. in Pflugfelden. Stuttgart, Schweizerbart. 1843. 156 S. gr. 8. (22½ Ngr.)

Sehr gut gemeinte, recht wohl stylisirte, in blühender Sprache geschriebene, mit ungewöhnlich vielen gesperrten, in fetter Schrift gedruckten, oder sonst typographisch ausgezeichneten Worten, Sätzen, Perioden ausgestattete, salbungsvolle — Predigten über kirchliche und politische Eintracht und Einheit. Zur Erbauung ganz gut. Aber im Politischen wenigstens thuns die Predigten nicht. Der Vf. meint es gewiss recht herzlich gut und ist ein gebildeter Mann, aber weder nach Geist noch nach Kenntniss über die meisten hier behandelten Dinge zu schreiben berufen, es wäre denn zu seiner und seiner Freunde Erbauung. Nur sofern im Ganzen diese Ideen jetzt von Süddeutschland aus seltener gepflegt werden, als in Norddeutschland, mag die Schrift ihr Bemerkenswerthes haben.

[[illegible]]. Kritik der Bildung in unserer Zeit. Von Dr. J. Th. [illegible]. Luzern, Meyer. (Wien, Gerold.) 1843. IV u. 228 S. gr. 8. (1 Thlr. 5 Ngr.)

Wenn auch keine vollständige Kritik der Zeitbildung — wer möchte die auf so geringem Umfange geben? — wenn auch nicht in alle Erscheinungen und Richtungen der Zeit mit voller Einsicht — wie wäre die von einem Einzelnen zu fordern? — werden hier doch jedenfalls in einer Reihe geistvoller Bemerkungen gar manche Beiträge zu einer solchen Kritik geliefert. Es geschieht das in der Form der Zeit; die Seele der Schrift gehört einer anderen, vergangenen, in ihren Errungenschaften und äusseren Vortheilen weniger begabten, in ihrem geistigen Leben und Streben aber gewiss reineren und höheren Zeit an. Nach einer Einleitung, worin der Vf. über die Frage spricht: was die Bildung ist, und worin viel Treffendes über das Verhältniss von Herz und Geist gesagt wird, führt der Vf. aus, wie wir in unserer Zeit eine „überaus reiche, feine und vortreffliche" Bildung haben, die aber grösstentheils unwahre, angekünstelte Form sei. Unsere Bildung sei das Gebilde eines zwar vorherrschend reichen, klaren und freien, aber auch leeren, ungetreuen, selbstsüchtigen, falschen, negativen Geistes. Diese Schrift gibt viel zu denken.

Länder- und Völkerkunde.

[6821] Taschenbuch zur Verbreitung geographischer Kenntnisse. Herausgeg. von Joh. Gfr. Sommer. Für 1844. (22. Jahrg.) Prag, Calve'sche Buchh. 1844. CXII u. 440 S. mit 6 Stahlst. gr. 16. (n. 2 Thlr.)

Mit jedem neuen Jahre wächst sowohl der Reichthum des Inhalts als die Behandlung des Stoffes dieses in mehr als einer Hinsicht bemerkenswerthen und überaus nützlichen Werkes. Das eigenthümliche Talent des als Geograph und Physiker rühmlich bekannten Vfs. hat sich hier aufs Neue bewährt. In gedrängter Kürze gibt er lehrreiche Uebersichten der neuesten Reisen und geographischen Entdeckungen: 1) der beiden Briten: Capt. Harris und Dr. Beke in Abyssinien, obgleich die Sendung des Ersteren von Seiten der englisch-ostindischen Compagnie nicht glücklich gewesen zu sein scheint; — 2) des Franzosen Arnaud d'Abbadie auf der Nordostküste Afrikas über das 1840 von den Engländern gekaufte Tadschura; — 3) des deutschen Naturforschers Karl Zeyher in Südafrika, den Ländern der Kaffern und Bitschuanas u. s. w.; 4) des britischen Capt. Allen über den Fluss Cameruns am Guinea-Busen; — 5) der Gesellschaft preuss. Gelehrter und Künstler unter Leitung des Dr. Rich. Lepsius in Aegypten; — 6) der Amerikaner J. L. Stephens und L. M. Normann auf der Halbinsel Yukatan, deren Berichte über die Ruinen der Urstädte: Tschitschen, Kabah, Zayi und Uxmal durchaus Neues enthalten; — 7) des Isidor Löwenstern aus Wien Reise um die Welt von 1837—1841, wovon der Bericht über die nordamerikan. Vereinsstaaten und Havanah 1842 zu Paris in französ. Sprache erschienen ist; 8) des Naturforschers Schomburgk's seit 1841 abermals unternommene Reise zur Erforschung der Flüsse des britischen Guyana; — 9) des Engländers Moody über die Falklands-Inseln; endlich der Bestrebungen der Briten für die nähere Kenntniss des Festlandes von Australien und Neu-Seeland, an welche sich grossartige Untersuchungen für die Erforschung von Mittelasien und China anschliessen, unter denen sich die Berichte des Seeofficiers Hoskyn über Lycien, des Missionars Badger und des Dr. Grant über die kleinasiatischen Nestorianer oder die „verlorenen Zünfte“; — des Frhrn. Clemens Alexander De Bode über Persien auszeichnen. Selbst die Reisen im russischen Asien, z. B. des Naturforschers Peter Tschichatscheff im Altai, den Sajanskischen Bergen, und des Kirgisen-Steppen blieben eben so wenig unberücksichtigt, als die englische Südpolexpedition unter Capt. Ross. — Die grösseren Aufsätze sind: I. „Zur Kenntniss von Japan, aus dem 1841 zu London anonym erschienenen Werke: „Manners and Customs of the Japanese in the 19. Century.“ — II. „Wanderungen in Neu-Fundland nach J. B. Jukes's Excursions in and about N. F. 1839 —1840.“ Lond. 1842. — III. „Erinnerungen aus Mexiko“ nach Isidor Löwenstern's „Le Méxique. Souvenirs d'un Voyageur“. Par. 1843. (Vgl. No. 1255.) — IV. „Skizzen aus Badakschan“, nach Lieut. John Wood's „a Personal Narrative of a Journey to the Source of the River Oxus by the route of the Indus, Kabul and Badakschan etc. in the years 1836—1838“. Lond. 1841. — V. „Die Marquisas-Inseln“ nach Vincendon-Dumoulin et C. Desgraz, Iles Marquises ou Nouka-Hiva etc. Par. 1843. — VI. „Van der Maelen's Geograpische Anstalt zu Brüssel“, nach Drapicz, Notice sur l'Etablissement geogr. de Bruxelles; welches letztere Gemälde als treffliche Schilderung Dessen, was ein einziger Mann, gleich einer Akademie, für die Wissenschaft leistet, einen würdigen Schluss dieser Jahresschrift bildet, deren Fortsetzung man freudig entgegen sieht. Dr. *Karl Falkenstein.*

[[illegible]] Magellan, oder die erste Reise um die Erde. Von Aug. Bürck. Leipzig, B. Tauchnitz jun. 1844. VIII u. 312 S. gr. 8. (1 Thlr.)

Eine Monographie, welche allen ähnlichen Arbeiten zum Muster dienen kann. Alle vorhandenen Quellen (Pigafetta von Amoretti, verglichen mit Barros, Herrera u. A.) sind mit Kritik benutzt, mit Geschmack zusammengestellt oder im Verfolge der Erzählung mit Gewandtheit verschmolzen. Voraus geht als Einleitung die Uebersicht der Theorien über die Gestalt der Erde von der frühesten Zeit bis zu Anfang des 16. Jahrhunderts, dann folgt die Charakteristik des ersten Weltumseglers, wie er, von Vasco's de Gama und Christoph Colombo's Beispiel ermuntert und durch Serrano's Mittheilungen über die molukkischen Inseln belehrt, seinen Plan der Krone Portugals eröffnet, erst aber nach schnöder Abweisung bei Kaiser Carl V. Unterstützung findet, eine Flotte von fünf Schiffen auszurüsten. Nun beginnt in einfachem edlem Style der Bericht über diese für immer denkwürdige Reise. Die Abfahrt beginnt am 10. Aug. 1519, geht über Teneriffa nach der Ostküste von Brasilien; die Bai von Genaro, der Rio de Solis oder La Platastrom, so wie die Pinguins- und die Löweninsel werden untersucht, endlich die Meerenge, welche bis heute seinen Namen trägt, entdeckt, — und nach einer mühevollen Fahrt von 20 Tagen, bald durch schneebedeckte Bergreihen und Felsklippen, bald durch ein niedriges Insel-Labyrinth, lag das Weltmeer in unendlicher Majestät vor seinen Blicken. Darauf wurden die Ladronen (Diebsinseln oder Marianen), endlich der Lazarus-Archipel oder die Philippinen und die Insel Zobu und Matan aufgefunden, auf welcher letzteren Magellan am 27. Apr. 1521 im Gefechte mit den Eingebornen seinen Tod fand. — Juan Carvalho und nach ihm Gomez d'Espinosa und Juan Sebastian del Cano führen die Schiffe über Mindanao, Palawan, Borneo, die Molukken und die Inselgruppe von Hinterindien um das Cap nach Spanien zurück. Der Vf. hat durch sein Werk einem der grössten Seefahrer aller Zeiten, den — wie einst Columbus — die Mitwelt verkannte, die spätere Geschichte stiefmütterlich behandelte, und die Gegenwart fast unbeachtet liess, ein längst verdientes Denkmal gesetzt.

Dr. *Karl Falkenstein.*

Geschichte.

[8978] Blicke in die vaterländische Vorzeit; Sitten, Sagen, Bauwerke, Trachten, Geräthe. Für gebildete Leser aller Stände, von **Karl Preusker**, k. s. Rentamtmann zu Grossenhain, Ritter u. s. w. Leipzig, Hinrichs'sche Buchh. I. Bdchn. VI u. 214 S. mit 130 Abbild. auf 2 Taff. II. Bdchn. 1843. 241 S. mit 150 Abbildd. auf 3 Taff. III. Bdchn. 1. Hft. 1843. 241 S. mit 133 Abbildd. auf 2 Taff. gr. 8. (n. 2 Thlr. 15 Ngr.)

Der wegen seiner vielseitigen Bemühungen um die Verbreitung nützlicher Kenntnisse unter einem grösseren Publicum verdiente Vf. hat mit diesem Buche einen neuen Weg eingeschlagen, um dem Leserkreise, den er vorzüglich im Auge hat, die Beschäftigung mit ernsteren Dingen zu erleichtern und angenehm zu machen. Mit Recht behauptet er am Eingange seiner Schrift, dass die geschichtl. Nachrichten in um so höherem Grade ansprechen, je näheren Bezug sie auf das Vaterland haben. Er bestimmt sein Buch „für Jeden, dem das religiöse und kriegerische, das bürgerlich-gesellige und häusliche Leben der germanischen und slawischen Nationen der vaterländischen Vorzeit, wie das Mittelalter in seinen mannichfachen Verhältnissen nicht ohne Interesse erscheint" und zieht ganz Mitteldeutschland in sein Bereich. Der Hauptstoff ist von den historischen, überhaupt von den wissenschaftlichen Belegen und weiteren Ausführungen getrennt, und dadurch für die verschiedenen Classen der Leser, welche der Vf. im Auge hat, die Möglichkeit gegeben, sich das auszuwählen, was Jeden zunächst anspricht und angeht. Im 1. Bdchen. hat der Vf. besonders die Lausitz besprochen. Wiederholte Reisen in dieselbe und vielfache Correspondenzen und Besprechungen mit tüchtigen Kennern des Landes haben ihn in den Stand gesetzt, eine Menge interessanter Nachrichten zusammenzubringen, die mit ziemlicher Uebersichtlichkeit dargestellt sind. Vielfaches Interesse erregen zunächst des Vfs. Schilderungen aus dem heidnischen Alterthume, so z. B. „die Opferfelsen bei Weigsdorf unfern Zittau" (§ 2); „die Feensberge bei Ostritz" (§ 4); „die Zwergsagen in der Gegend um Zittau" (§ 6); „der Löbauer Berg, der Stromberg und Rothstein" (§ 8); „die Ringwälle der Oberlausitz" (§ 10); „die Königshainer Berge unfern Görlitz" (§ 13); „die Teufelssteine bei Budissin und Camenz" (§ 15); „die Götterberge der alten Wenden bei Budissin" (§ 16); „der Oybin bei Zittau" (§ 17). Mit diesen ernsteren Abhandlungen wechseln dann lebendigere Schilderungen, wie „das Frühlingsfest der alten Deutschen u. Slawen" (§ 12); „das Kreuzerfindungsfest zu Löbau im J. 1521" (§ 9); „die Burgen und Städte der Oberlausitz im Mittelalter" (§ 11); — oder Besprechungen allgemeiner Gegenstände § 3 „die Vaterlandsgeschichte", § 5 „die Sage", § 7 „Land und Volk"; oder Zusammenstellungen einer Reihe einzelner Daten über denselben Gegenstand, wie § 14 „die Donnerkeile und Steinwaffen". — Das 2. Bdchen. betrifft zunächst ebenfalls die Lausitz und die Nachbarländer. Doch greifen die hier behandelten Gegenstände bereits mehr in das Bereich des Geistigen. Zwar finden wir auch noch Schilderungen von Bergen, Ruinen und Ringwällen, wie z. B. § 18 „das Riesengebirge, sein Berggeist und der Zobtenberg"; § 19 „der Kynast", § 21 „die Landskrone", § 25 „Burgen der östlichen Oberlausitz", § 27 „die Ringwälle um Camenz u. Budissin", § 29 „der Sybillenstein, der Protschen u. der Flinsstein", § 31 „die Bergfesten Stolpen u. Hohenstein". Aber man findet ausser diesen auch noch wissenschaftliche Abhandlungen, wie § 22 „die frühesten Schutz- und Opferorte der östl. Oberlausitz"; § 26 „die Sorbenwenden in der Ober- u. Niederlausitz", Abhandlungen, welche gegen das 1. Bdchen. sich vortheilhaft auszeichnen und von des Vfs. glücklichem Fortschritt zeugen. Für den deutschen Alterthumsforscher dürfte namentlich auch § 30 „das oberlausitzische Adelsrecht des sittenlichen Vorrittes" in vieler Hinsicht nicht unwichtig sein, und in gleicher Weise verdient § 20 „die schlesisch-lausitzische Gebirgs-Mundart und die früheren Bewohner des östl. Deutschlands" Beachtung. Der Vf. theilt ein Weihnachtslied im Riesengebirgsdialecte, Gessners Phyllis und Chloe im Glatzer, Mehreres aus dem Zittauer und aus dem schlesischen und nordostböhmischen Dialecte mit, dann Erzählungen von Hohenstein, von Meissen und Dresden. Charakteristisch ist „der Bergmann und sein Gruss" von Annaberg und das Lied des Klöppelmädchens. Wesentlich unterschieden von allen vorigen nennt der Vf. „den Volksdialect der deutschsprechenden Wenden in der Ober- und Niederlausitz, wozu die Eigenthümlichkeit ihrer slawischen Nationalsprache allerdings das Meiste beiträgt; nicht nur die meisten Doppellaute: eu, äu u. s. w. sind ihnen fremdartig und für sie schwierig, und daher nur umgewändert auszusprechen, sondern auch in Ansehung des H, des Artikels u. s. w. sind zahlreiche Abweichungen gewöhnlich". Die Proben, welche der Vf. mittheilt, verdienen auch von Seiten der Wissenschaft Beachtung; aus ihnen kann man am besten ersehen, welchen Einfluss die slawische Sprache bei ihrem Zusammentreffen auf die deutsche gehabt, und welche Veränderungen sie besonders im Hochdeutschen, dessen Heimath bekanntlich in einst slawischen Gegenden zu suchen ist, bewirkt hat. Mit dem 3. Bdchen. verlässt der Vf. die Lausitz und nähert sich mehr den eigentlich deutschen Ländern. Das meissenische Land unterwirft er zunächst seiner Untersuchung. Er schildert einzelne Burgen und alterthümlich merkwürdige Localitäten, und erzählt Sagen aus jenen Gegenden. Auch dieser Band enthält Dialectproben und zwar aus dem 13. bis 15. Jahrh. „nach Minnesängern und Urkunden der meissnischen Lande". Ueberraschend ist in dem ganzen Buche die zahllose Menge von einzelnen Daten und Notizen, welche so zu sagen aus der ganzen Welt zusammengeholt sind; sie legen von der ausserordentlichen Thätigkeit und dem scharfen Ueberblick des Vfs. ein ehrendes Zeugniss ab.

J. G. Jordan.

[8974] Die Entwickelung der öffentlichen Verhältnisse Schlesiens, vornämlich unter den Habsburgern. Von **Heinrich Wuttke.** 1. u. 2. Bd. Leipzig, Engelmann. 1842, 43. XII u. 370, VIII u. 452 S. gr. 8. (4 Thlr. 22½ Ngr.)

Wer das Inhaltsverzeichniss dieser beiden Bände durchliest, wundert sich vielleicht, dass sie nicht: Geschichte Schlesiens bis 1740, überschrieben sind; denn diese Benennung würde nach dem gemeinen Verstande des Wortes Geschichte gar wohl auf sie passen. Allein diesen vortheilhafteren Titel durfte ich nicht wählen, weil ich eine von der gewöhnlichen weit abweichende Ansicht von Dem, was eine Geschichte enthalten müsse, gefasst habe und mit mir selbst nicht in Widerspruch gerathen mochte. Die Gesichtspuncte, aus denen die Vorzeit Schlesiens hier betrachtet wird, sind durch die Rücksichtnahme auf ein zweites Werk bestimmt, dessen Vorbereitung diese Schrift sein soll. Daher führt sie auch den Titel: „König Friedrichs des Grossen Besitzergreifung von Schlesien und die Entwickelung der öffentlichen Verhältnisse in diesem Lande bis zum Jahr 1740". Als eine Entwickelung der öffentlichen Verhältnisse bezeichnet sie sich, weil Privatverhältnisse, nur insofern sie auf diese erkennbar einwirkten, mit behandelt sind, die öffentlichen selbst wurden dann nur skizzirt, wenn sie mehr der blossen Statistik eines grösseren Zeitabschnittes angehören als von Einfluss auf die Fortbewegung des Ganzen waren. Einzelnheiten über Gerichtshöfe und Verwaltungsbehörden u. dgl. wird man daher z. B. vermissen. Zu meiner Aufgabe habe ich es mir gemacht jeden Umstand unmittelbar aus den Quellen selbst zu erforschen und aus der Fülle der Ereignisse nur das Charakteristische wieder mitzutheilen. Um meines Gegenstandes Herr zu werden, habe ich mich bestrebt, sämmtliche über schlesische Geschichte erschienenen Bücher zu benutzen, und wenn ich einige dennoch nicht erhalten konnte, so lag das wenigstens nicht an meiner Mühe. Handschriftliches Material boten mir 12 öffentliche Sammlungen und 5 Privaten: ich nenne nur das schlesische Provinzialarchiv, welches der Oberpräsident von Schlesien mir öffnen liess. Dadurch wurde ich in den Stand gesetzt, eine, wie ich glaube, in den meisten Theilen neue Auffassung der schlesischen Geschichte zu geben, was ein Vergleich mit Morgenbesser's zu lebender, alles Geleistete zusammenfassender Geschichte Schlesiens zeigen wird. Wie ich Zustände und Vorgänge betrachte, sagt I. 84: „Alle menschlichen Einrichtungen beruhen aber auf Bedürfnissen und somit zum grössten Theile auf den Ansichten der Menschen, die sie bedingen: sie müssen wanken, so wie diese wechseln". — Der I. Bd. gibt zuvörderst einen Ueberblick der älteren Geschichte und charakterisirt die Beziehung Schlesiens zu Polen und zu Deutschland (S. 1—27) skizzirt die böhmische Zeit und schildert dann (S. 39—80) die Verfassung des Landes. Zum erstenmale sind hier die Fürstenthumsstände, von denen man früher wenig mehr als den Namen kannte (vgl. Morgenbesser) aus dem Dunkel der Vergessenheit hervorgezogen. Ein wohlunterrichteter Beurtheiler sagt in der Breslauer Zeitung: „Hier befindet sich der Verfasser wie in einem neuentdeckten Lande, Vorarbeiten mangelten gänzlich und dieser ganze Abschnitt (S. 46 ff.) ist eine förmlich neue Seite der vaterländischen Geschichte". Das Durchbrechen der Reformation und ihre erste Bekämpfung wird S. 81—220 dargelegt. In der Verfassung und der neuen Glaubensfreiheit sind die beiden Mittelpuncte nun gegeben. Die alte Kirche und das habsburgische Herrschergeschlecht (aus dem seit 1526 ein Regent nach dem andern gewählt wurde), suchen beides zu überwinden und zu beseitigen. Hierarchie und Absolutismus beginnen einen Kampf gegen das Land (S. 221—370), der zum böhmischen Kriege führt und mit einem Vergleiche endigt im J. 1621; rechtlich erhält Schlesien seine Zustände, aber es hatte thatsächlich verloren und der ganze 2. Thl. hat bloss mit der Unterdrückung Schlesiens zu thun. Nachdem der weitere Fortgang des 30jährigen Krieges dargelegt (1—78), folgt erst die weltliche (S. 97—165) dann die kirchliche Unterdrückung mit ihren Folgen; beide sind der leichteren Einsicht wegen getrennt behandelt; die erstere zeigt das allmälige Zugrundegehen der Stände, die andere entwickelt das System der Katholisirung. Oft mussten allgemeine deutsche Verhältnisse berührt und böhmische Geschichten erörtert werden. Vielfach ist der Einfluss der politischen Zustände auf das Schriftwesen und die Volksbildung und die Einwirkung des letzteren auf ersteres nachgewiesen, z. B. der Einfluss der Reformation, der politischen Umwälzung, der der kirchlichen Reaction; über die vorepitzische Literatur ist I. S. 228 ff. über die erste schlesische Dichterschule II. S. 13—60 und 436 f., über die zweite II. S. 392—413, über das Schulwesen, die Zeitungen u. a. gehandelt. Georg und Friedrich von Böhmen, Wallenstein und Karl XII. und viele Andere werden vorgeführt. — Aus den Provinzialgeschichten wird, wie ich meine, die deutsche Geschichte am richtigsten erkannt. Die ordentlich durchgeführte Geschichte eines Landstriches lässt das beste Licht auf den Entwickelungsgang eines Volkes fallen und die ausführliche Betrachtung der Reformation in einem bedeutenden Orte führt zu einem tieferen Verständnisse des Hergangs derselben überhaupt als eine allgemeine Reformationshistorie. — Neuheit der Behauptungen ist in der Regel eine Herausforderung zum Tadel. Während Schlosser „dem Vaterlande Glück zu einem Lehrer der Geschichte wünscht, der, wie" u. s. w. (Heidelb. Jahrb. 1842. IV.) erhob sich daher gegen Bd. I. ein von G. A. H. Stenzel empfohlener Hr. Kries mit unbedingten Verdammungssprüchen. Es ist ihm von mir, es ist ihm auch von Anderen entgegnet worden, und man muss sich fragen, ob er in seiner Gegenschrift sich mehr durch Unwissenheit ausgezeichnet hat, ob seine Dreistigkeit in Behauptungen stärker ist, als seine Gabe das Angeführte zu entstellen. Da derselbe indess nicht weniger als viermal seine Stimme erhob (auch in den Berliner Jahrbüchern) so habe ich einige seiner Artikel mit den in Zeitschriften zerstreuten Widerlegungen u. d. Tit.:

[illegible] Abfertigung des Dr. Karl Gustav Kries von Heinrich Wuttke. Leipzig, Engelmann. 1843. 40 S. gr. 8. (5 Ngr.)

drucken lassen. Er rechnete darauf (S. 36), dass sicher „das Publicum weder Zeit noch Neigung hat, dergleichen auch nur mit einiger Aufmerksamkeit zu lesen", und glaubte vermuthlich darum mit seiner blossen Versicherung Gehör zu finden. Ohne es zu wollen, habe ich, wie ich nachträglich gewahre, auf jeden seiner Einwürfe eine Antwort gegeben, nur in seinem letzten Artikel finde ich (S. 37) noch einen unerledigten Vorwurf, dass ich seine ausdrückliche Frage, wo der von mir citirte Grunwald vorhanden sei, unberücksichtigt gelassen. Ich weise ihn mit dem Gegenwurfe ab, dass er mein Buch zu unaufmerksam gelesen habe, denn I. S. 188, Anm. 2 ist zu finden: dass aus seinem chronicon „Ehrhardt Presbyt. I. S. 125 f. diese interessanten Nachrichten herausgehoben und mitgetheilt hat". Auch der II. Bd. wird seine Gegner finden, und ich wünsche nur, dass sie sich nicht an Druckfehlern wie S. 225 Z. 2 1634 (statt 1684), S. 344 Z. 11 Kuration, S. 494 Z. 4 Spanien und Portugal (st. Spanien u. Italien), S. 400 A. Z. 5 Hentforst u. a. reiben mögen, weil dadurch die Wissenschaft um nichts gefördert wird. *Heinrich Wuttke.*

[illegible] Erlebtes aus den Jahren 1813—1820, von Dr. Wilh. Dorow. 2 Thle. Leipzig, Hinrichs'sche Buchh. 1843. X u. 228, XVI u. 214 S. (2 Thlr. 15 Ngr.)

Erlebtes aus den Jahren 1813 bis 1820, also Erlebtes aus einer ereignissreichen Zeit! Und dass der Mann, der uns hier über jene Zeit Mittheilungen macht, selbst Viel in dieser erlebt hat, kann Niemandem unbekannt sein, der seine frühere Stellung, seine damaligen Verbindungen und Verhältnisse auch nur im Allgemeinen kennt; in Demjenigen aber, was er nicht aus eigener Kenntniss und dem Schatze eigener Erfahrungen mittheilt, sondern anderwärtsher geschöpft hat, lernt man sehr bald erkennen, dass seltene, nicht Vielen zugängliche Quellen ihm sich geöffnet haben. Und gewiss hat er vollkommen Recht, wenn er sich in dem Vorworte zum 1. Theile über den Nutzen solcher Mittheilungen aus Tagebüchern in historischer Beziehung, also theils von Männern, die mehr oder weniger der Geschichte angehören und ihr gleichsam in die Karten gesehen haben, theils über Männer, die, wie Goethe sagt, von der Geschichte aufgesucht worden sind, die die Geschichte gleichsam selbst mitgemacht haben, ausspricht. „Gewiss! wir würden die Menschen oft anders erkennen lernen, wenn Jeder, der ein verhängnissvolles Leben durchlebt hat und darüber in sich klar geworden ist, solches wahr und muthvoll niederschreiben und es dann der Oeffentlichkeit übergeben wollte“ (S. IV). Wirklich Erlebtes, auch von unbedeutender Feder niedergeschrieben, würde Wahrheit und Detail in die Geschichte bringen, und zur richtigen Beurtheilung der Männer der Geschichte beitragen. Man muss in der That wünschen, dass diese Wahrheit selbst, und mithin der historische Nutzen der historischen Tagebücher (um sie so zu nennen) für die Geschichte und für das Leben immer mehr erkannt werde, und dass — dieses „Erlebte aus den Jahren 1813—1820 von Dorow“ in gleicher oder in ähnlicher Weise seine Nachfolger finde. Eine jede Zeit hat Anspruch auf, und Vortheil von Feststellung und Berichtigung ihrer politischen Charaktere, durch solche Tagebücher und Notizen, wie die sind, aus welchen hier D. uns mittheilt und die er benutzt hat; und namentlich möchten wir auch unserer Zeit einen Mann wünschen, der wahr und offen das Erlebte uns schilderte. Von den hier vorliegenden beiden Theilen enthält der 1. Erlebtes theils aus dem M. Juli 1813 bis Nov. 1815 (S. 1—161), theils vom Juli 1817 bis März 1820 (S. 163—228); über die Zwischenzeit behält D. sich eine spätere Darstellung vor, da „es die Verhältnisse noch nicht gestatten, diese an Erfahrungen und Begebenheiten reiche und interessante Zeit zu besprechen“ (S. 162). Weiter und näher in das Einzelne hier einzugehen ist nicht möglich; auch gewährt das Namensverzeichniss im 2. Theile S. 209—214 eine leichte Uebersicht in Ansehung der Personen, deren hier ausführlichere oder kürzere Erwähnung geschieht. In manchen Beziehungen ergänzt der 2. Theil den ersten, insofern nämlich darin Documente folgen, die der Herausgeber von Anderen mitgetheilt erhalten hat, und welche gewisse Andeutungen im 1. Thle. weiter ausführen. Manche dieser Documente sind indess mehr selbstständig und von dem 1. Thle. unabhängiger, aber alle mehr oder weniger von besonderem, historischem oder sonstigem Interesse. So z. B. die Mittheilung über die beabsichtigte Ermordung des Königs Friedrich Wilhelm III. durch v. Sahla in Wien 1814 (II. S. 57—74), und der Process des Dr. Jahn wider den Geh. Rath v. Kamptz (S. 179—200). Aus dem 1. Thle. machen wir hier noch besonders auf die Mittheilungen und Urtheile über den kalten, herzlosen, etwas absprechenden Niebuhr (S. 10 f.), über v. Stein (S. 12 f., 38 f., 44), die gerade nicht sehr ehrenvoll sind, den Grafen v. Reisach (S. 41 f., ausführlicher handelt über ihn eine Beilage im 2. Thle. S. 25—56), Montgelas, vorzüglich über Hardenberg, welchem D. besonders nahe gestanden hat, den Grafen Karl Aug. v. Reisach, der noch neuerdings in den Memoiren v. Lang's so arg geschmäht worden ist, — seinen Verdiensten, seinem rühmlichen Wirken, seinem Leben hat hier D. ein Denkmal setzen wollen. Ueber verschiedene andere Personen und Gegenstände verspricht D. später aus dem reichen Schatze seiner Erlebnisse und seiner Verbindungen weitere Mittheilungen, so z. B. über den Baron von Eben, über den jedoch schon hier Thl. II. S. VI—XIII Manches mitgetheilt wird. Ueber den kürzlich verstorbenen, nach seinem Tode unbarmherzig geschmäheten v. Tzschoppe spricht sich D. gelegentlich (II. S. 55) mit einer Anerkennung aus, die diesem zur Ehre gereichen muss. Er fordert zugleich Diejenigen auf, welche durch Amts- und Geschäftsverhältnisse im Stande seien, über diesen Mann ein billiges und gerechtes Urtheil zu fällen, solches auch auszusprechen (S. 56). Er fügt hinzu, dass sich Tzschoppe den Hass und die Furcht der Beamten und Nichtbeamten hauptsächlich dadurch zugezogen habe, dass er wichtiger, einflussreicher und mächtiger sich in der öffentlichen Meinung darzustellen bemüht gewesen, als es wirklich der Fall war. Dergleichen Eitelkeit und Wichtigthuerei findet man aber heutzutage, namentlich in den unteren Classen der bürgerlichen Gesellschaft nicht selten; und gerade Solche wollen diess bei Anderen in der höheren Gesellschaft nicht dulden, vielmehr verdammen sie es bei ihnen oft auf die liebloseste Weise. — Auch in anderen Beziehungen sind D.'s Mittheilungen anregend und interessant. So z. B. II. S. XIII, wo er, mit Bezug auf das schon erwähnte höchst interessante Actenstück über den Process Jahns, den Wunsch ausspricht, dass durch dessen Veröffentlichung zu ähnlichen Arbeiten Aufmunterung gegeben sein möchte; die hohen Behörden, setzt jedoch D. hinzu, müssten es freilich gestatten, dienstliche Arbeiten, Gutachten u. s. w. ausgezeichneter Staatsbeamter, mit Discretion aus den Acten gezogen, der Oeffentlichkeit übergeben zu dürfen. „In solchen Documenten, solchen Deductionen spricht sich der Geist, der Charakter oft würdiger und klarer aus, als in grossen Werken." Jedenfalls ist das hier mit E. T. A. Hoffmann der Fall, der in dem gedachten Jahn'schen Processe Decernent war, und dessen Vorträge und Arbeiten hierin sein warmes Gefühl für die Unabhängigkeit des Richters in ein schönes Licht setzen.

Bibliographie.

Theologie.

[8877] The Englishman's Hebrew and Chaldee Concordance of the Old Testament; being an attempt at a Verbal connexion between the original and the English Translation: with Indexes, a List of the Proper Names, and their Occurrences, etc. 2 vols. Lond., 1843. 1778 S. Imp.-8. (n. 3£ 13sh. 6d.)

[8878] *Die Hermeneutik des N. Testaments systematisch dargestellt. 1. Thl.: Die hermeneutische Grundlehre. Vom Past. **Chr. Glo. Wilke.** Leipzig, Vogel. 1843. X u. 322 S. gr. 8. (1 Thlr. 20 Ngr.)

[8879] Clavis Novi Testamenti philologica usibus scholarum et juvenum Theologiae studiosorum accommodata. Ed. **Chr. Abr. Wahl**, Ph. et Th. Dr., Cons. quod est in regno Sax. evang. consil. Edit. III. emend. et auct. Lipsiae, Barth. 1843. VIII u. 525 S. gr. 4. (5 Thlr. 15 Ngr.)

[8880] *Commentar üb. das Evang. des Johannes. Von Dr. **Adalb. Maier**, ö. o. Prof. d. Theol. an d. Univ. zu Freiburg. 1. Bd. Histor.-krit. Einleitung u. Auslegung von Cap. I—IV. Freiburg, Herder'sche Buchh. 1843. X u. 366 S gr. 8. (1 Thlr. 12½ Ngr.)

[8881] Das Leben Jesu. Eine pragmatische Geschichts-Darstellung von **Werner Hahn.** Berlin, Duncker. 1844. IV u. 196 S. gr. 8. (1 Thlr. 10 Ngr.)

[8882] Das Leben Christi von Dr. **Joh. Nep. Sepp.** Mit einer Vorrede von *Jos. v. Görres.* 2. Thl. 1. Bd.: Evangelien-Harmonie. Regensburg, Manz. 1843. VI u. 458 S. gr. 8. (1 Thlr. 22½ Ngr.)

[8883] A History of the Church, in Five Books, from A. D. 322, to the Death of Theodore of Mopsuestia, A. D. 427. By Theodoretus, Bishop of Cyrus. A New Translation from the Original: with a Memoir of the Author, an Account of his Writings, and the Chronology of the Events recorded. Lond., 1843. 384 S. gr. 8. (7sh.)

[8884] Geschichte der christl. Kirche. Von **J. Annegarn,** Prof. d. Kirchengesch. am Lyc. Hosianum zu Braunsberg. 3. Thl.: Von der Kirchentrennung durch Luther bis auf unsere Tage (J. 1517 bis 1841). Münster, Regensberg. 1843. VIII u. 578 S. gr. 8. (1 Thlr. 7½ Ngr.)

[8885] Lehrbuch der Kirchengeschichte von Dr. **Joh. Jos. Ign. Döllinger,** ord. Prof. d. Theol. an d. Univ. München. 1. Bd. u. 2. Bd. 1. Abthl. 2. verb. Aufl. Regensburg, Manz. 1843. VIII u. 440, IV u. 367 S. gr. 8. (3 Thlr.)

[8886] Handbuch der Kirchengeschichte von **H. E. Fd. Guericke**, Dr. d. Theol. u. Phil., Prof. d. Theol. zu Halle. 5. verb. u. verm. Aufl. 2. Bd., welcher die neuere Kirchengeschichte enth., nebst Zeittafeln u. Register. Halle, Gebauer'sche Buchh. 1843. VI u. 761 S. gr. 8. (4 Thlr. f. 2 Bde.)

[8887] Quae de Ignatianarum epistolarum authentia duorumque textuum ratione et dignitate hucusque prolatae sunt sententiae enarrantur et dijudicantur Commentatio, quam scrips. **Fr. Arm. Chr. Düsterdieck.** Gottingae, bibl. Dieterich. 1843. VI u. 91 S. gr. 4. (25 Ngr.)

[8988] *Anselm von Canterbury. Dargestellt von **F. R. Hasse**, Lic. u. a. o. Prof. der ev. Theol zu Bonn. 1. Thl.: Das Leben Anselm's. Leipzig, Engelmann. 1843. XIV u. 576 S. gr. 8. (2 Thlr. 7½ Ngr.)

[8989] *Papst Leo's I. Leben und Lehren. Ein Beitrag zur Kirchen- u. Dogmengeschichte von **Edu. Perthel.** Jena, Mauke. 1843. X u. 269 S. gr. 8. (1 Thlr. 12½ Ngr.)

[8990] **Paul Sarpi's** Geschichte des Conciliums von Trident. Ins Deutsche übersetzt von *W. Winterer*, Hosp.-Pfr. in Mannheim. 4 Bde. 2. Aufl. Mergentheim. (Leipzig, Herbig.) 1844. 304, 223, 202 u. 200 S. gr. 8. (2 Thlr. 20 Ngr.)

[8991] Beurtheilung der Controversen *Sarpi's* und *Pallavicini's* in der Geschichte des Trienter Concils von Dr. **J. Nep. Brischar.** 1. Thl. Tübingen, Laupp'sche Buchh. 1843. IV u. 263 S. gr. 8. (1 Thlr. 3⅘ Ngr.)

[8992] Beleuchtung der Vorurtheile wider die kathol. Kirche. Von e. protestant. Laien Zürichs. 1. Bd. 2. Abthl.: Die Kirchenspaltung des 16. Jahrh. in ihrem Ursprung, Fortgang u. ihren Folgen. 3. umgearb., nochmals verm. u. verb. Aufl. Luzern. (Augsburg, Kollmann.) 1843. VI u. 230 S. gr. 8. (22½ Ngr.)

[8993] Wohlgemeinte Rathschläge dreier zu Bologna versammelter römischer Bischöfe, die Reformation der päpstl. Kirche betr., gerichtet an Papst Julius III. im J. 1553; aus der lat. Urschrift übers., mit e. geschichtl. Nachworte begl. von *L. K. Geibel.* Saarbrücken, Arnold. 1844. 37 S. gr. 8. (7½ Ngr.)

[8994] *Geschichte der Gegenreformation in Böhmen. Nach Urkunden und and. seltenen gleichzeitigen Quellen bearbeitet von M. **Chr. Ad. Pescheck,** erstem Diak. an d. Hauptkirche zu Zittau u. s. w. 1. Bd. Vorgeschichte bis 1621. Dresden, Arnold. 1844. XXIV u. 504 S. gr. 8. (2 Thlr. 22½ Ngr.)

[8995] Der Swedenborgianismus u. seine neueste Erscheinung nebst d. Katechismus der neuen Kirche, beurtheilt von **J. G. Vaihinger.** Tübingen, Osiander. 1843. 62 S. 8. (7½ Ngr.)

[8996] *Histoire du Pape Pie VIII. par M. le chev. **Artaud de Montor.** Ouvrage faisant suite aux histoires de Pie VII. et de Louis XII. par le même auteur. Paris, Leclère. 1843. 31¾ Bog. gr. 8. (7 Fr. 50 c.)

[8997] Complete View of Puseyism; exhibiting, from its Writings, its Twenty-two-Tenets, with a careful Refutation of each Tenet, also an Exposure of their Tendencies. The subject so treated as to involve the Scripture Doctrine of the Church, Uniformity in Religion, of Justification, of Regeneration, of Sanctification, of Baptism, and of the Lords Supper. By **R. Weaver.** London, 1843. 198 S. 8. (5sh.)

[8998] Memoirs of Christian Missionaries; with an Essay on the Extension of the Missionary Spirit. By the Rev. **Jam. Gardner,** M. A. M. D. Edinburgh, 1843. 398 S. 8. (4sh. 6d.)

[8999] *Kirchliche Statistik od. Darstellung der gesammten christl. Kirche nach ihrem gegenwärt. äusseren u. inneren Zustande von Dr. **Jul. Wiggers,** d. Theol. Lic. u. ausserord. Prof. auf d. Univ. zu Rostock. 2. Bd. Hamburg u. Gotha, Fr. u. A. Perthes. 1843. X u. 495 S. gr. 8. (2 Thlr.)

[9000] A Treatise on the Corruptions of Scripture, Councils, and Fathers, by the Prelates, Pastors, and Pillars of the Church of Rome, for the Maintenance of Popery. By **T. James.** Revised and corrected from the Editions of 1612 and 1688. By the Rev. J. E. Cox, M. A. London, 1843, 390 S. gr. 8. (12sh.)

[9001] Symbolism; or, Exposition of the Doctrinal Differences between Catholics and Protestants, as evidenced by their Symbolical Writings. By **J. A. Moehler**, D. D. Dean of Wurzburg. Translated from the German, with a Memoir of the Author, preceded by an Hist. Sketch of the State of Protestantism and Catholicism in Germany, for the last 100 Years. By *J. B. Robertson*, Esq. 2 vols. London, 1843. 870 S. gr. 8. (18sh.)

[9002] L'homme sous l'empire de la religion chrétienne par **J. A. Picarogni.** Paris, Amyot. 1843. 22 Bog. gr. 8.

[9003] Die christl. Glaubenswissenschaft, nach ihrer theol. u. christol. Beziehung entwickelt von **Wilh. Böhmer.** (Auch u. d. Tit.: Die christl. Dogmatik oder Glaubenswissenschaft. Dargestellt von u. s. w. 2. Bd.) Breslau, Grass, Barth u. Co. 1843. XVI u. 394 S. gr. 8. (1 Thlr. 22½ Ngr.)

[9004] Die Dogmatik der ev.-lutherischen Kirche dargestellt u. aus den Quellen belegt von **H. Schmid**, Dr. Phil. u. Repet. an d. Univ. Erlangen. Erlangen, Heyder. 1843. XX u. 507 S. gr. 8. (1 Thlr. 15 Ngr.)

[9005] Die christliche Taufe u. die baptistische Frage. Von Dr. **H. Martensen**, Prof. d. Theol. an d. Univ. zu Copenhagen. Hamburg u. Gotha, Fr. u. Andr. Perthes. 1843. IV u. 81 S. gr. 8. (15 Ngr.)

[9006] Die Einheit in der Kirche od. das Princip des Katholicismus, dargestellt im Geiste der Kirchenväter der drei ersten Jahrhunderte von Dr. **J. Ad. Möhler.** 2. Aufl. Tübingen, Laupp'sche Buchh. 1843. VIII u. 332 S. gr. 8. (1 Thlr. 10 Ngr.)

[9007] Dr. Binterim vapulans od. Revision der Frage: Ist Petrus in Rom u. Bischof der Römischen Kirche gewesen? von **J. Ellendorf**, Dr. d. Phil. u. d. Rechte. Darmstadt, Leske. 1843. XVI u. 63 S. gr. 8. (12½ Ngr.)

[9008] *Reiseskizzen, vornehmlich aus dem Heerlager der Kirche, gesammelt auf einer Reise in England, Frankreich, Belgien, Schweiz, Oberitalien, Deutschland im J. 1842 von Dr. **T. F. Kniewel**, Archidiakon in Danzig. 1. Thl.: England. Leipzig, Tauchnitz. 1843. 444 S. gr. 8. (2 Thlr. 10 Ngr.)

[9009] Magazin für christl. Prediger; herausgeg. von *Röhr*. 16. Bdes. 2. St. IV u. 240 S. gr. 8. (25 Ngr.) Enth., ausser Predigten u. Reden von Herzog, *Bertram*, *Rintsch*, *Rüdel*, *Schottin*, *Schultz* u. A., folg. Abhandll.: *Monod*, üb. die Kunst der Recitation. (S. 1—28.) — *Wellepp*, üb. die prakt. Behandlung der Engel- u. Dämonenlehre. (—39.) — Ders., über die Einwirkungen des göttl. Geistes auf den menschl. Geist. (—48.) — *Oehe*, üb. d. Gebrauch des Kanzelverses. (—57.)

[9010] Zeitschrift f. d. ges. luther. Theologie u. s. w. 3. Hft. (Vgl. No. 6268.) Inh.: *Rodatz*, üb. die Einsetzungsworte des h Abendmahls u. s. w. II. Art. (S. 1—59.) — *Sihler*, auch ein Wort üb. Pietismus. (—88.) — *Rudelbach*, 49 Thesen üb. das Wesen, die Entwickelung, u. die Form der Religionsfreiheit. (—135.) — Bibliographie d. neuesten deutsch. u. dänischen theol. Literatur. (—192.)

[9011] Der heilige Bernhard über Leben u. Wandel der Geistlichen. Aus d. Lat. übers. von *Jos. Bapt. Mayer*, k. Gymnas. Prof. zu Amberg. Augsburg, Kollmann. 1843. VIII u. 96 S. 12. (7½ Ngr.)

[9012] Geschichte der kathol. Kanzelberedsamkeit der Deutschen von d. ältesten bis zur neuesten Zeit. Ein Beitrag zur allgem. Literaturgeschichte von **Jos. Kehrein**, Lehrer am Gymnas. zu Mainz. 2 Bde. Regensburg, Manz. 1843. XVI u. 523, IV u. 626 S. gr. 8. (3 Thlr. 20 Ngr.)

[9013] Ueber die Predigt-Kunst. Ein Schreiben von **E. F. Reybaz**, Pfr.

u. früher Repräsentant d. Freistaats Genf bei d. franz. Republik. Uebersetzt u. herausgeg. von *E. F. F. Schopper.* (Franz. und deutsch.) Reutlingen, Schradin. (Leipzig, Böhme.) 1843. 27 S. gr. 8. (6⅓ Ngr.)

[9014] **Bilder aus der Leidensgeschichte unsers Herrn, dargelegt in 5 Kanzelreden währ. d. heil. Fastenzeit des J. 1842 von K. Eggert,** Dompred. an d. Metropolitankirche zu U. L. Fr. in München. Regensburg, Manz. 1843. 136 S. 8. (11⅓ Ngr.)

[9015] Bilder aus dem Leben der Welt in ihrer Verkehrtheit, dargelegt in 5 Kanzelreden während der heil. Fastenzeit des J. 1843 von **K. Eggert.** Ebendas., 1843. 115 S. 8. (11⅙ Ngr.)

[9016] Erinnerung an das 700jähr. Jubel-Fest des sel. Berthold, ersten Abtes zu Garsten, im J. 1842. In e. Vorwort u. acht Predigten auf dasselbe Fest. Linz, Haslinger. 1843. 115 S 8. (11⅙ Ngr.)

[9017] Die kirchlichen Feierlichkeiten am Jahrestage des Oschatzer Brandes d. 7. Sept. 1843. Sämmtliche dabei gesprochene Reden enth. Oschatz. (Leipzig, Kollmann.) 1843. 20 S. gr. 8. (3 Ngr.)

[9018] Von der wahren Erkenntniss. Preispredigt über 1 Cor. 8, 2—3 von **O. Gottschalk.** Göttingen, Dieterich. 1843. 16 S. 8. (2½ Ngr.)

[9019] Predigten zur Auffrischung u. Erneuung d. christl. Geistes von **J. Bapt. Hafen,** Caplan u. Präceptor in Saulgau. Des ganzen Jahrg. 2. Bdchn., Predigten üb. das Werden u. Kommen d. himml. Reiches auf Erden für die heil. Weihnachts- u. einen Theil d. Fastenzeit. Stuttgart, Beck u. Fränkel. 1843. VIII u. S. 207—556. 8. (22½ Ngr)

[9020] Predigten über die Evangelien aller Sonn- u. Festtage des christl.-evang. Kirchenjahres in d. Haupt- u. Pfarrkirche zu St. Bernhardin in Breslau geh. von **C. W. A. Krause,** Archidiak. 1. Bd. Breslau, Korn. 1843. 10 u. 465 S. gr. 8. (2 Thlr.)

[9021] Salome und Sulamith. Predigten aus d. Lied der Lieder von **F. W. Krummacher.** 5. Aufl. Elberfeld, Hassel. 1843. XVI u. 173 S. gr. 8. (22½ Ngr.)

[9022] Das Geheimniss der Gottseligkeit dargestellt u. entwickelt nach dem Glauben der evangel.-luth. Kirche in 15 Predigten, gehalten zu Strassburg u. Metz von **Ph. J. Oster.** Leipzig, Köhler. 1843. 177 S. gr. 8. (15 Ngr.)

[9023] Ueber den Protestantismus unserer Kirche. Eine Pred. am Reformations-Feste d. J. 1843 in d. Haupt- u. Stadtkirche zu Weimar geh. von Dr. **J. Fr. Röhr.** Neustadt a. d. O., Wagner. 1843. 15 S. 8. (5 Ngr.)

[9024] Denkmal gesetzt meinem Tochtermann J. Früh, Pfarrer in Herisau. Grundzüge seines Lebens u. Schicksals nebst mehr. seiner Predigten von **P. Scheitlin.** St. Gallen, Scheitlin u. Zollikofer. 1843. 138 S. 8. (15 Ngr.)

[9025] Predigten von **Fr. Schleiermacher.** 3. Bd. Neue Ausg. Berlin, Reimer. 1843. VIII u. 816 S. gr. 8. (1 Thlr. 10 Ngr.)

[9026] Ihr werdet auch zeugen. Pred. üb. Ev. Joh. 15, 26—16, 4 von **A. F. Souchon,** Pred. an d. franz. Luisenstadtkirche in Berlin. Berlin, Wohlgemuth. 1843. 16 S. 8. (3⅓ Ngr.)

[9027] Seid mässig und nüchtern zum Gebet. Pred. üb. 1. Petri 4, 7—11 von **A. F. Souchon.** Ebendas., 1843. 16 S. 8. (3⅓ Ngr.)

[9028] Homilienkranz für das kathol. Kirchenjahr von **Dr. Joh. Em. Veith,** Dompred. zu St. Stephan. 2. Bd. 2. durchaus verb. Aufl. Wien, Mayer u. Co. 1844. 307 S. 8. (1 Thlr.)

[9029] Die Liebe als das Merkmal des wahren Christenthums. Predigt zur

Nachfeier der Versammlung d. evang. Vereins d. Gustav-Adolphs-Stiftung von **W. M. L. de Wette**, Dr. d. Th. u. Prof. in Basel. Frankfurt a. M., (Schmerber'sche Buchh.). 1843. 16 S. 8. (3⅘ Ngr.)

[9030] Der Weg zum Heil. Poetische Weihestunden in Betrachtungen über den Geist u. Kern der evang. Glaubenswahrheiten von **Ed. Bohn.** Weimar, Voigt. 1844. VI u. 182 S. 8. (20 Ngr)

[9031] Feldblumen. Eine Sammlung christlicher Lieder. 2. Aufl. Hamburg, (Perthes-Besser u. Mauke). 1843. VIII u. 158 S. 8. (20 Ngr.)

[9032] Biblische Distichen. Worte der Wahrheit u. der Erhebung in allen Verhältnissen des Lebens von **C. Schartmann.** Berlin, Athenäum (Th. Scherk). 1843. VIII u. 200 S. gr. 16. (15 Ngr.)

[9033] Geistliche Schriften von Dr. **Fd. Herbst.** 1. Bdchn.: Abendstunden. Augsburg, Kollmann. 1843. IV u. 252 S. gr. 12. (22½ Ngr.)

[9034] Die sonn- u. festäglichen Evangelien nach Allioli's kirchlich approbirter Uebersetzung. Sammt d. Kirchengebeten. St. Gallen, Scheitlin u. Zollikofer. 1843. IV u. 88 S. 8. (3⅘ Ngr.)

[9035] Evangelische Gnadenordnung von **Dav. Hollaz.** Neue verb. Ausg. Frankfurt a. M., Brönner. 1843. VII u. 135 S. 8. (11⅕ Ngr.)

[9036] Wort u. Leben. Betrachtungen nach d. Evang. St. Matthäi. Von **H. Lössel.** Berlin, Thome. 1843. XXVI u. 593 S. gr. 12. (1 Thlr. 20 Ngr.)

[9037] Oeuvres de **Massillon**, évêque de Clermont. 3 Vols. Besançon, Outhenin-Chalandre. 1843. 164 Bog. gr. 8. (14 Fr.)

[9038] Das heil. Abendmahl u. seine Beziehungen auf das Leben. Ein Beicht- u. Communionbuch für evang. Christen von Dr. **Conr. Max. Kirchner**, ev.-luther. Stadtpfr. zu Frankfurt a. M. 2. verb. u. verm. Aufl. Frankfurt a. M., Sauerländer. 1844. VI u. 282 S. gr. 12. (15 Ngr.)

[9039] Schule der Geduld von **J. Meier.** Neu herausgeg. u. umgearb. von *K. Steiger.* Frauenfeld, Beyel. 1843. VI u. 277 S. 8. (19 Ngr.)

[9040] Der Führer auf dem Lebenswege in class. Lehren der Moral von **Dr. Fr. Reinke.** 3. verb. u. verm. Aufl. Berlin, Heymann. 1843. XVI u. 237 S. gr. 16. (1 Thlr.)

[9041] Die gute Sache der Seele, ihre eigenen Angelegenheiten und die aus dem Menschen u. der Vergangenheit entwickelte Geschichts-Zukunft. Braunschweig, Otto. 1843. 126 S. gr. 8. (25 Ngr.)

[9042] Glück, Heil und Seligkeit. Ein Confirmations- u. Festgeschenk von **K. Steiger.** 2. verb., mit e. Anhang „Gebete" verm. Aufl. St. Gallen, Scheitlin u. Zollikofer. 1843. 192 S. mit 1 Stahlst. gr. 8. (15 Ngr.)

[9043] Hours of Meditation and Devotional Reflection, upon various Subjects connected with the Religious, Moral, and Social Duties of Life. By **H. Zschokke.** Translated from the German, by *Jam. D. Haas.* Lond., 1843. 372 S. 8. (7sh.)

[9044] Christkatholisches Andachtsbuch für Erwachsene von **J. N. Bestlin**, Pfr. in Steinberg. Ausgabe mit grobem Druck. 2. Abdr. Wiesensteig. (Leipzig, Melzer.) 1843. 355 S. mit 1 Stahlst. 8. (15 Ngr.)

[9045] Erhebungen des Gemüthes zu Gott. Ein vollständ. Gebet- und Erbauungsbuch f. Katholiken. 3. sehr verb. u. verm. Aufl. von d. Vf. des Gebetbuchs „die Weihe der Andacht". Wiesensteig. (Leipzig, Melzer.) 1844. 424 S. mit 1 Stahlst. u. gestoch. Titel. gr. 12. (15 Ngr.)

[9046] Der Erlöser. Gebet- u. Betrachtungsbuch für kathol. Christen. Von

u. kathol. Priester. Paderborn, (Wesener). 1843. VIII u. 469 S. gr. 8. (12½ Ngr.)

[9047] Marienlieder zur Feier der Maiandacht gedichtet von **Guido Görres.** München, Lentner'sche Buchh. 1843. 32 S. gr. 16. (2½ Ngr.)

[9048] Christkathol. Erbauungs- und Unterrichtungsbuch od. kurze Ausleg. aller sonn- u. festtägl. Episteln u. Evangelien, sammt daraus gezog. Glaubens- u. Sittenlehren, nebst e. Erklärung d. vornehmsten Kirchengebräuche von **Goffine.** Neue mit Uebersetz. d. heil. Messe u. s. w. verm. Ausg. 2 Thle. Blaubeuren, Mangold'sche Buchh. 1843. XXXII u. 536, 332 S. mit 1 Stahlst. 8. (22½ Ngr.)

[9049] Betrachtungen üb. sämmtl. Evangelien der Fasten mit Einschluss der Leidensgeschichte von Dr. **J. Bapt. Hirscher.** 7. neu durchgesch. Aufl. Tübingen, Laupp'sche Buchh. 1843. XVI u. 646 S. gr. 8. (1 Thlr.)

[9050] Das heilige Skapulier. Ein Erbauungs- u. Andachtsbuch für d. Mitglieder der Skapulier-Brüderschaft. Mit e. Messandacht u. mehr. Andachten zur heil. Jungfrau. Nach d. Franz. Augsburg, Kollmann. 1843. VI u. 102 S. mit 1 Stahlst. 12. (6 Ngr.)

[9051] Spiegel der Busse od. kurze Anleitung zur Generalbeichte von **Alo. Schlör.** 2. Aufl. Wien, Mayer u. Co. 1843. 109 S. 12. (6⅓ Ngr.)

[9052] Der heilige Schutzengel od. Anleitung zur christl. Andacht. Ein vollst. Gebetbuch f. kathol. Christen. Aus d. Franz. Neue u. verb. Ausg. Einsiedeln, Gebr. Benziger. 1843. 357 S. mit Titelbild. gr. 18. (10 Ngr. Velinpap. mit 8 Bildern 12½ Ngr.)

[9053] Die Liebe Gottes zur Uebung des innerlichen Gebetes. Ein Betrachtungsbüchlein für Seelen, die nach d. Vollkommenheit streben, von **P. Joh. Seiger.** 2. Aufl. Augsburg, Kollmann. 1843. IV u. 166 S. nebst Titelbild. 12. (7½ Ngr.)

[9054] **Thom. v. Kempis** vier Bücher von der Nachfolge Jesu Christi. Frankfurt a. M., Andreäische Buchh. 1843. XII u. 324 S. 16. (3⅓ Ngr.)

[9055] **Thom. v. Kempis** vier Bücher von d. Nachfolge Christi mit einem Anh. von Morgen-, Abend-, Mess-, Beicht-, Communion- u. Nachmittags-Andachten aus d. übrigen Werken des Th. v. Kempis, herausgeg. von E. *A. Nickel.* Ebendas., 1843. XVI u. 432 S. mit 1 Stahlst. 16. (3⅓ Ngr.)

[9056] Unterricht üb. die Andacht zu d. allerheiligsten Herzen Jesu u. Mariä u. üb. deren Bruderschaften nebst ein. bezügl. Gebeten u. Gesängen. 2. Aufl. Cöthen. (Leipzig, Jackowitz.) 1843. 96 S. 8. (2½ Ngr.)

[9057] Unterricht u. s. w., mit e. Anhange von Morgen-, Abend-, Mess-, Beicht- u. Communiongebeten. 3. Aufl. Ebendas., 1843. 144 S. 8. (3¾ Ngr.)

[9058] Durch Christus zum Vater! Ein Gebet- u. Erbauungsbuch f. kathol. Christen von **Max. Wengenmayer.** 3. Orig. Aufl. Blaubeuren, Mangold'sche Buchh. 1844. XIV u. 391 S. mit 1 Stahlst. 8. (15 Ngr.)

Philosophie.

[9059] Oeuvres philosophiques de **Ant. Arnauld.** Nouv. édit., collationnée sur les meilleurs textes et précédée d'une introduction par *Jules Simon.* Paris, Charpentier. 1843. 25½ Bog. gr. 12. (3 Fr. 50 c.)

[9060] Oeuvres philosophiques de **Sam. Clarke.** Nouv. édit., collationnée sur les meilleurs textes et précédée d'une introduction par *Amédée Jacques.* Paris, Charpentier. 1843. 17 Bog. gr. 12. (3 Fr. 50 c.)

[9061] Opere dell' abate **Ant. Rosmini Serbati,** Roveretano. Vol. I. Fasc. 1

—IX. Milano, Batelli e Co. 1842—43. 128 S. gr. 8. (3 L. 12 c.) Monatlich soll ein Band von diesem Umfange erscheinen; Ideologie, Logik, Moralphilosophie, Apologetik u. s. w. bilden den Inhalt dieser gesammelten Werke.

[9062] Essai sur la philosophie des sciences ou Exposition analytique d'une classification naturelle de toutes les connaissances humaines par **André-Marie Ampère.** II. part. Paris, Bachelier. 1843. 18 Bog. mit 1 Kupf. gr. 8. (5 Fr.)

[9063] Le Cartesianisme ou la véritable rénovation des sciences. Ouvrage couronné par l'Institut. Suivi de la Théorie de la substance et de celle de l'infini par **Bordas-Demoulin.** Précédé d'un discours sur la réformation de la philosophie au dix-neuvième siècle, pour servir d'introduction générale, par *F. Huet.* 2 Vols. Paris, Hetzel. 1843. 63¼ Bog. gr. 8. (16 Fr.)

[9064] *Hegel's Philosophie in wörtlichen Auszügen. Für Gebildete aus dessen Werken zusammengestellt u. mit e. Einleitung herausgeg. von **C. Frantz** u. **A. Hillert.** Berlin, Duncker u. Humblot. 1843. XL u. 686 S. gr. 8. (3 Thlr.)

[9065] *Darstellung u. Kritik des Hegel'schen Systems. Aus dem Standpuncte der christl. Philosophie von Dr. **Frz. Ant. Staudenmaier,** Prof. d. Theol. zu Freiburg. Mainz, Kupferberg. 1844. VIII u. 872 S. gr. 8. (3 Thlr. 15 Ngr.)

[9066] Traité de Logique ou essais sur la théorie de la science par **J. Duval-Jouvre.** Paris, Ladrange. 1843. 26¼ Bog. gr. 8. (6 Fr.)

[9067] *Logik. Von Dr. **R. Herm. Lotze,** a. o. Prof. d. Philos. an der Univ. zu Leipzig. Leipzig, Weidmann'sche Buchh. 1843. IV u. 236 S. gr. 8. (1 Thlr.)

[9068] Ueber die Freiheit. Von **Const. Frantz.** (Auch u. d. Tit.: Speculative Studien von u. s. w. 1. Hft.) Berlin, Hermes. 1843. VIII u. 115 S. gr. 8. (n. 20 Ngr.)

[9069] Gegen den Absolutismus in der Philosophie. Von **Gust. Siegmund.** Zürich, Liter. Comtoir. 1843. 52 S. gr. 8. (11¼ Ngr.)

[9070] Teoria della vita umana; filosofia del cuore et degli affetti, opera del conte **Marco Martello.** 2 Vol. Macerata, Viarchi. 1842—43.

[9071] Grundlinien einer positiven Philosophie als vorläufiger Versuch einer Zurückführung aller Theile der Philosophie auf christliche Principien von **Fr. M. Deutinger.** 2. Thl.: Die Seelenlehre. Regensburg, Manz. 1843. 182 S. gr. 8. (22½ Ngr.)

[9072] Cours d'esthétique par **Jouffroy;** suivie de la thèse du même auteur sur le sentiment du beau et deux fragmens inédits et précédé d'une préface par M. *Ch. Damiron.* Paris, Hachette. 1843. 24¾ Bog. gr. 8. (7 Fr. 50 c.)

[9073] Nouveau manuel de littérature ou cours complet de rhétorique par **Alph. Fresse-Montval.** Paris, Carie et Jager. 1843. 18½ Bog. gr. 12. (3 Fr. 25 c.)

[9074] Grundsätze der Philosophie der Zukunft. Von **Ludw. Feuerbach.** Zürich, Liter. Comptoir. 1843. IV u. 84 S. gr. 8. (10 Ngr.)

Naturwissenschaften.

[9075] Annalen der Physik u. s. w., herausgeg. von *Poggendorff.* (Vgl. No. 6737.) No. 9. Inh.: *Karsten,* üb. elektrische Abbildungen. (S. 1—17.) — *Knorr,* üb. das von Moser entdeckte dunkle Licht u. üb. die Erzeugung von Wärmebildern. (—39.) — *Moser,* Erwiderung an Hunt u. Daguerre.

(—48.) — *Oersted*, Entwicklung der Lehre von d. Glanze. (—55.) — *Langberg*, das specifische Gewicht der Schwefelsäure bei verschied. Grades der Verdünnung. (—60.) — *Knochenhauer*, üb. den Nebenstrom im getheilten Schliessungsdraht der Batterie. (—82.) — *Bolzano*, üb. die neue Theorie in Hrn. Prof. Doppler's Schrift: Ueber das farbige Licht der Doppelsterne u. s. w. (—88.) — *Brongniart* u. *Malaguti*, üb. die Kaoline od. Porcellanerden, üb. die Natur u. den Ursprung derselben. (—129.) — *Rammelsberg*, üb. die Bestandtheile der Meteorsteine. (—139.) — *Kayser*, üb. einige oxalsaure Doppelsalze. (—144.) — *Strehlke*, üb. einige Eigenschaften der von Daguerre'schen Lichtbildern erhaltenen galvan. Kupferplatten. (—149.) — *Plateau*, Hervorbringung eines Vacuums mittelst der Centrifugalkraft des Quecksilbers. (—152.) — *Langberg*, atmosphärisch-optische Erscheinung. (—156.) — Kürzere Notizen. (—160.)

[9076] Revue scientifique et industrielle etc. (Vgl. No. 7887.) Sept. Inh.: *Moigno* et *Ducis*, sur les observations de météorologie et physique du globe, pouvant servir d'instructions pratiques pour les voyageurs physiciens. (S. 433—467.) — *Langlet*, discussion du principe de Dalton, qui sert de base à la théorie de M. Saigey, sur la constitution des atmosphères planétaires et cométaires. (—475.) — *Blondeau de Carolles*, du ligneux et de quelques uns des composés auxquels il donne naissance. (—512.) — *Johnston*, sur la constitution des resines. (—526.) — *Berzelius*, combinaison du phosphore etc Fin. (—555.) — *Laurent*, série naphtalique. Fin. (—580.) — *Gerhardt*, sur la classification chim. des substances organiques. (—608.) — Bulletin etc. (—624.)

[9077] *Amtlicher Bericht üb. die 20. Versammlung deutscher Naturforscher u. Aerzte zu Mainz im Sept. 1842. Herausgeg. von den Geschäftsführern derselben, Med.-Rath Dr. *Gröser* u. Notar *Bruch*. Mainz, Kupferberg. 1843. XII u. 398 S. mit 2 Lithogr. gr. 4. (n. 3 Thlr.)

[9078] Anfangsgründe der Physik vom Prof. **A. v. Ettingshausen.** 1. Lief. Wien, Gerold u. Sohn. 1843. S. 1—160. gr. 8. (Vollst. 3 Thlr. 10 Ngr.)

[9079] *Die Experimental-Physik. Zum Selbstunterr. für Gebildete und zum Gebr. in Real- u. polytechn. Schulen von **F. Marcet**, Prof. an d. Akad. zu Genf. Nach der 3. Aufl. d. Franz. übers. von *G. Kissling*. 1.—6. Lief. Ludwigsburg, Nast. (Leipzig, Herbig.) 1843. XIV u. 419 S. u. 1 Tab. u. 6 Figurentaff. gr. 8. (1 Thlr. 15 Ngr.)

[9080] *Lehrbuch der Experimentalphysik und der Meteorologie von **Pouillet**, Prof. d. Physik an d. Fac. d. Wiss. zu Paris. Nach der 3. Orig.-Ausg. aus d. Franz. übers., mit Zusätzen u. Ergänzungen versehen von Dr. *C. H. Schnuse*. 2. Bd. Quedlinburg, Basse. 1843. 716 S. mit 18 Taff. Abbild. gr. 8. (2 Thlr. 25 Ngr.)

[9081] Magnetische u. meteorologische Beobachtungen, zu Prag in Verbindung mit mehr. Mitarbeitern ausgeführt u. auf öffentl. Kosten herausgeg. von *K. Kreil*, Adj. an d. k. k. Sternwarte. 3. Jahrg.: Vom 1. Aug. 1841 bis 31. Juli 1842. Prag, (Ehrlich). 1843. 139 u. CLII S. nebst 2 lith. Taff. gr. 4. (3 Thlr. 5 Ngr.)

[9082] Traité de la chaleur, un beau volume de texte, formant l'explication de l'ouvrage entier, accompagné d'un atlas de 122 planches, par **E. Peclet.** Liége, 1843. (n. 12 Thlr. 10 Ngr.)

[9083] Ueber das Licht. Vortrag, gehalten in d. physik.-ökonomischen Gesellschaft zu Königsberg den 7. Apr. 1843 von **Ludw. Moser.** Königsberg, Voigt. 1843. VIII u. 30 S. gr. 8. (10 Ngr.)

[9084] Der Heliokon und das Ostwestlicht oder das März Phänomen von 1843 von **Ferd. Wirth**, Stadtpfr. zu Anb. Würzburg, Voigt u. Mocker. 1843. 30 S. u. 2 lith. Taff. gr. 8. (12½ Ngr.)

[9085] Lehrbuch der Chemie von J. J. Berzelius. 5. umgearb. Original-Auflage. 1. Bd. Dresden, Arnold. 1843. XVIII u. 890 S. mit 2 Kpfrtaff. u. 19 eingedr. Holzschnitten. gr. 8. (n. 4 Thlr. 25 Ngr.)

[9086] Versuch einer chemischen Statik der organischen Wesen von J. Dumas, Prof. in Paris. 2. mit den nöthigen Zahlenbelegen verm. Aufl. Aus d. Franz. von C. Vieweg. Leipzig, Wöller. 1843. IV u. 132 S. 8. (15 Ngr.)

[9087] Abriss der anorganischen Chemie als Grundlage zum Unterrichte in Realgymnasien u. höh. Bürgerschulen von A. Jahn. Dresden, Arnoldische Buchh. 1843. VIII u. 132 S. gr. 8. (15 Ngr.)

[9088] Élémens d'électro-chimie appliquée aux sciences naturelles et aux arts par M. Becquerel. Paris, F. Didot. 1843. 27 Bog. mit 2 Kpfrn. gr. 8. (7 Fr. 50 c.)

[9089] The Annals and Magazine etc. Vgl. No. 7895. Oct. *Alder* and *Hancock*, on an new British species of Calliopaea and on four new species of Eolis. (S. 233—238.) — *Strickland*, on the Structure and Affinities of Upupa and Irrisor. (—243.) — *Tulk*, on the Anatomy of Phalangium Opilio, contin.; m. 1 Kupf. (—253.) — *Thompson*, the Birds etc.; contin. (—258.) — *Waterhouse*, on some new species of the Coleopteron, Genus Gyriosomus. (—260.) — *Sowerby*, on a new Fossil Cirripede. (—261.) — *White*, on some New Insects from the Congo. (—268.) — *Ralfs*, on the British Diatomaceae; contin. (—276.) — Miscellaneous etc. (—304.)

[9090] Die Fortpflanzung der Vögel von F. Berge. 2. Thl. 7.—12. Lief. Stuttgart, Scheible, Rieger u. Sattler. 1841—43. 100 S. u. 97 illum. Taff. gr. 16. (à 1 Thlr. 5 Ngr.)

[9091] Ornithologie du Dauphiné ou Déscription des oiseaux observés dans les départemens de l'Isère, de la Drôme, des Hautes-Alpes et contrés voisines par Hippol. Bouteille, avec la collaboration de M. *de Labatie*. Ouvrage conten. 300 sujets dessinés d'après nature par M. *C. Cassien* 1. livr. Grenoble, 1843. 11 Bog. gr. 8. Ohne Kupfer.

[9092] *Systematische Bearbeitung der Schmetterlinge von Europa als Text, Revision und Supplement zu *J. Hübner's* Sammlung europäischer Schmetterlinge von Dr. G. A. W. Herrich-Schäffer. 1. und 2. Heft. Regensburg, (Manz). 1843. Jedes 2 Bog. Text und 10 illum. Kpfrtaff. gr. 4. (à 2 Thlr. 3⅓ Ngr.)

[9093] Der kleine Schmetterlingsfänger. Eine leichtfassliche Anweisung, ohne alle Vorkenntnisse Schmetterlinge zu fangen, aus Raupen und Puppen zu erziehen, zuzubereiten u. in Sammlungen aufzubewahren. Nebst Beschreib. d. vorzüglichsten in uns. Gegend bekannten Schmetterlinge von Chr. Ludw. Gutmann. Hamburg, Bödeker. 1843. VI u. 90 S. mit 2 illum. Kpfrn. gr. 12. (12½ Ngr.)

[9094] De organo electrico in Raiis anelectricis et de Haematozois scripsit A. F. J. Carol. Mayer, ord. med. h. t. Decanus. Bonnae, (König). 1843. 18 S. u. 3 lith. Taff. 4. (1 Thlr.)

[9095] *Plantarum vascularium genera eorumque characteres et affinitates, tabulis diagnosticis exposita et secundum ordines naturales digesta. Auctore C. F. Meisner, Med. Dr., in Univ. Basil. Prof. Acc. commentarius. Fasc. I—XIV. et ult. Lipsiae, libr. Weidmann. 1840—43. Tabb. 442 S. Comm. 402 S. gr. Fol. (à 1 Thlr. 20 Ngr. cpl. 19 Thlr.)

[9096] Taschenbuch der deutschen u. schweizer Flora, enthaltend die genauer bekannten Pflanzen, welche in Deutschland, der Schweiz, in Preussen u. Istrien wild wachsen u. zum Gebrauche der Menschen in grösserer Menge gebauet werden, nach dem De Candolle'schen Systeme geordnet, mit s.

Uebersicht der Gattungen nach d. Linné'schen Systeme, bearb. von Dr. **W. Dan. Jos. Koch**, o. Prof. der Botanik zu Erlangen u. s. w. Leipzig, Gebhardt u. Reisland. 1844. LXXXII u. 604 S. 8. (n. 2 Thlr.)

[9097] Flora von Oesterreich oder Abbildung u. Beschreibung der im Kaiserstaat Oesterreich wildwachsenden Pflanzen von Dr. **J. B. Lämcke.** 18—33. Lief. Leipzig, Polet. 1843. à 4 col. Taff. u. 4 S. Text. gr. 8. (à 7½ Ngr.)

[9098] Herbarium Nočanum plantarum selectarum criticarumve in Istria et Dalmatia nascentium. Decas IX—XII. In Fol.-Mappe. Leipzig, Hofmeister. 1843. (3 Thlr.)

[9099] Florae Basiliensis supplementum scripsit **C. F. Hagenbach**, Med. Dr. Cum tabula lith. Basileae, Neukirch. 1843. 220 S. 12. (25 Ngr.)

[9100] Flora Dalekarlica. Landskapet Dalarnes indigena Phanerogamer och Filices. Uppsats af **C. G. Kröningswärd.** Fahlun, Akerblom. 1843. 66 S. gr. 8. (20 sk.)

[9101] *Flora Rossica, sive enumeratio plantarum in totius imperii Rossici provinciis Europaeis, Asiaticis et Americanis hucusque observatarum auctore Dr. **Car. Frid. a Ledebour.** Fasc. IV. Vol. II. Stuttgartiae, Schweizerbart. 1843. S. 1—204. gr. 8. (1 Thlr. 25 Ngr.)

[9102] Flora Odorata: a Characteristic Arrangement of the Sweet-scented Flowers and Shrubs cultivated in the Gardens of Great Britain. By **F. T. Mott.** Lond., 1843. 144 S. gr. 8. (3sh.)

[9103] Geologie, Geognosie u. Petrefactenkunde von **L. Frhrr v. Gross**, grossh. s. weim. Kammerherr u. Geh. Finanzrath. Mit 500 Abbild. der die Gebirgsformationen charakterisir. Petrefacten. Weimar, Voigt. 1844. X u. 323 S. nebst 16 lith. Taff. gr. 8. (2 Thlr.)

[9104] Der praktische Naturforscher. Ein unentbehrl Hand- u. Hülfsbuch für Freunde der Naturwissenschaften von **F. H. Walchner**, grossh. Arzt in Bühl. 4. Abthl.: Der Mineralog. Carlsruhe, Macklot. 1843. 8½ Bog. gr. 8. (17½ Ngr.)

[9105] Die Revolutionen des Erdballs. Von Dr. **Alex. Bertrand.** Nach der 5. bedeutend verm. u. mit neuen Anmerkk. von *Arago*, *Elie de Beaumont*, *Alex. Brongniart* u. A. bereicherten Ausgabe des franz Originals für das Bedürfniss deutscher Leser frei bearb. von Dr. *P. v. Maack.* Kiel, Univ.-Buchh. 1844. VIII u. 314 S. mit 5 Lithogr. gr. 8. (1 Thlr. 15 Ngr.)

[9106] *Die Venetianer Alpen. Ein Beitrag zur Kenntniss der Hochgebirge von Dr. **Wilh. Fuchs**, k. k. Bergverwalter zu Agordo im Venetianischen. Solothurn, Jent u. Gassmann. 1844. IV u. 60 S. mit 1 geognost. Karte u. Gebirgsprofilen in 18 Taff. qu. Fol. (n. 10 Thlr. 15 Ngr.)

[9107] Wanderungen in der Gletscherwelt von **G. H.** Mit lithogr. Gebirgsansichten. Zürich, Orell, Füssli u. Co. 1843. 160 S. u. 4 Lithographien. 8. (1 Thlr.)

Länder- und Völkerkunde.

[9108] Bulletin de la société de géographie etc. (Vgl. No. 6475) Juillet. Inh.: *de la Roquette*, quelques mots sur le Danemark, la Suède et la Norvège à propos des Eléments de géographie génér. de Adr. Balbi. (S. 5—21.) — *de la Roquette*, notice hist. sur le bureau topographique du royaume des Deux-Siciles. (—29.) — *Kamtz*, sur la hauteur de la ville de Moscou (—34) — *Hommaire de Hell*, sur la différence du niveau entre la mer Caspienne et la mer Noire. (—35.) — *Passama*, observations météorologiques faites à Iles Yémen. (—39.) — *Noel*, Ile de Madagascar; sur les Sakkalava. (—64.) — Actes de la société etc. (—75.) — Août. *Montémont*, sur le voyage au pôl sud sous le commandement de M. Dumont d'Urville. (S. 77—110.) — Table des positions géograph. principales de la Russie, rédigée par *Struve*. (—123.) — Ile de Cuba; tableau de la population de villes et bourgs en 1842. (—125.) — *Warden*, renseignements sur la colonie des noirs libres de Liberia. (—129. — *Peschgaric*, quelques détails sur les iles du cap Vert et du golfe de Guinée (—136.) — Actes etc. (—140.)

[9109] Nouvelles annales des voyages etc. (Vgl. No. 7915.) Sept. Inh.: *Eyriès*, l'ile de Zanzibar et le sultan de Mascate. (S. 257—308.) — Analyses critiques [üb. *Prichard*, hist. natur. de l'homme; *Huot*, manuel de géologie, u. *Dupeuty-Trahon*, le moniteur indien, sämmtl. von *Eyriès*]. (—374.) — Chronique etc. (—384.)

[9110] Voyage autour du monde, entrepris par ordre du roi, exécuté sur les corvettes de S. M. l'Uranie et la Physicienne par M. **Louis de Freycinet**, capit. de vaisseau etc. Magnétisme terrestre. Paris, Pillet ainé. 1843. 44 Bog. mit 1 Karte. gr. 4. Das Ganze in 8 Bden. mit vielen Karten u. Kpfrn.

[9111] Gemälde der physischen Welt od. unterhaltende Darstellung der Himmels- u. Erdkunde. Nach d. besten Quellen u. mit beständ. Rücksicht auf d. neuesten Entdeckungen bearbeitet von **Joh. Gfr. Sommer**. 3. Bd. Physikalische Beschreibung der flüssigen Oberfläche des Erdkörpers. 3. verb. u. verm. Aufl. Prag, Calve'sche Buchh. 1843. VIII u. 544 S. mit 2 lithogr. Taff. gr. 8. (2 Thlr.)

[9112] **Meyer's** Universum, ein belehrendes Bilderwerk für alle Stände. 9. Bd. in 12. Lieff. Hildburghausen, Meyer. 1843. 20 Bog. u. 48 Stahlst. qu. 4. (à 7 Ngr.)

[9113] **Payne's** Universum. Neues Bilderwerk mit vorzüglichen Stahlstichen. 1. Bd. in 12 Heften. Leipzig, Thomas. 1843. 128 S. u. 48 Stahlstiche. qu. 4. (à 7 Ngr.)

[9114] Das kleine Universum für Erd-, Länder- u. Völkerkunde. Ein Bilderwerk in interess. Ansichten 4. Bd 1.—12. Lief. Stuttgart, Scheible, Rieger u. Sattler. 1843. S. 1—392 u. 192 Ansichten in Stahlst. qu. gr 16. (à 7½ Ngr.)

[9115] La France par **Canton**, publiée par *T. Ogier* et *Aug. Richard*, lithogéographes. 1. livr. Paris, Jacob. 1843. 4 Bog. gr. 8.

[9116] Deutschland od. Briefe eines in Deutschland reisenden Deutschen von **C. J. Weber**. 3. Aufl. Nach d. neuesten Zuständen abgeändert u. als Reisehandbuch eingerichtet. 1.—4. Bd. Stuttgart, Hallberger. 1843. 459, 528, 378 u. 387 S. mit 4 Stahlst. gr. 16. (à 1 Thlr. 3⅓ Ngr.) Das Ganze in 6 Bänden.

[9117] Nouveaux souvenirs d'Allemagne par le bar. **de Reiffenberg**. Pèlerinage à Munich. 2 Vols. Bruxelles, Muquardt. 1843. 295 u. 325 S. gr. 8. (2 Thlr. 10 Ngr.)

[9118] Die deutschen Bundesstaaten. Eine geograph.-statistische Tabelle, bearb. von *S. Neubürger* u. *W. Obermeier*. Nördlingen, Beck. 1843. 2½ Bog. gr. Imp.-Fol. (20 Ngr.)

[9119] Sicherer Wegweiser durch Deutschland von 12 Hauptplätzen aus in 900 Reiserouten. Mit e. Anh. von Geboten u. e. Münztafel. Reutlingen, Fleischhauer u. Spohn. 1843. 99 S. 8. (3¾ Ngr.)

[9120] Mainz und seine Umgegend. Mit näh. Berücksichtigung der örtl. Zustände in früh. Zeiten u. in d. Gegenwart. Ein Führer für Einheimische u. Fremde. Darmstadt, Lange. 1843. 96 S. mit 7 Stahlst. gr. 8. (1 Thlr. 5 Ngr.)

[9121] Vollständiges Adressbuch für d. Stadt Heilbronn, doppelt, sowohl nach d. Strassen, Hausbesitzern u. Miethsbewohnern, als auch nach alphabet. Reihenfolge sämmtlicher Einwohner. Mit e. kurzen Topographie Heilbronns, e. ausführl. Gewerbs-Register, e. Nachweisung üb. die Ankunft u. d. Abgang der Boten u. s. w. Heilbronn, Classische Buchh. 1843. XII u. 140 S. u. 1 lith. Ansicht. 8. (20 Ngr.)

[9122] Erlangen in der Westentasche. Ein treuer Führer durch Stadt u. Universität. Erlangen, Bläsing. 1843. 60 S. 32. (3¾ Ngr.)

[9123] Geschichte u. Beschreibung der Fontainenanlagen in Sanssouci unter Friedrich d. Gr. u. Sr. Maj. d. Könige Friedrich Wilhelm IV. Nebst e. Situationsplan von Sanssouci mit d. Röhrenleitung u. e. architekton. Stand- u. Grundriss des neuen Dampfmaschinengebäudes von H. H. R. Scholl. Potsdam, Janke. (Horvath.) 1843. IV u. 74 S. nebst 2 lith. Beilagen. 8. (10 Ngr. Mit 2 feinen Planen 15 Ngr.)

[9124] Hamburg und seine Umgebungen. Malerische Ansichten nach Original-Zeichn., in Stahl gest. von *A. H. Payne.* 1. u. 2. Heft (jedes 10 Stahlst.). Hamburg, Niemeyer. 1843. gr. qu. 16. (à 20 Ngr.)

[9125] Album Hamburgischer National-Costüme. Nach der Natur gezeichn. u. lithogr. von *C. Beer.* Mit erläut. Texte von *F. G. Buek.* 1. u. 2. Lief. Hamburg, Berendsohn. 1843. 8 S. u. 4 illum. Bilder. gr. 8. (à 10 Ngr.)

[9126] Topographisch-statistische Tabelle über die freie Hansestadt Lübeck, zunächst als Repertorium zu der 1843 berichtigten topograph. Karte dienend, von G. Behrens, Hauptmann zu Lübeck. Lübeck, v. Rohden'sche Buchh. 1843. gr. Fol. (10 Ngr.)

[9127] Neuester Wegweiser durch Danzig u. dessen Umgegend. Eine alphab. geordnete Schilderung alles desjenigen, was in u. um Danzig merkwürdig od. in irgend einer Beziehung interessant ist. Nebst e. Anhange: Drei Tage in u. bei Danzig, von W. F. Kernsche. Danzig, Gerhard. 1843. 328 S. 8. (20 Ngr.)

[9128] England und die Engländer in Bildern aus dem Volke. Mit Zeichnungen von *Kenny Meadows.* Nach d. Original-Aufsätzen ausgezeichneter Schriftsteller. Aus d. Engl. übertr. von Dr. *Künzel.* 2. Bd. in 12 Lieff. Pforzheim, Dennig, Finck u. Co. 1843. 436 S. mit 48 lith. Bildern. gr. 8. (à 7½ Ngr.)

[9129] London. Edited by Ch. Knight. Vol. 5. Lond., 1843. 414 S. mit vielen Illustrationen. gr. 8. (10sh. 6d.) Vgl. No. 4113.

[9130] Summerly's Hand-Book for the City of Canterbury: its Historical Associations and Works of Art; with numerous illustrations and a map of City. Lond., 1843. 148 S. 8. (3sh. 6d.)

[9131] Ueber Irland und die Irländer von O'Connel. Nach d. Engl. von *Ado. Böttger.* 1. Bd. Leipzig, Kummer. 1843. X u. 386 S. 8. (1 Thlr.)

[9132] Irlands Zustände alter und neuer Zeit von Dan. O'Connel. Aus d. Engl. von Dr. *E. Willmann.* 1. Bd. (Heil. Mission. 1. u. 2. Lief.) Regensburg, Manz. 1843. XVIII u. 364 S. 8. (1 Thlr. 3¾ Ngr.)

[9133] *Reisen in Schweden u. Norwegen von Sam. Laing. Nach d. Engl. bearb. mit Zusätzen u. Anmerkungen von *W. Ad. Lindau.* 2. Thl.: Reise in Norwegen. Mit e. Anhange: Gesetz d. norwegischen Grundgesetzes. Dresden, Arnoldische Buchh. 1843. XVI u. 457 S. mit lith. Titelblatt. gr. 8. (2 Thlr. 15 Ngr.) Vgl. No. 325.

[9134] **Russland im Jahre 1839 vom Marquis v. Custine.** Aus dem Franz. von Dr. *A. Diezmann.* 3 Bde. Leipzig, Thomas. 1843. 302 u. IV, 450 u. IV, 421 u. IV S. 8. (4 Thlr. 15 Ngr.) Vgl. No. 3763.

[9135] *Reise im Europäischen Russland in d. Jahren 1840 u. 1841 von **J. H. Blasius,** Prof. am Coll. Carolino in Braunschweig. In 2 Thlen. 1. Thl.: Reise im Norden. Braunschweig, Westermann. 1844. X u. 304 S. mit 11 Kpfrtaf. u. in d. Text gedr. Holzschn. gr. 8. (5 Thlr. für 2. Thle.)

[9136] *Voyage autour de Caucase, chez les Tcherkesses et les Abkhases, en Colchide, en Géorgie, en Arménie et en Crimée; par **Fréd. Dubois de Montpereux.** Tom. VI (dern.). Paris, Gide. 1843. 28⅛ Bog. mit 1 Karte. gr. 8. (8 Fr.) Vgl. No. 514 u. 4280.

[9137] A Pictorial Tour in the Mediterranean; comprising Malta, Dalmatia, Turkey, Asia Minor, Grecian Archipelago, Egypt, Nubia, Greece, Ionian Islands, Sicily, Italy, and Spain. By **J. H. Allan,** Member of the Athenian Archaeolog. Society, and of the Egyptian Society of Cairo. London, Longman and Co. 1844. Mit 40 Lithographien u. 70 Holzschn. Imp.-4. (3£ 3sh.)

[9138] La Grèce continentale et la Morée. Voyages, sejour et études hist. en 1840/41; par **J. A. Buchon.** Paris, Gosselin. 1843. 24 Bog. gr. 12. (3 Fr. 50 c.)

[9139] A Pastor's Memorial of Egypt, the Red Sea, the Wilderness of Sin and Paran, Mount Sinai, Jerusalem, and other principal localities of the Holy Land, visited in 1842; with brief Notes of a Route through France, Rome, Naples, Constantinople, and the Danube. By the Rev. **G. Fisk,** LL. B. London, 1843. 475 S. 8. (10sh. 6d.)

[9140] *Ostindiens Gegenwart u. Zukunft. Eine politische, gesetzliche, merkantilische, landwirthschaftl. u. volkssittl. Darstellung von **Geo. W. Johnson,** Esq., Anwalt bei dem obersten Gerichtshofe in Calcutta u. s. w. Aus d. Engl. von *C. Richard.* Aachen, Mayer. 1844. XII u. 257 S. gr. 8. (2 Thlr.)

[9141] *Ueber Afghanistan. Von Dr. **Ed. Beurmann.** Darmstadt, Leske. 1844. XII u. 316 S. gr. 8. (1 Thlr. 20 Ngr.)

[9142] Guide to the Madeiras, Azores, British and Foreign West Indies, Mexico, and Northern South-America; compiled from Documents, specially furnished by the Agents of the Royal Mail Steam Packet Company, and other authentic sources: with a description of the late Passage across the Isthmus of Panama. Illustrated by Charts. By **J. Osborne.** Lond., 1843. 216 S. 8. (6sh.)

[9143] Reiseerinnerungen an Cuba, Nord- u. Südamerika 1838—1841 von **Edu. Otto.** Berlin, Nauck'sche Buchh. 1843. VIII u. 326 S. mit 2 lith. Taff. gr. 12. (1 Thlr. 10 Ngr.)

[9144] Historisch-geographisch-statistische Tabelle über die vereinigten Staaten von Nord-Amerika. Oldenburg, Schulze'sche Buchh. 1843. 1 Bog. (5 Ngr.)

[9145] Die Jesuiten und ihre Mission Chiquitos in Südamerika. Eine hist.-ethnograph. Schilderung von **Mor. Bach,** Secr. d. bolivian. Prov. Otuquis. Herausgeg. und mit einem Vorw. begl. von Dr. *Geo. Ludw. Kriegk.* Leipzig, Mittler. (Frankfurt a. M., Varrentrapp.) 1843. VI u. 88 S. 8. (15 Ngr.)

[9146] Australia, its History and Present Condition; containing an Account both of the Bush and of the Colonies, with their respective Inhabitants. By the Rev. **W. Pridden.** (Englishman's Library. Vol. 26.) London, 1843. 376 S. mit Karte u. mehr. Holzschn. 8. (3sh.)

[9147] Les îles Philippines considérées au point de vue de l'hydrographie et de la linguistique par **J. Mallat.** Paris, 1843. 11¼ Bog. mit 1 Kpfr. gr. 8.

[9148] Geschichte der Insel Tahiti u. ihrer Besitznahme durch die Franzosen von **Henri Lutteroth.** Frei aus d. Franz. mit Anmerkk. u. Zusätzen von Dr. *Thd. Bruns.* Berlin, Schultze. 1843. X u. 216 S. mit 1 Karte der Gesellschaftsinseln. gr. 8. (1 Thlr.) Vgl. No. 5595.

[9149] National Atlas of Historical, Commercial, and Polit. Geography; constructed from the most recent and authentic sources. By **A. K. Johnston,** F. R. G. S.; accompanied by Maps, and Illustrations of the Physical Geography, etc. Edinburgh, 1843. 64 S. gr. Fol. (8£ 8sh.)

[9150] Schul-Atlas von allen Theilen der Erde. Nach den neuesten Werken u. Bestimm. entw. und gez. von *Dr. F. W. Streit* und *F. Moelt.* 35 Blätter. qu. Halb-Fol. Und: Geographischer Wegweiser über alle Theile der Erde. 124 S. gr. 8. Berlin, Kortmann. (Leipzig, Rein'sche Buchh.) 1843. (1 Thlr. 15 Ngr.)

[9151] Compendiöser allgemeiner Atlas der ganzen Erde u. des Himmels. Nach den besten Hülfsmitteln entworfen u. zum Unterrichte bei allen Lehrbüchern brauchbar eingerichtet von *C. F. Weiland.* 8. verb. u. verm. Aufl. in 34 Karten. Weimar, Geogr. Institut. 1843. gr. 4. (1 Thlr. 15 Ngr.)

[9152] Schul-Atlas der ganzen Erde in 23 Blättern von *C. F. Weiland.* Ebendas., 1843. gr. 4. (1 Thlr.)

Technologie.

[9153] A Dictionary of Arts, Manufactures, and Mines; containing a clear Exposition of their Principles and Practice. By **A. Ure,** M. D. 3. Edit. corrected. Lond., 1843. 1342 S. mit 1240 Holzschn. gr. 8. (n. 2£ 10sh.)

[9154] Berliner Gewerbe-, Industrie- u. Handelsblatt. Herausgeg. von *A. F. Neukrantz* und *F. A. Metzke.* 6. u. 7. Bd. (Jan.—Juni 1843.) Berlin, Heymann. 1843. 6. Bd. VIII u. 336 S. mit 11 Figurentaff., 7. Bd. VIII u. 344 S. mit 13 Figurentaff. gr. 8. (à 1 Thlr. 15 Ngr.)

[9155] Real-Index zu Dr. *Dingler's* polytechnischem Journal von Dr. **Mich. Stöcker,** k. k. Univ.-Prof. in Wien. Von Band 1—78 (oder 1820 bis 1840). Stuttgart, Cotta. 1843. 479 S. gr. 8. (2 Thlr. 5 Ngr.)

[9156] Introduction à la mécanique appliquée aux arts par **A. Devillez.** Mons, 1843. XVI u. 310 S. mit 3 Kpfrn. gr. 8.

[9157] Die praktische Mechanik u. Maschinenlehre unserer Zeit; ein fasslich dargestelltes Lehr-, Lese- u. Hülfsbuch zum Nutzen u. Vergnügen für alle Stände von Dr. **J. H. Mor. v. Poppe,** Hofr. u. Prof. zu Tübingen. Mit 190 Abbildungen auf 24 Tafeln. Zürich, Schulthess. 1843. XII u. 408 S. mit 16 Taff. gr. 8. (1 Thlr. 22½ Ngr.)

[9158] Der praktische Maschinenbauer von **Andr. Val. Demme,** prakt. Maschinenbauer. 14. Lief., enth. Anweisungen, neue verb. Woll- u. Flachsspinnmaschinen u. Wollkratzen, neue Maschinen zur Ziegelfabr., zum Farbenreiben, Schleifen u. Poliren des Spiegelglases, sowie Nagel-, Kräusel-, Dünger-, Säe- u. elektromagnet. Maschinen, grosse Metall-Bohrer u. Hobel, verb. Web- u. Klöppelstühle, Seidenzwirnmühlen, Dampfkessel, Dampfheizung, Turbinen, Tuchwalken, musikalische Instrumente, Gewehre, Schriftgiessformen, Kreissägen, Apparate zum Beuteln, Pulverisiren, Verkorken u. a. m. zu construiren. Quedlinburg, Basse. 1843. IV u. 231 S. nebst 28 Taff. Abbildd. 8. (2 Thlr. 25 Ngr.)

[9159] Der prakt. Maschinenbauer von u. s. w. 15. Lief., enth. neue, verb.

Web-, Spul-, Nagel-, Dresch- u. Trockenmaschinen, sowie Maschinen zur Tuchfabrikation, zum Absengen der Zeuge, zur Fabrikation der Knöpfe, zur Verfertigung von Haken u. Oehren, zum Abbeeren der Weintrauben, zur Runkelrübenzuckerfabrikation u. zum Brechen des Flachses, ferner Wärm-, Kühl-, Destillir- u. Sicherheits-Apparate, Sammetwebestühle, Schraubenbohrer für Metall u. Holz, oberschlächtige Wasserräder, Verbesserungen in der Schriftgiesserei u. a. m. Ebendas., 1843. IV u. 187 S. nebst 22 Taff. Abbildd. 8. (2 Thlr.)

[9160] Die Maschinenkunde und Maschinenzeichnung von **Seb. Haindl**, Prof. d. Maschinenkunde an d. k. polytechn. Schule in München. München, lit.-artist. Anstalt. 1843. XX u. 362 S. gr. 4. u. 52 Taff. nebst Register in gr. Fol. (14 Thlr. 10 Ngr.)

[9161] Die rollende Kugel. Ein Bewegungs-System als Versuch zu e. theilweisen Ersparung der Dampfkraft von **Stahel**, k. k. Major. Deutsch u. französisch. Brünn. (Wien, Beck.) 1843. 3¾ Bog. gr. 8 u. 1 lith. Taf. in 4. (13¾ Ngr.) In der Nachschrift sind 75 Ducaten als Wette angeboten.

[9162] Gemeinverständlicher Baurathgeber in allen baulichen u. baurechtl. Vorfällen. Mit besond. Berücksicht. Bayerns. Enth. die Baurechte, Bauverwaltungs- u. Baupolizei Verordnungen, die Schätzung der Güte u. Preisverzeichnisse der Baumaterialien, sowie Berechnung der Bauarbeiten von Dr. **K. W. Dempp**, Privatdoc. an d. Univ. zu München. München, Lindauer'sche Buchh. 1843. XIV u. 232 S. mit 3 Figurentaff. gr. 8. (26⅔ Ngr.)

[9163] Der theoretische u. prakt. Bauhandwerker od. die Arbeiten des Zimmermanns in Beziehung auf Land-, Wasser-, Stadt u. Prachtbau nebst vollst. Beschreib. u. Anweisung zur Berechnung der hieher gehör. Materialien, ferner üb. Form der Anschläge, vom Ausmitteln der Räume, Beschreibung öffentl. Gebäude u. Anstalten, und endlich üb. landrechtliche u. baupolizeiliche Verhältnisse, welche der Zimmermann bei Ausübung seines Geschäfts zu beachten hat, von **J. W. Hauschild**, qualif. Zimmermeister. 1. Hft. Nordhausen, (Köhne). 1843. 48 S. mit 3 lithogr. Taff. 4. (15 Ngr.)

[9164] Handbuch der landwirthschaftl. Baukunde zur Selbstbelehrung für Baumeister, Landwirthe u. Cameralisten, sowie auch zum Gebrauch als Leitfaden bei Vorträgen über diese Wissenschaft, von **G. Heine**, Prof. an der k. Bauschule zu Dresden. 2. unveränd., wohlfeilere Ausgabe. Dresden, Arnold. 1843. VI u. 194 S. mit 20 Steindrucktaff. gr. 4. (n. 3 Thlr.)

[9165] Sketches for Rustic Work; including Bridges, Park and Garden Buildings, Seats and Furniture: with Descriptions and Estimates of the Buildings; the Scenic Views in the Tinted Style of Zincography, in 18 Plates. By **T. J. Ricauti**, Esq. Architect. Lond., 1843. Imp.-4. (n. 16sh.)

[9166] Zu der Kunst, feuerfest zu bauen, von **A. L. Crelle**, k. preuss. Geh. Ober-Baurath. (Besonders abgedr. aus d. Journal f. Baukunst. 19. Bd.) Berlin, Reimer. 1843. 87 S. mit 5 lithogr. Taff. 4. (1 Thlr. 7½ Ngr.)

[9167] Der Treppenbau in Gusseisen in Verbindung mit Hohlziegeln von **Ecke**, Architekt. Leipzig, Romberg. 1843. 8 S. u. 7 lith. Taff. gr. Fol. (2 Thlr.)

[9168] Die neu erfundene Pumpenmühle. Oder: Gründliche u. prakt. Anweisung, alle Arten von Mühlen an Brunnen u. stehenden Gewässern anzulegen u. durch Pumpenwerk in Betrieb zu setzen u. s. w., von **Marius Wölfer**. Quedlinburg, Basse. 1843. 67 S. u. 10 lithogr. Taff. (1 Thlr. 10 Ngr.)

[9169] Die Sägemühle mit den neuesten Constructionen in den Hauptansichten, Profilen u. einzelnen Theilen nach d. Maassstabe gezeichnet u. beschrieben von **Ludw. Hoffmann**, Baumeister in Berlin. Leipzig, Romberg. 1843. Titelblatt, 1 Bl. Text u. 4 Bll. Zeichnungen. Fol. (1 Thlr. 15 Ngr.)

[9170] Ueber Maschinen und Apparate zur Oel-Fabrikation von **Seb. Haindl**,

Prof. d. Maschinenkunde u. Maschinenzeichnung an d. k. polyt. Schule in München. (Aus d. Kunst- u. Gewerbeblatt des polytechn. Vereins f. d. Kön. Bayern abgedr.) München, Palm. 1843. 40 S. u. 3 lith. Taff. gr. 8. (25 Ngr.)

[9171] Neue Theorie des Holzbrückenbaues nach Modellen, der zufolge sich für alle Spannweiten die Tragfähigkeit der Brücken aus Versuchen an Modellen mit genügender Sicherheit ergibt. Aus Anlass der Controverse über *Banek's* Brückenmodell verfasst u. wissenschaftlich dargestellt von **Frz. Xav. Joh. Maschek.** Prag, (Kronberger u. Rziwnatz). 1843. XI u. 154 S. mit 1 Kpfrtaf. 8. (1 Thlr. 5 Ngr.)

[9172] Der vollkommene Ziegler od. gründl. Anweisung zur besten u. vortheilhaftesten Fabrikation der gangbarsten Ziegelarten nebst e. Anleit. zur zweckmässigsten Anlage guter Ziegeleien von **Joh. v. Eyken.** Nach d. Holländ. Dresden, Bromme. 1843. VI u. 69 S. gr. 12. (15 Ngr.)

[9173] Die neuesten Erfindungen u. Verbesserungen in Betreff der Ziegelfabrikation, sowie der Kalk- u. Gypsbrennerei, von **S. Ch. R. Gebhardt.** 3. sehr verm. Aufl. Quedlinburg, Basse. 1843. VIII u. 136 S. mit 7 Taff. Abbildd. auf 5 Bog. 8. (1 Thlr. 10 Ngr.)

[9174] Alle Arten der Schafwolle ihrer Natur u. Beschaffenheit nach leicht kennen zu lernen und solche zu verarbeiten, von **C. Fr. Scherf**, Tuchfabrikant, Kunst- u. Schönfärber. Meissen, Goedsche. 1843. XVI u. 381 S. 8. (1 Thlr. 10 Ngr.)

[9175] **Oger's** Lehrbuch der Baumwoll-Spinnerei. Nach d. franz. Orig.: Traité de la filature du coton. Deutsch bearb. von *Fr. Geo. Wieck.* Leipzig, Binder. 1844. VIII u. 252 S. mit 1 Kupferatlas von 14 Taff. u. 1 Tab. 8. (4 Thlr. 20 Ngr.)

[9176] De l'industrie chevaline en France et des moyens pratiques d'en assurer la prospérité par M. le vicomte **d'Aure.** 2. édit. Paris, Leautey et Lecointe. 1843. 26½ Bog. gr. 8. (4 Fr.)

[9177] Textrinum Antiquorum: an Account of the Art of Weaving among the Ancients. Part I. On the Raw Materials used for Weaving: with an Appendix, on the Period of the Invention of Linen Paper, on Felting, on Netting, on Pliny's Natural History, on the Onomasticon of Julius Pollux. By **Jam. Yates**, M. A. London, 1843. 488 S. mit 16 Kpftn. gr. 8. (24sh.)

[9178] Handbuch der Baumwollenweberei mit besond. Berücksicht. der baumwoll. Gewebe, welche in Rouen u. dessen Umgegend gewebt werden, nebst dem zu diesem Fabrikzweige gehör. Bleichen, Färben u. Appretiren u. e. Anhang üb. d. Wattenfabrikation von Dr. **Chr. H. Schmidt.** (Schauplatz d. K. u. Handw. 135. Bd.) Weimar, Voigt. 1844. XX u. 412 S. 8. nebst 75 Abbildd. auf 4 lith. Bog. (2 Thlr.)

[9179] Neueste, vollständige und gründliche Anweisung zum Häkeln der Spitzen, Manschetten, Hauben, Börsen, Tücher, Handschuhe u. s. w. nebst e. grossen Auswahl der neuesten u. geschmackvollsten Muster in diesem Fache, grösstentheils erläutert durch fasslich dargestellte Abbildungen, von *Louise H....l.* Leipzig, Schmaltz. 1843. 56 S. u. 14 Taff. Abbildd. 16. (7½ Ngr.)

[9180] Die wohlerfahrene elegante Strickerin. Ein gründl. u. fasslicher Leitfaden für junge Damen zur Anfertigung verschied. Strickarbeiten. Nebst e. kurzen Anhang üb. Waschen, Bleichen u. s. w. von **Nanette [illegible].** Nürnberg, Korn. 1843. VI u. 208 S. mit 73 Abbildd. auf 4 Bog. 8. (10 Ngr.)

[9181] Filet-Schule oder gründliche Anweisung, alle vorkommenden Netzarbeiten anzufertigen, von **Charlotte Leander.** Erfurt, Hennings u. Hopf. 1843. 102 S. mit 22 Abbildd. qu. gr. 12. (10 Ngr.)

[9182] Die Indigfabrikation aus den verschiedenen Arten der Indigofera, der Wrightia tinctoria u. dem Polygonum tinctorium, nebst genauer Angabe der charakterist. Merkmale der verschied. gegenwärtig im Handel vorkomm. Indigsorten, Anweisung, dieselben zu prüfen, u. Bezeichnung ihres Werthes für die Zwecke der Färberei, von **G. S. Perrottet**, Director des botan. Gartens u. s. w. zu Pondichery. Aus d. Franz. übertr. von Dr. *Ch. H. Schmidt*. (Schaupl. d. K. u. Handw. 17. Bd.) Weimar, Voigt. 1844. XVI u. 208 S. 8. nebst 1 lith. Taf. in 4. (25 Ngr.)

[9183] Anleitung zum richtigen u. vortheilhaften Gebrauche der Terra Catechu, des chromsauren Kali u. der franz. Soda-Indigo-Küpe von **Herm. Schrader**, Schönfärber in Hamburg. Berlin, Amelang. 1843. XII u. 144 S. 8. (1 Thlr.)

[9184] Neue Verfahrungsweisen zur Prüfung der Pottasche u. Soda, der Aschen, der Säuren, insbes. des Essigs, sowie des Braunsteins auf ihren wahren Gehalt u. Handelswerth. Für Chemiker, Pharmaceuten, Techniker u. Kaufleute lediglich nach eigenen Versuchen bearb. von Dr. **R. Fresenius** und Dr. **H. Will**, Assistenten am chem. Laboratorium zu Giessen. Heidelberg, Winter. 1843. X u. 142 S. 8. (26⅗ Ngr.)

[9185] Färbebuch für Haushaltungen und Anweisung zur Vertilgung der Flecke aus Zeugen von **Chr. Fr. Gl. Thon.** Quedlinburg, Ernst. 1843. XVI, 112 u. 47 S. 8. (12½ Ngr.)

[9186] Der Fleckenvertilger oder Anleitung, alle nur mögliche Flecke aus allen Stoffen, gefärbten u. ungefärbten Zeugen, leicht, sicher u. ohne Nachtheil wegzuschaffen, von **Chr. Fr. Gl. Thon.** Ebendas, 1843. VIII u. 45 S. 8. (5 Ngr.)

[9187] Dreissig Werkstätten von Handwerkern. Nebst ihren hauptsächl. Werkzeugen u. Fabrikaten. Mit erklär. Text. Esslingen, Schreiber. 1843. 10 S. Text u. 29 col. Taff. kl. Fol. (2 Thlr. 26⅗ Ngr.)

[9188] Journal für Bau- und Möbelschreiner, Tapezierer und Gewerbs-Zeichnenschulen von **W. Kimbel.** Neue Folge. 9.—11. Hft. Frankfurt a. M., Streng. 1843. à 4 Bll. qu. Fol. (à 13¾ Ngr. Illum. à 17½ Ngr.)

[9189] Journal für Bau- und Möbelschreiner, Tapezierer und für Gewerbs-Zeichnenschulen, angefangen von *W. Kimbel*, fortgesetzt von *Franz* u. *Schmahl*. 5. Jahrg. 6. u. 7. Hft. Mainz, Kunze. 1843. à 4 Bll. qu. Fol. (à 12½ Ngr. Illum. 20 Ngr.)

[9190] Die Mappe des Bautischlers von **Fr. W. Mercker**, Architekt u. Lehrer in Leipzig. 18. Hft. Leipzig, Baumgärtner. 1843. 6 Blätter. gr. 4. (10 Ngr.)

[9191] Prakt. Unterricht im Zuschneiden f. Klempner, Silber-, Kupfer- und überhaupt Metallblecharbeiter von **Fr. Scholle**, Klempnermeister in Dresden. 28.—33. Hft. (Schluss) Dresden, (Pietzsch u. Co.). 1843. 2½ Bog. Text u. 4 lith. Taff. 4. (à 4 Ngr.)

[9192] Die galvanische Vergoldung, Versilberung, Verkupferung u. s. w. Zunächst für d. Techniker u. Gewerbsmann bearb. von Dr. **Alex. Petzholdt.** 2. umgearb. Aufl. Leipzig, Hartung. 1843. XIV u. 88 S. mit 1 Abbild. gr. 8. (20 Ngr.)

[9193] Neueste Methode, das rauhe Wachs ohne Presse zu läutern. Erprobt herausgeg. von *J. G. O.* Grätz, Kienreich. 1843. 4 S. 8. (3⅗ Ngr.)

[9194] Der vollkommene Parfumeur. Anweisungen, alle Pomaden, Räuchermittel, wohlriech. Wasser, äther. Oele, Toilettenseifen im Grossen u. im Kleinen zu fabriziren, von **Alfr. Bouchard**, Chemiker in Paris. Nach d. Franz. Nordhausen, Fürst. 1843. 127 S. 8. (12½ Ngr.)

[9195] Erprobte Geheimnisse, ergraute Haare dauerhaft u. unvergänglich in allen Abstufungen blond, braun od. schwarz zu färben u. ferner nicht ergraute Haare bis in das späteste Alter vor dem Ergrauen wirksam zu schützen u. Wuchs u. Stärke des Haares zu befördern, von Dr. Frz. Ad. Weid. Rein, techn. Chemiker. 2. Aufl. Quedlinburg, Basse. 1843. 16 S. 8. (Verkl. 15 Ngr.)

[9196] Die Fabrikation des Champagnerweins u. prakt. Anweisung, auch aus and. Weinen ein dem Champagner ähnliches Getränk zu bereiten, sowie Champagnerbier u. das moussirende Ingwerbier zu verfertigen, von Hm. Rob. Köhler. Ebendas., 1843. 52 S. 8. (10 Ngr.)

[9197] Ueber die Verbesserung u. Mischung der Weine od. die Kunst, ohne allen Nachtheil f. d. Gesundheit aus schlechten Weinen gute zu machen, wie auch Madeira, Tokayer, Muskat, Muskateller, Alicante, Lacrimä Christi, Rheinwein, Burgunder, Champagner auf das Täuschendste nachzuahmen. Nebst Abhandlungen üb. die Erkenntniss verfälschter Weine u. die Behandlung des Weins im Keller auf Fässern u. Flaschen. 4. um das Doppelte verm. Aufl. Nordhausen, Fürst. 1843. VIII u. 150 S. 8. (15 Ngr.)

Todesfälle.

[9198] Am 7. Oct. starb zu Paris *Charles Nic. Allou*, Oberingenieur im corps royal des mines, ehemal. Präsident der Société des Antiquaires de France, durch mehrere werthvolle literar. Arbeiten „Description des monuments des différents âges, observés dans le départ. de la Haute-Vienne“ 1821, „Essai sur l'universalité de la langue franç., ses causes, ses effets“ etc. 1828, „Sur les manuscrits conservés au séminaire et à l'hôtel de la ville de Limoges“ 1837 u. verschiedene Abhandlungen im „Journal“ und den „Annales des mines“, den „Mémoires de la Soc. des Antiquaires de France“, dem „Annuaire de la Soc. de l'hist. de France“, der „Revue encyclopédique“ u. m. a. bekannt, geb. zu Paris am 18. Nov. 1787.

[9199] Am 9. Nov. zu Rheims *Delamarre*, ehemal. Proviseur der k. Lyceen zu Rheims und Douai, ein geschätzter Gelehrter, 88 Jahre alt.

[9200] Am 12. Nov. zu Glückstadt *Chr. Pet. Quenzel*, k. dän. Consistorialrath u. erster Prediger an der dasigen Stadtkirche, vorher Diak. daselbst, als homilet. Schriftsteller bekannt, geb. zu Barmstedt in der Grafsch. Ranzau am 19. März 1779.

[9201] Am 15. Nov. zu Lübeck Dr. *K. Aug. Buchholtz*, seit 1834 2. Syndikus der freien Hansestadt, kurhess. Geh. Leg.-Rath, Commandeur u. Ritter mehr. Orden, früher Advocat das. u. als solcher Vertreter mehr. norddeutscher israelit. Gemeinden auf den Congressen zu Wien u. Aachen, dann seit 1823 kurhess. Bevollmächtigter in mehr. diplomat. Aufträgen, ein sehr befähigter Rechtsanwalt, 58 Jahre alt.

[9202] Am 17. Nov. zu Paris *J. Fr. Bellemare*, ehemal. Redacteur der Gazette de France, Vf. mehrerer politischer u. belletristischer Schriften („Le chevalier Tardif de Courtac“ 5 Vols. 1816. 2. édit. 1820, „Le damne volontaire ou les suites d'un pacte avec le diable“ 3 Vols. 1821, „La police de M. Decazes“ 1820 u. and.), pseudonym *Jérôme Lefranc*.

[9203] Am 20. Nov. zu Bremen Dr. *Alb. Benj. Gröning*, erster Syndikus der freien Hansestadt, ein in seinem Berufskreise sehr geschätzter Beamter, im 59. Lebensjahre.

Druck und Verlag von F. A. Brockhaus in Leipzig.

Leipziger Repertorium

der

deutschen und ausländischen Literatur.

Erster Jahrgang. Heft 50. 15. Dec. 1843.

Naturwissenschaften.

[1204] Amtlicher Bericht über die zwanzigste Versammlung der Gesellschaft deutscher Naturforscher und Aerzte zu Mainz im September 1842. Herausgeg. von den Geschäftsführern derselben, Med.-Rath Dr. *Gröser* und Notar *Bruch*. Mit 2 Steindrucktafeln. Mainz, Kupferberg. 1843. XII u. 398 S. gr. 4. (3 Thlr.)

Wer da weiss, welche Ansprüche an die Geschäftsführer der Versammlungen gemacht werden und wie wenig bereitwillig zu Unterstützung derselben viele Theilnehmer sich zeigen, wird das Erscheinen dieses Berichts nach Beendigung der Grätzer Versammlung den Herausgebern nicht zum Vorwurf machen. Diese Versammlungen gehören der Geschichte an und die Berichte haben jetzt, wo öffentliche Blätter und Fachjournale sich, oft nur zu merklich, beeilen, die Vorträge der öffentlichen und Sections-Sitzungen bekannt zu machen, mehr den Zweck zum Nachschlagen, wie als Berichte zu dienen. Desshalb wäre sehr zu wünschen, dass, wer Etwas mittheilt, ein Resumé am Besten vor, oder doch unmittelbar nach der Sitzung, den Beamten einhändige. Bei den Sectionen könnte und sollte streng darauf gehalten werden; in den öffentlichen Sitzungen müssten sich Stenographen befinden und es könnte bald nach der Sitzung den Vortragenden das Nachgeschriebene zur Durchsicht vorgelegt werden. Lässt man die Theilnehmer erst vom Orte hinweg, so ist das Erlangen der kleinsten Notiz mit Beschwerden für die Geschäftsführer verknüpft und oft unmöglich, wovon auch der vorliegende Bericht Beispiele gibt. Die Beamten der Mainzer Versammlung zeigten Eifer, Thätigkeit, Takt, Einsicht in hohem Maasse; Ref. möchte sagen, die Beamten haben sich besser gezeigt, als die Theilnehmer, und wenn nichts wissenschaftlich Bedeutendes vorkam: so lag es natürlich nicht an jenen, sondern an anderen Umständen. Die Aufopferungen von Seiten der Geschäftsführer, wie sie namentlich eine Versammlung von nahe an 1000 Mitgliedern in Mainz verursachte, werden nie dankbar genug anzuerkennen sein. Der vorliegende Bericht ist der Schlussstein ihrer Arbeiten. Was sie selbst dabei leisteten, zeigt sich als vorzüglich; alles Geschäftliche ist gut gegangen; die Protocolle sind aber theils durch die Schuld der Secretaire, theils, wie oben gezeigt, durch die Nachlässigkeit der Sprecher im Einsenden der Berichte grossentheils sehr mangelhaft, incorrect, auch im Druck. Ohnediess findet sich häufig genug, dass wer Unwichtiges, Barockes giebt, und daran war kein Mangel, weitläufige Berichte mittheilt, während die geistreichsten und interessantesten Vorträge nur unvollkommen skizzirt auftreten. Ref. könnte diess für seine Specialfächer nachweisen, wenn hier der Ort dazu wäre. Man verkennt aber gänzlich den Zweck dieser Versammlungen, wenn man von denselben grosse wissenschaftliche Resultate erwartet. Die Gesellschaft d. D. N. u. A. soll keine Akademie sein und sie kann es nicht sein, obgleich Männer dazu vorhanden wären, um dieselbe in grossartiger Weise zu bilden. Der neuerlich ausgesprochene Plan eines den Wissenschaften ergebenen, einsichtsvollen und in jeder Hinsicht ausgezeichneten Fürsten ist trefflich, diese Gesellschaft zu Erreichung vorgezeichneter Zwecke zu benutzen; er wird aber nie sich realisiren lassen. Die Theilnehmer betrachten den Besuch der Versammlungsorte, in der Ferienzeit der Meisten, als eine Erholungsreise, der sie Zeit und Geld opfern. Sie finden diese Erholung von ihren Berufsarbeiten in dem anregenden Verkehr mit ihren Wissenschaftsgenossen, in der freiwilligen unbeschränkten Mittheilung dessen, wozu sie ihre Neigung führt. Es liegt in der Natur der Sache, dass sie nicht aufgetragene Arbeiten bei den Versammlungen vornehmen wollen, noch weniger zu Haus zu diesen Sitzungen verarbeiten wollen, da sie in ihrem Berufe, ihren Akademien, Gesellschaften und sonst meist mehr als gut ist, beschäftigt sind, denn die Naturforscher führen in Wahrheit das Motto: nunquam otiosi! Man darf demnach billigerweise nicht grosse wissenschaftliche Arbeiten auf den Versammlungen selbst erwarten; höchstens können durch vorausgegangene Forschungen erhaltene Resultate kurz mitgetheilt, zur Prüfung und Discussion vorgelegt werden, wie denn überhaupt die Unterhaltung mit Männern der Wissenschaft vielfach anregend, befruchtend wirkt, zu einer richtigeren Selbstschätzung, zur Ergänzung von Lücken, zur Beleuchtung der Objecte von mehreren Seiten führt. Diesen in dem persönlichen Verkehr liegenden Nutzen begriff der Stifter der Gesellschaft wohl und stellte als Hauptzweck des Vereins den auf, „sich persönlich kennen zu lernen". Es ist demnach ein palpabler, mit klaren Worten auszudrückender Nutzen dieser Versammlungen nicht vorhanden und es sind die oft gehörten Fragen: was bei den Versammlungen herauskomme? was sie bis jetzt geleistet haben? sehr ungehörige, nur die Unkenntniss der Fragsteller beweisende. Dass die Städte Einladungen senden, dass die Regierungen bedeutende Summen zum Empfange verwenden, dass Ehrenbezeigungen aller Art den Versammelten zu Theil werden, dass die öffentlichen Blätter voll von Berichten über die Agenda und Acta sind, dass Franzosen, Engländer, Scandinavier, Italiener, Ungarn die deutschen Versammlungen nachgeahmt haben, kurz, dass so viel Aufsehens gemacht wird über eine Gesellschaft, deren eigentlicher Zweck nur darin besteht, dass die Mitglieder sich persönlich kennen lernen, mag wohl auffallend erscheinen. Es sind aber alle diese Auszeichnungen nicht von der Gesellschaft hervorgerufen, ja nicht einmal immer gern gesehen worden und nur als eine den Naturwissenschaften, die Medicin als einen Theil derselben eingeschlossen, freiwillig dargebrachte Huldigung der neueren Zeit zu betrachten. Von Einsichtigen ist die Wichtigkeit der Sache nie in Zweifel gezogen worden; sie wirkt aber mehr im Geheimen und Ref. wüsste eine Menge literarischer Unternehmungen anzugeben, die in den deutschen Naturforscherversammlungen ihre erste Begründung gefunden haben. Da die Mainzer Versammlung das zweite Decennium schliesst: so ist es sehr dankenswerth, dass die Geschäftsführer in dem Anhange ihres Berichts eine Uebersicht der bis jetzt gehaltenen Versammlungen mit Angabe der Geschäftsführer, der Mitgliederzahl und der Berichte darüber mittheilten. Die letzteren fehlen nur bei 2 Versammlungen, denen von Bonn und Pyrmont. Die Mitgliederzahl, von 20 beginnend, hat in Mainz, und Ref. meint für immer, ihren Culminationspunct, 980, erreicht. Lage, Leichtigkeit des Fortkommens, der nur zu anhaltend blaue Himmel des Jahres 1842, Alles hat sich vereinigt, die Versammlung zu einer so besuchten und glänzenden zu machen. Es wurden 3 allgemeine Sitzungen gehalten. Was von Formalitäten und Geschäftssachen darin verhandelt wurde, war angemessen und wir halten die Zurückweisung der Anträge auf Aenderung der zu Leipzig entworfenen Statuten und die erneuerte Bestätigung derselben auf die 5 folgenden Jahre für wichtige und heilsame Beschlüsse. Was die wissenschaftlichen Vorträge betrifft: so hätten einige wohl mehr in die Sectionen gehört; Ref. verkennt jedoch hier nicht die schwierige Stellung der Geschäftsführer, glaubt jedoch, dass wenn nicht dem grösseren Publicum verständliche und für dasselbe interessante Vorträge angemeldet sind, die öffentlichen Sitzungen sich eben so gut nur auf Geschäftsgegenstände beschränken liessen. Die Sectionsarbeiten betreffend: so kommt darin, wie schon oben gedacht wurde, des Wichtigen nicht gar viel vor. Die angewandten Doctrinen, Medicin, Forst- und Landwirthschaft lieferten noch am Meisten; hierauf möchte in werthvollen Vorträgen die Mineralogie und Geologie wohl allen anderen voranstehen. Die sonst meist viel Interessantes darbietende Section der Anatomie und Physiologie gab auffallend wenig und ein Theil davon hätte eben so gut in die Zoologie gehört, die, obgleich manches Interessante zur Sprache kam, einiger Beiträge gar wohl bedürftig war. Eine früher schon öfters getrennte Abtheilung für Entomologie war nicht zu Stande gekommen. Auch die Botanik erscheint sehr arm an Vorträgen; es kam meist Unwichtiges vor und das Werthvollere wurde nicht hinreichend ausgeführt. Die Chemie und Pharmacie hielt sich mit Astronomie und Physik ziemlich gleich; war aber doch im Ganzen bedeutender, und auch hier war das praktische Element merkbar vorwaltend. Im Ganzen ist zu bemerken, dass die Protocolle der Sectionsverhandlungen sehr ungleich sind und eine Menge Incorrectheiten unterlaufen. Das Mitgliederverzeichniss nimmt allein 3 Bogen ein und es ist der ganze Bericht umfänglicher als die früheren. Die beiden zugegebenen Tafeln stellen Nevermann's Maschine zum Steinzerdrücken und Bell's Säemaschine für Nadelholzsaaten dar. Die Schärfe der Lettern und die Weisse des Papiers sind zu rühmen.

[9295]. Hymenoptera europaea, praecipue borealia; formis typicis nonnullis specierum generumve exoticorum aut extraneorum propter nexum systematicum associatis; per familias, genera, species et varietates disposita atque descripta ab **Andr. Gust. Dahlbom**, phil. Dr. in reg. Univ. Carol. Lund. entomolog. Adjuncto ord. ad mus. ibid. entomol. praefecto etc. Sphex. L. Fasc. I. Sphecidae, Ampulicidae, Pompilidae, Larridae, Nyssonidae. Lundae. (Gryphiae, Koch.) 1843. 172 S. gr. 8. (n. 27½ Ngr.)

Die Insektenordnung der Hymenopteren oder Immen bietet in Bezug auf Physiologie, auffallende Kunsttriebe u. s. w., so wie in morphologischer Hinsicht die interessantesten Erscheinungen dar. Gleichwohl ist zu bemerken, dass, namentlich in Deutschland, diese Ordnung selbst in Bezug auf Systematik bei weitem weniger bearbeitet wird als früher, wo die Arbeiten von Christ, Panzer u. A. zur genaueren Kenntniss der Immen so wichtige Beiträge lieferten. Es mag diess zum Theil wohl darin seinen Grund haben, dass seit Fabricius systema Piezatorum, demnach seit fast 40 Jahren, keine vollständige Bearbeitung dieser Insektenordnung erschienen ist. Ein Unternehmen dieser Art kann nur durch Monographien und Faunen möglich gemacht werden. Der Vf. der vorliegenden Schrift, jetzt der gründlichste Kenner der Hymenopteren in Schweden und durch mehrere monographische Arbeiten in diesem Felde schon vortheilhaft bekannt, gibt hier einen wichtigen Beitrag zu einem Werke der oben erwähnten Art, indem er in einzelnen Heften die europäischen, besonders nordischen Arten der Ordnung, zugleich mit Hinzugabe wichtiger typischer Formen des Auslandes, in angemessener Weise beschreibt und in einer einfachen, den Mitteln jedes Entomologen entsprechenden Weise bekannt macht. Da nur die Theilnahme des entomologischen Publicums die Fortsetzung des aus reinem Eifer für die Wissenschaft, und nicht ohne pecuniäre Opfer unternommenen Werks möglich machen wird: so empfiehlt es Ref. auf das Angelegentlichste und kann diess aus bester Ueberzeugung, da die Dahlbom'sche Schrift mit Fleiss und Einsicht abgefasst, die Zahl des Neuen beträchtlich, auch die geographische Verbreitung der Arten, ihre Lebensweise berücksichtigt und die Zusammenstellung der Gattungen und Arten den Regeln der natürlichen Anordnung entsprechend ist. Ein Prospectus des Werks, dessen Druck durch zufällige Umstände aufgehalten wurde, kann bald erwartet werden, oder erscheint jedenfalls mit dem 2. Hefte. Es mag hier der Inhalt des vorliegenden kürzlich angedeutet werden, welcher die Gattung Sphex im Linne'schen Sinne, jetzt die Familie der Sphecidae nach Leach, begreift. Die 1. Gattung Mimesa Shuckard enthält 5 Arten, von denen die auch in Deutschland vorkommende M. borealis Dhlb. unbeschrieben ist. 2. Psen Latr. mit 3 Arten, von denen nur P. atratus bis jetzt bekannt war; P. fuscipennis erhielt der Vf. ausser aus Schweden auch von Erichson zu Berlin gefangen. 3. Miscus Jur. ausser der bekannten europäischen Art eine neue nordamerikanische. 4. Ammophila (emend.) 7 Arten, von denen 2 europäisch; die übrigen bis auf 2 früher unbekannt. 5. Trachypus Gomesii Klg. Brasilisch. 6. Psammophila Dhlb. (dispos. 1842) 6 früher zum Theil unter Sphex und Ammophila begriffene Arten; 4 exotische neu. 7. Chalybion Dhlbm. (Pepsis violac. et cyanea F.). Dazu C. Zimmermanni Dhlb. 8. Pelopaeus F. 8 Arten, nur 2 derselben auch in Europa, 2 exotische neu. 9. Podium Latr. 1 ex. Art. Chlorion F. 2. A. cyaneum aus Amerika neu. 11. Pronaeus Latr. 1 ex. Art. 12. Sphex Latr. umfasst 14 Arten, davon nur 2 europäisch, von den übrigen 8 früher unbeschrieben. — Fam. Apulicidae Dhlbm. 14. Ampulex Guér. 2 ex. Arten. — Fam. Pompilidae Leach. 16. Dolichurus Spin. 1 bekannte Art. 17. Ceropales Latr. 3 bekannte Arten. 18. Salius Latr. 1 Art. 19. Entypus Dhlbm. ochroceras n. sp. Alger. 20. Planiceps Latr. 1 Art. 21. Aporus Spin. 1 Art. Von 22. Pompilus Latr. wird eine Monographie mit 32 Spec. gegeben. Davon sind 18 europäisch, 14 aussereuropäisch. Von jenen erscheinen 3, von diesen 5 neu aufgestellte Arten. 23. Agenia Schiödte, aus Pompil. 2 fasc. F. und Genossen, umfasst 7 Arten, von welchen 5 europäisch (und hier intermedia aus Schweden, neu); und 2 neue nordamerikanische Arten. 24. Priocnemis Schiödte (Sphex variegata F. et sim.) enthält 21 Spec., davon sind 16 europäisch, und coriaceus neu, von den 5 übrigen exotischen 3 noch unbeschrieben. Pepsis F. Latr. 11 Exoten, wovon 6 Arten hier zuerst auftreten. Unter 26. Hemipepsis trennt der Vf. Sphex flava und fügt den Pompilus ustulatus Klg. Mus. Berol. aus Mexiko als 2. Art und eine 3. capensis Dhlbm. hinzu. — Die nun folgende Familie ist die der Larridae Leach. 27. Palarus Latr. 1 bekannte Art (Philanthus flavipes F.). 28. Tachytes Panz. 10 Arten, wovon 6 europäisch und 3 exotische zum erstenmale beschrieben werden. 29. Liris F. zu der bekannten Art kommt eine 2. L. orichalcea Dhlbm. aus Guinea hinzu. 30. Larra Latr. 3 Arten, eine cubensische neu. 31. Astata Latr. zu 5 bekannten europäischen Arten kommt eine sechste L. intermedia aus Schlesien. — Fam. Nyssonidae Dhlbm. 32. Alysson Jur. 3 europ. Arten, von denen A. Ratzeburgi aus Skandinavien unbeschrieben war. 33. Harpactes Shuckard 7 europäische Species. 34. Stizus Latr. 5 europäische, 2 indische bekannte Arten. 35. Sphecius Dhlbm., speciosus n. gen. et sp. ein ♀, nach Winthem's Angabe Stizus speciosus Drury aus Nordamerika, genau beschrieben. 36. Lestiphorus Lepell. d. St. Farg. 1 europ., 1 nordamerik. Art (Gorytes bipunctatus

Say). 37. Hoplisus Dhlbm., aus Lepelletier'schen Arten von Hoplisus und Euspongus gebildet, 8 Species, 2 neue exotische. 38. Gorytes Lepell. et Wesm. 2 Arten und 39. Nysson Latr. 7 bekannte europäische Species. — Man sieht aus dem Vorhergehenden, wie reiche Beiträge der Vf. gibt. Das 2. zum Sommer 1844 vorbereitete Heft wird die Familien der Bembiciden, Philanthiden, Melliniden, Pemphredoniden und Crabroniden monographisch behandeln und wünscht Hr. D. dazu Beiträge zu erhalten, welche durch den Verleger oder den entomologischen Verein zu Stettin übersendet werden können. Mag ihm diese Unterstützung in reichem Maasse zugehen! Der Druck dieser Schrift ist scharf und correct und das Papier weiss.

[1801] Handwörterbuch der topographischen Mineralogie. Von Gust. Leonhard, Dr. d. Phil., Privatdoc. an d. Univ. zu Heidelberg. Heidelberg, Mohr. 1843. XII u. 953 S. 8. (2 Thlr. 20 Ngr.)

Der Sohn des um Verbreitung und Förderung der Mineralogie und Geologie so hoch verdienten Geheimrathes von Leonhard tritt rüstig in die Fusstapfen seines thätigen Vaters, und liefert uns in diesem Handwörterbuche der topographischen Mineralogie eine Arbeit, welche von grossem Fleisse, aufmerksamer Beobachtung und eifriger Benutzung der vorhandenen Hülfsmittel zeugt. Wie die Ansprüche an ein solches Werk gegenwärtig ganz andere sind, als in dem ersten Decennium unseres Jahrhunderts, so haben sich auch die Schwierigkeiten seiner Bearbeitung durch die, seit jener Zeit so ausserordentlich vervielfältigten Entdeckungen bedeutend vergrössert, und es bedurfte daher nicht nur einer sorgfältigen Benutzung der vorhandenen Lehr- und Handbücher der Mineralogie, sondern auch einer fleissigen Berücksichtigung vieler, in Zeitschriften zerstreuter mineralogischer Monographien, Aufsätze und Notizen, vieler geognostischer Werke und Abhandlungen, der vorhandenen Oryktographien, endlich eines aufmerksamen Studiums der Vorräthe des Heidelberger Mineralien-Comptoirs und der reichhaltigen Sammlungen seines Vaters, um den Verfasser in den Stand zu setzen, dieses mühsame Werk in seiner gegenwärtigen Vollständigkeit zu liefern. — Das Ganze ist lexikographisch nach den Namen der Mineralspecies geordnet, wobei der Vf. die Nomenclatur zu Grunde legte, wie solche in seines Vaters Grundzügen der Oryktognosie (Heidelberg 1833, 2. Aufl.) enthalten ist. Bei jeder einzelnen Species werden die Fundorte nach der Reihe für Europa, Asia, (Australia), Afrika und Amerika aufgeführt, und, was dem Werke einen besonderen Werth verleiht, meistentheils auch die Lagerstätten und die begleitenden Mineralien angegeben. Wenn man bedenkt, welche Bedeutung für den Geologen und Chemiker die Art und Weise des Vorkommens der Mineralien hat, welche Winke über die Genesis eines Minerals durch die befreundenden Substanzen gegeben werden, so wird man es dem Vf. Dank wissen, dass er diese so wichtigen Momente mit berücksichtigte, wodurch die Brauchbarkeit seines Buches bedeutend erhöht wird, wie diess schon G. Bischof bei seinen Untersuchungen über die Bildung der Gangmassen erkannte. Auch begreift man, welchen Nutzen diese Angaben für den so häufig vorkommenden Fall gewähren müssen, da man den Fundort eines Minerales von zweifelhafter Herkunft zu wissen wünscht. Um aber auch dem reisenden Mineralogen Gelegenheit zu geben, sich unterwegs über das Vorkommen von Mineralien an seinem jedesmaligen Aufenthaltsorte zu belehren, dazu dient die, das Werk beschliessende Inhalts-Uebersicht nach alphabetisch-geographischer Ordnung. Druck und Papier sind gut, wie man diess von der Verlagshandlung gewohnt ist.

[xxvii] Die Experimental-Physik. Zum Selbstunterricht für Gebildete und zum Gebrauche in Real- und polytechnischen Schulen. Nach der 3. Aufl. des Franz. des P. Marcet, Prof. an d. Akad. zu Genf, übersetzt von *G. Kissling*, *Prof.*, Lehrer d. mathem. u. physik. Wissenschaften u. d. neuern Sprachen. Mit 6 Figurentaf., 1 Reductionstab u. einem Nachtrage vom Uebersetzer. Ludwigsburg, Nast. 1843. XIV u. 419 S. gr. 8. (1 Thlr. 15 Ngr.)

Das Original dieses kurzgefassten und populär gehaltenen Werks bildet der Text der Vorlesungen, welche der Vf. eine Reihe von Jahren hindurch an der Industrieschule in Genf gehalten hat; zur Veröffentlichung desselben hat ihn, wie er sagt, die Schwierigkeit bestimmt, ein Werk zu finden, das durchgängig nur die Elemente enthält. Um das Buch für Anfänger und Leser aus allen Classen zugänglich zu machen, hat der Vf. sein Augenmerk darauf gerichtet, „Alles dasjenige gänzlich auszuschliessen, was mathematische Kenntnisse erheischen würde, oder theoretische Begriffe einer höheren Ordnung voraussetzen könnte". Die schwierigeren Lehren der Physik, Electromagnetismus, Polarisation des Lichts u. s. w., sind daher nur ganz kurz, alle auch Anfängern verständlichen Lehren aber möglichst ausführlich behandelt. Die Oeconomie des Buchs ist folgende. Der erste Theil (Abschnitt) oder die Einleitung (S. 1—26) behandelt die allgemeinen Eigenschaften der Koper; dann folgen allgemeine Betrachtungen über die Bewegung. Der 2. Theil (S. 27—134) handelt von der Anziehung und den Erscheinungen an den Theilchen der Körper, und zwar in 8 Capiteln: 1) von der Schwerkraft oder Gravitation; 2) von der Anziehung der Theilchen eines Körpers, Molecular-Attraction, und von den Erscheinungen bei den Haarröhrchen; 3) von den verschiedenen Eigenschaften der festen und flüssigen Körper, welche von der Beschaffenheit der Anhäufung ihrer Theilchen, von ihrem Aggregatzustande abhängen; 4) Grundsätze der Hydrostatik; 5) specifische Schwere der Körper; 6) Eigenschaften der gasartigen Körper; 7) Beschreibung einiger Geräthschaften, deren Spiel sich auf die Eigenschaften der Luft gründet; 8) von dem Schalle. — Im dritten Theile (S. 135—248) ist die Lehre vom Wärmestoffe enthalten und zwar in 8 Capiteln:

1) allgemeine Begriffe; 2) von der Ausdehnung der Körper durch die Wärme; 3) von den Wirkungen des Wärmestoffes in ihrem Bestreben, in den Körpern eine Zustands-Veränderung hervorzubringen; 4) von den verschiedenen Fortpflanzungsarten des Wärmestoffs; 5) von der gebundenen oder latenten Wärme; 6) verschiedene Anwendungen der Dampfbildung; 7) Quellen der Wärme; 8) von Verfertigung der Heizungsapparate. — Der 4. Theil (S. 249—273) verbreitet sich über die Meteorologie in 3 Capiteln: 1) von der Hygrometrie; 2) Untersuchung der mannichfaltigen meteorologischen Erscheinungen; 3) von dem Barometer, als meteorologisches Werkzeug betrachtet. — Der 5. Theil (S. 274—320) handelt in 2 Capiteln von der Electricität und dem Magnetismus, die demnach verhältnissmässig sehr kurz abgefertigt werden. Im 6. und letzten Theile (S. 321—372) wird die Optik in 6 Capiteln durchgegangen: 1) allgemeine Begriffe; 2) Grundsätze der Katoptrik; 3) Grundsätze der Dioptrik; 4) von der Zerlegung des Lichtes und von den Farben; 5) vom Sehen mit blossen Augen und mit Hülfe von Instrumenten; 6) von der doppelten Brechung, von der Polarisation und von der Beugung des Lichts. Hierauf folgt ein Anhang (S. 373—384), welcher Vergleichungen alter und neuer französischer Maasse und mehrere physikalische Tabellen, über die specifischen Gewichte, die Temperaturen des Schmelzens, Gefrierens und Siedens verschiedener Körper u. s. w. enthält. Den Beschluss machen Nachträge des Uebersetzers (S. 385—419), welche die Daguerreotypie, den Galvanismus (insbesondere die Galvanoplastik) und den Electromagnetismus betreffen. — Gegen das Bestreben des Vfs., für Jedermann verständlich zu schreiben, und die Art, wie ihm dasselbe gelungen ist, lässt sich im Allgemeinen wenig einwenden. Freilich hat er sich aus übergrosser Scheu, dunkel zu werden, gerade in den interessantesten Lehren, welche den menschlichen Scharfsinn auf seinem Gipfelpuncte erscheinen lassen, so kurz fassen müssen, dass ihre Behandlung in hohem Grade dürftig erscheint; auf der anderen Seite hat er doch die Anwendung der Mathematik keineswegs ganz vermeiden können und spricht z. B. bei der Lehre von der Brechung der Lichtstrahlen vom Sinus, ohne diesen Begriff zu erläutern, wendet auch hier und da (z. B. S. 328) selbst im Texte mathematische Formeln an, die der Einleitung zufolge in die Anmerkungen verbannt werden sollten. Der Vorwurf, Leistungen deutscher Physiker nicht selten zu ignoriren und dagegen bei denen französischer Gelehrten mit besonderer Vorliebe zu verweilen, trifft ihn in gleichem Grade wie alle Verfasser französischer Lehrbücher. — Die Uebersetzung ist im Ganzen gut, ohne jedoch den Eindruck eines Originals machen zu können. Süddeutsche Incorrectheit der Sprache findet sich nicht zu selten und die meisten der folgenden speciellen Bemerkungen gehören unter diese Kategorie. S. 31: stättig st. stetig. S. 42: Aerme st. Arme, so wie anderwärts Wägen st. Wagen (Plur. von Wagen). S. 43 wird balance folle übersetzt mit:

närrische Wage; dies soll eine Wage bezeichnen, bei welcher der Schwerpunct über dem Aufhängepuncte liegt. S. 56 steht Pressbarkeit (was bei den Physikern nicht üblich ist) st. Zusammendrückbarkeit; ebend. Umfang st. Volumen. S. 60 ff. Areometer st. Aräometer. S. 93 und später wird der Gen. von Hahn bald des Hahnen, bald des Hahnens, der Acc. Hahnen gebildet. S. 97 ist die Rede vom Verdicken st. Verdichten der Luft. S. 100 werden auch die Gebläse mit dem Namen Blasebalg bezeichnet. S. 110 werden die Töne in niedere oder tiefe und hohe eingetheilt; der zuerst genannte Ausdruck ist aber gar nicht gewöhnlich. S. 124 und sonst häufig macht es einen fast komischen Eindruck, vor den Namen Laplace's, Saussure's und anderer längst (zum Theil vor mehr als 100 Jahren) verstorbener Gelehrten, insbesondere französischer und schweizerischer Herkunft, das Prädicat „Herr“ zu lesen, was ohne allen Schaden auch bei lebenden wegfallen kann. Hier hätte der Uebers. wohl gethan, sich nicht zu sclavisch an das Original zu binden, da die Franzosen einmal an das den Namen vorgesetzte M. zu sehr gewöhnt sind. Eben so hätte er vor den Namen Franklin's, Galiläi's u. s. w. das zu oft wiederkehrende Prädicat „berühmt“ füglich weglassen können. S. 139 wird Sanctorius als Erfinder des Thermometers genannt; wahrscheinlicher wird wohl Cornelius Drebbel dafür gehalten, und der Uebers. hätte ihm wenigstens in einer Anmerkung seine Ansprüche vindiciren sollen. Dass der Uebers. die Wörter Thermometer, Barometer, Pyrometer und Hygrometer als Masculina braucht, ohne jedoch hierin sehr consequent zu sein, ist schwerlich zu billigen; dasselbe gilt vom Worte Pendel. Von Pyrometern nennt der Vf. S. 154 nur das Wedgwood'sche, wiewohl dasselbe längst durch andere verdrängt ist und die mit demselben erhaltenen Bestimmungen der Schmelzpuncte der schwerflüssigen Metalle (z. B. für Eisen 11,300 Grade) gegenwärtig als viel zu hoch allgemein verworfen werden. Die genauesten Bestimmungen sind wohl diejenigen, welche Pouillet mittelst seines Luftpyrometers gefunden hat; hiernach liegt der Schmelzpunct des Eisens nicht höher als 1,600° C. und kein anderer höher als 1,800° C. — Die häufig vorkommende Schreibart Mössing st. Messing (z. B. S. 177 u. 316) ist uns hier zuerst aufgestossen. S. 182 u. f. muss statt Rumfort stehen Rumford, eben so S. 224 Woolfe st. Wolf. Die Verdeutschung der bei Beschreibung der Dampfmaschinen vorkommenden Ausdrücke Ventil, Balancier, Regulator durch Klappe (bisher machte man einen Unterschied zwischen Ventilen und Klappen), Schweber, Anhalter dürfte schwerlich allgemeinen Beifall finden. — S. 228 wird die Entfernung der Städte Liverpool und Manchester in englischen und französischen Meilen angegeben; warum hat der Uebers. dieselbe nicht auch, um deutschen Lesern verständlicher zu sein, in deutschen Meilen beigefügt? — S. 230 ist Anlaufen st. Ansteigen oder Steigung undeutlich und undeutsch. Ein Locomotivenführer heisst nicht Mechaniker, wie S. 231 steht, sondern Maschinist. Die Benennungen Hochstrasse und Schuttdamm, die der Uebers. den Dämmen einer Eisenbahn beilegt, sind mindestens ungewöhnlich; eben so S. 232 Gallerie st. Tunnel. — Pnevmatisch st. pneumatisch (S. 238) ist ganz gegen den allgemein eingeführten Gebrauch, Oxid st. Oxyd ist unrichtig. — S. 339 heisst es, der Ebene (soll heissen: Fläche), welche zwei durchsichtige Mittel oder Körper trennt, werde oft der Name der dirimirenden Fläche beigelegt. Im Deutschen ist jedoch dieser Ausdruck durchaus nicht üblich. — Die Nachträge des Uebers. behandeln die drei neuen Erfindungen, welche gegenwärtig, wie derselbe sagt, im Gebiete der Naturwissenschaften unsere Zeit beschäftigen, die Daguerreotypie, die Galvanoplastik und den Electromagnetismus. Dass dieselben, wie beigefügt wird, eigentlich in das Gebiet der Chemie gehören, kann in dieser Allgemeinheit nicht zugestanden werden. Die neuesten Verbesserungen der Daguerreotypie sind mit keinem Worte erwähnt; das am Schlusse angegebene Verfahren, welches dazu dienen soll, um beim daguerreotypischen Portraitiren das Blinzeln und Verzerren des Gesichts zu vermeiden, und darin besteht, dass zwischen der sitzenden Person und der Sonne ein blaues Glas gehalten werde, kommt unseres Wissens nirgends zur Anwendung. S. 418 wird mitgetheilt, dass unter der Leitung von Stöhrer in Leipzig eine grössere electromagnetische Maschine gebaut werde, um einige beladene Personenwagen auf der Eisenbahn zu führen; der genannte geschickte Mechaniker hat aber diese Idee vor der Hand ganz aufgegeben. S. 416 u. 419 muss es statt Callun und Paga heissen: Callan und Page. Die am Schlusse aufgeführten, bei Bearbeitung der Nachträge benutzten Werke sind fast durchgehends abgeleitete und mehr oder minder trübe Quellen.

[2309] Die Lehre vom tellurischen Dampfe und von der Circulation des Wassers unserer Erde. Ein Schritt vorwärts in der Erkenntniss unseres Planeten. Von Dr. **Al. Fr. P. Nowák**, k. k. Bezirksarzt. Prag, Ehrlich. 1843. XI u. 227 S. mit 1 lithogr. Taf. gr. 8. (1 Thlr.)

Diese wunderliche Schrift ist dem Andenken Keplers, „des ersten Entdeckers wahrer, allgemeiner Weltgesetze", gewidmet und trägt das bezeichnende Motto: „Junge, ahnenlose Begriffe schwangen sich zu Mächten auf und nahmen auf dem Schlachtfelde die Königswürde ein". Im Vorwort heisst es: „Was ich in dieser Arbeit der Beurtheilung des Publicums unterwerfe, soll der Schlüssel werden zur richtigen Deutung fast aller grösseren Naturerscheinungen unseres Planeten. Ich eilte, den kühnen Gedanken, der mich in seiner ersten Offenbarung beinahe erschreckt und erschüttert hatte, in kurzen, wenn auch häufig mangelhaften und lückenvollen Umrissen zu Papier zu bringen, weil ich der Meinung war, dass es gewisse geistige Conceptionen gebe, die selbst nur in ihrer ursprünglichen Gestalt, im Gewande jener Natürlichkeit, in welcher das Auge des Gelehrten, des richtenden Kritikers noch gar manches auszusetzen hat, der Welt dargeboten werden dürfen, um sogleich, wie elektrische Funken, die Geister zu durchzucken, dann aber auch bald von competenten Männern ergriffen und verarbeitet zu werden, damit sie zuletzt in veredelter Form als nothwendig integrirende Bestandtheile unserer Wissenschaften fortleben und nie mehr untergehen". *Ref.* eilt, auch seinerseits die Leser mit jenem kühnen Gedanken näher bekannt zu machen. In der Einleitung macht der Vf. auf die Analogie aufmerksam, die zwischen dem Blute des menschlichen Körpers und dem Wasser des Erdkörpers Statt finde; jenes wie dieses sei das vermittelnde plastische Material für den ewigen Stoffwechsel, der ein Grundgesetz im Haushalte unseres, wie des Erdkörpers bilde. Die Frage sei nur, wie der unläugbare Kreislauf des Wassers zu Stande gebracht werde. Die bisherigen Versuche, sie zu lösen, seien höchst unbefriedigend, sowohl die Ansicht, nach welcher in Folge des Drucks der Atmosphäre und des Gewichtes des das Weltmeer erfüllenden Wassers das Meerwasser in die Klüfte, Spalten und Risse der Erdrinde hineingetrieben werden und so allmälig bis an die Erdoberfläche durchdringen soll (§ 3), als die gewöhnliche, auf die Verdunstung und den Niederschlag basirte, sogenannte Präcipitationstheorie, welche der Vf. seicht und absurd nennt (§ 4), und die dritte Erklärung des Ursprungs unserer Quellen durch eine Art Destillationsprocess aus unterirdischen, mit dem Weltmeere durch dessen Seitendruck in Verbindung stehenden Wasserbehältern, wiewohl die Verfechter der letzteren Theorie der Wahrheit sehr nahe gewesen seien (§ 5). Der Schlüssel zur Lösung des Räthsels sei in unserem eigenen Körper zu suchen. Für diesen sei die rechte Herzhälfte, welcher das Venenblut durch die Hauptadern zugeführt werde, ganz dasselbe, was das Weltmeer für den Riesenkörper unserer Erdrinde, die der Muskelkraft des Herzens analoge tellurische Grundkraft aber sei keine andere, als die jetzt allbekannte Dampfkraft, und was einst Harvey's Entdeckung für die Physiologie des Menschen war, das werde in kurzer Zeit die Nachweisung der tellurischen Dampfkraft für die Physiologie der Erde werden (§ 6). Die Nachweisung der allgemeinen Möglichkeit eines so gigantischen Dampfprocesses, der in jeder Minute so viel Wasser in die Quellen der Erdoberfläche treibt, als während dieser Zeit aus den Strömen der Erde ins Weltmeer stürzt, sucht der Vf. auf folgende Weise zu führen. Dass der Kern der Erde glühend ist, wird von den meisten Geologen angenommen und ist neuerdings von Bischoff ausführlich nachgewiesen worden (§ 9 ff.). Der für die tellurische Dampfbereitung erforderliche constant thätige Feuerheerd befindet sich demnach oben in der inneren Masse der Erdkugel, aber es fragt sich, ob dort Raum genug für die Dampfbildung vorhanden ist (§ 11). Die grossartigen Erderschütterungen, welche oft eine ganze Erdhälfte in Bewegung setzen, und die zuweilen gleichzeitig an sehr entfernten Orten stattfindenden vulcanischen Eruptionen lassen sich nur dann befriedigend erklären, wenn man annimmt, dass die sogenannte Erdrinde nur eine einzige zusammenhängende und ziemlich concentrische Schale unseres Erdkörpers von mässiger Dicke vorstelle und jene Erscheinungen nur als die gemeinschaftliche Wirkung einer einzigen Gas- oder Dampfentwickelung zu betrachten seien (§ 12). Die Erhebungen der Erde in der Form von Bergen und Gebirgen dürfen nicht leicht höher über das Niveau unserer Berge aufsteigen, als sich die Erdrinde an den tiefsten Stellen des Weltmeeres nach unten und innen senkt, und mithin ist es äusserst wahrscheinlich, dass für die durchschnittliche Dicke der Schale unseres Planeten beiläufig ½ deutsche Meile angenommen werden darf (§ 14). Hiernach wäre also zur Entwickelung des tellurischen Dampfes hinreichender Raum vorhanden. Hinsichtlich der Spannung dieses Dampfes kann angenommen werden, dass er mit einer Gewalt und Spannung von etwa 1322 Atmosphären gegen unsere Erdrinde empordringen müsse (§ 16). Zur Absperrung des tellurischen Dampfraumes müssen da, wo kein Meer die Oberfläche bildet und wo also die Risse, Spalten und Klüfte der Urgebirge und des Festlandes überhaupt dem tellurischen Dampfe einen offenen Ausweg bieten möchten, absperrende Wassermassen unterhalb der Erdrinde, also subterrestrische Meere angenommen werden, die jedoch von unseren Meeren absolut verschieden sind und mit diesen nicht zusammenhängen (§ 21 f.). Ausgemacht scheint wenigstens nach den von Boussingault beobachteten Thatsachen zu sein, dass unter der amerikanischen Aequatorialzone ein siedendheisses, mit tellurischem Destillationswasser erfülltes Meer verborgen sei, und dasselbe lässt sich für die anderen Festländer der Erde vermuthen (§ 24). Wie in dem tellurischen Dampfraume fortwährend Dampfentwickelung angenommen werden muss, so auch fortwährende Dampfcondensation und Wasserbildung. Wie sich auf unseren Hochgebirgen eine sogenannte Schnee- und Erstarrungslinie findet, so kann man auf der dem tellurischen Dampfraum zugekehrten Erdrindenfläche eine Dampflinie annehmen, welche die Grenze bezeichnet, jenseits welcher alles tropfbar-flüssige Wasser in Dampf und unter gewissen Umständen selbst in seine Elemente, wahre Gase, verwandelt wird (§ 28). Bei dem unterirdischen Destillationsprocess findet ein gesetzmässiger Rhythmus, eine gewisse Periodicität Statt, die uns durch Ebbe und Fluth kenntlich wird. Dieselben sind Folgen und Symptome des tellurischen Destillationsprocesses und können nur durch diesen befriedigend erklärt werden (§ 29). Dasselbe gilt von der ähnlichen regelmässigen Schwankung unserer Atmosphäre (§ 30). Wie unstatthaft es sei, beide Phänomene durch den Einfluss der Sonne und des Mondes allein erklären zu wollen, verspricht der Vf. in seinem nächsten Werke ausführlicher zu beweisen (§ 31). Unsere Ebbe beginnt, sobald in dem tellurischen Dampfraume die Destillation oder Dampfbildung anfängt, wobei zugleich die Hitze und Spannung dieses Raumes nachlässt, und endigt, sobald die Temperatur und Spannung in diesem Raume auf ihren niedrigsten Grad gesunken ist, die Menge der gebildeten Dämpfe dagegen ihr Maximum erreicht hat, so dass nun keine weitere Dampfbildung stattfinden kann; von der Fluth gilt das Umgekehrte. (Der Vf. übersieht hier freilich ganz, dass Fluth und Ebbe keineswegs überall gleichzeitig eintreten und aufhören.) Nicht nur mit der regelmässigen Fluth unserer Meere, sondern auch mit der Fluthzeit unserer Atmosphäre ist die Zeit der regelmässigen tellurischen Fluth der Expansions- und Wärmezunahme isochronisch (§ 32). Da der Unterschied zwischen dem höchsten und niedrigsten Barometerstande etwa 0,5 Lin. beträgt, also auf eine Gewichtsveränderung unserer Atmosphäre schliessen lässt, die etwa den 672sten Theil desselben (soll heissen: ihres Gesammtgewichts) ausmacht, so dürfen wir vermuthen, dass auch der Mehrabfluss unseres Oceans während seiner Ebbezeit ungefähr dem 672sten Theile seiner gesammten Wasserlast gleichkommen dürfte. — In § 33 folgt die specielle Auseinandersetzung des Quellenursprungs, hinsichtlich dessen der Vf. den kategorischen Ausspruch wagt: „Die Quellen unserer Erdoberfläche stehen in ursächlichem Zusammenhange mit dem tellurischen Dampf- und Destillationsprocesse, ihr gleichmässiges Fortfliessen wird unterhalten durch die tellurische Expansion, zunächst durch die regelmässig eintretende Fluthzeit, und ihre gleichbleibende Temperatur ist Folge der ursprünglichen hohen Temperatur ihres Stammwassers im tellurischen Dampfraume". In § 35 gelangt der Vf. zu der interessanten Folgerung: „Die Gegend des ewigen Schnees bezeichnet jene Höhe, bis zu welcher überhaupt das tellurische Meer emporsteigt, die grösste Höhe der dort eintretenden tellurischen Fluth; dagegen die Gegend zwischen der Schneelinie und der tiefer unten anzutreffenden üppigen Vegetation jenen Raum, innerhalb dessen das tellurische Meer abwechselnd während der Fluthzeit empor- und während der Ebbezeit niedersteigt". — In der „Erweisung der gegebenen Theorie für specielle Parthien unserer Erdrinde" können wir dem Vf., der nach der Reihe in § 36 —78 alle Erdtheile mit einziger Ausnahme Australiens, „weil wir über dasselbe noch weit mehr als über Afrika im Dunkeln seien", durchgeht und ihre klimatischen und geographischen Eigenthümlichkeiten bespricht, wenn wir nicht gar zu weitläufig werden wollen, eben so wenig folgen, wie in der Nachweisung der Theorie aus speciellen Begebenheiten, namentlich den Erdbeben von Murcia, von Haiti und von Guadeloupe (§ 79—84), so wie aus einigen andern Naturerscheinungen, welche sich alle vollständig und ungezwungen aus seiner Theorie erklären lassen sollen, als Meeresströmungen, Wasserhosen, Springfluthen u. s. w. (§ 85—89). Eine umständlichere Erörterung derselben behält sich der Vf. für sein nächstes, vielleicht bald nachfolgendes Werk vor und bittet den Vorwurf der Oberflächlichkeit bis nach dem Erscheinen desselben zurückzuhalten. Die Endresultate dürfen wir jedoch nicht mit Stillschweigen übergehen. § 90 erfahren wir, dass auf unserer Erde drei Hauptgesetze herrschen: das der Anziehung, der Abstossung und der Pendelschwingung, welche Gesetze und Kräfte alle ihre Indifferenzpuncte in der Erdhülle haben. Da nun, wie der Vf. gleichfalls in seinem nächsten Werke nachzuweisen hofft, die bisher als Anziehung der Erde bekannte Kraft wieder nichts anderes ist, als eine Form der Electricität, so löset sich das grosse Räthsel der tellurischen Electricität und des Erdmagnetismus auf eine eben so einfache als überraschende Weise und die gesammte Erdhülle erscheint als ein grossartiger hohler Magnet, in welchem selbst die Indifferenzpuncte und an dessen weiten Flächen die beiden Electricitäten ihr buntes aber gesetzmässiges Spiel treiben, oder als ein grossartiger magneto-electrischer Organismus mit fortwährendem gesetzmässigen tellurischen Leben, der wie der unsrige sich aus der gegebenen Nahrung (hier dem glühenden Mittelkörper unseres Planeten) unablässig construirt und destruirt, ja der im Grossen ganz denselben Gesetzen der Assimilation, Circulation und Destruction, wie der unsrige, folgen muss. Im letzten § 93 spricht der Vf. die Ueberzeugung aus: „dass mit der Darstellung dieser Theorie mit kühnem Griffe der Vorhang von einer grossen, weiten Aussicht gelüftet und uns der erste, erfrischende, erhebende Blick auf ein ganz neues Gebiet gestattet worden sei". Der Schluss des Buches lautet: „Dass und welche ausserordentliche Aufschlüsse aus unserer Theorie für alle praktischen Wissenschaften und deren Handhabung, zumal für jene, deren Gebiet unmittelbar mit der Hülle unseres Planeten zusammenfällt, für Agricultur und Medicin, für Schiffahrt und Bergwesen zu gewärtigen stehen, braucht wohl nicht erst umständlicher nachgewiesen zu werden. Genug sei es, wenn hier weitläufig nur die Eine Hoffnung ausgesprochen wird, in wenig Jahrzehnten werden wir die Veränderungen des Wetters auf Monate genau, im Allgemeinen selbst auf Jahre verlässlich und bestimmt vorherzusehen vermögen! — Sollte sich zuletzt nicht auch ein neue Poesie und eine wahrhaft reale, physikalische Philosophie herausarbeiten? Ich glaube, ja; doch enthalte ich mich vorläufig aller näheren Andeutungen. Und somit schliesse ich, und übergebe dieses Buch, diesen Erstling meines Geistes, diese schwere Arbeit meiner ganzen Kraft, zaghaft und muthig zugleich der Oeffentlichkeit, der Welt, dem Jahrhunderte. Möge der gute Saamen aufgehen und hundertfältige Früchte tragen! Amen". — Durch den gelieferten Auszug glaubt Ref. die seltsame Schrift hinreichend charakterisirt zu haben, und die Leser mögen sich nun selbst ein Urtheil über dieselbe bilden, dessen wir uns hier gänzlich enthalten.

Mathematische Wissenschaften.

[2290] Beiträge zur Theorie bestimmter Integrale von Dr. **Oskar Schlömilch.** Jena, Frommann. 1843. VII u. 103 S. gr. 4. (1 Thlr. 10 Ngr.)

Der Vf. dieser Schrift hat sich bereits durch mehrere Aufsätze in Grunert's Archiv für Mathematik und Physik als kenntnissreichen und gewandten Mathematiker vortheilhaft bekannt gemacht, und als solchen bewährt er sich hier aufs Neue. Wer in dieser Weise seine wissenschaftliche Laufbahn eröffnet, von dem lässt sich noch viel Erfreuliches und Bedeutendes erwarten. Die Schrift zerfällt in drei Abhandlungen, deren Inhalt wir aber, schon um zahlreiche und ausgedehnte Formeln zu vermeiden, nur sehr im Allgemeinen werden angeben können. Die erste gibt eine strenge und einfache Ableitung der berühmten Lehrsätze Lagrange's und Fourier's, deren erster bekanntlich zeigt, dass jede beliebige Function durch Reihen, die nach den Sinussen und Cosinussen der Vielfachen eines Bogens fortschreiten, sich ausdrücken lässt, indess der andere lehrt, wie jede Function durch ein bestimmtes Doppelintegral ausdrückbar ist. Die hier gegebene Ableitung beruht auf dem von Dirichlet im 4. Bande von Crelle's Journal nachgewiesenen Princip, wonach es auf die Bestimmung der Grenze ankommt, der das von 0 bis c (welches > 0 und $< \pi$) zu nehmende bestimmte Integral von $\frac{\sin(2n+1)\vartheta}{\sin\vartheta} f(\vartheta) d\vartheta$ sich für ganze, positive, wachsende n ohne Ende nähert. Die Bestimmung dieser Grenze geschieht im Wesentlichen auf dieselbe Art, wie es der Vf. bereits im 4. Hefte des 1. Bandes von Grunert's Archiv gethan hat, nur dass hier auf die Ausführung noch mehr Sorgfalt verwendet ist. Der hierdurch gewonnene Lagrange'sche Lehrsatz wird durch mehrere Beispiele erläutert und dann der Fourier'sche daraus abgeleitet. — Die zweite Abhandlung enthält „Anwendungen der Theoreme von Lagrange und Fourier". Was das erstere betrifft, so ist das Princip der hier gemachten Anwendungen dieses. Da in Lagrange's Theorem eine Function durch eine nach den Sinussen oder Cosinussen der Vielfachen eines Bogens fortschreitende Reihe ausgedrückt wird, deren Coefficienten bestimmte Integrale sind, die die entwickelte Function selbst wieder enthalten, so wird, wenn man in besonderen Fällen eine solche Reihe noch auf anderem Wege summiren kann, diese Summe dem Ausdruck des Coefficienten des allgemeinen Glieds durch das bestimmte Integral entsprechen müssen, und also, da der Coefficient bekannt ist, dadurch oft ein bestimmtes Integral gefunden sein, das sich sonst nicht leicht erhalten liesse. Eben so werden die Fourier'schen Ausdrücke einer Function durch bestimmte doppelte Integrale in Beziehung auf zwei von einander unabhängige Veränderliche ϑ und ω eine reiche Quelle bestimmter Integrale, wenn man eine beliebige Function $\varphi(x)$ so wählt, dass sich zwar die erste, nicht aber die zweite Integration nach den gewöhnlichen Regeln finden lässt. Da man nämlich weiss, dass sie $\varphi(x)$ geben muss, so führt dieses zur Kenntniss des bestimmten Integrals, dessen unbestimmtes allgemeines unbekannt bleibt, so dass also das Fourier'sche Theorem, wo es nicht zu einem angeblichen Ausdruck der Function führt, dafür wenigstens durch ein bestimmtes

Integral entschädigt. — Noch weniger lässt sich über die dritte Abhandlung berichten, die von „verschiedenen bestimmten Integralen, deren Werth durch doppelte Integrationen gefunden wird“, handelt. Wir müssen uns begnügen zu bemerken, dass hier unter andern mehrere sehr elegante Theoreme über den Integrallogarithmus und die Euler'sche Gammafunction gefunden werden. — Den Beschluss macht eine „Formelsammlung“, die 1) Formeln, welche zu Reihensummirungen benutzt werden können, 2) die Werthe der wichtigsten bestimmten Integrale gibt und mit ihren Beziehungen auf die §§ der Schrift am besten die Reichhaltigkeit ihres Inhalts übersehen lässt. An der Darstellung haben wir noch die grosse Klarheit und Fasslichkeit zu rühmen, die es verschmäht, durch vornehme Kürze imponiren und den Ruf der Genialität beanspruchen zu wollen, wie diess jetzt manche jüngere Mathematiker, einige grosse Meister nachahmend, deren Gaben in jeder Form dankbar angenommen werden müssen, zu lieben scheinen. Gewiss ein Grund, dass weit weniger mathematische Schriften wirklich gelesen werden, als zu wünschen wäre. Euler und Lagrange schrieben immer lesbar, auch für mittlere Köpfe und Vorkenntnisse.

[9719] Neue Methode zur Auffindung der reellen Wurzeln höherer numerischer Gleichungen und zur Ausziehung der dritten und der höheren Wurzeln aus bestimmten Zahlen. Zunächst nach englischen Quellen bearbeitet von Dr. L. C. Schulz von Strassnitzki, ö. o. Prof. d. Elementar-Mathem. am k. k. polytechn. Institute zu Wien. Wien, Heubner. 1842. VI u. 132 S. gr. 8.

Die hier gelehrte Methode zur Auflösung der höheren numerischen Gleichungen ist die von W. G. Horner zuerst in den Philosophical Transactions f. 1819 zum Theil veröffentlichte, die ausser England wenig bekannt geworden, und selbst dort, wie der Vf. beklagt, durch die Fourier'sche überstrahlt worden zu sein scheint. Hr. v. St. bearbeitete sie nach zwei Aufsätzen in Leybourne's mathematical repository, „die in sibyllinischer Kürze, ohne irgend einen Beweis, das Wesentliche der Methode, sowohl was die Trennung, als was die Berechnung der Wurzeln betrifft, errathen lassen“, und ist von der Vorzüglichkeit derselben so eingenommen, dass er ihr die Fourier'sche unbedenklich nachstellt, und der Gräffe'schen nur, weil sie die imaginären Wurzeln gleichmässig wie die reellen finden lehrt, den Vorrang gönnt. Den Werth der Horner'schen Methode zu prüfen und gegen den der beiden vorgenannten Methoden abzuwägen, würde eine weit ausführlichere Erörterung nöthig machen, als wenn uns hier der Raum gegönnt ist. Daher mag nur im Allgemeinen bemerkt werden, dass sie uns mit der Fourier'schen auf denselben Principien zu beruhen scheint, indem sie Grenzen der reellen und Unterscheidungskennzeichen der imaginären Wurzeln von jenen aufsucht, und aus den Grenzen auf eine Weise, die zwar im Rechnungsmechanismus, nicht aber nach der Formel (die hier jedoch allgemein aufzustellen versäumt wird) von der Newton'schen wesentlich verschieden ist, die Wurzeln berechnet. Auch mehrere der Unterscheidungskennzeichen der imaginären Wurzeln haben eine offenbare Aehnlichkeit mit den durch Fourier und andere Analysten bekannt gewordenen. Das Rechnungsverfahren charakterisirt sich aber hauptsächlich dadurch, dass die Budan'sche Methode, eine Gleichung zu finden, deren Wurzeln um eine beliebige Grösse kleiner als die einer gegebenen Gleichung sind, in Anwendung gebracht wird. Angenommen aber auch, Horner's Methode sei so neu, eigenthümlich und praktisch, wie Hr. v. St. behauptet, so hatte dieser die Verpflichtung, sie auf eine sorgfältige und streng wissenschaftliche Weise darzustellen, was wir aber nicht durchgängig rühmen können. Ref. vermisst an mehreren Beweisen Schärfe und Klarheit, hält sogar einige für völlig verunglückt. Auch hätten die Regeln der Berechnung bündiger zusammengefasst werden sollen, indess man sie, wie sie hier vorgetragen werden, oft erst durch die Beispiele versteht. Diese aber sind in bedeutender Anzahl und Mannichfaltigkeit vorhanden und in grösster Ausführlichkeit mitgetheilt. Der Vf. scheint für Anfänger gearbeitet zu haben, und zwar vielleicht vorzugsweise für solche, welche sich für technisch angewandte Mathematik mehr als für reine interessiren; daher vielleicht die grosse Ausführlichkeit in den Beispielen. Indess hätte er doch bedenken sollen, dass wo nur eine nothdürftige theoretische Kenntniss gegeben wird, die sogenannte praktische Nachhülfe nur unvollkommene Erfolge haben kann, weil ihr die klaren allgemeinen Begriffe fehlen. Solchem Tadel aber kann, wie es Ref. scheint, diese Schrift nicht ganz entgehen, da es ihr an methodischer Haltung mangelt. Auch Druck- und provincielle Sprachfehler stören häufig den Leser.

[2211] Versuch einer objectiven Begründung der Lehre von der Zusammensetzung der Kräfte. Von Dr **Bernard Bolzano.** (Aus den Abhandlungen der königl. böhm. Gesellschaft der Wissenschaften (V. Folge, Bd. 2) besonders abgedruckt.) Prag, Kronberger u. Rziwnatz. 1842. 40 S. gr. 4. (n. 15 Ngr.)

Es ist nicht ein neuer mathematischer Beweis des Satzes vom Parallelogramm der Kräfte im gewöhnlichen Sinne des Worts, der hier von dem als Philosophen rühmlich bekannten und von seinen zahlreichen Schülern hochverehrten Vf. dargeboten wird; es wird hier überhaupt nicht versucht, „die Gewissheit", dass sich die Sache so verhalte, wie der Satz aussagt, zu vermehren; vielmehr ist es der Zweck dieser Abhandlung, „die Einsicht in den objectiven Grund" der Sache (also nicht das ὅτι, sondern das διότι) zu gewähren. Dass bei diesem mehr philosophischen als mathematischen Verfahren bis auf die ersten Elemente der Beweismittel zurückgegangen wurde, war daher ganz in der Ordnung, und so finden wir denn in der ersten Hälfte der Abhandlung eine Reihe von Begriffsentwickelungen, die in dieser Ausdehnung sonst in den Einleitungen zur Statik nicht vorzukommen pflegen, denen wir aber wegen ihrer Klarheit und Bestimmtheit grösstentheils unsern Beifall nicht versagen können. Hierdurch gelangt der Vf. zu folgenden Sätzen: Wenn Kräfte in endlicher oder unendlicher Menge einander das Gleichgewicht halten, so gibt es 1) eine allgemein lautende und aus blossen Begriffen zusammengesetzte Regel, nach welcher jede derselben aus der Gesammtheit der übrigen vollständig bestimmt werden kann. 2) Diese Regel ist von jeder Ordnung, in welcher wir uns diese Kräfte etwa vorstellen mögen, so völlig unabhängig, dass immer die nämliche Kraft zum Vorscheine kömmt, welche in der Gesammtheit der übrigen wir als die erste, die zweite u. s. w. betrachten. 3) Wenn wir die gegebenen Kräfte bis auf eine als veränderlich betrachten, sie aber nur nach dem Gesetz der Stetigkeit ändern, so wird auch die Eine, die durch den Umstand, dass sie den übrigen das Gleichgewicht hält, bestimmt ist, nur nach den Gesetzen der Stetigkeit sich ändern. 4) Wenn eine andere Menge von Kräften gleichfalls die Eigenschaft hat, dass sie einander das Gleichgewicht halten, so können wir sie zu der gegebenen Menge hinzuthun, oder — falls sie in dieser letztern schon als ein Theil vorkommen sollte — sie von ihr wegnehmen, ohne das vorhin stattgefundene Verhältniss des Gleichgewichts zu stören. Diese Sätze werden nun von den Kräften auf das Liniensystem übergetragen, durch welches jene Kräfte sich darstellen lassen, und hierdurch verwandelt sich, nach des Vfs. Ausdruck, die mechanische Aufgabe in eine geometrische, wofern nur noch das Wort Gleichgewicht mit einem für eine geometrische Relation passenderem — hier wird, wie es uns scheint, nicht ganz angemessen „Verhältniss des Gegensatzes" vorgeschlagen — vertauscht wird. Ref. glaubt indess, dass es hier nicht bloss auf die Vertauschung eines Wortes, sondern auch eines Begriffes ankommt, und dass hier eben dieser in der geometrischen Auffassung der Aufgabe dem Gleichgewicht zu substituirende Begriff hätte scharf erörtert werden sollen und hieraus das Nullwerden der Summe des Entgegengesetzten sich hätte finden müssen. Der Vf. verfährt indirecter, indem er zu zeigen sucht, dass wenn man diese Summe gleich Null setzt, die vier obigen Bedingungen erfüllt werden, und dass diess nur dadurch geschehen kann. Er zeigt also, dass das Nullwerden jener Summe dem Gleichgewicht der Kräfte entspricht, nicht aber eigentlich, dass es dasselbe ausdrückt. Jedenfalls hat der Vf. einen interessanten Gedanken verfolgt, indem er es versuchte, die Zusammensetzung von Kräften auf eine Zusammensetzung von Linien, und diese auf eine Zusammensetzung von Grössen zurückzuführen. Dass die Zerlegung der Kräfte nicht ihnen als solchen zukommt, sondern auf eine Zerlegung ihrer Richtungen beruht, hat schon Herbart ausgesprochen. Dieser Gedanke scheint sehr gut mit den neuern glücklichen Versuchen ausgezeichneter Mathematiker zusammenzustimmen, die Geometrie durch Hülfe der Statik zu bereichern. Diese Anwendung eines Theils der sogenannten angewandten Mathematik auf einen Theil der reinen wird natürlich erscheinen, wenn es völlig gelungen sein wird, der Statik eine rein geometrische Seite abzugewinnen und einen Begriff des Gleichgewichts ohne Zuziehung des Begriffs von Kräften, etwa in der Weise einzuführen, wie man auch ohne an Kräfte zu denken von Bewegung sprechen kann.

Geschichte.

[2212] Peter der Grosse und Leibnitz. Von Dr. Alex. C. Posselt. Dorpat u. Moscau, Severin. 1843. VIII u. 284 S. gr. 8. (1 Thlr. 15 Ngr.)

Man weiss in der That nicht recht, was man aus der vorlieg. Schrift machen soll, und eben so wenig was nun eigentlich der Vf. damit beabsichtigt hat. Es wurde derselbe durch die Verbindung zwischen Peter d. Gr. und Leibnitz, und durch mehrere Schriften, welche er in Moskau theils über jene Verbindung, theils über Peter d. Gr. im Allgemeinen fand, veranlasst sich über den Czaren, seinen Geist und sein Bestreben auszusprechen, ohne jedoch mit sich selbst darüber klar geworden zu sein, in welcher Weise diess Statt finden sollte. Darum geschieht dasselbe hier nun unter sehr vielen Wiederholungen, und auf eine auch sonst ziemlich seltsame Weise. Der Vf. fängt sein Buch damit an, dass er über das Leben und den Menschen speculirt und zu bestimmen sucht, worin die Bedeutung des Lebens ruhe, welchen Zweck es habe und wie dieser erreicht werden könne. Wir haben gegen die hier ausgesprochenen Ansichten nichts Erhebliches einzuwenden, und der Vf. schreibt in einer meist schönen und blühenden, nur selten unnatürlichen und geschraubten Sprache; aber darüber muss man sich wundern, dass er hier diese Auseinandersetzungen einschaltete, während diess Alles in einer Einleitung der Philosophie der Geschichte weit besser an seinem Platze gewesen sein würde. Dann geht er auf Leibnitz und Peter d. Gr. über, ohne dass dieser Uebergang irgendwie motivirt wäre. Wir wollen keineswegs in Abrede stellen, dass die Charakteristik, welche von Leibnitz gegeben wird, als von einem Manne, der sich gleichsam in die Mitte des gesammten Lebenskreises stellend, den ganzen Bogen zu überschauen, zu durchdringen und mit seinem Geiste zu beherrschen suchte, im Allgemeinen gelungen ist, obwohl sie einen Mangel insofern in sich trägt, als sie, immer nur vom Allgemeinen sprechend, sich viel zu wenig auf bestimmte Thatsachen stützt; wenn aber der Vf. Peter den Grossen gewaltsam zu der reinphilosophischen Höhe, auf welcher ein Leibnitz sich hielt, emporschrauben und sie beide, jeden in seiner Gattung zu zwei einander durchdringenden und ergänzenden Heroen unseres Geschlechts machen will, so verdient diess wohl eine Rüge. So sagt z. B. der Vf., wenn man Leibnitz und Peter betrachte, müsse es einleuchten, dass hier eine uns zur Bewunderung hinreissende Uebereinstimmung der Gesinnungen und der Willenskräfte grosser Genien, ein urplötzlicher Einklang aller Hauptgedanken, die erhabenste aller Harmonien Statt finde (S. 32). Allein trotz dieser volltönenden Worte sieht man doch, dass es dem Vf. sehr schwer fallen würde, durch Anführung bestimmter Thatsachen diese Behauptung als volle Wahrheit zu erhärten. Er habe in Moskau Briefe und Schriften von Leibnitz aufgefunden, in welchen die Grösse seiner keineswegs auf das Materielle allein gerichteten Gedanken, Entwürfe und Pläne für Russland auf das Deutlichste sich offenbaren; von dem Czaren dagegen finde man darüber nichts und es sei daher ungewiss „wie das geistig zugeführte und geistig errungene Material in sinnlichen Formen in das Leben überging und verarbeitet wurde", das heisst doch mit anderen Worten, man weiss gar nicht, ob Peter auf Leibnitzens Gedankenhöhe einging oder eingehen konnte. Nun erwartet man, der Vf. werde in dem 1. Abschn. seinem eigentlichen Gegenstande näher kommen; allein trotz einer Fluth von allgemeinen Redensarten, welche über den grossen Czar hinweggegossen werden, entfernt er sich immer weiter von demselben, indem er sagt: „nur ein Petern verwandter, ähnlich organisirter Geist vermöge ein solches höheres irdisches Leben, wie das des Czaren gewesen, vollkommen zu schildern, da es nur einem solchen gelingen könne, eine grossartige Masse des Stoffes im harmonischen Verhältniss zu einer Idee zu begreifen, den schöpferischen Geist einer seltenen Persönlichkeit in allen seinen Fasern zu verstehen". Seltsamerweise sagt der Vf. damit, dass er Das, was er schildern wolle, eigentlich nicht unternehmen könne, obwohl er es doch unternimmt. Wenigstens erfährt man gleich darauf, dass er gar nicht das Leben Peters d. Gr. hier zu schreiben, aber doch den geistigen Mittelpunct hinzustellen beabsichtige, dem die hier in Frage stehenden tausendfachen Erscheinungen untergeordnet werden müssten. Man hofft nun, der Vf. werde im 2. Abschn. auf seinen Gegenstand und den Zweck, wenigstens in der Weise, wie er zuletzt ihn ausgesprochen hat, übergehen. Aber statt dessen findet man zuerst eine Untersuchung über Das, was Wahrheit, was Gefühl, was Trieb, was Seelenkraft sei, nach welchem Gesetz diese sich bewegen und nach welchem Ziele sie sich bewegen sollten. Im 3. Abschn. werden die derartigen Untersuchungen fortgesetzt in der Absicht, die höchsten Zwecke alles Lebens überhaupt und des Staatslebens insbesondere in ein klares Licht zu stellen. Das Alles würde in einer Geschichte der Philosophie an seiner Stelle sein. Warum es aber in der Ausdehnung und Breite, dass es einen nicht unbedeutenden Theil der ganzen Schrift umfasst, hier stehen müsse, wird nicht klar, selbst nicht durch die oft wiederholten Versicherungen des Vfs., dass er es so und nicht anders machen müsse, um den wahren Werth und Gehalt des Czaren zu ermitteln und nachzuweisen. Je länger und stärker aber der Anlauf gewesen, den der Vf. genommen, um auf den Czaren Peter zu kommen, desto genauer und sicherer werde, so erwartet man, die Zeichnung sein, die von demselben gemacht wird. Allein die erste Hälfte des folgenden, des 4. Abschnittes, gibt zunächst einen Blick auf die früheren Schicksale und Zustände Russlands, wobei die an sich selbst richtige Bemerkung gemacht ist, dass es den Russen während des Mittelalters ohne ihre Schuld sehr übel ergangen, indem sie von den Mitteln der Civilisation, welche dem Westen geboten wurden, ausgeschlossen waren. Diese an sich selbst richtige Bemerkung ist indessen mit der grössten Ausführlichkeit, mit häufig wiederkehrender Berücksichtigung des Westens, der hier eigentlich nicht in Betracht kommen sollte, auseinandergesetzt, so dass es fast den Anschein gewinnt, als habe der Vf. sich die grösste Mühe gegeben, um so spät als möglich auf Das, was man als den eigentlichen Gegenstand der Schrift vorzugsweise erwartet, zu kommen, und um dann gewissermaassen das Recht zu haben, so schnell als möglich darüber wegzugehen. Erst gegen das Ende des Buches kommt der Vf. wieder auf Peter d. Gr. In einer langen Kette von Redensarten, welche der Vf. allerdings sehr in der Gewalt hat, spricht er hier über den Geist und die Wirksamkeit des Czaren und schliesst diese mit der Bemerkung, dass nun selbst den gemeinsten, schwächsten und blödesten Augen die Natur, Bestimmung und Bedeutung der fraglichen Erscheinung aufgegangen sein müsse. Allein es ist auch keine einzige Handlung des Kaisers näher gezeichnet oder gewürdigt, oder überhaupt nachgewiesen worden, in welchem Verhältniss das in diesen Handlungen Ruhende oder aus ihnen Hervorgehende zu dem in Russland Bestehendem trat und treten musste. Der Vf. thut sich selbst sein Recht an, indem er einmal das von ihm hier Zusammengelegte „eine flüchtige Skizze" nennt. Wir tadeln dabei, dass ein so ungemein starker Anlauf genommen wird, um an das Ende etwas so wenig Bedeutendes zu stellen. Im 5. Abschn. ist vorzugsweise wieder von Leibnitz die Rede, und so Das, was über ihn schon am Eingange gesagt und gerühmt worden, noch einmal in einer anderen Form dargestellt worden. Beigegeben ist nun eine Reihe von Schriften und Briefen Leibnitzens an Peter, die doch wohl als das Werthvollste an der ganzen vorliegenden Schrift angesehen werden müssen. Sie enthalten Vorschläge über Beförderung der Wissenschaft, der Schulen, über die Gerechtigkeitspflege, die Administration des Reiches u. s. w.

[9212] Revolution française. Histoire de dix ans 1830—1840 par M. **Louis Blanc.** Tom. IV. Paris, Pagnerre. 1843. 536 S. gr. 8. (7 Fr. 50 c.) Vgl. No. 4254.

Die Kühnheit, mit welcher Menschen und Zustände, besonders die französischen, in dieser Schrift beleuchtet werden, die Keckheit, mit welcher der Vf. den Boden räumt, um ihn sehen zu lassen, wie er ohne weitere Hülle und Uebertünchung erscheint, erhält die Aufmerksamkeit für diese literarische Erscheinung wach. Hierzu kommt, dass eine ausgezeichnet schöne Sprache und eine runde und kräftige Darstellung dem Werke einen zahlreichen Kreis von Freunden und Lesern sichert. Und der Vf. tritt noch entschiedener, als es in den drei ersten Theilen geschehen, in diesem 4. als ein Anhänger der Radical-Doctrin, als ein Gegner des Juli-Gouvernements oder vielmehr der Herrschaft des Bürgerstandes auf. Ueberhaupt scheint in Frankreich die Ansicht immer mehr Boden zu gewinnen, dass für die Nation nur entweder der energische Despotismus Louis XIV. oder Napoleons, oder die Kraft einer wahren und wirklichen Volks-Herrschaft tauge. Wenn die Gegner der letzteren, zu welcher Blanc sich hinneigt, sich hierdurch vielleicht von dem Buche und dem Geiste, der sich darin ausspricht, abgestossen fühlen, so werden sie doch anderseits den Geist der Sittlichkeit achten müssen, der sich darin offenbart. Er würdigt aber vorzugsweise von dem sittlichen Standpuncte aus das Verfahren der Menschen, und von diesem aus wird das Benehmen des Juli-Gouvernements oft auf das heftigste und bitterste angegriffen. Gleich am Anfange dieses Theiles ist ein scharfes Urtheil über das Verfahren gegen die Herzogin von Berry ausgesprochen. Es war unwürdig die Schwäche eines Weibes so zu benutzen, wie es geschehen, und noch obenein auch sehr unpolitisch. Von einem Throne herab sollte man doch ja nicht darauf wirken, dass die Menschen sich gewöhnten, ohne Achtung auf ein königliches Geschlecht zu blicken. („La culte de la royauté va s'affaiblissant en Europe depuis qu'on avilit les princes, non depuis qu'on les tue; et l'on ne fonde pas une dynastie en enseignant aux peuples, du haut d'un trône, le mépris des races royales".) Nicht bei den Männern der Julifreiheit, sondern bei den Männern der Legitimität findet Blanc in dieser Sache das Bessere, das den Menschen über die gemeine Wirklichkeit erhebt. Wie aber das Juli-Königthum hier die schärfste Kritik erfährt, so entgehen derselben auch die Kammern nicht, besonders die Kammer der Deputirten. Sie ist nach Blanc's Behauptung nichts als Versammlung von Beamten, Kaufleuten, Fabrikherren, Geldmännern, welche die schlechteste Art der Aristokratie, die man sich denken kann, bilden. Sie ist nicht allein ohne Gefühle und ohne Grösse, sondern auch ohne Einsicht. Er fasst zuerst ihre legislativen Arbeiten vom J. 1833 ins Auge. Ihre Debatten und ihre Beschlüsse über die conseils d'arrondissement beweisen, dass sie das Wesen der Centralisation gar nicht verstehen. Sie führten sie auch in die Administration ein, wo sie, wenigstens in einem Lande, wie Frankreich, das sich ein freies nennt, nicht sein soll. Die conseils d'arrondissement sind völlig unnütz in dem Ganzen der aufgestellten Administration. Aber die miserable Bourgeoisie, die Frankreich regieren will, ohne die nöthige Kraft und Einsicht dazu zu besitzen, hat auf der einen Seite einen ungeheuren Respect vor dem monarchischen Elemente, auf der anderen will sie das Wahlrecht, auf dem sie selbst steht, doch auch überall mit anbringen. Und sie bringt es an, mag es hier ganz unnütz sein, oder dort die Anarchie in die Administration bringen („Enfin, elle consacrait jusque dans la sphère des déliberations locales, ce monopol electoral, instrument d'oppression aux mains d'une bourgeoisie qui avait accaparé la fortune de la France, et n'avait proclamé la souveraineté du peuple que pour mieux la détruire"). Noch schlimmer geht es bei Blanc dem Guizot'schen Vorschlag über den Primair-Unterricht, welcher, gerade da er sehr miserabel ist, bei den Kammern der Deputirten einen besonders guten Anklang findet. Und man kann allerdings dem Vf. nicht ganz Unrecht geben, wenn er sagt, dass es in einem von Factionen zerrissenen Lande sehr thöricht gewesen sei, die Concurrenz beim Primair-Unterricht völlig frei zu geben. Heisst es nicht, fragt er, in der Mitte einer stets steigenden Verwirrung der Meinungen und der Principien, die Factionen und die Anarchie unsterblich machen, in das Chaos säen, und der heranwachsenden Generation das Gift der politisch-bürgerlichen Zwistigkeiten mit der Muttermilch einpflanzen, wenn man eine sogen. Freiheit des Primair- und Elementar-Unterrichts gestattet? Eben so thöricht, meint Blanc, ist das Expropriations-Gesetz des Ministeriums und der Kammern von 1833. Einer Jury der vorzüglichsten Grundbesitzer der Gegend, in welcher die Expropriation zum Besten des Staates und des Allgemeinen vorgenommen werden soll, die Taxe überlassen, heisst den Staat und das Allgemeine dem groben Egoismus der Privaten aussetzen. Aber es muss doch in der That auch traurig um den Geist einer Nation stehen, wenn man im Voraus die Besorgniss hegen muss, dass jedes freie Institut von dem gröbsten Egoismus sofort erfasst und verhunzt werden würde. Darauf beleuchtet Blanc das Benehmen des Juli-Gouvernements zuerst in Beziehung auf die Türkei. Auch hier sei eine grosse und lange Reihe von Unklugheiten begangen worden. Man habe zuerst das Princip der Unverletzlichkeit der Pforte anerkannt, und dabei doch in offenbarem und handgreiflichem Widerspruche mit sich selbst die Ansprüche Mehemed-Ali's auf Syrien gewissermaassen begünstigt. Man habe etwas Grosses dadurch erreicht zu haben geglaubt, dass man die Russen wieder einmal aus der Nähe von Constantinopel entfernt, ohne zu begreifen, dass man damit nichts als eine sehr kurze Frist gewonnen, denn sicher würden sie bald genug wieder kommen. Das französ. Cabinet habe das Schicksal der Welt und Frankreichs in den Händen gehabt, aber nicht verstanden den günstigen, vielleicht nie wiederkehrenden Moment zu fassen und zu benutzen. („Ces hommes qui se croyaient pratiques parce qu'ils étaient médiocres, et habiles parce qu'ils n'osaient rien de grand, ne virent pas que la question d'orient renfermait le sort du monde".) Die Pforte sei nun einmal auf die Dauer nicht mehr zu halten, Frankreich müsse aber dafür sorgen, dass der Vortheil bei ihrem unvermeidlichem Zusammenbruche nicht an Russland allein, oder an Russland, England und Oesterreich falle. Man hätte schon früher die Gelegenheit erfassen, zu der Richtung der alten französ. Politik gegen England und gegen Oesterreich zurückkehren, und sich mit Russland, das einen Bund mit Frankreich damals gern und willig eingegangen sein würde, auf das innigste sich verbinden müssen. Man hätte diese Allianz auch auf Preussen ausdehnen und diesem und Russland zeigen müssen, was sie gewinnen könnten, wenn sie nur Frankreich mit gewinnen liessen. Für Russland Constantinopel mit dem grössten Theile des türkischen Reiches, für Preussen Deutschland, für Frankreich Syrien, Aegypten und der Rhein. So würde die Schmach der Tractate von 1814 und 1815 vernichtet, die alten Feinde Frankreichs, England und Oesterreich würden gedemüthigt worden sein. Auf dem Papiere freilich wird man mit solchen Dingen viel schneller als in der Wirklichkeit fertig, und selbst von dem Standpuncte eines Franzosen aus und wenn man sich in die Seele eines solchen hineindenkt, möchte sich doch Manches noch für das Benehmen des Juli-Gouvernements in den orientalischen Angelegenheiten anführen lassen, was von Blanc mit Stillschweigen übergangen worden ist. Seltsam aber und warnend für Deutschland ist es, wie so oft bei den gebildeten Franzosen unserer Tage der Gedanke an einen Bund mit Russland sich hervordrängt. Sind doch darüber die äussersten Gegensätze, die Legitimisten und die Republicaner, einig, dass nur durch ein Bündniss mit Russland Frankreich, und zwar zum Theil auf Kosten Deutschlands emporkommen könne. Wie mag es da aussehen, wo die Mitte zwischen den zwei genannten äussersten Gegensätzen ist? Hält man vielleicht nur die Birne noch nicht für völlig reif, erwartet man etwa nur den Moment, wo sie als reif angesehen, wo die Anstalten, die man für nöthig erachtet, vollendet sein werden? Trägt sich, worauf manche Dinge zu deuten scheinen, die gegenwärtige Dynastie von Frankreich mit gewissen Entwürfen, die offenbar nicht in der allernächsten Zukunft, aber um desto sicherer später vollendet werden sollen, so dürfte Blanc's Urtheil über das gegenwärtige Haupt dieser Dynastie von jener Zukunft auch wohl als völlig unbegründet zurückgewiesen werden. Er bringt dieses Urtheil bei Gelegenheit der portugiesisch-spanischen Angelegenheiten an, wo er dem Gouvernement ebenfalls Schwäche und Haltlosigkeit vorwirft. „Car le roi manquait complétement de prévoyance. Doué d'une sureté de jugement pas commune lorsqu'il ne s'agissait que de statuer sur les choses du quart-d'heure, sur les accidents isolés de la politique, il était incapable d'apprécier les événements dans leur ensemble et de saisir leur enchainement logique". Blanc verlässt nun auf einige Zeit die auswärtigen Angelegenheiten, um eine sehr ausführliche und lebendige Schilderung der republicanischen Aufstände vom J. 1834 zu geben. Die Republicaner lässt er dabei durchaus im Lichte wahrer Heroen von Hingebung und Tapferkeit erscheinen, wie er denn auch sonst durch das ganze Buch hindurch sich auf das Aeusserste bemüht, ihre Doctrinen in einer weniger abschreckenden Gestalt erscheinen zu lassen. Selbst des Vfs. sonst sehr starkes Gefühl für Sittlichkeit scheint sich etwas in den Hintergrund ziehen zu müssen, wenn es diese Republicaner gilt. Als er sie nicht mehr auf dem Kampfplatze kann als Heroen erscheinen lassen, begleitet er sie in den Gerichtssaal, um ihnen wenigstens noch den Ruhm einer kräftigen und durch keine Widerwärtigkeiten besiegten Männlichkeit zu Theil werden zu lassen. Dieses Streben des Vfs. tritt bei der Beschreibung des Processes der Republicaner auf das deutlichste hervor. Das Attentat Fieschi's wird als das Werk eines isolirten Fanatikers, an dem die republicanische Partei keinen Theil habe, betrachtet, wohl aber das Gouvernement auf das bitterste getadelt, dass es diesen Vorgang benutzt, um durch die September-Gesetze die wahre Bedeutung der Geschwornen-Gerichte und die Garantien, die man jedem Angeklagten lassen müsse, zu vernichten, die Wohlthaten der freien Presse dem Armen und Gedrückten zu entreissen. Mit dem Anfange des J. 1836 endet der vorlieg. Theil. Vor den Augen des Vfs. hat nichts Gnade gefunden, kein Ereigniss, das durch das Juli-Gouvernement vor sich gegangen, kein Zustand, der sich durch dasselbe gebildet, keine Person, mit Ausnahme Thiers's, die in demselben handelnd aufgetreten, am allerwenigsten aber das Juli-Gouvernement in seinem Wesen selbst und die repräsentative Monarchie. Sie bietet keine Einheit dar, sie ist verdammt in der Anarchie zu leben und an der Corruption zu sterben. „Tout gouvernement qui n'est pas fondé sur le principe de l'unité est condamné à vivre dans l'anarchie et à mourir dans la corruption.“ Dagegen ist eine starke und bestimmte Autokratie und die Democratie etwas, aber nur ungeheure Anarchie ist das gegenwärtige Wesen und Treiben in Frankreich; von ihm weiss man noch nicht, wie es untergehen wird, obwohl man fühlt, dass es damit nicht dauern kann. „Ainsi se révélaient, après quatre ans de règne les mille impossibilités du régime constitutionnel. Efforts de la royauté pour asservir les ministres en les divisant, coalition des ministres pour mettre obstacle au gouvernement personnel, ligue de tous les ambitieux subalternes du parlament en vue de quelques portefeuilles à conquerir, lutte obstinée de la couronne contre la chambre et de la chambre contre la couronne ... l'anarchie éclatait partout, elle éclatait sous toutes les formes“. Es sind am Schlusse noch mehrere Actenstücke beigegeben, unter denen wir zuerst nennen den Procès-verbal de l'accouchement de la duchesse de Berri. Dann wird das réglement du mutuellisme mitgetheilt, endlich unter mehreren ähnlichen Stücken auch der Tractat der sogen. Quadruple-Alliance, auf welche in der Geschichtserzählung von Blanc schon Rücksicht genommen worden war. Davon wird dort, angeblich nach völlig sicheren Berichten erzählt, dass die Alliance zuerst allein zwischen Portugal, Spanien und England geschlossen worden, von diesen Mächten aber Frankreich, eben so wenig wie Russland, Preussen und Oesterreich über die Sache befragt und zu Rathe gezogen worden sei. Plötzlich habe Talleyrand davon gehört und sei nun hingelaufen, um noch den völlig unbedeutenden Artikel, der Frankreich betreffe, einzuschieben. *F.*

Bibliographie.

Medicin und Chirurgie.

[9214] *Hufeland's* Journal u. s. w. (Vgl. No. 8023.) Oct. Inh.: *Horst*, günstige Einwirkung grosser Gaben des Salmiaks bei einer beträchtl. Verhärtung des rechten Eierstocks. (S. 3—39.) — *Candidus*, europäische Medicin. (—53.) — *Dann*, üb. die selbstständ. langwierigen Schwämmchen der Erwachsenen. (—74.) — *Neuber*, üb. Syphilis u. specifisch wirkende Mittel (—96.) — Kurze Nachrichten u. s. w. (—120.)

[9215] Revue médicale etc. Oct. (Vgl. No. 8569.) Inh.: *Gibert*, sur les Annales des maladies de la peau et de la syphilis, publiés par M. Cazenave. (S. 161—167.) — *Roche*, de la reforme des quarantaines etc.; fin. (—220) — *Lemoine*, sur le traitement de l'épilepsie. (—225.) — *Delasiauve*, sur la théobromine et les chocolats médicamenteux de M. Boutigny. (—233.) — Littérature etc. (—320.)

[9216] Annales de la chirurgie etc. Oct. (Vgl. No. 8048.) Inh.: *Morel-Lavallée*, sur les luxations de la clavicule. (S. 145—209.) — *Velpeau*, emploi du nitrate d'argent dans le traitement des ophthalmies aiguës. (—230.) — *Cazeaux*, accouchement laborieux, terminé par l'application du forceps. (—247.) — Revue etc. (—256.)

[9217] Journal de chimie médicale etc. Nov. (Vgl. No. 8026.) Inh.: *Payen*, sur la gasterase. (S. 621—624.) — *Lepage*, sur l'action, qu'exercent les chlorures sur le calomel. (—626.) — Empoisonnement par les champignons. (—629.) — Lettres sur l'exercice de la pharmacie. (—636.) — *Richard*, sur la salsepareille du Brésil. (—644.) — Falsifications, extraits, nouvelles etc. (—676.)

[9218] Analecten für Frauenkrankheiten u. s. w. 4. Bdes. 4. (letztes) Hft. (Vgl. No. 8025.) Inh.: *Michon*, umfassende Darstellung der Operationen, welche die Scheidenfisteln erheischen. (S. 483—590.) — *Laycock*, üb. die Nervenkrankheiten d. Weibes, welche aus patholog. Veränderungen des Blutes ihren Ursprung nehmen. (—613.) — *Schoenfeld*, üb. d. partiellen Prolapsus der Vaginalschleimhaut. (—626.) —. Miscellen u. s. w. (—632.)

[9219] Medicinische Unterhaltungs-Bibliothek od. Collectiv-Blätter von heiterem u. ernstem Colorite für alte u junge Aerzte. 10. Bdchn. Leipzig, W. Engelmann. 1843. IV u. 266 S. gr. 8. (22½ Ngr.) Enth.: Charakteristiken [Jean Dom. Larrey, mit Portr.; C. F. v. Pommer; ein Besuch bei Al. v. Humboldt]; Novellen u. Skizzen; medic. Länder- u. Völkerkunde [Marx Briefe aus London; Kessler Portugal]; Poesien, Miscellen u. s. w.

[9220] Kritisch-etymolog. Lexikon oder Erklärung des Ursprungs der aus dem Griech., dem Latein. u. aus d. oriental. Sprachen in die Medicin und in die zunächst damit verwandten Wissenschaften aufgenomm. Kunstausdrücke, zugleich als Beispielsammlung für jede Physiologie der Sprache, von **Ludw. Aug. Kraus**, Dr. Phil. et Med. leg. 3. stark verm. u. verb. Aufl. 2.

—4. Heft. Göttingen, Deuerlich- u. Dieterich'sche Buchh. 1843. 8. 321—640. Lex.-8. (Subscr.-Pr. 2 Thlr.)

[8221] *Die ältesten Schriftsteller über die Lustseuche in Deutschland von 1495 bis 1510, nebst mehr. Anecdotis späterer Zeit; mit literar-histor. Notizen u. einer kurzen Darstellung der epidem. Syphilis in Deutschland, von **C. H. Fuchs**, Prof. in Göttingen. Göttingen, Dieterich'sche Buchh. 1843. XVI u. 454 S. gr. 8. (2 Thlr.)

[8222] Hippocrate. Le serment; la loi; de l'art; du médecin etc. Traduits du grec sur les textes manuscrits et imprimés, accompagnés d'introduction et de notes, par le Dr. *Ch. V. Daremberg*. Paris, Lefèvre. 1843. 25 Bog. gr. 12. (3 Fr. 50 c.)

[8223] La Sifilide, poema di Girol. **Fracastoro**, recato in altrettanti vere italiani con note. Venezia, Molena. 1842. 208 S. gr. 8. (2 L. 61 c.)

[8224] Encyklopädisches Wörterbuch der medicinischen Wissenschaften. Herausgeg. von *D. W. H. Busch*, *J. F. Dieffenbach*, *J. F. C. Hecker*, *E. Horn*, *J. C. Jüngken*, *H. F. Link*, *J. Müller*. 31. Bd. (Schwangerschaft—Spätgeburt.) Berlin, Veit u. Co. 1843. 723 S. gr. 8. (3 Thlr. 10 Ngr.; Schreibpap. 4 Thlr. 10 Ngr.; Velinpap. 5 Thlr.) Vgl. No. 7196.

[8225] Vollständige Bibliothek oder encyklopädisches Real-Lexikon der gesammten theoretischen u. prakt. Medicin mit Rücksicht auf die Homöopathie. 3. Bd. (Gadus—Myxa.) Leipzig, Krappe. 1843. 1230 S. Lex.-8. (Vollst. in 5 Bden. 7 Thlr. 15 Ngr.) Vgl. No. 7198.

[8226] Principles of Medicine: comprising General Pathology and Therapeutics, and a brief general View of Etiology, Nosology, Diagnosis, and Prognosis. By **C. B. Williams**, M. D. F. R. S. Lond., 1843. 426 S. gr. 8. (12sh.)

[8227] A Pathological and Philosoph. Treatise on Hereditary Diseases. With an Appendix on Intermarriage, and the Inheritance of the Tendency to Moral Depravities and Crimes. By **J. H. Steinau**, M. D. London, 1843. 60 S. gr. 8. (3sh. 6d.)

[8228] A Practical Treatise on Organic Diseases of the Uterus: being the Prize Essay to which the Med. Society of London awarded the Fothergillian Gold Medal, for 1843. By **J. C. W. Lever**, M. D. London, 1843. 248 S. gr. 8. (n. 9sh.)

[8229] A Practical Treatise on Congestion and Inactivity of the Liver; shewing some of the Effects produced by these Disorders on the most Important Organs of the Body. Illustrated by Cases. By **F. J. Mosgrove.** London, 1843. 126 S. gr. 12. (2sh. 6d.)

[8230] Abhandlung über Percussion und Auscultation von Dr. **Jos. Skoda**, Primararzt im Wiener allg. Krankenhause. 3. Aufl. Wien, Braumüller u. Seidel. 1844. XXII u. 318 S. gr. 8. (1 Thlr. 20 Ngr.)

[8231] Sicheres Heilverfahren bei dem schnell gefährlichen Lufteintritt in die Venen, und dessen gerichtsärztl. Wichtigkeit von Dr. **Ch. Jos. Edler v. Wattmann**, Reg.-Rath, Leibchirurg, o. ö. Prof. der Chir. u. s. w. an d. Univ. zu Wien. Wien, Braumüller u. Seidel. 1843. XXVI u. 188 S., 1 Tab. u. 1 lith. Taf. gr. 8. (1 Thlr. 5 Ngr.)

[8232] Grundzüge der Behandlung der Flechten in d. Heilanstalt in Cannstadt von Dr. **Veiel**, Vorsteher u. Gründer d. Heilanst. in Cannstadt. Stuttgart, Beck u. Fränkel. 1843. 56 S. u. 1 Tab. 8. (10 Ngr.)

[8233] Unfehlbare Vertreibung der Hautfinnen mit Einschluss der Mitesser u. des Kupferausschlags. Od.: Die Krankheiten u. Entartungen der Hautdrüsen, deren Ursachen, Verhütung und Heilung von Dr. **H. Müller.** Quedlinburg, Basse. 1843. 24 S. 8. (7½ Ngr.)

[9234] Der Rathgeber für Würmerkranke jedes Alters mit besond. Rücksicht auf die an Band-, Spul- u. Madenwürmern Leidenden von Dr **H. Müller.** Ebendas., 1843. 104 S. 8. (12½ Ngr.)

[9235] Handbuch der gesammten Chirurgie f. prakt. Aerzte u. Wundärzte von Prof. Dr. **A. K. Hesselbach.** 1. Bd. Jena, Mauke. 1843. XVI u. 908 S. gr. 8. (4 Thlr.)

[9236] Untersuchungen und Erfahrungen im Gebiete der Chirurgie von Dr. **Fr. Pauli.** Leipzig, Fr. Fleischer. 1844. 267 S. mit 4 lith. Abbildd. gr. 8. (1 Thlr. 15 Ngr.)

[9237] Lehrbuch des chirurg. Verbandes. Zum Gebrauch für Lehrende u. Lernende. Von Dr. **H. Lede.** Berlin, Förstner. 1843. VIII u. 308 S. mit 11 Kpfrtaff. gr. 8. (2 Thlr. 7½ Ngr.)

[9238] Découverte des caustiques, qui excluent l'instrument tranchant dans la curation des cancers, squirres, scrofules etc. par M. **Aimé Grimaud.** Paris, Baillière. 1843. 4 Bog. gr. 8.

[9239] Beschreibung eines künstlichen Beines von Dr. **M. Troschel.** (Aus Rust's Magaz. 61. Bd. 1. Hft. besond. abgedr.) Berlin, Reimer. 1843. 16 S. mit e. Kpfrtaf. gr. 8. (7½ Ngr.)

[9240] Neueste Andeutungen über die Seitwärtsbiegung des Rückgrates, die hohe u. volle Schulter besonders bei den Mädchen. Ihre Begründung in d. Natur, ihre Ursachen, ihre Verhütung u. Heilung nach d. Grundsätzen der Gymnastik. Worte der Warnung u. Belehrung üb. d. zweckmässigste Art der phys. Beaufsichtigung der Jugend zum Behufe der Aneignung regelmässiger Körperformen von **F. J. König,** Dr. der Med. u Chir u. ausüb. Arzt in Stuttgart. 3. durchgeseh. Aufl. Stuttgart, Hallberger. 1843. 88 S. u. 1 lith. Taf. 8. (11⅕ Ngr.)

[9241] *Materia chirurgica. Die Lehre vom äussern Gebrauche der ges. Heilkörper von Dr. **W. A. Kampfmüller,** Landgerichtswundarzt zu Cassel. Cassel, Hotop. 1843. V u. 742 S. gr. 8. (3 Thlr.)

[9242] Kreuznach, seine Heilquellen u. deren Anwendung von Dr. **C. Engelmann,** zweitem Brunnen- u Badearzt in Kreuznach. 2. Aufl. Heidelberg, Engelmann. (Leipzig, Barth.) 1843. XVI u. 174 S. mit 3 Stahlst. u. 1 geognost. Karte. gr. 8. (1 Thlr. 22½ Ngr)

[9243] Des eaux minérales de Cambo (Basses-Pyrénées) par M. **Délinalde.** Bayonne, 1843. 7¾ Bog. gr. 8. (2 Fr.)

[9244] Ueber die Heilwirkungen d. Moor- u. Mineralbades sowie der Schwefelquelle zu Grueben in Oberschlesien von Dr. **Ew. Wolff,** prakt. Arzt in Falkenberg. Breslau, (Schulz u. Co.). 1843. 52 S. gr. 8. (10 Ngr.)

Geschichte.

[9245] *Allgemeine Cultur-Geschichte der Menschheit von **Gust. Klemm.** Nach den besten Quellen bearb. u. s. w. 2. Bd.: Die Jäger- u. Fischervölker der passiven Menschheit. Leipzig, Teubner. 1843. VIII u. 359 S. mit 31 Taff. Abbildd. gr. 8. (3 Thlr.) Vgl. No. 5209.

[9246] Lehrbuch der allgemeinen Geschichte für Gymnasien und höhere Schulen von **J. Nep. Uschold,** k. b. Prof. am Gymnas. in Amberg. 3. Thl.: Neuere u. neueste Geschichte. 2. neu bearb. Aufl. München, Lindauer'sche Buchh. 1844. X u. 396 S. gr. 8. (27½ Ngr.)

[9247] Römische Geschichte von **B. G. Niebuhr.** 3. Thl. 2. unveränd. Aufl. Berlin, Reimer. 1843. XVI u. 790 S. gr. 8. (4 Thlr. 15 Ngr.)

[9248] Das christliche Rom od. histor. Gemälde christlicher Erinnerungen u. Denkmäler Roms von **Eug. de la Gournerie.** Deutsch von *Ph. Müller.* 1. Bd. 1. u. 2. Abthl. Frankfurt a. M., Andreäische Buchh. 1843. XXIV u. 543 S. gr. 8. (2 Thlr.) Vgl. No. 5253.

[9249] Della economia politica del municipio di Mantova a' tempi in cui si reggeva a repubblica: premessa una relazione storica dei diversi governamenti fino all' estinzione di quello dei Gonzaga. Memoria di **C. d'Arco.** Mantova, Negretti. 1842. 452 S. gr. 8. (8 L. 30 c.) Rec. im Giornale del istit. lomb. T. 7. p. 98—105.

[9250] Histor. Schriften und Abhandlungen von **F. A. Mignet.** Uebersetzt von *J. J. Stolz.* 2. Thl.: Histor. Abhandlungen. Leipzig, Köhler. 1843. 346 S. gr. 8. (1 Thlr. 22½ Ngr.) Inh.: Germanien im 8. u. 9. Jahrh., seine Bekehrung zum Christenthum u. seine Einführung in d. civilisirte Gesellschaft d. abendl. Europas. — Versuche üb. die Territorial- u. polit. Bildung Frankreichs seit Ende des 11. bis Ende des 15. Jahrh. — Einleitung in die Geschichte der span. Erbfolge, u. Gemälde der auf diese Erbfolge sich bezieh. Unterhandlungen unter Ludwig XIV. Vgl. No. 6955.

[9251] *Geschichte Europas seit dem Ende des 15. Jahrh. von **Fr. v. Raumer.** 7. Bd. Leipzig, Brockhaus. 1843. VIII u. 468 S. gr. 8. (2 Thlr. 15 Ngr. Velinpap. 5 Thlr.)

[9252] Histoire de Henri IV. par M. le vicomte **de Nogent.** Paris, Débécourt. 1843. 21⅙ Bog. gr. 18. (3 Fr. 50 c.)

[9253] Histoire de dix ans de la Franche-Comté de Bourgogne (1632—1642) par **Girardot de Noscroy,** seigneur de Beauchemin. Besançon, Outhenin Chalandre. 1843. 20 Bog. gr. 8. Herausgeber Jul. Crestin; de Noscroy's (geb. um 1580, gest. zu Salins d. 10. Febr. 1651) Geschichte ist in der Bibl. hist. de la France nicht erwähnt.

[9254] Histoire raisonnée du commerce de Marseille, appliquée au développement des prosperités modernes par M. **Fouque.** Tom. 1. Paris, Roret, 1843. 30 Bog. gr. 8. (15 Fr.)

[9255] *Geschichte der Regierung Ludwig's XVI. in den Jahren, da die franz. Revolution verhütet oder geleitet werden konnte, von **Jos. Droz.** 3. Thl. Anhang: Mirabeau u. die constituirende Versammlung. Aus d. Franz. Jena, Luden. 1843. VIII u. 464 S. gr. 8. (1 Thlr. 19 Ngr.) Vgl. No. 1163.

[9256] Les Français sous la révolution. Texte par MM. **Aug. Challamel** et **Wilh. Tenint** etc. Livr. 40. (dern.) Paris, Challamel. 1843. ½ Bog. mit 1 Kpfr. gr. 8. (30, col. 50 c.) Vgl. No. 2105.

[9257] *Geschichte Frankreichs im Revolutionszeitalter von **W. Wachsmuth.** 3. Thl. Hamburg, Perthes. 1843. XXIV u. 734 S. gr. 8. (3 Thlr. 5 Ngr.)

[9258] Tableaux de l'histoire de France, choisis dans les auteurs français et arrangés en ordre chronolog. par **S. Fränkel,** maitre des langues modernes. Tome III. Depuis 1789 jusqu'à l'an 1814. Berlin, Heymann. 1843. IV u. 236 S. gr. 8. (20 Ngr.)

[9259] *Révolution française. Histoire de dix ans 1830—1840. Par M. **L. Blanc.** Tom. IV. Paris, Pagnerre. 1843. 34 Bog. gr. 8. (7 Fr. 50 c.) Vgl. No. 9213.

[9260] Livre des orateurs par **Timon.** 13. édit. Paris, Pagnerre. 1843. 34¼ Bog. mit 27 Portr. gr. 8. (15 Fr.) Vgl. No. 1764.

[9261] History of the Eighteenth Century and of the Nineteenth, till the Overthrow of the French Empire; with particular reference to Mental Cultivation and Progress. By **F. C. Schlosser.** Translated, with a Preface, and Notes, by *C. Davison*, M. A. Vol. I. (Foreign Library, Vol. 5.) Lond., 1843. 396 S. gr. 8. (10sh.)

[9262] Sendschreiben an den Hrn. F. C. Schlosser, Geheimenrath u. Prof. d. Gesch. zu Heidelberg von Dr. **F. L. A. Kolderup-Rosenvinge**, Prof. d. Rechte an d. Univ. u. s. w. zu Copenhagen. Copenhagen, Gyldendal'sche Buchh. 1843. 34 S. gr. 8. (5 Ngr.)

[9263] Histoire d'Angleterre par le Dr. **Lingard**; trad. par M. *Léon de Wailly*, avec la contin. jusqu'à nos jours. Tom. II et III. Paris, Charpentier. 1843. 51⅙ Bog. gr. 12. (à 3 Fr. 50 c.)

[9264] Historical Sketches of Statesmen who flourished in the Time of George III.; to which are added, Remarks on the French Revolution. Third Series. By **Henry**, Lord **Brougham**, F. R. S. London, 1843. 415 S. mit 8 Kpfrn. Lex.-8. (21sh.)

[9265] *Geschichte von Dännemark von **F. C. Dahlmann.** 3. Bd. Hamburg, Fr. Perthes. 1843. XXII u. 408 S. gr. 8. (2 Thlr. 5 Ngr.)

[9266] ***Paul Jos. Schafarik's** slawische Alterthümer. Deutsch von *Mosig v. Aehrenfeld*, herausgeg. von *H. Wuttke*. 2. Bd. Leipzig, Engelmann. 1844. XIV u. 742 S. gr. 8. (3 Thlr. 25 Ngr.)

[9267] Der Vertrag von Verdun. Eine Rede zum 1000jähr. Jubelfeste Deutschlands im Saale des Gymn. zu Kreuznach geh. von Dr. **Mor. Axt**, Dir. d. Gymn. Kreuznach, Kehr. 1843. 18 S. gr. 8. (3⅘ Ngr.)

[9268] Rede zur Feier des tausendjähr. Bestehens der Einheit u. Selbstständigkeit Deutschlands von **L. Bischoff**, Prof. u. Dir d. Gymn. in Wesel. Cöln, Du Mont-Schauberg. 1843. 12 S. gr. 4. (7½ Ngr.)

[9269] Erinnerung an die 1000jähr. Feier des Vertrages von Verdun in Beziehung auf die deutsche Kirche uns. Zeit von Dr. **W. Bötticher**, Prof. am Friedr. Wilh. Gymn. zu Berlin. Berlin, Wohlgemuth. 1843. 16 S. gr. 8. (3⅘ Ngr.)

[9270] Rede zur 1000jähr. Gedächtnissfeier d. Vertrages zu Verdun auf d. Christian-Albrechts-Univ. zu Kiel am 10. Aug. 1843 von **J. Gust. Droysen.** Kiel, Univ.-Buchh. 1843. 36 S. gr. 8. (7½ Ngr.)

[9271] Rodolphe de Habsbourg, empereur d'Allemagne, par M. **Hunkler.** Limoges, Barbou. 1843. 12 Bog. mit 1 Kpfr. 12.

[9272] Denkwürdiger u. nützlicher rheinischer Antiquarius, welcher die wichtigsten u. angenehmsten geograph., histor. u. polit. Merkwürdigkeiten des ganzen Rheinstromes darstellt. Von einem Naturforscher in histor. Dingen. Mittelrhein. 2. Bd. 1. Lief. Coblenz, Hergt. 1843. S. 1—160. gr. 8. (22½ Ngr.)

[9273] Die Kapelle zu Melaten. Das Landhaus Husen. Ausgaben der Stadt bei Anwesenheit von Kaiserinnen u. bei d. Krönung Wenzeslaus zum röm. Könige von **Ch. Quix**, Oberlehrer u. Stadt-Bibliothekar. Aachen, Reschütz-sche Buchh. 1843. 72 S. u. 1 lith. Abbild. gr. 12. (10 Ngr.)

[9274] Kärntens römische Alterthümer in Abbildungen. Herausgeg. von **M. F. v. Jabornegg-Altenfels**, k. k. Landrath, u. Grafen **Alfr. Christalnigg.** 1. Hft. Klagenfurt, Leon. 1843. 2½ Bog., 1 Karte u. 7 lith. Taff. Fol. (12 Ngr.)

[9275] Handbuch der Geschichte des Herzogth. Kärnten bis zur Vereinigung mit d. österreich. Fürstenthümern von **Gl.** Frhr. **v. Ankershofen.** 2. Hft. Klagenfurt, Leon. 1843. 11⅓ Bog., 1 lith. Abbild. u. 1 Karte. gr. 8. (20 Ngr.)

[9276] Beiträge zur vaterländischen Geschichte, herausgeg. von der histor.

Gesellschaft zu Basel. 2. Bd. Basel, Schneider. 1843. XIV u. 451 S. gr. 8. (2 Thlr.)

[9277] Verhandlungen des Vereins für Kunst u. Alterthum in Ulm u. Oberschwaben. 1. Bericht. Mit einer vergleich. Darstellung der fünf höchsten deutschen Münster u. Abbild. zweier Niellen. Ulm, (Stettin). 1843. 48 S. u. 2 lith. Taff gr. 4. (25 Ngr.)

[9278] Sechster Bericht über das Bestehen u. Wirken des histor. Vereins zu Bamberg. Bamberg, (Züberlein). 1843. 112 S. gr. 8. (15 Ngr.)

[9279] Archiv für Gesch. u. Alterthumskunde von Oberfranken. Herausgeg. von *E. C. v. Hagen.* 2. Bds. 2. Hft. Bayreuth, Grau'sche Buchh. 1843. gr. 8. (n. 15 Ngr.) Enth.: *Schweitzer*, die Hausgenossen zu Bamberg. (S. 1—32.) — *Haas*, üb. das Capitulare Carl's d. Grossen vom J. 805. No. VII. (—38.) — *Rudhart*, Hermunduren u. Thüringer auch im Süden des thür. Waldes angesessen. (—64.) — *Heinritz*, Geo. Wilhelm's Regierungsjahre. (—85.) — *Zapf*, Beiträge zur Gesch. der 7 vereinigten Dörfer. (—96.) — *Kapp*, Erinnerung an diejenigen Markgrafen von Kulmbach-Baireuth, welche Förderer der Wissenschaften gewesen sind. (—109.) — *Holle*, der Osterbrunnen bei Wallenbrunn. (—118.) — Diplomatum ad terrae quondam Baruthinae super. historiam spectantium summae. Contin. (—128.)

[9280] Chronik der Stadt Hof nach M. **Enoch Widmann**, Rector der Schule zu Hof im J. 1596, u. einigen älteren Geschichtsschreibern, deren Namen unbekannt sind. Zusammengestellt von *Heinr. Wirth.* 1. Hft. Hof, (Grau). 1843. S. 1—96. gr. 8. (7½ Ngr.)

[9281] Die Pfarrei Mupperg topographisch u. kirchengeschichtlich dargestellt von **Gust. Lotz**, Pfr. zu Mupperg u. Gefell. Coburg, (Riemann'sche Buchh.). 1843. XXII u. 353 S. mit 1 lith. Abbild. u. 2 synchronist. Tabellen. 8. (1 Thlr. 7½ Ngr.)

[9282] Mittheilungen des kön. sächs. Vereins für Erforschung u. Erhaltung der vaterländ. Alterthümer. 2. Heft. Dresden, (Walther'sche Hofbuchh.). 1842 [1843]. VIII u. 79 S. nebst 6 Taff. gr. 8. (15 Ngr.) Inh.: *(Dittrich)*, die Altarbilder in d. Stadtkirche zu Buchholz in ihrer relig. Bedeutung. (S. 14—28.) — (Ders.), Bericht üb. ein Ms. auf Perg., ein zum Gebrauch d. Breslauer Bischöfe bestimmtes Missale aus der 2. Hälfte d. 14. od. dem Anf. d. 15. Jahrh. (—32.) — *v. Münster*, Bemerkungen über d. Mäntelchen mit arab. Inschrift u. Arabesken aus d. Stadtkirche zu Penig, übers. von *Schier.* (—45.) — *Hohlfeldt* u. *Erbstein*, üb. den Todtentanz zu Dresden. (—62.) — *Hohlfeldt* u. *Schäfer*, Jos. Mar. Nosseni. Biogr. Skizze. (—69.) — *Peschek*, Nachricht üb. das sogen. Zittauer Hungertuch. (—73.) — Briefe des Herz. Joh. Friedrich d. Mittlern u. s. Gem. Elisabeth an M. Ambr. Rothen, Pfr. zu Geithain. (—77.) — *Segnitz*, Beiträge zur Kunstgesch. Sachsens im 17. Jahrh. unter Kurf. Joh. Georg I. (—79.)

[9283] Bericht vom J. 1843 an die Mitglieder der Deutschen Gesellschaft zu Erforschung vaterländ. Sprache u. Alterthümer in Leipzig. Herausgeg. von dem Geschäftsführer der Gesellschaft Dr. *K. Aug. Espe.* Leipzig, Brockhaus. 1843. 75 S. gr. 8. (12 Ngr.) Inh.: *v. Posern-Klett*, über die Münzstätte zu Taucha. (S. 1—7.) — *Mooyer*, zu welchem Geschlechte gehörte der Bischof Wigfried v. Verdun. (—11.) — *Leyser*, zu Dietmar v. Merseburg I, 2. (—14.) — Zur Geschichte der Grafen von Brehna. (—18.) — *Leyser*, Necrologium des Dominikanerklosters in Pirna. (—29.) — *Schletter*, ein sächs. Achtsprocess aus d. Ende des 16. Jahrh. (—38.) — Ders., altes latein. Studentenlied. (—42.) — Ein Leichenstein aus dem 14. Jahrh. in der Kirche zu Cölln bei Meissen. (—45.) — *Schletter*, Fragment eines Liebesbriefs. (—47.) — Der Brand der Domgebäude zu Magdeburg im J. 1450. (—48.) — Jahresgeschichte der Gesellschaft. (—53.) — Sammlungen der Gesellschaft. (—59.) — Mitgliederverzeichniss. (—75.)

[9284] Chronik der Stadt Magdeburg von **F. W. Hoffmann.** 1. u. 2. Lief. Magdeburg, Baensch. 1843. S. 1—128 u. Stahlst. gr. 8. (à 7½, f. Pap. 10 Ngr.)

[9285] Hannover und Altenburg. Die Vermählung Sr. k. Hoh. des Kronpr. Georg von Hannover mit d. Durchl. Prinz. Marie von Sachsen-Altenburg. Erinnerungsblätter an die schönsten Tage beider Länder in d. J. 1842 und 1843 von **Wladimir.** Ronneburg. (Altenburg, Helbig.) 1843. X u. 192 S. gr. 8. (15 Ngr.)

[9286] * Codex diplomaticus Lubecensis. Lübeckisches Urkundenbuch. I. Abthl. (Urkundenbuch der Stadt Lübeck.) 1. Thl. Lübeck, Aschenfeldt. 1843. XII u. 767 S. mit 1 Facsimile u. 4 Siegel-Taff. gr. 4. (8 Thlr.)

[9287] Beiträge zu einer künftigen Biographie Friedrich Wilhelms III., sowie einiger Staatsdiener u. Beamten seiner nächsten Umgebung. Aus eigener Erfahrung u. mündlich verbürgten Mittheilungen zusammengetragen von Gen.-Lieut. **von Minutoli.** Berlin, Mittler. 1843. 154 S. 8. (25 Ngr.)

[9288] Anecdotes of Peter the Great, Emperor of Russia. Intended to exhibit the result of perseverance and laborious exertion in overcoming difficulties. By the Author of „A Visit to my Birthplace", etc. Lond., 1843. 188 S. gr. 18. (2sh. 6d.)

[9289] Diary of a March through Sinde and Affghanistan, with the Troops under the Command of General Sir W. Nott, and Sermons delivered on several occasions during the Campaign. By the Rev. **J. N. Allen,** B. A. London, 1843. 476 S. mit 5 Kpfrn. 8. (12sh.)

[9290] History of the Conquest of Mexico; with a Preliminary View of the Ancient Mexican Civilization, and the Life of the Conqueror, Hernando Cortes. By **W. H. Prescott.** 3 vols. Lond., 1843. 1398 S. mit 3 Kpfrn. u. 2 Karten. gr. 8. (2£ 2sh.)

[9291] Despatches of Hernando Cortes, the Conqueror of Mexico, adressed to Charles V., written during the Conquest, and containing a Narrative of Events. Now first translated into English from the original Spanish, with an Introduction and Notes. By **G. Folsom.** New York, 1843. 444 S. gr. 8. (12sh.)

Kriegswissenschaften.

[9292] Geschichte der Kriegskunst seit dem 19. Jahrhundert. Bearbeitet von Freiherrn **Carl du Jarrys de la Roche.** Die Periode von 1800—1815. Mannheim, Bensheimer. 1844. XXVIII u. 388 S. gr. 8. (1 Thlr. 22½ Ngr.)

[9293] Wehrverfassungen, Kriegslehren und Friedensideen im Jahrhundert der Industrie von *O. v. P.* Berlin, Mittler. 1843. IV u. 316 S. gr. 8. (1 Thlr. 22½ Ngr.)

[9294] Geschichte des Feldzuges von 1814 in dem östlichen u. nördl. Frankreich bis zur Einnahme von Paris, als Beitrag zur neueren Kriegsgeschichte. 3. Thl. 1. Abthl. Berlin, Mittler. 1843. X u. 500 S. mit 3 Plänen. gr. 8. (3 Thlr.)

[9295] Interessante Kriegs-Ereignisse der Neuzeit. Beleuchtet u. mit krit. u. ergänz. Anmerkungen versehen von **Ludw. v. Wissel,** k. hann. Art.-Hauptmann. Hannover, Helwing'sche Hofbuchh. 1843. VI u. 131 S. mit einem Plane. gr. 8. (25 Ngr.)

[9296] Papers on Subjects connected with the Duties of the Corps of Royal Engineers. Vol. 5. Lond., 1843. 290 S. mit 15 Kpfrtaff. 4. (36sh.)

[9297] Grundlinien zu einer Philosophie der Befestigungen. Eine ehrliche Verständigung üb. den heut. Stand derselben, ihre Beziehungen zu Land u.

Landesvertheidigung, zu d. Völkern, Regierungen u. Armeen. Von einem deutschen Ingenieur. Leipzig, Binder. 1843. VIII u. 231 S. gr. 8. (1 Thlr. 15 Ngr.)

[9298] Bemerkungen üb. den Einfluss der Umdrehung der Artilleriegeschosse auf ihre Bahn im Allgemeinen, sowie üb. die Unzulänglichkeit der desfallsigen Untersuchungen des Hrn. Poisson insbesondere von F. Otto, Hauptmann der Garde-Artillerie, Assistent im Kriegs-Ministerium. Berlin, Behr. 1843. 114 S. lithogr. Schreibschrift und 2 Figurentaff. 4. (1 Thlr. 15 Ngr.)

[9299] Anleitung zum Unterricht über Felddienst für Bataillonsschulen. Von einem kön. sächs. Infanterieofficier. Leipzig, Vogel. 1843. IV u. 92 S. gr. 8. (12½ Ngr.)

[9300] Landwehr-Buch. Verfasst von einem alten preuss. Wehrmann. 1. Hft. Quedlinburg, Basse. 1843. 54 S. 8. (10 Ngr.)

[9301] Prüfung des Baucher'schen Systems der Reitkunst u. seine Anwendung bei uns. Cavalerie nebst einigen Bemerkungen üb. das Werk des Hrn. Grafen Savary v. Lancosme-Brèves u. einem Briefe des Hrn E. Leroy von Lecoerné, Dr. d. med. Fac. in Paris. Aus d. Franz. von Cl. Frhr. v. Schorlemer, herz. braunschw. Lieut. d. Cav. Braunschweig, Vieweg u. Sohn. 1843. XV u. 80 S. gr. 8. (15 Ngr.)

[9302] Abrichtung des Campagne-Pferdes im Freien. In tägliche Lectionen eingetheilt von Rud. Brudermann, k. k. Rittmeister. Wien, (Heubner). 1843. 118 S. 8. (25 Ngr.)

[9303] Anleitung zum Fechten mit d. Säbel u. d. Kürassier-Degen, zuvörderst dem Unterrichte in Cavallerie-Abtheilungen angeeignet, nebst Bemerkungen für den ernstlichen Kampf zu Fuss u. zu Pferde, von Seidler, Stallmeister bei d. k. Lehr-Escadron. 2. verm. Aufl. Berlin, Mittler. 1843. VIII u. 38 S. nebst 1 lith. Taf. gr. 8. (10 Ngr.)

[9304] Anleitung zum Voltigiren, sowohl auf dem hölzernen Voltigirbock als auf d. lebendigen Pferde nebst kurzer Anweisung, die Pferde an das ruhige Stehen hierzu zu gewöhnen, zuvörderst dem Unterrichte in Cavallerie-Abth. angeeignet, jedoch auch für Privatreitbahnen anwendbar, von Seidler, Stallmeister. 2. verm. Aufl. Ebendas., 1843. VII u. 28 S. gr. 8. (7½ Ngr.)

[9305] Anweisung zur militär. Exercirkunst für Kinder beiderlei Geschlechts u. Nichtsoldaten von F. G. Kettembeil, prakt. Schwimm- u. Exercirmeister in Jena. Jena, (Frommann). 1843. 23 S. u. 1 Taf. col. Abbildd. 8. (10 Ngr.)

Belletristik.

[9306] Berthe Bertha par Mme. B. Daltenheim, Gabrielle Soumet. Paris, Furne. 1843. 28½ Bog. gr. 8. (7 Fr. 50 c.)

[9307] The Search after Proserpine, Recollections of Greece, and other Poems, By A. De Vere. Oxford, 1843. 309 S. 8. (7sh. 6d.)

[9308] Lieder eines Gefangenen von Aug. Frhrn. v. Grone-Wrechem. Bamberg, Dresch. 1843. 81 S. 12. (7½ Ngr.)

[9309] Gedichte von Wilh. Junkmann. 2. sehr verm. Aufl. Münster, Deiters. 1844. VI u. 217 S. gr. 16. (1 Thlr.)

[9310] Fidelity, or a Town to be Let, infurnished: a Poem, in Six Books. By G. Hatton. Lond., 1843. 250 S. gr. 12. (7sh. 6d.)

[9311] Walhalla. Episch-dramatische Dichtung von C. L. Kaulbach. 1. Buch. München, Palm. 1844. VI u. 216 S. gr. 8. (n. 27½ Ngr.)

[9312] Poems, original and translated. By C. R. Kennedy, Esq. Lond., 1843. 256 S. 8. (5sh.)

[9313] Gedichte von Roswitha Kind, geb. Kind. Leipzig, Lehmann. 1843. 128 S. nebst 4 Stahlst. gr. 8. (1 Thlr. 15 Ngr.)

[9314] Neuere Gedichte von Nic. Lenau (Niembsch von Strehlenau). Neue Ausg. Stuttgart, Hallberger. 1843. XII u. 335 S. 16. (1 Thlr.)

[9315] Vaterländische Gedichte von K. A. Mayer. 1. Heft. Oldenburg, Schulze'sche Buchh. 1843. 24 S. 8. (7½ Ngr.)

[9316] Gedichte von Jul. Mosen. 2. verm. Aufl. Leipzig, Brockhaus. 1843. X u. 309 S. gr. 8. (1 Thlr. 18 Ngr.)

[9317] Neue Gedichte von Julie Gräfin Oldofredi-Hager. Pesth, Heckenast. 1843. XIV u. 173 S. gr. 12. (1 Thlr.)

[9318] Nach dem Gewitter. Gedichte von Betty Paoli. Pesth, Heckenast. 1843. 181 S. gr. 12. (1 Thlr.)

[9319] Gedichte von Aug. v. Platen. Miniaturausg. Stuttgart, Cotta. 1843. 430 S. u. 1 Stahlst. 16. (2 Thlr.)

[9320] Gesammelte Gedichte von Fr. Rückert. 2. u. 3. Thl. Frankfurt a. M., Sauerländer. 1843. XI u. 744, XI u. 538 S. gr. 12. (à 1 Thlr. 10 Ngr.)

[9321] Liebesfrühling von Fr. Rückert. Ebendas., 1844. XVI u. 412 S. nebst 1 Stahlst. gr. 16. (1 Thlr. 10 Ngr.)

[9322] Gedichte von K. J. Schuler. 2. verm. Aufl. Mannheim, Löffler. 1844. 328 S. 12. (1 Thlr.)

[9323] The Isles of Greece, and other Poems. By Felicia M. F. Skene. Edinburgh, 1843. 180 S. 8. (n. 3sh. 6d.)

[9324] Poetische Bilder der Vergangenheit u. Gegenwart von Dr. Fd. v. Sommer. 1. Bilderreihe. Berlin, Hayn. 1843. VIII u. 128 S. gr. 8. (20 Ngr.)

[9325] Spaziergänge eines zweiten Wiener Poeten. 2. Aufl. Hamburg, Hoffmann u. Campe. 1843. VI u. 150 S. 8. (1 Thlr.)

[9326] Vaterländische Blüthenlese in Gedichten u. Erzählungen von J. B. Ulrich. Luzern. (Augsburg, Kollmann.) 1843. 162 S. 8. (12½ Ngr.)

[9327] Palmen u. Cypressen auf die Gräber Heimgegangener. In e. Auswahl von Trauerliedern u. Grabschriften von H. Zollikofer. St. Gallen, Scheitlin u. Zollikofer. 1843. XII u. 207 S. 8. (22½ Ngr.)

[9328] Die deutschen Gesellschaftslieder des 16. u. 17. Jahrhunderts. Aus gleichzeit. Quellen gesammelt von Hoffmann von Fallersleben. Leipzig, Engelmann. 1844. XVIII u. 306 S. gr. 12. (1 Thlr. 7½ Ngr.)

[9329] Album für ernste u. heitere Poesie. Herausgeg. von Wilh. Krüger, k. pr. pens. Hof Schauspieler. Mannheim, Bensheimer. 1843. XVI u. 440 S. gr. 8. (1 Thlr. 10 Ngr.)

[9330] Cours de littérature dramatique ou de l'usage des passions dans le drame par M. Saint-Marc Girardin. Paris, Charpentier. 1843. 19½ Bog. gr. 12. (3 Fr. 50 c.)

[9331] Oeuvres dramatiques de Cam. Bernay, suivies de poésies diverses et de fragmens de prose et précédées d'une notice biograph. Paris, Belin. 1843. 22⅓ Bog. gr. 12. (4 Fr.) C. Bernay, geb. zu Malmaison d. 13. März 1813, starb d. 14. Juni 1842.

[9332] Der Schulmeister in der Klemme. Ein Schwank in Versen in einem

Acte von **C. Jul. Wrath.** Wiesensteig. (Leipzig, Melzer.) 1843. 40 S. 16. (7½ Ngr.)

[8333] Egmont. Ein Trauerspiel in fünf Aufzügen von **Goethe.** Miniaturausg. Stuttgart, Cotta. 1843. 115 S. u. 1 Stahlst. 16. (Engl. Einb. mit Goldschn. 26⅔ Ngr.)

[8334] Ritter Rodenstein, der wilde Jäger. Volksmährchen in 5 Acten von **A. Nodnagel.** (Als Manuscript für sämmtl. Bühnen gedr.) Darmstadt, Leske. 1843. 145 S. gr. 12. (15 Ngr.)

[8335] Alexei Petrowitsch. Ein Trauerspiel in 5 Aufzügen von **Ernst Otto.** Leipzig, (Teubner). 1843. IV u. 126 S. 8. (22½ Ngr.)

[8336] The works of **W. Shakespeare.** Vol. IV. (Collection of british authors. Vol. XLIII.) Leipzig, B. Tauchnitz jun. 1843. 477 S. gr. 16. (15 Ngr.) Sämmtliche hierin befindliche Stücke auch einzeln à 3 Ngr. No. 19. Third part of King Henry VI. (90 S.) No. 20. King Richard III. (110 S.) No. 21. King Henry VIII. (98 S.) No. 22. Troilus and Cressida. (102 S.) No. 23. Titus Andronicus. (77 S.)

[8337] **Shakspeare's** dramatische Werke, übers. von *A. W. v. Schlegel* u. *L. Tieck.* 3. Aufl. 3. Bd. Berlin, Reimer. 1843. 408 S. 8. (10 Ngr. Velinpap. 15 Ngr.) Inh.: König Heinrich VI. 2. u. 3. Thl. — König Richard III. Vgl. No. 8230.

[8338] Galerie des personnages de **Shakspeare** reproduits dans les principales scènes de ses pièces, avec une analyse succincte de chacune des pièces de Shakespeare, par **Amédée Pichot**; précédée d'une notice biograph. de Shakspeare par *Old Nick.* Paris, Baudry. 1843. 11 Bog. mit 80 Zeichn. u. 1 Portr. gr. 8. (22 Fr.)

[8339] **Retzsch's** Outlines to Shakespeare, 7. Series. — The Merry Wives of Windsor. Lond., 1843. 32 S. mit 13 Kpfrtaf. gr. 4. (18sh.)

[8340] **W. H. Ainsworth's** historische Romane und Sittengemälde, in sorgfält. Uebertragungen aus d. Engl. von Dr. *Ad. Bruder.* 1.—5. Lief.: Schloss Windsor. 2 Thle. in 5 Bdchn. Stuttgart, Göpel. 1843. 238 u. 214 S. 8. (à Lief. 10 Ngr.)

[8341] Die Alte von Livadostro. Roman aus hellen. Memoiren des fahrenden Musikanten. 2 Bdchen. Frankfurt a. M., Sauerländer. 1843. XIV u. 260, 269 S. 8. (3 Thlr.)

[8342] **H. de Balzac's** sämmtliche Werke. 17.—19. Bd. Aus d. Franz. Quedlinburg, Basse. 1843. 224, 132 u. 154 S. 16. (à 15 Ngr.) 17. Bd.: Die Gefahr der Mystificationen. 18. u. 19. Bd.: Die ausgezeichnete Frau.

[8343] The Belle of the Family; or, the Jointure: a Novel. 3 vols. Lond., 1843. 8. (1£ 11sh. 6d.)

[8344] **Wilh. Blumenhagen's** sämmtliche Schriften. 2. verb. Aufl. (in 16 Bden. mit 17 Stahlstichen). 5. u. 6. Bd. Stuttgart, Scheible, Rieger u. Sattler. 1843. 505 u. 500 S. mit 2 Stahlst. gr. 16. (à 22½ Ngr.) Inh.: Schuld gebiert Schuld. — Hannovers Spartaner. — Die Heldin von Bassano. — Der Mönch. — Liota. — Der Hexenteich. Bd. 6: Die Katzianer von Katzenstein. — Die Bürger zu Wien. — Schatten auf Bergen. — Die schwarzen Tage. — Spanische Rache. — Die Fremde. Vgl. No. 7067.

[8345] Berth et Louise par **Mme. Camille Bodin.** 2 Vols. Paris, Dumont 1843. 43 Bog. gr. 8. (15 Fr.)

[8346] The Home: or Family Cares and Family Joys. By **Frederika Bre-**

mer. Translated by *Mary Howitt.* 2. edit., revised and corrected. 2 vols. Lond., 1843. 703 S. 8. (n. 21sh.)

[8347] Der Bravo. Eine venetianische Geschichte von **J. F. Cooper.** Aus d. Engl. von Dr. *G. Friedenberg.* (*J. F. Cooper's* amerikanische Romane in sorgfältigen Uebertragungen. 31. u. 32. Lief.) Stuttgart, Liesching. 1843. X u. 468 S. gr. 16. (Subscr.-Pr. 20 Ngr.)

[8348] Titelbilder zu *J. F. Cooper's* amerikanischen Romanen. In Stahl gestochen. (In Heft. von je 3 Bll.) 3. Lief. Stuttgart, Liesching. 1843. 16. (7½ Ngr.)

[8349] Scènes de la vie de théâtre. Les mères d'actrices, roman de moeurs, par **L. Couailhac.** 3 Vols. Paris, Schwartz et Gagnot. 1843. 66¾ Bog. gr. 8. (18 Fr.)

[8350] Un mari par Comtesse **Dash.** 2 Vols. Paris, de Potter. 1843. 45½ Bog. gr. 8. (15 Fr.)

[8351] Le chateau Pinon par Comt. **Dash.** 2 Vols. Paris, Desessart. 1843. 41½ Bog. gr. 8. (15 Fr.)

[8352] Le Comte de Sombreuil par Comt. **Dash.** 2 Vols. Paris, Desessart. 1843. 45¾ Bog. gr. 8. (15 Fr.)

[8353] Der Candidat. Erzählung aus d. Leben von **E. Friedrich.** Magdeburg, Schmilinsky. 1844. 294 S. 8. (1 Thlr.)

[8354] Der junge Deutsch-Michel von **A. E. Fröhlich.** 2. verb. u. verm. Aufl. Zürich, Meyer u. Zeller. 1843. 142 S. 8. (20 Ngr.)

[8355] Erzählungen von **Edm. Gottwald.** Dresden, Arnoldische Buchh. 1843. 251 S. 8. (1 Thlr. 7½ Ngr.) Inh.: Der Verhaftsbefehl. — Maritta. — Die Rose von Valenciennes. — Der Deserteur.

[8356] Armida. Mémoires de deux victimes de l'erreur et de la polit. du règne de Louis XVIII. et de son successeur. Par Mad la comtesse **Ernesth d'Ing.** 2 vols. Basle, Schabelitz. 1843. VII u. 340, 364 S. 8. (2 Thlr. 20 Ngr.)

[8357] **Thd. Hook's** Romane. 12.—18. Bdchn. Aus d. Engl. von *A. Kaiser.* Leipzig, Gebr. Schumann. 1843. 139, 124, 94, 99, 128, 130, 94 S. gr. 16. (à 5 Ngr.) 12.—15. Bdchn.: Gilbert Gurney. Aus d. Engl. von *A. Kaiser.* 5. Bdchn. 16.—18. Bdchn.: Gurney als Ehemann. Aus d. Engl. von *Gl. Fink.* 1.—3. Bdchn.

[8358] Marie, par **Arsène-Houssaye** et **J. Sandeau.** Paris, Desessart. 1843. 21¾ Bog. gr. 8. (7 Fr. 50 c.)

[8359] The rural and domestic life of Germany of **Will. Howitt.** (Jugel's Pocket-Edit. No. 23.) Francfort o. M., Jügel. 1843. 422 S. gr. 18. (1 Thlr.)

[8360] **Vict. Hugo's** sämmtliche Werke, übers. von Mehreren. 24. u. 25. Bd. Stuttgart, Scheible, Rieger u. Sattler. 1843. 153 u. 158 S. gr. 16. (à 7½ Ngr.) 24. Bd.: Esmeralda. Oper in 4 Acten, übers. von Dr. *H. Elsner.* — Studium über Mirabeau. — Die Rückkehr des Kaisers. 25. Bd.: Die Burggraven, eine Trilogie. Uebers. von Dr. *H. Elsner.*

[8361] **G. P. R. James** Romane in deutschen Uebertragungen herausgeg. von *F. Notter* u. *G. Pfizer.* 65.—69. Bdchn. Der falsche Erbe. 1.—5. Bdchn. Stuttgart, Metzler. 1843. 131, 136, 124, 115 u. 135 S. 16. (à 3⅘ Ngr.)

[8362] **Paul de Kock's** humoristische Romane, deutsch bearb. von Dr. *H. Elsner.* 5.—7. Thl.: Der schüchterne Liebhaber. 1.—3. Thl. Stuttgart, Scheible, Rieger u. Sattler. 1843. 130, 120, 188 S. 16. (à 3¾ Ngr.)

[9363] Lätitia. Eine Novelle mit einer Parabel als Nachwort. Königsberg, Voigt. 1843. 142 S. 8. u. 2 Musikbeil. in 4. (25 Ngr.)

[9364] Fr. Laun's gesammelte Schriften. Neu durchgesehen, verbessert u. mit Prolog von *L. Tieck*. 2. Bd. Stuttgart, Scheible, Rieger u. Sattler. 1843. 436 S. 8. (22½ Ngr.)

[9365] The Lieutenant and the Crooked Midshipman: a Tale of the Ocean. By a Naval Officer. 2 vols. Lond., 1843. 624 S. 8. (18sh.)

[9366] The English Governess: a Tale of Real Life. By M. M'Crindell. Lond., 1843. 309 S. 8. (5sh.)

[9367] Narrative of the Travels and Adventures of Monsieur Violet, in California, Sonora, and Western Texas. Written by Capt. Marryat, C. B. 3 vols. London, 1843. 937 S. mit 1 Karte. 8. (1£ 11sh. 6d.)

[9368] Heva par Mery. Paris, Dumont. 1843. 21 Bog. gr. 8. (7 Fr. 50 c.)

[9369] Gross-Nowgorod, der Freistaat der russ. Slawen. Schattenbilder der Vergangenheit von W. Müller. Berlin, deutsche Verlagsbuchh. (v. Puttkammer). 1843. 277 S. 8. (1 Thlr. 15 Ngr.)

[9370] Sämmtliche Werke von Caroline Pichler, geb. *v. Greiner*. 53. Bd. Auch u. d. Tit.: Zerstreute Blätter aus meinem Schreibtische. Neue Folge. Wien, Pichler's Wwe. (Leipzig, Liebeskind.) 1843. 296 S. u. Titelkpfr. 8. (1 Thlr. 15 Ngr.)

[9371] Gesammelte Werke des Grafen v. Platen. In 5 Bden. 1. Lief. (1. u. 3. Band.) Stuttgart, Cotta. 1843. V u. 350, 376 S. gr. 16. (1 Thlr.)

[9372] Sir Cosmo Digby: a Tale of the Monmouthshire Riots. By J. A. St. John. 3 vols. Lond., 1843. 925 S. 8. (1£ 11sh. 6d.)

[9373] Geo. Sand's sämmtl. Werke. Mit einer krit. Einleitung von *Ruge*. (Französ. Classiker. Neue, correcte u. wohlfeilste Ausg.) 9.—15. Thl. Consuelo, deutsch von *G. Julius*. 3.—9. Thl. Leipzig, O. Wigand. 1843. 155, 140, 136, 129, 143, 146 u. 161 S. gr. 16. (à 4 Ngr.)

[9374] Geo. Sand's sämmtl. Werke u. s. w. 18. Thl. Horace. Deutsch von Dr. *L. Meyer*. 3. Thl. Ebendas., 1843. 166 S. gr. 16. (4 Ngr.) Vgl. No. 5565.

[9375] — — — 19. u. 20. Thl. André. Deutsch von *L. Eichler*. Ebendas., 1843. 128 u. 136 S. gr. 16. (à 4 Ngr.)

[9376] — — — 21. Thl. Pauline. Deutsch von Dr. *L. Meyer*. Ebendas., 1843. 132 S. gr. 16. (4 Ngr.)

[9377] — — — 22. Thl. Leone Leoni. Deutsch von *L. Eichler*. Ebendas., 1843. 181 S. gr. 16. (4 Ngr.)

[9378] — — — 23. u. 24. Thl. Die letzte Aldini. Deutsch von *L. Meyer*. 2 Thle. Ebendas., 1843. 123 u. 119 S. gr. 16. (à 4 Ngr.)

[9379] — — — 25.—27. Thl. Indiana. Deutsch von Dr. *L. Meyer*. 3 Thle. Ebendas., 1843. 108, 175 u. 106 S. gr. 16. (à 4 Ngr.)

[9380] — — — 28.—30. Thl. Spiridion. Deutsch von Dr. *L. Meyer*. 3 Thle. Ebendas., 1843. 121, 126 u. 126 S. gr. 16. (à 4 Ngr.)

[9381] Mifla par Jules Sandeau et A. Houssaye. Paris, Desessart. 1842. 20⅝ Bog. gr. 8. (7 Fr. 50 c.)

[9382] St. Truyen von L. Schubar. 2 Bde. Berlin, Heymann. 1844. 272 u. 320 S. 8. (2 Thlr.)

[8383] Gesammelte Novellen von **L. Schubar.** 3 Bde. Ebendas., 1844. 272, 298 u. 294 S. 8. (4 Thlr. 15 Ngr.)

[8384] Erzählungen u. ein gemischter Anhang von **Frz. Schuselka.** 2 Bdchn. Wien, Pichler's Wwe. (Leipzig, Liebeskind.) 1844. 148 u. 130 S. 8. (1 Thlr.)

[8385] Mosaik von **H. Seidel.** Stuttgart, Hallberger. 1844. IV u. 140 S. 8. (26¼ Ngr.)

[8386] Le port de Creteil par **Fr. Soulié.** 2 Vols. Paris, Magen. 1843. 45 Bog. gr. 8. (15 Fr.)

[8387] Auswahl der neuesten und besten Romane von **Fr. Soulié.** 10., 11., 18., 19., 30., 31., 34.—36. Bdchn. Leipzig, Fort. 1843. 118, 96, 99, 91, 95, 95, 124, 168 u. 126 S. 16. (à 7½ Ngr.) 10. u. 11. Bdchn.: Jung und Alt, übers. von *O. v. Birkeneck.* 7. u. 8. Bdchn. — 18. u. 19. Bdchn.: Erste Liebe, übers. von *L. Fort.* 2 Bdchn. — 30. u. 31. Bdchn.: Acht Tage im Schloss, übers. von *Jean Jacques.* 3. u. 4. Bdchn. — 34.—36. Bdchn.: Der Bananenbaum, übers. von *L. Fort.* 3 Bdchn.

[8388] Deux misères par **Em. Souvestre.** 2 Vols. Paris, Coquebert. 1843. 46¾ Bog. gr. 8. (15 Fr.)

[8389] Die Familie Toaldi od. der Tyroler Kampf fürs Vaterland unter Andr. Hofer. Eine unterh. u. belehr. Erzählung f. Jung u. Alt von **Eberh. Stein.** Leipzig, Wöller. 1843. 104 S. mit Titelkpfr. 8. (7½ Ngr.)

[8390] Les mystères de Paris par **Eug. Sue.** T. IV. 2. partie. (Collection des meilleurs auteurs français du XIX. siècle. T. IV. 2. partie.) Cologne, Welter. 1843. 449 S. gr. 16. (15 Ngr.) Vgl. No. 7560.

[8391] **Eug. Sue's** sämmtl. Werke. 166.—171. Thl.: Die Geheimnisse von Paris, übers. von *A. Diezmann.* 33.—36. Bdchn. — u. Gerolstein. Schluss der Geheimnisse von Paris. Deutsch von *H. Börnstein.* Leipzig, O. Wigand. 1843. 374 u. 156 S. 16. (1 Thlr.)

[8392] **Eug. Sue's** sämmtl. Werke. 2. correcte u. wohlf. Ausg. 9.—10. Bd.: Die Geheimnisse von Paris. Deutsch von Dr. *A. Diezmann.* 9. u. 10. Bd. — u. 11. Bd.: Gerolstein. Schluss der Geheimnisse von Paris. Deutsch von *H. Börnstein.* Ebendas., 1843. 143, 174 u. 93 S. 8. (27½ Ngr.)

[8393] Die Geheimnisse von Paris von **Eug. Sue.** Deutsch von Dr. *A. Diezmann.* 3. correcte u. wohlfeilste Ausg. in 20 Bden. I.—20. Bd. Leipzig, O. Wigand. 1843. 98, 92, 104, 92, 102, 90, 103, 95, 100, 95, 88, 88, 92, 92, 96, 78, 85, 85, 86 u. 84 S. gr. 16. (2 Thlr. 10 Ngr.) Gerolstein. Schluss der Geheimnisse von Paris. Deutsch von *H. Börnstein.* 3. correcte u. wohlfeilste Ausg. Ebendas., 1843. 104 S. gr. 16. (7½ Ngr.)

[8394] **Eug. Sue's** Geheimnisse von Paris. Uebers. von *A. Diezmann.* Mit Illustr. von *Th. Hosemann.* 2. u. 3. Bd., jeder in 4 Lief. Berlin, Meyer u. Hofmann. 1843. 256 S. u. 4 Zeichn. 8. (à 5 Ngr.)

[8395] Jessie Phillips: a Tale of the Present Day. By **Mrs. Trollope.** 3 vols. Lond., 1843. 962 S. u. 12 Illustrationen. 8. (1£ 11sh. 6d.)

[8396] Die neue Weibertreue. Eine Erzählung, deutschen Frauen u. Jungfrauen gewidmet von d. Vf. des Wilh. Tell. 2. Aufl. Reutlingen, Fleischhauer u. Spohn. 1843. 63 S. u. 1 lith. Bild. gr. 12. (3¾ Ngr.)

[8397] Romans et nouvelles par **Francis Wey.** I. La balle de plomb. II. Le diamant noir. Paris, Dolin. 1843. 24¼ u. 26¾ Bog. gr. 8. (15 Fr.)

Land- und Forstwirthschaft.

[9398] Gedenkbuch an die sechste Versammlung der Land- u. Forstwirthe in Stuttgart im Herbste 1842 für die Mitglieder der Forstsection. Eine Sammlung forstlicher Orig.-Abhandlungen, unter Mitwirkung mehr. prakt. Forstwirthe herausgeg. von *Fr. Fhr. v. Löffelholz-Colberg*, städt. Revierförster zu Nördlingen. Stuttgart, Metzler'sche Buchh. 1843. VII u. 157 S. 8. (22½ Ngr.)

[9399] Ueber die grosse, bedeutungsvolle u. volksthüml. Versammlung deutscher Land- u. Forstwirthe zu Altenburg. Im Sept. 1843. Von Dr. **Heine**, Kreisarzt. (Bes. Abdr. aus d. Archiv d. deutschen Landw.) Mit mehr. Zusätzen herausgeg. von *M. Beyer*. Leipzig, Voigt u. Fernau. 1843. IV u. 96 S. 8. (15 Ngr.)

[9400] Agriculture française par MM. les inspecteurs de l'agriculture. Publié d'après les ordres de M. le ministre de l'agriculture et du commerce. Départ. de l'Isère. Paris, 1843. 24¼ Bog. mit 1 Karte. gr. 8.

[9401] Agriculture française par MM. les inspecteurs de l'agriculture. Publié d'après les ordres de M. le ministre de l'agriculture et du commerce. Départ. de la Haute Garonne. Par., 1843. 19¼ Bog. gr. 8.

[9402] Kurzgefasstes Lehrbuch der Landwirthschaft zum Gebr. bei Vorlesungen über dieselbe von Dr. **A. G. Schweitzer**, Prof. d. Landw. zu Tharandt. 2. u. 3. Abthl.: Viehzucht u. Gewerbslehre. 2. verm., verb. u. mit 3 Beil. verseh. Aufl. Dresden, Arnoldische Buchh. 1843. X u. 250 S. gr. 8. (1 Thlr. 11⅙ Ngr.)

[9403] Kurze Darstellung der ausserordentlichen Wirkungen des chemischen Düngers nebst landwirthschaftlichen Versuchen, um den Boden u. Dünger mit Kohlensäuren zu verbinden, die Ernährung der Pflanzen zu vermehren, die Bewässerung zu vervollkommnen und die Verwüstung durch Insecten zu verhindern, von Dr. **J. M. Murray**. Aus dem Engl. Leipzig, (Thomas). 1843. IV u. 90 S. 8. (15 Ngr.)

[9404] Der umsichtige Feldwirth oder prakt. Anweisung zur Beurbarung, Bearbeitung, Verbesserung u. Benutzung des Bodens. Fasslich dargestellt von **Conr. Lindau**. Dresden, Arnoldische Buchh. 1843. VII u. 144 S. gr. 8. (15 Ngr.)

[9405] Rath u. Hilfe für den Landmann in nassen Jahren von **Thd. H. Wachsmuth**. Quedlinburg, Basse. 1843. 48 S. 8. (10 Ngr.)

[9406] Die Zucht und Veredlung des Rindviehes nach dem Bedürfniss der gegenwärt. Conjunctur, sowie der Boden- u. Localverhältnisse der deutschen Landwirthschaft, von **W. A. Kreyssig**, Landwirth. Danzig, Gerhard. 1843. VIII u. 90 S. gr. 8. (15 Ngr.)

[9407] Kritische Zeitschrift üb. Wiesenbau u. Landwirthschaft überhaupt von *K. Fr. Schenck*. 1.—3. Hft. für 1843. (7. der ganzen Folge). Siegen, Friedrich. 1843. gr. 8. (Für 4 Hefte n. 2 Thlr.) Inh.: *Schenck*, die verschied. Wiesenbau-Methoden. (S. 7—16.) — Ders., Wiesenbauplan und Hauptpuncte, worauf es bei Einführung einer bessern Wiesencultur ankommt. (—64.) — Ders., Wiesen-Cultur-Gesetz. (S. 65—115.) — Recc. mehr. Schriften von Kirchhof, Patzig u. Reinhardt. (—204.)

[9408] Anleitung zum prakt. Wiesenbau. Mit besond. Berücksichtigung des Zustandes u. d. Bedürfnisse der norddeutschen Wiesenwirthschaft von Dr. **Al. v. Lengerke**, Prof. d. Landwirthsch. u. s. w. in Berlin. 2. verb. Aufl. Prag, Calve'sche Buchh. 1844. XVI u. 304 S. mit 8 lithogr. Zeichn. gr. 8. (1 Thlr. 20 Ngr.)

[9409] Geschichte u. Cultur der Georginen von **Ado. Magerstedt**, Pfr. in Gr.-Ehrich. Sondershausen, Eupel. 1843. 100 S. gr. 8. (12½ Ngr.)

[9410] Die Gurkentreiberei im Grossen von **John Duncan.** Aus d. Engl. Weimar, Voigt. 1843. IV u. 80 S. gr. 8. nebst 1 lith. Quarttaf. (10 Ngr.)

[9411] Die Hungersnoth im böhmischen Erzgebirge, ihre Ursachen, ihre Folgen, ihre Abhülfe. Eine Betrachtung mit Rücksicht auf jene Erwerbsquellen, welche Land- u. Forstwirthschaft, Futterbau u. Viehzucht bieten. Prag, Borrosch u. André. 1843. 72 S. 8. (17½ Ngr.)

[9412] Beschreibung und Abbildung meiner brennstoffersparenden, tragbaren Dampferzeuger für die Haus- u. Landwirthschaft, f. Kasernen, Spitäler u. and. öffentliche Anstalten, sowie f. die meisten techn Gewerbe, mit d. erforderl. Constructions-Zeichnungen u. Anleitungen zur richtigen Berechnung u. Anfertigung ders. in den grössten wie in d. kleinsten Dimensionen aus Kupfer, Kupfer u. Holz, und Weissblech, für Techniker, Klempner u. Kupferschmiede von Dr. **Ludw. Gall.** 2. verm. Ausg. Trier, Gall. 1843. XX u. 270 S. mit 80 Abbildd. 8. (4 Thlr.)

[9413] Erprobte Erfahrungen in Erbauung gut ziehender Kamine u. enger Rauchröhren aller Art, welche selbst an solchen Stellen, wo bisher alle Mittel fruchtlos waren, den Rauch sicher ableiten, sowie üb. Anlage richtig ziehender Feuerungen, nebst Bemerkungen üb. deren Einrichtung u. die Einwirkung der Winde u. des Luftzuges auf dieselben, von **Jos. Geiser**, Werkmeister in Freiburg. 2. Aufl. Freiburg, Herder'sche Verlagsh. 1843. 52 S. mit 6 lith. Taff. gr. 8. (22½ Ngr)

[9414] **Heinr. Cotta's** Grundriss der Forstwissenschaft. 3. verb. Aufl., herausgeg. von seinen Söhnen. Dresden, Arnoldische Buchh. 1843. XXIV u. 415 S. gr. 8. (2 Thlr. 11⅕ Ngr.)

[9415] Die Land- u. Forstwirthschaft des Odenwaldes. Eine gekrönte Preisschrift von **Joh. Ph. E. Ludw. Jäger**, fürstl. sayn-wittgenst. Forstdir. u. s. w. Nebst e. statistisch-tabell. Anhang u. e. geogr.-geognost. Karte des Odenwaldes. Darmstadt, Dingeldey. 1843. VI u. 345 S. gr. 8. (n. 2 Thlr.)

[9416] Gebirgs- u. Bodenkunde für den Forst- u. Landwirth von **K. L. Krutzsch**, Prof. an d. Akad. f. Forst- u. Landwirthe zu Tharand. 1. Thl.: Die Gebirgskunde. 2. verb., zum Theil gänzlich umgearb. Aufl. Dresden, Arnoldische Buchh. 1844. XXIV u. 298 S. gr. 8. (1 Thlr. 22½ Ngr.)

[9417] Die landwirthschaftliche Holzzucht od. Aufmunterung u. Anleitung für Gemeinden, Landwirthe u. s. w. zum Anbau u. zur Benutzung ihrer zwar nicht zum Forst gehörigen, aber doch zum Holzgewinn geeigneten Flächen u. Grundstücke von **Borchardt**, Revierförster. Berlin, Mittler. 1843. XII u. 380 S., 3 Tabb. u. 3 lith. Figurentaff. gr. 8. (2 Thlr.)

[9418] Allgemeine, auf Natur und Erfahrung gestützte Regeln zum Anbau u. zur Pflege land- u. forstwirthschaftlicher Gewächse von **A. Bürgermeister.** Prag. (Zittau, Birr.) 1843. 107 S. 8. mit 2 lithogr. u. illum. Taff. in 4. (20 Ngr.)

[9419] Berechnungstafeln für den Inhalt vierkantiger, walzen- u. kegelförmiger Hölzer u. für die Kostenpreise ders. Nebst prakt. Bemerkungen über die Erhaltung der verschied. Holzarten von Dr. **G. A. Jahn**, Lehrer d. Math. in Leipzig. Leipzig, Hunger. 1843. XIV u. 135 S. nebst 1 Tab. 4. (1 Thlr.)

[9420] Entwurf einer Waldpolizei- u. Waldstrafordnung für Ungarn u. die Nebenländer. Oder: Auf welche Art kann der IX. Gesetzart. des ungar. Reichstages v. J. 1839 bis 1840, welcher von der Feldpolizei handelt, bezüglich der Waldungen dem Zwecke entsprechen? Von **Jos. Hubeny**, k.

Oberwaldmeister u. Assessor bei d. Banater Bergdirection. Pesth, Hartleben. 1843. 119 S. u. 2 Tabb. gr. 8. (22½ Ngr.)

[9421] Der wohlunterrichtete und erfahrene Jäger. Eine leichtfassl. Anleitung, gut zu schiessen, mit besond. Berücksichtigung der freien Jagd. Hermannstadt, Hochmeister'sche Buchh. 1843. IV u. 149 S. 8. (20 Ngr.)

[9422] Schuss für Schuss das Centrum. Oder: Unentbehrl Rathgeber für Jäger, Scheibenschützen, Büchsenmacher u. Alle, die nicht ins Blaue schiessen wollen, von **W. K. Chrestmann**, weil. Oberförster. Villingen, Förderer. 1843. 4 u. 32 S. nebst 1 lith. Taf. gr. 12. (6⅕ Ngr.)

[9423] Der vollkommene Jagd- u. Scheibenschütze. Oder: Anleitung, sich in kurzer Zeit mit Sicherheit zu e. trefflichen Schützen auszubilden, nebst d. Kenntniss vom Schiessgewehre, von **C. F. G. Thon.** Weimar, Voigt. 1843. XVI u. 258 S. 12. (20 Ngr.)

[9424] Der Fang der deutschen Raub- u. Rauchthiere von **Fd. Ant. Bechstein.** Quedlinburg, Basse. 1843. 56 S. 8. (10 Ngr.)

Todesfälle.

[9425] Im Jul. starb zu Töplitz der Kreismarschall der Oberhauptmannschaft Goldingen, Collegienrath u. Ritter, Frhr. *Geo. Friedr. von Fircks*, Erbherr auf Fischröden, als Schriftsteller („Die Letten in Kurland od. Vertheidigung meines Vaterlandes gegen die Angriffe v. Merkel" 1804, „Ueber Hülfsleihbanken in Kurland" 1820 u. verschied. Aufsätze in Zeitschriften) bekannt, geb. zu Nogallen am 19. Apr. 1782. Eine Schrift „Ueber den Ursprung d. Adels in d. Ostseeprovinzen" befindet sich unter der Presse.

[9426] In der Nacht vom 10./11. Aug. zu Riga *Glo. Heinr. Heydenreich*, Senior der livländ. Hofgerichtsadvocaten u. Syndicus d. livl. Consistoriums, früher Stadtfiscal zu Pernau, Herausgeber des „Neuen Postadressbuchs für Livland u. Oesel" 1820, geb. zu Dahme in Sachsen am 12. Jan. 1763.

[9427] Im Aug. beim Uebersetzen über einen Arm des blauen Nils in der Gegend von Gondar der Naturforscher Dr. *A. Petit*, der vom naturhistorischen Museum zu Paris dorthin gesendet worden war. Er wurde von einem Krokodil fortgerissen und verzehrt.

[9428] Am 4. Nov. zu Berlin *Wilh. Christ. von Oesfeld*, Oberst u. vormal. Director des trigonometrischen Bureaus im Generalstabe, ein sehr geschickter und fleissiger Ingenieur-Geograph, als Schriftsteller („Geograph. Darstellung der europäischen Meilen" 1831, „Der Kartenfreund" 1840) rühmlich bekannt.

[9429] Am 6. Nov. zu Jena Dr. jur. *Ant.* Frhr. *von Ziegesar*, wirkl. Geh. Rath, seit 1825 Präsident des Ober-Appellationsgerichts, seit 1829 zugleich Curator der Univ. Jena u. s. w., früher seit 1804 Reg.-Assessor, 1807 Reg.-Rath zu Weimar, 1814 General-Landschaftsdirector, 1815 Präsident der Landesdirection, 1816 2. Präsident des OAGerichts zu Jena, ein vielfach verdienter, allgemein geschätzter Staatsbeamter, geb. zu Gotha am 26. Jun. 1783.

[9430] Am 11. Nov. zu Jena *Joh. Frieder. Caroline*, verw. *Reinhardt*, geb. *Wagner*, als Vfin. mehrerer Jugendschriften, Gedichte und Novellen bekannt, geb. zu Arnstadt am 30. Apr. 1770.

[9431] Am 18. Nov. zu Göppingen im K. Württemberg der pens. Oberjustizrath *Amthor*, im 76. Lebensjahre.

[9432] Am 19. Nov. zu Rom der Cardinal-Bischof *Carlo Maria Pedicini*, Bischof von Porto, S. Rufino und Cività vecchia, zweiter Decan des heil.

Collegiums, Vicekanzler der römischen Kirche, Präfect der Congregation des heil. Ritus, früher Secretair der Congregation de propaganda fide, Cardinal seit 1823, ein gelehrter Geistlicher, geb. zu Benevento am 2. Nov. 1769.

[9433] Am 20. Nov. zu Stuttgart Dr. *K. Chr. von Flatt*, pens. Director des k. Studienraths, Prälat u. Ritter des württemb. Kronordens, früher Repetent, 1804 ausserord. Prof., dann ord. Prof. d. Theol. zu Tübingen, 1812 OCRath u. Stiftspred. zu Stuttgart, 1822 Prälat, 1828 zugleich Generalsuperint. in Ulm u. s. w., in der theol. Literatur durch einige selbstständige Schriften „Philos.-exeget. Untersuchungen üb. d. Lehre von d. Versöhnung der Menschen mit Gott" 2 Thle. 1797, „*Glo. Chr. Storr's* Lehrb. d. christl. Dogmatik, übers. u. mit Anmerkk." 1803 u. ö., „Symbolae ad illustr. graviora quaedam Jesu dicta in ev. Joh." 1805 u. s. w., sowie durch mehr. Aufsätze in verschied. Zeitschriften bekannt, geb. zu Stuttgart am 18. Aug. 1772.

[9434] Am 22. Nov. zu Clamecy (Départ. de la Nièvre) *Dupin*, Staatsrath im ausserordentl. Dienst, Officier der Ehrenlegion, früher Mitglied der Assemblée législative, dann Advocat, Vater dreier berühmter Männer, des Generalprocurators am Cassationshofe u. Deputirten *André-Marie D.*, des Akademikers Baron *Charles D.* und des nicht minder einflussreichen Advocaten *Philippe D.*, im 85. Lebensjahre.

[9435] Am 24. Nov. zu Oppeln der k. pr. Regierungs-Director a. D. *Wlocha*, Ritter des Rothen Adler-Ordens u. s. w., im 74. Lebensjahre.

[9436] An dems. Tage zu Mittelwalde in Schlesien Dr. *Härtel*, k Sanitätsrath und Kreisphysikus, ein geschätzter Arzt.

[9437] Am 24. Nov. zu Villecresmes bei Corbeil (Seine et-Oise) *Fr.-Nic.-Vinc. Campenon*, seit 1814 Mitglied des Instituts (Acad. française), geb. auf Guadeloupe am 29. März 1772. Seine Gedichte und kleineren Schriften sind gesammelt u. d. Tit.: „Poëmes et Opuscules en vers et en prose" (2 Vols. 1823), und er ist ausserdem literarisch bekannt durch „Essais de mémoires, ou lettres sur la vie, le caractère et les écrits de Ducis", Uebersetzungen des *Horaz*, *Robertson's* hist. of Scotland, zahlreiche Artikel in der „Biographie universelle" u. s. w.

[9438] Am 25. Nov. zu Merseburg Dr. theol. *Joh. Aug. Mart. Haasenritter*, erster Domprediger, Stifts-Superintendent u. Consistorialrath, Mitglied der dasigen k. Regierung, Ritter u. s. w., früher Nachmittagsprediger an der Universitätskirche zu Leipzig, 1805—23 Pfarrer zu Burgwerben bei Weissenfels, vieljähriger thätiger Mitarbeiter an der Allg. Jenaischen Literaturzeitung, wegen seiner wissenschaftl. Tüchtigkeit und vorzüglichen Geschäftsgewandtheit in seinem Wirkungskreise geschätzt, geb. am 2. Jun. 1775.

[9439] Am 26. Nov. zu Paris *Théophile Féburier*, Directeur-Gérant der Zeitschrift „La législature".

Beförderungen und Ehrenbezeigungen.

[9440] Den k. preuss. Rothen Adler-Orden haben erhalten in der 3. Classe mit der Schleife: der Cons.- u. Schulrath *Besserer* zu Aachen, der Garnisonsstabsarzt Dr. *Lehmann* zu Torgau, der Regimentsarzt des 12. Inf.-Reg. Dr. *Hohnhorst*;

[9441] 4. Classe: der evang. Pfarrer *Schreiner* zu Wischwill, Reg.-Bezirk Gumbinnen, der Pfarrer an der St. Jacobskirche zu Cöln *Fischer*, der kath. Pfarrer *Mevissen* zu Norff, Kr. Neuss, der Pensionairarzt Dr. *Schiele* u. a. m.

[9442] Die ordentl. Professoren an der Univ. Dorpat Dr. *P. U. Fr. Walter* und an der Univ. Kasan Dr. *Ernst Knorre*, sowie der Inspector der Kronsschulen des Dorpater Lehrbezirks von *Witte* sind zu Staatsräthen, die ordentl. Professoren an der Univ. Kiew Dr. *Ernst Hofmann* (jetzt beim Bergcorps zu St. Petersburg angestellt) und Dr. *Joh. Neukirch*, sowie der ordentl. Prof. an der Univ. Charkow *Mich. Lunin* zu Collegienräthen ernannt worden.

[9443] Der bisher. Gymnasiallehrer Dr. *Adler-Meshart* ist als Professor der deutschen Literatur an der Normalschule zu Paris angestellt worden.

[9444] Dem Rittergutsbesitzer Dr. jur. *H. W. Leb. Crusius* auf Rüdigsdorf, Mitgliede der 1. Kammer der sächs. Ständeversammlung, ist von dem Herzog zu S. Altenburg das Ritterkreuz des S. Ernestinischen Hausordens verliehen worden.

[9445] Der bisher. Senator der freien Stadt Hamburg Dr. *Joh. Lud. Dammert* ist an die Stelle des von seinem Amte abgetretenen Bürgermeisters Dr. *Schlüter* zum Bürgermeister und in Folge dessen der Secretair und erste Bibliothekar Dr. *Gust. Heinr. Kirchenpauer* zum Senator erwählt worden.

[9446] Der Lehrer am k. Institut des Corps der Bergingenieure, Akademiker u. Staatsrath Dr. med. *K. Ed. Eichwald* zu St. Petersburg hat den St. Stanislausorden 2. Cl. erhalten.

[9447] Der k. hannov. Geh. Cabinetsrath Frhr. *von Falcke* hat das Grosskreuz des S. Ernestinischen Hausordens erhalten.

[9448] Der vormalige k. griech. Generalprocurator am Appellationsgericht zu Athen Dr. *Feder* ist zum k. bayer. Oberberg- u. Salinenrath und zum Fiscalrath bei der Oberberg- u. Salinenadministration ernannt worden.

[9449] Dem Oberlehrer am französischen Gymnasium zu Berlin Dr. *Fölsing* und dem Conrector am Gymnasium zu Brandenburg Dr. *Seiffert* ist das Prädicat „Professor" beigelegt worden.

[9450] Bei dem Metropolitancapitel zu Salzburg ist der Weihbischof und Domcustos *Alo. Hoffmann* zum Domdechant, der Domherr *Carl Harl* zum Domcustos mit der Bewilligung des Gebrauchs der Infel ad personam, der Prof. der Dogmatik *Max. von Tarnoczy* zum Capitulardomherrn ernannt worden.

[9451] An *Nettelbladt's* Stelle ist zum Rath bei dem Ober-Appellationsgericht zu Rostock der ordentl. Professor der Rechte an dasiger Universität Dr. *J. F. Kierulff* ernannt worden.

[9452] Der Lehrer am Gymnasium zu Weilburg Prof. *Kreizner* ist als Rector des Pädagogiums nach Hadamar versetzt worden.

[9453] Der ord. Professor Dr. *Cäs. v. Lengerke* zu Königsberg ist, zum ordentl. Prof. d. oriental. Sprachen ernannt, aus der theologischen in die philosoph. Facultät übergegangen.

[9454] Die erledigte Lehrkanzel der Moraltheologie zu Laibach ist dem Dr. *Mth. Leben* übertragen worden.

[9455] An die Stelle des verstorbenen Marquis *Fortia d'Urban* ist Hr. *Prosp. Mérimée* zum Académicien libre in der Académie des inscriptions et belles-lettres erwählt worden.

[9456] Der Präsident des k. b. Appellationsgerichts zu Passau Ritter *von Molitor* hat bei der Feier seines 50jährigen Dienstjubiläums das Ehrenkreuz des Ludwigsordens erhalten.

[9457] Der grossh. sächs. Geh. Rath und Kanzler der Landesregierung zu Weimar Dr. *von Müller* und der Oberhofmarschall u. Hof-Theaterintendant Frhr. *von Spiegel* sind zu wirkl. Geheimen Räthen mit dem Ehrenprädicate „Excellenz" ernannt worden.

[9458] Dem Director am Gymnasium zu Meiningen, Schulrath Dr. *Carl*

Peter ist die Stelle eines Consistorial- u. Schulraths am Consistorium zu Meiningen übertragen worden.

[9459] Der Professor *Remund* zu Solothurn ist zum Chorherrn am Stift St. Urs und Victor, der Hauptkirche zu Solothurn, von der Regierung ernannt worden.

[9460] Der Domherr zu Erlau, *Augustin von Roskoványe*, Abt S. Andreae de Saary, ist zum Custos des Metropolitancapitels zu Erlau ernannt worden.

[9461] An die Stelle des freiwillig zurückgetretenen bisherigen Decans der Rechtsfacultät zu Paris *Blondeau* ist der Professor der Rechte und Pair von Frankreich *Rossi* zum Decan ernannt worden.

[9462] Der kurhess. Hofbaudirector *Eug. Jul. Ruhl* hat das Ritterkreuz des grossherz. hess. Ludwig-Ordens erhalten.

[9463] Der k. b. Rath u. Advocat Dr. *Schauss* zu München ist zum Hofrathe des Herzogs Maximilian in Bayern ernannt worden.

[9464] Der ordentl. Professor in der theolog. Facultät zu Zürich, Dr. *Alex. Schweizer*, ist von der dasigen Kirchgemeinde zum Grossmünster mit grosser Stimmenmehrheit zum ersten Pfarrer erwählt worden.

[9465] Der bisher. Präsident der k. b. Regierung von Schwaben und Neuburg, Frhr. *Karl von Stengel* zu Augsburg ist an die Stelle des in Ruhestand getretenen Präsidenten *v. Weber* als Präsident des Appellationsgerichts nach Neuburg versetzt, und zum Präsidenten der Regierung zu Augsburg der bisher. Director der Regierung von Oberbayern (Kammer des Innern) Dr. *Ant. Fischer* befördert worden.

[9466] Der bisher. Kreis- u. Stadtgerichtsrath *Stöger* zu Augsburg ist zum Appellationsgerichtsrath zu Eichstädt ernannt worden.

[9467] Der ordentl. Prof. der Medicin an der Univ. Jena Geh. Hofrath Dr. *W. C. Fr. Suckow* hat bei der Feier seines Jubiläums als akademischer Lehrer das Ritterkreuz des grossherz. sächs. Hausordens vom weissen Falken erhalten.

[9468] Der bisher. Pfarrer zu Berggiesshübel M. *Fr. Aug. Unger* ist zum Pfarrer zu Grünstadtel im Sächs. Erzgebirge ernannt worden.

[9469] Der grossherz. bad. Ministerialrath Dr. *Vollr. Vogelmann*, Director des landwirthschaftl. Vereins in Baden, hat das Ritterkreuz des Ordens vom Zähringer Löwen erhalten.

[9470] Dem Präsidenten des Appellationsgerichts von Schwaben und Neuburg Dr. *M. von Weber* ist bei der Feier seines 50jähr. Dienstjubiläums das Ehrenkreuz des Ludwigsordens verliehen worden.

[9471] Der bisher. Privatdocent in der philosoph. Facultät zu Jena Dr. *Heinr. Weissenborn* ist zum ausserordentl. Professor ernannt worden.

[9472] Dem Kreisphysikus Dr. *Wunsch* zu Glogau ist der Charakter als Sanitätsrath verliehen worden.

Druck und Verlag von F. A. Brockhaus in Leipzig.

Leipziger Repertorium der deutschen und ausländischen Literatur.

Erster Jahrgang. Heft 51. 22. Dec. 1843.

Theologie.

[9473] Die Apologetik als wissenschaftliche Nachweisung der Göttlichkeit des Christenthums in seiner Erscheinung. Dargestellt von Dr. **J. S. v. Drey**, ord. Prof. d. kath. theol. Fak. in Tübingen. 2. Bd. Die Religion in ihrer geschichtl. Entwickelung bis zur Vollendung durch die Offenbarung in Christus. Mainz, Kupferberg. 1843. XVI u. 363 S. gr. 8. (1 Thlr. 15 Ngr.)

Der Vf., welcher unstreitig zu den ausgezeichneteren Theologen der kathol. Kirche gehört, gibt seinen Standpunct am Schluss der Vorrede unverholen zu erkennen, indem er es für ein grosses Unheil erklärt, dass man seit der Reformation innerhalb des Protestantismus die Bibel von der Kirche getrennt habe. Damit habe man der individuellen Freiheit in der Schriftauslegung Vieles, ja Alles eingeräumt, und es sei aus dieser Ungebundenheit die rationalisirende, dann die mythisirende und destruirende Kritik und Exegese hervorgegangen. Alles Verderben des Unglaubens und der frechen Negation, welches man nun von so vielen Seiten her beklage, sei aus diesem Principe entstanden, und hätten die Protestanten es sich selbst zuzuschreiben, dass man die Bibel mit wilder Zweifelsucht wie ein heidnisches Buch, ja schlimmer behandelt habe. Man ist gewohnt, solche Vorwürfe zu vernehmen, und dass dabei unbewusst oder absichtlich die bekannte Wahrheit ausser Beachtung bleibt, wie ja der Missbrauch den rechten Gebrauch nicht aufhebt. Und wer möchte verkennen, dass die Kirche in dem Sinne, wie sie der Vf. nimmt, vor der Reformation mit ihrer reichen Ueberlieferung die Norm der christl. Wahrheit oft genug verfehlt habe, und nahe daran gewesen sei, in Irrthümern, Missbräuchen und Ausschweifungen unterzugehen, wenigstens sich selbst alles Ansehens zu berauben. Keine sophistische Darstellung wird diese Thatsachen umzustossen vermögen. Uebrigens steht Ref. nicht an, das vorlieg. Werk für ein bedeutendes, eindringlich gearbeitetes, viel umfassendes, und diese Abtheilung für die wichtigste der nun erschienenen zu erklären. Der Vf. betrachtet das Christenthum als den Gipfel aller Offenbarungen, will aber in der Apologetik die Grundlage der früheren Offenbarungen, Heidenthum und Judenthum, aufgenommen wissen: schon wegen des geschichtlichen Zusammenhanges, dann besonders wegen der inneren Seite der Sache. Wir läugnen diese Berechtigung nicht, meinen jedoch, dass es noch einen anderen zeit- und sachgemässen Standpunct gebe, aus welchem die Polemik gegen Juden- und Heidenthum als überwunden angesehen, und mehr auf die selbstständige göttliche Natur des Christenthums und dessen unermesslichen Lebensreichthum der Blick gerichtet wird, natürlich in wissenschaftlicher Weise. Denn wie viele Leser mag es noch geben, welche der Nachweisung bedürfen, dass das Christenthum höher stehe, als Juden- und Heidenthum? Convertiten aber lesen scientifische Lehrbücher der Apologetik nicht. Man versperrt sich also den Raum zu neuen Erörterungen durch solche jetzt überflüssige Zuthaten. Dem Vf. ist die Geschichte der relig. Entwickelung ein göttliches System, in welchem zwei Erziehungsweisen, die ohne leitende positive Offenbarung und die unter der Leitung einer solchen, in der alten Zeit neben einander hergehen, bis beide durch den consequenten Fortschritt ihrer Entfaltung zu einem Puncte geführt werden, wo sie in die einige höhere Erziehung, vermittelst der allgemeinen und vollendeten Offenbarung übergehen. In der ältesten Zeit hat Gott den frommen Vätern sich offenbart durch Gesichte, Erscheinungen in der Natur; in der nächstfolgenden wählte er besondere Männer aus, legte seine Worte in ihren Mund — von Moses bis auf den letzten Propheten; zuletzt ist Gott selbst Mensch geworden in seinem Sohne, hat als Gottmensch zu den Menschen gesprochen und unter ihnen gewirkt. Eine vollkommnere Offenbarung als diese gibt es nicht, sowohl nach Form als Inhalt, da in Christus der ganze volle Geist Gottes gewohnt, er nicht wie die Propheten nur einzelne Theile, gleichsam Funken dieses Geistes empfangen hat. Die Menschwerdung Gottes ist daher wie die Grundidee in der christl. Lehre, so das Grundfactum in der Geschichte der christl. Offenbarung, und wie in der Dogmatik die specifisch-christlichen, d. h. die erst von Christus geoffenbarten Lehren, z. B. die Trinitätslehre, die Lehre von der Erlösung u. a. von jener Idee ausgehen, und auf sie bezogen sind: so muss die Apologetik jenes Factum als das zu Beweisende zum Grund legen, und alle ihre Beweise darauf beziehen und danach ordnen. Hiernach bemerkt der Vf., das Factum der Menschwerdung habe zwei Seiten, eine transcendente, über der Geschichte liegende, welche nur der speculativen Theologie zugänglich, und eine irdische, welche eben die Offenbarung des Transcendenten und Gegenstand der Geschichte sei. Dieses Verhältniss des Geschichtlichen an Christus zu der transcendenten Thatsache der Menschwerdung ist die Grundlage der Beweisführung für den göttl. Ursprung des Christenthums. Zerlegen wir nun jenes Geschichtliche in seine Besonderheiten, so ist das Erste das göttliche Selbstbewusstsein in ihm; denn die Menschwerdung des Sohnes Gottes hebt sein ewiges göttliches Bewusstsein nicht auf, er lässt dieses nicht in dem Himmel zurück, sondern bringt es auf die Erde herab, und gesellt sich auf dieser nur das menschliche Bewusstsein bei. Dieses göttl. Selbstbewusstsein Christi ist daher in der dialekt. Entwickelung des Begriffs die erste Folge der Menschwerdung, wie das menschliche die zweite; und darum ist in der Beweisführung für die Göttlichkeit des Christenthums die erste Aufgabe, dieses göttl. Selbstbewusstsein in dem histor. Christus nachzuweisen, zu zeigen, wie es sich aussprach. Aber wenn in diesem Bewusstsein und seinen Aussprüchen Wahrheit, d. h. wenn der histor. Christus wirklich der Sohn Gottes und darum die Fülle der Gottheit in ihm war, so musste diese ausser jenen Aussprüchen sich auch in seinem ganzen irdischen Sein, Leben und Wirken offenbaren, und so wie in Gott Wort und That immer Eins sind, und auch des Menschen Rede erst in seinem Thun zur Wahrheit wird, so wird auch der Gottmensch in der vollkommensten Uebereinstimmung seines äusseren Seins mit seinem Selbstbewusstsein, seiner Thaten mit seiner Lehre sich vor der Welt ausweisen und bewähren. „So stellt und gestaltet sich die Beweisführung für den göttl. Ursprung des Christenthums aus der Idee der Menschwerdung Gottes, als der höchsten Form der Offenbarung, und so ist sie von mir behandelt". — Diese leitenden Grundsätze hier anzudeuten, war unerlässlich für die Beurtheilung des reichen Inhalts. Die histor. Glaubwürdigkeit der h. Schriften setzt der Vf. voraus, in diesem Bezuge auf die Isagogik verweisend. Das Detail gehört allerdings nicht in die Apologetik; die Resultate indess im klaren Ueberblicke vereinigt, dürfte man doch auch nach der bisherigen wissenschaftl. Praxis in den Lehrbüchern ungern vermissen, zumal sie hier mit dem höheren wissenschaftl. Organismus in der Vertheidigung des Christenthums in Verbindung gebracht werden müssen. Doch rechnet der Vf. die innere Beglaubigung zu seiner eigentlichen Aufgabe, und versteht darunter die Beglaubigung durch die Uebereinstimmung der Begebenheiten und Thatsachen mit einander, den durch alle sich hinziehenden, in allen sichtbaren Zusammenhang, darum die Nothwendigkeit des Einzelnen in dem Ganzen, wie die Nothwendigkeit des letzteren aus der Idee, endlich auch die Angemessenheit des Historischen zu der Räumlichkeit und Zeitlichkeit. Es ist aber nicht abzusehen, wie diess auf befriedigende Weise geschehen könne ohne Beziehung der äusseren Zeugnisse. Auch auf die Specialitäten der modernen Kritik glaubt der Vf. nicht eingehen zu dürfen, sondern mehr im Ganzen und Grossen agiren zu müssen. Hieran ist so viel richtig, dass ein selbstständig mit Methodik errichtetes apologet. Lehrgebäude, das ein tüchtiges Fundament besitzt, von selbst die Einwürfe der Gegner in ihrer Haltlosigkeit erscheinen lässt, und dass es sehr oft der Mühe nicht lohnet, ihnen von Schritt zu Schritt zu folgen. Auch geschieht durch so vereinzelte Repliken der gemessenen vollständigen Darlegung der eigenen Grundansicht leicht Eintrag. Letzteres ist es, was der Vf. vermeiden wollte. Mit Recht wird eine Gradation in Stanze,

34 *

B. Bauer, L. Feuerbach angenommen, eine Nachweisung des Wie wäre phychologisch und historisch anziehend gewesen. — Das 1. Hauptstück behandelt S. 3—53 den Anfang und ersten Wendepunct, und es werden hier diese jeden nach Selbstverständniss des Lebens trachtenden Menschen aufs Höchste interessirenden Gegenstände und Probleme mit Einsicht und Klarheit behandelt. Die Betrachtung der alttestamentl. Urgeschichte ist derjenigen nahe verwandt, welche unter den neueren protestant. Theologen besonders Hess in seinen bekannten Werken geltend gemacht hat. Mehr Anklang fand freilich die von Neander, Nitzsch u. A. ausgesprochene Ansicht: die mosaische Kosmogonie und Anthropogonie sei zwar keine wirkliche, aber eine wahre Geschichte. Der Vf. gibt die Resultate seiner Forschung S. 35 f. in folgendem Ueberblicke an. Vom Anfange finden wir im Menschen unter Vermittlung äusserer Erscheinung (Gottes) das Bewusstsein Gottes hervorgerufen. (Der Vf. steht nicht an, ein eigentliches Wandeln Gottes unter den Menschen der Urwelt anzunehmen.) Und zwar zeigt sich, wie es in der Ursprünglichkeit nicht anders sein konnte, dieses Bewusstsein in seiner Ungetheiltheit und Unzerrissenheit, d. h. als Monotheismus des Gefühls (nicht der noch nicht eintretenden Reflexion). Es ist gleichsam die naturwüchsige Religion, wie Historiker von einem naturwüchsigen Staatsleben gesprochen haben. Mit diesem Bewusstsein verbindet sich in der Selbstoffenbarung Gottes für den Menschen das Gefühl seiner Abhängigkeit von Gott, vermittelt durch das sich ihm ankündigende Gebot. Aber in dem Gefühle der Abhängigkeit entwickelt sich zugleich das Gefühl der Freiheit, vermittelt durch den Gegensatz des Guten und des Bösen, welcher mit dem Gebote Gottes gegeben ist; die gefühlte Freiheit wird zur bewussten, wie sich der Mensch gegen das göttliche Gebot entscheidet. Aus dem Bewusstsein, mit Freiheit gegen das Gebot gehandelt zu haben, entspringt das Schuldbewusstsein, welches mit dem Sündenbewusstsein Eins ist, und ohne das erste Bewusstsein gar nicht Statt finden könnte. An das Schuldbewusstsein knüpft sich das Gefühl der Furcht vor der Strafe, welche dem Gebote ursprünglich anhängt, aber erst nach der Uebertretung mit der Idee der Heiligkeit und Gerechtigkeit Gottes eigentlich erkannt wird. Das Bewusstsein der Schuld und Strafwürdigkeit erzeugt den äusseren Cult (Opfer) als Mittel, Schuld und Strafe von sich abzuwenden, da der Cult der nie Gefallenen in der directen Befolgung der göttl. Gebote bestanden haben würde. Aber jener äussere Cult beruhigt das Gewissen nie ganz, bis nicht von Gott selbst Vergebung und Versöhnung verkündet wird, und diess kann nur geschehen, wenn der Heiligkeit und Gerechtigkeit genug geschehen ist. So weit finden wir im religiösen Gefühl und Bewusstsein der Urwelt das Verhältniss des Menschen zu Gott entwickelt; über sein Verhältniss zur Welt gelangen folgende Momente zum Bewusstsein. Gleichheit der Menschen unter einander vermöge göttlicher Schöpfung und Anordnung; — brüderliches

Verhältniss aller unter einander vermöge der gemeinsamen Abstammung vom Anfange und nach der Wiederherstellung; — aus beiden Ursachen Achtung der Menschenwürde und Schonung jedes Einzelnen; — jede Verletzung dieser Menschenpflichten wird von Gott gestraft. — Eine Menge anderer Bemerkungen müssen wir übergehen, z. B. dass die Ehe des Urpaares auf die ausschliessende Rechtmässigkeit der Monogamie hindeute, dass das physiologische Motiv zu dem Verbote des Blutgenusses hergenommen sei aus der alten Vorstellung, das Lebensprincip oder die Seele finde sich im Blute (in sanguine vita, vgl. Lev. 17, 10 f. Deut. 12, 23 f.), dass die Frommen und Unfrommen zur Zeit der Anfänge des Menschengeschlechts sich in Familien der Kainiten und Sethiten getheilt haben u. A. m. — Der Vf. erklärt sich entschieden gegen die Auseinandersetzung Stuhr's (Religionssysteme der heidn. Völker d. Orients. 1. Bd. Berl. 1836.), welcher das materialistische Princip mit dem rationalistischen über den Ausgangspunct aller Entwickelung und Bildung zu verbinden gesucht habe, indem er behaupte, der menschliche Geist trage in der Fülle seines Reichthums und seiner selbstschöpferischen Kraft den Anfang zu Allem, aber zu seiner Entwickelung bedürfe er vor Allem einer Heimath (eines anderen δὸς μοὶ ποῦ στῶ); habe er diese Grundbedingung gefunden, so entwickele sich aus seinem Geiste in Selbstthätigkeit eine ureigenthümliche Bildungsform, die zunächst seinen heimathlichen Verhältnissen entspreche, aber vermöge der Berührung durch die geschichtliche Bewegung des Menschengeschlechts sich reicher entwickele. Die verschiedenen heidnischen Religionsformen seien daher eben so viele Producte der besonderen geographischen und klimatischen Verhältnisse u. s. w. Diese Betrachtungsweise ist allerdings zu einseitig, bevorwortet einen gewissen Mechanismus und benachtheiligt den vernünftig sittlichen Organismus. Der Vf. glaubt an eine Tradition der religiösen „Notionen" (warum nicht „Begriffe" oder „Anschauungen"?) unter den Völkern, ein Erbtheil ihrer Väter und der göttl. Offenbarung. Diese Ueberlieferungen seien missverstanden, entstellt, in verkehrtem Sinne umgebildet worden. Einfluss auf solche Umgestaltung habe neben dem Mangel sicherer Fortpflanzung geübt die Eigenthümlichkeit jedes Volks, z. B. in der Umbildung der Sage von der Fluth und von Noah. Hierzu seien gekommen die natürlichen Schranken und Gesetze des menschl. Verstandes, denn in der individuellen Vernunft finde sich nur Schwäche, die sie fremder Beihülfe bedürftig mache. Endlich habe auch das sittliche Moment eingewirkt, moralische Entartung, Entstellung der relig. Begriffe zur Beschönigung des Lebens im Gefolge gehabt. Das Gegengewicht gegen das Versinken in die falsche Religion durch die Berührung mit den Frommen sei nur gering gewesen. Eine fortgesetzte Offenbarung konnte diesen Gefahren vorbeugen, aber sie konnte jetzt nicht mehr allen Völkern eignen, sie musste particularistisch werden. Schwierig ist dafür der Beweis. Der Vf. gibt ihn S. 47 f. Gott kann nicht in die Abirrungen des Verstandes und Willens der von der wahren Religion sich entfernenden Völker eingehen, ohne die Offenbarung selbst zu zerstören. Er muss daher die Heiden ihrer Vernunft und Freiheit überlassen, durch deren Missbrauch diese freilich in ihr Verderben laufen. Nur Israel ist zum Depositair der göttl. Offenbarung berufen, weil es die relig. Urtraditionen seit Noah bewahrt hat. Nicht nach seinem Werthe und Verdienste ist dieses Volk auserwählt, sondern nur dieses einen Besitzes wegen; daher auch, nachdem durch solches Vehikel der Zweck der erneuerten allgemeinen Offenbarung erreicht ist, jenes Volk als Volk untergeht, sein Centralcultus zerstört wird. — 2. Hauptstück. Das Heidenthum (S. 155 ff.). Auch hier kann nur der Ideengang skizzirt und kurz beleuchtet werden. Das Heidenthum gilt dem Vf. als die falsche Religion. Das Göttliche wird darin zerspalten; die Einheit des göttl. Wesens geht dabei unter. Die Entwickelung des Heidenthums ist daher nicht etwas Primitives, Uranfängliches in der Menschheit; denn Gott als Menschenschöpfer wollte Wahrheit und Heiligkeit. Irrthum oder Abfall von der Wahrheit, Sünde oder Abfall von der Heiligkeit sind späteren Ursprunges. Somit ist die falsche Religion sicherlich nicht die älteste. Das Heidenthum ist Umkehr des Natürlichen in Unnatur, wie es Paulus Röm. 1, 21—32 darstellt. Der Mensch besass im Anfange die Gabe der Wahrheit und Heiligkeit, wenigstens die Anlage zu beiden. Das Heidenthum besteht nicht in der abnormen Richtung Eines menschlichen Vermögens, sondern in der verkehrten Richtung aller; es charakterisirt sich als Umkehrung aller ursprünglichen und natürlichen Verhältnisse. Bei dem Menschen als reinem Naturwesen entwickeln sich die niederen Vermögen früher und schneller als die höheren, das sinnliche Selbstbewusstsein drängt das innere und geistige zurück, der empirische Verstand gewinnt den Vorsprung vor der Vernunft, die sinnlich nachbildende Phantasie vor der idealen Anschauung. Nur das Pneuma konnte ein Gegengewicht gegen das Eindringen der Sünde bilden, aber dieses ausserordentliche Gnadengeschenk im menschl. Urstande war verloren oder doch in den Hintergrund getreten. Der sinnliche Verstand zersetzt den ihm unerfasslichen Grundgedanken des Einen Unendlichen, macht aus Einem Gotte mehrere Götter, bringt jeden derselben in Verbindung mit einer hervorstechenden nützlichen oder schädlichen Erscheinung in der Sinnenwelt und macht ihn zum Herrn derselben. Die dichtende Phantasie umgibt ihn mit einem Kranze von Mythen, die nachbildende Phantasie schafft Bilder von ihm, und sinnliche Empfindungen aller Art; sie erzeugen einen entsprechenden Cultus. So entsteht zunächst der Grundirrthum des Polytheismus. Auf der Willensseite verbindet sich damit die Neigung zum Bösen, Schwächung der sittlichen Freiheit unter dem täuschenden Bewusstsein der Scheinfreiheit. Die reinen Ideen des Göttlichen und des Guten sind gemeinschaftlich entstellt. Kraft, Muth, Anstrengungen der Heidenwelt stehen im Dienste niederer Zwecke; für Behauptung und

Genuss irdischer Güter, des vaterländ. Bodens, leiblicher Freiheit, menschlichen Ruhms, für Ländererwerb und andere gemeine Güter wird gekämpft und werden Opfer gebracht. Für die Behauptung der sittl. Freiheit, für den Ruhm vor Gott, für ein höheres Vaterland und für einen ewigen Besitz mangeln Sinn und Kraft. Die leiblich Freien sind Sclaven aller bösen Begierden, die, welche ganze Völker überwanden, unterlagen jeder sittlichen Versuchung, die über Millionen zu herrschen schienen, vermochten sich selbst nicht zu beherrschen. Selbst das Laster wurde vergöttert, wenigstens zu einer religiösen Handlung, in ausschweifenden obscönen Culten. Sinnliche, politische Motive statt sittlicher waren das Gewöhnliche, sittliche Formen des öffentl. Lebens, der Vergnügungen, selbst der Kunst fehlten. Die religiöse Ueberlieferung wurde volksthümlich umgebildet, der Völkerverkehr brachte manche Aenderung und neue Entstellung, mit der Auflösung der Einheit im Begriffe Gottes ging dieser Begriff selbst verloren. Die Vermischung des Weltlichen mit dem Göttlichen, des Geschöpfes mit dem Schöpfer, der Naturerscheinungen und des Naturerhebers führten zur Polythreskie, ja selbst zur Vergötterung des Lasters, welche der Vf. Aeschrothreskie nennt. Ein Chaos von Ceremonien und Handlungen wurde durch keine Einheit der Idee geordnet; nur das äussere Band der Nationalität umschlang dieses Zerrbild des Cultus, als Volks- und Staatsreligion, Die Formen des Heidenthumes theilt der Vf. in Naturreligion und Geschichtsreligion. Die Vorstellung vom Eingehen des Göttlichen in die Natur, so dass Ersteres in letzterer sich auflöst, zieht den Verlust des ächten Providenzbegriffes nach sich, an dessen Stelle tritt das gespensterhafte dunkle Schicksal. Die fortentwickelte Naturreligion führte zur Menschenvergötterung, da sich alles Ausserordentliche, Principienhafte an Personen knüpft, da die Religion immer in der Form der Persönlichkeit erscheinen muss. Naturreligion ist dem Begriffe nach s. v. a. Pantheismus. Dieser zerfällt a. in einen materialistischen („Jupiter est quodcunque vides, quodcunque movetur"), b. in einen spiritualistischen von der Weltseele. Er ist den ionischen Naturphilosophen eigen (doch wohl auch den Stoikern? Ref.); c. der systematische oder absolute Pantheismus ist Erzeugniss der Speculation. Die heidnische Naturreligion ist älter als der geschichtlich-mythische Polytheismus. Physisches, Intellectuelles, Sittliches tritt mit der Volksthümlichkeit zusammen für die Modificationen der polytheistischen Religionsformen. Der Vf. nimmt folgende Entwickelungstufen der Naturreligion an: Fetischismus. Quelle desselben ist Furcht vor den Naturerscheinungen als Folge des Abfalls von Gott in der Sünde, Ahnung eines Höheren, Mächtigeren, das zu begütigen, zu gewinnen ist. Er nennt diese Gattung des Cultus vagen Polytheismus, der mit den Gegenständen je nach den Ereignissen, ja nach Zufälligkeiten wechselt. Das Motiv ist grobsinnlicher Egoismus. Die 2. Entwickelungsstufe zeigt sich in Vergötterung der Natur in ihren grossen sinnlichen Erscheinungen, und ihrer sich durch ihre Wirkungen kundgebenden Grundkräfte. Die Verehrung der Himmelskörper, der ordnungsmässig zeugenden Naturkraft gehört hierher. Bestimmter, doch relativer Polytheismus. Grundlage dieser Verehrung ist das sittliche Gefühl der Dankbarkeit und man kann daher mit dem Vf. von einer Religion der Dankbarkeit sprechen, welche letztere inzwischen gegen die Natur und die Geschöpfe, nicht gegen den Herrn der Natur und den Schöpfer sich manifestirt. Dabei findet eine Uebertragung der geschlechtlichen Verhältnisse auf das Göttliche Statt, in Theorie und Cultus, welche beide der sinnlichen Lüsternheit nahe gestellt werden. Das sittliche Moment ging dabei unter, groben Ausschweifungen war Thor und Thür geöffnet. Die 3. Stufe bildet der vollendete systematische Pantheismus. Durch Zusammenfassung der Natur in Eine Anschauung, durch Einigung aller Kräfte und Objecte zu Einem Begriff geht zuerst die Idee des Universums (All-Eins) auf, welche auf dem Wege der blossen Naturbetrachtung gewonnen, mit der Idee des Göttlichen zusammenfällt. Allein diese Idee der göttlichen Einheit reisst sich hier von der Natur nicht los, und geht daher in ihrer Entwickelung immer in Pantheismus aus. Der Begriff der Schöpfung, durch welchen Gott von der Welt gesondert wie mit ihr verbunden wird, ist hier nirgends anzutreffen, statt dessen die Idee der Emanation, welche in dreifacher Weise entwickelt erscheint: unitarisch in der Religion von China dem himmlischen Reiche, nach welcher Alles vom Himmel ausfliesst und wieder in ihn zurückgeht; dualistisch in der alten Religion von Medien und Persien, in welcher die Emanation sich zuerst in zwei einander entgegengesetzte Grundwesen spaltet, und die Spaltung erst nach langem schwerem Kampfe aufgehoben wird; trinitarisch in der Religion von Indien, welche der Emanation die Grundformen der Naturthätigkeit in ihrem ewigen Wechsel des Schaffens, Zerstörens und Wiederherstellens unterlegt. Auf dem Standpuncte höherer geistiger Entwickelung und Bildung, der diese Systeme ihre Entstehung verdanken, müssen auch die sittlichen Ideen in das Bewusstsein treten; darum hat jedes eine Moral auf eigene Weise. In China, dem uralten Staate, dem Nachbilde des ewigen Reiches, musste sie zur Staatsmoral werden, wozu sie Confucius ausbildete, während sie in Persien den Charakter eines ewigen Kampfes gegen das Böse annahm, in Indien aber der ethischen Geschichtsphilosophie, nach der Vorstellung der ethischen Weltalter angepasst wurde. — Nach dieser hier nur in den äussersten Umrissen gegebenen Deduction geht der Vf. zu den Entwickelungen der Geschichtsreligion im Heidenthume über. Die 1. Stufe ist das Gelangen der Naturreligion zu histor. Formen. Gott muss nothwendig im Selbstbewusstsein als Persönlichkeit gedacht werden, so wie der Mensch sein Ich als Person erfasst hat. Zunächst nun Erschaffung von Bildern, wodurch der Mensch die grossen Naturkörper symbolisirt und personificirt; die Naturwirkungen betrachtet er als Thätigkeiten jener Personen. Mit den Bildern entstehen heilige Orte, Tempel, die Verhältnisse der Verwandtschaft oder des Gegensatzes, der Ursache und Wirkung werden an diese Bilder und Oerter geknüpft. Durch diese Verbindung an sich reiner Naturbegriffe entsteht eine Geschichte und Genealogie der Götter, wie in der Hesiodischen-Theogonie. Die Geschichte selbst liefert ferner Beiträge zur Vergötterung der Geschöpfe. Erhabene, unerklärliche Erscheinungen in der Menschenwelt selbst werden von dem an die Vergötterung des Erscheinenden schon Gewöhnten um so leichter zu Göttern erhoben, als sie ihm durch ihre Natur näher stehen, dem Stamme und Volke verwandt, durch ihre Thaten berühmt, durch ihre Erfindungen und Einrichtungen wohlthätig, Ansprüche auf Verehrung und Dankbarkeit der Sterblichen zu haben scheinen. Vergötterung der Menschen bildet die 2. Stufe der Geschichtsreligion. Unsere Vorfahren priesen noch zu Tacitus Zeiten den Gott Thuiston, den Sohn der Mutter Erde, und dessen Sohn Mann als Stammväter ihres Volks. Osiris und andere ägypt. Gottheiten erscheinen nach Herodot als weise Könige oder als Wohlthäter des Volks. Die italischen Ursagen bezeichnen Saturnus, Janus, Evander als die Urheber der Gesittung und einer menschl. Lebensweise. In den griech. und indischen Göttersagen kann man historische Spuren nicht verkennen, besonders in den örtlichen Beziehungen vieler Culte, in der religiösen Bevorrechtung gewisser Geschlechter und Familien. Der Gegenwart näher stehende ausgezeichnete Menschen gelangen als Heroen zu einer eigenen Art von Verehrung. — Auf die 3. Stufe erhebt sich die Geschichtsreligion durch Reflexion und dichtende Phantasie. Im östlichen Asien entwickelte sich aus solcher Fortbildung ein speculatives Religionssystem, bei den Griechen eine mythische Religion, in der die Poesie schöpferisch waltete. — Der Vf. geht nun zu den Religionen der bedeutendsten heidnischen Völker über, wobei die Darstellung der Religionsformen der Perser, Aegyptier, Griechen und Römer ihm vorzugsweise gelungen ist. Als Gebrechen des Heidenthums bezeichnet er den Mangel an den Ideen der Einheit und der Geistigkeit Gottes, der Providenz und der göttl. Heiligkeit, hieraus entwickelte sich nun die falsche Verehrung der Gottheit, ein bloss äusserlicher Cultus, unvertilgbare Angst und Unruhe wegen der Zukunft. Die Würde des Menschen, seine Gottverwandtschaft trat nothwendig in den Hintergrund, so auch die höhere Ansicht von menschlicher Bestimmung. Die Philosophie kam später in Widerspruch mit der Staats- und Volksreligion, welche von den älteren Dichtern herrührte. Beziehungen der falschen Religion zur wahren finden sich dennoch, und müssen sich finden, da in der geschichtl. Entwickelung kein Sprung eintritt. Wir meinen das ursprüngliche nie ganz vertilgbare Gottesbewusstsein, das auch den Heiden nicht völlig verloren gehen konnte, in dem Gefühle der menschl. Abhängigkeit von dem Göttlichen, in dem sittlichen Gefühle, das stets seine Vertreter in den tüchtigsten besten Männern behielt. Auch gab es einzelne Heilmittel. Diese waren der bessere Sinn Einzelner und die von diesen ausgehende höhere geistige Bildung, die Mysterien, freilich später verunstaltet und entweihet (vgl. Liv. 39, 9 f.), die Philosophie, doch im Conflicte mit dem Volksglauben. Die allgemeine Krankheit erzeugte die Sehnsucht nach Heilung, und so trieb der gesammte Weltzustand auf das Christenthum hin; die Entwickelung des Heidenthumes führte die Krisis herbei. Ahnungen, Weissagungen einer göttlichen Erlösung und eines Erlösers, durch die prophetischen Bücher der überall in der alten Welt ansässigen Juden unterstützt (Suet. Vespas. c. 4. Tacit. Hist. V, 13), hatten allgemeine Verbreitung besonders im Oriente gewonnen. Den Pseudo-Orphischen und Pseudo-Sibyllinischen Orakeln der ersten vorchristlichen Redaction, der 4. Ecloge Virgils, den persischen und chines. Religionsschriften sind solche Erwartungen und Hoffnungen nicht fremd. Das Politische daran hat erst das Christenthum abgestreift. Niemand wird diese geistvolle, und tiefeingehende Auseinandersetzung ohne vielfache Belehrung und Genuss lesen. — 3. Hauptstück. „Die Entwickelung der wahren Religion durch fortdauernde Offenbarung oder das Judenthum (S. 156—189). Vieles Bekannte, einzelnes Treffliche. Vorzüge des Judenthums als des Depositaires der wahren Religion sind dem Vf. der Monotheismus, der heilige Wille Gottes als das höchste Gesetz, die Idee der sittlichen Vergeltung und die der Theokratie. Drei theokratische Gewalten, das Hohepriesterthum, das Prophetenthum, das Königthum. Der Vf. unterscheidet in der Fortsetzung der Offenbarung der wahren Religion im Judenthume Einleitung, Grundlegung, weitere Entwickelung. Die Form ist jüdisch, die Bestimmung geht auf die Menschheit. S. 819 findet der Vf. in Mth. 22, 42—46 entschieden eine Widerlegung der Vorstellung namentlich der kleineren Propheten, dass der Messias Davids Sohn sein müsse. Gut ist die Bemerkung, dass der Idealismus erst durch das Christenthum eingeführt worden, während die alte Welt realistisch gewesen, wesshalb denn auch der Messianismus immer der Einkleidung in eine politische Staatsform bedurft habe. — 4. Hauptstück. „Die Vollendung der Offenbarung durch Christus.“ 1. Abschnitt. Die Bedeutung des Christenthums in der Entwickelungsgeschichte der Religion u. s. w. (S. 199—231). Diese gesammte Darstellung, welche streng gegliedert ist, und auch manche kaum vermeidbare Recapitulationen mit sich führt, leidet keinen Auszug. Interessant ist das Cap. über die Rechtzeitigkeit des Christenthums mit seinen tiefen Blicken auf den Verfall des Römerthums, der Griechenwelt, und der jüdischen Zeitgenossenschaft. — 2. Abschn. Der göttliche Ursprung des Christenthumes, nachgewiesen an der göttlichen Persönlichkeit seines Stifters u. s. w. (S. 232—316). Der reiche Inhalt lässt nur einzelne Bemerkungen zu. Es sind hier ziemlich vollständige Auseinandersetzungen zur bibl. Theologie und zum Leben Jesu gegeben, durchgängig aus dem supranaturalen

Standpuncte. Der göttliche Ursprung des Christenthumes wird in ähnlicher Weise bewiesen wie bei Reinhard über den Plan Jesu. Christus ist dem Vf. die personificirte Religion, das Ideal sittlicher Vollkommenheit und Heiligkeit. Nicht bloss die Göttlichkeit, auch die wahre Gottheit Christi wird behauptet. Die absolute Sündlosigkeit Jesu, welche Ullmann aus exegetischen und histor. Gründen darthut, wird hier mehr aus dogmatischen Argumenten demonstrirt. Hier und da finden sich dabei freilich Präsumtionen, welche dem genauen Forscher nicht Genüge thun; auch ist der Styl, der doch wissenschaftlich sein will, bisweilen zu sehr rhetorisch. Selbst die Exegese ist nicht immer genau. So wird z. B. angenommen Mth. 26, 28 stehe „nach hebräischem Ausdrucke" Viele für Alle. Die angestrebte Vollständigkeit hat übrigens viele Wiederholungen veranlasst und wird die Leser häufig ermüden. So hätte namentlich vieles Bekannte aus der Oekonomie der göttl. Offenbarungen kürzer behandelt werden sollen und würde dann eindringlicher geworden sein. Und doch tadelt der Vf. S. 284 an Reinhard, dass dieser den Beweis, dass der Erlöser nicht einer geheimen Gesellschaft angehört habe, auf 80 Seiten geführt. Der Seitenblick auf die Protestanten und deren Bisthum zu Jerusalem S. 297: „Diejenigen, welche sich bisher aus dem Kreuze wenig gemacht" u. s. w. ist unwürdig. — Die besseren Dichter und Philosophen der Heiden nennt er deren Propheten (S. 301). Neu oder doch ungewöhnlich ist die Bemerkung, dass die seit dem Exil und schon früher zerstreuten Juden durch Mittheilung ihrer messianischen Verheissungen manche Heiden unabsichtlich für das Christenthum vorbereitet und gewonnen hätten. Uebrigens enthält dieser umfassende Abschnitt vieles Anerkennungswerthe. — 3. Abschnitt. „Der göttliche Ursprung des Christenthums nachgewiesen aus den Wundern Christi" u. s. w. (S. 316—363). Der Vf. unterscheidet Wunderthaten und Wunderbegebenheiten. Erstere sind ihm Wirkungen und Veränderungen in der Sinnenwelt, welche das Organ der Offenbarung durch sich selbst, durch machtvolles Eingreifen seines Willens in der Natur hervorbringt, diese aber ähnliche Veränderungen oder Erscheinungen, welche die unsichtbare Allmacht Gottes zum Zeugniss für ihr Organ bewirkt. Kürzer hätte diess durch Wunder, „an und von Christus" vollzogen, gesagt werden können. Die nun folgende Theorie ist in Manchem der vom Ref. in seiner Apologetik gegebenen zwar ähnlich, nur wird man nicht läugnen können, dass der Vf. im Ganzen sich seine Aufgabe leicht gemacht hat und eine genaue Forschung ungeachtet einzelner brauchbarer Bemerkungen vermisst wird. Namentlich sieht man sich nach einer festen Bestimmung des Wunderbegriffes vergeblich um, die nicht fehlen durfte, obschon der Vf. erklärt, in das Einzelne der Thatsachen nicht eingehen, sondern nur den grossen Complex der Wunderwirkungen geben zu wollen. Nur für den bereits Gläubigen möchten seine Beweisführungen hinreichen. Richtig ist, was er sagt, dass die Wunder vor vielen Zeugen verrichtet und auch von den Feinden nicht bezweifelt wurden, dass sie oft durch ein blosses Wort, einen einfachen Willensact, ja sogar aus der Entfernung (actio distans) geschahen, mithin ohne Heilmittel. Sie stehen also ausser dem Gebiete des natürlichen Causalnexus, und scheinen in einer höheren Causalität begründet. In wenigen Fällen gebrauchte der Erlöser natürliche Kräfte und Mittel, doch so, dass dieselben nach unserer Kenntniss der Wirkungsarten schlechthin unvermögend waren, die erzählte Wirkung aus sich hervorzubringen. Ueber manche andere Puncte geht der Vf. leicht hinweg, oder schiebt das Schwierige bei Seite, so dass Ref., der dieselben mühevollen Untersuchungen geführt, allerdings die Ueberzeugung hat, es hätte hie und da mehr geleistet werden können und sollen, dann mussten aber freilich die Einreden der Gegner näher berücksichtigt werden. Ueber die Hypothese, die evangel. Wunder aus dem animalischen Magnetismus abzuleiten, spricht er zwar belehrend, aber nicht eindringlich genug. Gegen das Ende gibt er einen schätzbaren Ueberblick der Entwickelungsgeschichte des Christenthums, welcher reich ist an einzelnen Wahrheiten und an Hoffnungen für den Sieg des Guten. Den Protestantismus berührt er im Allgemeinen von seinem Standpuncte aus mit Mässigung. Und so ist es in der That recht erfreulich zu sehen, dass die wissenschaftlichen Theologen der deutsch-kathol. Kirche sich den protestantischen in so vielen wichtigen Puncten annähern. Man kann lange lesen, ohne von fern den Katholiken zu gewahren. Auch soll es in der Apologetik so sein, die ausserhalb des confessionellen Streites steht und eine Wissenschaft für die Christen als solche ist. Die im Ganzen gründliche und inhaltreiche Schrift verdient daher Anerkennung und Empfehlung. Sie sucht eine Gesammtüberzeugung von der Wahrheit und Göttlichkeit des Christenthums hervorzubringen, und zwar auf dem richtigen Wege. Dass aber bei so vielen und verschiedenartig behandelten Gegenständen fast gar keine Literatur beigegeben ist, möchten wir für einen Mangel erklären. *Fleck.*

[8474] Die Kirche Christi und ihre Zeugen, oder die Kirchengeschichte in Biographien durch **Friedr. Böhringer.** I. Bds. 2. Abth. Zürich, Meyer u. Zeller. 1842. XII u. 436 S. gr. 8. (1 Thlr. 15 Ngr)

Das vorliegende, mit besonderem Fleiss und tüchtiger Kenntniss gearbeitete Werk ist in der That eine der bemerkenswerthesten literar. Erscheinungen unserer Zeit, lehrreich für Laien und Geistliche, indem es recht eigentlich dazu dient, die Schätze der christlichen Erkenntniss und Bildung Denen aufzuschliessen, welche dafür Augen haben und noch nicht von der Neuerungssucht der Zeit hingerissen sind; aber auch Die zu heilen, welche aus Vorliebe für das Neue gewohnt sind, das Alte ohne Prüfung zu verachten und wegzuwerfen. Der Zweck des Vfs. ist beizutragen, dass von dem Geiste der alten Väter, überhaupt von Dem, was Frucht der wahren evangel. Erkenntniss und eines ächten christlichen Lebens war, immer mehr in die Kirche unserer Tage hereinwehe, unter Beseitigung der Excentricitäten und Abschweifungen, die sich in jener Zeit allerdings auch vielfach vorfanden. Er hat daher an alle Erscheinungen den prüfenden Maassstab gelegt, den die erweiterte und tiefere Erkenntniss und das geläuterte kirchliche Leben der Gegenwart ihm an die Hand gaben; sein Urtheil ist gesund und treffend. Er hat nicht das Messer kritischer Zweifelsucht, nicht das Microscop pedantischer Kleinlichkeitskrämerei gehandhabt, vor welchem schon oft die schönsten Blüthen des kirchlichen Lebens fielen oder ihren Glanz verloren, sondern mit christlich kirchlichem Geiste, der das Hohe zu würdigen und das Schwache zurechtzulegen und zu tragen versteht, und um die Erscheinungen, die im Grunde wurzeln, zu begreifen, selbst in die Tiefe geht, seine Prüfung angestellt. Um zu zeigen, wie richtig und treffend die Grundsätze des Vfs. in seinen kirchen- und dogmenhistor. Forschungen sind, und um zugleich eine Probe der Darstellungsweise des Vfs. zu geben, theilen wir hier unsern Lesern die Zusammenfassung der Resultate seiner Forschung über die drei grossen Cappadocier (Basilius, Gregor von Nazianz und von Nyssa) mit: „In diese Dreiheit laufen alle Strahlen des Herrlichen zusammen, was jene Zeit in der Christenheit erzeugte. Dieses Herrliche selbst aber hat sich nach seinen verschiedenen Seiten unter diese drei Männer vertheilt, und jeder Einzelne von ihnen repräsentirt in sich eine Seite, die zwar die übrigen nicht ausschliesst, aber doch die Glanzseite an ihm bildet. Basilius ist kein unbedeutender Dogmatiker (wie seine Schriften gegen Eunomius, über den heil. Geist u. s. w. beweisen), seine Beredsamkeit gehört mit zum Trefflichsten, was das christl. Alterthum besitzt, aber am grössten ist er, wie wir sehen, im praktischen Leben, als Kirchenfürst, als Mann der That. — Gregorius von Nyssa hat die Stürme des Kirchenregiments jener Zeit auch erfahren, und was er für seine Gemeinde that und opferte, ist wohl werth, ihn den treuesten Hirten an die Seite zu stellen; auch seine Beredsamkeit ist voll Kunst und Gewalt, aber seine höchsten Leistungen fallen, wie wir wissen, in das Gebiet der christl. Religions-Wissenschaft, die er nächst Origenes wohl am Umfassendsten cultivirte; er ist somit unter den Dreien vorzugsweise der Repräsentant des christl. Gedankens. — Gregor v. Nazianz ist als praktischer Geistlicher, wie als Denker gleich sehr zu achten, für jenes zeugt Konstantinopel, für dieses sein Ehrenname: „der Theologe“; dasjenige Gebiet aber, in dem er seine eigenthümliche Grösse besitzt, ist unstreitig das der christlichen Beredsamkeit, er ist der Repräsentant des christl. Wortes. So sehen wir in den Dreien — Gedanke, Wort und That, und diese drei Elemente in den drei Männern verbunden zu Einem christlichen Zweck und Ziel“ (S. 433 f). — Die 1. Abth. enthält eine Schilderung der Väter der drei ersten Jahrhunderte: Ignatius, Polykarpus, Justinus, Klemens v. Alex., Origenes, Irenäus, Tertullian und Cyprian; die

2. Abth. umfasst fünf gut gewählte und ausgeführte Biographien, Athanasius, als Vertreter der christl. kirchlichen Wissenschaft, Antonius, den Vater der kirchl. Ascese, beide Gregore und Basilius; in der Lebensbeschreibung, welche dem theoret. Systeme jedes derselben vorangeht, entwirft der Vf. durch eingestreute, meist aus den Werken der Väter selbst wörtlich entlehnte Schilderungen ein recht anschauliches Bild der Zeit. Das Dogmatische ist passend unter die einzelnen Loci geordnet, nach der Analogie der christl. Heilsökonomie; eben so passend ist es, dass als besondere Abtheilung der Streit über die eigentliche Lebensfrage der Zeit ausführlich behandelt vorangeht, wie z. B. bei Athanasius der Streit mit Arius, bei Basilius der mit Eunomius. Die Darstellung der Streitpuncte und der Hauptmomente der Polemik ist lichtvoll und geordnet, so dass jeder nur einigermaassen Gebildete die Sache fassen kann. Nur ist die Sprache des Vfs. oft zu schulmässig philosophisch, namentlich die termini technici der neueren Philosophie kommen darin so häufig vor, dass ein grosser Theil seines Buchs sprachlich nur den Eingeweihten, d. h. den Studirten, nicht jedem Gebildeten überhaupt verständlich sein dürften. Hierin scheint der Vf. den Zweck seines Werks nicht immer klar genug vor Augen gehabt zu haben, denn der „Kern des gebildeten christlichen Volks" (p. VIII) dürfte wohl auch bei diesem Werke, trotz seiner Entsagung hinsichtlich des eigentl. gelehrten Apparats, in einzelnen Parthien ziemlich leer ausgehen. — In der Einl. rechtfertigt sich der Vf. wegen seiner Methode, die Väter meist selbst und ausführlich sprechen zu lassen; wie wir glauben, hat er hierin vollkommen Recht. Den ihm gemachten Einwurfe, dass er mit Unrecht alle Citate weglasse, hat er dagegen selbst in sofern eine gewisse Gültigkeit zugestanden, als er verspricht, ein Supplementheft mit näherer Anführung der Beweisstellen zu liefern. Er glaube doch ja nicht, dass die Forderung, der auch wir beitreten, ein Zeugniss gelehrter Pedanterie sei. Wir geben ihm zwar gern zu, dass es die „nobelste" Art von Schriftstellerei sei, ein Werk zu liefern, das solide Studien voraussetzt, und doch auf den Ruhm der Gelehrsamkeit (d. h. der gelehrten Form) vor der Menge verzichtet; allein die Citate haben ja nicht den Zweck gelehrter Ostentation, sondern es wird damit dem Leser eine Controle über das Werk angeboten und erleichtert, und es ist gewiss sehr nobel, wenn ein Schriftsteller selbst dem Leser diese Möglichkeit bietet, und in der Gewissheit, auch die genaueste Prüfung zu bestehen, selbst die Materialien dazu gibt. Ja es ist zugleich ein Beweis seiner Bescheidenheit, indem er Gelegenheit gibt, da wo er irrt, zurecht gewiesen zu werden, so wie seines Muthes und seiner Wahrheitsliebe. — Und so sei denn dieses Werk allen Gebildeten, insbesondere aber den Studirenden und Candidaten der Theologie, so wie den Geistlichen dringend empfohlen; es ist für die gelehrte Kenntniss des christl. Alterthums, und namentlich für die prakt. Ausbeutung der gefördertsten Zeugen derselben eine

reiche Fundgrube und sollte in keiner Bibliothek fehlen. Die äussere Ausstattung des Werks ist vorzüglich.

Lic. *Lindner.*

Classische Alterthumskunde.

[[illegible]] *ΔΗΜΟΣΘΕΝΟΥΣ ΤΑ ΣΩΖΟΜΕΝΑ.* Demosthenis opera recensuit graece et latine cum indicibus edidit Dr. *Jo. Thd. Voemelius*, rector gymn. Francof. [Vol. I.] Parisiis, Didot. 1843. IX u. 480 S. Lex.-8. (4 Thlr.)

Wenn über diese treffliche Ausgabe des Demosthenes, welche eine wahre Zierde der Didot'schen Sammlung zu nennen ist, vor der Hand noch kein gründliches und umfassendes Urtheil gefällt werden kann, so rührt diess von dem leidigen Umstande her, dass die Motive, welche den Herausg. bei Feststellung des Textes leiteten, nicht vorliegen, der kritische Apparat, dessen er sich bediente, zur Zeit noch zum Theil unzugänglich ist. Hr. V., der bekanntlich seit einer Reihe von Jahren für D. unermüdlich thätig ist, war so glücklich, die Collation einer Anzahl von Handschriften zu erwerben, welche bisher noch nicht benutzt waren, jedoch seiner Versicherung zufolge ihrem Werthe nach nicht gering angeschlagen werden dürfen. Leider gestattete es die Einrichtung der Sammlung, für welche er die Bearbeitung des D. übernahm, nicht, die var. lect. beizugeben, und so sind wir in die Nothwendigkeit versetzt, die im Texte vorgenommenen Aenderungen vorläufig auf Treu und Glauben hinzunehmen, was man zwar bei einem mit D. so vertrauten Gelehrten wie Hr. V. ohne Gefahr thun kann, doch nicht ohne ein gewisses Unbehagen zu empfinden, weil man immerhin dabei in Gefahr schwebt, sein eigenes Urtheil gefangen zu geben. Um dieser Ungewissheit ein Ende zu machen, legen wir dem verehrten Herausg. wiederholt die Bitte ans Herz, zu Nutz und Frommen der Wissenschaft seinen kritischen Apparat zum D., so weit er neu ist, recht bald der Oeffentlichkeit übergeben zu wollen. Inzwischen lässt sich gleichwohl über die vorliegende Ausgabe bis auf einen gewissen Punct wenigstens eine Meinung äussern, insoweit dieselbe nämlich nicht unter dem Einflusse jener uns unbekannten Mss. steht, sondern auf Benutzung des Bekker'schen Apparats beruht. Vor Allem, ja fast einzig wird es darauf ankommen, welchen Gebrauch Hr. V. von dem vielbesprochenen Codex Σ gemacht hat, woran sich ganz von selbst eine Vergleichung seiner Ausgabe mit der neuen Züricher knüpft, von welcher sie ganz unabhängig ist, indem das Ms. des vorliegenden Bandes bereits nach Paris abgeliefert war, als das erste Heft des Züricher Demosthenes erschien. Dass der Σ die vorzüglichste unter allen Handschriften des Redners sei, erkennt auch Hr. V. an. Die Züricher Herausgg. haben bekanntlich den Grundsatz festgehalten, dass derselben so weit als möglich Folge zu geben sei, d. h. so weit als Grammatik und gesunde Logik es zulässig erscheinen lassen. Hr. V. hingegen ist bedenklicher, namentlich aber in einem

Puncto ist er äusserst difficil, bei den zahlreichen Auslassungen, welche sich in dieser Handschrift finden. Er selbst äusserte sich schon früher (Zeitschr. f. d. Alterth. Wiss. 1842. S. 1223) hierüber so: „mein Grundsatz ist es, kein Wort auf die einzige Autorität von Σ hin zu streichen, weil es möglicherweise von D. herrührend durch einen Zufall oder eine Nachlässigkeit darin fehlen konnte, und das einmal aus dem Texte geschwundene Wort nicht so leicht wieder in sein Recht eingesetzt wird. Ich gebe zu, dass viele von Σ ausgelassene Wörter Interpolation sein können; wo mir aber sonst der Maassstab dafür fehlte, schien es mir zu gewagt, selbst dem besten Codex zu folgen". Dasselbe wiederholt er in der Vorrede, noch mit dem Bemerken, dass er selbst da, wo mit Σ noch eine andere, sei es aus einer Quelle mit demselben geflossene oder überhaupt nachlässiger geschriebene, Handschrift in den Auslassungen übereinstimme, die ausgelassenen Worte nicht ausgestossen habe, „nisi glossematis species vel alia ratio postularet". Das letztere kann man in thesi immerhin gelten lassen, es kommt dies auch zuletzt mit dem Grundsatze der Züricher Herausgeber ziemlich auf Eins hinaus: nur diese Regel auf jeden gegebenen einzelnen Fall richtig anzuwenden, hat seine grosse Schwierigkeit, da es, man wende ein was man wolle, häufig doch nur auf subjectiver Anschauung beruht, welchen Ausdruck, versteht sich absolut Falsches und Schiefes abgerechnet, man dem Redner zutrauen zu dürfen glaubt, die Interpolationen aber nicht insgesammt so nur auf der Oberfläche stehen und gleich in die Augen springen müssen, sondern, dafern sie nur mit einigem Geschick gemacht sind, wohl zum Theil tiefer greifen und mit dem Fleisch der Rede selbst gleichsam verwachsen sein können. In dieser Hinsicht also ist gewiss die Vorsicht des Herausg. an sich genommen nicht zu tadeln: ob aber das darauf basirte Verfahren zu einem sicheren Resultate führe, ist eine Frage, die Ref. hier nicht anregen als entscheiden will. Das Ansehen des Σ geräth jedenfalls durch Hrn. V. wieder etwas in die Klemme. Sein Grundsatz ist es, die von ihm ausgestossenen Worte so lange als unverdächtig hinzunehmen, als die Unächtheit derselben nicht irgendwie erwiesen ist, wogegen die Züricher Herausgg. jene Stellen gleich von vorn herein und so lange als verdächtig betrachten, als sie nicht als ächt nachgewiesen werden können, — eine Verschiedenheit des Standpunctes, wie sie kaum grösser sein kann, und welche natürlich auch zu ganz verschiedenen Resultaten geführt hat. Nehmen wir als Beispiel die dritte philippische Rede, freilich gerade das allerfrappanteste für die Interpolation des demosthenischen Textes, ebendeshalb aber auch recht eigentlich den Prüfstein für den Werth des Σ einerseits und andererseits für das kritische Verfahren der Herausgeber. Ref. hat, um einen ungefähren Maassstab zu finden, die vorliegende Ausgabe sowohl als die Züricher genau zu dieser Rede mit der Bekker'schen verglichen, und gefunden, dass Hr. V. den Text von einer nicht geringen Anzahl Interpolationen, welche noch bei Bekker stehen, gereinigt, so Manches hingegen als ächt oder wenigstens nicht erweislich unächt festgehalten hat, was die Züricher Herausgg. als Glosseme beseitigen zu müssen glaubten, so dass die vorl. Ausgabe zwischen jener und der Bekker'schen so ziemlich die Mitte hält. Im Ganzen belaufen sich in den 76 Paragraphen der 3. Philipp. die Abweichungen von Bekker bei Hr. V. auf 66, darunter 21 an solchen Stellen, wo ein oder mehrere Worte ausgestossen sind, die der Züricher Herausgg. hingegen auf 107 (unter denen 52 mit den V.'schen zusammentreffen), wovon allein 55 Auslassungen sind. Ref. gesteht nun, so sehr er die Tüchtigkeit der Arbeit des Hrn. V. anerkennt, noch immer sich der letzteren Seite zuzuneigen. Dass der Text des D. vielfach interpolirt sei, unterliegt keinem Zweifel. Nun ist uns im Σ eine Handschrift geboten, welche nicht nur von sehr hohem Alter ist, sondern auch an Vortrefflichkeit alle übrigen zusammen weit übertrifft. Dieselbe Handschrift enthält eine Recension, welche sich von Interpolation freier als irgend eine andere erhalten hat. Warum nun, fragen wir, soll nur ein Theil der in derselben vorkommenden Auslassungen gut geheissen, der andere aber verworfen und mehr als die Hälfte der von ihm ausgeschiedenen Stellen als ächt im Text zurückbehalten werden? Ja wenn noch die Auslassungen des Σ die Kraft der Rede lähmten, ihren Zusammenhang zerstückten, ihr Ebenmaass störten. Aber nein, gerade im Gegentheil gewinnt dadurch die Rede überaus an Energie und Gedrungenheit, was doch schwerlich ein Werk des Zufalls sein kann. Und warum will man überhaupt jene gegen die Vulgata gekürzten Stellen von den sonstigen nur einzelne Ausdrücke betreffenden Abweichungen trennen, während doch im Grunde jene wie diese ganz einfach nur als Lesarten zu betrachten sind? Gewiss aber ist, dass nicht die eine oder die andere Classe dieser Lesarten allein den Werth einer Handschrift bedingt, sondern beide zusammen genommen erst ihre wahre Eigenthümlichkeit ausmachen. Es ist daher eine Inconsequenz, wenn bei einfachen Abweichungen, wo es sich nur um einen Ausdruck für den anderen handelt, dem Σ allein, wie es häufig auch bei Hr. V. und mit Recht geschieht, unbedenklich der Vorzug gegeben, an solchen Stellen hingegen, wo er ein Wort oder eine ganze Reihe von Worten, welche nicht nothwendig in den Zusammenhang gehören, nicht anerkennt, sein Zeugniss verworfen wird, wenn nicht andere Handschriften, die entschieden einer verderbten Classe angehören, ihre Zustimmung geben. Allerdings ist im letzteren Falle die Unächtheit der ausgestossenen Worte um so gewisser: allein eben dieses Zusammentreffen der einen oder anderen interpolirten Handschrift mit der einzigen nicht interpolirten zeigt, dass auch wo die letztere allein steht, derselben ein bedeutendes Gewicht beizumessen ist. Nun hat aber auch der Cod. Σ seine verschiedenen Abstufungen, wie die zahlreichen Siglen bei Bekker lehren, je nachdem er etwas von erster oder zweiter Hand, in oder zwischen dem Texte, am Rande

u. s. w. hat. Alles kommt hier auf die richtige Schätzung dieser Abstufungen an. Der zweiten Hand vor der ersten ohne Weiteres den Vorzug zu geben, wird natürlich nicht leicht Jemand einfallen; allein selbst über das Wesen der prima manus im Σ ist man nicht ganz im Klaren, und auf der Verschiedenheit der Ansicht des Hrn. V. und der Züricher Herausgg. hierüber beruht ein grosser Theil der Abweichungen der beiderseitigen Texte. Viele jener Auslassungen des Σ nämlich sind von Bekker mit „pr" bezeichnet, d. h. der Verfasser der Handschrift hat die fehlenden Worte weggelassen, und später hat ein anderer dieselben nachgetragen. Die Frage ist nun, woher diese Nachträge entnommen seien. Die Züricher Herausgg. meinen, aus einer anderen Handschrift, weshalb sie auch auf pr Σ als die ursprüngliche Lesart das grösste Gewicht legen: Hr. V. hingegen lässt, wenn wir ihn recht verstehen, dieselben aus einer bald nach Verfertigung der Handschrift, ja vielleicht gar durch den nämlichen Schreiber veranstalteten nochmaligen Vergleichung der Originalhandschrift, aus welcher Σ selbst geflossen ist, entstehen (correctrix ejusdem aetatis, fortasse eadem manus addidit, cum exemplari accurate conferens). Allein dagegen haben wir das logische Bedenken, dass, wenn prima manu etwas im Σ fehlt, es doch unmöglich von derselben, sondern erst von zweiter nachgetragen sein kann. Haben wir aber in diesen Nachträgen die zweite Hand, so würde, selbst wenn deren Gleichzeitigkeit mit der ersten bewiesen werden könnte, doch immer alle Garantie dafür fehlen, dass die Supplemente aus derselben Quelle, wie Σ selbst, geflossen seien. Es scheint sonach etwas bedenklich, mit Hr. V. dem Corrector des Σ eine höhere Auctorität zuzuschreiben, als dem eigentlichen Verfasser der Handschrift selbst, in welchem Falle freilich alle jene Auslassungen der Unachtsamkeit des letzteren zur Last fallen würden. Dass dem jedoch nicht so sei, ergibt sich schon daraus, dass die eine und die andere Stelle, welche pr Σ nicht hat, auch von Hr. V. ausgestossen wird, nach seinem Grundsatze nicht deshalb, weil sie eben pr Σ nicht hat, sondern weil dieselben auch in dieser oder jener seiner eigenen Handschriften fehlen (wie z. B. in der 3. Philipp. § 37 *ἀεί*, § 41 *διατεινόμενοι*, § 54 *οὐδὲ βούλεσθε*, § 58 *καὶ φίλος*), Beweises genug, dass die Auslassungen pr Σ nicht Nachlässigkeitssünden sind, sondern zu den organischen Eigenthümlichkeiten dieser Handschrift gehören. So weit über das Princip, in dem wir zu unserem Bedauern mit dem Herausg. nicht übereinzustimmen vermögen. Dasselbe jedoch seiner Ausführung nach ins Einzelne zu verfolgen, gestattet hier weder der Raum, noch scheint es überhaupt rathsam, so lange nicht der handschriftliche Apparat vollständig vorliegt. Die übrigen Abweichungen von Bekker bestehen theils in Zusätzen, welche Hr. V. selbst gegen die Auctorität des Σ aus anderen Mss. zu machen sich veranlasst sah, was wir gleichfalls nach dem Obigen nicht unbedenklich finden (z. B. Phil. 3 § 1 *πράττειν ἅπασι προσήκειν* für *πράττειν*, § 14 *αἰτιωμένων καὶ κρίνειν βουλομένων* für *αἰτιωμένων*, § 18 *ἵσταντα καὶ κατασκευάζαντα* für *ἵσταντα*, § 14 *Ναύπακτον ἀφελόμενος* für *Ναύπακτον*), theils in aufgenommenen Lesarten entweder des Σ, worin Hr. V. meist mit den Züricher Herausgg. zusammentrifft (während er in einzelnen Fällen sogar in dieser Beziehung noch weiter geht als diese, wie z. B. Phil. 3, § 17, wo er *τοσούτῳ* statt *τοσούτου* aufnimmt, in anderen dagegen wieder von denselben abweicht, wie er § 17 *φησὶ* und *προσαγάγωσιν*, § 22 *πάντες*, § 33 *ὅνπερ*, § 65 *ὑμῖν* wieder hergestellt hat), oder anderer Handschriften (wie § 40 *παρασκευῆς* für *κατασκευῆς*, § 50 *ἐξηρτύσθαι* für *ἐξηρτῆσθαι*), theils endlich in Lesarten, deren Quelle uns unbekannt ist, die jedoch mehr das Ansehen von Schreib- oder Druckfehlern haben, wie § 1 das fehlende *καὶ* vor *πάντων* und § 14 *αὐτοῦ* statt *ἑαυτοῦ*. Im Allgemeinen aber hat sich Hr. V., was bei der eigenthümlichen Einrichtung der Ausgabe nur gebilligt werden kann, so streng als möglich an die Mss. gehalten, Nicht-Handschriftliches nur selten und bloss in Fällen, wo kein Zweifel war, aufgenommen, doch nicht ohne auch diess durch ein besonderes Zeichen im Texte anzudeuten, wie diess auch bei den verderbten Stellen geschehen ist, bei denen zugleich, wenn sich eine wahrscheinliche Verbesserung darbot, was aber nicht allzu häufig geschehen ist, diese unter dem Texte verzeichnet worden ist. Ausgezeichneten Fleiss hat auch der Herausg. auf die Orthographie verwendet, nicht minder auf die Interpunction, obgleich dieselbe nicht ganz nach unserem Geschmack ist; doch in solchen Dingen ist es geradezu unmöglich Alle zu befriedigen. Der lateinischen Uebersetzung endlich ist die von Hieron. Wolf zum Grunde gelegt. Schliesslich noch, dass dieser erste Band die Reden 1—34 enthält, dem zweiten aber ein bisher sehr vermisstes Sachregister und die Fragmente beigegeben werden sollen.

[[illegible]] *ΔΙΟΔΩΡΟΥ ΤΟΥ ΣΙΚΕΛΙΩΤΟΥ ΒΙΒΛΙΟΘΗΚΗΣ ΙΣΤΟΡΙΚΗΣ ΤΑ ΛΕΙΨΑΝΑ.* Diodori Siculi bibliothecae historicae quae supersunt. Ex nova recensione *Lud. Dindorfii.* Graece et latine. Perditorum librorum excerpta et fragmenta ad integri operis seriem accommodare studuit, rerum indicem locupletissimum adiecit *Car. Muellerus.* Vol. I. Parisiis, Didot. 1842. II u. 625 S. Lex.-8. (4 Thlr.)

Handschriftliches ist für diese neue Bearbeitung des Diodorus nicht benutzt worden, was auch bei dem verhältnissmässig geringerem Verderbniss des Textes, namentlich aber bei der Tendenz und Einrichtung der ganzen Sammlung, für welche sie bestimmt ist, weniger nothwendig erscheint. Um so grösser ist das Verdienst des Hrn. D., welcher gleichwohl eine ziemlich bedeutende Anzahl von Stellen gebessert und den Text um Vieles lesbarer gemacht hat. Viele von diesen Aenderungen sind ganz evident, von anderen sieht man freilich die Nothwendigkeit nicht ein, zumal wenn man, in welchem Falle Ref. im Augenblick zu sein beklagt, den gesammten kritischen Apparat nicht zur Hand hat. Das eben ist aber das Grundgebrechen der Didot'schen Sammlung, dass sie uns nöthigt fast alles auf Treue und Glauben hinzunehmen, und keine der bedeutenderen älteren Ausgaben entbehrlich macht. Um nun dem Leser einen ungefähren Begriff von dem Maasse der von Hrn. D. vorgenommenen Aenderungen zu geben, hat Ref. einen Abschnitt des 14. Buchs, Cap. 19—38, mit der Dindorf'schen Ausgabe vom J. 1826 verglichen und folgende Abweichungen gefunden. Cap. 19, 4 *Σάμιον* und *Σάμιος* für *Σύμιον* und *Σάμιος*, doch findet sich die letztere Form des Namens auch bei Xenoph. hist. gr. 3, 1, 1. § 9 *ἐξεθεράπευε* für *ἐξεθεράπευσε*. Cap. 20, 3 ist hinter *πρὸς ἐκεῖνον* eine Lücke angedeutet, desgleichen Cap. 21, 1. hinter *τῶν Λακεδαιμονίων*. Cap. 26, 4. *αὐτὸν ἔχων* für *ἔχων αὐτόν*. §. 6 *ἄλλοις τε* für *ἄλλοις γε*, was, da unmittelbar vorher einige Worte ausgefallen sind, ziemlich unsicher ist. Cap. 30, 5 *Μοσσυνοίκων* für *Μοσυνοίκων*, was nur nach handschriftlicher Auctorität entschieden werden kann. Cap. 31, 4 *ὀκτακισχίλιοι τριακόσιοι* für *τρισχίλιοι ὀκτακόσιοι*, welches letztere nach Cap. 37 allerdings falsch ist. § 5 *χώραν* für *πόλιν*. Cap. 35, 1 *Μένων* für *Μίνως* nach Africanus b. Euseb. p. 41. § 2 *Τισσαφέρνην* für *Φαρνάβαζον*. Cap. 36, 1 *ὅσους* für *οὓς*. Cap. 37, 5 hat Hr. D. *ἔτη ἑπτά* stehen lassen und auch in der Uebersetzung, wie er doch an anderen verdächtigen Stellen thut, keinen Wink über diesen groben Irrthum oder vielmehr über die Verdorbenheit der Stelle gegeben. Diodor selbst wenigstens kann bei aller seiner Leichtfertigkeit kaum dem Archelaus eine Regierungszeit von nur sieben Jahren beigelegt haben, da er ihn 13, 49 schon zehn Jahre früher als im Besitz der Herrschaft erscheint. Schon Palmerius corrigirte daher *ἑπτὰ καὶ δέκα*, und dieses bestätigt vollkommen die armenische Uebersetzung des Eusebius. Cap. 38, 1 *Αὖλος Μάνλιος, Κόιντος Κλώδιος καὶ Μάρκος Ἄγκος*, vermuthlich aus den Mss., für *Αὖλος Μάνλιος Καπιτωλῖνος καὶ Μάνιος Σέργιος*, was, wenn es auch nicht richtiger ist, doch der Wahrheit näher kommt. § 6 *Δερκυλλίδαν* für *Δερκυλλίδαν*, eine Form die keineswegs zu verwerfen ist. — Diese wenigen Notizen werden hinreichend sein, dem Leser eine Vorstellung von dem zu geben, was er sich von dieser Ausgabe versprechen kann. Die Fragmente sind von Hrn. Müller, dem bekannten Bearbeiter des Apollodor und der Fragmente der griechischen Historiker für dieselbe Sammlung, gehörigen Orts eingereiht worden: von demselben steht auch ein vollständiges Sachregister zu erwarten, was bei einem Geschichtschreiber wie Diodorus eine eben so nothwendige als willkommene Zugabe sein wird.

[[illegible]77] Handbuch der griechischen Antiquitäten von Dr. E. F. Bojesen, Lector d. griech. Spr. u. Lit. an der Soro-Akademie. Zum Gebrauch für Gymnasien und Schulen aus dem Dänischen übersetzt von *J. Hoffa*, Dr. ph. u. Privatdoc. an d. Univ. zu Marburg. Giessen, Heyer sen. 1843. XVIII u. 148 S. gr. 8. (20 Ngr.)

In gleichem Style, wie Hr. B. vor wenigen Jahren die römischen Antiquitäten in einem besonderen Handbuche bearbeitete, behandelt derselbe jetzt in dem vorliegenden auch die griechischen und wie über jenes (vgl. Repert. Bd. XXXI. No. 195), so muss auch über dieses die Kritik im Ganzen sich lobend und anerkennend aussprechen, so dass Hr. H., welcher beide, wiewohl unverändert, übersetzt und den deutschen Lehranstalten zugänglich gemacht, in der That etwas sehr Nützliches unternommen. Die Handbücher, oder richtiger Compendien des Hr. B., deren Tendenz dahin geht, den Schüler zu einer Auffassung des antiken Lebens als eines Ganzen anzuleiten und die Lectüre der alten Classiker auf Schulen mit dem Geschichtsunterricht in eine lebendige Wechselwirkung zu setzen, zeichnet sich vor allen anderen ihrer Art sowohl durch fassliche und übersichtliche Anordnung, klare und einfache Darstellung und musterhafte Präcision, als auch namentlich dadurch aus, dass sie auf eigenem gründlichen Studium beruhend und unter sorgfältiger Benutzung der neuesten und gediegensten Leistungen gearbeitet von so manchen traditionell gewordenen Irrthümern sich frei erhalten haben, und so auch wissenschaftlich eine nicht unbedeutende Stelle einnehmen. Wenn wir gleichwohl nicht unbedingt in das Lob einstimmen können, welches der Uebersetzer in seinem Vorworte dem vorliegenden Werke spendet, dass nämlich dasselbe dem Schüler ein sehr passendes Hülfsmittel darbiete, sich nicht nur für den Unterricht genügend vorzubereiten, sondern auch über die ihm bei der Lectüre griechischer Schriftsteller aufstossenden sachlichen Schwierigkeiten leicht Aufschluss zu verschaffen, so kommt diess daher, dass nach unserem Dafürhalten wenigstens der Vf. in der einen der oben gerühmten Beziehungen, in dem Streben möglichst kurz und bündig zu sein und nur das Nothwendige zu geben, doch etwas zu weit gegangen zu sein scheint. Dieses Streben ist an sich gewiss höchst lobenswerth, Bündigkeit und Kürze der Auseinandersetzung dem Schüler gegenüber durchaus nothwendig: allein auch hier ist eine Grenze, welche nicht überschritten werden darf. Wir meinen, es dürfe nicht zu sehr nur andeutungsweise verfahren werden, über dem Ganzen dürfe das Einzelne als dessen Bestandtheile nicht zu sehr zurücktreten, und das Positive müsse in so weit wenigstens vollständig gegeben werden, dass man das Besondere in seinem Wesen sowohl als in seinem Zusammenhange und seiner Beziehung zum Allgemeinen hinreichend erkennen kann. Im entgegengesetzten Falle wird ein Compendium, wenn es nicht gerade unter fortwährender Anleitung, Nachhülfe und Erklärung des Lehrers als förmlicher Leitfaden bei Vorträgen über den behandelten Gegenstand gebraucht werden soll, zwar eine gewisse jetzt so beliebte allgemeine Anschauung, nicht aber durchaus die klare Erkenntniss der Zustände des Alterthums verschaffen, wie sie zum wahren Verständniss der alten Schriftsteller nöthig ist, es wird und muss in einzelnen vorkommenden Fällen den Schüler im Stiche lassen. In dieser Hinsicht hat Hr. B. nicht durchgängig den rechten Ton getroffen. Viele Abschnitte zwar sind vortrefflich und so gearbeitet, dass dem Schüler vollkommen das geboten wird, was ihm gerade zu wissen nöthig ist, um sich eine richtige Ansicht von dem fraglichen Gegenstande zu bilden: anderwärts hingegen bleibt der Vf. zuweilen unbegreiflicher Weise auf halbem Wege stehen. Wir rechnen dahin namentlich solche Stellen, wo er Dinge, die weder die Divination noch die Phantasie, am allerwenigsten die des Anfängers, ergänzen kann, entweder halb oder sogar ganz errathen lässt, wo er sagt, es sei etwas überhaupt oder anders gewesen, ohne doch das Was und Wie zu erläutern, oder auch einzelne Theile einer Sache beispielsweise anführt, während dieselbe doch nur durch vollständige Erfassung aller ihrer Theile richtig erkannt werden kann. Hierzu einige Belege. So z. B. sagt er S. 68, dass wir von den Trittyen und Naukrarien zu Athen nur wenig mit Sicherheit wissen, ohne jedoch auch dieses Wenige nur anzugeben. S. 77 heisst es, dass die Behörden durch Abstimmung entweder des ganzen Volkes oder in besonderen Fällen einer einzelnen Phyle gewählt wurden. Welches waren nun diese besonderen Fälle? S. 78 „vor beendigter Rechnungsablage konnte Niemand ausser Landes reisen, eine andere Magistratur bekleiden oder gewisse andere bürgerliche Rechte und Freiheiten geniessen". Auch hier mussten, um falschen Vorstellungen vorzubeugen, diese gewissen anderen Rechte und Freiheiten namhaft gemacht werden. S. 79 wird gesagt, die Thesmotheten hätten die Jurisdiction in den übrigen (nämlich abgerechnet die, welche vor die ersten drei Archonten gehörten) gehabt, eine Unrichtigkeit, welche wohl nicht in der Absicht des Vfs. lag (denn S. 89 wird die Sache ganz richtig dargestellt), sondern nur aus dem leidigen Streben nach möglichster Kürze hervorgegangen ist. S. 80 wird den Astynomen die Aufsicht auf (?) die Sicherheit und Reinlichkeit der Gebäude und Strassen nebst der übrigen polizeilichen Ordnung zugetheilt. Also hatten sie die ganze unter sich? Und doch werden gleich darauf noch andere Polizeibehörden genannt, die Agoranomen, die Sitophylakes und Metronomen, von welchen beiden letzten es übrigens wieder eben so unbestimmt heisst, sie hätten ähnliche Verrichtungen gehabt. S. 81 „von der älteren attischen Rechtsverfassung wissen wir nicht viel". Nun so hätte Hr. B. dieses Wenige wenigstens dem Leser nicht vorenthalten sollen. S. 90 ist über die Klagformen höchst summarisch und unvollständig gehandelt; erklärt sind bloss die γραφή, ἀπαγωγή und ἐφήγησις (die ἔνδειξις nicht), worauf es weiter heisst: „ferner die φάσις, προβολή, εἰσαγγελία, ἀπογραφή und andere Klagformen". Was, fragen wir, ist dem Leser, und noch dazu dem Anfänger, mit diesem dürren Namensverzeichnisse gedient? Warum wird ihm die Bedeutung dieser Ausdrücke nicht klar gemacht? Und wenn es noch andere Klagformen gab, warum werden nicht auch diese angeführt? Gleich unbefriedigend ist das, was gleich darauf über die Klagen nach ihrem Gegenstand und Inhalt vorgetragen wird; auch hier begnügt sich der Vf. beispielsweise einige öffentliche und Privatklagen anzuführen, als ob ein so verwickelter Gegenstand mit einigen allgemeinen Andeutungen abgethan werden könnte, und es nicht vielmehr gerade hier auf eine vollständige Darlegung des Positiven ankäme. Ueberhaupt aber gehört der ganze Abschnitt über die Klagen bei den Attikern, der nicht mehr als zwei Seiten füllt, zu den schwächsten, obwohl hier etwas Befriedigendes zu leisten nach so tüchtigen Vorarbeiten nicht eben schwierig war. S. 94 „etwas abweichend davon (von der gerichtlichen Procedur vor den Heliasten) war die vor den Diäteten, und mehr noch vor den 40 Männern". Worin aber diese Abweichung bestand, erfährt der Leser nicht. — An allen diesen Stellen ist der Vf. durch sein an sich ganz lobenswerthes Streben nach Kürze in den der Weitschweifigkeit entgegengesetzten Fehler gefallen. Namentlich in dieser Hinsicht also wird bei einer zu erwartenden neuen Auflage Manches nachzuholen, Einzelnes auch sonst schärfer zu fassen sein. Wünschenswerth wäre es auch, wenn von den Belegstellen, welche aus Grundsatz ganz unterdrückt sind, überall wenigstens das Wichtigste, mit besonderer Rücksicht auf die auf den Schulen gelesenen Schriftsteller, nachgetragen würde; man darf dem Schüler auch die Gelegenheit, sich weiter zu unterrichten und in seiner Art selbst zu forschen, nicht ganz abschneiden. Andere Versehen, welche mit untergelaufen sind, wird Hr. B. wohl schon selbst wahrgenommen haben; doch heben wir noch Einiges heraus, da er selbst in der Vorrede Schulmänner und Philologen auffordert, ihm etwaige Bemerkungen und Berichtigungen mitzutheilen. Wir beschränken uns dabei auf den Abschnitt, welchen wir einer genaueren Durchsicht unterworfen haben, den über Athen und vorzugsweise die attischen Staatsalterthümer. In dem vorausgeschickten chorographischen Theile ist uns aufgefallen, dass Megara nordwestlich von Attika angesetzt wird. Die Beschreibung der Stadt Athen S. 56 ist nicht geeignet, dem, welcher nicht schon eine Ansicht davon hat, ein anschauliches Bild zu geben. Neben dem Ilissos war der bedeutendere Kephissos nicht zu übergehen. Unter denen, welche die Stadt verschönert, waren statt Demetrius Phalereus vielmehr Lykurg, Herodes Atticus und Kaiser Hadrianus zu nennen. Volksversammlungen im Odeion des Perikles dürften sich nicht leicht nachweisen lassen. Der Tholos oder Skias kommt wohl auf Rechnung des Uebersetzers. Unklar ist die Benennung „Platz" für den Kerameikos. Die Kimonische Mauer war nur ein Theil der Ringmauer der Akropolis. Die Lage von Melite östlich ist unverbürgt. Von den Thoren Athens sind beispielsweise nur zwei mit Namen genannt, besser alle oder keines. Bei der Akademie war die Lage an der entgegengesetzten Seite der Stadt anzugeben. Genügend ist dagegen die historische Uebersicht S. 57—62. Die Notiz S. 64, dass gegen den Schluss des peloponnesischen Krieges viele Metöken Bürger wurden, steht zu vereinzelt; es musste gesagt werden, dass zur Zeit der Noth zuweilen Fremde in den Stand der Bürger, so wie Sclaven in den der Schutzgenossen aufgenommen wurden.

Die Ansicht über die πρόξενοι ist jetzt nach Meier's Untersuchung zu modificiren. S. 65 sind δίκη und γραφή als gleichbedeutend gesetzt (δίκη oder γραφὴ ἀποστασίου, wobei der Vf. die δίκη ἀποστασίου mit der γραφὴ ἀπροστασίου verwechselt zu haben scheint). S. 66 war unter den Beamten der Demen der Demarch ohne Frage voranzustellen, auch über seinen Wirkungskreis Einiges zu sagen. Ganz neu war uns ebendas. die Bemerkung, dass jeder Demos einen Euthynen (εὔθυνος) gehabt. S. 71 fehlt die alljährlich von den Thesmotheten vorzunehmende Revision der Gesetzsammlung, welche ohne Zweifel mit der ἐπιχειροτονία im Zusammenhange stand. S. 74 über die Unverantwortlichkeit des Rathes liesse sich noch rechten. S. 75 ist nicht klar genug über die Jurisdiction des Raths gehandelt. Von den Tagen, an welchen sich der Rath versammelte, sind auch noch die Volksversammlungstage abzuziehen. S. 78 werden die Diäteten ohne Grund zu denjenigen Magistraten gerechnet, welche öffentliche Gelder in Händen hatten. Das Religionswesen, wofür es freilich auch an Vorarbeiten ziemlich fehlt, ist S. 98—102 etwas dürftig ausgefallen. Des Zusammenhanges wegen hätten wir die letzten Theile der Staatsalterthümer lieber in folgender Ordnung abgehandelt gesehen: Staatshaushalt, Kriegswesen, Religionswesen. Die Trierarchie § 52 hätte sich als Leiturgie natürlicher gleich an § 50 angeschlossen. Bei der Eisphora S. 113 fehlt die sehr wesentliche Bemerkung, dass diese Steuer nur zu Zwecken des Kriegs erhoben wurde, desgleichen S. 115, dass Befreiung nur von den ordentlichen oder enkyklischen Leiturgien gewährt wurde. — Die Uebersetzung liest sich im Ganzen gut und fliessend; doch hätte Hr. H. auf Einzelnes hier und da noch etwas mehr Sorgfalt verwenden können. Denn nicht recht deutsch sind Wendungen wie S. 9 „die unter diesen Streitigkeiten entstehende Demoralisation und Auflösung aller guten Kräfte untergrub Hellas' Freiheit, bahnte den Weg zum Streben des makedonischen Philipps nach der Oberherrschaft“, oder „einige Städte hatten indessen gelindere Verhältnisse“, oder S. 13 „wie Sparta im Perserkriege an die Spitze aller Staaten, die gegen die Perser kämpften, und Athen späterhin [an die] der meisten ionischen Staaten“. Fast widerlich aber sind Ausdrücke wie S. 61 Largitionen, S. 96 Mulctirte, S. 113 einen aliquoten Theil.

[2478] C. Plinii Caecilii Secundi Epistolae. Mit kritisch berichtigtem Text erläutert von *Mor. Döring*, Conr. am Gymn. zu Freyberg. II. Bd. Freyberg, Engelhardt. 1843. 421 S. gr. 8. (2 Thlr.)

Dieselben Vorzüge, welche wir schon bei Anzeige des 1. Bandes dieser neuen Ausgabe des Plinius (Heft 5. No. 642) hervorheben zu müssen glaubten, haben wir wiederholt auch bei diesem mit erwünschter Schnelligkeit nachgelieferten 2. Bde. zu rühmen, denselben Fortschritt in der kritischen Feststellung des Textes, dieselbe Maasshaltung und Klarheit der Erläuterung, dieselbe ansprechende und anregende Darstellung; und so können wir das Werk allen, insbesondere aber jüngeren Lesern zur Privatlectüre, aus bester Ueberzeugung empfehlen. Hiermit könnten wir unsere Anzeige schliessen, läge uns nicht ganz besonders daran, dem Herausgeber zu beweisen, dass wir auch dem Einzelnen seiner Bearbeitung die gebührende Aufmerksamkeit geschenkt haben. Wir wollen daher ein Paar der interessanteren Briefe, VIII. 14 u. IX. 26, durchnehmen und einige wenige Stellen besprechen, an denen wir mit Hrn. D. nicht ganz übereinstimmen können oder das Eine und das Andere vermisst haben. VIII. 14, 2. cur quaeris, quod nosse debeas? Wir billigen mit ihm den Conjunctiv, welchen gegen alle Mss. die Herausgeber nach Gronov in debebas verwandelt haben; doch wäre ein Wort zur Begründung desselben wohl nicht ganz überflüssig gewesen. § 3. quotus enim quisque tam patiens, ut velit discere, quod in usu non sit habiturus? Dieser in seiner Allgemeinheit verderbliche Grundsatz verdiente wohl eine Erläuterung mit Rücksicht auf unsere Zeit und die Schule insbesondere. § 8. prospeximus curiam übersetzt Hr. D. „nur aus ehrfurchtgebietender Ferne erblickten wir die Curie“, doch scheint uns in prospicere mehr nur der allgemeine Begriff eines passiven An- und Zuschauens zu liegen im Gegensatze zu der activen Theilnahme an den Senatsverhandlungen selbst (§ 5. inde honores petituri adsistebant curiae foribus et consilii publici spectatores ante quam consortes erant). Die Auslassungen im Prager Codex § 11 der Worte an didiceris und § 12 quis? ego; sed nihil refert sind für die Charakteristik dieser Handschrift mindestens sehr bedeutsam. — Die Sätze § 13 sq. möchten wir vorschlagen so zu ordnen: quarum sententiarum tanta diversitas erat, ut non possent esse nisi singulae. Quid enim — adimit (ohne Parenthese). Cum interim — differebant, ego postulabam u. s. w. § 17 meint Hr. D. bei der Zusammenstellung von uni — alteri — tertio, dass alteri hier gegen den Gebrauch der besten Schriftsteller für secundo stehe. Dagegen erlauben wir uns Stellen geltend zu machen wie Cic. Verr. 2. 1, 7. ut primo die populus Romanus iudicaret, alter dies amicis istius spem defensionis afferret, tertius dies sic hominem prosterneret u. s. w., Phil. 1, 13. proximo, altero, tertio, reliquis consecutis diebus. — § 19. qui haec sentitis, in hanc partem, qui alia omnia, in illam partem ite, qua sentitis. examina singula verba et expende. Dafür hat der Prager Codex, mit welchem hier auch der Med. übereinstimmt, nur qui haec censetis. examinate singula verba et expendite. Hier scheint uns zunächst censetis, was auch gleich darauf wiederkehrt, richtig. Auch die Abkürzung der Formel ist wohl ganz zweckmässig, da sie dem rechtskundigen Aristo geläufig genug sein musste, wogegen Hrn. D. die Abkürzung durch die Abschreiber der genannten Mss. wahrscheinlicher vorkommt, als dass die der übrigen die Formel mühsam aus dem Folgenden zusammengelesen hätten. Richtig aber nimmt derselbe examina und expende gegen examinate und expendite in Schutz, was Titze vergebens zu retten suchte: der Plural ist vermuthlich daraus entstanden, dass dem Abschreiber diese Form aus dem unmittelbar Vorhergehenden noch im Gedächtniss war. — § 22. qua ergo ratione potest esse non unus atque idem locus sententiarum, quarum nullus est postea? Das non vor unus haben mit Ausnahme einer einzigen (welcher?) alle Handschriften, gleichwohl haben es die neueren Herausgeber gestrichen. Hr. D. stellt es wieder her: wenn er jedoch den Sinn der Worte so fasst, „also müssen gleich vom Anfang die verschiedenen Ansichten ganz gleiche (unus atque idem) Stellung gegen einander einnehmen, da sie nachher gar keine erhalten würden", allerdings die einzige Möglichkeit das non zu retten, so müsste, dünkt uns, erst gezeigt werden, dass unus atque idem locus so viel sein könne als, wofür es doch in diesem Falle zu nehmen wäre, suus cuique locus. — IX, 26. § 6 sind, was auch der Herausg. erkannte, die Worte *βράχε δ' εὐρεῖα χθὼν* gewiss unächt. Die Bemerkungen zu den folgenden Beispielen der Kühnheit des rednerischen Ausdrucks sind sehr instructiv, und wir möchten darin nur Weniges geändert oder zugesetzt wissen. § 9 scheint bei Erklärung des Worts *ἀναχαιτίζειν* der Zusatz „wenn man dasselbe aufwärts streicht" nicht nothwendig: man brauchte das Wort von einem wilden Pferde, das die Mähne sträubt, sich bäumt und den Reiter abwirft, welche letztere Bedeutung, ursprünglich eine nur secundäre, später die Hauptbedeutung wurde. Bei den Stellen aus der 1. Rede gegen Aristogiton, einer Rede, in welcher allein mehr kühne Bilder sich finden als in allen übrigen Demosthenischen Reden zusammengenommen, hätten wir ein Wort über die wahrscheinliche Unächtheit derselben gern gesehen. Zu *ἀπεσχοινισμένος* konnte bemerkt werden, dass in den attischen Gerichtshöfen, wenn Mysterienangelegenheiten verhandelt werden sollten, wirklich ein Seil als Schranke in einer Entfernung von 50 Schritt rings herum ausgespannt wurde (vgl. Poll. 8, 123). Die merkwürdige Stelle, wo Aeschines die Worte des Demosthenes *θαύματα* nennt (*ταῦτα δὲ τί ἐστιν, ῥήματα ἢ θαύματα;*), befindet sich c. Ctesiph. § 167. Dass aber Aeschines in den Ausdruck *θαύματα* einen burlesken Sinn habe legen wollen, ist uns nicht sehr wahrscheinlich, obgleich auch Ehren-Reiske in seiner Kraftsprache übersetzt: „sind das Worte oder Murmelthiere?" § 11. der Ausdruck *φωνὴν ἀφιέναι* und Aehnliches von leblosen Dingen war den Rednern, wie überhaupt den Griechen, ziemlich geläufig, vgl. Dem. Olynth. 1. § 2. c. Phaenipp. § 15. Die Stelle des Aesch. c. Ctes. p. 493. § 101 erscheint in ihrer wahren Gestalt jetzt in der Züricher Ausgabe. Die Zusammenstellung heterogener Begriffe, wie *κόμπος, τριήρεις, ἀλαζονεία,* ist nicht ohne Beispiel, vgl. Dem. Olynth. 3. p. 36. Plat. Gorg. p. 490. Plut. Aristid. 25.

Länder- und Völkerkunde.

[9179] **J. R. Wellsted's** Reisen in Arabien. Deutsche Bearbeitung, herausgeg. mit berichtig. und erläut. Anmerkungen und einem Excurs über himjaritische Inschriften von Dr. *E. Rödiger*, Prof. d. orient. Spr. an d. Univ. Halle. 2 Bde. Halle, Buchh. d. Waisenh. 1842. XIV u. 311, VI u. 412 S. nebst 1 Tab. u. 2 Karten. gr. 8. (2 Thlr. 15 Ngr.)

Wieder ein Schritt vorwärts in das geheimnissvolle Land, dessen Inneres der Eroberungslust, der Gewinnsucht und der Wissbegierde alter und neuer Zeit so lange getrotzt hat! Aber auch seine Stunde ist endlich gekommen. Englands Banner weht seit vier Jahren über Aden, dem Gibraltar Arabiens, und wer reisst es von dort wieder herab? Aden und Hong-Kong sind die Grundsteine zu zwei mächtigen Aussenwerken des englisch-indischen Reichs, und der Weiterbau hat wenigstens auf der ersten Seite schon begonnen. Denn stetes Vorschreiten, Nachdringen und Umsichgreifen, das ist Englands Kunst und Grösse. Auch ein Unglück, eine Niederlage, gleicht sich bei so unbeugsamer Folgerichtigkeit und so nachhaltigen Hülfsquellen bald wieder aus und dient dann nur zur Lehre für die Zukunft. Und diese weiterobernde Thätigkeit, die übrigens für England immer mehr zur Lebensbedingung wird, wie unterstützt sie der Gemeingeist des Volkes! Ohne eitle Schaustellung, ohne selbstsüchtiges Vordrängen der einzelnen Persönlichkeit, fühlt sich jeder Mitarbeiter am Nationalwerke gross als Glied eines grossen Ganzen; in Allen vom Höchsten bis zum Niedrigsten lebt und wirkt, bewusst oder unbewusst, der stolz-bescheidene Wahlspruch: „Ich diene". Ein solcher Kernmann Altenglands war Lieut. Wellsted, der Nachfolger Niebuhr's, v. Seetzen's und Burckhardt's. Leider müssen wir sagen: er war es; denn vor etwa einem Jahre meldeten uns die Zeitungen seinen frühen Tod als Folge der Zerrüttung seiner Gesundheit durch ein heftiges Fieber, das ihn in Oman befiel (s. 1. Bd., S. 118). Ueber sein Leben wissen wir aus dieser Reisebeschreibung im Allgemeinen Folgendes. Er war schon bei der Untersuchung der arabischen Piratenküste beschäftigt, welche die englisch-indische Regierung nach der Zerstörung der dortigen Raubnester im J. 1819, zur völligen Unterdrückung der Seeräuberei anordnete, und kreuzte noch 1827 in jenen Gewässern. Im J. 1830 erhielt er eine Anstellung auf dem Palinurus, einem der beiden Schiffe, welche auf Befehl der Regierung durch Aufnahme und Vermessung der Küsten des rothen Meeres die jetzt bestehende Dampfschifffahrt zwischen Bombay und Suez vorbereiteten. Diese Arbeit wurde später auf die Südküste Arabiens ausgedehnt und gegen Anfang des J. 1835 beendigt. Nach Indien zurückgekehrt, schiffte sich Wellsted noch im November desselben Jahres wieder nach Oman ein, das über die Küsten hinaus noch von keinem Europäer besucht worden war. Auf seiner viermonatlichen Reise in diesem Lande wurde er von Sejjid Saïd, dem edeln Imam von Maskat, kräftig unterstützt, gelangte bis nach der westlichen Grenzstadt Obri und wollte von da aus Derejje, die Hauptstadt der Wahabiten, zu erreichen suchen; aber ein Kriegszug dieser wilden Schwärmer gegen Oman setzte seinem Vordringen ein Ziel, und im März 1836 kehrte er auf einem andern näheren Wege an die Küste zurück, um nach Mekran überzusetzen und auch dieses genauer zu untersuchen. Dass seine Heimreise nach England noch in demselben Jahre stattgefunden hat, schliessen wir aus dem 3. Cap. des 2. Bds., wo wir ihn im Sept. 1836 von Tor über den Sinai nach Sues gehend wiederfinden. Im Jahre darauf legte er dem Hause der Gemeinen den im 14. Cap. des 2. Bds. enthaltenen amtlichen Bericht über die Dampfschifffahrt auf dem rothen Meere vor und veröffentlichte im Journal der Londoner geographischen Gesellschaft die Erzählung von seiner Reise nach Nakab el-Hadschar (s. w. unten). Auf diese Probe folgte 1838 die vollständige Reisebeschreibung: Travels in Arabia, by Lieut. J. R. Wellsted. 2 Bde. 8. Nachträge dazu erschienen 1840 in (Ormsby's) Travels to the City of the Caliphs. Including a voyage to the Coast of Arabia, and a tour on the Island of Socotra, by J. R. Wellsted Esq. (S. die Anzeige der deutschen Uebersetzung davon, Repert. Bd. XXIX. No. 1273.) Der reiche Inhalt des vorlieg. Werkes gestattet keinen, auch nur oberflächlichen Auszug; wir begnügen uns, die Hauptumrisse und die hervorstechendsten Puncte anzugeben. Der erste Band enthält, Cap. 1—17, die Reise in Oman nebst einer Beschreibung der Piratenküste und der Perlenfischerei im persischen Meerbusen; Cap. 18—24, eine allgemeine Schilderung von Oman. Das Land ist, abgesehen von dem völlig wüsten nördlichen Theile, eine von üppigen Oasen, wohlangebauten Strecken und einem fruchtbaren Gebirge mit Weinbau, dem Dschebel achdhar, unterbrochene Sandsteppe; die Bevölkerung, mit Scheichs an der Spitze, theils sesshaft, theils, besonders nach Südwesten hin, nomadisch. (Der Besuch Wellsted's bei den braven Beni Abu Ali und Beni Dscheneba, Cap. 5 u. 6, ist ein Stück voll urkräftiger Naturpoesie, wie nur die Wüste mit ihren Bewohnern sie noch bieten kann.) Als Oberherrn erkennt der grösste Theil des Landes den Imam von Maskat an; neben ihm gibt es auch einige unabhängige und gegen ihn rebellische Häuptlinge. Die Landesreligion ist der Islam nach der Auffassung der Charidschiten oder Bejadhiten, beschränkt durch das von Westen her andringende wahabitische Glaubensbekenntniss. — Der Anhang, Cap. 25 u. 26, beschreibt die im April und Mai 1835 durch ein bisher völlig unbekanntes Land gemachte Reise nach Nakab el-Hadschar, den Trümmern eines alten Bergschlosses, 48 englische Meilen nördlich von der Südküste Arabiens. Zugegeben sind diesem Bande Wellsted's meteorologisches Tagebuch in Oman und seine Karte dieses Landes, auf welcher noch angebracht sind: 1) Ein Kärtchen zu seiner Reise nach Nakab el-Hadschar, mit einer Abbildung der Schlosstrümmer und einer in ihnen copirten himjaritischen Inschrift. (Eine grössere und deutlichere Zeichnung derselben von Cruttenden, dem Reisegefährten Wellsted's, steht auf der Tafel zum 2. Bande.) 2) Ein Kärtchen des rothen Meeres nach den letzten Aufnahmen. — Unter der allgemeinen Ueberschrift: Der Sinai (d. h. die sinaitische Halbinsel), das rothe Meer und Südarabien, enthält der zweite Theil folgende 7 Abschnitte: Reise von Tor nach Sues (im J. 1831); Reise von Tor nach dem Sinai (im J. 1836); Reise von Scherm nach dem Sinai und Aufenthalt im Kloster daselbst (im J. 1833); der Meerbusen von Akaba (von demselben Jahre); die Westküste von Arabien (vom J. 1831 ff.); die Küste von Nubien (ohne Zeitangabe); das südliche Arabien (vom J. 1835). Die Menge des Neuen, anfangs der Natur der Sache nach gering, steigt ziemlich in gleichem Verhältnisse mit der Zahl der Abschnitte, und zuletzt befindet man sich wieder auf einem bisher fast ganz unbekannten Boden. Während die Beschreibung des Messortes Berbera auf der Ostküste von Afrika, etwas unter Bâb el-Mandeb, und die von Aden allgemeines Interesse in Anspruch nimmt, — jene hauptsächlich desswegen, weil sie nicht verfehlen wird, die Engländer auf die dort mündende Handelsstrasse zu leiten, diese wegen der Wichtigkeit, die Aden in ihren Händen bereits erlangt hat, — werden die Trümmer von Berenice und die von Hisn Ghorab, einem kühnen Felsenbau mit himjaritischen Inschriften, besonders den Alterthumsforscher anziehen. Ein ganzes Capitel ist der Ehrenrettung des Reisenden Bruce gewidmet, und nach der Uebereinstimmung des hier Beigebrachten mit Rüppell's Beobachtungen ist der ihm so oft gemachte und zuletzt stehend gewordene Vorwurf der Unzuverlässigkeit gewiss wenigstens sehr zu beschränken, ja zum Theil fällt er schmählich auf die Ankläger selbst zurück. — Ein Excurs des Herausgebers über die von Wellsted bekannt gemachten himjaritischen Inschriften schliesst das Buch. Prof. Rödiger gab bekanntlich schon 1841 einen „Versuch über die himjaritischen Schriftmonumente" heraus, durch welchen er die Entzifferung derselben in wesentlichen Puncten weiter brachte, als Gesenius in seinem kurz vorher erschienenen Aufsatze: „Ueber die himjaritische Sprache und Schrift". Man kann nun diesen Excurs als eine, mit Rücksicht auf Gesenius' Recension jenes „Versuchs" vorgenommene, erweiterte und verbesserte Umarbeitung desselben betrachten, in so weit er sich nämlich auf die Wellsted'schen Inschriften bezieht; jedoch sind von den übrigen dort erklärten auch die zwei von Hulton und Cruttenden zu Sanaa aufgefundenen Belehnungsurkunden hereingezogen, weil sie, vollständig, gut erhalten und treu copirt, wie sie sind, eine ziemlich sichere Grundlage für die Entzifferung der himjaritischen Schrift überhaupt darbieten, und überdiess der Herausgeber seine Erklärung derselben in einigen Puncten zu berichtigen hatte. Neu hinzugekommen ist eine Einleitung über den Grund und Boden, den Gegenstand und den bisherigen Gang dieser ganzen palaeographisch-philologischen Untersuchung, die trotz der Schwierigkeiten, mit denen sie besonders in Bezug auf die Sprache zu kämpfen hat, dem Herausgeber schon so viel verdankt. Die Tafel zu diesem Bande enthält die Wellsted'schen Inschriften nebst den beiden oben erwähnten von Hulton und Cruttenden, eine vergleichende Alphabettafel dazu, den Plan des Tempels zu Berenice, ein Bildwerk aus den Trümmern desselben, die Südküste Arabiens nach Capt. Haines und einen Plan von Aden. Die zahlreichen Anmerkungen, mit denen die Uebersetzung ausgestattet ist, dienen dem Buche nicht bloss zur Zierde, sondern theilweise auch zur Kleidung. Denn obgleich Wellsted neben den Realkenntnissen seines Standes gute Schulbildung und Vertrautheit mit mehreren seiner Vorgänger zeigt, so ging ihm doch ausser wirklicher Kenntniss des Arabischen noch zu vieles Andere ab, als dass er nicht hätte Lücken lassen und Blössen geben sollen. Hier nun tritt Prof. Rödiger erläuternd, ergänzend, anknüpfend, fortführend, bestätigend, widerlegend und berichtigend überall so ein, wie man es von seiner Gelehrsamkeit und ausgebreiteten Belesenheit erwarten konnte. Durch die Kürzungen und Weglassungen von Unwesentlichem, hinsichtlich deren wir auf seine Vorrede verweisen, hat das Buch nichts verloren, wohl aber durch seine Zugaben unendlich gewonnen.

Fleischer.

Bibliographie.

Theologie.

[9480] Theol. Quartalschrift; herausgeg. von Dr. *v. Drey* u. s. w. 4. Hft. (Vgl. No. 6698.) Inh.: *Hefele*, der protest. Bisch. Alexander v. Jerusalem, Cyrillus Lukaris u. die Tübinger Professoren, od. die alten u. neuen Versuche, den Orient zu protestantisiren. (S. 541—616.) — *Graf*, das Wesen der kathol Predigt vor versammelter Gemeinde. (—666.) — Recc. mehr. Schriften von Harless, Klee, Wittmann u. And. (—720.)

[9481] Monatsschrift f. d. ev. Kirche u. s. w. 11. Heft. (Vgl. No. 8311.) Inh: Die 6. Predigerconferenz in Barmen. (S. 207—221.) — *Goebel*, Beschwerden üb. die Behandlung evang. Kranken durch barmherzige Schwestern. (—236.) — *Sack*, Protest gegen Protest. (—244.) — Biographisches [üb. den zum Gesandtschaftsprediger in Constantinopel ernannten Karl Forsyth *Major*], u. Epistolarisches [aus Cowper's letters u. s. w.]. (—249.)

[9482] Ueber Begriff u. Methode der sogen. bibl. Einleitung nebst einer Uebersicht ihrer Geschichte u. Literatur. Von Dr. **Herm. Hupfeld.** Marburg, Elwert. 1844. VIII u. 88 S. gr. 8. (12½ Ngr.)

[9483] Das alte Testament nach der deutschen Uebersetzung Dr. M. Luther's. Mit Erklärungen, Einleitungen, Aufsätzen u. Registern. Bearb. von *Fr. Gust. Lisco*, Dr. th. u. Pred. an der St. Gertraud-Kirche in Berlin. 1. Bd. Berlin, G. W. F. Müller. 1843. X u. 753 S. gr. Lex.-8. (3 Thlr. 10 Ngr.)

[9484] Praktischer Commentar über den Hesekiel mit exeget. u. krit. Anmerkungen von Dr. **Fr. W. C. Umbreit.** (Auch u. d. Tit.: Prakt. Commentar üb. die Propheten des A. Bundes u. s. w. 3. Bd.) Hamburg, F. Perthes. 1843. XIV u. 270 S. gr. 8. (1 Thlr. 10 Ngr.)

[9485] *Pauli ad Romanos epistola. Recensuit et cum commentariis perpetuis edidit Dr. *C. Fr. Aug. Fritzsche*, in Acad. Gissensi theol. ev. Prof. ord. Tom. III. Adjecti sunt locupletissimi indices. Halis Sax., Gebauer. 1843. 318 S. gr. 8. (2 Thlr. 10 Ngr.)

[9486] **Guil. Estii** in omnes Pauli epistolas, item in catholicas commentarii. Ad opt. libror. fidem accuratiss. recudi cur. *Frc. Sausen*. Tom. IV. qui compl. Epistolas ad Galatas, ad Ephesios, ad Philipp. et ad Colossenses. Moguntiae, Kirchheim, Schott et Thielmann. 1843. 438 S. gr. 8. (1 Thlr. 10 Ngr.)

[9487] Des gottseligen Bischofs **Joh. Mich. Wittman** Erklärung der heil. Evangelien, der Apostelgeschichte u. einiger Briefe des heil. Paulus. Nach dessen mündl. Vorträgen herausgeg. von *Mich. Sintzel.* Nebst e. Lebensskizze des ehrwürd. Vfs. u. seinem Bilde. Regensburg, Manz. 1844. VI u. 592 S. gr. 8. (1 Thlr. 19 Ngr.)

[9488] Die Verklärung Jesu auf dem Berge. Ein praktisch-exeget. Versuch von **Chr. Lex**, Pfr. in Herborn Dillenburg, Pagenstecher. 1843. 117 S. 4. (1 Thlr.)

[9489] Paulus, die ersten Siege des Christenthums in Bildern aus der Aposteingeschichte von M. Wilh. Neumann, Oberkatechet an d. Peterskirche zu Leipzig. Mit vielen xylograph. Abbildd. Leipzig, Teubner. 1844. XII u. 357 S. 8. (2 engl. Bände 2 Thlr. 15 Ngr.)

[9490] Des heiligen Irenäus Christologie, im Zusammenhange mit dessen theol. u. anthropologischen Grundlehren dargestellt von Lic. Ludw. Duncker, Privatdoc. in Göttingen. Göttingen, Vandenhoeck u. Ruprecht. 1843. VIII u. 262 S. 8. (1 Thlr.)

[9491] Delle confessioni di S. Aur. Agostino, dal latino in volgar lingua tradotte. Tom. II. (ult.) Firenze, Biriadelli. 1842. 286 S. 18. (2 L.)

[9492] Pragmatische Geschichte der deutschen National-, Provinzial- u. vorzügl. Diöcesanconcilien vom 4. Jahrh. bis auf das Concilium zu Trient. Mit Bezug auf Glaubens- u. Sittenlehre, Kirchendisciplin u. Liturgie von Ant. Jos. Binterim, Dr. d. Th., Pfr. zu Bilk u. s. w. 5. Bd.: Gesch. der Concilien der 2. Hälfte d. 13. Jahrh. Mainz, Kirchheim, Schott u. Thielmann. 1843. XII u. 371 S. gr. 8. (1 Thlr. 20 Ngr.)

[9493] Documente zur Geschichte, Beurtheilung und Vertheidigung der Gesellschaft Jesu. Aus d. Franz. übers. von e. kath. Priester der Erzdiöcese München-Freising. 6. Lief. (XVII. XVIII. Document.) Regensburg, Manz. 1843. 208 S. gr. 8. (22½ Ngr.)

[9494] Quelques mots sur les jesuites, adressés à MM. *Michelet* et *Quinet* par M. J. A., membre de l'université. Paris, René. 1843. 7½ Bog. gr. 12. (1 Fr. 60 c.) Vgl. No. 7391 u. 98.

[9495] Bibliotheca regularum fidei. Ed. *Jos. Braun.* Tom. I. Veronii regula fidei, Anonymi ejusd. regulae compendium, Bossueti expositio fidei catholicae, Bedingtoni et Kirkii fides Catholicorum, Declarationes 1) vicariorum apostolicorum Britanniae, 2) archiepiscoporum et episcoporum Hiberniae, professio fidei a Pio IV. emissa. Bonnae, Pleimes. 1844. XX u. 375 S. gr. 8. (n. 1 Thlr. 10 Ngr.)

[9496] Beleuchtung der Vorurtheile wider die kathol. Kirche. Von einem protestant. Laien Zürichs. 1. Bd. 1. Abthl. 3. umgearb., nochmals verm. u. verb. Aufl. (Auch u. d. Tit.: Glaubenseinheit als Grundlehre des Christenthums in Bezug auf ältere u. neuere Häresien.) Luzern, Gebr. Räber. 1843. XXVI u. 244 S. gr. 8. (22½ Ngr.)

[9497] Vierzehn Tage in Rom oder der Graf de la Ferronnays und Maria Alphonse Ratisbonne. Von dem Grafen Theob. Walsh. Aus d. Franz. übersetzt u. mit e. Vorwort versehen von *Ed. Vogt*, Kaplan zu Scheer. Tübingen, Laupp'sche Buchh. 1843. XVI u. 93 S. gr. 8. (12½ Ngr.)

[9498] Conférences et discours inédits par M. D. Frayssinous, évêque d'Hermopolis. 2 Vols. Paris, Leclère. 1843. 39 Bog. gr. 8. u. 31 Bog. gr. 12. (à 7 Fr. 50 c. u. 5 Fr.)

[9499] Kirche und Schule, Kirchenglaube und Wissenschaft auf deutsch-nationalem Standpunct. Von H. H. Schaffhausen, Brodtmann'sche Buchh. 1843. XII u. 335 S. 8. (1 Thlr.)

[9500] Der Apostel Paulus an die Bekehrten u. Unbekehrten. Ein Glaubenswort zur Glaubenseinigung u. Glaubensstärkung an seine Glaubensbrüder gerichtet von Joh. Geo. Kelber, Pfr. in Uttenreuth b. Erlangen. Nürnberg, Fr. Campe. 1843. 98 S. 8. (15 Ngr.)

[9501] Der Bote des evangel. Vereins der Gustav-Adolf-Stiftung, ausgesendet durch Dr. *K. Zimmermann*, Hofpred. zu Darmstadt. Nr. 1-4. Darmstadt, Leske. 1843. IV u. 68 S. gr. 8. Der Bote erscheint, so oft Stoff vorliegt. Der Bogen wird mit 2 Kr. berechnet.

[9502] Die evangel. Kirche in ihrer Stellung zu den Bekenntnisschriften, mit besond. Berücksichtigung ihrer Verhältnisse in Preussen betrachtet von **E. Petersen**, ev. Pfr. in Schwenten. Glogau, Flemming. 1843. 46 S. gr. 8. (7½ Ngr.)

[9503] Die luther. Kirche u. die norddeutsche Missions-Gesellschaft von **J. H. Wolff**, Past. in Hollern. Stade, (Schaumburg). 1843. 62 S. gr. 8. (5 Ngr.)

[9504] Beiträge zur besseren Würdigung des Wesens u. der Bedeutung des Puseyismus durch Uebertragung einiger der wichtigsten betreff. engl. Schriften nebst einer Einleitung von **Mor. Petri**, Past. in Münder. 1. Heft: Einleitung u. Brief Pusey's an den Erzbischof v. Canterbury. Göttingen, Vandenhoeck u. Ruprecht. 1843. XXXIV u. 156 S. gr. 8. (22½ Ngr.)

[9505] The Moderation of the Church of England. By **T. Fuller**, D. D. A New Edit., thoroughly revised; the References being verified and corrected, and the Passages cited printed at length: with an Introductory Preface. By the Rev. *R. Eden*. London, 1843. 376 S. gr. 8. (10sh. 6d.)

[9506] Letters on Puritanism and Nonconformity. By Sir **J. Bickerton Williams**, Knt. London, 1843. 202 S. 8. (3sh. 6d.)

[9507] Kirchliche und sittliche Zustände im evang. Cantonstheile von St. Gallen. Synodalvortrag von **Huldr. Seifert**, Decan, Pfr. in Ebnat. St. Gallen, Scheitlin u. Zollikofer. 1843. 16 S. gr. 8. (2½ Ngr.)

[9508] Hierologus; or, the Church Tourists. By the Rev. **J. M. Neale**. London, 1843. 340 S. 8. (6sh.)

[9509] Volkspredigten auf alle Sonntage u. Feste des Kirchen-Jahres nebst ein. Gelegenheitspredigten von **Frz. Sal. Bühler**, Pfarr-Curat in Leinheim. 2. Jahrg. 4. Thl. Regensburg, Manz. 1844. IV u. 196 S. 8. (17½ Ngr.)

[9510] Predigten von **Jos. Ludw. Colmar**, Bischof zu Mainz. Herausgeg. von Freunden u. Verehrern des Verewigten. 4. Bd.: Vom Passionssonntage bis zum Feste der allerheil. Dreifaltigkeit. 2. revid. Aufl. Mainz, Kirchheim, Schott u. Thielmann. 1843. VIII u. 396 S. gr. 8. (1 Thlr. 10 Ngr.)

[9511] Der kathol. Christ an Sonn- u. Feiertagen. Eine Postille, in welcher nach d. Evangelien die christl. Sittenlehre, durch Beispiele aus d. heil. Schrift und aus dem Leben der Heiligen erläutert, durchgegangen wird, von **Fr. Xav. Elsner**, Pfr. zu Purkersdorf b. Wien. Regensburg, Manz. 1844. XIV u. 392 S. mit 1 Stahlst. gr. 8. (1 Thlr. 3¾ Ngr.)

[9512] Gehet ein durch die enge Pforte! Eine Pred. üb. Mth. 7, 13—29 von **F. Härter**, Pfr. Strassburg, Levrault. 1843. 20 S. gr. 8. (5 Ngr.)

[9513] Predigt am Missionsfeste zu Dresden geh. am 5. Sept. 1843 von **Lor. Kraussold**, ev. Pfr. in Fürth. Dresden, Naumann. 1843. 18 S. 8. (2½ Ngr.)

[9514] Homilien über die Evangelien an den Sonn- u. Festtagen des Herrn von **Mart. Krautheimer**, Pfr. zu Planig. In 2 Bden. 1. Bd.: Vom 1. S. d. Adv. bis Pfingsten. Mainz, Kirchheim, Schott u. Thielmann. 1843. VIII u. 392 S. gr. 8. (2 Bde. 2 Thlr. 15 Ngr.)

[9515] Wir sind Gottes Volk! Eine Landpred. zum 1000jähr. Jubelfeste Deutschlands d. 6. Aug. 1843 geh. u. fürs deutsche Volk herausgeg. von **Aug. Petersen**, Dr. d. Th., Pastor zu Buttelstedt. Leipzig, Vogel. 1843. 16 S. gr. 8. (3¾ Ngr.)

[9516] Christliche Haustafel. Vier Predigten über Eph. 5, 22 bis Cap. 6, 9 von **C. Hoffbauer**, Past. an d. ref. Gemeinde zu Gemarke. Barmen, Steinhaus. 1843. 82 S. 12. (6¼ Ngr.)

[9517] Plain Parochial Sermons preached in the Parish Church of Bolton-le-Moors. By the Rev. **J. Slade**. Vol. 5. Lond., 1843. 455 S. gr. 12. (6sh.)

[9518] Kanzelreden üb. die Leidensgeschichte Jesu Christi von Mich. Steiner, Pfr. zu Probstorf. 3. Bd. Wien. (Leipzig, Liebeskind.) 1843. 303 S. gr. 8. (1 Thlr.)

[9519] Das Vater Unser. Ein allgemeines Erbauungsbuch häuslicher Andacht, bestehend in e. Sammlung dichterischer Umschreibungen dieses Gebetes. Nürnberg, Campe. 1844. XIV u. 432 S. 8. (20 Ngr.)

[9520] Maria von Bethanien. Ein Andachts- u. Gebetbuch für christl. Jungfrauen von K. Steiger. St. Gallen, Scheitlin u. Zollikofer. 1843. VI u. 239 S. gr. 8. (1 Thlr.)

[9521] Der Pilgrim an den Vorhallen der Ewigkeit. Ein kathol. Gebet- u. Erbauungsbuch für alle Stände. Aus dem Nachlasse von Decan *Fritz* und Pfr. *Biggel.* Stuttgart, Hallberger. 1843. XVI u. 640 S. mit 1 Stahlst. 8. (1 Thlr.)

[9522] Der allezeit siegende Christ, im Kampfe mit d. unsichtbaren Feinden seines zeitlichen u. ewigen Wohlstandes von Christus u. seiner Kirche mit unüberwindl. Waffen versehen, von Dr. Oswald, weil. Abt d. Prämonstratenser, Chorherr in Oberzell. Aufs neue herausgeg. vom Vf. der „Schritte zur vollkommenen Liebe Gottes" u. s. w. (Auch u. d. Tit.: Der heiligste Name Jesus, das sicherste Hülfsmittel in Krankheiten, wo kein Arzt helfen kann.) 2. Bd. Regensburg, Manz. 1844. 346 S. gr. 8. (1 Thlr. 3⅓ Ngr.)

[9523] Christlicher Zeit-Messer, das ist: ordentl. Eintheilung gottseliger Gedanken. Auf jeden Tag des Monats gerichtet. Verb. Druck. Reutlingen. Schradin. (Leipzig, Böhme.) 1843. 212 S. 12. (2½ Ngr)

[9524] A Day in the Sanctuary: with an Introductory Treatise on Hymnology. By the Rev. W. H. Evans, B. D. Lond., 1843. 232 S. 8. (4sh. 6d.)

[9525] The Future States; their Evidence and Nature considered on Principles Physical, Moral, and Scriptural. With the Design of showing the Value of the Gospel Revelation. By the Rev. R. Courtenay. London, 1843. 446 S. gr. 8. (10sh. 6d.)

Jurisprudenz.

[9526] Revue de la législation etc. Oct. (Vgl. No. 8551.) *Rathery*, sur l'histoire du droit de succession des femmes. 2. art. (S. 385—411.) — *Stein*, sur le grand stille et prothocolle de la chancellerie de l'an 1539. (—434.) — *Pont*, avancement d'hoirie; renonciation; réserve. (—463.) — *de Courson*, de l'état des personnes et du vasselage chez les Gaulois. (—482.) — Bulletin législ. etc. (—512.)

[9527] *Histoire du droit Byzantin ou du droit romain dans l'empire d'Orient, depuis la mort de Justinien jusqu'à la prise de Constantinople en 1453; par J. Ans. Bern. Mortreuil. Tom. I. Paris, Guilbert. 1843. 39½ Bog. gr. 8. (8 Fr.)

[9528] Das Staatsrecht des Königr. Bayern. Mit Benutzung der Protocolle d. zur Revision der Verfassung v. J. 1808 u. zur Berathung der Verfassungsurkunde vom 26. Mai 1818 in den J. 1814, 1815 u. 1818 abgehalt. Ministerialconferenzen. 2. Thl. (Verwaltungsrecht) 1. Abthl.: die allgem. Begriffe, den Organismus d. Behörden, und die Normen der Ausübung d. Gesetzgebungs-, d. Justiz- u. d. Regierungsgewalt im Gebiete der materiellen Interessen enth. von Dr. Ernst v. Moy, o. ö. Prof. d. Staatsrechts u. d. Rechtsphilosophie an d. k. Univ. München. Regensburg, Manz. 1843. XVI u. 616 S. gr. 8. (2 Thlr. 20 Ngr.)

[9529] Nouvelles causes célèbres du droit des gens, rédigées par le Bar.

Charles de Martens. Tom. I. et II. Leipzig, Brockhaus. 1843. XXII u. 596, VIII u. 592 S. gr. 8. (n. 5 Thlr. 10 Ngr.)

[8520] Lexikon sämmtlicher Worte des österreich. allgemeinen bürgerl. Gesetzbuches mit Angabe aller Paragraphe in welchen dieselben vorkommen von **Ign. Wildner** Edler **v. Maithstein.** Wien, Braumüller u. Seidel. 1843. 139 S. gr. 8. (15 Ngr.)

[8521] Gesetzsammlung für die Mecklenburg-Schwerinischen Lande. 2. Folge, umfassend den Zeitraum vom Anfange dieses Jahrh. bis zum J. 1843. Redig. v. Adv. *Raabe.* 1. u. 2. Lief.: Cameralsachen. Domanialsachen. Jagd- u. Forstsachen. Parchim, Hindorff'sche Buchh. 1843. S. 1—256. Lex.-8. (1 Thlr. 17½ Ngr.) Das Ganze wird in etwa 12 Lieff. erscheinen.

[8522] Neues Archiv für Preussisches Recht und Verfahren, so wie für deutsches Privatrecht. Herausgeg. von *K. J. Ulrich*, *J. F. J. Sommer* und *Fr. Th. Bode.* 9. Jahrg. 1. u. 2. Hft. (Neue Folge III. 1, 2.) Arnsberg, Ritter. 1843. IV u. 344 S. gr. 8. (à 20 Ngr.)

[8523] Preussens Rechts- u. Gerichts-Verfassung mit Vorschlägen für ihre Reform und einer vorausgeschickten Einleitung für zeitgemässe Fortbildung der Gesetzgebung, nebst e. Anhange üb. die in den Gerichtshöfen übliche Referirmethode, u. wie Oeffentlichkeit u. Mündlichkeit in einer der deutschen Sitte u. Gründlichkeit zusagenden Form für die Rechtspflege einzuführen sein möchte. Von einem der Theorie und Praxis ergebenen Justizmann. Erfurt, Bartholomäus. 1843. XXXXVI, 232 u. 56 S. gr. 8. (2 Thlr.)

[8524] Vorschriften für Pfleger (Vormünder und Vermögensverwalter). Nach der k. Justiz-Ministerial-Verordnung v. 26 Juni 1843. Wiesensteig. (Leipzig, Melzer.) 1843. 10 S. 8. (2½ Ngr.)

[8525] Landes- und Local-Verfassung in den k. preuss. Staaten von **W. G. v. d. Heyde,** Hofrath. 4. Thl. (Auch u. d. Tit.: die Polizei-Gesetzkunde, 2. Thl: Bevölkerungs-, Religions-, Erziehungs-, Schul-, Sitten- u. Ordnungs-Polizeiliche Vorschriften enth.) Magdeburg, Baensch. 1843. IV u. 182 S. gr. 8. (20 Ngr.)

[8526] Landes- u. Local-Verfassung u. s. w. 5. Thl. (Auch u. d. Tit.: die Polizei-Gesetzkunde. 3. Thl.: Bau- u. Feuerpolizei-Verordnungen enth.) Ebendas. IV u. 302 S. gr. 8. (1 Thlr. 5 Ngr.)

[8527] École théorique et pratique de notariat, par **L. Feuilleret.** Tom. I. Points de droit. Paris, 1843. 12¾ Bog. gr. 8. (8 Fr.)

[8538] Die Gesetze über das Notariatswesen u. die Notariats-Sporteln für d. Kön. Würtemberg nebst den damit in Beziehung stehenden gesetzl. Vorschriften, Verordnungen u. Ministerialverfüg., zunächst zum Gebr. der Notare u. Waisen-Richter. Amtliche Handausg. Stuttgart, Steinkopf. 1843. XII u. 315 S. gr. 8. (22½ Ngr.)

[8539] Die Paternitäts-Alimenten- u. Satisfactions-Klagen von **Jos. Schlüssler,** Justizbeamten in Rauschenberg. 2. gänzlich umgearb., verb. u. durchaus verm. Ausg. Cassel, Bohné. 1843. VII u. 64 S. nebst 1 Tab. gr. 8. (12½ Ngr.)

[8540] Das Hammerbröker Recht, aus den Findungen des Landgerichts von 1486 bis 1645 zusammengestellt u. erläutert von Dr. **W. Hübbe.** Hamburg, Perthes-Besser u. Mauke. 1843. IV u. 210 S. gr. 8. (1 Thlr.)

[8541] Zwei Entwürfe zu einer neuen Stadtverfassung für Osnabrück. Nebst der näheren Begründung der von Seiten des Magistrats u. der Vertreter der Bürgerschaft vorgelegten Entwurfs. Jena, Frommann. 1844. VIII u. 318 S. gr. 8. (n. 1 Thlr.)

[8542] Elementary Principles of the Laws of England, traced down (as modified by recent Statutes) to the Present Time, with (in the Introduction) an allusion to the Countries subject (more or less restrictions) to the Jurisdiction of the English Laws, and particularly how they have been administered in Ireland since Henry II. landing there in 1171; treated in a new, concise, and natural arrangement. By **J. Guthrie.** London, 1843. 376 S. gr. 8. (18sh.)

[9543] The English Bar; or, Guide to the Inns of Court: comprising an Hist. Outline of all the Inns of Court; the Regulations of the Inns for the admission of Students and calling to the Bar; List of the Judges, Queen's Counsel, Serjeants-at-Law, the Benchers, etc. By **G. Goldsmith.** Lond., 1843. 146 S. 8. (5sh.)

[9544] A Collection of the Public General Statutes passed in the Sixth and Seventh Years of the Reign of H. M. Queen Victoria, 1843. Lond., 1843. 204 S. Imp.-8. (12sh.)

[9545] A Collection of all the Statutes in Force respecting the Relief and Regulation of the Poor, with Notes and References. By **J. T. Pratt.** 2. Edit. London, 1843. 610 S. gr. 8. (15sh.)

[9546] Treatise on the Law of Coroner; with copious Precedents of Inquisitions, and Practical Forms of Proceedings. By **R. C. Sewell.** London, 1843. 398 S. 8. (14sh.)

[9547] The Laws of Excise; being a Collection of the existing Statutes relating to the Revenue of Excise: with Practical Notes and Forms, and an Appendix of select Cases. By **J. Bateman,** LL. D. Lond., 1843. 1016 S. Imp.-4. (1£ 11sh. 6d.)

[9548] Das Strafgesetzbuch für das Königreich Norwegen. Uebersetzt von *F. Thaulow.* Christiania, Dahl. (Leipzig, Brockhaus.) 1843. IV u. 110 S. gr. 8.

[9549] Systematisches Handbuch des österreich. Strafgesetzes üb. Verbrechen u. der auf dasselbe sich unmittelbar bezieh. Gesetze u. Verordnungen von **J. K. J. Maucher,** Criminaljustizrath. 1. Lief. Wien, Braumüller u. Seidel. 1843. 282 S. gr. 8. (1 Thlr. 5 Ngr.)

[9550] Gutachten der Provinzial-Landtage üb. den Entwurf des Strafgesetzbuchs für die preuss. Staaten. Nebst den Landtagsverhandlungen üb. das Ehescheidungsgesetz, die Patrimonialgerichtsbarkeit, den eximirten Gerichtsstand, die Mündlichkeit u. Oeffentlichkeit des gerichtl. Verfahrens. Leipzig, Baumgärtner. 1844. IV u. 188 S. gr. 8. (26⅔ Ngr.)

[9551] Kritische Bemerkungen zu dem Entwurfe des Strafgesetzbuchs f. d. kön. preuss. Staaten von **Dr. G. O. Schüler,** O.-App.-Gerichtsrath zu Jena. 1. Hft. den 1. Thl. betr. Leipzig, O. Wigand. 1844. 115 S. gr. 8. (20 Ngr.)

[9552] Entgegnung auf des Hrn. Dr. Felix Angriff auf Oeffentlichkeit der Gerichte und Geschworene. Von **Dr. C. Krause.** Dresden, Arnold. 1843. 44 S. gr. 8. (10 Ngr.)

[9553] Vertheidigung des Hrn. Prof. Dr. Sylv. Jordan wider das in erster Instanz von d. Criminal-Senat des kurf. Obergerichts zu Marburg am 14. Juli 1843 gegen ihn gefällte Erkenntniss, u. Widerlegung der Gründe dieses Erkenntnisses von **Aug. Boden.** Frankfurt a. M., Sauerländer. 1843. 168 S. gr. 8. (20 Ngr.) Vgl. No. 7849.

Gesammelte Werke.

[9554] The Works of **Beaumont** and **Fletcher**: the Text formed from a new Collation of the early Editions; with Notes and a Biographical Memoir by the Rev. *Alex. Dyce.* (11 Vols.) Vol. 1—3. London, 1843. 492, 572, 564 S. gr. 8. (à 12sh.)

[8555] The Works of **G. Berkeley,** D. D. Bishop of Cloyne: including his Letters to Thomas Prior, Esq., Dean Gervais, Mr. Pope, etc.; to which is prefixed, an Account of his Life. In this edition the Latin Essays are rendered into English, and the Introduction to Human Knowledge annotated. By the Rev. *G. N. Wright.* 2 Vols. London, 1843. 992 S. gr. 8. (16sh.)

[8556] Fragmens littéraires, par **M. V. Cousin.** Paris, Didier. 1843. 33½ Bog. gr. 8. (7 Fr. 50 c.)

[8557] **Geo. Forster's** sämmtliche Schriften. Herausgeg. von dessen Tochter und begleitet mit einer Charakteristik Forster's von *G. G. Gervinus.* (In 9 Bden.) 2., 5. u. 9. Bd. Leipzig, Brockhaus. 1843. VI u. 456, VI u. 400, VI u. 366 S. gr. 8. (3 Thlr.) Vgl. No. 4515.

[8558] Opere scelte di **Giovambatt. Gelli,** nuovamente date in luce col riscontro delle antiche edizioni. Venezia, Tasso. 1843. VIII u. 372 S. 24. (1 L. 74 c.)

[8559] The Works of **Will. Jay,** collected and revised by Himself. Vol. 6. The Christian contemplated. Vol. 7. Sermons preached on various and particular occasions. Vol. 8. Memoirs of the late Rev. J. Clark, Essays, and Various Sermons. Lond., 1843. 426, 448 u. 543 S. gr. 8. (à 7sh. 6d.)

[8560] **Hamann's** Schriften. 8. Thl. 2. Abthl. Register. Mit Hamann's Bildniss. Berlin, Reimer. 1843. IV u. 612 S. 8. (2 Thlr. 25 Ngr.)

[8561] **J. G. v. Herder's** ausgewählte Werke in Einem Bde. Mit dem Bildn. des Vfs. in Stahl u. e. Facsimile seiner Handschrift. 1. Lief. Stuttgart, Cotta. 1843. 272 S. hoch schm. 4. (2 Thlr.)

[8562] Commentaires et études littéraires, par **Nap. Landais.** Tom. I. Prose. Angers, Cosnier. 1843. 24¼ Bog. gr. 8.

[8563] Recueil de dissertations sur différens sujets d'histoire et de littérature, par l'abbé **Lebeuf;** avec une introduction, une notice sur l'abbé Lebeuf, le catalogue de tous ses écrits et des notes par *J. P. C. G.* Tom. I. Paris, Techener. 1843. 11½ Bog. gr. 12. (5 Fr.) 205 Exemplare.

[8564] Critical and Historical Essays, contributed to the Edinburgh Review. By **T. B. Macaulay.** 2. edit. 3 Vols. London, 1843. 1470 S. gr. 8. (n. 1£ 10sh.)

[8565] Opere edite ed inedite del Cav. **Andr. Maffei.** Tom. II. Maria Stuarda, trag. di *Fed. Schiller*; trad. del cav. etc. Milano, Pirola. 1843. 246 S. gr. 8. (5 L.)

[8566] Opere complete di **Aless. Manzoni,** con un discorso preliminare di *N. Tommaseo.* Paris, Baudry. 1843. 38¾ Bog. mit Portr. gr. 8. (12 Fr.)

[8567] Oeuvres complètes d'**Elisa Mercoeur,** de Nantes, précédées de Memoires et Notices sur la vie de l'auteur, écrits par sa mère. 3 Vols. Paris, Pommerot et Guénot. 1843. 108¼ Bog. mit 1 Portr. u. d. Facs. gr. 8. (25 Fr.) E. Mercoeur geb. zu Nantes d. 24. Juni 1809, gest. d. 7. Jan. 1835.

[8568] Kleine historische und philologische Schriften von **B. G. Niebuhr,** Mitgl. der k. Akad. d. Wiss. zu Berlin. 2. Samml. Bonn, Weber. 1843. XIV u. 275 S. gr. 8. (1 Thlr. 20 Ngr.)

[8569] The Works of **Edm. Spenser,** with Observations on his Life and Writings. Lond., 1843. 558 S. gr. 8. (9sh.)

Literatur des Mittelalters.

[8570] *Romvart. Beiträge zur Kunde mittelalterlicher Dichtung aus italien. Bibliotheken. Von **Adelb. Keller.** Mannheim, Bassermann. 1844. VI u. 718 S. gr. 8. (n. 4 Thlr.)

[8571] Abälard's und Heloisens Briefe. Nach d. Franz. poetisch bearbeitet. Herausgeg. von *Frz. Weiss.* Pforzheim, Dennig, Finck u. Co. 1843. IV u. 208 S. mit den Bildnissen Abälard's u. Heloisens. gr. 8. (2 Thlr.)

[8572] Pièce macaronique d'*Ant. de Arena.* Aufgefunden in den Arrêts des Parlaments der Provence. — Bulletin de bibliophile. 1843. Jan. p. 29—31.

[8573] Il Decamerone di **Giov. Boccaccio.** Ornato col ritratto dell' autore. Lipsia, E. Fleischer. 1843. LVI u. 260 S. Lex.-8. (1 Thlr.)

[8574] *Zeitschrift für deutsches Alterthum. Herausgeg. von *Mor. Haupt.* 3. Bds. 2. Hft. Leipzig, Weidmann'sche Buchh. 1843. S. 193—384. gr. 8. (1 Thlr)

[8575] *Denkmale des Mittelalters. St. Gallens altteutsche Sprachschätze. Gesammelt und herausgeg. von *H. Hattemer*, Prof. d. Cantonsschule zu St. Gallen. 1.-Bd. 4. Lief. St. Gallen, Scheitlin u. Zollikofer. 1843. S. 289—384. Lex.-8. (1 Thlr.)

[8576] Neues Jahrbuch der Berlinischen Gesellschaft für Deutsche Sprache u. Alterthumskunde. Enth. sprachwissenschaftliche u. geschichtl. Abhandlungen, Abdrücke und Erläuterungen kleiner Stücke altdeutscher Sprache u. Poesie, Nachrichten von altdeutschen Handschriften, Mittheilungen aus lebenden deutschen Mundarten, einzelne Sprachbemerkungen, Beiträge z. deutschen Litterargesch. u. Uebersichten der deutschen Sprachlitteratur seit 1834. Herausgeg. von *Fr. H. v. d. Hagen*. 5. Bd. Mit Beiträgen von *August, Bormann, Förstemann, Höfer, Klöden, Kuhn, Lütcke, Pischon, Tostmann, Zelle, Zeune, Zinnow* u. d. Herausgeber. (Auch u. d. Tit.: Germania. 5. Bd.) Berlin, Schultze. 1843 276 S. gr. 8. (1 Thlr. 15 Ngr.) Inh.: *v. d. Hagen*, Nibelungen. 21. Handschrift. (S. 1—10.) — *Zeune*, älteste altdeutsche heidnische Gedichte. (—19.) — *v. d. Hagen*, die deutsche Sprache in d. Berliner Akad. der Wissensch. (—24.) — *Zinnow*, üb. d. Entstehung der Sage von Biterolf u. Dietleib. (—43.) — *Zelle*, Bedeutung u. Unterschied der Bestimmungswörter Gross, Klein, Hoch, Tief, Nieder, Ober, Unter. (—57.) — *v. d. Hagen*, Erinnerungen an Graff. (—66.) — *Bormann*, Graff als Pädagog. (—80.) — *Tostmann*, zum jüngern Titurel. (—102.) — *v. d. Hagen*, altdeutsche Baukunst u. Bildwerke. (—113.) — Ders., das Heldenlied von Walther u. Hildegunde. (—122.) — *Lütcke*, der Wiener Meerfahrt. (—142.) — *v. d. Hagen*, Williram's Verdeutschung des Hohen Liedes. Berliner Hdschr. (—190.) — Ders., Anast. Grün: Schutt, Gedichte. (—207.) — *Fr. Roth* u. *v. d. Hagen*, nochmals Nibelungen. Würzburger Hdschr. (—218.) — *E. Förstemann*, noch etwas üb Idisi. (—222.) — *Klöden*, über den Eingang zu Eschenbach's Parzival. (—240.) — *Kuhn*, Proben niederdeutscher Mundarten. (—251.) — *Höfer*, ein plattdeutscher Reim durch einen englischen erklärt. (—254.) — *Pischon*, üb. e. alten Kelch u. eine Patena der Nicolaikirche in Berlin. (—260.) — Goethe. Goethe u. d. zudringl. Floh von *v. d. Hagen*. Ueber d. Nachtlied von *Kuhn*. Luther u. Goethe von *v. d. Hagen*. (—266.) — Jahresbericht üb. die Arbeiten d. Gesellschaft u. s. w. (—275.)

[8577] **E. G. Graff's** althochdeutscher Sprachschatz oder Wörterbuch der althochdeutschen Sprache. 27. Lief. (Schluss.) Berlin, Nicolai'sche Buchh. 1843. Bog. 46—59. gr. 4. (Subscr.-Pr. 1 Thlr. 5 Ngr.) Der vom Prof. Massmann bearbeitete Index über das ganze Werk soll in einigen Monaten erscheinen.

[8578] Gudrun. Deutsches Heldenlied, übers. von Dr. *K. Simrock.* (Auch u. d. Tit.: Das Heldenbuch. 1. Bd.) Stuttgart; Cotta'sche Buchh 1843. 370 S. gr. 8. (1 Thlr. 15 Ngr.)

[8579] Das Nibelungenlied. Uebersetzt von Dr. *K. Simrock.* 3. Aufl. (Auch u. d. Tit.: Das Heldenbuch. 2. Bd.) Ebendas., 1843. 382 S. gr. 8. (1 Thlr.)

[8580] Der Nibelunge Not und die Klage, herausgeg. von *Al. J. Vollmer.* (Auch u. d. Tit.: Dichtungen des deutschen Mittelalters. 1. Bd.) Leipzig, Göschen'sche Verlagsbuchh. 1843. 23½ Bog. gr. 8. (1 Thlr.)

[8581] Tristan und Isolt, von **Gottfried von Strassburg**, herausgeg. von *H. F. Massmann.* (Auch u. d. Tit.: Dichtungen d. deutschen Mittelalters. 2. Bd.) Ebendas., 1843. 24 Bog. gr. 8. (1 Thlr.)

[8582] **Walther's von der Vogelweide** Gedichte. 2. Ausg. von *K. Lachmann.* Berlin, Reimer. 1843. XVII u. 233 S. gr. 8. (1 Thlr.)

[8583] Iwein. Eine Erzählung von **Hartmann von Aue.** Mit Anmerkungen von *G. F. Benecke* und *K. Lachmann.* 2. Ausg. Berlin, Reimer. 1843. X u. 565 S. gr. 8. (2 Thlr. 15 Ngr.)

[8584] Sanct Alexius Leben in acht gereimten mittelhochdeutschen Behandlungen. Nebst geschichtl. Einleitung, sowie deutschen, griech. u. latein. Anhängen. Herausgeg. von *Hans Ferd. Massmann.* (Bibliothek der gesammten deutschen National-Literatur von d. ältesten bis auf d. neuere Zeit. 9. Bd.) Quedlinburg, Basse. 1843. VIII u. 208 S. gr. 8. (1 Thlr. 15 Ngr.)

[8585] **Heinrich's von Meissen des Frauenlobes** Leiche, Sprüche, Streitgedichte und Lieder. Erläutert und herausgeg. von *Ludw. Ettmüller.* (Bibliothek d. gesammten deutschen National Literatur von d. ältesten bis auf d. neuere Zeit. 16. Bd.) Quedlinburg, Basse. 1843. XLIII u. 420 S. gr. 8. (2 Thlr. 10 Ngr.)

[8586] Bruchstücke aus der Kaiserchronik u. dem jüngern Titurel, zum erstenmale herausgeg. und erläutert von *Dr. K. Roth.* Landshut, Thomann'sche Buchh. 1843. XXXI u. 87 S. 8. (15 Ngr)

[8587] The Chronicle of the Kings of Norway, from the Earliest Period of the History of the Northern Sea Kings to the Middle of the Twelfth Century, commonly called the Heimskringla. Translated from the Icelandic of **Snorro Sturleson**, with Notes, and a Preliminary Discourse. By *Sam. Laing*, Author of „A Residence in Norway", „A Tour in Sweden", „Notes of a Traveller", etc. 3 vols. London, 1843. gr. 8.

Naturwissenschaften.

[8588] Lehrbuch der Naturphilosophie von **Oken.** 2. neu bearb. Aufl. Zürich, Schulthess. 1843. XII u. 523 S. gr. 8. (à 1 Thlr. 22½ Ngr.)

[8589] Einige Anregungen zur Kritik der heutigen Naturwissenschaft mit besond. Rücksicht auf ihr Verhältniss zur Philosophie von Dr. **A. Mostaanus.** Leipzig, O. Wigand. 1843. 40 S. gr. 8. (8 Ngr.)

[8590] Annales de Chimie etc. Oct. (Vgl. No. 7886.) Inh.: Rapport sur une altération extraordin. du pain de munition, par une commission. (S. 5—21.) — *Becquerel*, des lois du dégagement de la chaleur pendant le passage des courants électriques à travers les corps solides et liquides. (—70.) — *Matteucci*, sur la phosphorescence des vers luisants. (—89.) — *Pelletier*, sur les produits de la décomposition du succin par le feu. (—105.) — *Fordos* et *Gélis*, analyse des composés oxygénés du soufre. (—110.) — *Dujardin*, nouveau commutateur voltaïque — et — Description d'une nouvelle machine électr. à plateau. (—111. —115.) — *Zeise*, sur les produits de la distillation sèche du tabac — et — Sur le produit de l'action du chlore sur le sulfocyanhydrate d'ammonium. (—121. —127.) — Observat. météorol. (—128.)

[9591] Årsberättelse om Framstegen i Kemi och Mineralogi. Afgifwen d. 31. Mars af **Jac. Berzelius.** Stockholm, Norstedt och Söner. 1843. 520 S. gr. 8. (2 Rdr. 16 sk.)

[9592] Experimentaluntersuchungen über die Gesetze des Widerstandes der Flüssigkeiten von **Duchemin**, Colonel. Deutsch herausgeg. von Dr. *H. C. Schnuse.* Braunschweig, Meyer sen. 1844. XIII u. 236 S. mit 4 Figurentaff. gr. 8. (1 Thlr. 15 Ngr.)

[9593] Observations on Days of Unusual Magnetic Disturbance, made at the British Colonial Magnetic Observatories, under the Departments of the Ordnance and Admiralty. Printed by the British Government, under the superintendence of Lieut.-Col. **E. Sabine.** Part I. (1840—1841.) London, 1843. 130 S. gr. 4. (n. 10sh. 6d.)

[9594] Traité de chimie générale et expérimentale, avec les applications aux arts, à la medecine et à la pharmacie, par **A. Baudrimont.** Tom. I. Paris, Baillière. 1843. 46 Bog. mit 19 eingedr. Figg. gr. 8. (9 Fr.)

[9595] Elementary Instruction in Chemical Analysis. By Dr. **C. R. Fresenius**, with a Preface by Professor Liebig. Edited by *J. Lloyd Bullock.* London, 1843. 296 S. gr. 8. (9sh.)

[9596] Die Molecularvolume der chemischen Verbindungen im festen u. flüssigen Zustande. Von **H. Schroeder**, *Prof. d. Physik u. Chemie zu Mannheim.* Mannheim, Bassermann. 1843. IV u. 155 S. gr. 8. (1 Thlr. 5 Ngr.)

[9597] Journal de Pharmacie et de Chimie etc. Oct. (Vgl. No. 5601.) Inh.: *Fordos* et *Gélis*, sur l'action de quelques acides et notamment de l'acide sulfureux sur les métaux. (S. 245—258.) — *Liebig*, sur la bile. (—272.) — *Glénard* et *Boudault*, sur les produits de la destillation seche du sang-dragon. (—277.) — *Mialhe*, sur l'action des chlorures alcalins sur le protochlorure de mercure. (—284.) — *Gobley*, sur l'élaïomètre, nouvel instrument d'essai pour les huiles d'olive. (—297.) — *Devergie*, nouvelle formule de solution arsenicale. (—298.) — *Virey*, sur la flore économique des îles Marquises et de la société. (—301.) — Revue des journaux etc. (—324.) — Nov. *Labouré*, faits pour servir à l'histoire des iodures. (S. 325—332.) — *Fordos* et *Gélis*, sur l'action de quelques acides; fin. (—347.) — *Soubeiran* et *Biot*, sur la fermentation des sucres. (—355.) — *Girardin*, technologie de la garance. (—366.) — *Rochleder*, sur la legumine. (—376.) — Formules pharmaceutiques, chronique etc. (—404.)

[9598] Annals of Chymistry and Practical Pharmacy. Vol. I. Lond., 1843. 592 S. gr. 8. (n. 12sh.)

[9599] Die Pharmacie als Wissenschaft oder Theorie u. prakt. Grundzüge der analytischen Chemie u. Pharmacognosie mit Einschluss des Wichtigsten der pharmaceut. Praxis für Aerzte u. Apotheker von **C. A. Wild**, Dr. d. Pharmacie. 1. Thl.: Analytische Chemie. Frankfurt a. M., Brönner. 1843. VIII u. 246 S. gr. 8. (1 Thlr. 7½ Ngr.)

[9600] Theorie und Praxis der pharmaceut. Experimentalchemie oder erfahrungsmässige Anweisung zur richt. Ausführung u. Würdigung der in d. pharmaceut. Laboratorien vorkomm. pharmaceutisch- u. analytisch-chemischen Arbeiten. Mit spec. Berücksicht. der Pharmacopoea Austriaca, Borussica u. s. w. von Dr. **Ado. Duflos**, Dr. d. Phil., Privatdoc. d. Chemie an d. Univ. zu Breslau. 2. durchaus umgearb. Ausg. 1. Bd. (Auch u. d. Tit.: Chemisches Apothekerbuch. 1. Bd.: Die Lehre von d. Bereitung u. d. Eigenschaften der pharmaceutisch-chemischen Präparate.) Mit in d. Text gedr.

Holzschn. u. synonym. Tabellen der gebräuchlichsten chem. Nomenclaturen. Breslau, Hirt. 1843. XX u. 555 S. gr. 8. (4 Thlr.)

[9091] Handbuch der Pharmacie zum Gebr. bei Vorlesungen u. zum Selbst-Studium für Aerzte, Apotheker und Droguisten von **Phil. Lor. Geiger.** 1. Bd. (Prakt. Pharmacie und deren Hülfswiss.) 5. Aufl., neu bearb. von *J. Liebig.* Heidelberg, Winter. 1843. XVI u. 1411 S. nebst Reg. 43 S. u. Taff. gr. 8. (In 9 Lieff. à 25 Ngr.)

[9092] Lehrbuch der praktischen u. theoret. Pharmacie mit besond. Rücksicht auf angeh. Apotheker u. Aerzte von Dr. **Clamor Marquart,** k. pr. Apotheker I. Cl., Vorsteher des pharm. Instituts zu Bonn. 2. Bd. (Pharmaceut. Chemie u. Präparatenkunde.) 1. u. 2. Hft. Mainz, Kunze. 1843. S. 1—320. gr. 8. (1 Thlr. 7½ Ngr.)

[9093] Annales des sciences naturelles etc. Sept. (Vgl. No. 7893.) Zoologie. *Marcel de Serres,* sur les grandes Huîtres fossiles des terrains tertiaires des bords de la Méditerranée. (—168.) — *Bouchardat et Sandras,* sur la digestion et l'assimilation des corps gras. (—173.) — *Dumas et Milne Edwards,* sur la production de la cire des abeilles. (—181.) — *Chevreul,* sur l'instinct; suite. (—184.) — Botanique. *Tulasne,* nova Leguminosarum genera. (—144.) — *Duchartre,* sur la Clandestine. (—155.) — *Braun,* sur les genres de la famille des Silénées. (—189.) — *Fischer, Meyer et Avé-Lallemant,* sur les genres Angelica et Archangelica. (—192.)

[9094] The Annals and Magazine of Nat. History etc. Nov. (Vgl. No. 9089.) Inh.: *Owen,* on the structure of the Pearly Nautilus. (S. 305—311.) — *Denny,* on six new species of Parasites; m. Kpfr. (—316.) — *Dickie,* on the Inflorescence of Fedia olitoria. (—318.) — *Tulk,* on the Anatomy of Phalangium Opilio; concl. (—331.) — *Owen,* of a new species of Seal. (—332.) — *Clarke,* on Irish species of the genus Limax; m. 3 Kpfrn. (—342.) — *White,* descriptions of new species of Insects and other Annulosa. (—346.) — *Ralfs,* on the British Diatomaceae; cont. (—352.) — Notices etc. (—376.)

[9095] Ueber die Aufeinanderfolge und Entwickelung der organisirten Wesen auf der Oberfläche der Erde in den verschied. Zeitaltern. Rede bei d. Einweihung der Akad. zu Neufchatel am 18. Nov. 1841 von **Louis Agassiz.** Aus d. Franz. von Dr. *N. Gräger.* Halle, Gräger. 1843. 16 S. 8. (3¾ Ngr.)

[9096] Monographien der Säugethiere von Dr. **H. R. Schinz,** Prof. d. Zool. an d. Hochschule in Zürich. Mit Abbildungen nach der Natur u. den vorzügl. naturwiss. Werken gez. von *J. Kull.* 1. Hft. Zürich, Meyer u. Zeller. 1843. 1½ Bog. Text, 6 illum. u. 1 schwarze Taf. gr. 4. (1 Thlr. 7½ Ngr.)

[9097] * Lehrbuch der Zootomie. Anatomische Charakteristik der Thierclassen als Einleitung in das Studium der Zoologie, vergleich. Anatomie u. Physiologie, mit Hinweisung auf die Icones zootomicae, von Dr. **Rud. Wagner,** Prof. in Göttingen. 2. völlig umgearb. Aufl. des „Lehrbuchs der vergleich. Anatomie". 1. Lief. Leipzig, L. Voss. 1843. 160 S. gr. 8. (1 Thlr.) Vollständig in 3 Lieff.

[9098] Moselfauna oder Handbuch der Zoologie, enth. die Aufzählung u. Beschreibung der im Regierungsbez. Trier beobachteten Thiere mit Berücksichtigung der Angrenzung des Moseldepartements u. Belgiens von **M. Schäfer,** Lehrer der Naturgesch. u. s. w. am Gymn. zu Trier. 1. Thl.: Wirbelthiere (Säugethiere, Vögel, Reptilien und Fische). Trier, Lintz'sche Buchh. 1844. XLIV u. 339 S. gr. 8. (2 Thlr.)

[9099] * Histoire naturelle des animaux sans vertèbres, présentant les caractères généraux et particuliers de ces animaux, leur distribution, leurs classes, familles, genres et la citation des principales espèces qui s'y rapportent; précédée d'une introduction offrant la détermination des caractères essentiels de l'animal etc.; par **J. B. P. A. Delamarck.** 2. ed. rev. et augm. de notes présentant les faits nouveaux dont la science s'est enrichie jusqu'à ce jour par MM. *G. P. Deshayes* et *H. Milne Edwards.* Tom. IX. Histoire de mollusques. Paris, Baillière. 1848. 45¾ Bog. gr. 8. (8 Fr.) Das Ganze 72 Fr.

[9610] *Genera et species curculionidum cum synonymia hujus familiae a **C. J. Schoenherr.** Species novae aut hactenus minus cognitae, descriptionibus a *L. Gyllenhal*, *C. H. Boheman*, *O. J. Fahraeus* et entomologis aliis illustratae. Tom. VII. Pars II. supplem. cont. Paris, Roret. (Leipzig, Fr. Fleischer.) 1843. 29 Bog. gr. 8. (9 Fr.)

[9611] Käferbuch. Allgemeine und specielle Naturgeschichte der Käfer mit vorzügl. Rücksicht auf die europ. Gattungen. Nebst der Anweisung, sie zu sammeln, zuzubereiten und aufzubewahren, von **F. Berge.** Mit 1315 color. Abbildd. 1. Lief. Stuttgart, Hoffmann. 1843. S. 1—24. u. 4 Taff. 4. (15 Ngr.) Das Ganze in 10 Lieff.

[9612] *Repertorium botanices systematicae. Edid. **Guil. Ger. Walpers.** Tomi II. Fasc. IV. Lipsiae, Hofmeister. 1843. S. 577—734. gr. 8. (1 Thlr.) Vgl. No. 5451.

[9613] ***Steph. Ladisl. Endlicher**, Bot. Prof. Vindob., mantissa botanica altera, sistens generum plantarum supplementum tertium. Vindobonae, Beck. 1843. IV u. 111 S. gr. 4. (1 Thlr. 15 Ngr.)

[9614] Taschenbuch der Flora Deutschlands zum Gebr. auf botanischen Excursionen von **Mart. Bald. Kittel**, Dr. d. Ph. u. Med., Prof. d. Naturwiss. am k. Lyceum zu Aschaffenburg. 2. verm. u. verb. Aufl. Nürnberg, Schrag. 1843. CXX u 1230 S. 8. (2 Thlr.)

[9615] Der kleine Botaniker oder kurze Anleitung zur Kenntniss der Gewächse, besonders der im nördl. u. mittlern Deutschland wildwachsenden u. am häufigsten gebauten, wie auch der merkwürd. Gewächse der ganzen Erde, von **Ernst Kappe.** 2. verb. u. verm. Aufl. mit 3 lith. Taff. Abbildd. Meurs, rheinische Buchh. (Leipzig, Fr. Fleischer.) 1843. VIII u. 88 S. 8. (7½ Ngr.)

[9616] *Flora Danica. Fasc. 40. Havniae, Gyldendal. 1843. 18 S. u. Taf. 2341—2400. Fol. (n. 20 Thlr. 25 Ngr.)

[9617] Handbok i Skandinaviens Flora, innefattande Sweriges och Norriges Wexter, till och med Mossorna af **C. J. Hartman.** 4. Uppl. rättad och förskad. Med 20 Taflor. Stockholm, Haegström. 1843. XXXIII u. 482 S. gr. 8. (2 Rdr. 44 sk.)

[9618] Die Coniferen, nach *Lambert*, *London* u. And. frei bearb. von **Frz. Antoine.** 6. Heft. Wien, Beck. 1843. S. 63—78. u. Taf. 26—30. Fol. (1 Thlr. 10 Ngr. Color. 2 Thlr.)

[9619] Practical Mineralogy; or, a Compendium of the distinguishing Characters of Minerals, by which the Name of any Species or Variety in the Mineral Kingdom may be speedily ascertained. By **E. J. Chapman.** London, 1843. 208 S. gr. 8. (7sh)

[9620] Ueber die in der Natur möglichen u. wirklich vorkommenden Krystallsysteme von Dr. **H. B. Geinitz.** Dresden, (Walther'sche Hofbuchh.). 1843. 16 S. u. 3 lith. Taff. gr. Lex.-8. (10 Ngr.)

[9621] Essai sur le système silurien de l'Amérique septentrionale par **F. de Castelnau.** Paris, Bertrand. 1843. 9 Bog. mit 27 Kpfn. 4. (25 Fr.)

[9622] *Die Versteinerungen von Kieslingswalda u. Nachtrag zur Charakteristik des sächsisch-böhmischen **Kreidegebirges** von **H. B. Geinitz**, Lehrer der Physik an d. kön. techn. Bildungsanstalt zu Dresden u. s. w. Dresden, Arnold. 1843. IV u. 24 S. mit 6 Steindrucktaff. gr. 4. (n. 1 Thlr. 10 Ngr.)

[9623] *Beschreibung u. Abbildungen von dem in Rheinhessen aufgefundenen colossalen Schädel des Dinotherii Gigantei, mit geognost. Mittheilungen üb. die knochenführenden Bildungen des mittelrhein. Tertiärbeckens von Dr. **A. v. Klipstein** und Dr. **J. J. Kaup.** Giessen, (Heyer's Verlag). 1843. VI, 32 u. 6 S. nebst Altlas von 6 Taff. gr.-4. u. 1 Karte in Fol. (5 Thlr.)

[9624] Geognostische Karte der Umgegend von Berlin von **Rud. v. Bennigsen-Förder.** Ein Bl. gr. Imp.-Fol. Mit Erläuterungen dazu. Berlin, Reimer. 1843. 38 S. gr. 4. (2 Thlr.)

Staatswissenschaften.

[9625] Statswetenskapernas Encyklopedi. Af **Friedr. Bülau**, Prof. Öfwersatt af *Al. Ed. Lindblom*, Filos. Adj. wid Carol. Unwers. Örebro, Lindh. 1843. VI u. 228 S. 8. (1 Rdr. 16 sk.)

[9626] Der Staat. Monatsschrift von *Woeniger.* 2. Heft. Oct. (Vgl. No. 8419.) Inh.: Die Twist- u. Eisenfrage. (S 3—14.) — Leipziger Zollvereins-Schmuggelei. (—18.) — Die Wildschäden u. eine Verhandlung darüber. (—27.) — Oeffentliche Handelsgerichte als Privatinstitut. (—35.) — Germaniens Völkerstimmen. (—43.) — Eisenbahnschulen. (—53.) — *Geib*, Deutschland u. Belgien. (—63.)

[9627] Constitutionelle Jahrbücher, herausgeg. von *Weil.* 3. Bd. (Vgl. No. 5672.) Inh.: *Urquhart*, üb. die Folgen der neuesten Ereignisse in Serbien. (S. 1—13.) — *Riesser*, die Judenfrage; 2. Art. (—57.) — Der siebente rheinische Landtag u. die Pressdebatte. (—94.) — *v. Struve*, üb. die polit. Strebungen unserer Zeit. (—135.) — *Oppenheim*, Licht- u. Schattenseiten des schweizer. Staatsrechts. (—164.) — *Weil*, üb. die letzte Session der französ. Kammern. (—182.) — Krit. Beleuchtung der Principien des neuen Giessener Studienplans. (—226.) — *Kolb*, die thatsächl. Ergebnisse der in der dermal. baier. Pfalz eingeführten Institutionen. (—250.) — Miscellen vom Harz über Hannover. (—287.) — *Weil*, Blicke auf die gegenwärt. Lage von Europa. (—334.)

[9628] Neue Kieler Blätter. Herausgeg. von Advocat *Herm. Carstens.* I. Kiel, Schwers'sche Buchh. 1843. 37 S. gr. 8. (6⅓ Ngr) Inh.: Was wir wollen. Vom Herausgeber. — Die Nationalbank und die Herzogthümer. Von Prof. *Ravit.* — Lornsen. Von *Frz. Baltisch.* — Klenze's letzte Gründe. Von Cand. *Sommer.*

[9629] Anreden zur Vorbereitung der öffentl. Meinung über Vorgänge und Zustände der Gegenwart in Kirche und Staat. I. Regensburg, Manz. 1843. 56 S. 8. (7½ Ngr.) Inh.: Ueber den vorgebl. Beruf der Zeitungspresse, die öffentliche Meinung zu constituiren. — Haltung der Zeitungspresse bei Discussion des preuss. Ehescheidungs- u. Strafgesetzprojects. — Stellung der Universitäten gegenüber dem Journalismus.

[9630] Philosophie de la politique par **J. D. Gimet de Joulan.** Paris, 1843. 28¾ Bog. gr. 8. (5 Fr.)

[9631] Bibliothek politischer Reden aus dem 18. u. 19. Jahrhundert. 1. Bd. Berlin, Voss'sche Buchh. 1843. XX u. 403 S. gr. 16. (20 Ngr.)

[9632] Doctor Leidenit. Fragmente aus seiner Reise durch die Welt, seinen Gedanken, Wünschen u. Erfahrungen, von **F. C. Frhr. v. Moser.** Neue verb. Ausg. Frankfurt a. M., Brönner. 1843. VII u. 214 S. 8. (20 Ngr.)

[9633] Ueber die Hauptquellen des Pauperismus u. üb. die Hauptmittel zu seiner Ableitung von **Dietr. v. Witzleben.** Leipzig, O. Wigand. 1844. 63 S. gr. 8. (12 Ngr.)

[9634] Der Zollverein, sein System u. dessen Gegner. Von **Bülow-Cummerow.** Berlin, Veit u. Co. 1844. IV u. 123 S. gr. 8. (20 Ngr.)

[9635] Die Jahrmärkte u. Kleinmessen, was sie waren u. was sie jetzt sind, sowie ihr Einfluss auf Handel u. Gewerbe u. auf die Sittlichkeit des Volks von **E. G. Kayser** in Böblingen. Leonberg. (Stuttgart, Rommelsbacher.) 1843. 16 S. gr. 8. (3⅓ Ngr.)

[9636] Ueber Auswanderungen und Colonisationen besonders in Bezug auf Deutschland zu östl. Ländern von **Karl** Frhr. **v. Löffelholz.** Nürnberg, (Campe). 1843. 176 S. 8. (20 Ngr.)

[9637] Beiträge zu der Geschichte der Feudalstände im Herzogth. Braunschweig von Dr. **W. F. L. Bode**, Stadtdir. in Braunschweig. 2. Heft: die Aufhebung der Feudalstände u. die Herstellung einer, die Gesammtheit der Staatsgenossen vertret. Ständeversammlung betr.; mit Hinblick auf die darüber neulich wieder von dem Hrn. *v. Grone zu Westerbrak* verlautbarten Ansichten. Braunschweig, Vieweg u. Sohn. 1843. VIII u. 136 S. gr. 8. (20 Ngr.)

[9638] Preussen in staatsrechtlicher Beziehung von **Dr. C. Jul. Bergius**, kön. pr. Regierungsrath. 2. verm. u. verb. Aufl. Münster, Deiters. 1843. XII u. 497 S. gr. 8. (1 Thlr. 25 Ngr.)

[9639] Böhmens Zukunft und Oesterreichs Politik vom Standpuncte der Vergangenheit u. Gegenwart. 2 Bde. Leipzig, Ph. Reclam jun. 1844. XVI u. 251, IV u. 221 S. 8. (3 Thlr.)

[9640] Der Schade Joseph's an unsern Landgemeinden. Gesinnungsvoll aber freimüthig aufgedeckt von **K. Bernh. König.** 2. verm. u. verb. Aufl. Magdeburg, Baensch. 1844. X u. 66 S. gr. 8. (10 Ngr.)

[9641] Bruno Bauer und seine gehaltlose Kritik über die Judenfrage von Dr. **Gho. Salomon.** Hamburg, Perthes-Besser u. Mauke. 1843. VIII u. 143 S. gr. 8. (17½ Ngr.)

[9642] Die Judenfrage vor Hamburgs erbgesessener Bürgerschaft. Von e. fremden Juden. Hamburg, Bödecker. 1843. 7 S. gr. 8. (3⅓ Ngr.)

Linguistik.

[9643] **Deutsch-dänischer Parleur** zum Gebr. für beide Nationen von **Fr. Brossmann.** 3. Ausg. Copenhagen, Gyldendal'sche Buchh. 1843. XX, 268 u. XLIV S. 8. (1 Thlr.)

[9644] An **Elementary English Grammar**, for the Use of Schools. By **R. G. Latham**, A. M. London, 1843. 124 S. gr. 12. (4sh. 6d.)

[9645] Vollständiges englisch-deutsches und deutsch-englisches Taschen-Wörterbuch, bearb. von **J. Sporschil u. Fr. Aug. Böttger.** 4. Stereotyp-Ausg. Leipzig, Liebeskind. 1843. 446 u. 429 S. br. 8. (1 Thlr. 15 Ngr.)

[9646] Vollst. engl.-deutsches u. deutsch-engl. Taschen-Wörterbuch von **E. A. Webster.** Stereotyp-Ausg. 4. Abdruck. Leipzig, Eisenach. 1844. XVI, 498 u. 462 S. Lex.-8. (2 Thlr.)

[9647] Literarische Sympathien oder industrielle Buchmacherei. Ein Beitrag z. Gesch. der neueren englischen Lexikographie von Dr. **J. G. Flügel**, Consul d. Verein. Staaten v. NAmerika; nebst einem Vorwort von Prof. Dr. *Gfr. Hermann*, Comthur d. s. w. Leipzig, (Weichardt). 1843. VI u. 41 S. gr. 8. (7½ Ngr.)

[9648] Der kleine Engländer od. Anweisung, die engl. Sprache ohne Lehrer in 8 Stunden theoretisch u. praktisch zu erlernen, von **M. Bloomfield.** „Des engl. Trichters" 3. verm. u. verb. Aufl. Dresden, Bromme. 1844. 105 S. gr. 12. (10 Ngr.)

[9649] Der kleine Engländer od. Sammlung von Wörtern u. Sätzen zum leichtern Erlernen der richt. Aussprache des Englischen. Nebst Regeln u. Beispielen üb. Betonung, Wort- u. Silbenvertheilung. Zum Gebrauch für Deutsche von **Joh. Towler.** Carlsruhe, Holtzmann. 1843. VIII u. 165 S. 8. (26⅔ Ngr.)

[9650] Neuester sprachlicher Reisegesellschafter durch Deutschland, Frankreich, England u. Nordamerika, d. i. unentbehrlichster Sprachstoff für deutsche, des Engl. u. Franz. unkundige Reisende in deutscher, franz. u. engl. Sprache von **J. Rowbotham,** Prof. d. franz. u. deutschen Lit. an d. Univ. zu London. 2. Aufl. Grimma, Verlagscomptoir. 1843. 380 S. gr. 16. (1 Thlr.)

[9651] Cyclopaedia of English Literature; consisting of Specimens of British Writers in Prose and Verse, connected by a Historical and Critical Narrative. Edited by **R. Chambers.** (2 vols.) Vol. 1. Edinburgh, 1843. 688 S. Imp.-8. (7sh.)

[9652] Chrestomathie aus engl. Autoren in Prosa und Poesie. Zum Schul- u. Privatgebr. von **Edw. A. Moriarty,** Lector d. engl. Sprache u. Lit. an d. öff. Handelslehranstalt zu Berlin. Leipzig, B. Tauchnitz jun. 1844. X u. 414 S. gr. 16. (20 Ngr.)

[9653] The Vicar of Wakefield by **Goldsmith.** New edit. With 32 engravings. Tübingen, Osiander. 1843. 333 S. 16. (20 Ngr.)

[9654] Abrégé de grammaire française par demandes et par réponses, ou supplément à la grammaire de *Claude* et *Lemoine.* 2. édit., revue, corr. et augmentée. Kempten, Dannheimer. 1843. 96 S. gr. 12. (5 Ngr.)

[9655] Französische Sprachlehre für jedes lernfähige Alter von **J. B. Ottendorf,** Inhaber e. öff. Sprachschule u. s. w. in Wien. 2. vielfach verb. u. verm. Aufl. Wien, Jasper'sche Buchh. 1844. VII u. 488 S. gr. 8. (1 Thlr. 10 Ngr.)

[9656] Französische Sprachlehre in Beispielen aus guten französ. Schriftstellern. Mit beständ. Rücksicht auf die Grammaires von *Claude* et *Lemoine, Gérard, Hirzel, Hoelder, Noël* et *Chapsal,* und das Supplément etc. von *Borel* von **L. Schmid,** Dr. d. Ph. u. Hauptlehrer an d. Realanstalt in Tübingen. 2. wohlfeilere Ausg. Mit Verbess. Stuttgart, Neff. 1844. XX u. 168 S. gr. 12. (11⅔ Ngr.)

[9657] Praktischer Wegweiser, die französ. Sprache binnen acht Monaten richtig u. geläufig sprechen und in derselben correspondiren zu lernen, von Dr. **C. Lohmann,** Lehrer d. engl. u. franz. Sprache in Leipzig. 2. durchgehends verb. Aufl. Leipzig, Fritzsche. 1844. VIII u. 282 S. gr. 8. (22½ Ngr.)

[9658] Syntax der neufranzösischen Sprache. Ein Beitrag zur geschichtlich vergleich. Sprachforschung von **Ed. Mätzner.** 1. Thl. Berlin, Dümmler. 1843. 508 S. gr. 8. (2 Thlr.)

[9659] Vollständigstes französisch-deutsches u. deutsch-französ. Handwörterbuch. Nach den neuesten Bestimmungen u. Forschungen von Dr. **J. A. E. Schmidt,** öff. Lector d. russ. u. neugriech. Sprache an d. Univ. zu Leipzig. 2 Thle. 7. Aufl. Leipzig, Ph. Reclam jun. 1843. 874 u. 936 S. br. 8. (2 Thlr.)

[9660] Vollst. Phraseologie der franz. Conversation von **J. G. Fries.** 4. umgearb., sehr verm. Aufl. Oldenburg, Schulze'sche Buchh. 1843. XIII u. 352 S. gr. 12. (26⅔ Ngr.)

[9661] Proverbes et phrases proverbiales en français et en allemand. Sprüchwörter u. sprüchwörtliche Redensarten von **J. G. Fries.** Ebendas., 1844. 136 S. gr. 12. (15 Ngr.)

[9662] Uebersetzungsbuch aus d. Deutschen ins Französische von **J. Gallois**, Lehrer d. franz. Sprache am Johanneum. 2. Aufl. Hamburg, Perthes-Besser u. Mauke. 1844. X u. 350 S. 12. (27½ Ngr.)

[9663] Französisches Lesebuch nebst einem vollst. Wörterbuche für die Lesestücke u. einem Anhange, enth. die Elemente der französ. Grammatik, von Dr. **C. F. Liesen**, Lehrer d. franz. Sprache am Berlin. Gymnas. z. grauen Kloster. 3. verb. u. verm. Aufl. Berlin, Oehmigke's Buchh. (Bülow.) 1843. 304 S. 8. (10 Ngr.)

[9664] Numa Pompilius, II. Roi de Rome, par M. **de Florian**. Mit einem vollst. Wörterbuche von *Fr. A. Menadier*. Quedlinburg, Basse. 1843. 262 S. 8. (15 Ngr.)

[9665] Lettres sur l'Allemagne et l'Italie, dédiées aux jeunes demoiselles par Madame **du Montbar**. Berlin, Asher u. Co. 1843. IV u. 363 S. gr. 12. (1 Thlr.)

[9666] Nouvelle grammaire hongroise, cont. les règles admises par la société de savants et d'après le dictionnaire de l'Acad. Hongroise. Cet ouvrage destiné aux personnes, qui voudront apprendre le Hongrois au moyen du Français, a été composé par l'abbé **Jean Elben**. Czernowitz, Winiarz. 1843. IV u. 320 S. gr. 8. (n. 2 Thlr. 10 Ngr.)

[9667] Vollst. russisch-deutsches u. deutsch-russisches Wörterbuch zum Gebrauch beider Nationen von M. **J. A. E. Schmidt**, öff. Lehrer d. russ. u. neugriech. Sprache an d. Univ. zu Leipzig. 2 Thle. 2. gänzlich umgearb. Stereotyp-Ausg. Leipzig, K. Tauchnitz. 1843. 522 u. 515 S. Lex.-8. (2 Thlr. 15 Ngr.)

Todesfälle.

[9668] Am 2. Oct. starb zu London Dr. *Nicholas Nugent*, ehemal. prakt. Arzt u. Agent der britischen Regierung auf Antigua, Vf. mehr. geologischer und physikalischer Abhandlungen, von welchen einige auch in *Gilbert's* Annalen d. Physik übersetzt worden sind, 62 Jahre alt.

[9669] Mitte Nov. zu Rom Dr. *Antonio Chimenti*, Professor an der dasigen Universität (d. Sapienza), als Chemiker rühmlichst bekannt.

[9670] Am 22. Nov. zu Stuttgart *Louis Mayer*, ein sehr geschickter Landschaftsmaler, geb. zu Neckarbischofsheim am 23. Mai 1791.

[9671] Am 24. Nov. zu Agram Dr. *Wenceslaus Thim*, k. k. dirigirender Stabs- und Feldarzt, im 64. Lebensjahre.

[9672] Am 25. Nov. zu Nürnberg Dr. *Andr. Heinr. Merkel*, als prakt. Arzt sehr geschätzt, im 54. Lebensjahre.

[9673] Am 29. Nov. zu Leipzig Dr. jur. *Adam Fr. Ghe. Baumgärtner*, k. preuss. Generalconsul u. Geh. Hofrath, Ritter des Rothen Adler-Ordens 4. Cl., seit 1792 Buchhändler, in seinem Wirkungskreise allgemein geachtet, als Buchhändler durch zahlreiche und weitverbreitete Unternehmungen („Museum d. Wundervollen", „Magazin d. Erfindungen", „Allgem. Modezeitung" u. m. a.), auch als Schriftsteller („Reise durch einen Theil Spaniens im J. 1788", „Aesthetik f. Damen" u. s. w.) bekannt, geb. zu Schneeberg am 15. Sept. 1759.

[9674] Am 30. Nov. zu Berlin *E. W. G. Scholz*, Geh. Archivar im k. Ministerium der Finanzen, 64 Jahre alt.

[9675] Am 5. Dec. zu Paris *Laur.-Fr. Feuillet*, bibliothécaire en chef des Instituts, Académicien libre der Acad. des sciences mor. et politiques, durch eine französische Uebersetzung von *Stuarts* Antiquities of Athens (1808), der Schrift des Apulejus „Psyches et Cupidinis amores" (1809, fol. mit vielen Kpfrn.) u. s. w., geb. zu Versailles 1768.

Gelehrte Gesellschaften.

[9676] **Berlin.** K. Akademie der Wissenschaften. Vgl. No. 4635. Am 4. Mai las in der Gesammtsitzung der Akademie Hr. Geh. MRath *Kunth* die 2. Hälfte seiner Abhandlung über die natürliche Gruppe der Liliaceen im weitesten Sinne des Wortes (Bericht u. s. w. S. 129—32). — In der Sitzung der physik.-mathem. Classe am 8. Mai trug Hr. Geh. MRath *Ehrenberg* die Fortsetzung einer im März verlesenen Abhandlung über die weitere Entwickelung der Verbreitung u. des Einflusses des mikroskop. Lebens in Afrika vor (S. 133—36), in der Gesammtsitzung am 11. Mai die 3. Abthl. seiner Beobachtungen üb. die Verbreitung des jetzt wirkenden kleinsten organischen Lebens in Asien, Australien u. Afrika, nämlich das Verhalten dieser Erscheinungen in Australien (S. 137—43). — In der Gesammtsitzung am 18. Mai las Hr. Prof. *H. Rose* über die Yttererde (S. 143—45), in der Sitzung der philosophisch-histor. Classe am 22. Mai Hr. Prof. *Zumpt* über die Succession der Peripatetiker im Lyceum zu Athen. — In der Gesammtsitzung am 1. Jun. hielt Hr. Prof. *H. Rose* einen Vortrag über die Zusammensetzung und Eigenschaften der Eisensäure (S. 147—49), in der Sitzung der physik.-mathemat. Classe am 12. Juni theilte Hr. Geh. OBRath *Crelle* Bemerkungen über die Anwendung der Polyneme in der Theorie der Zahlen mit (S. 150—52), in der Gesammtsitzung am 15. Juni las Hr. Prof. *Lejeune-Dirichlet* eine Abhandlung üb. einige Aufgaben, welche die Bestimmung einer unbekannten Function unter dem Integralzeichen erfordern. In der Gesammtsitzung am 22. Juni trug Hr. Prof. *Lachmann* eine Abhandlung des Geh. ORRaths *Hoffmann* vor über staatswirthschaftliche Versuche, den ganzen Bedarf für den öffentl. Aufwand durch eine einzige einfache Steuer aufzubringen (S. 154 f); in der Sitzung der philos.-hist. Classe am 26. Juni sprach Hr. Geh. RRath *v. Raumer* über die Geschichte der französ. Finanzen und das sogen. System des Law; in der Gesammtsitzung am 26. Juni las Hr. Geh. OJRath *Eichhorn* seine 2. Abhandlung über die technischen Ausdrücke, mit welchen im 13. Jahrhundert die verschiedenen Classen der freien Laute bezeichnet wurden. — Die öffentliche Sitzung zur Feier des Leibnitz'schen Jahrestages am 6. Juli eröffnete Hr. Geh. RRath *Böckh* mit einer Rede, in welcher vorzüglich in Bezug auf die Theodicee auseinandergesetzt wurde, welches Verhältniss Leibnitz der Philosophie zur positiven Religion angewiesen u. wie er sich selbst zur Kirche verhalten habe. Hr. Geh. RRath *Pertz* hielt sodann seine Antrittsrede, welche von Hrn. Geh. RRath *v. Raumer* beantwortet wurde. Hr. Geh. MRath *Ehrenberg* verkündigte dann folgende, von der physik.-math. Classe in Gemässheit der *Ellert*'schen Stiftung gestellte ökonomische Preisfrage: „Unstreitig stehen die stickstofffreien Bestandtheile in der Nahrung der kräuterfressenden Thiere mit den stickstofffreien Bestandtheilen des Organismus ihrer Körper in einer innigen Beziehung. Es ist durch Untersuchungen wahrscheinlich gemacht worden, dass bei einem Ueberfluss von Stärkmehl, Zuckerarten, Gummi, Holzfaser in der Nahrung die Fettbildung im Körper durch ein Austreten von Sauerstoff in irgend einer andern Form bewirkt werde. Dieser Ansicht ist eine andere entgegengesetzt worden, nach welcher das Fett im Körper der Herbivoren in den genossenen Nahrungsmitteln schon präexistire. Der Gegenstand ist von der Art, dass die Richtigkeit der einen oder der andern Ansicht durch genaue Versuche entschieden werden kann. Die Akademie wünscht daher eine sorgfältige Vergleichung zwischen den Quantitäten der Fettarten in den Nahrungsmitteln eines oder mehrerer kräuterfressenden Thiere und dem Fette, das in dem Körper derselben nach der Mästung sich findet. Die angewandten Nahrungsmittel müssen genau botanisch bestimmt werden, denn ohne Zweifel besteht z. B. das Heu in verschiedenen Localitäten aus ganz verschiedenen Pflanzen und ist auch in seinen verschiedenen Entwickelungszuständen verschieden zusammengesetzt. Es muss ferner das Fett in ihnen genau qualitativ und quantitativ untersucht werden, denn nach einigen neueren Untersuchungen bestehen die fettartigen Substanzen in vielen Kräutern aus wachsähnlichen Theilen, welche sich fast vollständig in den Excrementen der Thiere wiederfinden sollen". Die Frist für die Einsendung der Beantwortungen dieser Aufgabe, welche in deutscher, lat. od. französ. Sprache geschrieben sein können, ist der 31. März 1845. Die Ertheilung des Preises von 300 Thalern geschieht in der öffentl. Sitzung am Leibnitz'schen Jahrestage im Mon. Juli 1845. Die Sitzung beschloss eine Vorlesung des Hrn. Geh. RRaths *v. Raumer* über Diderot's Leben, Schriften u. Grundsätze. — In der Sitzung der physik.-math. Classe am 10. Juli las Hr. Prof. *Horkel* über die Saturnia Pyri und Spini Seide, worauf Hr. Geh. MRath *Ehrenberg* neue Beobachtungen üb. den sichtlichen Einfluss der mikroskop. Meeres-Organismen auf den Boden des Elbbettes bis oberhalb Hamburg mittheilte (S. 161—67) und Hr. Prof. *H. Rose* üb. die Lichterscheinungen beim Glühen des Chromoxyds u. des Gadolinits las (S. 167—69). — In der Gesammtsitzung der Akademie am 13. Juli las Hr. Geh. RRath *Pertz* üb. Veranlassung, Gegenstand, Plan, Vorbereitung u. Geschichte von Leibnitzens Annales Imperii, am 20. Juli Hr. Prof. *Gerhard* über Venusidole u. üb. die Göttin Concordia (S. 170—73). — In der Sitzung der philos.-histor. Classe am 24. Juli gab Hr. Prof. *Gerhard* archäologische Mittheilungen 1. üb. ein Silbergefäss im Besitz des Gr. S. Stroganoff in St. Petersburg, 2. üb. die antiquar. Collectaneen des Pighius auf der k. Bibliothek zu Berlin, 3 üb. neuentdeckte griech. Münzen der Sammlung des k. k. Gesandten zu Athen v. Prokesch-Osten (S. 174 f.). — In der Gesammtsitzung am 27. Juli las Hr. Hofr. *J. Grimm* über deutsche Grenzalterthümer. Der Monatsbericht enthält dann die im Folgenden erwähnte Abhandlung des Prof. *Lepsius* und dess. Bericht über die Entdeckung des Labyrinths in Aegypten (S. 204—209.) — In der Gesammtsitzung am 3. Aug. theilte Hr. Geh. MRath *Müller* Beiträge zur Kenntniss der natürl. Familien der Knochenfische mit (S. 211—18), und Hr. Geh. RRath *Böckh* trug dann die im Bericht u. s. w. S. 177—203 abgedruckte und durch 2 lithograph. Tafeln erläuterte Abhandlung von *Lepsius* üb. den Bau der Pyramiden vor. — Am 7. Aug. las in der Sitzung der physik.-mathemat. Classe Hr. Geh. MRath *Klug* über das Geschlechtsverhältniss der kleinen wehrlosen, zu den Gattungen der Melipona und Trigona gehörenden, im südl. Amerika besonders zahlreichen Honigbienen (S. 219—21). — Am 10. Aug. hielt in der Gesammtsitzung der Akademie Hr. Prof. *Horkel* eine Vorlesung über die bei Marco Polo „Berzi" genannten Färbehölzer (S. 221—23); am 17. Aug. las Hr. Geh. RRath *Böckh* über die Chronologie des Manetho im Verhältniss zur Hundsternperiode. — Nach Beendigung der Sommerferien der Akademie hielt am 16 Oct. in der Sitzung der philos.-historischen Classe Hr. Prof. *Panofka* einen Vortrag über die Münztypen von Kaulonia u. über die bildliche Darstellung des Dämon Tyches (S. 225—28). — In der öffentl. Sitzung am 19. Oct. zur Feier des Geburtstages des Königs gab der vorsitzende Secretair, Hr. Dir. *Encke*, nach einer der Feier des Tages angemessenen Einleitung einen Ueberblick über die in der Akad. im verflossenen Jahre gehaltenen Vorlesungen und deutete dann die Wichtigkeit der Abhandlung näher an, welche im Jan. Hr. Dir. *Hansen* in Gotha der Akademie mitgetheilt hatte und worin derselbe ein Verfahren darlegt, die absoluten Störungen der Himmelskörper, welche sich in Bahnen von beliebiger Neigung und ellipt. Excentricität bewegen, zu berechnen (vgl. Bericht u. s. w. S. 12—27). Hr. Geh. RRath *Pertz* hielt hierauf einen Vortrag über Leibnitzens Annales Imperii Occidentis Brunsvicenses (S. 228). — In der Gesammtsitzung am 26. Oct. hielt Hr. Geh. MRath *Klug* einen Vortrag üb. die Coleopterengattungen Athyreus Mac Leay und Bolboceras Kirby (S. 228 f.). — In der Sitzung der physik.-mathemat. Classe am 30. Oct. las Hr. Geh. MRath *Kunth* einige Bemerkungen üb. die Blattstellung der Dicotyledonen (S. 236—45).

Druck und Verlag von F. A. Brockhaus in Leipzig.

Leipziger Repertorium

der

deutschen und ausländischen Literatur.

Erster Jahrgang. **Heft 52.** 29. Dec. 1843.

Mathematische Wissenschaften.

[[illegible]] **Die Lehre von den Transversalen in ihrer Anwendung auf die Planimetrie. Eine Erweiterung der Euklidischen Geometrie von C. Adams, Lehrer d. Mathem. an d. Gewerbschule in Winterthur. Winterthur, Steiner. 1843. V u. 138 S. mit 12 Kpfrtaf. gr. 8. (1 Thlr. 15 Ngr.)**

Gewiss ist — wie der Vf. in der Vorrede mit Recht bemerkt — die Lehre von den Transversalen den schönen, ja den schönsten Bereicherungen beizuzählen, welche die Geometrie in der neueren Zeit erhalten hat, und dadurch, dass dieselbe im vorliegenden Buche im Zusammenhange und mit möglichst elementarer Begründung dargestellt wird, wird eine fühlbare Lücke ausgefüllt. Leider ist die Klage des Vfs. nur zu gegründet, dass die meisten unserer Lehrbücher der Geometrie blosse Nachklänge von Euclid und Legendre sind und die neueren Fortschritte der Wissenschaft fast ganz ignoriren, und wohl mag zum Theil wenigstens hierin der Grund gesucht werden, warum die Werke der ausgezeichnetsten Geometer unserer Zeit bei vielen sonst tüchtigen und verdienstvollen Mathematikern nur wenig Eingang und Anerkennung finden. Nur ist freilich die Frage, wie viel von den neuen Lehren in die Elemente aufgenommen werden soll, nicht eben leicht zu beantworten. Der Vf. hat in gegenwärtiger zunächst für die Gewerbschule in Winterthur ausgearbeiteter Schrift seiner Angabe zufolge den Versuch gemacht, Zöglinge von 16—18 Jahren, die sich bereits mit der Euclidischen Geometrie bekannt gemacht haben, allmälig in die verallgemeinernde Betrachtungsweise der neueren Geometrie einzuführen, und den einzelnen Sätzen mit möglichster Beibehaltung der Euclidischen Form die grösste Allgemeinheit zu geben gesucht, ohne sich jedoch auf Betrachtung des körperlichen Raumes einzulassen. Ref. steht nicht an, seine Arbeit eine sehr wohlgelungene zu nennen, die sich von der grossen Zahl jährlich erscheinender Lehrbücher, die nur Bekanntes wiederholen und auf der breiten Hauptstrasse der Alltäglichkeit einherschreiten, sehr rühmlich unterscheidet; und wenn auch der Vf. zunächst nur eine systematische und dem Unterricht angepasste Darstellung der von Anderen aufgefundenen Sätze beabsichtigt, so überzeugt man sich doch bei genauerer Durchsicht bald, dass seine Schrift auch in materieller Hinsicht gar manches Eigenthümliche und Neue mittheilt. Die einzelnen Abschnitte der Schrift sind folgende. I. Das Dreieck mit seinen Transversalen S. 5—38 (35 Sätze). II. Das Viereck: a) die harmonische Proportion S. 39—63 (Satz 36—53); b) die Involution S. 63—72 (Satz 54—56). III. Das Vieleck S. 73—84 (Satz 57—66). IV. Der Kreis: a) Pol und Polare S. 85—91 (Satz 67—73); b) der Kreis mit ein- und umschriebenen Figuren S. 91—111 (Satz 74—90); c) mehrere Kreise in Verbindung mit einander; Potenzlinie und Potenzpunct (Satz 90—100); Aufgaben über die Berührungen S. 112—126. V. Aufgaben (14) aus der praktischen Geometrie S. 127—138. In dem letzten Abschnitte ist es überraschend, dass die vorhergehenden, anscheinend nur in theoretischer Hinsicht interessanten Sätze eine so ausgedehnte und vortheilhafte Anwendung auf die praktische Geometrie zulassen. Nur unerhebliche Ausstellungen sind es, die sich in Bezug auf Einzelnes machen lassen. So wäre eine etwas grössere Gleichförmigkeit hinsichtlich der Beweise wünschenswerth, indem einige derselben mehr als nöthig, andere dagegen zu wenig ausgeführt sind. Zuweilen beruft sich der Vf. auf einen früheren Satz, der aber nicht unmittelbar, sondern umgekehrt anzuwenden ist, ohne dass die Richtigkeit des umgekehrten Satzes nachgewiesen wäre; diess gilt z. B. von dem S. 54 stehenden Citate Lehrs. XXXVI, Zus. und der S. 63 vorkommenden Verweisung auf Lehrs. XII. Die Bezeichnung der Puncte und Linien mit Buchstaben lässt in Bezug auf Symmetrie viel zu wünschen übrig; dass dieselbe Linie in demselben Beweise bald AB, bald BA genannt wird, ohne dass eben dadurch eine verschiedene Richtung bezeichnet werden sollte, kann auch nicht gebilligt werden. Für Lehrs. XXII lässt sich der Beweis viel kürzer so darstellen: 1) $AD.\ AF = AB.\ AC$, $AD.\ DF = BD.\ CD$, woraus durch Subtraction $AD\ (AF - DF)$ oder $AD^2 = AB.\ AC - BD.\ CD$. 2) $AE.\ AG = AB.\ AC$ und $AE.\ EG = BE.\ CE$, woraus durch Subtraction $AE^2 = BE.\ CE - AB.\ AC$. — Der Lehrs. XXXVI: „Zieht man durch einen Punct eines harmonischen Strahles eine Parallele mit seinem zugeordneten Strahle, so sind die zwischen den beiden anderen zugeordneten Strahlen liegenden Theile dieser Parallelen einander gleich" muss so abgeändert werden: „zieht man durch einen von vier harmonischen Puncten, durch welche von einem beliebigen fünften Puncte aus harmonische Strahlen gezogen sind u. s. w." Erst im folgenden Satze wird nämlich gezeigt, dass jede Transversale, die vier harmonischen (aus einem Puncte durch 4 harmonische Puncte gehenden) Strahlen begegnet, von ihnen harmonisch getheilt wird. Im Beweise desselben folgt $be = bf$ nicht aus dem vorigen Satze, sondern ergibt sich aus $BE = BF$, da EF mit OD, also auch mit ef parallel ist und A, B, C, D harmonische Puncte sind. — S. 76 ist der Ausdruck: „gegenüberliegende Seiten eines Fünfecks" nicht genau; nur bei Figuren von gerader Seitenzahl kann streng genommen von gegenüberliegenden Seiten die Rede sein, während in solchen von ungerader Seitenzahl immer eine Seite und eine Ecke sich gegenüber liegen. — S. 85 f. (im Zus. zu Lehrs. LXVII) sollte ausdrücklich gesagt sein: „Wenn man von einem Punct ausserhalb eines Kreises nach den Durchschnitten seiner Polare mit der Peripherie gerade Linien zieht, so sind diese Tangenten", da dieser Satz im folgenden häufig angewandt wird. Der Vf. mag aus diesen Bemerkungen abnehmen, wie aufmerksam wir seine Schrift durchgelesen haben. — Die Ausstattung ist so musterhaft, wie bei den meisten Werken, welche aus der Schweiz zu uns kommen, und namentlich die Correctheit des Drucks sehr zu loben. Den angezeigten Druckfehlern sind nur wenige beizufügen, z. B. S. 137, Z. 1 oben muss bI statt CJ stehen.

Länder- und Völkerkunde.

[9878] Lehrbuch der historisch-comparativen Geographie. In 4 Büchern. Für höhere Unterrichtsanstalten und Freunde der Erdkunde. Von Dr. Carl Fr. Merleeker, Oberlehrer u. Prof. zu Königsberg in Pr. Buch IV. Thl. II. Darmstadt, Leske. 1843. XX u. 722 S. gr. 8. (3 Thlr.)

Auch u. d. Tit.: Historisch-politische Geographie, oder Allgemeine Länder- und Völkerkunde. Von u. s. w.

Nach dem Vorgange des verdienstvollen Carl Ritter, der als Vater der neueren Geographie angesehen werden muss, enthält dieses Lehrbuch, dessen erstes Buch 1839 erschien, eine Darstellung der Geographie mit ihren Hülfswissenschaften und mit besonderer Rücksicht auf Geschichte. Entstanden ist es, nach der Angabe des Vfs., aus dem schon von Volger u. A. empfundenen Bedürfniss, die Resultate der Forschungen von Humboldt, Leop. v. Buch, v. Leonhard, Berghaus, Schubert und vielen Anderen, welche die physikalische, mathematisch-geographische, historische und politisch-statistische Geographie in umfangreichen Werken behandelt haben, in einem Werke von mässigem Umfange zu vereinigen. Die drei ersten Bücher dieses Werks, welche der 1. Band umfasst I. u. II. 1839. 1 Thlr. 12½ Ngr. III. 1840. 1 Thlr. 20 Ngr., behandeln 1) die Geschichte der Geographie und der geographischen Entdeckungen, als Vorschule und Einleitung für die drei Haupttheile der Geographie, worin der Vf. fünf Perioden annimmt, eine mythisch-geographische (bis 444 v. Chr.), historisch-geographische (bis 275 v. Chr.), systematisch-geographische (bis 160 n. Chr.), geometrisch-geographische (bis 1543 n. Chr.) und wissenschaftlich-geographische seit der Reformation des Copernicus. 2) Die mathematisch-astronomische Erdbeschreibung, in welcher aber auch von der Sonne, den Planeten und ihren Monden, den Kometen und den Fixsternen gehandelt, also die Astronomie in das Gebiet der Erdkunde gezogen wird, wohin sie doch nur in so weit gehört, als das Verhältniss der Erde zur Sonne und zum Weltall überhaupt in Frage kommt. 3) Die physikalische Erdbeschreibung, in welcher auch die Producten-Geographie und die anthropologische Geographie oder Völkerkunde abgehandelt wird. — Der 1. Thl. des 4. Buchs (1841. 1 Thlr. 25 Ngr.) umfasst die Continente Asien, Afrika und Australien; der vorliegende zweite Theil, welcher das Werk beschliesst, enthält Oceanien, Amerika und Europa. Oceanien — nach dem Vf. für sich allein von grösserem Umfange, als die anderen Erdtheile zusammen, eine sehr gewagte Behauptung — wird auf S. 1—59 nach Domeny de Rienzi in 6 Capiteln abgehandelt: 1) die Malaienlande; 2) Mikronesien oder Nordoceanien; 3) Polynesien oder Tapuländer; 4) Melanesien oder Centraloceanien; 5) Inseln, die bestimmten Continenten angehören, als die japanischen und canarischen Inseln, Madagascar u. s. w.; 6) der antarktische Continent und einige benachbarte Inseln. Amerika (S. 60—210) zerfällt ausser dem allgemeinen Theile (—89) in sechs Capitel, von denen 6 (1. Nordpolarländer, 2. britisches, französisches und russisches Nordamerika, 3. Vereinigte Staaten von Nordamerika, 4. Westindien, 5. mexikanisches Reich, 6. Guatemala oder Vereinigte Staaten von Mittelamerika) Nordamerika betreffen, die übrigen 9 aber Südamerika (7. Guayana, 8. Brasilien, 9. Columbien, 10. Peru, 11. Bolivien, 12. Paraguay, 13. Chili, 14. Argentinische Republik, 15. Uruguay, Patagonien und Feuerland). Den übrigen Theil des Bandes (mit Ausnahme der S. 750 ff., welche Zusätze und Verbesserungen enthalten) füllt Europa in 19 Capiteln: 1) europäisches Staatensystem, 2) Britannien, 3) Frankreich, 4) Russland, 5) Deutschland, 6) österreichische Monarchie, 7) preussischer Staat, 8—12) die 4 Königreiche, 8 Grossherzogthümer (incl. Kurfürstenthum Hessen), 10 Herzogthümer, 11 Fürstenthümer (incl. Landgrafschaft Hessen-Homburg) und vier freien Städte des deutschen Bundes, 13) Italien, 14) Iberien oder Hispanien, 15) Portugal, 16) Griechenland und Türkei, 17) Niederland und Belgien, 18) scandinavische Reiche, 19) schweizerische Eidgenossenschaft. — In den beiden ersten Abtheilungen des Bandes findet man bei jedem Lande u. s. w. ausführliche Notizen über die Entdeckung desselben; am längsten verweilt der Vf. natürlich bei der Entdeckung Amerikas und den Ursachen, welche sie vorbereitet und herbeigeführt haben (S. 61—76), und verbreitet sich dabei über die Bekanntschaft der Alten mit der transatlantischen Welt und die alte Sage von der Atlantis. Ueberall nimmt der Vf. hauptsächlich Rücksicht auf die eigenthümliche klimatische Natur eines Landstrichs und die Sitten und Gebräuche seiner Bewohner und weiss dadurch seine Darstellung zu beleben und interessant zu machen. Die Art, wie die europäischen Länder behandelt sind, ist der Natur der Sache nach in vielfacher Hinsicht verschieden. Das Capitel über Britannien zerfällt z. B. in folgende Paragraphen: Geschichte, mit besonderer Hinsicht auf die allmälige Vergrösserung des Reichs; geographisch-statistische Uebersicht des britischen Reichs; das Land (Eintheilung, Oberfläche, Klima, Producte); das Volk (Volkszahl, Stämme, Stände, Nationalcharakter, Religion); technische Cultur und Verkehr; geistige Cultur, wobei Aufzählung ausgezeichneter Briten; Verfassung; Verwaltung; Topographie (auf drei Seiten zusammengedrängt); die übrigen europäischen und aussereuropäischen Besitzungen (die letzteren werden nur aufgezählt, da sie früher beschrieben sind). Dieselbe Anordnung und Reihenfolge findet sich im Wesentlichen bei den übrigen Staaten. — Sich zu Einzelnheiten wendend, enthält sich der Ref. einer Bemerkung über die gewählte ungewöhnliche Reihenfolge der Erdtheile, da die Gründe derselben aus diesem Bande nicht zu ersehen sind, und theilt zuvörderst den Anfang des Bandes, die Einleitung zur IV. Abth. mit, weil sie in mehr als einer Rücksicht charakteristisch sein dürfte. „Oceanien, für sich allein von grösserem Umfange, als die anderen vier (soll heissen: fünf, da der Vf. Australien d. i. Neuholland von Oceanien unterscheidet) Erdtheile zusammen, ist der wenigst gekannte, aber an Mannichfaltigkeit der Erscheinungon reichste und merkwürdigste von allen. Es ist das Land der Wunder; es begreift die entgegengesetztesten Rassen, die erstaunlichsten Naturereignisse, die erhabensten Denkmäler der Kunst. Man erblickt daselbst den Zwerg neben dem Riesen, den Weissen neben dem Schwarzen, neben einem patriarchalischen Stamme eine Völkerschaft von Menschenfressern, nicht fern von Horden der rohesten Wilden Nationen, die vor uns civilisirt waren. Erdbeben und Aërolithen verwüsten die Felder, Vulcane verschlingen Städte und Dörfer. Auf seinem südlichen Festlande bieten die seltsamsten Thiere, auf der grössten Insel seines Archipels, wie des Erdballs [hiermit kann nur Australien gemeint sein, wiewohl der Vf. dasselbe als besonderen Welttheil beschreibt] der Oranghusan dem Philosophen Stoff zu tiefem Nachdenken. Eine seiner Inseln ist stolz auf die Herrlichkeit ihrer Tempel und alten Paläste, die glänzender sind als die Monumente Persiens und Mexikos und mit den Meisterwerken Indiens und Aegyptens vergleichbar. Andere prangen mit Pagoden, Moscheen und Grabmälern, die an Zierlichkeit und Anmuth sich mit dem Vollkommensten messen dürfen, was das Morgenland und China aufzuweisen haben". Ist der Styl hier schwungvoll, so ist er anderwärts nicht selten schwerfällig, schwülstig und gar zu reich mit entbehrlichen Fremdwörtern ausgestattet, im Allgemeinen jedoch viel besser, als bei Berghaus, den der Vf. oft als Autorität citirt. Auch findet sich des gänzlich Ueberflüssigen viel weniger als bei diesem Schriftsteller, was freilich durch den geringern Umfang des Werkes bedingt war. Zu jenem rechnet Ref. das S. 16 angeführte sanskritische Sprichwort der Malaien, das die gebildetsten Leute unter ihnen im Munde führen sollen. S. 217 wird angegeben, dass Europa in 82 souveraine Staaten zerfalle, nämlich 54 mit monarchischer und 28 mit republicanischer Regierungsform. Deutschland ist mit 38 einzelnen Staaten aufgeführt; dass nur zwei Fürstenthümer Reuss (ältere und jüngere Linie) unterschieden werden, wiewohl Reuss-Schleiz von Reuss-Lobenstein-Ebersdorf getrennt ist und jedes derselben von einem souverainen Fürsten regiert wird (gemeinschaftlich besitzen sie nur die Herrschaft Gera), ist wohl eben so wenig richtig, als Luxemburg und Limburg als zwei besondere Staaten aufzuführen. Mit demselben und wohl noch mit grösserem Rechte, als diese von den Niederlanden, Holstein mit Lauenburg (die Benennung Sachsen-Lauenburg ist nicht mehr passend) von Dänemark getrennt aufgeführt sind, müssten auch Schweden und Norwegen gesondert werden, eben so Ungarn und Oesterreich. Ob die 22 Cantons der Schweiz als so viele einzelne Staaten anzusehen sind, dürfte in sofern zweifelhaft sein, als sie in ihren Beziehungen nach aussen einen Bundesstaat, keinen Staatenbund bilden, eben so wie die Vereinigten Staaten von Nordamerika. Auch zählt der Vf. S. 222 unter den Staaten zweiten Ranges „die helvetische Eidgenossenschaft" als ein Ganzes auf. Die daselbst gegebene Eintheilung sämmtlicher Staaten in vier Rangclassen dürfte manchen Einwendungen ausgesetzt sein; zu den Staaten des zweiten Ranges dürfte Bayern wohl eben so wenig als die Schweiz gerechnet werden, da es an politischer Bedeutung um nichts höher steht als die anderen deutschen Königreiche; Sachsen-Weimar, das hier unter den Staaten des dritten Ranges erscheint, gehört mit Luxemburg, Parma, Modena, Braunschweig, Nassau wohl vielmehr zu denen des vierten Ranges, zu denen es auch von Pölitz gerechnet wurde. — S. 224 werden die Monarchien in Autokratien, Monarchien mit Provinzialständen und constitutionelle Monarchien getheilt; zu der zweiten Kategorie werden ausser Preussen und Oesterreich (excl. Ungarn und Siebenbürgen) das Königreich beider Sicilien (mit welchem Rechte?) und Dänemark, zu der dritten ausser dem britischen Reiche, Frankreich, Spanien, Portugal, Belgien, den Niederlanden, Schweden und Norwegen, Ungarn und Siebenbürgen auch Griechenland, Neufchatel, Lucca und sämmtliche monarchische Staaten des deutschen Bundes (mit Ausnahme von Preussen und Oesterreich) gerechnet. Allein Griechenland trat bekanntlich erst am 15. Sept. 1843, also nach dem Erscheinen des Buchs in die Reihe der constitutionellen Monarchien; von den deutschen Staaten verdienen ausser den beiden grössten auch Oldenburg, Holstein, die drei Herzogthümer Anhalt, die zwei oder drei Fürstenthümer Reuss und Hessen-Homburg diesen Namen, der demnach nur etwa drei Viertheilen derselben zukommt, bis auf den heutigen Tag noch keineswegs, und selbst die Aussicht dazu scheint noch ziemlich fern zu sein. Bei Durchgehung der einzelnen Staaten gibt der Vf. S. 480 an, in Oldenburg seien seit dem Dec. 1831 Landstände eingeführt; so viel bekannt, wurden dieselben zwar in Aussicht gestellt, sind aber bis jetzt noch nicht wirklich ins Leben getreten. S. 488 heisst es: „neben der monarchischen Regierung bestehen alte Landstände von Ritterschaft und Städten in Gesammtheit für alle anhaltische Lande". Diess ist wahr und doch auch nicht wahr; rechtlich existiren allerdings Landstände, aber factisch nicht, denn seit 1689, also seit fast anderthalb Jahrhunderten hat kein eigentlicher

Landtag stattgefunden, nur die ständischen Ausschüsse haben von Zeit zu Zeit einen Schatten von Wirksamkeit ausgeübt. Von Reuss gilt ziemlich dasselbe und von Hessen-Homburg sagt der Vf. selbst S. 494, mit sich selbst im Widerspruch, dass dort keine Landstände existiren. Noch stärker ist der Widerspruch S. 353, wo nur 19 deutsche Staaten als solche aufgezählt werden, in denen die in dem 13. Art. der Bundesacte geforderte landständische Verfassung besteht, und zwar, wie sich sofort ergibt, nur solche, in denen sie seit 1814 eingeführt worden ist; gleichwohl fehlen darunter Hohenzollern-Sigmaringen, Luxemburg und Schwarzburg-Sondershausen, die doch in der neuesten Zeit gleichfalls mit Verfassungen beschenkt worden sind, (letzteres aber nicht 1830, wie S. 491 steht, sondern erst 1841), so wie Oldenburg, das doch nach S. 480 Landstände haben soll. Die Angabe, dass die Landstände in Hohenzollern-Sigmaringen die Verfassung der österreichischen hätten (S. 493), kann fast für Verläumdung gelten. Die hannoversche Verfassung wurde von Ernst August, der erst 1837 zur Regierung kam, nicht 1835 aufgehoben (S. 352), sondern 1837. — S. 231 hat es uns befremdet, den wörtlich aus Berghaus entlehnten, aber nicht als entlehnt bezeichneten Satz zu finden: „Zugleich ist Britannien das vornehmste Werkzeug, dessen sich der Weltregierer bedient, das Christenthum auf der Erde zu verbreiten". Wunderlich ist die Seite 243 stehende Angabe: „Im britischen Reiche sind etwa 193 einflussreiche, bedeutende Katholiken". S. 250 wird Lord Byron ein schottischer Dichter genannt. Diess ist eigentlich nicht richtig, da nur seine Mutter schottischer Abkunft war. — S. 275 ist eine genealogische Tabelle des Hauses Capet mitgetheilt (die einzige, die im Buche vorkommt); nach derselben soll Ludwig Karl, Herzog v. Angoulême, Sohn des Königs Karl X., 1775 gestorben sein; er wurde aber in diesem Jahre erst geboren und lebt bekanntlich noch heutiges Tages. Unter den französischen Lustschlössern fehlt S. 293 das Schloss Eu. S. 293 steht: Frankreich hat 12 Marschälle. Gegenwärtig sind nur 9 vorhanden, Soult, Oudinot, Molitor, Gérard, Grouchy, Vallée, Sébastiani, Drouet d'Erlon und Bugeaud; selbst durch Hinzurechnung der ehemaligen Marschälle Bourmont und Marmont, von denen aber letzterer aus den Armeelisten gestrichen ist, erfüllt sich die obige Zahl nicht. — D e r Drittheil (S. 346 und sonst) ist ganz gegen den Sprachgebrauch. — S. 355 werden Dörfel, Leibnitz, Guerike, Kästner, Herschel, Bode als diejenigen Norddeutschen bezeichnet, die sich in den höchsten Wissenschaften hervorgethan hätten, worunter der Vf. demnach Mathematik und Astronomie versteht. Da die Naturwissenschaften besonders aufgeführt werden, so hätte Guerike als Physiker unter diese gehört. — S. 426 wird als das „höchst bewohnte" Haus im preussischen Staate die Hammelsbaude auf dem Kamm des Riesengebirges genannt; hier muss es heissen: Hampelsbaude. Bei Gelegenheit von Königsberg werden S. 453 f. „einige" ausgezeichnete Preussen (im engeren Sinne dieses Worts) genannt, da aber ihrer 93 sind, so scheint dem Vf. „einige“ und „viele“ gleichbedeutend zu sein; die hierbei angewandte Ausführlichkeit ist erklärlich, aber sehr unverhältnissmässig. — Der kurze §, welcher das Königreich Sachsen betrifft (S. 466—469), enthält mehrere sehr auffallende Unrichtigkeiten. Dass dasselbe im Westen unter anderem an Sachsen-Meiningen grenzt, ist ungegründet; eben so dass sich die sämmtlichen Einwohner des Landes zur evangelisch-lutherischen Kirche bekennen; am 1. Dec. 1840 wurden 30,104 Katholiken, 1,855 Reformirte, 868 Israeliten, 139 Griechen gezählt. In der ersten Kammer sitzen nicht zwei, sondern zwölf gewählte, ausserdem noch zehn vom Könige ernannte Glieder der Ritterschaft. Wie bringt der Vf. heraus, dass auf einen Raum von weniger als 29 Meilen eine Stadt kommen soll? Vielleicht ist diess aber ein Druckfehler für 2 □ M. (ein Druckfehlerverzeichniss fehlt ganz). Dass Dresden hinsichtlich seiner Lage die schönste Stadt Deutschlands sei, ist eine gar zu apodiktische Behauptung. Die unbestimmte Angabe, „die Zahl der Bewohner Dresdens mochte man 1838 auf 67—68,000 berechnen“, muss sehr befremden, da sich die Einwohnerzahl nach der 1841 bekannt gemachten Zählung von 1840 auf nicht weniger als 80,989 belief; 1837 wurden 69,523 gezählt. Bei Leipzig gibt der Vf. die Bevölkerung für 1837, nämlich 47,514; 1843 wurden 54,519 gezählt. Eben so steht es natürlich mit der Einwohnerzahl der anderen Städte. — S. 569 gibt der Vf. bei Spanien das Gesetz über die Wahlen zur Kammer der Procuradores von 1834 an; dasselbe ist aber längst ausser Gültigkeit gesetzt und die zweite Kammer der Cortes heisst jetzt nicht mehr Kammer der Procuradores, sondern Congress, die erste nicht mehr Kammer der Proceres, sondern Senat. — Dass die belgische Verfassung, wie S. 654 steht, der niederländischen ähnlich sei, ist ganz unrichtig, da die erstere ungleich freier und demokratischer ist. Die Angabe, dass seit 1834 daran gearbeitet wird, Belgien mit Eisenbahnen zu durchziehen, hätte wohl mit einer bestimmteren vertauscht und mit mehr Detail begleitet werden sollen. — Druck und Papier verdienen alles Lob.

Geschichte.

[[illegible]] Das Burggrafthum Meissen. Ein historisch-publicistischer Beitrag zur sächs. Territorialgeschichte von Dr. **Trgo. Märker.** Aus archivalischen Quellen. Nebst einem Urkundenbuche. Leipzig, Brockhaus. 1842. XVI u. 602 S. gr. 8. (3 Thlr.)

Auch u. d. Tit.: Diplomatisch-kritische Beiträge zur Geschichte und dem Staatsrecht von Sachsen. 1. Bd.

Seit wenigen Jahren erst sind die Pforten des an historischen Schätzen so überaus reichen kön. sächs. Hauptstaatsarchives geöffnet, und schon liegen in den Schriften von v. Langenn,

Müller, Palacky, Ranke, v. Raumer, Seidemann für die Wissenschaft zum Theil höchst wichtige Ergebnisse als Ausbeute vor. Auch das Werk des Hrn. Dr. M., welches ganz geeignet ist, einen seit längerer Zeit vielfältig besprochenen Gegenstand zum Abschluss zu bringen, hätte nicht erscheinen können, wenn dem Vf. der Zugang zu den Urquellen nicht wäre verstattet worden. Mögen die freisinnigen Maassregelen einer wahrhaft freisinnigen Regierung für die Wissenschaft und das Vaterland immer reichere Früchte tragen. — Hr. M. beabsichtigt, die Geschichte der südobersächsischen Territorial-Staatsbildungen durch Darstellung einzelner Hauptparthien allmälig immer mehr aufzuklären, namentlich die reichsfreien Herrschaften und die geistlichen Territorien dieser Lande, die Verhältnisse zu den Nachbarn und zu Kaiser und Reich sollen einer genauen, tief eingehenden Untersuchung unterworfen werden. Er beginnt mit dem Burggrafthum Meissen, welches allerdings, theils wegen seiner geograph. Ausdehnung, seiner Dauer und politischen Bedeutung, theils wegen der mannichfaltigen Irrthümer, welche sich in die Darstellung seiner Geschichte, in Ermangelung der wichtigsten Quellen, einschleichen mussten, diesen Vorrang zu verdienen scheint. Nun war zwar die politische Bedeutung des Burggrafthums Meissen nie sehr erheblich, und die wissenschaftlichen Ergebnisse der Arbeit unseres Vfs. können daher keineswegs sehr hoch angeschlagen werden; allein als einzelnes Glied einer grossen Kette hat es denn doch seine Wichtigkeit, und Hr. M. liefert den vollgültigsten Beweis, dass er ganz der Mann sei, eine Untersuchung durchzuführen, vor deren Schwierigkeit und Trockenheit, bei scheinbarer Geringfügigkeit, unter hundert gewiss neun und neunzig zurückschrecken würden. Uns hat der labor improbus desselben mit wahrer Bewunderung erfüllt, und wir wünschen nur, dass es ihm gelingen möge, seinen Plan vollständig zur Ausführung zu bringen. Erst wenn diess geschehen, wenn alle einzelnen Glieder der grossen Kette sich wieder vereinigen lassen, wird man über den Werth der einzelnen Ergebnisse ein sicheres Urtheil fällen können. Um eine haarscharfe diplomatische Prüfung des ganzen Werkes kann es sich hier nicht handeln. Suchen wir zunächst uns eine kurze Uebersicht des Inhalts zu verschaffen. Der Vf. geht von der Ansicht aus, die Stiftung des Burggrafthums Meissen falle mit der Gründung der Stadt zusammen; und die burggräfliche Würde sei anfangs eine rein militairische gewesen. Erst unter Heinrich IV. (1068) erscheint ein praefectus Burchard zugleich als Civilbeamter, und so datirt mit diesem Jahre der Ursprung des eigentlichen Burggrafthums. Die ununterbrochene Reihe meissner Burggrafen beginnt jedoch nicht früher, als zu Anfang des 13. Jahrh. mit Meinher I., welcher in einer Urkunde vom 26. Apr. 1200 als Zeuge erscheint. (1. Hauptstück.) Hr. M. ist gegen die Annahme, dass Meinher aus dem Hause Wettin abstamme, hält ihn vielmehr für eine und dieselbe Person mit einem sonst oft erwähnten M. von Werben (Burg-Werben b. Weissenfels). Mit M.'s Tode theilte sich das Haus in zwei Linien, von welchen die eine die Burggrafschaft nebst Hartenstein, die andere die osterländischen Erb- und Lehngüter erhielt. Eine Theilung der Besitzungen der burggräfl. Linie erfolgte erst 1380; doch waren sie bereits wieder vereinigt, als mit Heinrich II., welcher am 15. Juni 1426 in der Schlacht bei Aussig fiel, das ganze Geschlecht der Meinheringer ausstarb. (2. Hauptst.) In den folgenden Hauptstücken handelt Hr. M. von der Person der Burggrafen erster Dynastie (3. Hauptst.), von der Verfassung der Burggrafschaft (4.), von den Territorialverhältnissen der Burggrafen (5.) von ihren Verhältnissen zur Geistlichkeit (6.), von ihren Verhältnissen nach aussen (7.). [Dass über Wappen und Siegel der Burggrafen der Vf. in § 12 des 3. Hptst. trotz aller Bemühungen etwas Neues zu geben nicht vermocht und die Münzen derselben ganz übergangen hat, müssen wir sehr bedauern. In einer vor Kurzem im Voigtlande gemachten Auffindung von Brakteaten aus der 1. Hälfte des 13. Jahrh. befinden sich mehrere burggräfliche mit 4 Wappenschildern auf dem Rande, von welchen zwei das Andreaskreuz, und zwei einen Schrägbalken enthalten; d. Redaction.] — Während nun die Abschnitte 3—6 weniger Bemerkenswerthes darbieten, gibt Abschn. 7 über das eigentliche Wesen der Burggrafschaft genügenden Aufschluss. Der Vf. weiset hier nach, dass diese Würde keineswegs das Recht einer Controle des Markgrafen gegeben, und dass bereits unter K. Konrad III. der Burggraf in einem abhängigen Verhältnisse zu letzterem gestanden. Der meissner Burggraf erscheint als einfacher Reichsministerial, mit Fahnenlehen, befugt an den Reichsversammlungen Antheil zu nehmen und mit ausgezeichneter Stellung unter den Mitgliedern der meissn. Provinziallandtage. Im Laufe des 13. Jahrh. wurden die Burggrafen durch die Landesherren immer mehr beschränkt, und sie erscheinen allmälig immer mehr im Verhältniss der Reichsmittelbarkeit. Mit dem Beginne des 15. Jahrh. verfällt auch ihre materielle Macht durch üble Wirthschaft, Verkauf und Verschleuderung zum Vortheile der Markgrafen. Merkwürdiger Weise erhält die meissn. Burggrafschaft gerade in dem Augenblicke wirklich eine politische Bedeutung, in welchem sie auf immer verschwinden sollte (8. Hptst.). Als nämlich Heinrich II. im J. 1426 bei Aussig gefallen war, liess Friedrich der Streitbare sich von der burggräfl. Mannschaft huldigen, ausgehend von der Idee eines geschlossenen Territoriums; dagegen belehnte sechs Tage darauf, am 21. Juli 1426, K. Sigismund, der die Burggrafschaft als ein erledigtes Reichslehen betrachtete, mit dieser den Reichshofmeister Heinrich (I.) von Plauen. Natürlich brach darüber eine heftige Streitigkeit aus. Nach vielerlei Schreibereien, Schieden und Tagen trat im J. 1436 jenes Heinrichs I. Erbe, Heinrich II., gegen die Erben Friedrichs des Streitbaren, Friedrich und Sigismund, mit einer heftigen öffentlichen Klageschrift hervor, welche in etwa 80 Exx. im Reiche verbreitet wurde. Gewiss eine höchst merkwürdige Thatsache! An diese Verhandlungen knüpfen sich gegenseitige Beleidigungen, ja Sigismund, Friedrichs Bruder, tritt mit den Gegnern in Verbindung, überall gähret es unter der hohen Aristokratie, welche mit Schrecken das Umsichgreifen der Landeshoheit bemerkt, man ist bereit zum Kampf; da that endlich im J. 1439 K. Albrecht II. auf dem Tage zu Pressburg den Alles beschwichtigenden Ausspruch: der von Plauen soll alle von ihm als Zubehör der Burggrafschaft M. erworbenen Stücke binnen drei Monaten an Sachsen abtreten und nebst seinem Sohne für immer darauf verzichten; dagegen wird ihm und seinen männlichen Leibeserben Name, Titel, Würde und Freiheit des Burggrafthums zugestanden; als Ersatz für die Zubehörungen der Burggrafschaft zahlt der Kurfürst 16,000 Gulden. Zugleich ertheilte noch besonders der König dem Hause Sachsen, für den Fall des Aussterbens des Mannstammes der neuen burggräfl. Dynastie, die Succession in dem Namen, Titel, den Würden und Freiheiten des Burggrafthums. Dieses Expspectanzbriefes nun hat sich das Haus Sachsen nach dem Aussterben des Hauses Plauen keineswegs bedient, vielmehr zugegeben, dass im J. 1579 die böhmischen Rosenberge die burggräfl. Würde annahmen. Nach ihrem Abgange suchten vergeblich die übrigen Reussen um Admission zum Burggrafthum nach; es gelang diess ihnen jedoch eben so wenig, als 116 Jahre lang dem Hause Sachsen. Erst Kurf. Friedrich August erreichte sein Ziel und wurde als Burggraf von Meissen mit Sitz und Stimme auf dem Reichstage zugelassen, am 25. Febr. 1803! (9. Hptst.) Dem Werke ist (S. 403—562) ein Urkundenbuch angehängt, welches 145 Urkunden, nach Originalien des k. sächs. Hauptstaatsarchivs enthält. Die erste deutsche datirt vom 15. Mai 1296. — Aus dem Mitgetheilten ergibt sich wohl von selbst, dass das Burggrafthum M. eigentlich zu keiner Zeit eine höhere politische Bedeutung erlangt hat; es erscheint, zwischen Markgrafthum und Bisthum mitten inne, als ein verkrüppelter Baum, es wird nur zu bald eine blosse Rechtsfiction ohne Leben und Kraft, höchstens eine Sinecure, im Genuss einer Menge einzelner, unter verschiedenen Titeln besessener Herrschaften, Güter und Güteratome, ein Aggregat mannichfacher Berechtigungen und Nutzungen. Nichts desto weniger halten wir eine so emsige, tief eingehende Erforschung des Einzelnen, wie die vorliegende, für sehr ver   voll und erwarten von der Fortsetzung der Arbeiten des Hrn. Dr. die Geschichte Sachsens und Deutschlands erspriessliche Früchte. Schliesslich werde bemerkt, dass uns selten ein so gut corrigirtes Buch vorgekommen ist; ein Umstand, welcher bei einem derartigen Werke jedenfalls seine Wichtigkeit hat. Druck und Papier sind vortrefflich.

K. A. Müller.

Volksliteratur.

[[illegible]] Das Buch von den sieben weisen Meistern aus dem Hebräischen und Griechischen zum ersten Male übersetzt und mit literar-historischen Vorbemerkungen versehen von *Heinr. Sengelmann.* Halle, Lippert. 1842. X u. 193 S. gr. 8. (20 Ngr.)

Diese Erstlingsschrift eines jungen Hamburger Theologen, der seine Studien in Leipzig und Halle vor Kurzem beendigt hat, reiht sich ergänzend an Keller's, Loiseleur's, Grässe's u. A. Untersuchungen. Der Gegenstand ist glücklich gewählt, die Behandlung geschickt und ansprechend, das Ganze ein gut geführter Wurf nach einem nicht zu fern gesteckten Ziele, nur gerade der literargeschichtliche Hauptpunct verfehlt. Der Text der Mischle Sandabar in der Venetianischen Ausgabe, welche Hrn. Sengelmann zur Uebersetzung vorlag, berichtigte er nach zwei Handschriften der Leipz. Stadtbibliothek (No. XXI u. XXXII der hebräisch-syrischen Abth.), und in dieser verbesserten Gestalt gedenkt er ihn mit mehreren anderen neuhebräischen Schriften nächstens herauszugeben; hinsichtlich des Syntipas aber war er auf die Ausgabe von Boissonade beschränkt, die freilich manche Lücken und Zweifel übrig lässt. Die Uebersetzung gibt die fast biblische Einfachheit der hebräischen und die gedehntere, rhetorisch gefärbte Erzählungsweise der griechischen Urschrift mit möglichster Treue wieder und liest sich dabei, einige Stellen abgerechnet, leicht und gut. Die allzu schlüpfrige Erzählung von dem Bademeister ist, um unserem deutschen Papiere das Erröthen zu ersparen, im Anhange lateinisch gegeben, wobei wir nur einige Unebenheiten des Ausdrucks vermieden wünschten. Den Schluss machen viertehalb Seiten Anmerkungen. (الفاروق in der siebenten ist der scharf Entscheidende, und die Ἀγαρηνοί in der zwei und zwanzigsten sind Araber, s. LXX, Ps. 83, 7.) — Auf die Frage nun, warum gerade die hebräische und die griechische Bearbeitung des alten Volksbuches hier in der Uebersetzung zusammengestellt sind, antworten die literarhistorischen Vorbemerkungen oder vielmehr der dem Vf. eigenthümlich angehörende Theil derselben, zu welchem die nach de Sacy, Keller u. A. zusammengestellten Bruchstücke der älteren Geschichte des Buches im Morgenlande die Einleitung und Umgebung bilden. Es soll nämlich bewiesen werden, dass die Mischle Sandabar 1) von einer arabischen Bearbeitung abstammen, 2) den Uebergang des Buches vom Morgen- zum Abendlande vermittelt und 3) zunächst dem Syntipas zur Vorlage gedient haben. Das Erste wird durch mehrere in ihnen vorkommende arabische Eigen- und Gattungsnamen wenigstens wahrscheinlich gemacht; nur hätte Hr. S. diese Annahme in so weit beschränken oder ihr eine solche Wendung geben sollen, dass sie nicht mit der weiterhin zu erwähnenden von einem persischen Originale der Mischle Sandabar im Widerspruch stände. Die zweite und dritte der obigen Vermuthungen aber entbehrt jeder sicheren Grundlage und die sich dagegen auflehnenden Thatsachen sind völlig ausser Acht gelassen. Dass die ältesten abendländischen Bearbeitungen dieses Erzählungsstoffes wie vom Sandabar so vom Syntipas unabhängig sind, ist noch neulich bei Gelegenheit eines Berichtes über Loiseleur's Essai sur les fables indiennes und Keller's Li Romans des sept Sages in den Gött. Anz. v. d. J., St. 73—77, ausgeführt worden, hätte aber auch schon nach dem Hrn. S. Vorliegenden nicht so leichthin verneint werden sollen, wie es S. 25 in den Worten geschieht: „Nachdem die hebräische Uebersetzung ins Abendland gekommen war und die griechische Bearbeitung hervorgerufen hatte, rief sie mittelbar die lateinische und alle folgenden occidentalischen Bearbeitungen ins Dasein“. Wo in dem Vorhergehenden oder Folgenden ist diess auch nur scheinbar bewiesen? Der Ursprung des Dolopathos, der Historia septem sapientum Romae, der Historia calumniae novercalis u. s. w. aus dem Syntipas ist rein als Glaubensartikel hingestellt; der des Syntipas aus dem Sandabar aber ruht, wenn wir Alles von Hrn. S. dazu Beigebrachte zusammennehmen, auf folgenden zwei gebrechlichen Stützen: 1) das dichterische sowohl als das prosaische Vorwort zum Syntipas nennt als nächste Quelle desselben ein syrisches Buch, als entferntere eine Schrift des Persers Musos, wonach das Griechische aus dem Syrischen und dieses wiederum aus dem Persischen übersetzt wäre. Der Umstand nun, dass wir eine syrische Bearbeitung nur in diesem Vorworte genannt finden, „muss uns die Existenz derselben etwas ungewiss machen“, und da bei Schriftstellern „jener Zeit“ auch das Neuhebräische Syrisch heisst, so „ist es wahrscheinlich, dass jene syrische keine andere als unsere hebräische ist“. 2) Die Abweichung des Syntipas von dem Sandabar, nach welcher die Hündin in der Erzählung S. 108—113 die Tochter der alten Kupplerin war, ist „gewiss“ aus Missverstand und falscher Beziehung des im Hebräischen (s. S. 48, Z. 8 u. 9) als Vocativ stehenden בתי entstanden. — Dagegen bemerken wir: 1) Das an und für sich schwache argumentum ex silentio hat in Beziehung auf eine syrische Bearbeitung um so weniger Beweiskraft, da uns die syrische Literatur nach dieser Seite hin nur sehr unvollkommen bekannt ist; jene Verwechslung von Hebräisch und Syrisch aber hört bei den späteren Griechen, den Lehrern und Glaubensgenossen der Syrer, bestimmt da auf, wo die Sprache und Schrift dieser letzteren als Werkzeug einer eigenen christlichen Literatur zu anderen verwandten Sprachen und Schriftarten in entschiedenen Gegensatz tritt. In derjenigen Zeit, welcher der Syntipas schon nach dem Namen Andreopolos (Andreopulos) und den misslichen Jamben des ersten Vorwortes angehört, verfiel gewiss kein gelehrter Grieche mehr in jenen Irrthum, wäre er auch wirklich τῶν γραμματικῶν ἔσχατος gewesen, wie sich Andreopolos in christlicher Demuth mit einem metrischen Fehler nennt; aber völlig unglaublich erscheint diess, wenn man vorher jene andere Unglaublichkeit zugegeben hat, dass ein griechischer Christ, — vielleicht um der Hieronymus der LXX. zu werden? — bei einem Juden Hebräisch gelernt habe. Anders das Syrische; dieses, als lebende Sprache eines ganzen christlichen Volkes, war einem in jenen Gegenden geborenen Griechen von Jugend auf ohne alle gelehrte Forschung zugänglich. 2) Zu einem Missverständnisse, wie das angenommene, konnte auch das syrische ܨܒܐ an derselben Stelle Veranlassung geben, wiewohl es weit näher liegt, in dem Mehr des griechischen Textes auch hier nichts zu sehen, als das Ergebniss einer ganz natürlichen Fortbildung oder schlechthin eine der unzähligen Verschiedenheiten zwischen beiden Redactionen, wie ja auch in der Habicht'schen Tausend und Einen Nacht, Bd. 12, S. 295, die Alte das Mädchen صاحبتى و صديقتى nennt. — Betrachten wir nun die inneren Zeugnisse gegen die unmittelbare Verwandtschaft beider Bücher. Sandabar hat 19 Erzählungen, Syntipas 25; dadurch aber, dass 2 von jenen 19 (die beiden Erzählungen des siebenten Weisen) in dem letzteren fehlen, geht die Zahl der gemeinschaftlichen Erzählungen auf 17 zurück. Von diesen stehen wiederum nur die drei ersten, die zwölfte und die zwei letzten in beiden an derselben Stelle, die übrigen eilf hingegen in folgendem Verhältnisse: 4 Sand. = 16 Synt.; 5 Sand. = 11 Synt.; 6 Sand. = 9 Synt.; 7, 8 u. 9 Sand. = 13, 14 u. 15 Synt.; 10 Sand. = 4 Synt.; 11 Sand. = 8 Synt.; 13 Sand. = 10 Synt.; 14 Sand. = 5 Synt.; 15 Sand. = 18 Synt. Weit näher stehen dem Syntipas in dieser Beziehung die Sieben Wesire der Habicht'schen Tausend und Einen Nacht, in welchen die Erzählungen 1—3 und 5—12 nach Reihefolge und Inhalt mit 1—11 des Syntipas, und die vier Schlusserzählungen des Prinzen, nur in etwas anderer Ordnung, mit denselben im Syntipas übereinstimmen, während Sandabar von diesen nur eine hat. Ueberhaupt zeigt sich von den drei erwähnten Redactionen die hebräische als diejenige, welche der vom Prof. Brockhaus, Blätt. f. lit. Unterhalt. v. d. J., no. 242 u. 243, in der Fassung bei Nachschebi nachgewiesenen Kürze und Einfachheit der ursprünglichen Anlage am nächsten kommt; weiter fortgebildet und zum Theil verbildet ist der Syntipas, und am abgerundetsten die tunesisch-arabische Redaction. Hierher gehört namentlich, dass die später hinzugekommenen Gegenerzählungen der Frau (s. Brockhaus a. a. O.) im Sandabar erst bis zum fünften Tage fortgeführt sind; am sechsten erinnert sie den König bloss an Davids Beispiel und am siebenten stürzt sie sich in das Wasser, wird aber wieder heraus gezogen. Im Syntipas reichen ihre Erzählungen schon einen Tag weiter; erst am siebenten Tage macht sie einen Versuch, sich selbst zu verbrennen; dagegen ist am Ende eine Erzählung des Syntipas selbst und ein ziemlich salzloses, langweiliges Gespräch zwischen Vater und Sohn über Syntipas' Unterrichtsweise und einige moralische Gemeinplätze angehängt. (Nebenbei sei bemerkt, dass die Zeiteintheilung im Syntipas verschoben ist. Während nämlich im Sandabar jeder der sieben Tage von der Frau eingeleitet wird, thun diess im Syntipas vom vierten Tage an die Weisen, so dass die neunte Erzählung, mit welcher die Frau diesen Tag, wie die vorhergehenden, eröffnen sollte, das Ende des dritten bildet. Auch steht S. 125, Z. 16, „um die sechste Stunde" statt des vom Zusammenhange geforderten: am sechsten Tage.) In den Sieben Wesiren endlich halten die Erzählungen der Frau denen der Männer während aller sieben Tage das Gegengewicht, indem sie, wie in den türkischen Vierzig Wesiren, des Nachts einreisst, was jene am Tage aufgebaut haben. — Hiermit hoffen wir Hrn. S. selbst von der Unhaltbarkeit seiner Combination überzeugt zu haben. Eine engere Verwandtschaft zwischen dem Sandabar und dem Syntipas (d. h. enger, als im Allgemeinen die zwischen den morgenländischen und abendländischen Redactionen) geben wir mit Prof. Rödiger, Hall. L.-Z. v. d. J., St. 95, bereitwillig zu, behaupten aber mit demselben, dass keiner von beiden des andern nächste Quelle sein kann.

Fleischer.

[9981] Svenska Fornsånger. En samling af Kämpavisor, Volks-Visor, Lekar och Dansar, samt Barn- och Vallsånger. Utgifna af *Ado. Iwar Arwidsson.* 3. Delen. Stockholm, Norstedt och Söker. 1842. XXVI u. 562 S. gr. 8. (4 Thlr. Bco.)

Mit diesem Theil des Arwidsson'schen Werks kann die grosse Arbeit, die Geijer und Afzelius begannen, für vollendet angesehen werden und das schwedische Volk muss sich rühmen, seine schönsten Kindheit- und Jugenderinnerungen für immer gerettet zu sehen. Mit besonderer Rücksicht auf den 3. Theil dieser Sammlung, deren 1. u. 2. (ebend. 1834 u. 1837) schon hinlänglich bekannt sind und desshalb keiner weiteren Erwähnung bedürfen, ist der Herausgeber von der Ueberzeugung ausgegangen, dass in den Liedern, Spielen und Tänzen des Volkes, dessen inneres Leben abgespiegelt wird. Es ist nicht der todte Buchstabe der Geschichte, sondern deren lebendiger Geist, der sich in diesen einfachen Tönen, in diesen einfältiglichen Sagen ausspricht, und so kann man aus den zerstreuten Denkmälern dieser Art, die aus dem Schutt der Vergangenheit und unter dem Staub längst dahin geschwundener Geschlechter hervorgesucht wurden, den Gang der Bildung und den Fortschritt am besten erkennen. Das Werk enthält folgende grössere Abtheilungen: 1) Lyrische Gesänge. 2) Scherzhafte Lieder. 3) Volksspiele und Tänze verschiedener Art mit oder ohne Gesang. 4) Kinderlieder, Verse und Spiele. 5) Hirtenlieder. 6) Ein Anhang mit Zusätzen, Varianten, Register, Worterklärung und Musikbeilage. Der lyrische Theil enthält 48 Nummern, welche grösstentheils aus Harald Olufsons und Alfs Liederbüchern oder aus Manuscripten der k. Bibliothek in Stockholm entnommen sind. Es ist fast kein Lied darunter, welches nicht nähere

Aufmerksamkeit verdient; besonderer Auszeichnung aber sind „das Lied von Treu und Ehr“, „die Landflucht der Wahrheit“, die ziemlich bekannte „Dalweise“, die „Finkenweise“ und die „Weise des blinden Knaben Olof Svensson“ werth. Eine Eigenthümlichkeit merkwürdiger Art ist der Maccaronische Vers Nr. 44, in welchem abwechselnd schwedische und lateinische Reime auf einander folgen z. B.

> Frost und Winter kommt mit Eis
> Et horror hyemalis;
> Sommer und Blumen kommen mit Preis
> Et decor aestivalis.
> Die Freude kommt mit der Sommerszeit
> Jam vario colore,
> Ausser einem thut mir's Leid
> Prae nimio dolore.

Die hierauf folgenden 14 scherzhaften Lieder, welche nach mündlicher Ueberlieferung niedergeschrieben sind, verdienen ihren Platz in dieser Sammlung und sind ein wahres Quodlibet von Scherz. Als Probe davon theilen wir den 1. Vers der „verkehrten Weise“ mit:

> „Im Frühling zur Weihnacht da ferkelt' meine Kuh,
> Da kalbt' meine Sau, da ertrank meine Mähre im Sonnenschein;
> Ich sattelt' den Stiefel, ich schmierte das Pferd
> Und schnallte die Sporen ans Ohr,
> So ritt ich zur Sonn', wo der Wald untergeht,
> Da hingen zwei faulende Bremsen,
> Da hingen zwei Priester, da sangen zwei Leichen,
> Da sassen zwei scheckige Pferde.
> Ich lag und ich sass
> Und träumte die Nacht,
> Und träumte das Lied, das verkehrt ich gemacht.“

„Der misslungene Besuch“ enthält schon einen Uebergang zum Dramatischen. Ein junger Bauernknecht und ein Bauernmädchen, beide hübsch, aber arm, fassen Liebe zu einander. Das Mädchen muss einen reichen Bauer heirathen, nimmt aber nach der Hochzeit noch immer Besuche von ihrem Liebhaber an und hat mit ihm ein Zeichen für die Anwesenheit ihres Mannes verabredet. Einst vergisst sie, das Zeichen zu geben, und der Knecht nähert sich dem Hause, während der Mann daheim ist. Sie sieht ihn und singt warnend ein Wiegenlied mit dem Refrain „Komm nicht herein“. Der Mann fragt, was sie damit meine, und sie antwortet ihm scherzhaft. — Hierauf folgen die Spiele, zuerst 105 Singspiele ohne Pfänder, darunter die bekannten „Ich sah dich Simon im Glück“, „Schneide Hafer“ und „Hoher Berg und tiefe Thäler“. Die meisten dieser Spiele sind von lebhaftem Interesse. Gewöhnlich singt ein tanzender Chor eine lyrische Melodie, weniger in schwermüthiger, als in ruhigen zufriedenen Tönen, und in diesen singenden Kreis tritt eine agirende Person oder ein Paar, führt gewisse Touren aus und verschwindet wieder in der Menge. Mehrere darunter sind wirklich sinnreich. Unter den Pfänderspielen findet man auch den Richtertanz mit seiner energischen Melodie. Dann folgen 54 Spiele ohne Gesang, „Blindbock“ u. s. w. meist bekannt und ohne besonderes Interesse. An sie schliessen sich Kinderlieder „Verse“ und „Spiele“ mit schönen Worten und Weisen, darunter das bekannte:

> „Der Alte und die Alte
> Haben die Trommel gehalten,
> Beide wollten die Trommel hören,
> Keines wollte die Trommel rühren.
> Dieses Lied hält nicht lang an,
> D'rum fangen wir noch einmal an.“

Die Hirtenlieder sind weder zahlreich, noch charakteristisch. Der Anhang enthält Bemerkungen über den Dreikönigstag und eine Worterklärung, die Musikbeilage die Melodien der „Dalweise“, der „Finkenweise“ und zweier „Dreikönigstaglieder“ mit Clavierbegleitung. Die Ausstattung ist sehr elegant, der Druck sehr correct.

Eichel.

Schul- und Unterrichtswesen.

Uebersicht der den Programmen der Gymnasien u. and. Unterrichtsanstalten der Königreiche Bayern, Hannover, Preussen, Sachsen, des Kurfürstenth. Hessen, d. Grossherzogth. Baden, S.-Weimar u. verschiedener anderer deutscher Staaten in d. J. 1842 u. z. Theil 1843 beigegebenen wissenschaftlichen Abhandlungen.

[9882] Pädagogik. a) Dr. Luther's Ansicht über die Bedeutung der Schule vom Rect. *Abeken* zu Osnabrück. 1843. — b) Pädagogische An- u. Aussichten vom Oberl. *Röder* zu Nordhausen. 1843. — c) Was thut unsern Gymnasien noth? Von *J. W. Thum*, Prof. am alten Gymn. zu München. 1842. — d) Ueber das Verhältniss der preuss. Gymnasien zur Gegenwart vom Subr. Dr. *Paschke* in Sorau. 1842. — e) Ueber das Verhältniss der Schule zum Staate, zur Kirche u. zur Familie vom Oberl. Dr. *Brüss* in Potsdam. 1843. — f) Von dem Verhältniss der Schule zum Hause, einige Züge in einer Zuschrift des Dir. *Ranke* an die Aeltern der Zöglinge der Realschule zu Berlin. 1843. — g) Andeutungen u. Wünsche in Beziehung auf die pädagog. Bestrebungen des Gymnasiums vom Oberl. Dr. *Schober* zu Neisse. 1842. — h) Ueber verschiedene Hindernisse des Lehrers vom Rector *Schwepfinger* zu Eisenberg. 1843. — i) Ueber das Sittenfest zu Rudolstadt vom Prof. *Hercher* das. 1843. — k) Geschichte des Wohlthäterfestes vom Dir. *Ribbeck* am G. zum gr. Kl. in Berlin. 1842. — l) De beneficiis in gymnasium Soranum collatis eorumque auctoribus. Vom Rect. *Adler* in Sorau. 1843. — m) Ueber das Verhältniss des Gymnasial- u. Realunterrichts u. die Vermittlung des letztern vom Dir. *Lauber* in Thorn. 1842. — n) Pädagogische Mittheilungen aus Oestreich (Reiseerfahrungen) vom Oberl. Dr. *Lewitz* am Friedrichscollegium zu Königsberg. 1842. — o) Ueber Schulgesetzgebung vom Dir. *Haun* zu Mühlhausen. 1842. — p) Pädagogische Mittheilungen aus dem Leben eines Schulmannes vom Dir. *Herzog* zu Gera. 1843. — q) Ueber den innern Zusammenhang musikalischer Bildung der Jugend mit dem Gesammtzwecke des Gymnasiums, eine Inauguralrede nebst biograph. Nachrichten üb. die Cantoren an d. Thomasschule zu Leipzig vom Prof. *Gfr. Stallbaum*, Rector d. Thomassch. zu Leipzig. 1842. — r) Ueber Werth, Zweck u. Methode des kalligraph. Unterrichtes, vorzüglich auf Realschulen, von *Spiess*, L. an d. Realschule zu Halle. 1842.

[illegible] Geschichte der Gymnasien. a) Gesch. der Elisabetschule bis zu ihrer Erhebung zu einem Gymnasium (Elisabetanum zu Breslau) vom Dir. *Reiche*. 1843. — b) Gesch. des Gymn. Brieg vom Dir. *Matthison*. 1842. — c) Gesch. der Gelehrtenschule zu Cassel (Lyceum Fridericianum) vom Dir. *Weber* das. 1843. — d) Gesch. des Gymn. zu Dortmund bis 1800 vom Dir. Dr. *Bh. Thiersch* das. 1842. — e) Gesch. des kön. kath. Gymn. zu Glatz bis zur Aufhebung der Jesuiten von 1194—1776 vom Dir. *Jos. Müller*. 1842. — f) Gesch. des Gymn. zu Oels von 1647—1697 vom Gymnasiall. *Leissnig* das. 1842. — g) Gesch. des Gymn. zu Stralsund von 1617—1679 von Dr. *Zober* das. 1842. — h) Gesch. der Ritterakademie zu Liegnitz von 1795—1809 vom Insp. *Blau* das. 1842. — i) Gesch. des Gymnasialbaues zu Mühlhausen vom Dir. *Haun*. 1842. — k) Gesch. des Gymn. zu Prenzlau vom Dir. *Paalzow*. 1842. — l) Fortsetzung der Gesch. über das ehem. Augustinerkloster zu Rössel vom Dir. *Ditki* am dasigen Progymn. 1842. — m) Mittheilungen üb. das Collegium bei St. Anna von dem Studienrector *G. C. Mezger* zu Augsburg. 1842. n) Materialien zu einer Gesch. d. Görlitzer Gymn. v. Rect. *Anton*. 43—45. Beitrag. 1842, 43.

[illegible] Literatur- u. Gelehrtengeschichte. a) De hypomnematis Graecis. Von Dr. *C. Köpke* am Friedrichswerder'schen G. zu Berlin. 1842. — b) Gerbert od. Papst Sylvester II. als Freund u. Förderer classischer Studien vom Gymnasiall. *D. Fr. Jul. Schmidt* in Schweidnitz. 1843. — c) Verzeichniss u. Beschreibung einiger Handschriften der Milich'schen Gymnasialbibliothek vom Conr. *Struve* am Gymn. zu Görlitz. — d) Die Prediger an der St. Moritzkirche zu Halle von 1740 bis auf unsere Zeit vom Dir. *Eckstein* an der lat. Hauptschule zu Halle. 1843. — e) Nachricht über die Lehrer an dem Gymn. zu Görlitz in den ersten 40 Jahren dieses Jahrh. vom Dir. *Anton* das. 1842. — f) Balde's Leben und Schriften. Von *Frz. C. Fr. Clesca*, Prof. am Gymn. zu Neuburg an d. Donau. 1842. — g) Memoria J. Andr. Schaeferi, gymn. prof. et antea rectoris etc. Scr. *Chr. St. Th. Elsperger*, Rect. u. Prof. zu Ansbach. 1842. — h) Friedrich Laar (Pred. in Essen) vom Gymnasiall. *R. Buddeberg* das. 1842. — i) Wolfg. Ratichius in Cöthen. Vom Dir. *Niemeyer* am kön. Pädagog. zu Halle. 1842 u. 1843. — k) Biogr. d. Dir. Spilleke vom Prof. *C. W. Kalisch* an d. Berliner Realschule. 1842. — l) De Alb. Geo. Walchii vita. Vom Tert. *Mücke* zu Schleusingen. 1843. — m) Narratio de humanitatis studiorum XV. et XVI. saec. in Germania orig. et indole. Scr. *Fr. Kraner*. Mis. 1843.

[illegible] Geschichte. a) Ueber den historischen Unterricht an Gymnasien vom Oberl. *Menge* zu Aachen. 1842. — b) Religiössittliche Zustände der alten Welt nach Herodot vom Oberl. *Baarts* zu Marienwerder. 1842. — c) De rebus Aegyptiorum sub imperio Persarum gestis. Vom Adj. *K. Müller* zu Putbus. 1842. — d) De Appio Claudio Caeco comment. hist. scr. Dr. *Saal* am kath. G. zu Cöln. 1842. — e) Diokles, Gesetzgeber der Syrakusier. Von Dr. *J. G. Hubmann*, Prof. am Lyc. zu Amberg. 1842. — f) Die Provinzialeintheilungen des röm. und byzantin. Reichs vom Prof. *Fiedler* zu Wesel. 1842. — g) Andeutungen über den Entwickelungsgang der deutschen Geschichtschreibung vom Oberl. *Liedtki* zu Gleiwitz. 1842. — h) Geschichtl. Untersuchung üb. d. Lage des Ortes Salusia, wo Berta, die Witwe Pipin's d. Kl., die zwischen ihren Söhnen Karl u. Karlmann entstandenen Misshelligkeiten (770) ausglich. Von *Mich. Görringer*, L. am Gymn. zu Zweibrücken. 1842. — i) Ueber Lambertus von Aschaffenburg u. dessen Geschichten der Deutschen. Von *K. J. Ruith*, Prof. zu Bamberg. 1842. — k) Der Bruderkrieg der Söhne Ludwig's des Frommen u. der Vertrag zu Verdün nach den Quellen dargest. von *K. Schwartz* zu Fulda. 1843. (Vgl. No. 4019.) — l) De Saxonum saec. X. moribus et artium litterarumque cultu. Vom Oberl. *Pieler* zu Arnsberg. 1842. — m) De libris duobus mss. ad res Maximiliani I. et Caroli V. aetate gestas pertinentibus. Vom Dir. *Malkowsky* zu Deutsch-Crone. 1842. — n) Ueber die Stellung des Kaufmanns während des Mittelalters, bes. im nordöstl. Deutschland, vom Dir. *Klöden* an d. Gewerbesch. zu Berlin, II u. III. 1842, 43. — o) Geschichte des Magistrates der Altstadt Braunsberg vom Oberl. *Lilienthal* das. 1842. — p) Aechtung der reichsfreien Stadt Donauwörth vom Prof. *J. D. W. Richter* zu Erfurt. 1843.

[8886] Naturwissenschaften. a) Ueber den naturgeschichtlichen Unterricht auf Gymnasien nebst einem kurzen Grundrisse der botanischen Terminologie von *K. L. E. Krasper* am Domgymn. zu Magdeburg. 1842. — b) Das Weltgebäude vom Oberl. *Chrzesciński* zu Lyk. 1842. — c) Ueber den Entwickelungsprocess der Natur. Abschn. I. Von *W. Habicht* zu Bernburg. 1843. — d) Ueber Atomvolumen u. Atomwärme vom Oberl. *Fd. K. Förstemann* zu Elberfeld. 1842. — e) Versuch einer Theorie des Erdvulkanismus als Beitrag zur Geologie vom Conr. *A. Schumann* zu Quedlinburg. 1842. — f) Die Strahlenbrechung in einaxigen Mitteln von Dr. *M. W. Grebel* am ev. G. zu Glogau. 1842. — g) Ueber die Veränderungen des Ortes u. der Gestalt durch einfache Brechung vom Oberl. *G. H. Kade* an der Realsch. zu Meseritz. 1842. — h) Ueber die Linsengläser mit Rücksicht auf ihre Dicke vom Oberl. Dr. *M. W. Grebel* zu Zeitz. 1843. — i) De barometri motu ex venti directione pendente. Vom Oberl. *Lampert* zu Wetzlar. — k) Beobachtungen am Barometer u. deren Benutzung zu Höhenbestimmungen vom Oberl. *Bertelsmann* zu Bielefeld. 1842. — l) Ueber Reibungselektricität vom Oberl. *K. Koppe* zu Soest. 1842. — m) Ueber ein neues Elektrometer von *F. Dellmann* zu Kreuznach. 1842.

[8887] Griech. u. Röm. Alterthumskunde. a) Disputationes scenicae. Von Dr. *J. Sommerbrodt* an d. Ritterak. zu Liegnitz. 1843. — b) De vestium coloribus praecipue apud vett. Part. I. De nigro vestium colore. Vom Oberl. *Mönch* zu Eisleben. 1843. — c) Die Lehren von der Harmonik u. Melopöie der Griech. Musik vom Prof. *Trinkler* am Fr.-Wilhelmsg. zu Posen. 1842. — d) Die Malerei bei den Griechen vom Dir. *Schöler* zu Lissa. 1842. — e) Ueber die Himmelsgloben des Anaximander u. Archimedes vom Dir. *Schiek* zu Hanau. 1843. — f) De intercessione tribunitia. Part. I. Vom Dr. *Bender* am Altstädt. G. zu Königsberg. 1842. — g) Brevis de praetoribus municipalibus comment. Vom Prof. *Lorenz* zu Grimma. 1843. — h) Verzeichniss der Röm. Münzen des Gymnasiums zu Ratibor vom Dir. *Hänisch* das. 1842.

[8888] Mathematik. a) Einige Bemerkungen zu Platon's Ansicht über die Mathematik als allgemeines Bildungsmittel vom Rector *Elster* zu Clausthal. 1843. — b) Elemente eines Entwurfs zu einem Lehrbuche der reinen Mathematik. Aus dem Nachlasse des Oberl. *Herm. Schmidt* am Domg. zu Halberstadt. 1843. — c) Mathematische Aufgaben vom Oberl. *Kolberg* am Progymn. zu Rössel. 1842. — d) Potenzlehre (Fortsetzung) vom Prof. *J. M. Kupse* zu Rastenburg. 1842. — e) Von den kubischen Resten. Vom Subr. Dr. *Arndt* zu Torgau. 1842. — f) Reihen höherer Ordnung vom Oberl. *Jos. Fiebag* zu Oppeln. 1842. — g) Ueber die Abhängigkeit u. Bestimmung der Coefficienten in der Entwickelung des Ausdrucks

$$\int \frac{d\varphi}{\sqrt{Ca + b \operatorname{Cos}\varphi + d \operatorname{Cos}^2\varphi + e \operatorname{Sin}\varphi \operatorname{Cos}\varphi + f \operatorname{Sin}^2\varphi}}$$

von dem Oberl. *J. C. Cwalina* zu Danzig. 1842. — h) Unciarum theoriae pars prior. Von Dr. *Piegsa* zu Trzemeszno. 1842. — i) Die Elemente der Differenzenrechnung mit Beispielen aus der Wahrscheinlichkeitsrechnung von Dr. *Gust. Michaelis* am Fr.-Werder'schen G. zu Berlin. 1843. — k) Ueber combinatorische Variationen von Dr. *Runge* am Realg. zu Berlin. 1843. — l) Kritische Betrachtung einiger Lehren der reinen Analysis vom Prof. *Schmeisser* zu Frankfurt a/O. 1842. — m) Die geometrische Analysis als Methode für Auflösung von Aufgaben vom Oberl. *Th. Fischer* zu Elberfeld. 1842. — n) Das Grundgesetz des Hebels u. das Parallelogramm der Kräfte auf leicht fassliche u. überzeugende Art gegenseitig aus einander abgeleitet von Dr. *J. Jos. Ign. Hoffmann*, Hofr. u. Prof. zu Aschaffenburg. 1842. — o) Ueber elliptische Transcendenten von *A. Steinberger*, Prof. am G. zu Regensburg. 1842. — p) Additamenta ad theoriam superficierum secundi ordinis. Von Dr. *Dornheim* zu Minden. 1842. — q) Theorie der periodisch homologen Puncte, Geraden u. Ebenen in Bezug auf das System dreier Kegelschnitte, welche einen vierten doppelt berühren, u. auf das von vier Flächen der 2. Ordnung oder Classe, welche eine fünfte umhüllen, vom Math. *Seydewitz* zu Heiligenstadt. 1842. — r) Einiges über parabolische Kegel vom Prof. *Kroll* zu Eisleben. — s) Ueber allgemeine Collineationsachsen und Collineationsscheitel von Dr. *Druckenmüller* zu Düsseldorf. 1842. — t) Theorie der Cissoide vom Dir. *Ottemann* zu Saarbrücken. 1842. — u) Darstellung der Trigonometrie in ihrem organ. Zusammenhange mit der Aehnlichkeit der Figuren vom L. *Niemann* zu Guben. 1842. — v) Anwendung der Trigonometrie auf die Auflösung der Gleichungen bis zum 4. Grade vom L. *Heydenreich* zu Tilsit. 1842. — w) Ueber den Unterricht in der mathemat. Geographie u. populären Himmelskunde auf Schulen vom Oberl. Dr. *H. Birnbaum* zu Helmstedt. 1843. — x) Ueber d. ballistische Problem vom Oberl. Dr. *Dippe* zu Schwerin 1843.

[8959] Philosophie. a) Philosophische Propädeutik vom Dir. *Katzfey* zu Münstereifel. 1842. — b) Kurzer Abriss der analytischen Logik. Zunächst die Lehre vom Begriff. Vom Oberl. *Sperling* zu Gumbinnen. 1842. — c) Brevis explicatio sententiarum de animi immortalitate apud populos a Judaeorum sacris alienos ante Christum natum exortarum. Vom Collab. *Schmerkel* zu Merseburg. 1842.

[8960] Theologie u. Kirchengeschichte. a) Ueber das Wesen der Religion von Dr. *Christian Christoph Diedrich* an d. lat. Hauptschule zu Halle. 1843. — b) Diss. de religionis doctrina in gymnasiis coram superiorum classium discipulis tradenda. Vom Dr. *Rothmaler* am G. zu Nordhausen. 1842. — c) Kurze Geschichte der Hieronymianischen Bibelübersetzung von *Ant. Schmitter*, Prof. am Lyceum zu Freysing. 1842. — d) Disputatio de Pentateuchi auctore. Scr. *P. B. Müller*, Gymn. Monac. R. et Prof. 1842. — e) Sprachlich-sachlicher Commentar zu den beiden ersten Psalmen vom Conr. *E. Lindemann* am G. zu Zwickau. 1843. — f) Michae Vaticinia. Ex Hebraeo in Latinum convertit et locos difficiliores breviter illustravit *Gliemann*, Conr. gymn. Salzwedel. 1842. — g) Commentatio de locis quibusdam epistolae ad Philippenses. Scr. *Corn. Müller*, Prof. Joannei Hamburg. 1843. (Vgl. No. 8961) — h) Pars XI. comparationis librorum sacrorum V. F. et scriptorum profanorum graecorum latinorumque eum ad finem institutae, ut similitudo, quae utrisque intercedit, clarius appareat Vom Rector *Anton* zu Görlitz. 1842. — i) Das erste Auftreten des Bisch. Otto in Pommern vom Oberl. Dr. *Teske* zu Stargard. 1842. — k) Die Kirche des Chatel vom Oberl. *Holzapfel* am Realg. zu Berlin. 1842.

[8961] Deutsche Sprache u. Literatur. a) Andeutungen zur Parallelgrammatik besonders der deutschen, latein. u. griech. Sprache von Dr. *G. T. A. Krüger*, Dir. u. Prof. d. Obergymn. zu Braunschweig. 1843. — b) Ueber die Brechung der Vocale i, u, iu im Hochdeutschen. Vom Dir. *Reimnitz* zu Guben. 1843. — c) Ueber die Vorbereitung der Schüler für die unt. Classen der Gymnasien in besonderer Beziehung auf die Muttersprache. Vom Conr. *Lindenblatt* zu Cöslin. 1842. — d) Abhandlung üb. den Unterricht in der deutschen Sprache u. Literatur vom L. *Hülsmann* zu Duisburg. 1842. — e) Ueber den deutschen Unterricht auf Gymnasien. Vom L. Dr. *Const. Matthias* zu Naumburg 1842. — f) Wie wird der Unterricht im Deutschen eine Gymnastik des Geistes? Von Dr. *Hüser* an der Realsch. zu Halle. 1843. — g) Pädagogisch-didaktische Gedanken über die Richtigkeit, die Abfassungsweise u. Beschaffenheit eines „Handbuchs d. deutschen Sprache u. Lit." Vom Dir. *Arnold* zu Königsberg in d. Neumark. 1842. — h) Kurze Bearbeitung der deutschen Stilistik, der deutschen Metrik u. der allg. Sprachlehre vom Adj. *Schmiedt* zu Rossleben. 1843. — i) Quaestiones Suchenwirtianae. (Spec. II.) Scr. *C. A. Koberstein*, Prof. Portens. 1842. — k) Es hat keinen Sängerkrieg zu Wartburg gegeben. Eine ästhetisch-krit. Einleitung zur Erklärung u. Beurtheilung der unter dieser Ueberschrift vorhandenen Gedichte. Vom Oberl. *Rinne* zu Zeitz. 1842. — l) Abhandlung über einige Handschriften von Hans Sachs nebst einigen ungedruckten Handschriften des Dichters vom Gymnasiall. Dr. *Rob. Naumann* an d. Nicolaisch. zu Leipzig. 1843. — m) Lessing als Dramatiker von Dr. *Hölscher* an d. höh. Bürger- u. Realschule zu Siegen. 1842. — n) Psychologisch-ästhetische u. grammat. Bemerkungen üb. Goethe's Iphigenie vom Prof. Dr. *Kieser* zu Sondershausen. 1843. — o) Beiträge zur Erklärung von Schiller's Gedichten. Von Dr.. *Winkelmann* zu Salzwedel. 1843. — p) Shakspeare u. seine deutschen Uebersetzer, eine lit.-linguistische Abhandlung vom Conr. *Assmann* am G. zu Liegnitz. 1843.

[9692] Französische Sprache. a) Zur Frage: über den Unterricht in der französ. Sprache u. seine Stellung auf Gymnasien. Von Dr. *C. L. Capelle*, Collab. zu Ilfeld. (Nordhausen) 1843. — b) Lehrgang u. Ergebnisse beim Unterricht in der französ. Sprache. Vom Oberl. *Kögel* zu Görlitz. 1842. — c) Ueber das Geschlecht der Substantiva der französ. Sprache, welche aus dem Lateinischen herstammen. Vom L. *J. R. E Karl* zu Elbing. 1842. — d) Abhandlung über die nahe Verwandtschaft der französ. Sprache mit der lateinischen vom Oberl. *Caspers* zu Recklinghausen. 1842.

[9693] Griechische Grammatik u. Lexikographie. a) Ueber die Verwandtschaft der slawischen Sprache mit der griechischen, latein. u. deutschen. Vom Oberl. *Minsberg* am kath. Gymn. zu Glogau. 1842. — b) Formarum Doricarum qui sit in lyricis tragoediarum partibus apud Aeschylum usus, quaeritur. Vom Conr. *Hoffmann* zu Celle. 1842. — c) Ueber die Verlängerung durch die Liquida bei den Epikern. Vom Pror. *Mehlhorn* zu Ratibor. 1843. — d) De pronuntiatione *ει* diphthongi vetere et genuina. Vom L. *Winkler* am kath. G. zu Breslau. 1842. — e) De genitivi vocabulorum Graecorum tert. declinationis terminatione eorumque genere. Vom L. *Schötersack* zu Stendal. 1842 u. 1843. — f) Von der Bildung der Comparationsformen der griech. Sprache. Vom Prof. *Kretschmar* zu Bromberg. 1842. — g) De verbi graeci et latini doctrina temporum. Vom Prof. *H. Schmidt* zu Wittenberg. 1842. — h) Ueber den Charakter des Modus in der griech. Sprache vom L. *Scheuerlin* an d. lat. Hauptschule zu Halle. 1842. — i) De Aoristi Graeci forma significationi conveniente. Vom L. *Troska* zu Leobschütz. 1842. — k) Ueber die Construction der Pronomina οἷος u. ὅσος u. der Partikel ὥστε mit dem Infinitiv. Vom Oberl. *Viehoff* zu Emmerich. 1842.

[9694] Griechische Schriftsteller. a) Auctorum, qui choliambis usi sunt, Graecorum reliquias collegit et illustravit *Knoch*, Conr. gymn. Bielefeld. 1842. — b) Enarrationis de poetarum tragicorum apud Graecos principibus part. II. Vom Subconr. *Rothmann* zu Torgau. 1843. — c) De persona Euripidis in Ranis Aristophanis Comment Vom Prof. *Stallbaum*, Rect. an d. Thomasschule zu Leipzig. 1843. — d) Observationes criticae in Aristotelis libros Metaphysicos. Von Dr. *Bonitz* am G. z. grauen Kloster in Berlin. 1842. — e) Philologicarum exercitationum in Athenaei Deipnosophistas. Spec. I. Ed. *A. Meineke*, Dir. G. Joachimici Berol. 1843. — f) De Chaeremone poeta tragico scripsit et fragmenta exhibuit Dr. *Bartsch* am G. zu St. Mar. Magd. in Breslau. 1843. — g) Quaestionum Democritearum. Spec. II. Scr. *Mullach*, L. am Collége franc. zu Berlin. 1842. — h) Quaestiones in Demosthenis orat. de corona. Scr. *F. J. Reuter*, R. et Prof. Straubing. 1842. — i) De tempore, quo orationes quae feruntur Demosthenis pro Apollodoro et Phormione scriptae sunt, disp. Scr. Dr. *Imm. Herrmann*, Prof. gymn. Erfurt. 1842. — k) Uebersetzung der Reden des Dinarch wider Aristogeiton u. Philocles vom Conr. *Falk* zu Lauban. 1843. — l) Quaestionum Empedoclearum spec. scr. Dr. *H. Fischer* zu Luckau. 1843. — m) Euripidis, tragici poetae, philosophia quae et qualis fuerit. Scr. Dr. *C. Hasse*, L. am Pädagogium zu Magdeburg.

1843. — n) De Iphigenia Aulidensi, Euripidis tragoedia. Vom Conr. *Berger* zu Celle. 1843. — o) De Euripidis Iphigeniae Aulid. epilogo. Scr. *J. F. Wittram*, L. am Gymn. zu Riga. 1843. — p) Pars prior disputationis qua exponitur, quae Hermogenis de mundi origine fuerit sententia vom Gymnasiall. Lic. *Leopold* zu Budissin. 1843. — q) De fati apud Herodotum ratione scr. *Ph. Jac. Ditges* zu Coblenz. 1842. — r) Exercitationum Herodotearum. Spec. II. sive de vetere Medorum regno. Scr. Dr. *Guil. Hupfeld* zu Rinteln. 1843. — s) Neue Erklärung und Begründung der Homerischen Sprache vom Tert. *Leidenroth* zu Rossleben. 1842. — t) Homeri et Attica vicissim comparata dictio cum utriusque aliqua aetatis recensione. Vom Oberl. *Limberg* zu Münster. 1842. — u) Observationes criticae in Iliadis librum II. Vom Dir. *Lange* zu Oels. 1843. — v) De aliquot locis Isocratis scr. *Rob. Thd. Brause*, Collabor. gymn. Friberg. 1843. — w) Panyasidis Halicarnassei Heracleadis fragmenta praemissis de Panyasidis vita et carminibus commentationibus ed. Dr. *J. Pist. Tzschirner* am G. zu St. Mar. Magd. zu Breslau. 1842. — x) Ist Plato's Speculation Theismus? vom Prof. *Jac. Bilharz* am Lyc. zu Constanz. 1842. — y) De Platonis Phaedone Comment. scr. *J. Jul. Guttmann*, Collega gymn. Schvidnic. 1842. — z) De Timaeo Platonis ex Procli commentariis restituendo vom Prof. *K. E. A. Schmidt* zu Stettin. 1842. — aa) Schedae Ptolemaeeae II. Scr. *Nobbe*, Rector gymn. Nic. Lips. 1842. — bb) De lacunis in Quinto Smyrnaeo quaestio. Scr. *Köchly*, L. an d. Kreuzsch. zu Dresden. 1843. — cc) Ueber Sophokleische Naturanschauung. Vom Prorect. *Ed. Müller* zu Liegnitz. 1842. — dd) Ueber den Charakter Kreon's in der Antigone des Sophokles. Versuch einer erläuternden Darstellung von Dr. *Held*, Studienr. u. Prof. zu Bayreuth. 1842. — ee) De Sophoclis Philocteta. Von Dr. *Hamacher* am G. zu Trier. 1842. — ff) Ueber die Trachinierinnen des Sophokles von *Gust. Thielemann* am Domgymn. zu Merseburg. 1843. — gg) Lectiones Stobenses. Partic. posterior. Scr. *C. Fel. Hahn*, Prof. Spir. 1842. — hh) De plurimis Thucydidis Herodotique locis, in quibus uterque scriptor de iisdem rebus gestis disserit, Comment. Scr. *Fütterer* zu Heiligenstadt. 1843. — ii) Observationum criticarum ad Thucydidem pars I. Von Dr. *Kampe* zu Neuruppin. 1842. — kk) Quaestiones Thucydideae. Von Dr. *Kämpf* zu Neuruppin. 1843. — ll) Quaestionum de Xenophontis Agesilao. Part. I. Scr. Dr. *Breitenbach*, Coll. gymn. Schleusing. 1842. — Quaestionum etc. Part II. Scr. Dr. *Breitenbach*, Coll. gymn. Viteberg. 1843.

[illegible] **Lateinische Grammatik u. Lexicographie.** a) Grammatische Untersuchungen vom Conr. *Schlickeisen* zu Mühlhausen. 1843. — b) *Jo. Dziadekii* (praec. gymn.) libellus, quo continentur addenda quaedam mutandaque in libro, quem de arte grammatica (Lat.) scripsit Zumptius. Conitz. 1842. — c) Zur Methodik des Unterrichts in der lat. Sprache. Vom Dir. *Kapp* zu Hamm. 1842. — d) Ueber das Vocabellernen im latein. Unterrichte an Gymnasien. Vom Dir. *Meiring* zu Düren. 1842. — e) De veterum oratione translata vel figurata. Scr. *Wiskemann*, praec. gymn. Hersfeld. 1843. — f) De verbis latinae linguae auxiliaribus. Spec. I. Vom Gymnasiall. *L. Lens* am Kneiphöf. Stadtgymn., Königsberg. 1842. — g) Philosophische Betrachtungen über den Gebrauch der Conjunctionen ut und quod vom Oberl. Dr. *Töpfer* zu Luckau. 1842. — h) Observationum Partic. XIV. in qua agitur de Latinorum formula: Sunt — qui. Scr. *C. G. Herzog*, dir. gymn. Gerae. 1842. — i) Ueber die Bedeutnng der Redensarten: haud scio an, nescio an. Von *Sulp. Hormayr*, Prof. d. G. zu Passau. 1842. — k) De discrepantia quadam inter sermonem Ciceronianum et Livianum. Vom Prof. *Stange* in Frankfurt a. O. 1843. — l) De ea, quae nunc est, Latine scribendi artis condicione. Vom Prof. *Guiard* zu Königsberg in d. N. 1843. — m) Specimen Onomastici Romani (360 Namen bis Aeternius) vom Oberl. *Liebetreu* am G. z. gr. Kloster zu Berlin. 1843.

[illegible] **Lateinische Schriftsteller.** a) Bemerkungen über die Glaubwürdigkeit der Commentarien Cäsars vom Gall. Kriege. Vom Colleg. *Erdgermann* zu Hirschberg. 1842. — b) De Cornelio Celso scr. *H. Paldamus* zu Greifswald. 1842. — c) Emendationes in Ciceronis libros de legibus scr. *A. Guil. Fd. Krause.* Neustettin. 1842. — d) Levitatem et fallaciam argumentationis in M. T. Ciceronis orat. pro lege Manilia ostendit *A. Nikl*, prof. gymn. Campidun. 1842. — e) De translationum, quae vocantur apud Curtium usu. Vom Prof. *Mützell* am Joachimsthal. G. zu Berlin. 1842. — f) Carminis de Deo, quod Dracontius scripsit librum tertium ex cod. Rhedigerano emend. ac supplevit *Glaeser* am Friedrichs-Gymn. zu Breslau. 1843. — g) De compositione carminum Horatii explananda. Part. II. Scr. *Gernhard*, Dir. Gymn. Vimar. 1843. — h) Quaestiones Horatianae. Part. I. Vom Gymnasiall. *Fuldner* in Marburg. 1843. — i) Annotationum in Horatii Carmina Spicilegium. Vom Prof. *Hoss* am Fr.-Wilhelmsgymn. zu Köln. 1842. — k) Ueber die Erklärung des Horaz. Vom Dir. *Arnold* in Neuruppin. 1842. — l) Ueber die Zeitfolge der Horazischen Gedichte. Vom Dir. *Sökeland* zu Cösfeld. 1842. — m) Probe einer neuen Uebersetzung der Oden des Horaz. Zugleich ein Versuch, dieselben nach innerm Zusammenhange zu ordnen. Von Dr. *C. Hoffmann*, Prof. zu Dilingen. 1842. — n) De via, qua Hannibal ad Alpes progressus est, annotationes ad Livii hist. l. XXI. scr. *C. Franke.* Sagan. 1842. — o) Emendantur ex Livii libro XXVI. loci circiter centum a Dr. *E. Guil. Fabri*, prof. gymn. Norimberg. 1842. — p) Quaestiones historicae in Corn. Nepotis vitas excell. imperatt. Part. II. Vom Oberl. *J. Freudenberg* zu Bonn. 1842. — q) Quaestionum Plautinarum part. I. Vom Gymnasiall. *Holtze* zu Naumburg. 1843. — r) De ab praepositionis usu Plautino. Von Dr. *Campmann* am Elisabet. G. zu Breslau. 1842. — s) De poetarum elegiacorum apud Romanos principum ingenio et arte. Von Dr. *Hertzberg* zu Halberstadt. 1842. — t) Quinctiliani vita, von Dr. *Hummel* zu Göttingen. 1843. — u) Comment. de Bambergensi codice institutionum Quintiliani manuscripto. Sect. I. Scr. Dr. *F. L. Enderlein*, Prof. am G. zu Schweinfurt. 1842. — v) Eine Uebersetzung von Statius Sylv. V, 3. vom Rector *Dölling* zu Plauen. 1843. — w) Von dem Einflusse der class. Studien auf Bildung des Charakters; mit besond. Rücksicht auf Tacitus u. dessen Agricola. Von Dr. *C. G. Herzog*, Dir. d. Gymn. zu Gera. 1843. — x) Annotationes ad Tibullum. Part. II. Von *Rigler.* Potsdam. 1842. — y) Commentatio in Virgilii Aeneidem. (Als Probe einer neuen Ausgabe der Aeneide Virgil's.) Vom Oberl. *Gossrau* zu Quedlinburg. 1843. — z) Allegorisches Gedicht auf den Verfall des h. röm. Reiches mit Version aus dem 14. Jahrh., herausgeg. von *J. M. Peter*, Prof. am Gymn. zu Münnerstadt. 1842. — aa) Carmina quaedam Rückerti Latine reddita. Vom Conr. Dr. *Seyffert* zu Brandenburg. 1842.

Gymnasien des Kön. Preussen.

Provinz Brandenburg.

[9687] Berlin. *Friedrich-Wilhelms-Gymn.* Herbstprogramm 1842 vom Dir. *Ranke.* Inh.: „Ueber Platon's Eutyphro. Abh. des Prof. *Yxem*“ (24 S.) u. Jahresbericht vom Dir. (—S. 38. gr. 4.) Die Anstalt begreift ausser dem Gymnasium noch eine Realschule u. die Elisabethschule in sich, und zählte in 34 Classen 1530 Schüler, nämlich 378 Gymnasiasten, 742 Realschüler u. 410 Elisabethschüler. Dir. *Ranke* wurde am 6. Apr. als Spilleke's Nachfolger eingeführt. Prof. *Siebenhaar* erhielt den rothen A.-O. 4. Cl., der Oberl. u. Directorialgehülfe *Müller* bei d. Real- u. Elisabethschule das Prädicat Professor. Der Oberl. *Bogen* wurde Lehrer u Erzieher des Prinzen Friedrich Karl v. Preussen. Cand. *Schubert*, der hier sein Probejahr angetreten, wurde bald nachher an der Stadtschule zu Schwedt angestellt. Das früher bei der Realschule bestandene Pensionat, welches schon in den letzten Jahren unter Spilleke factisch aufgehört hatte, wurde definitiv aufgehoben.

[[illegible]] **Berlin.** *Gymnasium z. grauen Kloster.* Programm zur Feier des Wohlthäterfestes am 21. Dec. 1842 vom Dir. Dr. *A. Fd. Ribbeck.* Inh.: 1. Nachricht üb. die Streitische seit 1776 — ins Leben getretene Stiftung von 150,000 Thlrn. — deren Ausführung u. Verwaltung, sowie üb. die einiger andern damit verbundenen Stiftungen, der Daum'schen, der Seidel'schen, der v. Regemann'schen, u. der des Prof. Stein, welche zusammen sich auf 29,250 Thlr. belaufen, u. insgesammt zur Unterstützung der wissenschaftl. Institute der Anstalt, der Schüler auf Schule u. Univ. u. der Lehrerwittwen dienen (S. 1 ff.). 2. Nekrolog von *J. Joa. Bellermann*, 1804—1828 Dir. d. Gymn., seitdem in Ruhestand versetzt u. gest. am 25. Oct. 1842 (—S. 17). 3. die am vorjährigen Feste von Prof. Dr *Alschefski* gehaltene Rede: Worte der Erinnerung an den Geh. R. *Fr. Aug. Wolf* (—S. 27. gr. 4.). — Osterprogramm 1843. Inh.: „Specimen Onomastici Romani auct. *Liebetreu*" (24 S.). Die Nomenclatur reicht hier bis Aeternius und enthält mit Weglassung der Namen von Frauen u. Sclaven 360 Namen von Römern zusammengestellt aus Schriftstellern, Inschriften u. Münzen. Anmerkungen erläutern und bestätigen die Angaben. Schüler: 382. Aus dem Lehrercollegium schied Dr. *Bonitz* durch seine Berufung nach Stettin. In die 10. Stelle trat Oberl. Dr. *Leyde* ein und es rückten nun Dr. *Lütcke* und der bish. 1. Collab. der Streitischen Stiftung Dr. *Hartmann* auf. Der Oberl. Dr. *Larsow* wurde zum Professor ernannt. Die Hülfslehrer Dr. *George* u. Cand. *Beust* schieden aus.

[[illegible]] **Berlin.** *Joachimsthal'sches Gymn.* Herbstprogramm 1842 vom Dir. Dr. *Aug. Meineke.* Inh.: Abh. des Prof. *Jul. Mützell* „De translationum quae vocantur apud Curtium usu" (S. 1—53) u. Jahresbericht vom Dir. (— S. 56 gr. 4.) Schüler: 302. Das Probejahr hielten die Candd. Dr. *Willmanns* u. *Schmieder* ab. Sonst waren 26 Lehrer an der Anstalt thätig, unter diesen Prof. Dr. *Rudorff* für den stiftungsmässigen propädeutischen Unterricht in der Jurisprudenz. — Das im Herbst 1843 erschienene Programm enthält: „Philologicarum exercitationum in Athenaei Deipnosophistas Spec. I." womit Hr. Dir. *M.* zugleich eine neue Ausgabe des Schriftstellers in Aussicht stellt (54 S.) u. Jahresbericht (—S. 64. gr. 4.) Schüler: 303. Aus dem Lehrervereine schieden die Adjuncten Dr. *Lhardy*, der eine der höheren Lehrstellen bei dem Collége français übernahm, u. Dr. *Köpke*, um an der Herausgabe der Monumenta Germ. thätiger mitwirken zu können; ihnen folgten die Candd. *Täuber* u. Dr. *Franke*. Der Lehrer der engl. Sprache Prof. Dr. *v. Seymour* starb.

[9700] **Berlin.** *Friedrichs-Werder'sches Gymn.* Osterprogramm 1842 vom Dir. u. Prof. *K. Ed. Bonnell.* Inh.: „De hypomnematis Graecis von Dr. *R. Köpke*". (38 S.) (Nach einer kurzen Untersuchung üb. die verschied. Arten der *ὑπομνήματα* und deren Classification, spricht der gelehrte Vf. über folgende Schriftsteller: Hipparchus Nic., Capito, Artemidorus, Herodicus Crateteus, Callistratus Athen., Speusippus, Xenocrates, Aristo Chius, Apollonius Cit.; dann Theophrastus Er., Aristoxenus Tar., Hieronymus Rhod., Zenodotus Eph. oder Callimachus Cyr., Euphorion Chalc., Istrus Alex., Carystius Perg., Strabo, Pamphila, Eunapius, Abas, Aeneas Tacticus, Polybius, Nestor, Persaeus Cit., Philo Byblius, Hegesander, Athenodorus Eretr.) Jahresbericht vom Dir. (S. 39—59. gr. 4.) Schüler: 369. In Folge des Ablebens des Prorect. Prof. *Jäkel* rückten sämmtliche Lehrer auf und es wurde Cand. *Beeskow* angestellt. Prof. Dr. *Schellbach* wurde an d. Fr. Wilhelmsgymn. berufen. Die Candd. *Freese* u. *Beust* hielten ihr Probejahr ab. Die Collaboratoren Dr. *Zumpt* u. Dr. *Köpke* erhielten das Prädicat Oberlehrer. — Osterprogramm 1843. Inh.: „Die Elemente der Differenzrechnung mit Beispielen aus d. Wahrscheinlichkeitsrechnung von Dr. *Gust. Michaelis*" (32 S.) u. Jahresbericht vom Dir. (—S. 54. gr. 4.) Schüler: 369. Als Math. trat statt des Prof. *Schellbach* der bish. Lehrer der Louisenstädt. höh. Stadtschule Dr. *Michaelis* ein. Die 13. Lehrerstelle wurde aufs Neue dotirt u. dem Cand.

Dr. *Jul. Hm. Richter*, Vf. der Schrift „üb. d. Vertheilung der Rollen unt. die Schauspieler der griech. Tragödie“ (1842) übertragen.

[9701] Berlin. *Collége royal français.* Das Herbstprogramm 1842 enthält: „Quaestionum Democritearum spec. II. scr. *F. C. A. Mullach*“ (25 S.) u. den Jahresbericht vom Dir. *Fournier*. (—S. 42. gr. 4.) Der Dir. *Fournier* wurde zum Mitglied des Consist. u. des Schulcoll. der Prov. Brandenburg ernannt, und das Directorat dem bish. 1. Prof. des Collége Dr. *Kramer* übertragen. Schüler: 151.

[9702] Berlin. *Realgymnasium.* Das Osterprogramm 1842 vom Dir. Dr. *E. F. August* enthält eine Abh. des Oberlehrers Dr. *R. Holzapfel* „Ueber die Kirche des Abbé Chatel“ (20 S.) u. Schulnachrichten. Schüler: 379 in 9 Classen. Prof. *Hartung* wurde seinem Wunsche gemäss im Mai 1841 emeritirt, d. Musikdir. *Lecerf* ging ab. Die Candd. DD. *Seiffert*, Dr. *Erler* u. *Witt* wurden anderweit befördert. Prof. Dr. *Seebeck* folgte dem Rufe als Director der polytechn. Anstalt nach Dresden. — Osterprogramm 1843. Inh.: Combinatorische Variationen. Abh. vom ord. Lehrer Dr. *Runge* (20 S.) u. Jahresbericht vom Dir. (—S. 38. gr. 4.) Schüler: 366. Nach Erledigung der Stelle des 1. Oberlehrers Prof. Dr. *Seebeck* rückten sämmtliche Lehrer auf und die 12. Stelle blieb einstweilen unbesetzt. Dr. *Hugen* besorgte den mathem. u. chem. Unterricht. Als Volontairs arbeiteten Privatdoc. Dr. *George* u. Dr. *Vignolle*.

[9703] Berlin. *Realschule bei d. Friedrichs-Wilhelm-Gymn.* Das zu Ostern 1842 erschienene Programm derselben vom Prof. *Kalisch* enthält eine Abh. dem Andenken Spilleke's gewidmet von dems. (18 S.) u. Schulnachrichten. (—S. 42.) Dir. *Spilleke* starb am 9. Mai 1841. Prof. Dr. *Ranke* aus Göttingen wurde zu seinem Nachfolger berufen, unter Vorbehalt einer besonderen Instruction für die Real- und Elisabetschule. Der Oberl. *Hermann* erhielt das Prädicat als Professor der französ. Sprache u. Literatur. Cand. *Gerhardt* wurde Gymnasiall. in Prenzlau; Oberl. Dr. *Heusse* Lehrer an dem Fr.-Franz- u. Realgymn. zu Parchim, Pred. *Rutzen* Pfr. zu Krampfer in der Priegnitz. Angestellt wurden als ord. Lehrer der bish. ausserord. Lehrer *Heller* u. der Adj. Dr. *Spilleke* von der Ritterakad. zu Brandenburg. — In dem Programm zur Prüfung der k. Realschule zu Ostern 1843 schildert zunächst der Dir. Dr. *Ranke* einige Züge der Einheit und Harmonie zwischen Schule u. Haus, zwischen Eltern u. Lehrern. Dann folgt eine Auseinandersetzung des Unterrichtsplanes von verschiedenen Fachlehrern: üb. Religionsunterricht v. Pred. *Buttmann* (S. 24—26), üb. den Geschichtsunterricht v. Oberl *Dielitz* (—29), üb. den geograph. Unterricht v. Oberl. *Voigt* (—32), üb. Gesangunterricht v. *Pistorius* (—36), zuletzt Schulnachrichten vom Dir. (—56.) Schüler: 781 in 16 oder eigentlich nur 7 Classen, indem ausser Prima sämmtliche Classen 2 Abtheilungen, Untertertia aber und Ober- u. Unterquarta noch Parallelabtheilungen haben. Der Oberl. Dr. *Strack* ging an das Fr.-Wilhelmsgymnasium, behielt aber den lat. Unterricht im 1. Cötus der Unterquarta bei.

[9704] Berlin. *Gewerbschule.* Das zu Ostern 1842 ausgegebene Programm vom Dr. *Klöden* enthält: „Ueber die Stellung des Kaufmanns während des Mittelalters besonders im nordöstl. Deutschlande“. 2. Stück (79 S.) u. Schulnachrichten vom Dir. (—S. 97. gr. 8.) Schüler: 215 in 5 Classen, von denen die 1. 16, die 4. 62 Schüler zählte. Deutsch u. Französisch wird in allen Classen, Englisch von der 2. an gelehrt. — Zu Ostern erschien das 3. St. der obigen Abhandl. (69 S.) nebst Schulnachrichten. (—S. 87. gr. 8.) Schüler: 209. Oberl. *Ruthe* wurde seinem Wunsche gemäss pensionirt, dessen Lehrstunden aber unter die Lehrer der Gewerbschule Prof. Dr. *Köhler* u. Dr. *Klöden*, Lehrer *Schulz* an d. Realschule, und Lehrer *Wunschmann* an d. Louistädt. Stadtschule vertheilt.

[9705] Brandenburg. *Gymnasium.* Herbstprogramm 1842 vom Prof. u.

Dir. *Brunt.* Inh.: „Carmina quaedam (67) Rückerti Latine reddita a *M. Seyfferto*“ (26 S.) u. Jahresbericht vom Dir. (— S. 44. gr. 4.) Schüler: 222. Der Oberlehrer der Math. u. Physik Prof. Dr. *H. F. Müller* ging in gleicher Eigenschaft an das Berliner Gymn. zum grauen Kloster, ihn ersetzte der Oberl. *Schönemann.*

[9706] Cottbus 1843. Osterprogramm. Inh.: 1. Rede des Dir. Dr. *Reuscher* bei der Amtseinführung des Prorect. Dr. *Nauck* (14 S.). 2. Ueber die beiden wichtigsten Documente der neuesten Schulgesetzgebung. Ein einleitendes Resumé. Von demselben. (S. 15—30.) 3. Jahresbericht. (S. 31—71. gr. 4.) Schüler: 159. Zu dem Lehrerpersonal kamen für den Schreibunterricht der Bürgerschullehrer *Schulz* u. für den Religionsunterricht der Prediger *Feldmann* neu hinzu, weil die Frequenz zugenommen hatte.

[9707] Frankfurt a. O. Osterprogramm 1842 vom Dir. Dr. *E. Fr. Poppo.* Inh.: „Kritische Betrachtung einiger Lehren der reinen Analysis, welchen der Vorwurf der Ungereimtheit gemacht worden ist, von dem Prof. Dr. *J. Chr. Fr. Schmeisser*“ (36 S.) u. Jahresbericht vom Dir. (10 S. gr. 4.) Schüler: 165. Dir. Poppo feierte am 17. Nov. 1841 das 25jährige Jubiläum seiner Schulamtsthätigkeit in Frankfurt u. es erschien bei dieser Veranlassung ein lat. Festgedicht vom Oberl. *Heydler.* — Osterprogramm 1843. Inh.: „De discrepantia quadam inter sermonem Ciceronianum et Livianum vom Prof. *Stange*“ (10 S.) u. Jahresbericht vom Dir. (10 S. gr. 4) Schüler: 192. Es wurde ein Lehrcursus im Englischen von Secunda an eingerichtet. Prof. Dr. *Schmeisser* beging sein 25jähriges Amtsjubiläum.

[9708] Guben. Osterprogramm 1842. Inh.: „Darstellung der Trigonometrie in ihrem organ. Zusammenhange mit der Aehnlichkeit der Figuren, von *F. Niemann*“, Gymnasiall. (18 S. nebst 1 lithogr. Beilage.) Jahresbericht vom Dir., Prof. *Reimnitz.* (19—30 S. gr. 4.) Schüler: 154. — Osterprogramm 1843. Inh.: „Ueber die Brechung der Vocale i, u, iu im Hochdeutschen, Abh. vom Prof. *Reimnitz*“, Dir. (26 S.) u. Jahresbericht von dems. (— S. 38. gr. 4.) Schüler: 151.

[9709] Königsberg in d. Neumark. Osterprogramm 1842. Inh.: Abh. des Dr. u. Prof. *Arnold,* Pädagogisch-didactische Gedanken a) üb. die Wichtigkeit, die Abstufungsweise u. Beschaffenheit eines Handbuchs der deutschen Sprache u. Literatur. b) Ueber die Erklärung des Horaz (16 S.) u. Jahresbericht von dems. Schüler: 136. Cand. Dr. *Luchtenhardt* wurde 9. Lehrer. — Osterprogramm 1843. Inh.: De ea quae nunc est Latine scribendi artis conditione vom Prorect., Prof. *Guiard.* (20 S.) u. Jahresbericht vom Dir. Prof. *Arnold* (— S. 22. gr. 4.). Schüler: 130.

[9710] Luckau. Das Osterprogramm 1842 vom Dir. *G. Kreyenberg* enthält: Philosophische Betrachtungen des Oberl. Dr. *J. G. Töpfer* über den Gebrauch der Conjunctionen ut u. quod in der lat. Sprache. I. Thl. Einleitung (40 S.) u. den Jahresbericht vom Dir. (— S. 52. gr. 4.) Schüler: 222. Der Dir. berichtet seine am 25. Oct. 1841 erfolgte Einführung an die Stelle des freiwillig abgegangenen Dir. Dr. *Lorentz.* Der bish. Vicar Dr. *Dibelius* wurde als Lehrer an das Gymn. nach Prenzlau versetzt. Cand. *Täuber* aus Berlin übernahm einen Theil der Vicariatsgeschäfte. — Osterprogramm 1843. Inh.: „Quaestionum Empedoclearum spec. scr. Dr. *Hm. Tischer.* (28 S.) Die Abh. beschäftigt sich vorzugsweise mit Erforschung des philosoph. Systems des Empedokles. Jahresbericht vom Dir. *Kreyenberg.* (— S. 44. gr. 4.) Schüler: 230.

[9711] Neuruppin. Osterprogramm 1842. Inh.: Observationum criticarum ad Thucydidem pars I. von Dr. *Kampe* (eine sehr lesenswerthe Abhandlung). Jahresbericht vom Dir. u. Prof. Dr. *Fr. Glo. Starke.* (S. 35—45. gr. 4.) Schüler: 262. Cand. *Berends* trat als Vicar ein. — Osterprogramm 1843 vom Dir. Prof. Dr. *Starke.* Inh.: Quaestiones Thucydideae (P. II.) vom Dr.

Kämpf (24 S.) u. Jahresbericht vom Dir. (—S. 36. gr. 4.) Geschichtliche u. statistische Angaben sind darin nicht enthalten.

[9712] Potsdam. Osterprogramm 1842. Inh.: Annotationes ad Tibullum. Part. II. Scr. *F. A. Rigler*, Dir. (60 S.) u. Jahresbericht von dems. (—S. 70. gr. 4.) Schüler: 299. Der Dir. erhielt den rothen AO. 4. Cl. Collab. *Buttmann* wurde zum Oberlehrer ernannt. — Osterprogramm 1843. Inh.: „Ueber das Verhältniss der Schule zum Staate, zur Kirche u. zur Familie vom Oberl. Dr. *Brüss*" (10 S.) u. Jahresbericht vom Dir. Dr. *Rigler*. (—S. 25. gr. 4.) Schüler: 299 in 6 Gymnasialclassen u. einer Realsection mit 3 Classen. Der Zeichnenlehrer *Freyhoff* starb. Nach ihm unterrichtete der Maler *Abb*, später Baucond. *Lauche*.

[9713] Prenzlau. Herbstprogramm 1842. Inh.: 1. Zur Geschichte des Gymnasialbaues in Prenzlau vom Dir. *C. L. A. Paalzow* (10 S.). 2. Recess über die von den Herren Ständen des Prenzlauer Kreises erworbene Verleihung zweier Freischulstellen am Gymn. zu Prenzlau gegen 1000 Thlr. Zuschussgelder zum Gymnasialbau (—S. 12). 3. Stiftung eines Stipendiums von 1000 Thlr. in Cour. für bedürftige Schüler des Prenzlauer Kreises (—S. 14). 4. Beschreibung des neuen Gymnasialgebäudes (—S. 16 nebst 2 lith. Beil.). 5. Jahresbericht (—S. 30. gr. 4.). Schüler: 224. Der Gesanglehrer *Bemmann* erhielt das Prädicat Musikdirector, Collab. *Rascher* wurde Pred. zu Brodewin b. Angermünde. Der 3. Collab. Cantor *Schröter* starb, der Collab. *Schmidt* rückte auf. und die Candd. *Gerhardt* u. Dr. *Dibelius* traten als Collaboratoren ein. Seit 1841 wurde eine Vorschule begründet und die Lehrer *Plischkowsky* u. *Kress* definitiv angestellt.

[9714] Sorau. Das Osterprogramm 1842 enthält eine beachtenswerthe Abhandlung des Subrect. Dr. *G. R. Paschke* über das Verhältniss der preuss. Gymnasien zur Gegenwart (47 S.) u. den Jahresbericht vom Rector Dr. *Adler* (—S. 56. 4.). Schüler: 81. Cand. Dr. *R. Schmidt* wurde Hülfslehrer in den Naturwissenschaften. — Osterprogramm 1843. Inh.: Rede des Rector *Adler* „de beneficiis in gymnasium Soranum collatis eorumque auctoribus" (11 S.) u. Jahresbericht von dems. (—S. 23. gr. 4.) Schüler: 95. Der häufige Wechsel der Lehrer wird hier als dem methodischen Unterricht nachtheilig bezeichnet.

Provinz Pommern.

[9715] Cöslin. Das zu Ostern 1842 bei dem kön. u. Stadtgymnasium ausgegebene Programm vom Dir. *O. M. Müller* enthält eine Abh. des Conr. Dr. *Lindenblatt* über die Vorbereitung der Schüler für die unt. Classen der Gymnasien, in besond. Beziehung auf die Muttersprache (13 S.) und den Jahresbericht vom Dir. (—S. 16. 4.) Schüler: 223.

[9716] Greifswald. Herbstprogramm des Lehrercollegium 1842. Inh.: „De Cornelio Celso scr. *H. Paldamus*" (14 S.) u. Jahresbericht (—S. 20. gr. 4.). Schüler: 217.

[9717] Neustettin. In dem Osterprogramm des Fürstlich-Hedwigischen Gymn. v. J. 1842 sind enthalten „Emendationes in Cic. libros de legibus scr. *A. Guil. Fd. Krause*" (18 S.) u. Jahresbericht im J. 1841. Gegenwärtig 137 Schüler, darunter 100 Auswärtige. Cand. *Ritschl* trat sein Probejahr an.

[9718] Putbus. Herbstprogramm des k. Pädagogiums 1842. Inh.: Abh. des Adj. *K. Müller*: „De rebus Aegyptiorum sub imperio Persarum gestis" (16 S.) u. Jahresbericht vom Dir. (—S. 32. gr. 4.) Schüler: 82.

[9719] Stargard. Herbstprogramm des Stadtgymn. von d. Dir., Schulr. u. Prof. *Falbe*. Inh.: Eine Untersuchung des Oberl. Dr. *G. H. Teske* zur Vorgeschichte Pommerns: das erste Auftreten Bischof Otto's in Pommern (16 S.) u. Jahresbericht vom Dir. (—S. 37. gr. 4.) Schüler: 179. Der Schulamtscand. *Föckel* trat ein, um sein Probejahr abzuhalten; der Dir. *Falbe*, welcher über sein 50jähr. Amtsjubiläum berichtet, hatte um seine Pension nachgesucht.

[9720] Stettin. Herbstprogramm 1842. Inh.: „Die alten Mundarten der deutschen Sprache in den Gymnasien" und „De Timaeo Platonis ex Procli commentariis restituendo von Prof. Dr. *K. E. A. Schmidt*" (30 S.) u. Jahresbericht vom Dir. u. Prof. Dr. *Hasselbach* (—S. 47. gr. 4.). Schüler: 340 in 9 Classen. Der Prof. Dr. *H. L. W. Böhmer*, geb. am 30. Nov. 1791, starb am 27. Febr. 1842. Die nächsten Lehrer rückten auf und die 5. Stelle erhielt der bish. Oberlehrer am Gymn. z. gr. Kloster in Berlin Dr. *Bonitz*. Der Gymnasiall. *Wellmann* wurde in Ruhestand versetzt, der Gymnasiall. *Stahr* aber rückte in dessen Stelle auf, und diesem folgte der Lehrer *Grassmann* von der dasigen Ottoschule.

[9721] Stralsund. Herbstprogramm 1842. Inh.: Dr. *E. Zober's* Dritter Beitrag zur Geschichte des Stralsunder Gymnasiums (18 S.) u. Jahresbericht vom Dir. *Nizze* (—S. 26. gr. 4.). Schüler: 320 in 8 Classen, worunter 1 Realclasse sich befindet.

Provinz Posen.

[9722] Bromberg. Herbstprogramm 1842 vom Dir. *Müller*. Inh.: „Von der Bildung der Comparationsformen der griech. Sprache von dem Prof. *H. Kretschmar*" (22 S.) u. Jahresbericht vom Dir. (16 S. gr. 4.) Schüler: 207.

[9723] Lissa. Osterprogramm 1842. Inh.: „Die Malerei bei den Griechen vom Dir. Prof. *Schöler*" (32 S.) u. Jahresbericht von dems. (Polnisch u. Deutsch.) (7 S. 4) Schüler: 207. Der Gymnasiall. *Tschepke* wurde zum Oberlehrer ernannt.

[9724] Meseritz. Das Herbstprogramm 1842 der Realschule vom Dir. *Kerst* enthält eine Abh. über die Veränderungen des Orts u. der Gestalt durch einfache Brechung von *G. H. Kade*, Oberlehrer (14 S. nebst 1 lithogr. Beil.) u. Schulnachrichten von d. Dir. (Polnisch u. Deutsch.) (—S. 47. 4.) Schüler: 177 in 7 Classen. Von der 3. Classe an bereitet die Realschule seit 1839 auch zur Universität vor. In den Schulplan sind daher selbst Sophokles und Demosthenes aufgenommen.

[9725] Posen. *Friedrich-Wilhelms-Gymn.* Osterprogramm 1842. Inh.: „Die Lehre von der Harmonik u. Melopöie der griech. Musik vom Prof. Dr. *Trinkler*" mit 1 lithogr. Notentaf. (61 S.) u. Jahresbericht vom Dir. Prof. *C. H. A. Wendt* (XII S. gr. 4.). Schüler: 240 in 7 Classen. Prof. Dr. *Loew* u. Oberlehrer *Schönborn* erhielten von dem vorgesetzten Ministerium Urlaub und Unterstützung zu einer Reise nach Kleinasien, ihre Vertretung übernahmen die Herren Dr. *Libell* u. Dr. *Schönbeck* und die Lehrer *Krupski* u. *Hensel*, und als letztere anderweit angestellt worden waren die Candd. *Rymarkiewicz* u. *Jaehner*.

[9726] Posen. *Mariengymnasium.* Herbstprogramm 1842 vom Dir. Dr. *Prabucki*. Inh.: Antrittsworte des Dir. bei der Einführung in sein Amt (Polnisch und Deutsch) (21 S.) u. Schulnachrichten von dems. (ebenfalls in beiden Sprachen (—S. 42. gr. 4.). Schüler: 390 in 8 Classen. Das Lehrercollegium bilden: Dir. Dr. *Prabucki*, die Proff. *Czwalina*, *v. Wannowski*, *Motty*, *Poplinski*, *Gladisch*; die Oberlehrer: *Spiller* u. Dr. *Hoffmann*; Lehrer: *Cichowicz*, *Januszkowski*, *Figurski*; technische Lehrer: *Nabuske* u. *Lechner*; ausserordentliche: Conr. *Schönborn*, ev. Religionsl. u. die Candd. *Schweminski*, Dr. *Cegielski* u. *Karwowski*.

[9727] Trzemeszno. Herbstprogramm 1842 des k. kath. Gymnasiums vom Dir. *Jac. Meissner*. Inh.: „Unciarum theoriae pars I. von Dr. *J. Bapt. Piegsa*" (40 S.) u. Jahresbericht vom Dir. (Polnisch u. Deutsch.) (—S. 67.) Schüler: 268, worunter 16 evangel. Confession und 4 Juden. Das Collegium besteht, aus dem Dir. *Meissner*, dem Religionsl. Lic. *Kaliski*, den Oberlehrern Dr. *Schneider* u. *Peterek*, den Lehrern v. *Lutomski*, *Pampuch* u. *Zimmermann*, den interim. Lehrern Dr. *Ogienski*, Dr. *Piegsa*, Dr. *Szostakowski* u. Cand. *Polster*.

Provinz Preussen.

[9728] Braunsberg. Das Herbstprogramm 1842 des hiesigen kath. Gymnasiums vom Dir. *Gerlach* enthält die Geschichte des Magistrates der Altstadt Braunsberg vom Oberl. Dr. *Lilienthal* (22 S.) und den Jahresbericht vom Dir. (—S. 30.) Schüler: 263. Cand. *Lilienthal* trat sein Probejahr an.

[9729] Conitz. Herbstprogramm 1842 des k. kath. Gymnasiums vom Dir. Dr. *F. Brüggemann*. Inh.: „*Jo. Dziadekii* libellus, quo continentur addenda quaedam mutandaque in libro, quem de arte grammatica scr. *C. G. Zumptius*“ (12 S.) u. Jahresbericht vom Dir (—S. 32, gr. 4.) Schüler: 256. Die Oberlehrer *Dziadek* u. *Lindemann* erhielten das Prädicat als Professoren.

[9730] Danzig. Das Osterprogramm 1843 des städt. Gymnasiums vom Dir. Dr. *Fr. W. Engelhardt* enthält eine mathemat. Abhandlung vom Oberlehrer *Czwalina* über Abhängigkeit und Bestimmung der Coefficienten u. s. w. [vgl. No. 9688[5].] (52 S.) u. den Jahresbericht vom Dir. (9 S. gr. 4.) Schüler: 358 ausser der Elementarclasse.

[9731] Deutsch-Crone. Das im Herbst 1842 erschienene Programm des hiesigen Progymnasiums enthält eine Abhandlung de libris duobus Mss. ad res Maximiliani I. et Caroli V. aetate gestas pertinentibus (11 S.) u. Schulnachrichten vom Dir. *Fr. H. Malkowsky* (—S. 20, gr. 4.). Schüler: 111 in 5 Classen.

[9732] Elbing. Herbstprogramm 1842 vom Dir. *J. Geo. Mund*. Inh.: „Ueber das Geschlecht der Substantiva der französ. Sprache, welche aus den Lateinischen herstammen von *J. Th. E. Carl*, Lehrer d. engl. u. franz. Sprache“ (21 S.) u. Jahresbericht vom Dir. (—S. 37. gr. 4.) Schüler: 172. Die wissenschaftl. Abhandlung wird fortgesetzt werden.

[9733] Gumbinnen. Herbstprogramm des k. Friedrichsgymn. v. J. 1842. Inh.: „Kurzer Abriss der analytischen Logik. Zunächst die Lehre vom Begriff. Eine Abh. des Oberl. *Sperling* (22 S.) u. Jahresbericht vom Dir. *Prang* (—S. 32. gr. 4.). Schüler: 141.

[9734] Königsberg. *Altstädtisches Gymn.* Osterprogramm 1842 vom Dir. *Joh. E. Ellendt*. Inh.: „De intercessione tribunitia Commentat. part. I. scr. Dr. *C. Bender*, Collega“ (19 S.) u. Schulnachrichten. Schüler: 272. Der Gymnasiall. *Schumann* übernahm die 1. Oberlehrerstelle an d. neuen höh. Bürgerschule zu Elbing, der Prorect. *Grabowski* wurde Alters wegen pensionirt. An die Stelle des erstern trat Dr. *Böttcher*, an die des letztern als Adj. Dr. *Bender*, bis dahin Lehrer an der Löbenicht'schen höh. Stadtschule.

[9735] Königsberg. *Friedrichs-Collegium.* Herbstprogramm 1842 vom Dir. Dr. *Fr. A. Gotthold*. Inh.: Pädagogische Mittheilungen aus Oesterreich vom Oberl. Dr. *Lewitz* (12 S.) u. Jahresbericht vom Dir. (—S. 21. gr. 4.) Schüler: 156. Als Pred. u. Religionslehrer der Anstalt wurde Lic. Dr. *Simson* am 24. Oct. eingeführt, als Lehrer der naturhistor. Wissenschaften trat Dr. *E. G. Zaddah*, dessen Biographie dem Jahresbericht einverleibt ist, ein.

[9736] Königsberg. *Kneiphöfisches Stadtgymnasium.* Osterprogramm 1842 vom Dir. u. Prof. Provinzialschulr. Dr. *Ch. Th. L. Lucas*. Inh.: „De verbis latinae linguae auxiliaribus Spec. I. vom Gymnasiall. Dr. *Leonh. Lentz*“ (21 S.) u. Jahresbericht vom Dir. (—S. 36. gr. 4.) Schüler: 239. Der Gymnasiall. Dr. *Schwidop* erhielt das Prädicat Oberlehrer. Für die neuerrichtete 9. Lehrerstelle wurde Cand. *Cholevius* angestellt.

[9737] Lyk. Herbstprogramm 1842. Inh.: „Das Weltgebäude. Ein Aufsatz vom 2. Oberl. *Chrzescinski*“ (24 S.) u. Jahresbericht vom Dir. Dr. *Rosenheyn* (—S. 38. gr. 4.). Schüler: 114. Der Director wurde seinem Wunsche gemäss pensionirt. Prof. *Fabian* aus Rastenburg, welcher früher als Oberlehrer am hiesigen Gymnasium angestellt war, wurde sein Nachfolger.

[9738] Marienwerder. Herbstprogramm 1842 vom Dir. Prof. Dr. *Lehmann*. Inh.: Abh. des Oberl. *Baarts*: Religiös sittliche Zustände der alten Welt nach Herodot (32 S.) u. Jahresbericht vom Dir. (—S. 44. gr. 4.) Schüler: 219. Der Volontair *Losch* wurde an dem Gymn. zu Rastenburg, Cand. Dr. *Düringer* in Elbing, Cand. Dr. *Schmidt* in Berlin angestellt.

[9739] Rastenburg. Herbstprogramm 1842 vom Dir. *Heinicke*. Inh.: „Potenzlehre (Fortsetzung) vom Oberl. Prof. *Klupps*“ (26 S.) u. Jahresbericht vom Dir. (14 S. gr. 4.). Schüler: 206.

[9740] Rössel. *Progymnasium*. Herbstprogramm 1842 vom Dir. Dr. *Ant. Alb. Ditki*. Inh.: Mathematische Aufgaben vom Oberl. *Kolberg* (25 S). Notizen über das ehemal. Augustinerkloster in Rössel. Fortsetzung vom Dir. (—S. 41.) u. Schulnachrichten von dems. (—S. 49. gr. 4.) Schüler: 139 in 5 Classen.

[9741] Thorn. Herbstprogramm 1842 vom Dir. *Lauber*. Inh.: Ueber das Verhältniss des Gymnasial- und Real-Unterrichts u. die Vermittelung des letztern durch die Gymnasien vom Dir. (30 S.) u. Jahresbericht von dems. (20 S.) Schüler: 155. Als ordentl. Lehrer wurden Dr. *Hirsch* u. *Müller* angestellt. Der pens. Lehrer Dr. *Hepner* starb am 21. Oct. 1841.

[9742] Tilsit. Herbstprogramm 1841 vom Dir. *Cörber*. Inh.: „Anwendung der Trigonometrie auf die Auflösung der Gleichungen bis zum 4. Grade von *Fd. Friedl. Heydenreich*“ (14 S.) u. Jahresbericht (—S. 35. gr. 4.) Schüler: 172. Oberl. *List* war genöthigt um seine Pensionirung nachzusuchen. Das bei der abnehmenden Frequenz wachsende Deficit deckte das Ministerium der Unterrichtsangel. mit einem Zuschuss von 880 Thlrn.

Rheinprovinz.

[9743] Aachen. Herbstprogramm 1842 vom Dir. des k. Gymn. Dr. *Schön*. Inh.: „Ueber den histor. Unterricht an Gymnasien“ (26 S.) u. Jahresbericht vom Dir. (—S. 48. gr. 4.) Schüler: 293. Der Oberlehrer Canonicus v. *Obsbach* trat aus dem Lehrercollegium aus.

[9744] Bonn. Herbstprogramm 1842 des kön. Gymnasiums vom Dir. *Nic. Jos. Biedermann*. Inh.: „Quaestiones historicae in Corn. Nepotis vitas exc. imperatorum part. II. scr. *Jo. Freudenberg*, supp. ordd. praec.“ (16 S.) u. Jahresbericht vom Dir. (—S. 38. gr. 4.) Schüler: 219. Am 29. Sept. 1841 starb der pens. Prof. d. Rhetorik Dr. *J. H. Werner* im 83. Lebensj. Cand. *Quossek* ging als Lehrer nach Neuss. An seine Stelle trat Cand. Dr. *Hümpert*. Der Oberl. d. Math. u. Physik, Prof. Dr. *W. Liessen* starb am 8. Apr. 1842, und interimistisch übernahm dessen Lehrstunden der Lehrer *Zirkel*.

[9745] Cleve. Herbstprogramm 1842 vom Dir. des k. Gymn. Dr. *Fd. Helmke*. Inh.: Jahresbericht von dems. Schüler: 104. Der kathol. Religionsl. *J. H. van de Camp* wurde Pfr. zu Bedburg.

[9746] Coblenz. Herbstprogramm 1842 vom Dir. des k. Gymn. Dr. *Frz. Nic. Klein*. Inh.: „De fati apud Herodotum ratione scr. *Ph. Jac. Ditges*“ (16 S.) u. Jahresbericht vom Dir. (—46 S. gr. 4.) Schüler: 296. Der 3. Oberlehrer, Prof. Dr. *Dronke* folgte dem Rufe als Director des Gymn. zu Fulda, und es wurde an dessen Stelle der Oberl. *Ditges* aus Neuss berufen. Der 4. Oberlehrer *Pet. Jos. Seul* wurde Director der neuerricht. Ritterakademie zu Bedburg, ihn ersetzte hier der bish. Oberl. am Gymn. zu Düsseldorf Dr. *J. Al. Capellmann*.

[9747] Düren. Herbstprogramm 1842 vom Dir. *Meiring*. Inh.: „Ueber das Vocabellernen im lat. Unterrichte an Gymnasien" vom Dir. (16 S.) u. Jahresbericht von dems. (15 S. gr. 4.) Schüler: 146. Cand. *Kratz* blieb Hülfslehrer.

[9748] Duisburg. Herbstprogramm des Gymnasiums u. der Realschule 1842. Inh.: „Ueber d. Unterricht in der deutschen Sprache u. Literatur vom Gymnasiall. *J. Hülsmann*" (24 S.) u. Jahresbericht vom Dir. Dr. *H. Knebel* (—S. 34. gr. 4.). Schüler: 117. Der Dir. Dr. *Landfermann* war zum Mitglied des Rhein. Provinzialschulcollegiums ernannt worden; ihm folgte der dermalige Director, bish. Oberl. des Gymn. zu Kreuznach.

[9749] Düsseldorf. Das Herbstprogramm 1842 vom Directoratsverweser, Prof. Dr. *Crome* enthält eine Abhandlung des Gymnasiall. Dr. *Druckenmüller* üb. allgemeine Collineationsachsen u. Collineationsscheitel (12 S.) u. den Jahresbericht. Schüler: 221.. Dr. *Capellmann* ging an das Gymn. nach Coblenz. Verweser seines Amtes ward Cand. *Peters*. Der Director Dr. *Frz. Wüllner*, geb. am 27. Nov. 1798, starb am 22. Juni 1842.

[9750] Elberfeld. *Gymnasium*. Herbstprogramm 1842 vom interim. Dir., Oberlehrer Dr. *K. Eichhoff*. Inh.: „Die geometrische Analysis als Methode zur Auflösung von Aufgaben. Abh. vom Oberl. Dr. *Th. Fischer*" (16 S. mit 1 lithogr. Beilage) u. Jahresbericht (—S. 28. gr. 4.). Schüler: 145. Der Director, Prof. Dr. *Hantschke* wurde als Dir. an das Gymn. nach Wetzlar versetzt.

[9751] Elberfeld. *Real- u. Gewerbschule*. Das Osterprogramm 1842 vom Dir. *Egen* enthält eine Abh. des Oberl. *Fd. K. Förstemann* üb. Atomvolumen u. Atomenwärme (52 S.) u. Schulnachrichten vom Dir. (—S. 80. gr. 8.) Die Realschule hat 7 Classen mit Einschluss einer Vorbereitungsclasse. Von der 7. an werden die deutsche u. die französ. Sprache, von der 4. an die englische, u. von der 2. auch die italienische, die lateinische dagegen nirgends, in den 3 ersten Classen der Gewerbschule aber, welche als Parallelclassen der 3 ersten Realclassen behandelt werden, nur die deutsche Sprache gelehrt. Realschüler: 241, davon 16 in I. u. 59 in IV. Gewerbschüler: 35. Der Lehrer *Philippi* wurde Rector der neuen höh. Bürgerschule in Solingen. Cand. *Fröhlich* unterrichtete so lange, bis *Ph.'s* Nachfolger Dr. *Herrig* vom Obergymnasium zu Braunschweig eintraf.

[9752] Emmerich. Herbstprogramm 1842 vom Dir. des k. Gymn., Prof. Dr. *K. W. Lucas*. Inh.: „Ueber die Construction der Pronomina οἷος u. ὅσος u. der Partikel ὥστε mit d. Inf. von d. Oberl. *P. Viehoff*" (12 S.) u. Schulnachrichten vom Dir. (—S. 31. gr. 4.) Schüler: 102. Cand. *Cornelius* ward Hülfslehrer. Pfr. *Uhlenbruck* übernahm den evang. Religionsunterricht. Dem Programmentausche der Rheinprovinz traten die evang. Seminarien des Kön. Württemberg zu Blaubeuren, Maulbronn, Schönthal u. Urach, sowie die höh. Schulanstalt zu Malmedy bei.

[9753] Essen. Herbstprogramm 1842 vom Dir. Dr. *Savels*. Inh.: „Friedr. Laar (ev. Pfr. das., gest. am 21. Juni 1827). Eine biographische Skizze von *Buddeberg*" [Schluss] (46 S. gr. 8.) u. Jahresbericht vom Dir. (15 S. gr. 4.) Schüler: 122. Der Musikdir. *Aschenbach* verliess Essen. An seine Stelle trat Musikdir. *Helfer*.

[9754] Köln. *K. Friedrich-Wilhelms-Gymn.* Das Herbstprogramm 1842 enthält „Annotationum in Horatii carmina Spicilegium. Vom Oberl. Prof. *Hoss*" (8 S.) u. den Jahresbericht vom Dir. Dr. *K. Hoffmeister* (—S. 16. gr. 4.). Schüler: 235. In die Stelle des am 4. März 1841 verstorb. Dir., des Reg.- u. Schulr. Dr. *K. F. A. Grashof* trat der bish. Dir. des Gymn. zu Kreuznach Dr. *Hoffmeister* ein. Der Gymnasiall. Dr. *Hennes* legte sein Amt nieder, um sich historischen Studien zu widmen.

[9755] Köln. *Kathol. Gymnasium*. Herbstprogramm 1842. Inh.: „De Appio

Claudio Caeco. comment. hist. scr. Dr. *N. Saal*" (26 S.) u. Jahresbericht vom Dir. Prof. *Birnbaum* (— S. 39. gr. 4.). Schüler: 323.

[9756] Kreuznach. Das Herbstprogramm 1842 des k. Gymn. vom Dir. Dr. *Mor. Axt* enthält eine Abhandl. von *F. Dellmann* üb. ein neues Elektrometer (24 S.) u. den Jahresbericht vom Dir. (— S. 48. gr. 4.). Schüler: 173. An die Stelle des an das k. Fr.-Wilhelms-Gymn. zu Köln berufenen Dir. Dr. *Hoffmeister* wurde Dr. *Axt*, bisher Dir. zu Wetzlar, hierher versetzt.

[9757] Münstereifel. Herbstprogramm 1842. Inh.: „Leitfaden zur philosoph. Propädeutik vom Dir. *Jac. Katzfey*" (27 S. gr. 8.) u. Jahresbericht von dems. (11 S. gr. 4.) Schüler: 108. Cand. Dr. *Hoch* wurde Hülfslehrer.

[9758] Saarbrücken. Das Herbstprogramm des k. Gymn. u. d. Gymnasial-Vorbereitungs-Classe v. J. 1842 enthält „Theorie der Cissoide nebst 1 lithogr. Beil. vom Dir. Dr. *Fr. Ottemann*" (26 S.) u. Jahresbericht von dems. (— S. 36. gr. 4.). Schüler in d. Gymnasial- u. d. Realclasse: 123. Der Lehrer *Eisemann* erhielt das Prädicat Oberlehrer, u. der Hülfslehrer *Schrantz* wurde zum ordentlichen ernannt.

[9759] Trier. Herbstprogramm 1842. Inh.: „De Sophoclis Philocteta von Dr. *Hamacher*" (12 S.) u. Jahresbericht von der Direction, Prof. *Wyttenbach* Dir. I. u. Prof. Dr. *Loers* Dir. II. (— S. 40. gr. 4.) Schüler: 419. Kaplan *Pet. Meyers* wurde Religionslehrer, zum Gymnasiallehrer der Lehrer *Flesch* an der Realschule zu Düsseldorf berufen, und als Hülfslehrer wurden die Candd. *Schneider* u. *Blum* angenommen.

[9760] Wesel. Herbstprogramm 1842. Inh.: Abh. des Oberlehrers, Prof. Dr. *Fiedler* über die Provinzialeintheilungen des röm. u. byzant. Reichs (24 S.) u. Jahresbericht vom Dir. Prof. *Bischoff* (— S. 30. gr. 4.). Schüler: 148. Der Gymnasiallehrer *Hürxthal* wurde zum Oberlehrer, Kaplan *Felber* zum kathol. Religionslehrer ernannt, der Lehrer *Mayer* als Rector der Schule nach Lüdenscheid berufen.

[9761] Wetzlar. Herbstprogramm 1842 vom Dir. des k. Gymn., Prof. Dr. *Hantschke*. Inh.: „De barometri motu ex venti directione scr. *J. Guil. Lambert*, Ph. Dr. supp. ordd. Mag. (— S. 29. nebst 1 lithogr. Beilage) u. Jahresbericht vom Dir. (— S. 42. gr. 4.) Schüler: 122. Prof. Dr. *Axt* trat das ihm übertragene Amt als Director am 25. Oct. 1841 an, ward aber bereits zu Ostern 1842 an das Gymn. nach Kreuznach mit Gehaltserhöhung berufen. Am. 1. Apr. 1842 trat der bisher. Dir. des Gymn. zu Elberfeld, Prof. Dr. *Hantschke* als Dir. des hiesigen Gymn. ein. Der Elementarlehrer *Fries* wurde Hülfslehrer.

Provinz Sachsen.

[9762] Eisleben. Das Programm des Dir. Dr. *Fr. Ellendt* zum Osterexamen 1842 enthält eine Abh. des Prof. Dr. *Kroll* „Einiges üb. parabol. Kegel" (S. 1—10. mit 1 lithogr. Taf.) und Schulnachrichten von Ostern 1841—42 (S. 11—25. gr. 4.). Die Schülerzahl betrug 207. Der Collab. Dr. *Schmalfeld* war zum Oberlehrer ernannt worden. — Osterprogramm 1843: De vestium coloribus praecipue apud veteres. Part. I De nigro vestium colore. Vom Oberlehrer Dr. *Mönch* (11 S.) u. Schulnachrichten vom Dir. (23 S. gr. 4.). Schüler: 219.

[9763] Erfurt. Osterprogramm 1842: „De tempore, quo orationes quae feruntur Demosthenis pro Apollodoro et Phormione scriptae sint, disp. Scr. Dr. *Imm. Herrmann*, Prof." (22 S.) u. Jahresbericht vom Dir. Prof. Dr. *Strass* (— 40 S. gr. 4). Schüler: 156. Der Dir. feierte sein 50jähr. Dienstjubiläum am 18. Aug. 1841. — Das Programm vom Directoratsverweser u. Senior des Collegiums Prof. Dr. *Joh. Chr. Besler* zu Ostern 1843 enthält eine Abh. vom Prof. Dr. *Richter* „Aechtung der reichsfreien Stadt Donauwörth" [im

J. 1607] (27 S.) u. den Jahresbericht vom Prof. *Besler* (—44 S. gr. 4.). Schüler: 159. Der Dir. *Strass* war in Ruhestand getreten, und das Lehrercollegium bestand aus den Professoren DD. *Besler*, *Mensing*, *Schmidt*, *Thierbach*, *Herrmann*, *Kritz*, *Dennhardt*, *Richter*, Pfr. *Hucke*, Gymnasiall. *Dufft*, Musikdir. *Gebhardi* u. Zeichnenl. *Dietrich*.

[9784] Halberstadt. Osterprogramm 1842: „De poetarum elegiacorum ap. Romanos principum ingenio et arte. Scr. *Guil. Hertzberg*, Dr. ph.“ (16 S.) und Jahresbericht vom Dir. des Domgymn. Dr. *Thd. Schmid* (—S. 26. gr. 4.). Hr. H., der mit einer Ausgabe des Properz beschäftigt ist, giebt hier eine kurze Charakteristik dieses u. des Catull, Tibull u. Ovid. Cand. *Bode* trat sein Probejahr an, die Gymnasiallehrer *Schmidt* und *Bormann* wurden zu Oberlehrern ernannt. Schüler: 187. — Das Programm zu Ostern 1843 enthält „Elemente eines Entwurfs zu einem Lehrbuche d. reinen Mathematik. Aus d. Nachlasse von *Hm. Schmidt*, weil. Lehrer am Domgymn.“ (16 S.) u. den Jahresbericht vom Dir. (S. 31. gr. 4.). Schüler: 201. Der Oberlehrer *Hm. Schmidt* (geb. zu Halberstadt am 28. Nov. 1810) starb am 15. Aug. 1842. Der Collabor. Dr. *Hertzberg* ging als Oberlehrer an die höh. Bürgerschule nach Elbing, in *Schmidt's* Stelle rückte der Oberl. *Bormann* auf, als Mathematicus wurde vom Gymn. zu Nordhausen Dr. *Hincke* in die 6. Stelle berufen, die 1. Collaboratur erhielt der Hülfslehrer Dr. *Heiland*, dessen Stelle Dr. *Hense*, und die des Letzteren provisorisch Cand. *Bode*.

[9785] Halle. *Lateinische Hauptschule*. Das Herbstprogramm 1842 von dem Rector Dr. *Fr. Aug. Eckstein* enthält eine gründliche Untersuchung des Collegen *W. Scheuerlein* üb. den Charakter des Modus in der griech. Sprache (71 S.) u. den Jahresbericht des Rectors (—S. 98. gr. 4.). Letzterer enthält zugleich den Nekrolog des verst. Directors Dr. *Max. Fr. Chr. Schmidt*, geb. am 28. März 1802, gest. am 16. Oct. 1841. — Dem Collab. u. Erzieher an d. Waisenanst. *Weser*, welcher Inspector der beiden Freischulen wurde, folgte in der Stelle als Erzieher der Cand. Dr. *Gfr. Böhme* u. in der Collaboratur *Scheuerlein*, welchem nach Insp. *Bullmann's* Tode († 15. Oct. 1841) die Stelle eines Collegen am 1. Jan. 1842 übertragen wurde. Dr. *Fr. W. G. Stäger*, seit 1816 Lehrer, wurde wegen Kränklichkeit mit dem Titel eines Professors in den Ruhestand versetzt. Als provis. Stellvertreter desselben fungirte der 2. Adj. *Tannenberger*. Dr. *Eckstein*, bisher Lehrer am Pädagogium, war am 11. Apr. als Rector eingeführt worden. Schüler: 268. — Herbstprogramm 1843. Inh.: „Ueber das Wesen der Religion“ von d. Collegen Dr. *Chr. Cph. Diedrich* (26 S.) u. Jahresbericht vom Rector (—S. 43. gr. 4.). Schüler: 328 in 11 Classen. Aus dem Collegium schied der Collab. Dr. *Gust. Fr. Hildebrand*, welcher den Ruf als Oberlehrer an das Gymn. zu Dortmund annahm. Das Probejahr traten die Candd. *A. F. Kleinschmidt*, Dr. *Fr. W. Frz. Al. Süvern* u. *J. K. Bierwirth* an, von welchen Letzterer nach Mühlhausen abging. Als Hülfslehrer fungirten Dr. *Rost*, *Gollum* und Dr. *Allihn*, im 1. Semester auch *Heidemann* u. *Krahner*. — Ferner erschien eine Schrift des Rectors Dr. *Eckstein* „Die Prediger an der St. Moritzkirche von 1740 bis auf unsere Zeit. Ein Beitrag zur Lit.- u. Kirchengesch. von Halle“ (31 S. gr. 4.), womit dieser dem Superint. u. Oberpred. *Geo. Chr. Guerike* zu St. Moritz bei seinem 50jähr. Amtsjubiläum am 1. Aug. 1843 im Namen der lat. Hauptschule Glück wünschte, mit welcher 1808 zur Zeit der westphäl. Regierung das Stadtgymnasium zu St. Moritz vereinigt werden musste.

[9786] Halle. *Pädagogium*. Das Herbstprogramm 1842 vom Dir. u. Aufseher Dr. *H. A. Niemeyer* u. d. Tit.: „Wolfgang Ratichius in Cöthen“ (54 S.) enthält eine Fortsetzung der vorjähr. Abhandlung desselben über den berühmten Methodiker seiner Zeit, zu welcher der Vf. neue Quellen vom Herz. von Anhalt-Cöthen zur Benutzung erhielt, u. den Jahresbericht (—S. 58. gr. 4.). Als *Eckstein's* Nachfolger trat der bish. Lehrer am Pädagogium zu U. L. Fr. in Magdeburg Dr. *Krahner* ein. Der Ordin. in III. *Liebau* wurde an des

Gymn. zu Elberfeld versetzt, der Ordin. in VI. Dr. *Brückner* ging in das theol. Seminar nach Wittenberg. Ihre Stellen wurden durch Dr. *Garthe* u. Cand. *Nagel* besetzt, und da 20 Schüler der 4 oberen Classen vom griech. Unterricht dispensirt waren, statt der bisherigen 2 Realclassen 3 eingerichtet. — Das Herbstprogramm 1843 enthält eine fernerweite Fortsetzung der Schrift „Wolfgang Ratichius in Cöthen" (20 S.) u. den Jahresbericht (— S. 38. gr. 4.). Der Lehrer Dr. *Krahner* ging als Conrector an das Gymn. zu Friedland; die übrigen Lehrer rückten mit Ausnahme des Dr. *Eckardt*, Ord. in III., welcher hierauf verzichtete, auf, Cand. *Keil* wurde Ord. in VI., u. Dr. *Biendecker* trat sein Probejahr an.

[9767] Halle. *Realschule d. Waisenhauses.* Zu Ostern 1842 erschien hier ein Programm vom Insp. *Ziemann*, worin Andeutungen über Werth, Zweck u. Methode des kalligraph. Unterrichts mit bes. Rücksicht auf Realschulen vom Collegen *Spiess* (12 S.) u. Schulnachrichten vom Insp. (— S. 41. gr. 4.) enthalten sind. Ausser dem Inspector sind 6 Collegen und 10 andere Lehrer an der Anstalt thätig. Schüler: 202, 13 in I., 27 in II., 21 in III. a, 21 in III. b, 35 in IV. a, 33 in IV. b, u. 52 in V. Die 18 zuletzt aus der 1. Classe Abgegangenen, von welchen 10 völlig reif waren, hatten sehr verschiedene Berufsfächer gewählt, Ingenieurwissenschaft, Architektur, Bergwesen, Landwirthschaft, den Militairstand, das Studium der Mathem. auf der Universität. — Im Osterprogramm 1843 behandelt der Collega Dr. *Hüser* die Frage: „Wie wird der Unterricht im Deutschen eine Gymnastik des Geistes?" (38 S.), u. beigegeben sind Schulnachrichten vom Insp. Schüler: 209.

[9768] Heiligenstadt. Das Osterprogramm 1842 enthält des Math. *Frz. Seydewitz* „Theorie der periodisch homologen Puncte" u. s. w. Vgl No. 9688 q. (42 S. mit 1 lithogr. Taf.) u. den Jahresbericht vom Dir. *Mart. Rinke* (20 S. gr. 4.). Schüler: 87. — Osterprogramm 1843. „Comm. de plurimis Thucyd. Herodotique locis, in quibus uterque scriptor de iisdem rebus gestis disserit vom Gymn.-L. *Fütterer*" (31 S.) u. den Jahresbericht vom Dir. (19 S. gr. 4.) Schüler: 94. Der Oberl. *W. Thele*, geb. zu Heiligenstadt am 11. Febr. 1805, starb am 15. Sept. 1842 im 15. Jahre seiner Amtsführung; am 4. Oct. 1842 der pension. Prof. Dr. *Bern. Twin*, geb. zu Erfurt am 31. März 1773, früher Prof. an d. Univ. seiner Vaterstadt, nach Aufhebung ders. seit 1805 an dem hiesigen Gymn. mit dem propädeutischen philosophischen Unterrichte beauftragt; am 22. Jan. 1843 zu Berlin der seit 1828 pens. Prof. *W. Hindenberg*, geb. zu Heiligengrabe in d. Priegnitz am 29. Aug. 1782. Er war hier Gesenius' Nachfolger, als dieser dem Rufe an die Univ. Halle folgte. Der Mathematicus *Seydewitz* erhielt das Prädicat eines Oberlehrers.

[9769] Magdeburg. *Domgymnasium.* Herbstprogramm 1842. Inh.: „Ueber den naturgeschichtl. Unterricht auf Gymnasien nebst e. kurzen Grundrisse der botan. Terminologie von *K. L. E. Krasper*" (13 S.) u. Jahresbericht vom Dir. Dr. *Funk* (— S. 44. gr. 4.). Als Ordin. in Oberquinta trat Dr. *R. Merkel* ein, und da dieser bald nachher am Pädag. U. L. Fr. eine anderweite Anstellung erhielt, Cand. Dr. *Fr. Crusius*. Schüler: 361.

[9770] Magdeburg. *Pädagogium zu U. L. Frauen.* Das Osterprogramm 1842 vom Dir., Probst Dr. *Zerrenner* enthält den jetzigen Lehrplan (S. 1—16) u. den Jahresbericht (S. 28. gr. 4.). Schüler: 208, darunter 53 Alumnen. — Zu Ostern 1843 erschien: Jahrbuch des Pädag. des Klosters U. L. Fr. zu Magdeburg. Neue Fortsetzung. 7. Heft. Von Dr. *Zerrenner*, Probst, Cons.- u. Schulrath, Dir. d. Pädag. Inh.: „Euripidis, tragici poëtae, philosophia quae et qualis fuerit. Scr. *C. Hasse*, Dr. ph." (44 S.) u. Schulnachrichten (— S. 50. gr. 4.). Schüler: 219. Der Lehrer Dr. *Krahmer* ging an das Pädagogium nach Halle, der Lehrer *Mellin* erhielt die klösterl. Patronatspfarrei Eikendorf, Cand. Dr. *Kirchner* wurde Lehrer an der höh. Bürgerschule zu Aschersleben. Seinem Wunsche gemäss wurde nach 37jähr. Dienstseit der Rector Prof. Dr. *Solbrig* pensionirt, ihm folgte mit dem Prädicate eines 2. Directors der bisher. Rector des Gymn. zu Torgau Prof. *Müller*.

[9771] Merseburg. Osterprogramm 1842. Inh.: „Explicatio sententiarum etc. auct. *Alfr. Schmekel*, Dr. ph., Gymn. Collab. I.“ (22 S.), vgl. No. 9689 c, und Jahresbericht von *C. Fd. Wieck*, Rect. u. Prof. (— S. 32. gr. 4.) Schüler: 123. — Zu Ostern 1843 erschien eine Abhandlung des Coll. IV. *C. H. Thielemann* über die Trachinierinnen des Sophokles (29 S.) nebst dem Jahresbericht vom Rect. u. Prof. *Wieck* (— S. 39. gr. 4.). Schüler: 121.

[9772] Mühlhausen. Das Osterprogramm 1842 enthält Schulnachrichten vom Dir. Dr. *Chr. W. Haun* nebst e. lithogr. Zeichnung des neuen Gymnasialgebäudes (28 S.) u. einen Nachtrag zur vorjährigen Abhandlung „Ueber Schulgesetzgebung“ von dems. (12 S. 4.) Der im J. 1838 angefangene Bau des Gymnasialgebäudes wurde 1841 vollendet. Schüler: 122. — Osterprogramm 1843. Jahresbericht vom Dir. *Haun* (34 S.) u. „Quaestionis grammaticae quae est de formis linguae lat. ellipticis P. II. scr. Dr. *Schlickeisen*, Conr.“ Eine fleissig gearbeitete Abhandlung mit besond. Rücksicht auf mehrere ältere u. neuere Grammatiker, namentlich auf Reisig, Krüger, Billroth u. Rost (29 S. gr. 4.). Schüler: 114. Am 5. Oct. 1842 starb der Prorector *J. Fd. Limpert*, geb. am 1. April 1771, im 47. Jahre seiner Amtsführung. Die Collegen Conr. Dr. *Schlickeisen*, Subr. Dr. *Mühlberg*, Subconr. I. *Hartrodt*, Subconr. II. Dr. *Ameis* u. Collab. *Recke* rückten auf, als Collaborator fungirte provisorisch Cand. *Bierwirth*.

[9773] Naumburg. Osterprogramm 1842. Inh.: „Ueber den deutschen Unterricht auf Gymnasien vom Gymnasiall. Dr. *Const. Matthias*“ (19 S.) u. Schulnachrichten vom Dir. Dr. *Förtsch* (18 S. gr. 4.). Der Lehrer der franz. Sprache *A. Goller* starb am 9. Jul. 1841. Schüler: 118. — Das Programm zu Ostern 1843 enthält: „Quaestionum Plautinarum part. I. vom Gymnasiall. *W. Holtze*“ [eine gründliche Abhandlung über die Fragsätze des Dichters] (18 S.) u. Schulnachrichten vom Dir. (— S. 36. gr. 4.). Schüler: 119 in 5 Classen nebst 2 Realclassen. Dr. *Holtze* wurde Hülfslehrer der 3. Classe, Cand. *Benicken* als Lehrer an die höh. Bürgerschule nach Halberstadt versetzt, ihm folgte als Hülfslehrer Dr. *Fr. Gust. Schulze*, bisher in Eisleben.

[9774] Nordhausen. Osterprogramm 1842. Inh.: „Dr. *Rothmaleri* Collegae Diss. de religionis doctrina in gymnasiis super. classium discipulis tradenda“ (18 S.) u. Jahresbericht vom Dir. Dr. *K. A. Schirlitz* (27 S. gr. 4.). Wichtig ist die ausführlich mitgetheilte Ministerial-Verordnung, nach welcher, um die Primaner nicht aus Furcht vor den Maturitätsprüfungen um das eigentliche Studium des letzten Cursus zu bringen und vor übermässigen Anstrengungen, welche sie namentlich durch Auswendiglernen der früheren Curse machen, zu hüten, diejenigen Kenntnisse, welche sie mit nach Prima gebracht haben, bei diesem Examen als vorhanden vorausgesetzt werden sollen. Der Lehrer *Eberwein* starb am 13. Apr. 1842. Cand. *Kramer* ward Vicarius für den ausgeschiedenen Past. *Wagner*. Conr. Dr. *Förstemann* erhielt das Prädicat Professor, der Director eine Gehaltszulage. Schüler: 161. — Osterprogramm 1843. Inh.: „Pädagogische An- u. Aussichten. Eine Abh. des Oberl. Dr. *Fr. Röder* (48 S.) u. Jahresbericht (— S. 73. gr. 4.). Schüler: 157. Dr. *Kramer* ging nach Ostern zur dortigen Realschule über, kehrte aber zu Mich. an das Gymn. zurück, als der Mathemat. *Hincke* in gleicher Eigenschaft an das Gymn. nach Halberstadt abgegangen war. Der Oberl. u. Ord. in III. *Niemeyer* wurde Pred. zu Frauenberg, der Collab. *Albertus* Pred. zu Kühndorf b. Meiningen.

[9775] Pforta. Das Programm zum Schulfest am 1. Nov. 1842 enthält: „*C. A. Koberstein* Quaestiones Suchenwirtianae. Spec. II.“ (68 S.) u. den Jahresbericht von Mich. 1841—42 vom Rector Dr. *Kirchner* (20 S. gr. 4.). Schüler: 199. Im Laufe des Jahres gingen 34 ab, und zwar 15 zur Universität, worunter ein Grieche, Euthymius Castorches aus Arkadien. Am 21. Mai 1843 u. ff. Tage wurde das 3. Jubelfest der am 21. Mai 1543 durch Kurf. Moritz von Sachsen gestifteten Landesschule feierlich begangen. Ueber dieses seltene Fest, zu welchem Theilnehmer aus allen Theilen Deutschlands u. aus dem Auslande herbeigekommen waren, haben öffentliche Blätter z. Thl. ausführlich bereits berichtet, und wir müssen hier uns begnügen, aus der grossen Zahl von Schriften (Abhandlungen, Gedichten, Votivtafeln u. a.), welche bei dieser Veranlassung im Druck erschienen sind, nur der umfänglicheren zu gedenken. Der Rector der Landesschule Dr. th. *C. Kirchner* hatte durch ein grösseres reichhaltiges Programm: Die Landesschule Pforta in ihrer geschichtl. Entwickelung seit dem Anfange des XIX. Jahrh. bis auf die Gegenwart. Einladungsschrift zur 3. Säcularfeier ihrer Stiftung den 21. Mai 1843. Mit e. Grundriss v. Pforta. (Naumburg. [Leipzig, Vogel.] 33 Bog. gr. 4. 1 Thlr.) zu dem Feste eingeladen, in welchem dessen historia scholae Port. saec. XIX. cum actis proximorum sex mensium (151 S.) und voraus Collegarum omnium commentarii varii argumenti enthalten sind, nämlich *C. E. Niese*, Aussicht auf Pforte; *G. A. B. Wolff*, de Plauti Aulul. Act. III. sc. 5; *C. F. A. Jacobi*, Probe e. leichten u. einfachen Behandlungsweise d. Kegelschnitte; *A. Koberstein*, üb. d. betonung mehrsilbiger wörter in Suchenwirth's versen; *C. G. Jacob*, memoria duorum qui e schola Port. prodierunt philologorum, J. G. Graevii et J. A. Ernestii; *C. Steinhart*, symbolae crit. I. loci tres Platon. (Parmen) emendati. II. ad Aristot. de anima libros. III. emendatt. Sophoclearum ecloge; *Andr. Jacobi*, analyt. Behandlung eines Satzes aus d. Lehre d. geradlin. Dreiecks; *C. F. Fickert*, glossarii latini fragmenta Portensia descripsit; *C. Keil*, scholion Arateum; *A. Dietrich*, comm. de quibusdam consonae v in lingua lat. affectionibus; *Bittcher*, üb. das Werk des P. Abälard „Ethica s. scito te ipsum". — Coetus alumnorum Portensium nomine hatte die ehemal. Pförtner der Rector Dr. *Kirchner* eingeladen in der Schrift: Musae Portenses, s. Analecta poetica ab alumnis Port. ultimis decem annis saeculi scholae Port. III. composita (Lips. Vogel. X u. 160 S. gr. 8. 20 Ngr.), auch derselbe ausserdem noch ein Carmen saeculare (Namb. 2 Bog. Fol.) ausgegeben. Ferner erschienen: Chronik des Kl. Pforta nach urkundl. Nachrichten vom Prof. *G. A. B. Wolff*. 1. Thl. Von d. Gründung bis zum J. 1228 (Leipz., Vogel. X u. 332 S. gr. 8. 1 Thlr. 10 Ngr.). — Erinnerungsblätter zur 3. Jubelfeier u. s. w. von *H. E. Schmieder*, Prof. u. Dir. d. Semin. zu Wittenberg (Leipz., Vogel. XIV u. 224 S. gr. 8. 1 Thlr.). — Pförtner-Album. Verzeichniss sämmtl. Lehrer u. Schüler d. Landesschule Pforta vom J. 1543 bis 1843. Von *H. Bittcher* (Ebendas., VIII u. 568 S. gr. 8. 2 Thlr.). — Verzeichniss der 454 Theilnehmer an d. 300jähr. Jubiläum u. s. w. (Ebendas. 16 S. gr. 8.). — Scholae regiae Port. diem auspicatissimum XXI. Maii etc. congratulatur gymnasium ill. Gothanum (Goth. 15 S. gr. 4.). — *Fr. Jacobs*, epistola — qua tertia scholae Port. solemnia saecul. gratulatur (Goth. 8 S. gr. 8.). — Almae matri Portae inexhaustae ubertatis nutrici — et praesentes et absentes Varisci ipsius olim alumni (Plav. 1 Bog. gr. 4.). — Ad solemnia saeculi a quo tempore Mauriticus Pr. in Porta Sax. musis sedem paravit decursuri tertii carminibus rite celebranda — poetas condiscipulos invit. *C. Fd. Crain*, lyc. Wism. rector (Wism. 6 S. gr. 8.). — Erinnerung an die Schulzeit in Pforta von *K. G. Wunder*, alumn. Port. 1808—13 (Meiss. 15 S. gr. 8.). — *Gfr. C. Freitagii* carmina votiva [lat., graeca, vernacula] (Mis., Klinkicht. 44 S. Lex.-8. 10 Ngr.). — Portae almae matri IV. scholae saeculum auspicanti — *Guil. Naumannus* (Lips., Teubner. 11 S. Lex.-8.). — *Πορτης ἐγκωμιον τὸ τριακοσιοστον ἐτος πληρωσασης ἐποιησε Κ. Στειναρτος* (ἐν Ἁλαῖς. 16 S. gr. 4.). — Porta salve — und Porta vale, Lieder vom Prof. *Nobbe* in Leipzig, und mehr. andere Schriften.

[illegible] Quedlinburg. Osterprogramm 1842. Inh.: „Versuch einer Theorie des Erdvulkanismus als Beitrag zur Geologie vom Conr. *Andr. Schumann*" (S. 1—45.) u. Schulnachrichten vom Dir., Prof. *Frz. Richter* (—S. 52. gr. 4.).

Schüler: 158 in 8 Classen, worunter 2 Realclassen. — Osterprogramm 1843. Inh.: „Probe einer neuen Ausgabe der Aeneide Virgil's vom Oberl. *Gossrau*" [lat. Commentar zu Aen. I. 1—209.] (23 S.) u. Jahresbericht vom Dir. (—S. 31. gr. 4.) Schüler: 154. Dr. *Zimmermann* folgte einem Rufe als Lehrer an d. Realschule zu Nordhausen. Am 11. Dec. starb der Oberl. *Ziemann*, geb. zu Neustadt-Quedlinburg am 3. Sept. 1807.

[9777] Rossleben. Osterprogramm 1842. Inh.: „Neue Erklärung u. Begründung der Homer. Sprache vom Tertius *Leidenroth*" (26 S.) u. Jahresbericht von dem interim. Rector, Prof. Dr. *Herold* (—S. 42 nebst 1 statist. Taf.). Aus dem Berichte ist die Nachricht von dem Ableben des verdienten Erbadministrators, des Geh. RRathes *Geo. Hartm. v. Witzleben* herauszuheben. Vgl. dessen Nekrolog in d. Hall. Lit.-Zeit. 1841. Dec. Schüler: 58. — Osterprogramm 1843. Inh.: „Kurze Bearbeitung der deutschen Stilistik, der deutschen Metrik u. d. allg. Sprachlehre vom Adj. Dr. *Schmiedt*" (52 S.) [welche sich durch Fasslichkeit u Uebersichtlichkeit sehr empfiehlt] u. Jahresbericht vom inter. Rector (—S. 65. gr. 4.). Schüler: 51. Der Unterricht der Quarta wurde von dem der Tertia völlig getrennt.

[9778] Salzwedel. Osterprogramm 1842. Inh.: „Michae Vaticinia. Ex Hebraeo in Latinum convertit et locos difficiliores breviter illustr. *Fr. Guil. Gliemann*, Conr." (39 S.) u. Schulnachrichten vom Dir., Prof. *J. F. Danneil* (—S. 52. gr. 4.). Schüler: 175. — Das Programm zu Ostern 1843 enthält: „Beiträge zur Erklärung von Schiller's Gedichten von Dr. *Winckelmann*" (34 S.) u. den Jahresbericht vom Dir. (—S. 45. gr. 4.). Schüler: 182. Der Subr. u. Oberl. *Witte* wurde Pfr. zu Grosswusterwitz, und die unteren Lehrer rückten auf.

[9779] Schleusingen. Das Oster-Programm des gemeinschaftl. Hennebergischen Gymn. vom J. 1842 enthält: „Quaestiones de Xenophontis Agesilao Part. von Dr. *Breitenbach*" (14 S.) u. den Jahresbericht vom Dir. Dr. *Hartung* (—S. 21. gr. 4.). Schüler: 70. — Zu Ostern 1843 erschien: „De Alb. Geo. Walchii vita. Scr. *Mücke*, Gymn. Coll. tert." (18 S.) nebst Jahresbericht vom Dir. (—S. 27. gr. 4.) Schüler: 80. Der bish. Insp. der Alumnen u. Ordin. in V. Dr. *Breitenbach* ging als fünfter Lehrer an das Gymn. zu Wittenberg. Es wurde eine Vorschule eingerichtet, welche bis auf 10 die übrigen Lehrstunden mit VI. gemein hat. — Die Biographie ist wegen der allgemeinen Nachrichten über mehrere andere berühmte Glieder der Familie Walch lesenswerth. Alb. Geo. W., geb. 1736, wurde 1761 Tertius, 1764 Conr., 1769 Rector d Gymn. zu Schleusingen u. starb 5. Jan. 1822. Vater: Geo. E. W., Rector das., gest. 1769; Grossvater: Geo. W., Generalsuperint. zu Meiningen; Vettern: Jo. Geo. W., E. Imm. W., Chr. W. Frz. Walch u. s. w.

[9780] Stendal. Das Osterprogramm 1842 enthält eine Abh. des Lehrers *H. A. Schötensack*: De genitivi vocabulorum Graecorum III. declinationis terminatione eorumque genere (20 S.) u. Schulnachrichten vom Dir. *Chr. F. Fd. Haacke* (—S. 30 gr. 4.). Der Subrector, Pred. *Gieseke* wurde Pfr. zu St. Jacob das., und die folgenden Lehrer rückten auf: Dr. *Schrader*, *Beelitz*, Dr. *Eitze*, Dr. *Klee*, die 8. Stelle erhielt Cand. *Schötensack*. Schüler: 208. — Osterprogramm 1843. Inh.: Abh. des Lehrers *H. A. Schötensack*: De genitivi etc. Fasc. II. (21 S.) u. Jahresbericht vom Dir. (—S. 34. gr. 4.) Schüler: 122. Der Lehrer *Beelitz* erhielt den Titel Oberlehrer.

[9781] Torgau. Osterprogramm 1842. Inh.: Abhandlung des Subr. Dr. *Arndt* von den cubischen Resten (S. I—XII.) und Schulnachrichten vom Rector Prof. *G. W. Müller* (S. 1—28. gr. 4.). Der Collab. Dr. *Francke* wurde vom Gymn. zu Herford hieher versetzt, während Dr. *Knoche* dorthin abgegangen war. Schüler: 165. — Osterprogramm 1843. Inh.: „Enarrationis de poëtarum tragicorum apud Graecos principibus part. II. vom Subconr. *Rothmann*"

(12 S.) u. Jahresbericht vom Rector Prof. *Müller* (—S. 32. gr. 4.). Schüler: 156. Der Hülfslehrer *Wehner* wurde als ord. Lehrer am Gymn. zu Herford angestellt, und an seine Stelle trat Cand. *K. A. Lehmann* ein. Der Rector, Prof. *Müller* verliess die Anstalt in Folge seiner Ernennung zum 2. Director des Pädagogiums U. L. Fr. zu Magdeburg, als sein Nachfolger wurde der Conr. Prof. *Sauppe* designirt und seitdem eingeführt.

[9782] Wittenberg. Das Herbstprogramm 1842 vom Prof. Dr. *Hm. Schmidt* zum Antritt des Rectorats enthält eine Abhandlung: De verbi graeci et latini doctrina temporum (8 S. gr. 4.) — Osterprogramm 1843. Inh.: „Quaestionum de Xenophontis Agesilao part. II. Scr. Dr. *Lud. Breitenbach*" (10 S.) u. Jahresbericht des Dir. u. Prof. Dr. *Schmidt* (—S. 43.). Letzterer enthält zuletzt den Nekrolog des Dir. *Spitzner* (gest. 2. Jul. 1841), welcher um die Anstalt grosse Verdienste sich erworben hat. *Sp.* hat von 1816—1842 608 Schüler aufgenommen, von welchen 171 zur Universität abgegangen sind, die hier namentlich aufgeführt werden. Der Adj. *Gust. Weidlich*, geb. zu Freiburg an d. Unstrut am 21. Apr. 1808, starb am 21. Dec. 1841, dessen Nachfolger wurde der Lehrer am Gymn. zu Schleusingen Dr. *L. Breitenbach*. Schüler: 124.

[9783] Zeitz. Osterprogramm 1842. Inh.: „Es hat keinen Sängerkrieg zu Wartburg gegeben. Eine ästhetisch-krit. Einleitung zur Erklärung u. Beurtheilung der unter dieser Ueberschrift vorhand. Gedichte. Vom Oberl. Dr. *J. K. Fr. Rinne*" (26 S.) u. Nachrichten üb. das Schuljahr 1841—42 vom Rector, Prof. Dr. *Kiessling* (—S. 34. gr. 4.). Die Lehrer *Peter*, Dr. *Feldhügel* u. Dr. *Rinne* erhielten das Prädicat Oberlehrer, und es wurden unter die Lehrer 800 Thlr. als Gratification vertheilt. Schüler: 78. — Das Osterprogramm 1843 enthält eine Abh. des Lehrers d. Math. u. Physik Dr. *Mor. W. Grebel* über Linsengläser mit Rücksicht auf ihre Dicke (32 S. nebst 1 lithogr. Beilage) u. den Jahresbericht des Dir. (—S. 38. gr. 4.) Schüler: 90. Der bisherige Mathematicus, Oberlehrer Dr. *Grebel* am ev. Gymn. zu Glogau wurde in gleicher Anstalt hier angestellt, der interim. Verweser dieser Stelle *Heyer* aber nach Glogau versetzt.

Provinz Schlesien.

[9784] Breslau. *Elisabetanum.* Herbstprogramm 1842 vom Rect. u. Prof. Dr. *Sam. Gfr. Reiche*. Inh.: „De ab praepositionis usu Plautino scr. Dr. *C. F. Kampmann*" (35 S.) u. Jahresbericht vom Dir. (—S. 41. gr. 4.) Schüler. 251. Der Oberlehrer *Kämp* wurde Rector an der Bürgerschule zu St. Bernhardin. — Das Osterprogramm 1843 enthält: Geschichte des Gymnasiums zu St. Elisabet von d. Rector. 1. Periode von der Errichtung der Elisabetschule bis zu deren Erhebung zu einem Gymnasium 1293—1592. (46 S.) u. Jahresbericht von dems. (—S. 60. gr. 4.) Schüler: 229, wovon 14 in I., 26 in II., 38 in III., 50 in IV., 54 in V. u. 47 in VI. sassen. Der 7. College *Slotta* starb am 23. Mai 1842. An dessen u. die nach *Kämp's* Abgang vacante Stelle rückten als 7. u. 8. College die Candd. *Hänel* u. Dr. *Körber* ein.

[9785] Breslau. *K. Friedrichs-Gymn.* Osterprogramm 1842 vom Dir. u. Prof. Dr. *K. L. Kannegiesser*. Inh.: Abh. des Prof. *J. K. Tobisch* über Projectionen u. geograph. u. astronomische Planiglobien aus d. Ital. (12 S. nebst 1 lithogr. Taf.) u. Jahresbericht vom Dir. (—S. 22. gr. 4.) Schüler: 140. Der franz. Sprachlehrer *Tob Hiller* starb am 22. Juli 1841, ihm folgte im Amte *H. Palis*. Der Lehrer der poln Sprache *Ign. Kotecki* wurde Rector in Kosten, sein Nachfolger war *A. M. Wroblewski*. — Osterprogramm 1843 vom Prof. *Fr. Wimmer*. Inh.: „Carminis de Deo, quod Dracontius scripsit, librum tertium ex cod. Rehdig. emend. ac supplevit *C. E. Graeser*" (25 S.) u. Jahresbericht vom Dir. u. Prof. Dr. *Kannegiesser*. (—S. 34. gr. 4.) Das Lehrercollegium bestand aus den Professoren Dr. *Kunisch*, *M. Tobisch*, *Wim-*

mer, den Oberlehrern M. *Mücke*, *Woltersdorf* u. *Tobisch*, den Lehrern *Gläser* u. *Wagner*, den Hülfslehrern Past. *Schilling*, Lic. *Rhode*, Dr. *Otto* u. den Lehrern *Wróblewski*, *Haberstroh* u. *Düflos*. Schüler: 145. Der Dir. *Kannegiesser* wurde auf sein Ansuchen pensionirt, die Lehrer *Wolfersdorf* u. *Tobisch* erhielten das Prädicat als Oberlehrer.

[9786] Breslau. *K. kathol. Gymn.* Herbstprogramm 1842 vom Dir. u. Prof. Dr. *A. Wissowa.* Inh.: „De pronuntatione *ει* diphthongi vetere et genuina vom Gymnasiall. *Winkler* (22 S.) u. Jahresbericht vom Dir. (- S. 49. gr. 4.) Schüler: 516 in 7 Classen, (I. 96, II. 62, III. 59, IV. 67, V. 103, VI. 84, VII. 58). Cand. Dr. *Sondhaus* wurde Hülfslehrer an der Ritterakademie zu Liegnitz.

[9787] Breslau. *Magdaleneum.* Osterprogramm 1842 vom Dir., Rect. u. Prof. Dr. *K. Schönborn*. Inh.: „Panyasidis Halicarn. Heracleadis fragmenta praemissa de eius vita et carminibus commentatione ed. Dr. *Jo. Pistoth. Tzschirner*“ (71 S.) und Jahresbericht vom Director, (—S. 87. gr. 4.) Schüler: 488. Dr. *Marckscheffel* wurde Hülfslehrer, später aber an das Gymn. zu Hirschberg versetzt, der Cand. Dr. *Beisert* trat an dessen Stelle. — Osterprogramm 1843. Inh.: „De Chaeremone poeta tragico scr. et fragmenta exhibuit Dr. *H. Bartsch*“ (52 S. diese u die von T. sind für den Freund der griech. Alterthumswissenschaft sehr beachtungswerthe Monographien) u. Jahresbericht vom Dir. (—S. 64. gr. 4.) Schüler: 539 in 10 Classen, (in I. 43, II. 39, III.ᵃ 44, III.ᵇ 55, IV. 61, V. 69, VI. 74, in den 3 Elementarclassen 154. Darunter waren 455 evang. 23 kath, 61 jüdische Schüler. Für Schüler, welche nicht Griechisch lernten, waren physikalische, chemische und französ. Unterrichtsstunden in II. u. III.ᵃ u. ᵇ, französ. u. Rechenstunden in IV., für die im Stimmenwechsel begriffenen Schüler deutsche Sprachstunden in III.ᵃ u. ᵇ, latein. Extemporalien in IV. angeordnet. Vor dem 10. Jahre soll nach einer mitgetheilten Verordnung kein Schüler in die Sexta eines Gymnasiums aufgenommen werden.

[9788] Brieg. Herbstprogramm 1842 vom Dir. u. Prof. *K. E. G. Matthison*. Inh.: Momente aus der Geschichte des k. Gymn. zu Brieg. In Form der Rede vom Dir. (13 S.) u. Jahresbericht von dems. (—S. 29. gr. 4.) Schüler: 176.

[9789] Glatz. Herbstprogramm vom Dir. des kathol. Gymn. Dr. *Jos. Müller*. Inh.: Chronik des kath. Gymn. zu Glatz von 1194 der Gründung der hiesigen Malteser-Commende bis 1776 zur Aufhebung der Jesuiten hieselbst, von dems. (28 S.) u. Jahresbericht. (— S. 34. gr. 4.) Schüler: 176.

[9790] Gleiwitz. Das Herbstprogramm 1842 des k. kath. Gymnasiums vom Dir. u Prof. Dr. *Jos. Kabath* enthält eine Abh. des Oberl. *Th. Liedtki* „Andeutungen üb. den Entwickelungsgang der deutschen Geschichtschreibung“ (34 S.) u. den Jahresbericht des Dir. (—S. 56. gr. 4.) Schüler: 305.

[9791] Glogau. *K. evang. Gymn.* Herbstprogramm 1842 von dem Dir. Dr. *C. D. Klopsch*. Inh.: Die Strahlenbrechung in einarigen Mitteln, graphisch dargestellt von Dr. *M. W. Grebel*, Oberl. der Math. u. Phys. (14 S.) u. Jahresbericht vom Dir. (— S. 27. gr. 4.) Schüler: 199. Vgl. No. 9783.

[9792] Glogau. *K. kathol. Gymn.* Herbstprogramm 1842 vom Dir. Dr. *Edu. Wentzel*. Inh.: Ueber die Verwandtschaft der slawischen mit der griech., lat. u. deutschen Sprache vom Oberl. *Fd. Minsberg*“ (8 S. u. Jahresbericht vom Dir. (—S. 29. gr. 4.) Schüler: 179. Der Oberl. *M. Fr. Xaver Schubert*, geb. zu Wilhelmsthal in d. Grafsch. Glatz den 30. 1779, starb am 15. Febr. auf einer zur Herstellung seiner Gesundheit unternommenen Reise im Bade zu Landeck. Als Rechnungsführer der Schule folgte ihm der Gymnasiall. *Kaysler*.

[9793] Görlitz. Als Programm zur Feier des v. Gersdorfschen u. Gehlerschen Gedächtnissactus erschien: Verzeichniss u. Beschreibung einiger Handschriften der Milichschen Gymnasialbibliothek. Appendix: Incerti auctoris Versus heroici de figuris et de prosodia, Fragmenta, vom Conr. Dr. *E. E. Struve.* (20 S. gr. 4.) Das Programm zu der Gregoriusfeierlichkeit am 10. Jan. 1842 vom Rector u. Prof. Dr. *K. G. Anton* enthält ein Verzeichniss der Lehrer am Gymn. im 4. Jahrzehend des 19. Jahrh. u. der von ihnen in dieser Zeit herausgegebenen Schulschriften, nebst e. Uebersicht des Schulbesuchs in dem 4. Jahrzehend u. aller Lehrer in den ersten 40 Jahren. 43. Beitrag der Materialien zu e. Geschichte des Görlitzer Gymn. im 19. Jahrh. vom Rector. (18 S. gr. 4.) — In dem Programm zur Osterprüfung gab Hr. Rect. *Anton* den 44. Beitrag der Materialien u. s w. (26 S. gr. 4.) Schüler: 72. — Programm des Rector *Anton* zu dem Sylvestersteinschen Redeacte am 11. Mai 1842: Praemittitur comparationis libr. sacrorum V. F. et scriptorum profanorum graecorum latinorumque eum ad finem institutae, ut similitudo, quae inter utrosque deprehenditur, clarius appareat, pars XI. (16 S. gr. 4.) — Das Programm zur Feier des v. Gersdorfischen u. Gehler'schen Gedächtnissactus am 28. Nov. 1812 vom Oberlehrer *K. W. Kögel* hat den Titel „Lehrgang u. Ergebnisse beim Unterricht in der französ. Sprache" (15 S. gr. 4.). — Das Osterprogramm 1843 vom Rect. u. Prof. Dr. *Anton* enthält Materialien zu einer Geschichte u s. w. 45. Beitrag. (28 S. gr. 4.) Schüler: 68. Der Collab. *J. Gfr. Wiedemann* wurde zum Oberlehrer ernannt.

[9794] Hirschberg. Herbstprogramm 1842. Inh.: „Bemerkungen über die Glaubwürdigkeit der Commentarien Cäsars von d. gall. Kriege, von dem 2. Collegen, *K. Krügermann*" (16 S.) u. Jahresbericht vom k. Dir. u. Rect. Dr. *K. Linge.* (— S. 32. gr. 4.) Schüler: 127.

[9795] Lauban Osterprogramm 1842 vom Rector Dr. *W. Schwarz.* Inh.: Rede zur Geburtsfeier Sr. M. des Königs Fr. Wilhelm IV. (10 S.) u. Jahresbericht (—S. 24. gr. 4.) In letzterem fehlen statistische Angaben. — Das Osterprogramm 1843 enthält eine Uebersetzung der Reden des Dinarch wider Aristogeiton u. Philocles mit einigen Anmerkk. vom Conr. Dr. *Falk* (18 S.) u. den Jahresbericht vom Rector. Der Cantor u. Oberlehrer *Böhmer* starb am 17. März 1843. Der College *Haym* wurde zum Oberlehrer ernannt. Schüler: 110.

[9796] Leobschütz. Herbstprogramm 1842 vom Dir. des k. kath. Gymn. Dr. *Krahl.* Inh.: Jahresbericht von dems. (14 S.) u.: „De Aoristi graeci forma significationi conveniente scr. *Troska*". (15 S. gr. 4.) Schüler: 202. Der Oberlehrer *Hunt* war am 22. Jan. 1842 gestorben.

[9797] Liegnitz. *Kön. u. städt. Gymn.* Osterprogramm 1842 vom Dir. u. Hauptmann a. D. M. *J. K. Köhler.* Inh.: Ueber Sophokleische Naturanschauung. Von dem Prorect. Dr. *Ed. Müller* (34 S.) u. Jahresbericht vom Dir. (— S. 50. gr. 4.) Schüler: 220. Prorector Dr. *Müller* (Otfr. Müller's Bruder, geb. zu Brieg am 12. Nov. 1804) wurde vom Gymn. zu Ratibor, wo er seit 1826 thätig gewesen, hierher berufen und trat am 9. Juli sein Amt an. — Osterprogramm 1843. Inh.: Shakspeare u. seine deutschen Uebersetzer, eine liter.-linguistische Abhandlung von d. Conr. *K. Assmann* (32 S.) u. Jahresbericht von dem Dir. (—S. 48. gr. 4.) Schüler: 231.

[9798] Liegnitz. *Kön. Ritterakademie.* Osterprogramm 1842 von dem Dir. u. Geh. Reg.Rath *H. H. v. Schweinitz.* Inh.: Geschichte der k. Ritterakademie (Fortsetzung) vom Lehrer u. Insp. *Blau* (48 S.) und Jahresbericht vom Dir. (2 S. nebst 1 lithogr. Beilage, die Studien- u. Lebensordnung enth.) Schüler: 121. Der Prof. *W. Franke* erhielt den rothen AO. 4. Cl. Prof. Dr. *Richter* legte am 8. Jul. 1841 sein Amt nieder, um in sein Vaterland zurückzugehen, und privatisirt jetzt in Leipzig. Die Candd. Dr. *Hertel* u. Dr. *Sondhaus* wurden als Lehrer u. Aufseher angestellt. An die Stelle des pens. *Rimay* trat Schreibelehrer *Weidner* ein. Nach der Bestimmung des

Comités des bei der Anwesenheit des Königs in Breslau von der Ritterschaft u. d. Ständen Schlesiens veranstalteten Festes erhielt die Anstalt 4376 Thlr. als den Ueberschuss der von den Ständen hierzu zusammengelegten Gelder zu Stipendien. Durch kön. Verfügung wurde auch der v. Rothkirch'sche Stiftungfonds von 10,000 Thlrn. wieder hergestellt. — Osterprogramm 1843. Inh.: „Disputationes scenicae (I. De thymele, II. De triplici pantomimorum genere) scr. Dr. *Jul. Sommerbrodt*" (24 S.) u. Jahresbericht vom Dir. Schüler: 161.

[9799] Neisse. Herbstprogramm 1842 von dem Dir. des kath. Gymn. u. Prof. *Scholz*. Inh.: „Andeutungen u. Wünsche in Beziehung auf die pädagog. Bestrebungen des Gymnasiums vom Oberlehrer Dr. *Schober*" (14 S.) u. Jahresbericht vom Dir. (—S. 33. gr. 4.) Schüler: 318.

[9800] Oels. Osterprogramm 1842 vom Dir. Dr. *Lange*. Inh.: Versuch einer Geschichte des herzogl. Gymnasiums zu Oels. 2. Abth. 1. Abschnitt. Vom 4. Collegen *Leissnig* (27 S.) u Jahresbericht vom Dir. (—S. 42. gr. 4.) Schüler: 160. — Osterprogramm 1843. Inh.: „Observationes criticae in Iliadis librum alt. vom Dir. Dr. *Lange*" (25 S.) u. Jahresbericht von dems. (—S. 40. gr. 4.) Schüler: 161.

[9801] Oppeln. Herbstprogramm 1842 vom Dir. des kath. Gymn. Dr. *A. Stinner*. Inh.: „Reihen höherer Ordnung (arithmetische, geometrische u. Differenzreihen) vom Oberl. *Fiebag*" (18 S) u. Jahresbericht vom Dir. (—S. 42. gr. 4.) Schüler: 200. Am 2. Oct. 1841 erlangte der vorige Dir. *Plehatzek* seine Pensionirung. Der Oberl. Dr. *Stinner* wurde hierauf zum Director ernannt, und die Oberlehrer Dr. *Ochmann* u. Dr. *Wagner* rückten auf. Der Oberl. Dr. *Peschke* wurde mit einer persönlichen Zulage von Ratibor hierher berufen, u. überdiess Gehaltszulagen den Lehrern *Huss*, *Haller* u. Dr. *Enger* ertheilt.

[9802] Ratibor. Osterprogramm 1842. Inh.: Verzeichniss der röm. Münzen des Gymnasiums Vom Dir. *Ed. Hänisch* [mit Erklärungen derselben in lat. Sprache] (20 S.) u. Jahresbericht von dems. (—S. 37. gr. 4.) Schüler: 286. Cand. Dr. *Fr. Jul. Schmidt* wurde als Hülfslehrer angestellt, u. als an die Stelle des verstorb. Conr. *Pinzger* der Lehrer *Keller* vom Gymn. zu Schweidnitz hier eintrat, als dessen Nachfolger dorthin versetzt. Der Prorector Dr. *Ed. Müller* wurde in gleicher Eigenschaft an das Gymn. nach Liegnitz, an dessen Stelle aber als Prorector der Oberl. Dr. *Mehlhorn* vom Gymn. zu Glogau hierher versetzt. Der Oberl. *Peschke* ging als Mathemat. an das kath. Gymn. nach Oppeln u. seine Stelle nahm der bish. Hülfslehrer *Fülle* ein. — Das Osterprogramm 1843 enthält ein Sendschreiben vom Prorector Dr. *Fr. Mehlhorn* an Hrn. Prof. Ahrens über die Verlängerung durch die Liquida bei den Epikern (16 S.) u. den Jahresbericht vom Dir. *Hänisch*. (—S. 29. gr. 4.) Schüler: 295.

[9803] Schweidnitz. Osterprogramm 1842 vom Rector Dr. *Jul. Held*. Inh.: Comment de Platonis Phaedone von dem Collegen *J. Jul Guttmann* (16 S.) u. Jahresbericht vom Rector. (16 S. gr. 4.) Schüler: 173. Der bisher. Hülfslehrer zu Ratibor Dr. *Schmidt* wurde 4. College u. Ordin. in V. Der emer. Mathemat. *Nachersberg* starb im Aug. 1841. Als Hülfslehrer traten die Candd. *Rösinger* u Dr. *Hartmann* ein. — Osterprogramm 1843 vom Rector Dr. *Jul. Held*. (15 S.) Schüler: 158 (131 evang., 16 kath. u. 11 jüdischen Bekenntnisses). Am 24. Dec. 1842 starb der 3. Lehrer *J. A. Lange*, geb. zu Greiffenberg am 19. Nov. 1794. Als besonders gedruckte Beilage erschien: Gerbert oder Papst Sylvester II. als Freund u. Förderer classischer Studien vom Gymnasiall. Dr. *Fr. Jul. Schmidt*. (17 S. gr. 4.)

[9804] Sagan. Das Programm zur Herbstprüfung des Progymnasiums im J. 1842 vom Rector Dr. *Flögel* enthält eine Abh.: „De via, qua Hannibal in Gallia ad Alpes progressus est, annott. ad Liv. hist. libr. XXI. scr. *C. Franke*"

(12 S.) u. Schulnachrichten vom Rector. (—S. 19. gr. 4.) Schüler: 138 in 6 Progymnasialclassen u. einer Realclasse.

Provinz Westfalen.

[9805] **Arnsberg.** Das Herbstprogramm des Laurentianum v. J. 1842 enthält eine Abh. „De Saxonum saeculi X. moribus et artium litterarumque cultu vom Oberl. *Pieler*" (32 S.) u. den Jahresbericht vom Dir., Prof. *Ph. Baaden* (19 S. gr. 4.). Schüler: 106.

[9806] **Bielefeld.** Osterprogramm 1842 vom Dir., Prof. Dr. *C. Schmidt*. Inh.: „Beobachtungen am Barometer u. deren Benutzung zu Höhenbestimmungen vom Oberl. *Bertelsmann*" (15 S.) u. Jahresbericht vom Dir. (—S. 34. gr. 4.) Schüler: 168 in 7 Classen, von welchen die 3. u. 4. auch Realparallelclassen hat. Als Mathematicus wurde an die Stelle des an das Fr.-Wilhelmsgymn. nach Berlin versetzten *Riebe* der bisher. Lehrer am Gymn. zu Minden *Collmann* angestellt, der Lehrer *Wortmann* aber in die Stelle des verstorb. Coll. IV. Dr. *Heidbreede* definitiv eingesetzt.

[9807] **Coesfeld.** Herbstprogramm 1842 vom Dir. Prof. *B. Sökeland*. Inh.: Bruchstück einer Untersuchung üb. die Zeitfolge der Horazischen Gedichte [II, 6. u. 7. III, 13. u. 21.] von dems. (17 S.) u. Jahresbericht (—S. 27. gr. 4.) Schüler: 118 in 7 Classen.

[9808] **Dorsten.** Das hiesige Progymnasium beging am 26. Oct. 1842 die 2. Säcularfeier, vgl. Beschreibung der zweiten Säcularfeier des Progymn. zu Dorsten, nebst einer kurzen Geschichte der Stadt, des Franziskanerklosters u. Progymnasiums, von *Jos. Buerbaum*, Oberlehrer. Münster, Coppenrath'sche Buchh. 1843. 66 S. 8. (7½ Ngr.)

[9809] **Dortmund.** Osterprogramm 1842 vom Dir. Dr. *Bhd. Thiersch*. Inh.: Geschichte des Gymn. bis 1800 vom Dir. (34 S.) u. Jahresbericht (—S. 42. gr. 4.). Schüler: 123. Der Oberlehrer *Thd. Vollmann*, Lehrer der Math., Naturwiss. u. neueren Sprachen, geb. zu Halver am 22. Aug. 1786, starb am 9. Aug. 1841. Der Pfr. *K. J. Abr. Kerlen*, seit 1825 Lehrer u. Ord. in IV., nahm seine Entlassung. Durch einen Zuschuss aus Mitteln des Staats u. der Stadt wurde die Anstellung eines Lehrers der technischen Fächer möglich und der Hülfslehrer *Pilling* vom Archigymnasium zu Soest hieher versetzt. Der Cand. *Em. Becker* wurde nach Beendigung seines Probejahres als Lehrer der Mathem. angestellt, als Lehrer der Naturwiss. aber *K. Gröning*, nachdem er an der höh. Bürgerschule zu Siegen sein Probejahr zurückgelegt hatte. Die 2 Realclassen, von denen die I., aus nichtstudirenden Tertianern u. Secundanern bestehend, für sich allein u. theils mit II., theils mit III., die 2. neben IV. für sich allein Unterricht hat, erhielten nach Vermehrung der Lehrkräfte mehr Lehrstunden.

[9810] **Hamm.** Osterprogramm 1842 vom Dir. Dr. *Fr. Kapp*. Inh.: „Zur Methodik des Unterrichts in der lat. Sprache vom Dir." (10 S.) u. Jahresbericht (—S. 22. gr. 4.). Schüler: 93. Cand. *Seiling* trat, nachdem er das Conrectorat am Progymn. zu Brilon 1 Jahr versehen, wieder als Hülfslehrer hier ein.

[9811] **Herford.** Osterprogramm 1842 vom Dir. Dr. *Schöne*. Inh.: „Auctorum qui choliambis usi sunt Graecorum reliquias collegit et illustr. Dr. *Jos. H. Knoch*, Conr. Fasc. I." mit einer Zueignung an Prof. *Sauppe* in Torgau (12 S.) u. Jahresbericht vom Dir. (—S. 24. gr. 4.) Schüler: 91. Der Conr. Dr. *L. A. Francke* ging an das Gymn. nach Torgau über.

[9812] **Minden.** Osterprogramm 1842 vom Dir. Dr. *Imanuel*. Inh.: „Dr. *Fr. Dornheim*, additamenta ad theoriam superficierum secundi ordinis" (10 S.) u. Jahresbericht vom Dir. (—S. 20. gr. 4.) Schüler: 143 in 6 Gymnasial- u. 2 Realclassen, aus welchen 2 zum erstenmal das neu vorgeschriebene

Entlassungsexamen bestanden. Ins Lehrercollegium trat nach *Collmann's* Weggang Dr. *Dornheim* ein. Nach Erledigung der Stelle des kranken Oberlehrers Dr. *Wirth* rückte der Oberl. *Zillmer* auf, u. die 5. Lehrerstelle wurde dem Lehrer Dr. *Horrmann* vom Pädagogium zu Magdeburg übertragen.

[9813] Münster. Herbstprogramm 1842 vom Dir. Dr. *Stieve*. Inh.: „Homeri et Attica vicissim comparata dictio cum utriusque aliqua aetatis recensione. Vom Oberl. *Limberg*." Schüler: 355. Der bisher. Dir. u. Prof. *Nadermann* wurde Domcapitular. Ihm folgte im Schulamt Dr. *Stieve*, welcher früher als Oberlehrer zu Arnsberg u. zu Münster, zuletzt als Dir. zu Recklinghausen fungirt hatte.

[9814] Paderborn. Als Herbstprogramm des Theodorianum erschien im J. 1842 ein Jahresbericht vom Dir. Prof. *Gundolf* (26 S. gr. 4.). Schüler: 376. An die Stelle des Oberl. Dr. *Luke* wurde Cand. *Cl. Jahns* aus Essen definitiv angestellt. Cand. *Schöttler* setzte sein angefangenes Probejahr am Progymn. zu Brilon fort, und Cand. *Rören* erhielt am Progymn. zu Wartburg eine ständige Anstellung.

[9815] Recklinghausen. Das Herbstprogramm 1842 vom Oberl. *W. Caspers* enthält eine Abh. desselben üb. die nahe Verwandtschaft der französ. mit der lateinischen Sprache (20 S.) u. den Jahresbericht (— S. 35. gr. 4.). Schüler: 113. Der Dir. Dr. *Stieve* wurde Dir. des Gymn. zu Münster.

[9816] Siegen. Osterprogramm der höhern Bürger- u. Realschule 1842 vom Dir. Dr. *Suffrian*. Inh.: „Lessing als Dramatiker von Dr. *Hölscher*" (18 S.) u. Schulnachrichten vom Dir. (— S. 34. gr. 4.) Schüler: 120, 9 in I., 12 in II. a, 16 in II. b, 28 in III., 19 in IV., u. 36 in V. Dr. *Schnabel* wurde zum Oberlehrer, der Pred. *Trainer* zum Religionslehrer der 2. Religionsclasse, Pred. *Kreutz* zum Lehrer der 1. ernannt. Die latein. Sprache wird von V. an gelehrt. In Prima, wo Livius u. Virgil gelesen u. Extemporalien vorgenommen werden, widmet man dieser Sprache im Ganzen wöchentlich 4 Stunden. Von IV. an wird französischer, von Untersecunda an englischer Unterricht ertheilt.

[9817] Soest. Osterprogramm 1842 des Archigymnasium vom Dir. Dr. *Patze*. Inh.: „Ueber die Reibungselektricität vom Oberl. *C. Koppe*" (20 S.) u. Jahresbericht vom Dir. (— S. 30. gr. 4.) Schüler: 119. Eine Verordnung der vorgesetzten Behörde bestimmt, dass den Directoren das Recht, die Verweisung von Schülern als Strafe auszusprechen, auch ohne Zustimmung des städtischen Vorstandes zustehe; eine andere Verordnung bewilligt auf Antrag der im v. J. zu Arnsberg gehaltenen Conferenz den Rectoren der Provinz jährlich 67 Ferientage zu den 3 hohen Festen und vom 1. Sept.—7. Oct.

Gymnasien des Kön. Sachsen.

[9818] Budissin. Programm zum Osterexamen 1843. Inh.: „Praemissa est pars prior disputationis ab *Ern. Fr. Leopoldo*, theol. Lic., D. ph., Colleg. VIII. scriptae, qua exponitur quae Hermogenis de mundi origine fuerit sententia" (17 S.) u. Schulnachrichten vom Rector *M. Fr. W. Hoffmann* (4 S. gr. 4.). Die Abhandlung besteht aus folgenden Abschnitten: 1. Einleitung; 2. E quibus fontibus notitia Hermogenis haurienda sit (aus Tertullian); 3. Patria et vita Hermogenis; 4. Cur Hermogenes Deo aeterno opposuerit materiem aeternam; 5. Natura materiae et quae ei cum Deo intercedat ratio. — Der 8. Lehrer *Jul. Graf*, welcher vom Mai 1841 bis zum Oct. 1842 hier thätig war, wurde Pfarrer zu Oppach, u. ihm folgte im Schulamte der bish. 5. Lehrer des aufgehobenen Gymnasiums zu Annaberg *Leopold*. Der am 7. Aug. 1843 verstorbene Rector *Siebelis* übergab dem Gymn. 100 Thlr. mit der Bestimmung, dass die Zinsen jährlich als Prämie demjenigen Primaner gegeben werden sollen, welcher die beste poet. oder prosaische Aufgabe in lateinischer Sprache fertigen würde. Schüler: 124.

[9819] Dresden. Programm zur Osterprüfung an der Kreuzschule 1843. Inh.: „*Arm. Koechly* de lacunis in Q. Smyrnaeo quaestio" (31 S.) u. Schulnachrichten vom Rect. *Gröbel* (—S. 44. gr. 4.). An die Stelle des Mathematicus *Snell*, welcher zu Ostern 1842 abging, trat der bish. Lehrer der Mathem. an der Gewerbschule zu Chemnitz Dr. *H. R. Baltzer* (geb. zu Meissen am 27. Jan. 1818). Der 1. Collab. *Max Hallbauer* wurde Diak. zu St. Petri in Rochlitz, ihm folgte der bish. 2. Collab. *L. Götz* mit dem Prädicate eines Oberlehrers, und die folgenden Collaboratoren *Lindemann*, *Grässe* u. *Albani* rückten gleichfalls auf. Schüler: 303.

[9820] Freiberg. Programm zu dem Gedächtnissact mehrerer Wohlthäter des Gymn. am 18. Mai 1843. Inh.: „De aliquot locis Isocratis scr. *Rob. Thd Brause*" (22 S.) u. Schulnachrichten vom Conr. *Döring* und vom Rector Prof. *Frotscher* (—S. 24. gr. 4.). Anstatt des an die Univ. Leipzig berufenen Prof. *Naumann* trat in die Gymnasialcommission im J. 1842 der Kreisamtmann *Cuno*. Das Patronat des Gymn. ging von dem Stadtrath an das Cultusministerium über, der bish. Rector *C. A. Rüdiger* wurde pensionirt, und am 10. Jan. d. J. Prof. *Frotscher*, bish. Rector an dem eingezogenen Gymnasium zu Annaberg, als Rector des Gymn. zu Freiberg eingeführt. Schüler: 96.

[9821] Grimma. Der bish. Rector der Landesschule *Weichert* trat in den Ruhestand, Prof. *Wunder* wurde zu dessen Nachfolger ernannt und am 26. Jan. d. J. eingnführt. Eine bei dieser Veranlassung vom Prof. *Lorenz* in seinem und der übrigen Collegen Namen verfassten Gratulationsschrift enthält ausser der Zuschrift an *Wunder* eine gründlich gearbeitete Untersuchung „De praetoribus municipalibus" (18 S. gr. 4.).

[9822] Leipzig. *Nicolaischule.* Die Einladungsschrift zum Valedictionsacte einiger auf die Univ. abgehenden Schüler am 18. Mai 1843 enthält eine Abh. des Coll. IV. Dr. *Rob. Naumann* über einige Handschriften von Hans Sachs nebst einigen ungedruckten Gedichten dieses Dichters (35 S.) u. den Jahresbericht vom Rector Prof. *Nobbe* (—S. 64. gr. 8.). Die Abhandlung giebt nach einigen allgemeinen und schätzbaren bibliograph. Bemerkungen einen Bericht über 6 Dresdner Handschriften, über die der Leipz. Stadtbibliothek und über die Zwickauer und dann 7 gut gewählte Gedichte des Hans Sachs mit erklärenden Scholien. Der bisher. 6. Lehrer Dr. ph. *Palm* wurde als 3. Prof. an die k. Landesschule zu Grimma berufen. An die Stelle des am 25. Jan. verstorbenen Lehrers der Math. u. Physik, des akad. Privatdoc. Dr. ph. *K. W. Hm. Brandes* (vgl. No. 718.) trat der Privatdoc. Dr. *Gha. Osw. Marbach* ein, der bish. 2. Adj. Dr. ph. *Kreussler* rückte auf, und zum 2. Adjunct wurde Dr. ph. *Fritzsche* aus Leipzig ernannt. Schüler: 103.

[9823] Leipzig. *Thomasschule.* Zur Jahresfeier am 31. Dec. 1842 lud der Rector Prof. *Gfr. Stallbaum* durch die oben (No. 9682 q.) verzeichnete umfangreiche und gehaltvolle Schrift (110 S. gr. 8.) ein. Sie gestattet hier keinen Auszug, verdient aber in weiteren Kreisen gelesen und beherzigt zu werden und wird auch in biograph. u. literarhistorischer Beziehung (z. B. üb. *Seth. Calvisius*, *J. Hm. Schein*, *J. Kuhnau*, *J. Seb. Bach*, *J. Fr. Doles*, *J. Ad. Hiller* u. And.) Vielen willkommen sein. Als Cantor u. Musikdirector war an *Weinlig's* Stelle († 7. März 1842) am 12. Sept. 1842 Hr. *M. Hauptmann*, bisher in Cassel, eingeführt worden. — Das Osterprogramm 1843 enthält eine commentatio de persona Euripidis in ranis Aristophanis (33 S.) u. Schulnachrichten (—S. 48. gr. 4.), beide vom Rect. Prof. *Stallbaum*. Der Collega IV. M. *Mor. Aug. Dietterich* starb am 14. Jan. 1843. An dessen Stelle rückte der bisher. Coll. VI. *Koch*, in dessen Stelle der bisher. Adj. *Brenner* auf, die Stelle als 1. Adj. erhielt *Haltaus*, zum 2. Adjunct wurde der Hülfslehrer *Jacobitz* ernannt. Der Stiftungsfond der Anstalt wurde von dem Pred. Dr. *Witte* in Berlin durch Zulage von 500 Thlr. zu seiner Prämienstiftung vermehrt, u. der verstorb. Hofr. *Rochlitz* überliess ihr aus seiner Musikaliensammlung die geistlichen Musiken. Die Schülerzahl betrug mit Einrechnung der 60 Alumnen 212.

[9824] Meissen. Die k. Landesschule zu St. Afra, welche gleichzeitig mit Pforta und Merseburg (später nach Grimma verlegt) durch Kurf. Moritz von Sachsen im J. 1543 gestiftet worden ist, beging feierlich das 3. Säcularfest ihres Bestehens am 2., 3. u. 4. Juli d. J. Zahlreich waren aus allen Theilen Deutschlands, und selbst aus dem Auslande ehemal. Zöglinge der ehrwürdigen Anstalt herbeigekommen, um Theil zu nehmen an der allgemeinen Festfreude und der froh verlebten Jugendjahre im Kreise der ehemal. Commilitonen dankbar sich zu erinnern. Unter den literarischen Festgaben nennen wir zunächst die Einladungsschrift des Rector u. Prof. *Detl. C. W. Baumgarten-Crusius*, in welcher eine gelehrte Abhandlung vom Oberl. (nunmehr. Prof.) *Fr. Kraner:* narratio de humanitatis studiorum quinto et sexto decimo saeculo in Germania origine et indole (S. 1—39), dann Jo. Rivii vita descripta a Geo. Fabricio (—58) u. der Jahresbericht des Rectors (—72. gr. 4.) enthalten ist. Vom Prof. *Diller* erschien ein Carmen saeculare (1 Bog. gr. 4.) und vom Prof. *Fr. M. Oertel* eine werthvolle historische Untersuchung u. d. T.: Das Münster der Augustiner Chorherren zu St. Afra in Meissen. Eine Säcularschrift — aus archival. Quellen dargestellt (Leipz., Reclam sen. VIII u. 142 S. gr. 8. 20 Ngr.). Die Schwesteranstalt Pforta begrüsste die zu Afra mit einer gel. Abhandlung des Prof. *Keil* „Vindiciae onomatologicae“ (Numb. 15. S. hoch 4.), mit gedruckten lat. Votivtafeln die Landessch. zu Grimma, die Nicolai- u. d. Thomassch. zu Leipzig, die Kreuzsch. u. das Vitzthumsche Geschlechtsgymn. zu Dresden, das Pädagogium zu U. L. Frauen in Magdeburg u. and., die Zöglinge der Landessch. zu Grimma mit einer lat. Ode u. s. w. Gedruckt wurden ferner die Festpredigt von dem Religionsl. *Hm. Schlurik* (Meiss., Klinkicht. 19 S. gr. 8.), die lat. Festrede des Rectors (Ebend. 8 S. gr. 4.) ein Carmen inter sacra scholae Afranae saecularia — in veterum Afranorum coetu recitatum a Dr. *J. Th. Kreissigio*, ill. Afranei Prof. II. (Ebend. 1½ Bog. gr. 4.), und einige Schriften, z. B. vom CRath Dr. *Käuffer* in Dresden u. Prof. *Nobbe* in Leipzig, der Anstalt bei dieser Veranlassung dedicirt. Dem Rector wurde gleichzeitig das Ritterkreuz des k. sächs. Civil-Verdienst-Ordens und von der theol. Facultät zu Jena die Doctorwürde ertheilt. Später erschien noch die Schrift: Lichtbilder der 300jähr. Jubelfeier d. kön. sächs. Landesschule zu St. Afra bei Meissen den 2., 3. u. 4. Juli d. J. Gezeichn. v. e. alten Afraner. Mit Abbild. des Festzuges u. der Festhalle. (30 S. u. 1 lith. Taf. Fol.) Meissen, Goedsche (7½ Ngr.)

[9825] Plauen. Programm zu dem Schulactus am 10. Apr. 1843. Inh.: Eine Uebers. von Statius Sylv. V, 3. v. 1—293 (10 S.) u. der Jahresbericht. (—S. 16. gr. 4.) Beide vom Rector *J. Glo. Dölling*. Das Patronat des Gymnasiums wurde unter d. 31. März d. J. von dem Stadtrath an den Staat abgegeben. Der Vorsitzende der Schulcommission Superint. Dr. *Chr. Ant. Aug. Fiedler* starb am 9. Jan. d. J. Seinem Andenken ist die hier gegebene Uebersetzung des Gedichtes des Statius („den Manen des Vaters“) gewidmet u. an dessen drei Söhne ein elegisches Vorwort beigefügt. Ferner ging aus der Commission Dr. *Lorentz* ab; an dessen Stelle wurde der Bürgermeister *E. W. Gottschalk* gewählt. Schüler: 73.

[9826] Zwickau. Das Programm zu der Osterprüfung 1843 enthält einen sprachlich-sachlichen Commentar zu den beiden ersten Psalmen vom Conr. *Ed. Lindemann* (31 S.) u. den Jahresbericht vom Dir. M. *Fr. Ed. Raschig*. (—S. 43. gr. 8.) Schüler: 139. Im Eingange des Jahresberichts sind die Vorzüge des Staatspatronats vor dem des Stadtrathes hervorgehoben.

Gymnasien des Kön. Hannover.

[9827] Celle. Einladungsschrift zur Osterprüfung 1843 vom Dir. Dr. *Ed. Kästner*. Inh.: „De Iphigenia Aulid. Eur. trag. Scrips. Dr. *J. L. E. Berger*“ (23 S.) u. Schulnachrichten vom Dir. (—S. 36. gr. 4.) Hr. B. bemüht sich die Iphigenia Aul. als ächt zu erweisen und sucht die für die gegentheilige Meinung, besonders von Gruppe aufgestellten Gründe Schritt für Schritt zu entkräften. — Die Beschaffung eines neuen Gymnasialgebäudes wird dankbar gerühmt. Das Lehrercollegium, in welches nach Abgang des Dr. *Müller* nach Göttingen, der Cand. *Hm. Nordtmeyer* eintrat, besteht aus folgenden Mitgliedern: Dir. Dr. *Kästner*, Rect. *Steigertahl*, Oberl. *Hunäus*, Conr. *Hoffmann*, Dr. *Berger*, *Schwarz*, *Nordtmeyer*, Lehr. *Miller*, *Beyer*, *Stolze*, *Dankworth*, *Brosendt*. Schüler: 183 in 7 Classen.

[9828] Clausthal. Die Einladungsschrift des Rector *Elster* zur Osterprüfung 1843 enthält: Einige Bemerkungen zu Platons Ansicht über die Mathematik als allgem. Bildungsmittel vom Rector (10 S.) u. Schulnachrichten. (—S. 16. gr. 4.) Der Vf. zeigt in kurzen Umrissen, wie weit bei Gymnasiasten die mathematische Erkenntniss (*διάνοια* Plat.) geführt werden könne, und, wie bei der häufigen Mangelhaftigkeit derselben wenigstens völlige Unkenntniss zu vermeiden sei. Der Jahresbericht nennt folgende Lehrer: Dir. *Niedmann*, Rect. *Elster*, Conr. Dr. *Urban*, die Subconrectt. *Zimmermann* u. *Schädel*. Die Elemente der Mathem. trug der Lehrer *Müller*, die höhere Wissenschaft Oberl. *Schoof*, Physik der Maschinen-Insp. *Jordan* vor.

[9829] Göttingen. Einladungsschrift des Dir. *A. Geffers* zu der Osterprüfung 1843. Inh.: „Quintiliani vita scr. E. *Hummel*“, Dr. (part. I.) (34 S. gr. 4.) u. Annales gymnasii. — Hr. H. geht von Qu.'s Namen u. Geschlecht aus u. behauptet, dass er um 38 u. zwar zu Calagurris Nassica geboren sei. Er spricht dann üb. die Lehrer desselben, besonders üb. Domitius Afer, seine Reise nach Spanien u. Rückreise; wie u. wie lange er Redner u. Lehrer zu Rom gewesen; über seine Schriften; über die Zeit der Abfassung der Bücher de institutione oratoria. Die auf dem Titel angekündigten Annales gymnasii fehlen in unserm Exemplar.

[9830] Ilefeld. Einladungsschrift des Dir. u. Prof. *E. Wiedasch* zur Osterprüfung der Zöglinge des k. Pädagogiums im J. 1843. Inh.: Ueber den Unterricht in der französ. Sprache u. seine Stellung auf den Gymnasien vom Collab. Dr. *Capelle* (46 S.) u. Schulnachrichten vom Dir. (—S. 56. gr. 4.) Die Anstalt zählt 40 Zöglinge, von welchen 8 ganze und 8 halbe k. Freistellen haben, während 4 ganze der Graf v. Stolberg-Wernigerode, 2 der Graf v. St.-Stolberg u. 2 der Graf v. St.-Rossla unterhält. Lehrer sind: Dir. Prof. *Wiedasch*, Rect. *Aschenbach*, Conr. *Haage*, Subconr. Dr. *Ahrens*, die Collabb. *Hahmann*, Dr. *Volckmar* u. Dr. *Capelle*, Gesangl. *Deppe*. Im vorigen Schuljahre werde statt des Programms der Katalog der Klosterbibliothek gedruckt. Hr. Dr. *Capelle* sucht auf geistreiche Weise nachzuweisen, dass die franz. Sprache als Vertreterin der romanischen Sprachen zur Ergänzung des ganzen Sprachcyclus in dem Gymnasialunterrichte diene, und die formelle u. materielle Bildung, ja die Erweckung u. Entwickelung des Geistes, Gemüthes u. Charakters wesentlich fördere.

[9831] Osnabrück. Einladungsschrift zur Prüfung der beiden obern Gymnasialclassen im Rathsgymn. zu Ostern 1843 verf. von *B. R. Abeken*, Rector. Inh.: Nachricht von dem gegenwärtigen Bestande des Rathsgymn. u. Lehrplan für das Semester (?) Ostern 1842 bis dahin 1843. (20 S. gr. 4.) Der Rector *Abeken* rühmt die Verdienste seines verstorb. Vorgängers des Dir. *Fortlage* um das Gymn. u. die des kurz nachher abgegangenen Cantors *Fortlage*, berichtet dann die Anstellung zweier Lehrer, des Dr. *Ringelmann* u. des Cand. *Hartmann*, von denen der erste bis dahin Lehrer am Gymn.

zu Lüneburg gewesen. Die Lehrer der Anstalt sind: Rect. *Abeken*, Conr. *Stüve*, Subconr. *Meyer*, Dr. *Ringelmann*, *Hartmann*, *Nölle*, *Tiemann*, *Feldhoff*, *Wellenkamp* u. v. *Lucenay*. Die Schüler, deren Anzahl nicht angegeben ist, sind in 6 Unterrichtsclassen getheilt. — Zum Reformationsjubiläum am 3. Febr. d. J. erschien ein Programm vom Rect. *Abeken*, worin er Luthers Ansicht von der Bedeutung der Schule mit seinen Worten u. das erste evangel. Schulwesen in der Stadt Osnabrück dargestellt hat. (15 S. gr. 4.)

Gymnasien Kurhessens.

[9832] Cassel. Als Einladungsschrift zu den diessjährigen Prüfungen in dem Gymnasium (Fridericianum) erschien das Programm „Geschichte der städtischen Gelehrtenschule zu Cassel von 722—1599 von dem Dir. Dr. *Weber*". (101 S.) Schulnachrichten von dems. (—S. 138. gr. 8. nebst 1 lithogr. Beilage.) Das Gymnasialgebäude wurde am 17. Oct. 1842 eingeweiht. Prof. *Börsch* vom Gymnasium zu Hanau wurde hierher versetzt, während von hier Dr. *Müller* als ord. Lehrer an das Gymn. zu Fulda, und Dr. *Hupfeld* als Hülfslehrer an das zu Rinteln abgegangen sind, Dr. *Bergk* aber als ord. Prof. der Philologie an die Univ. Marburg berufen worden ist. Schüler: 239.

[9833] Fulda. Osterprogramm des Dir. Dr. *Dronke* 1843. Inh.: Jahresbericht des Dir. (11 S. gr. 4.) und: Der Bruderkrieg der Söhne Ludwigs des Frommen u. der Vertrag zu Verdün, nach den Quellen dargest. von dem Gymnasiallehrer *C. Schwarz*. (V u. 105 S. gr. 4.) (Vgl. No. 4019.) Die Prof. *Wagner* u. *Wehner* wurden in Ruhestand versetzt u. der ord. Lehrer am Gymn. zu Cassel Dr. *Müller* hier angestellt.

[9834] Hanau. Einladungsschrift des Dir. Dr. *H. A. Schiek* zu den Schulfeierlichkeiten im Apr. 1843. Inh.: Ueber die Himmelsgloben des Anaximander u. Archimedes vom Dir. (40 S.) u. Schulnachrichten von dems. (—S. 53. gr. 4.) Gegenwärtig 92 Schüler in 6 Classen.

[9835] Hersfeld. Osterprogramm 1843. Inh.: Dr. *H. Wiskemanni* Praec. ord. Comment. de veterum oratione translata sive figurata (52 S.) u. Jahresbericht vom Dir. Dr. *W. Münscher*. (—S. 67. gr. 4.) Schüler: 121 in 5 Classen. Classenordinarien: Dir. Dr. *Münscher*, Gymnasiall. Dr. *Deichmann*, Dr. *Wiskemann*, Dr. *Volckmar*, Pfr. *Jacobi*.

[9836] Marburg. Programm zu den Osterprüfungen 1843. Inh.: Quaestiones Horatianae P. I. vom Gymnasiall. Dr. *Fuldner* (35 S.) u. Schulnachrichten vom Dir. Dr. *A. F. C. Vilmar* (—S. 46. gr. 4) Hr. F. sucht mit einem grossen Aufwand von Gelehrsamkeit den Horaz als lyrischen Dichter gegen die Beschuldigungen derer in Schutz zu nehmen, welche ihm Originalität absprechen, und zeigt, dass er in der That ein Nationaldichter war, und schon aus diesem Grunde alle jene Vorwürfe nicht verdiene. Der von dem Gymn. zu Rinteln im J. 1840 als ord. Lehrer nach Marburg versetzte Dr. *Schiek* ist zum Dir. des Gymn. zu Hanau ernannt, Dr. th. *G. H. L. Fuldner* von dem Gymn. zu Rinteln als ord. Lehrer hierher versetzt u. Dr. *Hartmann* definitiv als Hülfslehrer angestellt worden. Das Lehrercollegium bilden: Dir. Dr. *Vilmar*, Dr. *Fuldner*, Dr. *Ritter*, Pfr. *Fenner*, Dr. *Blackert*, Dr. *Collmann*, *Dithmar*, Dr. *Piderit*, Hülfslehrer Dr. *Hasselbach* u. Dr. *Hartmann*, kathol. Religionsl. Pfr. *Höck* und mehrere ausserordentl. Lehrer. Schüler: 168.

[9837] Rinteln. Osterprogramm 1843 vom Dir. Dr. *K. E. Brauns*. Inh.: „Exercitationum Herodotearum Spec. II. vel de vetere Medorum regno scr. Dr. *Guil. Hupfeld*" (70 S. u. Schulnachrichten vom Dir. (—S. 82. gr. 4.) Hr. H. hat durch die hier fortgesetzte gelehrte Untersuchung sich einen ehrenvollen Namen in der Wissenschaft gesichert. Dr. *Fuldner* wurde als ord. Lehrer u. Vicedirector an das Gymn. zu Marburg und Dr. *Hupfeld* vom Gymn. zu Cassel hierher versetzt. Die Namen der ord. Lehrer sind: Dir. Prof. Dr. *Brauns*, DDr. *Bodo*, *Lobe*, *Kohlrausch*, *Eysell*, *Weismann*, Pfr. *Meurer*, Dr. *Hupfeld*, Dr. *Fürstenau*, Dr. *Most*. Schüler: 84.

Todesfälle.

[9838] Am 10. Oct. starb zu Bristol *Elizabeth Holmes*, geb. *Emra*, durch mehrere in ihrem Vaterlande sehr günstig aufgenommene Dichtungen („Lawrence the Martyr", „Scenes in our Parish", „A Country Parson's Daughter") und zahlreiche Beiträge zu verschiedenen Journalen literarisch bekannt.

[9839] Am 11. Oct. zu Clifton bei Bristol Dr. theol. *James Bowstead*, seit 1840 Lordbischof von Lichfield, vorher seit 1838 Bischof von Sodor und Man, ein sehr geschätzter und gelehrter Geistlicher, geb. zu Great Salkeld in der Grafsch. Cumberland am 1. Mai 1801.

[9840] Am 21. Oct. zu London *Will. Pinnock*, esq., als Vf. der „Catechisms of Useful Knowledge" und verschiedener anderer nicht origineller, aber durch gewandte Zusammenstellung der von Anderen gewonnenen Resultate nützlicher Schriften bekannt, 62 Jahre alt.

[9841] Am 29. Oct. in der Nähe von Theben in Oberägypten der Reisende *G. Lloyd* in Folge des Losgehens seines eignen Schiessgewehrs. Seine Pflanzensammlung und seine Zeichnungen sind gerettet.

[9842] Am 31. Oct. zu Winkfield in Berkshire, *Will. Lewis Rham*, Pfarrer das., als Schriftsteller im Gebiete der Landwirthschaft und Mitarbeiter an dem „Journal of the agricult. Society", an *Lindley's* „Gardener's Chronicle" u. A. bekannt, ein Schweizer von Geburt, 63 Jahre alt.

[9843] Am 14. Nov. zu London *John Dav. Roberton*, stellvertretender Secretair der Royal Society, ein geschätzter Gelehrter.

[9844] Am 2. Dec. zu Upsala Dr. *Pehr von Afzelius*, Prof. emer. der dasigen Univ., k. Archiater u. ehemal. Präsident des Medicinalwesens d. Armee, Grosskreuz des Wasa-Ordens u. s. w., durch zahlreiche akadem. Schriften und Abhandlungen in verschiedenen Zeitschriften bekannt, geb zu Larf in Westgothland am 14. Dec. 1760.

Druck und Verlag von F. A. Brockhaus in Leipzig

Bibliographischer Anzeiger.

1843. № 40.

Dieser Bibliographische Anzeiger wird dem bei F. A. Brockhaus in Leipzig erscheinenden Leipziger Repertorium der deutschen und ausländischen Literatur beigegeben, und betragen die Insertionsgebühren für die Zeile oder deren Raum 2 Ngr.

Im Verlage von F. A. Brockhaus in Leipzig erschien soeben in **vierter Auflage:**

Die Nachbarn.

Von

Frederike Bremer.

Mit einer Vorrede der Verfasserin.

Zwei Theile.

Gr. 12. Geh. 20 Ngr.

Die übrigen Schriften von **Frederike Bremer:** Die Töchter des Präsidenten. Dritte Auflage. — Nina. Zweite Auflage. 2 Thle. — Das Haus. Dritte Auflage. 2 Thle. — Die Familie H. — Kleinere Erzählungen. — Streit und Friede. Zweite Auflage. sind fortwährend zu dem Preise von 10 Ngr. für den Theil zu erhalten; die vollständige Ausgabe in 10 Theilen kostet 3 Thlr. 10 Ngr.

Soeben ist erschienen und durch alle Buchhandlungen **gratis** zu erhalten:

Systematisch geordneter

Katalog

der vorzüglichern Werke

in alten und neuen Sprachen aus allen Wissenschaften und Fächern der Literatur, welche in dem

Hahn'schen Verlage zu Hanover und Leipzig

seither erschienen und in allen Buchhandlungen des In- und Auslandes vorräthig, oder durch dieselben prompt zu beziehen sind. Gr. 8. Geh.

Allen geehrten Freunden der Literatur, namentlich den Besitzern und Vorstehern von Bibliotheken, den Herren Theologen, Juristen, Ärzten und Pharmaceuten, den Herren Lehrern, Leihbibliothekaren u. s. w. darf dieser reichhaltige Katalog, welcher auch viele größere wissenschaftliche Werke, werthvolle Ausgaben der alten Classiker, Wörterbücher, neuere Unterhaltungslecture, populaire Schriften und Lehrbücher enthält, zur geneigten Durchsicht und Beachtung mit Recht empfohlen werden.

Soeben ist nun **vollständig** erschienen und in allen Buchhandlungen zu haben:

Deutsches

Kirchenliederbuch

oder

die Lehre vom Kirchengesang.

Praktische Abtheilung.

Ein Beitrag

zur Förderung der wissenschaftlichen und kirchlichen Pflege des Kirchenliedes, sowie der häuslichen Erbauung,

von **J. P. Lange,**

Dr. und ordentlichem Professor der Theologie an der Universität zu Zürich.

8. Broschirt. 3 Thlr. 26¼ Ngr. (3 Thlr. 21 gGr.)

Dieses Werk, welches nicht nur Freunden und Studirenden der Hymnologie, sondern besonders auch allen Erbauung Suchenden als ein aufs sorgfältigste ausgewählter und geordneter geistlicher Liederschatz zu empfehlen ist, zeichnet sich vor andern Sammlungen ähnlicher Art noch vorzüglich durch geistreiche, jedem Abschnitte beigefügte Einleitungen und beurtheilende Anmerkungen aus.

Der Herausgeber obigen Liederbuchs wird von zwei sich ganz entgegengesetzten Seiten um dieses Werkes willen heftig angegriffen, dürfte aber gerade deswegen bei Denen, welche in dogmatischer und hymnologischer Beziehung einer **freien** kirchlichen Richtung huldigen, desto eher Anerkennung finden.

Ebenfalls ist nun die theoretische Abtheilung dieses Werks erschienen, unter dem Titel:

Die

kirchliche Hymnologie

oder

die Lehre vom Kirchengesang.

Einleitung in das deutsche Kirchenliederbuch.

8. Brosch. 15 Ngr. (12 gGr.)

Meyer und Zeller in Zürich.

Allen Leihbibliotheken können wir als sehr interessante Lecture ganz vorzüglich empfehlen:

Aus dem Leben. Novellen und Erzählungen von G. vom See. Inhalt: Der Handschuhmacher. Der Todtensinger. 8. 1⅓ Thlr.

Schloß Lilienhof, oder die nordischen Flüchtlinge, von St. Nelly. Zwei Theile. 8. 2½ Thlr.

Beides erschien soeben bei **A. Wienbrack** in Leipzig und ist in jeder Buchhandlung zu finden.

Antike Marmorwerke

zum

ersten Male bekannt gemacht

von

EMIL BRAUN.

Erste und zweite Decade.

Folio. In Carton. 8 Thlr.

Erste Decade. 1. Athene Agoraia. — 2. Artemis Soteira. — 3. Doppelkopf des Zeus. — 4. Zeus Dodonaeos. — 5. Zeus Jugend. — 6. Zeus und Aegina. — 7. Selene. — 8. Selene und Endymion. — 9. Hektor's Bestattung. — 10. Des Piloten Heimkehr.

Zweite Decade. 1. Hermes der Rinderdieb. — 2. Dionysos Dendrites. — 3. Demeter Thesmophoros. — 4. Raub der Proserpina. — 5. Eros und Anteros. — 6. Meleager. — 7. Herakles der Löwenwürger. — 8. Pyrrhiche. — 9. Kaiserharnisch mit Siegestrophäen. — 10. Kaiserharnisch mit Roma, zu deren Füssen Erde und Meer.

Leipzig, im October 1843. **F. A. Brockhaus.**

Druck und Verlag von F. A. Brockhaus in Leipzig.

Bibliographischer Anzeiger.

1843. № 41.

Dieser Bibliographische Anzeiger wird dem bei F. A. Brockhaus in Leipzig erscheinenden Leipziger Repertorium der deutschen und ausländischen Literatur beigegeben, und betragen die Insertionsgebühren für die Zeile oder deren Raum 2 Ngr.

---

wir erlauben uns einzig noch ausdrücklich darauf aufmerksam zu machen, daß diese schnell erfolgte zweite Auflage, obgleich um vier volle Bogen vermehrt, dennoch einen niedrigern Preis erhalten hat.

Meyer & Zeller in Zürich.

Durch alle Buchhandlungen und Postämter ist zu beziehen:

Das Pfennig-Magazin

für Belehrung und Unterhaltung.

Neue Folge. Erster Jahrgang.

1843. September. Nr. 35—39.

Inhalt:

* Oberinnthal und Obervintschgau. — Pariser Gerichtsscene. — Das Schlangenthal im Kaukasus. — Über einige dem Landwirthe nützliche Thiere. — * Der Brand des königlichen Opernhauses in Berlin. — Aus der Chronik des Monats Juli. — Die Märker oder Brandenburger. — Der einzige Fehler. — Ackerbau in Rußland. — * John Adams. — Erfindungen. — Die Pullafischer in Scind. — * Stiergefecht zu Malaga. — Hydraulischer Mörtel. — Ort und Zeit des Vertrags von Verdun. — Der elektromagnetische Telegraph auf der Rheinischen Eisenbahn. — Der Schmuggler. — Tugendpreise. — Wirkung der Musik. — Filtrirung des Wassers. — * Nottinghamshire. — Luftdruckmaschine zur Schiffahrt. — Das sächsische Lustlager bei Zeithayn vom 30. Mai bis 29. Juni 1730. — Sklaverei bei den Ameisen. — * Maispflanzen. — Die Fanggruben. — Stiftung Illnau bei Achern in Baden. — Der Carneval zu Buenos Ayres. — * Christoph Friedrich von Ammon. — Die Insel Hongkong. — Der blinde Musikus. — * Nürnberg. — Das Arbeiten der Kinder und jungen Leute in den englischen Bergwerken. — * Johann Sebastian Bach's Denkmal zu Leipzig. — Der kühne Parteigänger. — Die Korallenfischerei in Dalmatien. — Die militairische Friedensfeier in Wien zur Zeit des Congresses. — * Island. — Blütennektar. — Die atmosphärische Eisenbahn in Irland. — Ein Concert im Serail. — Filztuchfabrikation. — Der Feuerfeste. — Die Besteigung des Montblanc. — **Miscellen.**

Die mit * bezeichneten Aufsätze enthalten eine oder mehre Abbildungen.

Preis des Jahrgangs von 52 Nummern 2 Thlr. **Ankündigungen** werden mit 5 Ngr. für den Raum einer gespaltenen Zeile berechnet; **besondere Anzeigen** ꝛc. gegen Vergütung von 3/4 Thlr. für das Tausend beigelegt.

Die **erste aus 10 Jahrgängen bestehende Folge** des Pfennig-Magazins wurde wie nachstehend **im Preise herabgesetzt:**

I.—X. Band (1833—42) zusammengenommen 10 Thlr.
I.—V. Band (1833—37) zusammengenommen 5 Thlr.
VI.—X. Band (1838—42) zusammengenommen 5 Thlr.
Einzelne Jahrgänge 1 Thlr. 10 Ngr.

Zu **ermäßigten Preisen** sind fortwährend zu beziehen:

Pfennig-Magazin für Kinder. Fünf Bände. 2 Thlr. 15 Ngr.
National-Magazin. Ein Band. 20 Ngr.
Sonntags-Magazin. Drei Bände. 2 Thlr.

Die letztern beiden Werke zusammengenommen **nur 2 Thlr.**

Leipzig, im October 1843. **F. A. Brockhaus.**

gärten. — Eine verbesserte Vorrichtung zum Begießen des Düngerhaufens mit Mistjauche. — Über Höhenabnahme der Flözgebirge Camburgs und deren verwitterte Erden als Düngungsmaterial. — Sicheres Mittel wider den Durchlauf der Kälber. — Die landwirthschaftliche Lehranstalt in Regenwalde. — Hinweisung auf einige beachtungswerthe Flachs liefernde Gewächse, für denkende Landwirthe. — Eine Beobachtung über die Schorfkrankheit der Kartoffeln. — Hornspäne als vorzügliches Düngungsmittel. — Über das Austheilen der Gemeindegrundstücke. — Über die künstlichen Düngmittel. — Vermehrung der Körnerfrüchte. — Benutzung der Häute von zahmen Schweinen. — Glas, z. B. Lampencylinder, zu trennen, zu durchschneiden. — **Lesefrüchte, Miscellen u. s. w.** — **Unterhaltungsblatt:** Außergewöhnliche Arten, sich bei kalten Tagen zu erwärmen. — Friedmann's letzte Tage und die Folgen seiner Bemühungen um Ausbreitung der Obstbaumzucht. — Der Pilatusberg im Canton Luzern in der Schweiz. — Zeitungswesen. — Aus dem Nassauischen. — Das Erntefest, gedichtet von Zacharias Kresse, Bauer im Altenburgischen. — Der nationale Hochzeitsaufzug der altenburger Bauern, bei Gelegenheit der siebenten Versammlung der deutschen Land- und Forstwirthe in Altenburg.

Für Schulanstalten und Lehrer der englischen Sprache.

Im Verlage der Unterzeichneten sind soeben erschienen:

Wagner, Dr. K. F. Chr. (Geh. Hofrath und Professor in Marburg),

Theoretisch-praktische Schulgrammatik der englischen Sprache für jüngere Anfänger.

Gr. 8. Stark Velinpapier. Geh. 25 Ngr. (20 gGr.)

Desselben

neue englische Sprachlehre für die Deutschen.

Erster oder theoretischer Theil. **Fünfte Auflage.** Gr. 8. 1 Thlr.

Zweiter oder angewandter Theil, welcher Übungen über die einzelnen Regeln enthält. **Fünfte Auflage.** Gr. 8. 26 Ngr. (16 gGr.)

Diese für die ersten Anfänger wie für reifere Schüler bestimmten Sprachlehren dürfen wir angelegentlichst denjenigen Lehranstalten und Lehrern empfehlen, welche einen rationellen Weg des Unterrichts verfolgen wollen. Der Ruf und die weite Verbreitung der größern Grammatik wird auch die der kürzern für jüngere Anfänger sichern.

Um die Einführung in Lehranstalten zu erleichtern, wird auf 12 Exemplare ein Freiexemplar gegeben.

Braunschweig, im September 1843.

Friedrich Vieweg und Sohn.

Von **F. A. Brockhaus** in **Leipzig** ist durch alle Buchhandlungen zu beziehen:

Waagen (G. F.), Über die Stellung, welche der Baukunst, der Bildhauerei und Malerei unter den Mitteln menschlicher Bildung zukommt. Vortrag, gehalten am 16. März 1843 im Wissenschaftlichen Vereine zu Berlin. Gr. 12. Geh. 6 Ngr.

Druck und Verlag von F. A. Brockhaus in Leipzig.

Bibliographischer Anzeiger.

1843. № 42.

Dieser Bibliographische Anzeiger wird dem bei F. A. Brockhaus in Leipzig erscheinenden Leipziger Repertorium der deutschen und ausländischen Literatur beigegeben, und betragen die Insertionsgebühren für die Zeile oder deren Raum 2 Ngr.

Neuigkeiten und Fortsetzungen,

versendet von

F. A. Brockhaus in Leipzig

im Jahre **1843.**

№ III. Juli, August und September.

(Nr. I dieses Berichts, die Versendungen vom Januar, Februar und März enthaltend, befindet sich in Nr. 19 und 20 des Bibliographischen Anzeigers; Nr. II, die Versendungen vom April, Mai und Juni, in Nr. 28 desselben.)

62. **Die Lustspiele des Aristophanes.** Übersetzt und erläutert von **Hieronymus Müller.** Erster Band. Gr. 8. Geh. 1 Thlr. 24 Ngr.

63. **Bericht vom Jahre 1843 an die Mitglieder der Deutschen Gesellschaft zu Erforschung vaterländischer Sprache und Alterthümer in Leipzig.** Herausgegeben von **K. A. Espe.** Gr. 8. Geh. 12 Ngr.

Die Berichte von 1835—42 haben denselben Preis.

64. **Antike Marmorwerke.** Zum ersten Male bekannt gemacht von **Em. Braun.** Erste und zweite Decade. Folio. In Carton. 8 Thlr.

Erste Decade. 1. Athene Agoraia. — 2. Artemis Soteira. — 3. Doppelkopf des Zeus. — 4. Zeus Dodonaeos. — 5. Zeus Jugend. — 6. Zeus und Aegina. — 7. Selene. — 8. Selene und Endymion. — 9. Hektor's Bestattung. — 10. Des Piloten Heimkehr. Zweite Decade. 1. Hermes der Rinderdieb. — 2. Dionysos Dendrites. — 3. Demeter Thesmophoros. — 4. Raub der Proserpina. — 5. Eros und Anteros. — 6. Meleager. — 7. Herakles der Löwenwürger. — 8. Pyrrhiche. — 9. Kaiserharnisch mit Siegestrophäen. — 10. Kaiserharnisch mit Roma, zu deren Füssen Erde und Meer.

65. **Cancan eines deutschen Edelmanns.** Zweiter Theil. Gr. 12. Geh. 1 Thlr. 24 Ngr.

Der erste Theil erschien 1841 zu demselben Preise.

66. **Gans winds (Edward), Der Handelsverkehr, die Seele des Staatslebens.** Gr. 12. Geh. 12 Ngr.

67. **Heinsius (W.), Allgemeines Bücher-Lexikon,** oder alphabetisches Verzeichniß aller von 1700 bis zu Ende 1841 erschienenen Bücher, welche in Deutschland und den durch Sprache und Literatur damit verwandten Ländern gedruckt worden sind. Nebst Angabe der Druckorte, der Verleger, des Erscheinungsjahrs, des Formats, der Bogenzahl, der Preise ꝛc. Neunter Band, welcher die von 1835 bis Ende 1841 erschienenen Bücher und die Berichtigung früherer Erscheinungen enthält. Herausgegeben von **O. A. Schulz.** Dritte Lieferung. (Christ — Erdmann.) Gr. 4. Geh. Druckpapier 25 Ngr., Schreibpapier 1 Thlr. 6 Ngr.

Der erste bis siebente Band von Heinsius' Bücher-Lexikon kosten zusammengenommen im herabgesetzten Preise 20 Thlr.; auch sind einzelne Bände zu verhältnißmäßig billigern Preisen zu haben. Der achte Band, welcher die von 1828 bis Ende 1834 erschienenen Bücher enthält, kostet auf Druckpap. 10 Thlr. 15 Ngr., auf Schreibpap. 12 Thlr. 20 Ngr.

68. **Kaltschmidt (Jak. H.), Neuestes und vollständigstes Fremdwörterbuch,** zur Erklärung aller aus fremden Sprachen entlehnten Wörter und Ausdrücke, welche in den Künsten und Wissenschaften, im Handel und Verkehr vorkommen, nebst einem Anhange von Eigennamen, mit Bezeich-

nung der Aussprache bearbeitet. In neun Heften. Siebentes Heft. (Präfectur —Stegnotika.) Gr. 8. Jedes Heft 8 Ngr.

69. **Kützing (F. Trg.), Phycologia generalis,** oder Anatomie, Physiologie und Systemkunde der Tange. Mit 80 farbig gedruckten Tafeln, gezeichnet und gravirt vom Verfasser. Gr. 4. In Carton. 40 Thlr.

70. **Marheineke (Ph.), Predigt zur Feier der tausendjährigen Selbständigkeit Deutschlands,** am 6. August 1843 in der Dreifaltigkeitskirche zu Berlin vorgetragen. Gr. 12. Geh. 8 Ngr.

71. **Martens (Charles de), Nouvelles causes célèbres du droit des gens.** Deux tomes. Gr. in-8. Broch. 5 Thlr. 10 Ngr.

Von demselben Verfasser erschien früher in meinem Verlage:

Causes celebres du droit des gens. Deux volumes. Gr. 8. 1827. Broch. 4 Thlr. 15 Ngr.

Guide diplomatique. Contenant: 1° Considérations sur l'étude de la diplomatie. 2° Précis des droits et des fonctions des agents diplomatiques. 3° Traité sur le style des compositions en matière politique. 4° Bibliothèque diplomatique choisie, suivie d'un catalogue de cartes de géographie moderne. 5° Recueil d'actes et d'offices à l'appui du traité sur le style des compositions en matière politique. Deux volumes. Gr. 8. 1832. Broch. 4 Thlr 15 Ngr.

72. ***Most (G. F.),* Encyklopädie der gesammten Volksmedicin,** oder Lexikon der vorzüglichsten und wirksamsten Haus- und Volksarzneimittel aller Länder. Nach den besten Quellen und nach dreissigjährigen, im In- und Auslande selbst gemachten zahlreichen Beobachtungen und Erfahrungen aus dem Volksleben gesammelt. In fünf Heften. Zweites Heft. (*Brennkraut — Gewürze.*) Gr. 8. Jedes Heft 15 Ngr.

Von dem Verfasser erschienen unter Anderm bereits in meinem Verlage:

Encyklopädie der gesammten medicinischen und chirurgischen Praxis. Zweite, stark vermehrte Auflage. Zwei Bände. Gr. 8. 1836—37. 10 Thlr.

Ausführliche Encyklopädie der gesammten Staatsarzneikunde. Zwei Bände und ein Supplementband. Gr. 8. 1838—40. 11 Thlr 20 Ngr.

Ueber Liebe und Ehe in sittlicher, naturgeschichtlicher und diätetischer Hinsicht, nebst einer Anleitung zur richtigen physischen und moralischen Erziehung der Kinder. Dritte, völlig umgearbeitete, stark vermehrte und verbesserte Auflage. Gr. 8. 1837. 1 Thlr 10 Ngr.

Denkwürdigkeiten aus der medicinischen und chirurgischen Praxis. Erster Theil. Gr. 8. 1842. 1 Thlr. 25 Ngr.

73. **Die Liebekunst.** Drei Bücher. Dem **Publius Ovidius Naso** nachgedichtet von **Ch. F. Ahler.** Gr. 12. Geh. 1 Thlr. 6 Ngr.

74. **Raumer (F. von), Vortrag zur Gedächtnißfeier König Friedrich Wilhelm's III.,** gehalten am 3. August 1843 in der Universität zu Berlin. Gr. 12. Geh. 8 Ngr.

75. **Allgemeine deutsche Real-Encyklopädie für die gebildeten Stände. (Conversations-Lexikon.)** Neunte, verbesserte und sehr vermehrte Original-Auflage. Vollständig in 15 Bänden oder 120 Heften. Siebzehntes bis einundzwanzigstes Heft. (Buchholz — Christophori.) Gr. 8. Jedes Heft 5 Ngr.

Diese neunte Auflage erscheint in 15 Bänden oder 120 Heften zu dem Preise von 5 Ngr. für das Heft in der Ausgabe auf Maschinenpapier; in der Ausgabe auf Schreibpapier kostet der Band 2 Thlr., auf Velinpapier 3 Thlr.

Alle Buchhandlungen liefern das Werk zu diesen Preisen und bewilligen auf 12 Exemplare 1 Freiexemplar.

Eine ausführliche Anzeige ist in allen Buchhandlungen gratis zu erhalten, wo auch fortwährend Subscription angenommen wird.

Auf den Umschlägen der einzelnen Hefte werden Ankündigungen abgedruckt, und der Raum einer Zeile bei einer Auflage von 25,000 Exemplaren mit 10 Ngr. berechnet.

76. **An Bremens gemeinen Mann.** Von dessen Mitbürger **A. Rösing.** Gr 12. Geh. 2½ Ngr.

77. **Schücking (Levin), Ein Schloß am Meer.** Roman. Zwei Theile. Gr. 12. Geh. 3 Thlr.

78. **Historisches Taschenbuch.** Herausgegeben von **F. von Raumer.** Neue Folge. Fünfter Jahrgang. Gr. 12. Cart. 2 Thlr. 15 Ngr.

Die erste Folge des Historischen Taschenbuchs besteht aus zehn Jahrgängen (1830—39), die im Ladenpreise 19 Thlr 20 Ngr. kosten. Ich erlasse aber sowol den ersten bis fünften (1830—34) als den sechsten bis zehnten Jahrgang (1835—39) zusammengenommen für fünf Thlr.

sodaß die ganze Folge zehn Thlr. kostet. Einzeln kostet jeder dieser zehn Jahrgänge 1 Thlr. 10 Ngr., der erste, dritte und vierte Jahrgang der Neuen Folge (1840, 1842, 1843) 2 Thlr., der zweite (1841) 2 Thlr. 15 Ngr.

79. **Urania.** Taschenbuch auf das Jahr 1844. Neue Folge. Sechster Jahrgang. Mit dem Bildnisse Karl Förster's. 8. Eleg. cart. 1 Thlr. 20 Ngr.
Von frühern Jahrgängen der Urania sind nur noch einzelne Exemplare von 1831—38 vorräthig, die im **herabgesetzten Preise** zu 15 Ngr. der Jahrgang abgelassen werden. Von der Neuen Folge kosten die Jahrgänge 1839 und 1840 jeder 1 Thlr. 15 Ngr., 1840—43 jeder 1 Thlr. 20 Ngr.

80. **Varnhagen von Ense (K. A.), Denkwürdigkeiten und vermischte Schriften.** Vierter bis sechster Band. — A. u. d. T.: **Vermischte Schriften.** Drei Theile. Gr. 12. Geh. 6 Thlr.
Der erste bis dritte Band enthalten „**Denkwürdigkeiten des eignen Lebens**" und kosten ebenfalls 6 Thlr. Von der ersten Auflage sind noch einzelne Bände zur Completirung vorräthig.

81. **Waagen (G. F.), Über die Stellung, welche der Baukunst, der Bildhauerei und Malerei unter den Mitteln menschlicher Bildung zukommt.** Vortrag, gehalten am 18. März 1843 im Wissenschaftlichen Vereine zu Berlin. Gr. 12. Geh. 6 Ngr.

82. **Wolf (J. W.), Niederländische Sagen.** Gesammelt und mit Anmerkungen begleitet herausgegeben. Mit einem Kupfer. Gr. 8. Geh. 3 Thlr.

Preisermässigung des Pfennig-Magazins.

Um die Anschaffung dieses Werks nach Möglichkeit zu erleichtern, habe ich mich entschlossen, die erste aus 10 Bänden bestehende Folge im Preise herabzusetzen:

I.—X. Band (1833-42) zusammengenommen 10 Thlr.
I.—V. Band (1833-37) zusammengenommen 5 Thlr.
VI.—X. Band (1838-42) zusammengenommen 5 Thlr.
Einzelne Jahrgänge 1 Thlr. 10 Ngr.

Ferner sind zu **herabgesetzten Preisen** zu beziehen:

Pfennig-Magazin für Kinder. 5 Jahrg. (1834—38.) 2 Thlr. 15 Ngr.
Sonntags-Magazin. 3 Bände. 2 Thlr.
National-Magazin. 1 Band. 20 Ngr.

Diese 4 Bände zusammengenommen **nur 3 Thlr.**

Aus dem Verlage des Herrn **F. König** in Hanau habe ich mit Verlagsrecht käuflich übernommen und ist von jetzt ab nur von mir zu beziehen:

Koenig (H.), William's Dichten und Trachten. Ein Roman. Zwei Theile. Gr. 8. 1839. Geh. 4 Thlr.

Im Verlage von **E. H. F. Müller** in Berlin ist soeben erschienen und in allen Buchhandlungen zu haben:

Alt, Dr. Heinrich, Der christliche Cultus nach seinen verschiedenen Entwickelungsformen und seinen einzelnen Theilen historisch dargestellt. Mit zwei Nachträgen: Über das christliche Kirchenjahr und über den kirchlichen Baustyl, sowie mit ausführlichen Inhaltsverzeichnissen und Registern versehen. 1842. Gr. 8. Brosch. (40 Bogen.) 2 Thlr. 10 Ngr.

Inhalt: I. Der Ursprung der Sonntagsfeier. II. Der Sonntag, ein Ruhetag. III. Der Sonntag, ein Tag der Heiligung, und seine gottesdienstlichen Stunden. IV. Die Kirchenglocken. V. Der Kirchenbesuch.

VI. Der Eintritt in das Gotteshaus. 1) Das Neigen des Hauptes beim Gebet. 2) Das Falten der Hände. 3) Das Beten mit vorgehaltenem Hute. 4) Das Beten des Vaterunser. 5) Das Weihwasser. 6) Das Zeichen des Kreuzes. VII. Das Gotteshaus und seine innere Einrichtung. 1) Die Kirchenstühle. 2) Die Kanzel. 3) Das Kanzelpult. 4) Die Sanduhr. 5) Der Altar. 6) Die Nebenaltäre. 7) Die Reliquien. 8) Die Bilder in den Kirchen. 9) Die Weihgeschenke in der Kirche. 10) Die Amtstracht der Geistlichen. 11) Die Orgel. VIII. Der Gottesdienst und seine liturgische Anordnung. A. Der altchristliche Sonntagsgottesdienst. B. Der Gottesdienst der morgenländisch-griechischen Kirche. C. Die katholische Messe. D. Der lutherische Gottesdienst. E. Der Sonntagsgottesdienst der Reformirten. F. Der Gottesdienst der englisch-bischöflichen Kirche. G. Der protestantische Gottesdienst seit dem Zeitalter der Reformation. IX. Das Morgenlied. X. Das Sündenbekenntniß. XI. Das Kyrie. XII. Das Gloria. XIII. Der Altargesang. XIV. Der Herr sei mit Euch. XV. Die Collecte. XVI. Das Amen. XVII. Das Gebet zu Jesu. XVIII. Die Epistel und das Evangelium. XIX. Das Halleluja. XX. Das Glaubensbekenntniß. XXI. Die Kirchenmusik. XXII. Das Hauptlied. XXIII. Der Klingelbeutel. XXIV. Die Predigt. XXV. Das allgemeine Kirchengebet. XXVI. Die kirchlichen Meldungen. XXVII. Das Vaterunser, der Friedenswunsch, die Collecte und der Segen. — Erster Nachtrag: I. Die Wochentage in kirchlicher Beziehung. II. Das Kirchenjahr mit seinen Festen. A. Die Feste des Herrn. B. Die Marienfeste. C. Apostel- und Märtyrerfeste. D. Andere Feste. — Zweiter Nachtrag: Grundriß einer alten christlichen Kirche nebst Erklärung.

Bei [illegible] in Leipzig ist erschienen und durch alle Buchhandlungen zu beziehen:

Politische Gedichte
aus
Deutschlands Neuzeit.
Von Klopstock bis auf die Gegenwart,
herausgegeben und eingeleitet von
Hermann Marggraff.

Preis: 1 Thlr. 20 Ngr. (1 Thlr. 16 gGr.)

Diese mit vielem Fleiße veranstaltete Sammlung wurde durchgehends von der Kritik mit Beifall aufgenommen.

Durch alle Buchhandlungen und Postämter ist zu beziehen:

ISIS. Encyklopädische Zeitschrift vorzüglich für Naturgeschichte, Anatomie und Physiologie. Von Oken. Jahrgang 1843. Zehntes Heft. Gr. 4. Preis des Jahrgangs von 12 Heften mit Kupfern 8 Thlr.

Der Isis und den Blättern für literarische Unterhaltung gemeinschaftlich ist ein

Literarischer Anzeiger,

und wird darin der Raum einer gespaltenen Zeile mit 2½ Ngr. berechnet. Besondere Anzeigen &c. werden der Isis für 1 Thlr. 15 Ngr. beigelegt.

Leipzig, im October 1843. **F. A. Brockhaus.**

Druck und Verlag von F. A. Brockhaus in Leipzig.

Bibliographischer Anzeiger.

1843. № 43.

Dieser Bibliographische Anzeiger wird dem bei F. A. Brockhaus in Leipzig erscheinenden Leipziger Repertorium der deutschen und ausländischen Literatur beigegeben, und betragen die Insertionsgebühren für die Zeile oder deren Raum 2 Ngr.

angegriffen, dürfte aber gerade deswegen bei Denen, welche in dogmatischer und hymnologischer Beziehung einer freien kirchlichen Richtung huldigen, desto eher Anerkennung finden.

Ebenfalls ist nun die theoretische Abtheilung dieses Werks erschienen, unter dem Titel:

Die
kirchliche Hymnologie
oder
die Lehre vom Kirchengesang.

Einleitung in das deutsche Kirchenliederbuch.
8. Brosch. 15 Ngr. (12 gGr.)

Meyer und Zeller in Zürich.

Preisherabsetzung des Pfennig-Magazins.

I.—V. Band (1833—37) zusammengenommen 5 Thlr.
VI.—X. Band (1838—42) zusammengenommen 5 Thlr.
I.—X. Band (1833—42) zusammengenommen 10 Thlr.
Einzelne Jahrgänge 1 Thlr. 10 Ngr.
Der Jahrgang 1843, oder Neue Folge erster Band, 2 Thlr.

Einer besondern Empfehlung des Pfennig-Magazins wird es bei der allgemeinen Verbreitung desselben nicht bedürfen. Die erschienenen zehn Bände enthalten einen großen Schatz von Belehrung und Unterhaltung über die verschiedensten Zweige des menschlichen Wissens, und die vielen im Texte eingedruckten Holzschnitte dienen ebenso sehr zum Schmucke wie zur Erläuterung des Inhalts. Durch die vorstehende Preisermäßigung ist den zahlreichen Besitzern der schon früher im Preise herabgesetzten ersten fünf Bände Gelegenheit gegeben worden, auf billige Weise die Fortsetzung zu erwerben und zugleich die Anschaffung des ganzen werthvollen Haus- und Familienbuchs nach Möglichkeit erleichtert.

Als ein höchst passendes Weihnachtsgeschenk für die Jugend empfehle ich:

Pfennig-Magazin für Kinder. 5 Jahrg. 1834—38.
Herabgesetzter Preis 2 Thlr. 15 Ngr.

und bemerke zugleich, daß von dem ebenfalls im Preise ermäßigten

Sonntags-Magazin. 3 Bände. 2 Thlr.
National-Magazin. 1 Band. 20 Ngr.
Alle 4 Bände zusammengenommen nur 2 Thlr.

fortwährend Exemplare zu haben sind.

Leipzig, im October 1843.

F. A. Brockhaus.

Soeben sind bei **Metzler** in Stuttgart erschienen:

Shakspeare's Schauspiele.

Neu übersetzt und mit Einleitungen und Erläuterungen von **A. Keller** und **M. Rapp**. 9tes—12tes Bändchen. Schillerformat. Geh. Preis des Bändchens $6^1/_4$ Ngr. (5 gGr.)

Den Werth dieser längst vorbereiteten, neuen Übertragung von Männern, die das genaue Verständniß des Dichters und das Studium seiner Sprache zu einer Hauptaufgabe ihres Lebens gemacht, ist von den geachtetsten Zeitschriften bereits einstimmig anerkannt. Jedes Bändchen gibt ein Schauspiel und ist auch einzeln zu erhalten. Etwa alle zwei Monate folgen zwei bis drei weitere Stücke.

Der Letzte der Barone

von **E. L. Bulwer**.

Dieser neuste Roman, der auch Bulwer's letzter Roman sein wird, ist nun in unsern beiden Taschen-Ausgaben complet ausgegeben. Von der Sammlung der Romane in Schillerformat bildet derselbe den 60sten—67sten Theil (Preis 1 Thlr. 10 Ngr., 1 Thlr. 8 gGr.), von der der Werke das 101ste—110te Bändchen (Preis 1 Thlr. $7^1/_2$ Ngr., 1 Thlr. 6 gGr.). — Die 67 Theile der Schillerformat enthalten jetzt sämmtliche Bulwer'schen Romane und Novellen vollständig und kosten 11 Thlr. 5 Ngr. (11 Thlr. 4 gGr.)

Galerie zu Bulwer's Romanen.

5te (letzte) Lieferung. 16. Geh. 5 Ngr. (4 gGr.)

Die jetzt vollendete Galerie gibt in 14 vorzüglichen Stahlstichen je eine Scene aus den 14 größern Bulwer'schen Romanen, die zu Titelkupfern bestimmt sind, und kostet complet nur 1 Thlr. 5 Ngr. (1 Thlr. 4 gGr.)

James' Romane,

in deutschen Übertragungen herausgegeben von **F. Notter** und **G. Pfizer**. 54stes—69stes Bändchen. 16. Geh. Preis des Bändchens $3^3/_4$ Ngr. (3 gGr.)

Inhalt der 69 Bändchen: Der Zigeuner 6 Bändchen. Der Hugenotte 8 Bändchen. Darnley 7 Bändchen. Richelieu 6 Bändchen. Des Königs Hochstraße 7 Bändchen. Karl Tyrrell 4 Bändchen. La Jacquerie 6 Bändchen. Morley Ernstein 8 Bändchen. Das alte Regime 6 Bändchen. Die Tage des Wanderlebens 6 Bändchen. Der falsche Erbe 1—5 Bändchen. Jeden Monat werden 2—3 weitere Bändchen ausgegeben. — Vorräthig in allen Buchhandlungen.

Most (Dr. G. F.),

Encyklopädie der gesammten Volksmedicin, oder Lexikon der vorzüglichsten und wirksamsten Haus- und Volksarzneimittel aller Länder. Nach den besten Quellen und nach dreissigjährigen, im In- und Auslande selbst gemachten zahlreichen Beobachtungen und Erfahrungen aus dem Volksleben gesammelt.

Erstes bis drittes Heft: Aalraupe — Luft.

Gr. 8. Jedes Heft 15 Ngr.

Der Name des Herausgebers, der dem Publicum durch seine übrigen Schriften hinlänglich bekannt ist, bürgt für den Werth dieses populairen und gemeinnützigen Werks. Es wird aus fünf Heften bestehen, und die übrigen Hefte werden in kurzen Zwischenräumen folgen.

Leipzig, im October 1843. ***F. A. Brockhaus.***

Druck und Verlag von F. A. Brockhaus in Leipzig.

Bibliographischer Anzeiger.

1843. № 44.

Dieser Bibliographische Anzeiger wird dem bei F. A. Brockhaus in Leipzig erscheinenden Leipziger Repertorium der deutschen und ausländischen Literatur beigegeben, und betragen die Insertionsgebühren für die Zeile oder deren Raum 2 Ngr.

d'Hauterive (Borel), Précis historique sur la maison royale de Saxe et sur ses branches ducales de Weimar, Meiningen, Altenbourg et Saxe-Cobourg-Gotha, depuis l'origine des comtes de Wettin jusqu'à nos jours. In-4. Paris. 2½ Thlr.

Niemcewicz (Julien Ursin,) Notes sur ma captivité à Saint-Pétersbourg, en 1794, 1795 et 1796. In-8. Paris. 1½ Thlr.

Sainte-Allais, Tableau généalogique et historique de la maison royale de Prusse. In-plano. Paris. 1¾ Thlr.

Sue (Eugène), Les mystères de Paris. Édition illustrée. Livr. 1-10. Gr. in-8. Paris. 1¾ Thlr.

Sur quelques points de zoologie mystique dans les anciens vitraux peints. Fragment extrait d'une monographie de la cathédrale de Bourges par **A. Martin** et **Ch. Cahier,** prêtres. In-4. Paris. 2 Thlr.

Taylor (Baron), Les Pyrénées. In-8. Paris. 3 Thlr.

Tegnér (Esaias), Frithiofs saga, a legend of the north. Translated from the swedish by **G. S.** Revised and illustrated. In-8. Stockholm. 5½ Thlr.

Lelewel (Joachim), Polska odradzająca się, czyli Dieje polski potocznie opowiedziane. Wydanie drugie, pomnożone. In-12. Bruxella. 1 Thlr.

Siarczyński (X. Franciszek), Obraz wieku panowania Zygmunta III. Króla polskiego i szwedzkiego, czyli Obraz stanu, narodu i kraju. T. I. In-8. Poznań. 2 Thlr.

---

geographische Werk ausgesprochen und besonders dies hervorgehoben, daß die Lecture desselben nicht nur in Beziehung auf die Wissenschaft höchst belehrend, sondern auch durch runde, lebendige Schilderung sehr anziehend ist. — Was der Titel besagt, daß diese Auflage verbessert und vermehrt sei, bestätigt sich vollkommen durch eine nur flüchtige Vergleichung dieser mit der ersten Auflage. Möge sich auch diese Auflage der so verdienten freundlichen und zahlreichen Aufnahme erfreuen! Dies ist unser aufrichtiger Wunsch."

Obgleich der Preis für dies tüchtige Werk des berühmten Verfassers im Verhältniß zu seiner Bogenzahl sehr billig gestellt ist, so wird die Bezahlung desselben auf einmal Vielen doch zu schwer, und ich glaube vielseitigen Wünschen zu entsprechen, wenn ich ein neues Abonnement in 14tägigen Lieferungen à 1/4 Thlr. eröffne, wodurch das Ganze binnen Jahresfrist in den Händen der Unterzeichner ist. Um aber Seminaristen und Schülern dies Werk noch mehr zugänglich zu machen, stelle ich den Sammlern von Subscriptionen in Schulen, Seminarien u. s. w. folgende Partiepreise:

Bei 10 Exemplaren jede Lieferung 6 1/4 Sgr.
" 50 do. do. 5 Sgr.
" 100 do. do. 5 Sgr. und 5 Frei-Ex.

Doch kann man auch gleich vollständige Exemplare beziehen und zwar

1 Ex. für 6 Thlr., 10 Ex. für 50 Thlr., 50 Ex. für 200 Thlr., und 100 Ex. für 400 Thlr. nebst 5 Frei-Ex.

Somit hat dies Hülfsbuch einen Preis, welcher die Einführung jedem Seminar, jedem Gymnasium möglich macht; und ich erlaube mir an die Herren Directoren besagter Anstalten die Bitte zu richten, den ihnen anvertrauten Zöglingen dies Werk zu empfehlen und die Einführung zu veranlassen.

Ausführliche Anzeigen, sowie die erste Lieferung dieses Hülfsbuchs, findet man in jeder Buchhandlung, wo auch Bestellungen darauf angenommen werden.

Schriften von H. Koenig.

Von Herrn **Friedrich König** in **Hamm** habe ich mit Verlagsrecht übernommen und ist durch alle Buchhandlungen von mir zu beziehen:

William's
Dichten und Trachten.
Ein Roman
von
H. Koenig.
Zwei Theile.
Gr. 8. 1839. Geh. 4 Thlr.

Von H. Koenig erschienen bereits in meinem Verlage:

Die hohe Braut. Ein Roman. Zwei Theile. 8. 1833. Geh. 4 Thlr.
Die Waldenser. Ein Roman. Zwei Theile. 8. 1836. Geh. 4 Thlr.
Die Bußfahrt. Trauerspiel in fünf Aufzügen. 8. 1836. Geh. 20 Ngr.
Regina. Eine Herzensgeschichte. Gr. 12. 1843. Geh. 1 Thlr. 6 Ngr.

Leipzig, im October 1843.

F. A. Brockhaus.

Druck und Verlag von F. A. Brockhaus in Leipzig.

Bibliographischer Anzeiger.

1843. № 45.

Dieser Bibliographische Anzeiger wird dem bei F. A. Brockhaus in Leipzig erscheinenden Leipziger Repertorium der deutschen und ausländischen Literatur beigegeben, und betragen die Insertionsgebühren für die Zeile oder deren Raum 2 Ngr.

---

ten gelehrter Gesellschaften; Beförderungen und Ehrenbezeigungen; Chronik der Universitäten; Literarische Nachrichten; Miscellen; Preisaufgaben; Nekrolog.

Von dieser Zeitschrift erscheinen wöchentlich sechs Nummern und sie wird wöchentlich und monatlich ausgegeben. Der Jahrgang kostet 12 Thlr. **Ankündigungen** werden mit 1½ Ngr. für den Raum einer gespaltenen Zeile berechnet, **besondere Anzeigen etc.** gegen eine Vergütung von 1 Thlr. 15 Ngr. beigelegt.

Leipzig, im November 1843. ***F. A. Brockhaus.***

In unterzeichnetem Verlage ist soeben erschienen und in allen Buchhandlungen zu haben:

Über
Wesen, Einrichtung und pädagogische Bedeutung des schulmäßigen Studiums
der neuern
Sprachen und Literaturen
und
die Mittel ihm aufzuhelfen.
Von
Dr. Mager,
fürstlich schwarzburg-sondershausenschem Educationsrathe, Prof. der franz. Sprache und Literatur an der Cantonsschule in Aarau und Mitglied vieler gelehrten Gesellschaften.

8. Brosch. 18¾ Ngr. (15 gGr.), oder 1 Fl. 9 Kr.

In einer Zeit, wo mit Beziehung auf den Jugendunterricht der Werth der alten classischen Sprachen mit demjenigen der neuern Sprachen und Literaturen so ernstlich verglichen wird, dürfte obige interessante Schrift des als Gelehrter und Schulmann allgemein geachteten Verfassers ganz besonderes Interesse erregen, weswegen wir uns erlauben, dieselbe nicht nur allen Pädagogen, sondern auch allen Erziehungsräthen und Staatsmännern überhaupt angelegentlich zu empfehlen.

Meyer & Zeller in Zürich.

Bei **Fr. Sam. Gerhard** in Danzig ist erschienen und in allen Buchhandlungen zu haben:

Schelling. Vorlesungen von **Karl Rosenkranz**, gehalten im Sommer 1842 an der Universität zu Königsberg. Gr. 8. Brosch. Preis 2 Thlr.

Von dem binnen kurzem erscheinenden Werke:

THE
HISTORY OF THE CONQUEST OF MEXICO;
WITH THE
LIFE OF THE CONQUEROR, HERNANDO CORTES;
BY
WILLIAM H. PRESCOTT,

wird auf Veranlassung des Verfassers durch den Übersetzer von dessen „**Geschichte Ferdinand's und Isabella's**" eine deutsche Übersetzung vorbereitet, was zur Vermeidung von Collisionen hierdurch angezeigt wird.

Bei C. Gerold & Sohn, Buchhändler in Wien, ist soeben erschienen und daselbst sowie in allen Buchhandlungen Deutschlands zu haben:

Neu erfundenes

Eisenbahnsystem,

welches

nebst der Beseitigung aller bisher gefühlten Mängel und Hindernisse

auch

das mystische Räthsel der Bergfahrten mit gewöhnlichen Locomotiven in beliebigen Steigerungen bis zur mathematisch möglichen Grenze von 1:4, sammt größerer Last als bis jetzt an der Ebene möglich gewesen, vollständig, einfach und natürlich löset.

Dargestellt von

Johann Scala,

Dr. der Theologie und Cooperator.

Erstes Heft.

Gr. 8. Wien 1843. In Umschlag broschirt. Preis 15 Ngr. (12 gGr.)

Soeben ist bei uns erschienen:

Handbuch der römischen Alterthümer

nach den Quellen bearbeitet

von

Wilhelm Adolph Becker.

Professor an der Universität Leipzig.

Erster Theil.

Mit vergleichendem Plane der Stadt und vier andern Tafeln.

Gr. 8. Broschirt. Preis 3½ Thlr.

Leipzig, im October 1843.

Weidmann'sche Buchhandlung.

Im Verlage von F. A. Brockhaus in Leipzig ist neu erschienen und durch alle Buchhandlungen zu erhalten:

Ein Schloss am Meer.

Roman

von

Levin Schücking.

Zwei Theile.

Gr. 12. Geh. 3 Thlr.

Druck und Verlag von F. A. Brockhaus in Leipzig.

Bibliographischer Anzeiger.

1843. № 46.

Dieser Bibliographische Anzeiger wird dem bei F. A. Brockhaus in Leipzig erscheinenden Leipziger Repertorium der deutschen und ausländischen Literatur beigegeben, und betragen die Insertionsgebühren für die Zeile oder deren Raum 2 Ngr.

Römer- und römischen Colonialstadt. Von Dr. Ignaz Schumann von Mannsegg. Salzburg 1842. — VI. Archiv für schweizerische Geschichte, herausgegeben auf Veranstaltung der geschichtsforschenden Gesellschaft der Schweiz. Erster Band. Zürich 1843. — VII. Palästina und die südlich angrenzenden Länder. Tagebuch einer Reise, im Jahre 1838 in Bezug auf die biblische Geographie unternommen von E. Robinson und E. Smith. Nach den Originalpapieren herausgegeben von Robinson. Dritten Bandes zweite Abtheilung. Halle 1842. — VIII. Das Schauspielwesen. Dargestellt auf dem Standpunkte der Kunst, der Gesetzgebung und des Bürgerthums. Von Wilhelm Hebenstreit. Wien 1843.

Inhalt des Anzeige-Blattes Nr. CII.

Epigraphische Excurse. Vom Custos J. G. Seidl.

Druck und Verlag von F. A. Brockhaus in Leipzig.

Bibliographischer Anzeiger.

1843. № 47.

Dieser Bibliographische Anzeiger wird dem bei F. A. Brockhaus in Leipzig erscheinenden Leipziger Repertorium der deutschen und ausländischen Literatur beigegeben, und betragen die Insertionsgebühren für die Zeile oder deren Raum 2 Ngr.

Wohlfeile Ausgabe von Frederike Bremer's neuem Roman.

Binnen 14 Tagen erscheint in meinem Verlage und wird in allen Buchhandlungen zu haben sein:

Ein Tagebuch.

Von

Frederike Bremer.

Aus dem Schwedischen.

Zwei Theile.

Gr. 12. Geh. **20 Ngr.**

Die übrigen Theile dieser billigen Ausgabe der Schriften von **Frederike Bremer:**
Die Nachbarn. Mit einer Vorrede der Verfasserin. Vierte Auflage. 2 Thlr. — Die Töchter des Präsidenten. Dritte Auflage. — Nina. Zweite Auflage 2 Thlr. — Das Haus Dritte Auflage. 2 Thlr. — Die Familie H. — Kleinere Erzählungen. — Streit und Friede. Zweite Auflage.
sind fortwährend zu dem Preise von 10 Ngr. für den Theil zu erhalten; die vollständige Ausgabe in 12 Theilen kostet 4 Thlr.

Leipzig, am 15. November 1843.

F. A. Brockhaus.

Im Verlage des Unterzeichneten ist soeben erschienen:

Biblische Spruchsammlung zu Luther's kleinem Katechismus. Herausgegeben von einem Verein christlicher Volkslehrer. 1stes Heft: Die zehn Gebote. 2tes Heft: Die drei Hauptartikel unsers christlichen Glaubens. Das Gebet des Herrn. Das Sacrament der heiligen Taufe. Das Sacrament des heiligen Abendmahls. 12. Geb. Preis eines Heftes 5 Ngr. (4 gGr.)

Die Herausgeber, berufen die Jugend in der göttlichen Wahrheit zu unterweisen, hoffen mit dieser Spruchsammlung einem Bedürfniß abzuhelfen, das ihnen oft sehr fühlbar wurde, da das Nachschlagen der einzelnen Sprüche in der heiligen Schrift selbst, besonders in stark besuchten Schulen und bei nicht immer reichlichen Unterrichtsstunden, sich stets als die kostbare Zeit sehr kürzend herausstellte.
Lehrern, welche diese Spruchsammlung einzuführen beabsichtigen und deshalb deren nähere Einsicht wünschen, bietet der Verleger **ein Freiexemplar gratis** an, sowie überhaupt Schulen die möglichsten Vortheile gewährt werden.

Hamburg, im October 1843.

Johann August Meißner.

En vente chez F. A. Brockhaus à Leipzig:

Nouvelles causes célèbres
du droit des gens.

Rédigées
par
le Baron Charles de Martens.

Deux tomes.

Gr. in-8. Broch. 5 Thlr. 10 Ngr.

Ouvrages du même auteur publiés par la même librairie:

Causes célèbres du droit des gens. Deux volumes. Gr. in-8. 1827. Broch. 4 Thlr. 15 Ngr.

Guide diplomatique. Contenant: 1° Considérations sur l'étude de la diplomatie. 2° Précis des droits et des fonctions des agents diplomatiques. 3° Traité sur le style des compositions en matière politique. 4° Bibliothèque diplomatique choisie, suivie d'un catalogue de cartes de géographie moderne. 5° Recueil d'actes et d'offices à l'appui du traité sur le style des compositions en matière politique. Deux volumes. Gr. in-8. 1832. Broch. 4 Thlr. 15 Ngr.

Homöopathische Schriften,

erschienen bei **Georg Franz** in München und zu beziehen durch alle Buchhandlungen:

Buchner, Dr. **Jos. B.,** Supplement zur homöopathischen Arzneibereitungslehre. Gr. 8. Brosch. 8¾ Ngr. (7 gGr.), oder 30 Kr.

Der Preis des completen Werkes mit diesem Supplement ist nun 2 Thlr. 27½ Ngr (2 Thlr. 22 gGr.), oder 5 Fl.

Dessen Resultate der Krankenbehandlung allopathischer und homöopathischer Schule. Gr. 8. Brosch. 2½ Ngr. (2 gGr.), oder 6 Kr.

Ott, Dr. **Fr. A.,** Die wahren Ursachen der langsamen Ausbreitung des homöopathischen Heilverfahrens. Gr. 8. Brosch. 11¼ Ngr. (9 gGr.), oder 40 Kr.

So wird man gesund,

oder genaue Auskunft über das Naturheilsystem des Franz Thiel und sein Verfahren jede chronische Krankheit der Menschen, insofern sie nicht schon durch Desorganisation unheilbar geworden ist, ohne Medicamente, ohne lästiges Schwitzen und ohne den Gebrauch der Sturz-, Douche-, Voll-, Wannen- und Wellenbäder, blos durch eine milde Wasseranwendung in zweckmäßiger Verbindung mit diätetischen Potenzen auf eine leichte Weise und in kurzer Zeit von Grund aus zu heilen.

Von **J. Schweigl.**

Gr. 8. Geh. 15 Ngr.

Leipzig, bei Brockhaus & Avenarius.

Druck und Verlag von F. A. Brockhaus in Leipzig.

Bibliographischer Anzeiger.

1843. № 48.

Dieser Bibliographische Anzeiger wird dem bei F. A. Brockhaus in Leipzig erscheinenden Leipziger Repertorium der deutschen und ausländischen Literatur beigegeben, und betragen die Insertionsgebühren für die Zeile oder deren Raum 2 Ngr.

Bei **Fr. Bartholomäus** in Erfurt ist soeben das nachstehende **höchst wichtige** und zeitgemäße **Werk** erschienen und an alle solide Buchhandlungen versandt worden:

Preußens Rechts- und Gerichts-Verfassung

mit Vorschlägen für ihre Reform und einer vorausgeschickten Einleitung

für zeitgemässe Fortbildung der Gesetzgebung,

nebst einem Anhange über die in den Gerichtshöfen übliche **Referirmethode**, und wie **Öffentlichkeit** und **Mündlichkeit** in einer der deutschen Sitte und Gründlichkeit zusagenden Form für die Rechtspflege einzuführen sein möchte.

Von einem der Theorie und Praxis ergebenen Justizmanne.

Gr. 8. 22 Bögen auf schönes weißes Maschinenpapier gedruckt.
Brosch. 2 Thlr.

„Die Sitte bei uns ist besser als das Gesetz.“
v. Savigny.

Durch alle Buchhandlungen und Postämter ist zu beziehen:

Neue Jenaische Allgemeine Literatur-Zeitung.

Im Auftrage der Universität zu Jena redigirt von Geh. Hofrath Prof. Dr. ***F. Hand***, als Geschäftsführer, Geh. Kirchenrath Prof. Dr. ***K. A. Hase***, Ober-Appellationsrath Prof. Dr. ***W. Francke***, Geh. Hofrath Prof. Dr. ***D. G. Kieser***, als Specialredactoren.

Jahrgang 1843. **November.**

Inhalt:

v. Duhn: Die Lehre von den Erbverträgen. Von *G. Beseler*. (Nr. 261, 262 u. 263.) — **Carus:** Die vitale Theorie des Blutkreislaufes. Eine physiologische Abhandlung von *W. Grabau*. (Nr. 264 u. 265.) — **F. Günther-Biedermann:** Histoire politique, réligieuse et littéraire du midi de la France par *M. Mary-Lafon*. (Nr. 265.) — **G. Waitz:** 1) Nordthüringen und die Hermundurer oder Thüringer. Zwei Vorträge von *L. v. Ledebur*. 2) Der Maiengau oder das Mayenfeld, nicht Maifeld. Eine historisch-geographische Untersuchung von *L. v. Ledebur*. (Nr. 270 u. 271.) — **F. Günther-Biedermann:** Fragments littéraires par *M. V. Cousin*. (Nr. 265.) — **Schwarz:** Übersicht der neuesten Leistungen für protestantische Ethik. (Nr. 267, 268 u. 269.) — **Stephan Sabinin:** Kritische Geschichte der neugriechischen und der russischen Kirche, mit besonderer Berücksichtigung ihrer Verfassung in der Form einer permanenten Synode. Von *H. J. Schmitt*. (Nr. 273 u. 274) — **Dieterici:** Über die Abhängigkeit der physischen Populationskräfte von den einfachsten Grundstoffen der Natur mit specieller Anwendung auf die Bevölkerungsstatistik von Belgien. Von *F. Gobbi*. (Nr. 269 u. 270.) — **W. Danzel:** Abhandlungen zur Philosophie der Kunst von *H. T. Rötscher*. Vierte Abtheilung. (Nr. 274, 275 u. 276.) — **E. Landsberg:** Handbuch der Mechanik mit Bezug auf ihre Anwendung und mit besonderer Rücksicht auf ihre Darstellung, ohne Anwendung der höhern Analysis bearbeitet von *C. H. A. Kayser.* (Nr. 276 u. 277.) — **O. v. Decker:** Zur Geschichte des Feldzugs von 1813. Von *v. Hofmann.* (Nr. 277 u. 278.) — **J. G. L. Kosegarten:** 1) كتاب تهذيب الاسما The biographical dictionary of illustrious men, chiefly at the beginning of islamism, by Abu zakariya yahya el nawawi; now first edited from the collation of two manuscripts at Gottingen and Leiden by *F. Wüstenfeld.* 2) كتاب الملل والنحل Book of religious and philosophical sects by Muhammad al sharastâni. By *W. Cureton.* (Nr. 278.) — **G. Blackert:** Schulgrammatik der griechischen Sprache, von *R. Kühner.* (Nr. 280, 281, 282 u. 283.) — **Voigt:** Grundzüge der Botanik, entworfen von *St. Endlicher* und *F. Unger.* (Nr. 283.) — **Nees v. Esenbeck:** Systema materiae medicae vegetabilis Brasiliensis. Composuit *C. F. Ph. de Martius.* (Nr. 284.) — **F. Günther-Biedermann:** L'Egypte sous Mehemet-Ali. Par *P. N. Hamont.* (Nr. 284) — **Gustav Flügel:** Die arabischen, persischen und türkischen Handschriften der k. k. orientalischen Akademie zu Wien, beschrieben von *A. Krafft.* (Nr. 285.) — **F. Günther-Biedermann:** Études sur les réformateurs ou Socialistes modernes, par *M. L. Reybaud.* (Nr. 285.) — **Gelehrte Gesellschaften; Beförderungen und Ehrenbezeigungen; Chronik der Universitäten; Literarische Nachrichten; Miscellen; Preisaufgaben; Nekrolog.**

Von dieser Zeitschrift erscheinen wöchentlich sechs Nummern und sie wird wöchentlich und monatlich ausgegeben. Der Jahrgang kostet 12 Thlr. **Ankündigungen** werden mit 1½ Ngr. für den Raum einer gespaltenen Zeile berechnet, **besondere Anzeigen etc.** gegen eine Vergütung von 1 Thlr. 15 Ngr. beigelegt.

Leipzig, im November 1843. ***F. A. Brockhaus.***

In der **Buchhandlung des Waisenhauses** in Halle ist soeben erschienen und durch alle Buchhandlungen des In- und Auslandes zu beziehen:

Zeitschrift für protestantische Geistliche.

Herausgegeben von Dr. Franke und Dr. Niemeyer. 1sten Bandes 1stes Stück. Gr. 8. Preis des Bandes von 3 Stück à 8 Bogen 2 Thlr. Preuß. Cour.

Diese neue **Zeitschrift,** besonders für praktische Geistliche der evangelischen Kirche bestimmt, wird in jährlich 6 Heften à 8 Bogen in Großoctavformat, deren 3 einen Band bilden, erscheinen. Der theologische Standpunkt derselben wird der eines biblisch-rationalen Christenthums sein und haben sich die Herren Herausgeber zu diesem Zwecke mit einer Anzahl gleichdenkender Männer verbunden, auf deren treue Unterstützung sie sicher rechnen dürfen.

Ausführliche Ankündigungen sind in allen Buchhandlungen **gratis** zu erhalten.

Vollständig ist jetzt im Verlage von **Brockhaus & Avenarius** in **Leipzig** erschienen und durch alle Buchhandlungen zu beziehen:

Mickiewicz (Adam),

Vorlesungen über slawische Literatur und Zustände.

Gehalten im Collége de France in den Jahren von 1840—42.

Deutsche mit einer Vorrede des Verfassers versehene Ausgabe.

In zwei Theilen oder vier Abtheilungen.

Gr. 12. Geh. 5 Thlr.

Druck und Verlag von F. A. Brockhaus in Leipzig.

Bibliographischer Anzeiger.

1843. № 49.

Dieser Bibliographische Anzeiger wird dem bei F. A. Brockhaus in Leipzig erscheinenden Leipziger Repertorium der deutschen und ausländischen Literatur beigegeben, und betragen die Insertionsgebühren für die Zeile oder deren Raum 2 Ngr.

Buch gehört dem König. Von H. Koenig. (Nr. [illegible], [illegible].) — Notes sur ma captivité à Saint-Pétersbourg, en 1794, 1795 et 1796. Ouvrage inédit de J. U. Niemcewicz, publié d'après le manuscrit autographe de l'auteur, par l'ordre du Comité historique polonais à Paris. — **Nr. 334.** Keime und Knospen einer Weltanschauung. Von U. R. Schmid. — Die Philosophie auf der Universität Athen im Alterthume. — **Beilage Nr. 2.** Napoleon und Canova. — Memorabilien von K. Immermann. Zweiter und dritter Theil. — Denkwürdigkeiten aus dem Leben des Freiherrn C. R. v. Schäffer, großh. bad. Generallieutenants und Präsidenten des Kriegsministeriums. Oder Beiträge zur politischen und Kriegsgeschichte unserer Zeit. Von G. Muhl. — **Notizen, Miscellen, Bibliographie, literarische Anzeigen ꝛc.**

Von dieser Zeitschrift erscheint täglich außer den Beilagen eine Nummer und sie wird in Wochenlieferungen, aber auch in Monatsheften ausgegeben. Der Jahrgang kostet 12 Thlr. Ein

Literarischer Anzeiger

wird mit den **Blättern für literarische Unterhaltung** und der **Isis** von Oken ausgegeben und für den Raum einer gespaltenen Zeile 2½ Ngr. berechnet. **Besondere Anzeigen ꝛc.** werden gegen Vergütung von 3 Thlrn. den **Blättern für literarische Unterhaltung** beigelegt.

Leipzig, im December 1843. **F. A. Brockhaus.**

In meinem Verlage ist soeben erschienen und in allen Buchhandlungen zu haben:

Die Logarithmen

und

die Grenzen ihrer Zuverläßlichkeit,

die

Gaussischen Logarithmen

für Summen und Differenzen

und zur

logarithmischen Auflösung der quadratischen Gleichungen.

Für eine auf strenge Theorie gegründete Anwendung.

Von

Dr. J. E. Boner,

Oberlehrer am Gymnasium zu Münster.

Gr. 8. Geh. 15 Sgr. (12 gGr.)

Münster, im November 1843.

Friedr. Regensberg.

Biographie

der jungen amerikanischen Dichterin

Margarethe M. Davidson.

Aus dem Englischen

des

Washington Irving.

Gr. 12. Geh. 18 Ngr.

Leipzig, bei F. A. Brockhaus.

In unserm Verlage ist soeben erschienen und durch alle Buchhandlungen zu beziehen:

Reise eines Norddeutschen
durch die
Hochpyrenäen
in den
Jahren 1841 und 1842.
Von
W. v. R.

Zwei Theile. Gr. 12. Geh. 2 Thlr. 20 Ngr.

Leipzig und Paris, im December 1843.

Brockhaus & Avenarius,
Buchhandlung für deutsche und ausländische Literatur.

Für Schulen höchst beachtenswerth.

Bei F. E. C. Leuckart in Breslau ist soeben erschienen und in allen Buchhandlungen zu haben:

Lebensspiegel.
Ein deutsches Lesebuch für Schule und Haus,
von
Dr. B. Sartorius.
Abtheilung II. Das Buch der Natur.

Preis 17½ Sgr. Partiepreis für Schulen 12½ Sgr. netto.

Dieser zweite Theil des von allen Seiten mit ungetheiltem Beifall aufgenommenen **Lebensspiegels** ist anerkannt ein meisterhaft ausgearbeitetes Lesebuch. Alle pädagogischen und literarischen Zeitschriften haben es vorzüglich beurtheilt und zur allgemeinsten Verbreitung empfohlen. Die Reichhaltigkeit und Gediegenheit des mit dem ausgezeichnetsten pädagogischen Takte ausgewählten Lesestoffes zeichnet es vor allen ähnlichen Werken vortheilhaft aus. **Sehr viele Gymnasien, Schullehrerseminarien und Bürgerschulen haben es sogleich eingeführt.**

Preisherabsetzung.

Gedichte
von
Hoffmann von Fallersleben.
Zwei Bändchen.

Gr. 12. 1834. Geh. 3 Thlr.

Herabgesetzter Preis 1 Thlr.

Die von dem Dichter im Einverständniß mit mir veranstaltete neue Ausgabe seiner Gedichte, welche im Verlage der **Weidmann'schen Buchhandlung** in Leipzig erschien, veranlaßt mich obige Sammlung im Preise herabzusetzen.

Leipzig, im December 1843. **F. A. Brockhaus.**

Druck und Verlag von F. A. Brockhaus in Leipzig.

Bibliographischer Anzeiger.

1843. № 50.

Dieser Bibliographische Anzeiger wird dem bei F. A. Brockhaus in Leipzig erscheinenden Leipziger Repertorium der deutschen und ausländischen Literatur beigegeben, und betragen die Insertionsgebühren für die Zeile oder deren Raum 2 Ngr.

Druck und Verlag von F. A. Brockhaus in Leipzig.

Bibliographischer Anzeiger.

1843. № 51.

Dieser Bibliographische Anzeiger wird dem bei F. A. Brockhaus in Leipzig erscheinenden Leipziger Repertorium der deutschen und ausländischen Literatur beigegeben, und betragen die Insertionsgebühren für die Zeile oder deren Raum 2 Ngr.

---

im zweiten Bande die weitere Ausbildung der griechischen Mythologie unter steter Hinweisung auf die Schriftsteller jeder Periode entwickeln, und endlich in einem dritten und letzten Bande die altitalische sowie die spätere römische Dichter- und Staatsmythologie umfassen. — Wir machen Schulvorsteher und jeden Freund des classischen Alterthums auf den erschienenen ersten Band aufmerksam, dessen Brauchbarkeit überdies noch durch umfassende alphabetische Register vermehrt ist.

In unserm Verlage ist soeben erschienen:

Vollständiger Hand-Atlas der menschlichen Anatomie.

Von

J. N. Masse.

Deutsch bearbeitet

von

Dr. Friedrich Wilhelm Assmann.

Erste und zweite Lieferung:

Titel, Einleitung und Tafel I—X, nebst Text S. 1—32.

8. In Umschlag eingelegt.

Das ganze Werk wird aus 20 Lieferungen bestehen, deren jede fünf Kupfer der *pariser Originalausgabe*, nebst einem sehr sorgfältig bearbeiteten Text enthält. Der Preis einer Lieferung mit schwarzen Kupfern ist 11¼ Ngr., mit illuminirten Kupfern 17½ Ngr. Das Ganze wird bis Ostern 1844 vollständig erschienen sein.

Leipzig, im December 1843.

Brockhaus & Avenarius.

In der Schweighauser'schen Buchhandlung in Basel ist soeben erschienen und durch alle Buchhandlungen zu beziehen:

Deutsches Lesebuch

von **Wilhelm Wackernagel.**

Dritter Theil. Zweiter Band.

Proben der deutschen Prosa von 1740 bis 1842.

48 Bogen. Royaloctav. Geh. 3 Thlr. 3¾ Ngr. (3 Thlr. 3 gGr.), oder 5 Fl.

Hiermit übergeben wir dem Publicum den letzten Band des Wackernagel'schen Lesebuches, der ein urkundliches Bild entwerfen möchte von der Thätigkeit des letzten Jahrhunderts auf dem Gebiete der Prosa. Diese Periode, die als der Gipfelpunkt unserer Literatur betrachtet werden muß, indem sie hier endlich die höchsten Formen bemeistert hat, deren die Kunst des Wortes fähig ist, die rednerische Prosa und das Drama, verdient ein doppelt eifriges Studium, eben weil die Productionen derselben die vorzüglichsten sind und weil nicht zu hoffen ist, daß vollkommenere nachfolgen. Sie ist im vorliegenden Bande durch 58 Schriftsteller repräsentirt: Abbt, L. A. v. Arnim und dessen Gattin (Bettina), Breitinger, Chamisso, Claudius, Eichendorff, Engel, Fichte, Gellert, Gentz, Geßner, Görres, Goethe, Gebr. Grimm, A. v. Haller, Hamann, Hebel, Hegel, Herder, Hippel, A. v. Humboldt, Iselin, F. H. Jacobi, Jean Paul, Jung Stilling, Kant, Kerner, Kleist, Lavater, Lessing, Lichtenberg, Ludwig K. v. Baiern, Möser, Moser, F. Müller (der Maler), J. v. Müller, Niebuhr, Pestalozzi, Rabener, Ranke, Raumer, Reinhard, Rumohr, Savigny, Schelling, Schiller, A. W. und Fr. Schlegel, Schleiermacher, Steffens, H. P. Sturz, Tieck, Varnhagen, Ernst Wagner, Wieland, Winckelmann. Das Verfahren bei Auswahl und Anordnung der Stücke ist das bei den frühern Bänden beobachtete. Es ist des Verfassers Bestreben gewesen, jeden Autor mit solchen Proben vorzuführen, daß sowol er selber für sich, als seine mit- und vorwärtswirkende Stellung innerhalb des Ganzen der Literaturgeschichte hinlänglich charakterisirt sei, jede Art der Prosa wie durch Stoff und Zweck die Unterscheidung bedingt wird, und jede von den mannichfachen Farbenbrechungen des prosaischen Stils mit bedeutenden Musterstücken zu belegen, überall aber solche Proben auszulesen, die neben dem historischen und stilistischen Interesse auch anderweitig noch durch Inhalt und Gesinnung ansprechen, bilden und belehren könnten. — Im Interesse derjenigen Personen, die nur diesen einzelnen Band anzuschaffen wünschen, ist er mit einem besondern Titel versehen worden.

Druck und Verlag von F. A. Brockhaus in Leipzig.

Bibliographischer Anzeiger.

1843. № 52.

Dieser Bibliographische Anzeiger wird dem bei F. A. Brockhaus in Leipzig erscheinenden Leipziger Repertorium der deutschen und ausländischen Literatur beigegeben, und betragen die Insertionsgebühren für die Zeile oder deren Raum 2 Ngr.

Das Heldenbuch von Dr. Karl Simrock.

In unterzeichnetem sind erschienen und an alle Buchhandlungen versandt worden:

Gudrun.

Deutsches Heldenlied

übersetzt von

Dr. Karl Simrock.

(Des Heldenbuches erster Theil.)

Gr. 8. Velinpapier. Broschirt. Preis 1 Thlr. 15 Ngr. (1 Thlr. 12 gGr.), oder 2 Fl. 30 Kr.

Das Nibelungenlied.

Übersetzt von

Dr. Karl Simrock.

Dritte Auflage.

(Des Heldenbuches zweiter Theil.)

Gr. 8. Velinpapier. Broschirt. Preis 1 Thlr., oder 1 Fl. 45 Kr.

Das Heldenbuch soll die gesammte deutsche Heldenpoesie, wie sie sich vom 6. bis zum 15. Jahrhundert bei uns ausgebildet und zu einem großen bewunderungswürdigen Ganzen gestaltet hat, umfassen, theils in Übersetzungen des besten zu diesem Kreise gehörigen alten Gedichts, theils in eigenen Dichtungen des Herausgebers, der sich ganz in unsere nationale Heldensage eingelebt, und sie im „Wieland der Schmied“ und dessen Fortsetzungen, welche mit diesem das Amelungenlied bilden, im alten Geiste fortgeführt hat.

Die zwei ersten vorliegenden Bände enthalten die beiden Gedichte, von welchen Gervinus sagt, daß sie für die Nation ein ewiger Ruhm heißen dürften: das Nibelungenlied und die Gudrun. Das erstere hat sich, seit seiner Wiedererweckung, welche mit der Wiedererweckung unserer Nationalität zusammenfällt, immer mehr als unser Nationalepos, der größte Hort unsres Volks geltend gemacht, und den frühen, gleichsam prophetischen Ausspruch Johannes von Müller's, daß es die deutsche Ilias sei, bewährt. Von der Gudrun, welche von der Hagen die wunderbare Nebensonne der Nibelungen nannte, während sie Andere, in Bezug auf jenen Ausspruch J. v. Müller's, der Odyssee verglichen, urtheilt Grimm, dies Gedicht stehe den Nibelungen an innerm Gehalt nahe, ja, was Anlage des Ganzen und regelmäßige, fortschreitende Entwickelung der Fabel betreffe, über ihnen. „Es überrascht durch Neuheit des Inhalts, wie der Charaktere, und zu bewundern ist der eigenthümliche Ausdruck, den jede der auftretenden Personen zeigt und durch das ganze Gedicht behält.“ Noch günstiger urtheilt Gervinus, daß die Gudrun eine [illegible] Reinheit erhalten habe als die Nibelungen, daß poetischer Ausdruck, sprachliche Gewandtheit, Reichthum der Gedanken, der Wendungen der Reime, kurz Alles, was formell ein Gedicht auszeichnen kann, weit vorzüglicher sei als in den Nibelungen; daß alle Situationen lebendiger, die Charaktere theilweise noch fester gezeichnet, wenn auch nicht so großartig entworfen seien u. s. w.

Die Übersetzung folgt dem Originale Zeile für Zeile und gibt es in einer Sprache wieder, die vollkommen neuhochdeutsch, doch allen modernen Anklang vermeidet, wodurch die Täuschung entsteht, als läsen wir, der sprachlichen Hindernisse, die uns dies bisher verwehrten, überheben, das Original selbst; diese Eigenthümlichkeit aller Übersetzungen K. Simrock's aus dem Mittelhochdeutschen hat Goethe treffend bezeichnet. Er sagt (Nachgelassene Werke, V, S. 209), indem er dessen Übersetzung der Nibelungen in der ersten Ausgabe als eine höchst willkommene begrüßt: „Es sind die alten Bilder, aber mir erhellt. Eben als wenn man einen verdunkelnden Firniß von einem Gemälde weggenommen hätte und die Farben in ihrer Frische uns wieder aufbrachte." Ein großer Vorzug der Simrock'schen Nibelungen u. s. w. ist auch die genaue Nachbildung des Versmaßes, eine Aufgabe, welche vor dem Erscheinen desselben noch ungelöst war.

Stuttgart und **Tübingen**, im December 1843.

J. G. Cotta'scher Verlag.

En vente chez **Brockhaus & Avenarius à Leipzig:**

ÉCHO
de la littérature française.

Troisième année. 1843.

Il paraît chaque semaine un numéro de 1—2 feuilles. — Prix par an 5⅓ Thlr. — On s'abonne chez tous les libraires et à tous les bureaux de poste. — Les nouveaux abonnés pour l'année 1843 peuvent se procurer les deux premières années de l'Écho au prix d'une seule.

Sommaire des Nos. 44—47.

Nancy Schinkel. Par **André Delrieu**. — Franciscus Columna. Par **Ch. Nodier**. — Les gastronomes sous le Consulat et l'Empire. Par **Le secrétaire de feu Carême**. — Épreuve des caftans. Par **Le Gouvé de Lacombe**. — Magiciens et psylles d'Égypte. Par **Hamont**. — Biographie des excentriques. Par **B. R.** — Le curé Chambard. Par **Alexandre Dumas**. — Un auteur dramatique. — Un dîner à Saint-Domingue. Par **Bouton Hill**. — Petites plaies sociales. — *Tribunaux*.

Ich zeige an, daß in meinem Verlage eine **Medicinische Geographie** vom Hrn. Professor **Heusinger** zu **Marburg** in vier Bänden erscheinen wird. Im Herbst des nächsten Jahres beginnt der Druck.

Halle, im December 1843.

Ed. Anton.

Im Verlage von **F. A. Brockhaus** in **Leipzig** ist neu erschienen und durch alle Buchhandlungen zu erhalten:

Ein Schloss am Meer.

Roman

von

Levin Schücking.

Zwei Theile.

Gr. 12. Geh. 3 Thlr.

Druck und Verlag von F. A. Brockhaus in Leipzig.

Register.

Uebersichten.

Programme der Gymnasien und anderer Unterrichtsanstalten der meisten deutschen Bundesstaaten . . . . No. 9682 — 96.

Was haben die Quellen des Römischen Rechts durch die kritischen Bestrebungen der neueren Juristen gewonnen? No. 4487. 4643. 4809. 4984.

Einzelne Schriften.

Todesfälle.

Beförderungen und Ehrenbezeigungen.

Ortsregister.

Druck von F. A. Brockhaus in Leipzig.

Lightning Source UK Ltd.
Milton Keynes UK
UKHW020210091118
331957UK00012B/1632/P